Princípios, Padrões e Práticas Ágeis em C#

OS AUTORES

Robert C. Martin ("Tio Bob") é fundador e presidente da Object Mentor, Inc., em Gurnee, Illinois, EUA, uma empresa internacional que oferece consultoria em aprimoramento de processos, em projeto de software orientado a objetos, treinamento e serviços de desenvolvimento de habilidades para grandes empresas do mundo todo. Também é autor dos livros *Designing Object Oriented C++ Applications Using the Booch Method* e *Agile Software Development Principles, Patterns, and Practices* (ambos da Prentice Hall), do livro *UML for Java Programming* (Addison-Wesley) e foi o editor-chefe do *C++ Journal*, de 1996 a 1999. É destacado palestrante em conferências internacionais e em feiras profissionais.

Micah Martin trabalha na Object Mentor como desenvolvedor, consultor e conselheiro sobre assuntos que variam dos princípios e padrões orientados a objetos às práticas de desenvolvimento de software ágil. Micah é cocriador e desenvolvedor-chefe do projeto de código-fonte aberto FitNesse. Também é autor e palestrante.

M379p   Martin, Robert C.
        Princípios, padrões e práticas ágeis em C# / Robert C. Martin, Micah Martin ; tradução: João Eduardo Nóbrega Tortello ; revisão técnica: Daniel Antonio Callegari. – Porto Alegre : Bookman, 2011.
        736 p. : il. ; 25 cm.

        ISBN 978-85-7780-841-0

        1. Computação. 2. Desenvolvimento de programas – C#. I. Martin, Micah. II. Título.

        CDU 004.413

Catalogação na publicação: Ana Paula M. Magnus – CRB 10/2052

Robert C. Martin
Micah Martin

Princípios, Padrões e Práticas Ágeis em C#

Tradução:
João Eduardo Nóbrega Tortello

Revisão técnica:
Daniel Antonio Callegari
Doutor em Ciência da Computação
Professor da PUC-RS e profissional certificado Microsoft

bookman

2011

Obra originalmente publicada sob o título
Agile Principles, Patterns, and Practices in C#, 1st Edition

ISBN 0131857258 / 9780131857254

Authorized translation from the English language edition, entitled AGILE PRINCIPLES, PATTERNS, AND PRACTICES IN C#, 1st Edition, by MARTIN, ROBERT C.; MARTIN, MICAH, published by Pearson Education,Inc., publishing as Prentice Hall, Copyright © 2007. All rights reserved. No part of this book may be reproduced or transmitted in any form or by any means, electronic or mechanical, including photocopying, recording or by any information storage retrieval system, without permission from Pearson Education,Inc.

Portuguese language edition published by Bookman Companhia Editora Ltda, a Division of Artmed Editora SA, Copyright © 2011

Tradução autorizada a partir do original em língua inglesa da obra intitulada AGILE PRINCIPLES, PATTERNS, AND PRACTICES IN C#, 1ª Edição, autoria de MARTIN, ROBERT C.; MARTIN, MICAH, publicado por Pearson Education, Inc., sob o selo Prentice Hall, Copyright © 2007. Todos os direitos reservados. Este livro não poderá ser reproduzido nem em parte nem na íntegra, nem ter partes ou sua íntegra armazenado em qualquer meio, seja mecânico ou eletrônico, inclusive fotoreprografação, sem permissão da Pearson Education,Inc.

A edição em língua portuguesa desta obra é publicada por Bookman Companhia Editora Ltda, uma Divisão de Artmed Editora SA, Copyright © 2011

Capa: *Rogério Grilho*, arte sobre capa original

Preparação de original: *Sandro Waldez Andretta*

Editora Sênior – Bookman: *Arysinha Jacques Affonso*

Editora responsável por esta obra: *Elisa Etzberger Viali*

Projeto e editoração: *Techbooks*

Reservados todos os direitos de publicação, em língua portuguesa, à
ARTMED® EDITORA S.A.
(BOOKMAN® COMPANHIA EDITORA é uma divisão da ARTMED® EDITORA S.A.)
Av. Jerônimo de Ornelas, 670 - Santana
90040-340 Porto Alegre RS
Fone (51) 3027-7000   Fax (51) 3027-7070

É proibida a duplicação ou reprodução deste volume, no todo ou em parte, sob quaisquer formas ou por quaisquer meios (eletrônico, mecânico, gravação, fotocópia, distribuição na Web e outros), sem permissão expressa da Editora.

SÃO PAULO
Av. Embaixador Macedo Soares, 10.735 - Pavilhão 5 - Cond. Espace Center
Vila Anastácio 05095-035 São Paulo SP
Fone (11) 3665-1100   Fax (11) 3667-1333

SAC 0800 703-3444

IMPRESSO NO BRASIL
PRINTED IN BRAZIL
Impresso sob demanda na Meta Brasil a pedido de Grupo A Educação.

AGRADECIMENTOS

Lowell Lindstrom, Brian Button, Erik Meade, Mike Hill, Michael Feathers, Jim Newkirk, Micah Martin, Angelique Martin, Susan Rosso, Talisha Jefferson, Ron Jeffries, Kent Beck, Jeff Langr, David Farber, Bob Koss, James Grenning, Lance Welter, Pascal Roy, Martin Fowler, John Goodsen, Alan Apt, Paul Hodgetts, Phil Markgraf, Pete McBreen, H. S. Lahman, Dave Harris, James Kanze, Mark Webster, Chris Biegay, Alan Francis, Jessica D'Amico, Chris Guzikowski, Paul Petralia, Michelle Housley, David Chelimsky, Paul Pagel, Tim Ottinger, Christoffer Hedgate e Neil Roodyn.

Agradecimentos muito especiais a Grady Booch e Paul Becker por me permitirem incluir os capítulos originalmente escritos para a terceira edição do livro *Object-Oriented Analysis and Design with Applications*, de Grady. Um agradecimento especial a Jack Reeves por gentilmente me permitir reproduzir seu artigo "O que é projeto de software?".

As maravilhosas e, às vezes, impressionantes ilustrações foram desenhadas por Jennifer Kohnke e por minha filha, Angela Brooks.

APRESENTAÇÃO

Em meu primeiro emprego temporário como programador profissional, fui contratado para adicionar funcionalidades (features) a um banco de dados de insetos. Isso aconteceu no Departamento de Fitopatologia do campus agrícola da Universidade de Minnesota e os insetos eram afídeos, gafanhotos e lagartas. O código tinha sido escrito por um entomologista que havia aprendido dBase apenas o suficiente para criar seu primeiro formulário e que depois o duplicou no restante do aplicativo. À medida que eu adicionava funcionalidades, consolidava o máximo de funcionalidade possível para que as correções dos erros (no código) pudessem ser aplicadas em um único lugar, bem como as melhorias e assim por diante. Isso me custou todo o verão, mas no final eu havia dobrado a funcionalidade, ao passo que tinha diminuído o tamanho do código pela metade.

Muitos anos depois, eu e um amigo decidimos programar algo em conjunto (era uma implementação de IDispatch ou IMoniker, ambos populares entre nós na época). Ora eu digitava enquanto ele me observava e dizia onde havia algo errado, ora ele assumia o teclado e eu me intrometia até retomar o controle. Isso durou várias horas e foi uma das experiências de codificação mais agradáveis que já tive.

Pouco tempo depois, meu amigo me contratou como principal arquiteto da recém-formada divisão de software de sua empresa. Em muitas ocasiões, como parte de meu trabalho de arquitetura, escrevia o código-cliente de objetos que eu gostaria que existissem e o passava aos engenheiros, que o implementavam até que o cliente funcionasse.

Assim como muitas crianças que aprenderam técnicas práticas no banco traseiro de um Chevy 57, antes que a educação sexual se tornasse parte do currículo padrão das escolas, acredito que minhas aventuras com vários aspectos das metodologias de desenvolvimento ágil não são únicas. Em geral, minhas experiências com métodos ágeis, como refatoração, programação em pares e desenvolvimento guiado por testes, foram bem-sucedidas, mesmo que eu não soubesse exatamente o que estava fazendo. Evidentemente, havia referências sobre metodologia ágil disponíveis, mas assim como me recusei a aprender como convidar Suzy para a reunião dançante em edições antigas da *National Geographic*, queria que minhas tecnologias ágeis fossem adequadas para meu grupo; isto é, para o .NET. Usando .NET (mesmo afirmando claramente que .NET não é melhor do que Java em muitos casos), Robert está falando minha língua, como nossos professores da escola que se davam ao trabalho de aprender a nossa gíria, sabendo que a mensagem era mais importante do que o meio.

No entanto, não se tratava apenas de .NET; eu queria que minha primeira vez fosse suave, que começasse lentamente sem me assustar, mas que também me apresentasse a todas as coisas boas. E foi exatamente isso que Robert "Tio Bob" Martin fez neste livro. Seus capítulos introdutórios expõem os fundamentos do movimento ágil sem perder para o Scrum ou para a Programação Extrema ou qualquer das outras metodologias ágeis, permitindo que o leitor combine os átomos para formar as moléculas que o agradem. Ainda melhor (e sem dúvida minha parte favorita do estilo de Robert) é quando ele mostra essas técnicas em ação, abordando um problema conforme seria apresentado em um ambiente real e o examinando passo a passo, mostrando os erros e deslizes, e como o fato de aplicar as técnicas que ele defende o leva de volta para um terreno seguro.

Não sei se o mundo que Robert descreve neste livro existe de verdade; vi apenas relances dele em minha vida. Entretanto, fica claro que todas as crianças "bacanas" estão fazendo isso. Pense no "Tio Bob" como a sua Dra. Ruth do mundo ágil, cujo único objetivo é: se for fazer algo, que seja bem feito e que todos se divirtam.

Chris Sells

PREFÁCIO

Mas, Bob, você disse que terminaria o livro no ano passado.

— Claudia Frers, *UML World*, 1999

Introdução de Bob

Passaram-se sete anos desde a legítima reclamação de Claudia, mas acho que compensei o atraso. Publicar *três* livros – um a cada dois anos, enquanto tocava uma empresa de consultoria e produzia muito código, dava treinamento, aconselhamento, palestras e escrevia artigos, colunas e blogs –, sem falar em construir uma família e usufruir da parentela, pode ser um grande desafio. Mas eu amo isso.

Desenvolvimento ágil é a capacidade de desenvolver software rapidamente, diante de requisitos que mudam com rapidez. Para alcançar essa agilidade, precisamos usar práticas que forneçam a disciplina e o retorno necessários. Precisamos empregar princípios de projeto que mantenham nosso software flexível e passível de manutenção, e precisamos conhecer os padrões de projeto que têm se mostrado capazes de equilibrar esses princípios para problemas específicos. Este livro é uma tentativa de reunir todos esses três conceitos em um todo que funcione.

Esta obra descreve esses princípios, padrões e práticas, e demonstra como eles são aplicados por meio do exame de dezenas de estudos de caso diferentes. O mais importante é que os estudos de caso não são apresentados como trabalhos completos. Em vez disso, são projetos *em andamento*. Você verá os projetistas cometerem enganos e observará como eles os identificam e os corrigem. Você verá os projetistas decifrarem enigmas e se preocuparem com ambiguidades e compromissos. Você verá o *ato* do projeto.

Introdução de Micah

No início de 2005, eu fazia parte de uma pequena equipe de desenvolvimento que começou a trabalhar em um aplicativo .NET para ser escrito em C#. Usar práticas de desenvolvimento ágil era obrigatório, o que foi um dos motivos de eu participar. Embora eu já tivesse usado C#, a maior parte de minha experiência com programação era em Java e C++. Eu não achava que trabalhar em .NET faria muita diferença; no final das contas, não fez.

Fizemos nossa primeira entrega dois meses depois do início do projeto. Era uma versão parcial, contendo apenas uma parte de todas as funcionalidades pretendidas, mas era suficiente para ser utilizável. E, de fato, foi utilizada. Após apenas dois meses, a empresa já colhia os benefícios de nosso desenvolvimento. A administração estava tão entusiasmada que pediu para contratar mais pessoas a fim de iniciar mais projetos.

Como eu havia participado da comunidade ágil durante muitos anos, conhecia vários bons desenvolvedores ágeis que poderiam nos ajudar. Liguei para eles e pedi para se juntarem a nós. Nenhum de meus colegas ágeis ingressou em nossa equipe. Por quê? Acredito que principalmente porque estávamos desenvolvendo em .NET.

Quase todos os desenvolvedores ágeis têm formação em Java, C++ ou Smalltalk. Mas programadores .NET ágeis praticamente não existem. Talvez meus amigos não tenham me levado a sério quando eu disse que estávamos desenvolvendo software ágil com .NET ou talvez não quisessem se associar a .NET. Esse era um problema significativo. Tampouco essa foi a primeira evidência que vi desse problema.

Dar cursos de uma semana sobre vários tópicos de software me permitiu conhecer uma amostra bastante representativa de desenvolvedores do mundo todo. Muitos dos alunos que instruí eram programadores .NET e outros tantos eram programadores Java ou C++. Não há uma maneira gentil de dizer isto: de acordo com minha experiência, programadores .NET em geral são mais fracos do que programadores Java e C++. Há exceções, é claro. Contudo, com base na observação em minhas aulas, não posso chegar a outra conclusão: os programadores .NET tendem a ser mais fracos nas práticas de software ágeis, nos padrões de projeto, nos princípios de projeto e assim por diante. Frequentemente, em meus cursos, os programadores .NET nunca tinham ouvido falar desses conceitos fundamentais. *Isso precisa mudar.*

A primeira edição deste livro, *Agile Software Development: Principles, Patterns, and Practices*, de Robert C. Martin, meu pai, foi publicada no final de 2002 e ganhou o Jolt Award de 2003. É uma obra excelente, celebrado por muitos desenvolvedores. Infelizmente, teve pouco impacto na comunidade .NET. Apesar de o conteúdo do livro ser relevante para .NET, poucos programadores .NET o leram.

Espero que esta edição em .NET atue como uma ponte entre .NET e o resto da comunidade de desenvolvedores. Espero que os programadores a leiam e vejam que existem maneiras melhores de escrever software. Espero que eles comecem a usar práticas de software melhores, criem projetos melhores e elevem a qualidade nos aplicativos .NET. Espero que os programadores .NET não sejam mais fracos do que os outros programadores. Espero que eles alcancem um novo *status* na comunidade de software, de tal modo que os desenvolvedores Java fiquem orgulhosos de ingressar em uma equipe .NET.

Ao longo do processo de escrita deste livro, questionei-me muitas vezes sobre a ideia de meu nome estar na capa de um texto sobre .NET. Eu não sabia se queria meu nome associado a .NET e todas as conotações negativas que pareciam advir disso. Mas não posso mais negar o fato. Sou um programador .NET. Não! Um programador .NET ágil. E tenho orgulho disso.

Sobre este livro

Uma breve história

No início dos anos 1990, eu (Bob) escrevi *Designing Object-Oriented C++ Applications Using the Booch Method*. Esse livro foi uma espécie de obra-prima para mim, e fiquei muito contente com o resultado e com as vendas.

O texto que você está lendo começou como uma segunda edição de *Designing*, mas se transformou ao longo do caminho. Nestas páginas permanece pouco do livro original. Pouco mais do que três capítulos foram mantidos, e foram significativamente alterados. O objetivo, o espírito e muitas lições do livro são os mesmos. Na década seguinte à publicação de *Designing*, aprendi muito sobre projeto e desenvolvimento de software. Esta obra reflete esse aprendizado.

Que década! *Designing* foi publicado imediatamente antes de a Internet colidir com o planeta. Desde então, o número de acrônimos com que temos de lidar duplicou. Temos EJB, RMI, J2EE, XML, XSLT, HTML, ASP, JSP, ZOPE, SOAP, C# e .NET, assim como padrões de projeto, Java, Servlets e servidores de aplicativos. Confesso que foi difícil manter os capítulos deste livro atualizados.

A conexão Booch Em 1997, eu me aproximei de Grady Booch para ajudar a escrever a terceira edição de seu bem-sucedido livro, *Object-Oriented Analysis and Design with Applications*. Eu já havia trabalhado com Grady em alguns projetos e tinha sido um ávido leitor e colaborador de seus vários trabalhos, incluindo a UML. Assim, aceitei com alegria e pedi para meu bom amigo Jim Newkirk ajudar no projeto.

Nos dois anos seguintes, Jim e eu escrevemos vários capítulos do livro de Booch. Evidentemente, esse esforço me inpediu de trabalhar o quanto gostaria nesta obra, mas achei que valia a pena colaborar com Booch. Além disso, na época, este livro era apenas uma segunda edição de *Designing* e meu coração não estava nele. Se fosse para dizer algo, eu queria que fosse algo novo e diferente.

Infelizmente, o livro de Booch não era para acontecer. É difícil encontrar tempo para escrever um livro durante os horários normais. Nos entusiasmantes dias da onda pontocom, isso era quase impossível. Grady ficou ainda mais ocupado com a Rational e com novas iniciativas, como a Catapulse. Assim, o projeto parou. Por fim, perguntei a Grady e à Addison-Wesley se eu poderia incluir neste livro os capítulos que Jim e eu tínhamos escrito. Eles concordaram gentilmente. Portanto, vários capítulos sobre estudo de caso e UML vieram dessa fonte.

O impacto da Programação Extrema No final de 1998, a XP surgiu e desafiou nossas estimadas crenças sobre desenvolvimento de software. Devemos criar muitos diagramas UML antes de escrever qualquer código? Ou devemos evitar qualquer tipo de diagrama e simplesmente escrever muito código? Devemos descrever detalhadamente nosso projeto em diversos documentos? Ou devemos tentar tornar o *código* narrativo e expressivo, de modo que os documentos auxiliares não sejam necessários? Devemos programar em pares? Devemos escrever testes antes de escrever código de produção? O que devemos fazer?

Essa revolução veio em um momento oportuno. Da metade para o final dos anos 1990, a Object Mentor estava ajudando diversas empresas nos problemas de projeto e gerenciamento de projetos de OO. Estávamos ajudando as empresas a *fazer seus projetos*. Como parte desse apoio, introduzimos gradativamente nas equipes nossas próprias atitudes e práticas. Infelizmente, essas atitudes e práticas não foram registradas. Em vez disso, elas eram uma tradição oral que passávamos para nossos clientes.

Em 1998, percebi que precisávamos registrar nosso processo e nossas práticas para que pudéssemos melhor articulá-las para nossos clientes. Então, escrevi muitos artigos sobre processo no *C++ Report*.[1] Esses artigos erraram o alvo. Eles eram informativos e, em alguns casos, divertidos, mas em vez de codificar as práticas e atitudes que usávamos em nossos projetos, eram um compromisso inconsciente com valores que haviam sido adquiridos ao longo de décadas. Foi necessário que Kent Beck me mostrasse isso.

---

[1] Esses artigos estão disponíveis na seção de *publicações* do site www.objectmentor.com. Existem quatro artigos. Os três primeiros são intitulados "Iterative and Incremental Development" (I, II, III). O último é intitulado "C.O.D.E Culled Object Development process".

A conexão Beck   No final de 1998, ao mesmo tempo em que eu estava preocupado com a codificação do processo da Object Mentor, me deparei com o trabalho de Kent sobre Programação Extrema (XP). O trabalho estava espalhado no *wiki*[2] de Ward Cunningham e misturado com publicações de muitas outras pessoas. Apesar disso, com algum esforço e boa vontade, consegui entender o ponto principal sobre o que Kent estava falando. Fiquei intrigado, mas cético. Algumas das coisas sobre as quais a XP falava estavam exatamente de acordo com meu conceito de processo de desenvolvimento. Outras, no entanto, como a falta de uma etapa de projeto articulada, me deixaram intrigado.

Kent e eu não tínhamos experiências com software muito distintas. Ele era um conhecido consultor de Smalltalk e eu era um conhecido consultor de C++. A comunicação entre esses dois mundos era difícil. Havia quase um golfo de paradigma kuhniano[3] entre eles.

Sob outras circunstâncias, eu nunca teria pedido a Kent para escrever um artigo para o *C++ Report*. Mas a congruência de nosso pensamento sobre processo era capaz de superar o problema da linguagem. Em fevereiro de 1999, encontrei Kent em Munique, na conferência sobre programação orientada a objetos. Ele estava dando uma palestra sobre XP na sala em frente à qual eu estava dando uma palestra sobre princípios de projeto orientado a objetos. Sendo impossível ouvir essa palestra, procurei Kent na hora do almoço. Falamos sobre XP e pedi para que ele redigisse um artigo para o *C++ Report*. Kent escreveu um artigo excelente, sobre um incidente no qual ele e um colega de trabalho conseguiram fazer uma alteração de projeto radical em um sistema em funcionamento em aproximadamente uma hora.

Nos meses seguintes, passei pelo lento processo de destrinchar meus próprios receios sobre a XP. Meu maior medo era adotar um processo no qual não havia etapa explícita de projeto antecipada. A princípio, rejeitei a ideia. Não tinha eu a obrigação de ensinar meus clientes e o setor como um todo que o projeto é suficientemente importante para se perder tempo com ele?

Finalmente, percebi que eu mesmo não tinha praticado essa etapa. Mesmo em todos os artigos e livros que tinha escrito sobre projeto, diagramas de Booch e diagramas UML, eu tinha usado código como uma maneira de verificar se os diagramas eram significativos. Em todas as consultorias que fiz para clientes, eu passava uma ou duas horas ajudando-os a desenhar diagramas e os instruindo a explorar esses diagramas com código. Entendi que, embora as palavras da XP sobre projeto fossem estranhas, em sentido kuhniano[4] as práticas que estavam por trás delas me eram familiares.

Meus outros receios sobre a XP eram mais fáceis de lidar. Eu sempre tive vontade secreta de programar com um parceiro. A XP me proporcionou uma maneira de acabar com o segredo e revelar meu desejo. Refatoração, integração contínua, cliente *in situ*: para mim, tudo isso era muito fácil de aceitar. Era muito parecido com a maneira como eu já aconselhava meus clientes a trabalhar.

---

[2] O site http://c2.com/cgi/wiki contém uma grande quantidade de artigos sobre uma variedade imensa de assuntos. Seus autores chegam às centenas ou milhares. Diz-se que Ward Cunningham poderia provocar uma revolução social usando somente algumas linhas de código em Perl.

[3] Qualquer trabalho intelectual digno de crédito escrito entre 1995 e 2001 deve usar o termo *kuhniano*. Ele se refere ao livro *The Structure of Scientific Revolutions*, de Thomas S. Kuhn (University of Chicago Press, 1962).

[4] Se você menciona Kuhn duas vezes no artigo, ganha estrelinhas.

Uma prática da XP foi reveladora para mim. O desenvolvimento guiado por testes (TDD[5]) parece inofensivo quando você o ouve pela primeira vez: escreva casos de teste antes de escrever código de produção. Todo código de produção é escrito para fazer os casos de testes falhos passarem. Eu não estava preparado para as profundas ramificações que escrever código dessa maneira teria. Essa prática transformou completamente minha maneira de escrever software – para melhor.

Assim, no outono de 1999, eu estava convencido de que a Object Mentor deveria adotar a XP como processo de escolha e de que eu deveria abandonar meu desejo de escrever meu próprio processo. Kent tinha feito um trabalho excelente de enunciar as práticas e o processo da XP; minhas tentativas eram ineficazes.

.NET As grandes corporações estão em guerra para ganhar a *sua* lealdade. Elas acreditam que, se tiverem a linguagem, terão os programadores e as empresas que empregam esses programadores.

A primeira batalha dessa guerra foi Java. Java foi a primeira linguagem criada por uma grande corporação com o objetivo de obter o conhecimento da marca pelo programador. Foi um enorme sucesso. A linguagem Java se inseriu profundamente na comunidade do software e é, em grande medida, o padrão dos modernos aplicativos multicamada de TI.

A IBM não ficou para trás com o ambiente Eclipse, está capturando um grande segmento do mercado de Java. A consagrada Microsoft também reagiu, fornecendo .NET em geral e C# em particular.

Surpreendentemente, é muito difícil diferenciar entre Java e C#. As linguagens são semanticamente equivalentes e sintaticamente tão parecidas que muitos trechos de código são indistinguíveis. O que a Microsoft carece em inovação técnica, ela mais do que compensa em sua incrível capacidade de informar-se sobre as novidades e vencer.

A primeira edição deste livro foi escrita usando Java e C++ como linguagem de codificação. Esta obra foi escrita usando C# e a plataforma .NET. Isso não deve ser considerado um endosso. Não estamos tomando partido nessa guerra. Aliás, acho que a guerra terminará assim que uma linguagem melhor surgir e conquistar a preferência dos programadores, ativo tão valioso para as corporações concorrentes.

O motivo para uma versão em .NET deste livro é atingir o público .NET. Embora os princípios, padrões e práticas deste livro sejam agnósticos quanto à linguagem, os estudos de caso não o são. Assim como os programadores .NET ficam mais à vontade lendo estudos de caso em .NET, os programadores, ativo tão valioso para as corporações concorrentes

O diabo está nos detalhes

Este livro contém *muito* código .NET. Esperamos que você leia o código cuidadosamente, pois, em grande medida, ele é o *assunto* do livro. O código é a realização do que este livro explica.

Esta obra apresenta um padrão: uma série de estudos de caso de tamanhos variados. Alguns são muito pequenos e outros exigem vários capítulos para descrever. Cada estudo de caso é precedido por um material destinado a preparar você adequadamente, descrevendo os princípios de projeto orientado a objetos e os padrões utilizados nesse estudo de caso.

---

[5] Kent Beck, *TDD, Desenvolvimento Guiado por Testes*, (Bookman Editora, 2010).

O livro começa com uma discussão sobre práticas e processos de desenvolvimento. Essa discussão é pontuada por diversos pequenos estudos de caso e exemplos. Depois, a obra aborda o assunto do projeto e dos princípios de projeto e, para alguns padrões de projeto, mais princípios de projeto que governam os pacotes e mais padrões. Todos esses assuntos são acompanhados por estudos de caso.

Portanto, prepare-se para ler bastante código e para meditar sobre alguns diagramas UML. O livro que você tem em mãos é *muito* técnico e suas lições, assim como o diabo, estão nos detalhes*.

Organização

Este livro está organizado em quatro seções e dois apêndices.

A Seção I, Desenvolvimento ágil, descreve o conceito de desenvolvimento ágil. Ela começa com o *Manifesto da Aliança Ágil*, fornece um panorama da Programação Extrema (XP) e, em seguida, mostra muitos pequenos estudos de caso que esclarecem algumas das práticas da XP, especialmente aquelas que têm impacto sobre o modo como projetamos e escrevemos código.

A Seção II, Projeto ágil, fala sobre projeto de software orientado a objetos: o que é, o problema e as técnicas de gerenciamento de complexidade e os princípios do projeto de classes orientado a objetos. A seção termina com vários capítulos que descrevem um subconjunto prático da UML.

A Seção III, O estudo de caso da folha de pagamentos, descreve o projeto orientado a objetos e a implementação em C# de um sistema simples de folha de pagamentos em lote. Os primeiros capítulos dessa seção descrevem os padrões de projeto que o estudo de caso encontra. O último capítulo é o estudo de caso inteiro, o maior e mais completo do livro.

A Seção IV, Empacotando o sistema de folha de pagamentos, começa descrevendo os *princípios do projeto de pacotes orientado a objetos* e, então, ilustra esses princípios empacotando as classes da seção anterior de forma incremental. A seção termina com capítulos que descrevem o projeto do banco de dados e da interface do usuário do aplicativo de folha de pagamentos.

Dois apêndices finalizam a obra: o Apêndice A, Uma sátira de duas empresas, e o Apêndice B, o artigo de Jack Reeves, "O que é software?".

---

*N. de R.T.: Preferimos manter os diagramas em inglês para facilitar a associação dos conceitos com os elementos presentes nos códigos-fonte – como os nomes das classes, por exemplo. Somente em casos muito específicos os textos foram traduzidos para melhorar a compreensão.

Como usar este livro

Se você é desenvolvedor, leia o livro do início ao fim. Esta obra foi escrita principalmente para desenvolvedores e contém as informações necessárias para desenvolver software de maneira ágil. Ler o livro inteiro introduz as práticas, em seguida os princípios, depois os padrões e, por fim, fornece estudos de caso que abordam todo o conteúdo. Integrar esse conhecimento o ajudará a *fazer seus projetos*.

Se você é gerente ou analista de negócios, leia a Seção I. Os Capítulos 1 a 6 apresentam uma discussão aprofundada dos princípios e das práticas ágeis, levando-o dos requisitos ao planejamento, testes, refatoração e programação. A Seção I fornece orientações sobre como montar equipes e gerenciar projetos. Ela o ajudará a *fazer seus projetos*.

Se você quer aprender UML, leia primeiro os Capítulos 13 a 19. Depois, leia todos os capítulos da Seção III. Essa sequência de leitura lhe dará uma boa base tanto sobre sintaxe quanto sobre o uso de UML, e também o ajudará na conversão entre UML e C#.

Se você quer aprender sobre padrões de projeto, leia a Seção II e aprenda primeiro sobre os princípios de projeto. Depois, leia a Seção III e a Seção IV. Essas seções definem todos os padrões e mostram como usá-los em situações típicas.

Se você quer aprender sobre princípios de projeto orientado a objetos, leia a Seção II, a Seção III e a Seção IV. Os capítulos dessas seções descrevem os princípios do projeto orientado a objetos e mostram como utilizá-los.

Se você quer aprender sobre métodos de desenvolvimento ágil, leia a Seção I. Essa seção descreve o desenvolvimento ágil, dos requisitos ao planejamento, testes, refatoração e programação.

Se você quiser rir um pouco, leia o Apêndice A.

SUMÁRIO

Seção I: Desenvolvimento Ágil ... 29

Capítulo 1   Práticas ágeis ... 31
  A Aliança Ágil ... 32
    Indivíduos e interações mais que processos e ferramentas ... 32
    Software em funcionamento mais que documentação abrangente ... 33
    Colaboração com o cliente mais que negociação de contratos ... 34
    Resposta a mudanças mais que seguir um plano ... 35
  Princípios ... 35
  Conclusão ... 37
  Bibliografia ... 38

Capítulo 2   Visão geral da Programação Extrema ... 39
  As práticas da Programação Extrema ... 39
    Equipe coesa ... 39
    Histórias de usuário ... 40
    Ciclos curtos ... 40
    Testes de aceitação ... 41
    Programação em pares ... 41
    Desenvolvimento guiado por testes (TDD – Test-Driven Development) ... 42
    Posse coletiva ... 42
    Integração contínua ... 43

Ritmo sustentável 43
  Área de trabalho aberta 44
  Jogo de planejamento 44
  Projeto simples 44
  Refatoração 45
  Metáfora 46
 Conclusão 47
 Bibliografia 47

Capítulo 3 Planejamento 49
 Exploração inicial 49
  Melhoramento, divisão e velocidade 50
 Planejamento da entrega 50
 Planejamento da iteração 51
 Definição de "pronto" 51
 Planejamento de tarefas 52
 Iteração 53
 Monitoramento 53
 Conclusão 54
 Bibliografia 54

Capítulo 4 Teste 55
 Desenvolvimento guiado por testes 55
  Exemplo de projeto com testes *a priori* 56
  Isolamento do teste 57
  Desacoplamento casual 59
 Testes de aceitação 60
 Arquitetura casual 62
 Conclusão 62
 Bibliografia 62

Capítulo 5 Refatoração 63
 Um exemplo de refatoração simples: geração de números primos 64
  Teste de unidade 65
  Refatoração 66
  A releitura final 72
 Conclusão 76
 Bibliografia 76

Capítulo 6 Um episódio de programação   77
O jogo de boliche   77
Conclusão   119
Visão geral das regras do boliche   120

Seção II: Projeto Ágil   121

Capítulo 7 O que é projeto ágil?   123
Maus cheiros do projeto   123
    Maus cheiros do projeto – os odores do software em putrefação   124
    Rigidez   124
    Fragilidade   124
    Imobilidade   125
    Viscosidade   125
    Complexidade desnecessária   125
    Repetição desnecessária   125
    Opacidade   126
Por que o software apodrece   126
O programa `Copy`   127
    Um cenário familiar   127
    Projeto ágil do programa `Copy`   131
Conclusão   133
Bibliografia   133

Capítulo 8 Princípio da Responsabilidade Única (SRP)   135
Definindo uma responsabilidade   137
Separando responsabilidades acopladas   138
Persistência   138
Conclusão   139
Bibliografia   139

Capítulo 9 Princípio do Aberto/Fechado (OCP)   141
Descrição do OCP   142
O aplicativo `Shape`   144
    Violando o OCP   144
    Obedecendo ao OCP   146
    Antecipação e estrutura "natural"   147
    Inserindo os "ganchos"   148

Usando abstração para obter fechamento explícito 149
Usando uma estratégia orientada a dados para obter fechamento 151
Conclusão 152
Bibliografia 152

Capítulo 10   Princípio da Substituição de Liskov (LSP)   153
Violações do LSP 155
   Um exemplo simples 155
   Uma violação mais sutil 155
   Um exemplo real 161
Fatorar em vez de derivar 165
Heurísticas e convenções 168
Conclusão 169
Bibliografia 169

Capítulo 11   Princípio da Inversão de Dependência (DIP)   171
Disposição em camadas 172
   Inversão de posse 173
   Dependência de abstrações 174
Um exemplo simples de DIP 174
   Encontrando a abstração subjacente 176
O exemplo `Furnace` 177
Conclusão 179
Bibliografia 179

Capítulo 12   Princípio da Segregação de Interface (ISP)   181
Poluição de interface 181
Separar clientes significa separar interfaces 183
Interfaces de classe *versus* interfaces de objeto 184
   Separação por meio de delegação 185
   Separação por meio de herança múltipla 186
O exemplo de interface de usuário de caixa eletrônico 187
Conclusão 193
Bibliografia 193

Capítulo 13   Visão geral da UML para programadores C#   195
Diagramas de classes 198
Diagramas de objetos 200
   Diagramas de sequência 200
Diagramas de colaboração 200

Diagramas de estados ... 201
Conclusão ... 202
Bibliografia ... 202

Capítulo 14 Trabalhando com diagramas ... 203
Por que modelar? ... 203
Por que construir modelos de software? ... 204
Devemos produzir projetos completos antes de codificar? ... 204
Usando UML de modo eficiente ... 205
Comunicando-se com os outros ... 205
Roteiros ... 207
Documentação final ... 207
O que manter e o que jogar fora ... 208
Refinamento iterativo ... 209
Comportamento primeiro ... 209
Verifique a estrutura ... 211
Visualizando o código ... 214
Evolução de diagramas ... 214
Quando e como desenhar diagramas ... 215
Quando desenhar diagramas e quando parar ... 215
Ferramentas CASE ... 216
E a documentação? ... 217
Conclusão ... 217

Capítulo 15 Diagramas de estados ... 219
Os fundamentos ... 219
Eventos especiais ... 221
Superestados ... 222
Pseudoestados iniciais e finais ... 223
Usando diagramas de máquina de estados finitos ... 224
Conclusão ... 225

Capítulo 16 Diagramas de objetos ... 227
Um instantâneo no tempo ... 227
Objetos ativos ... 229
Conclusão ... 232

Capítulo 17 Casos de uso ... 233
Escrevendo casos de uso ... 233
Cursos alternativos ... 235
O que mais? ... 235
Diagramando casos de uso ... 235

Conclusão	236
Bibliografia	236

Capítulo 18 Diagramas de sequência — 237

Os fundamentos — 237
- Objetos, linhas de vida, mensagens e outras minúcias — 238
- Criação e destruição — 238
- Loops simples — 240
- Casos e cenários — 240

Conceitos avançados — 244
- Loops e condições — 244
- Mensagens que demoram — 245
- Mensagens assíncronas — 247
- Múltiplas threads — 252
- Objetos ativos — 252
- Enviando mensagens para interfaces — 253

Conclusão — 254

Capítulo 19 Diagramas de classes — 255

Os fundamentos — 255
- Classes — 255
- Associação — 256
- Herança — 257

Um exemplo de diagrama de classes — 258

Os detalhes — 260
- Estereótipos de classe — 260
- Classes abstratas — 261
- Propriedades — 262
- Agregação — 263
- Composição — 264
- Multiplicidade — 266
- Estereótipos de associação — 266
- Classes aninhadas — 267
- Classes associativas — 268
- Qualificadores de associação — 268

Conclusão — 269

Bibliografia — 269

Capítulo 20 Heurísticas e café — 271

A cafeteira elétrica Mark IV Special — 271
- Especificação — 272
- Uma solução comum, mas horrível — 274
- Abstração imaginária — 277
- Uma solução melhorada — 278

Implementando o modelo abstrato	282
As vantagens desse projeto	290
ExagerOO	291
Bibliografia	304

Seção III: Estudo de caso da folha de pagamentos   305

Especificação básica do sistema de folha de pagamentos	306
Exercício	306
Caso de uso 1: Adicionar novo funcionário	307
Caso de uso 2: Excluir um funcionário	307
Caso de uso 3: Lançar um cartão de ponto (`Time Card`)	307
Caso de uso 4: Lançar um recibo de venda (`Sales Receipt`)	307
Caso de uso 5: Lançar uma taxa de serviço do sindicato	308
Caso de uso 6: Alterar detalhes do funcionário	308
Caso de uso 7: Executar a folha de pagamentos de hoje	308

Capítulo 21   COMMAND e ACTIVE OBJECT: versatilidade e multitarefa   309

Comandos simples	310
Transações	312
Desacoplamento físico e temporal	313
Desacoplamento temporal	313
Método `Undo`	314
Objeto ativo	314
Conclusão	320
Bibliografia	320

Capítulo 22   TEMPLATE METHOD e STRATEGY: herança *versus* delegação   321

TEMPLATE METHOD	322
Abuso de padrão	325
`Bubble Sort`	325
STRATEGY	329
Conclusão	334
Bibliografia	334

Capítulo 23   FAÇADE e MEDIATOR   335

FAÇADE	335
MEDIATOR	336
Conclusão	339
Bibliografia	339

Capítulo 24   SINGLETON e MONOSTATE   341
SINGLETON   342
Benefícios   343
Custos   344
SINGLETON em ação   344
MONOSTATE   346
Benefícios   347
Custos   348
MONOSTATE em ação   348
Conclusão   353
Bibliografia   353

Capítulo 25   NULL OBJECT   355
Descrição   355
Conclusão   358
Bibliografia   358

Capítulo 26   Estudo de caso da folha de pagamentos: iteração 1   359
Especificação básica   359
Análise pelos casos de uso   360
Adicionando funcionários   361
Excluindo funcionários   363
Lançando cartões de ponto   363
Lançando recibos de venda   364
Lançando uma taxa de serviço de sindicato   364
Alterando detalhes do funcionário   365
Dia do pagamento   367
Reflexão: encontrando as abstrações subjacentes   369
Pagamento de funcionários   369
Cronograma de pagamentos   369
Métodos de pagamento   371
Afiliações   371
Conclusão   372
Bibliografia   372

Capítulo 27   Estudo de caso da folha de pagamentos: implementação   373
Transações   373
Adicionando funcionários   374
Excluindo funcionários   379
Cartões de ponto, recibos de venda e taxas de serviço   381
Alterando funcionários   390
O que eu estava fumando?   400

Pagando os funcionários	404
Pagando funcionários assalariados	406
Pagando funcionários que recebem por hora	409
Programa principal	421
O banco de dados	422
Conclusão	423
Sobre este capítulo	423
Bibliografia	424

Seção IV: Empacotando o sistema de folha de pagamentos — 425

Capítulo 28   Princípios de projeto de pacotes e componentes — 427

Pacotes e componentes	427
Princípios da coesão de componentes: granularidade	428
Princípio da Equivalência Reutilização/Entrega (REP)	428
Princípio da Reutilização Comum (CRP)	430
Princípio do Fechamento Comum (CCP)	430
Resumo da coesão de componentes	431
Princípios do acoplamento de componentes: estabilidade	431
Princípio das Dependências Acíclicas (ADP)	432
Princípio das Dependências Estáveis (SDP)	437
Princípio das Abstrações Estáveis (SAP)	442
Conclusão	446

Capítulo 29   FACTORY — 447

Um problema de dependência	449
Tipagem estática *versus* dinâmica	451
Fábricas substituíveis	451
Usando fábricas para dispositivos de teste	452
Importância das fábricas	453
Conclusão	454
Bibliografia	454

Capítulo 30   Estudo de caso da folha de pagamentos: análise do pacote — 455

Estrutura de componentes e notação	456
Aplicando o Princípio do Fechamento Comum (CCP)	457
Aplicando o Princípio da Equivalência Reutilização/Entrega (REP)	459
Acoplamento e encapsulamento	460
Métricas	462

Aplicando as métricas no aplicativo de folha de pagamentos   464
  Fábricas de objetos   467
  Reconsiderando os limites da coesão   468
A estrutura de empacotamento final   468
Conclusão   472
Bibliografia   472

Capítulo 31   COMPOSITE   473
Comandos compostos   474
Multiplicidade ou nenhuma multiplicidade   475
Conclusão   476

Capítulo 32   OBSERVER: evoluindo para um padrão   477
O relógio digital   477
O padrão OBSERVER   498
  Modelos   499
  Gerenciamento dos princípios do projeto orientado a objetos   500
Conclusão   500
Bibliografia   501

Capítulo 33   ABSTRACT SERVER, ADAPTER e BRIDGE   503
ABSTRACT SERVER   504
ADAPTER   505
  A forma de classe de ADAPTER   506
  O problema do modem, ADAPTERs e LSP   506
Bridge   510
Conclusão   512
Bibliografia   512

Capítulo 34   PROXY E GATEWAY: gerenciando APIs de terceiros   513
Proxy   513
  Implementando PROXY   518
  Resumo   532
Bancos de dados, middleware e outras interfaces de terceiros   533
TABLE DATA GATEWAY   535
  Teste e TDGs na memória   543
Usando outros padrões com bancos de dados   548
Conclusão   549
Bibliografia   549

Capítulo 35   VISITOR   551
VISITOR   552
ACYCLIC VISITOR   556
   Usos de VISITOR   561
DECORATOR   569
EXTENSION OBJECT   575
Conclusão   587
Bibliografia   587

Capítulo 36   Estado   589
Instruções `switch/case` aninhadas   590
   A variável de estado de escopo interno   593
   Testando as ações   593
   Custos e benefícios   593
Tabelas de transição   594
   Usando interpretação de tabela   595
   Custos e benefícios   596
O padrão STATE   597
   STATE *versus* STRATEGY   600
   Custos e benefícios   600
   O compilador de máquinas de estados (SMC)   601
   `Turnstile.cs` gerado pelo SMC e outros arquivos de suporte   604
   Custos e benefícios   609
Classes de aplicativos de máquinas de estados   609
   Diretivas de aplicativo de alto nível para interfaces gráficas com o usuário   609
   Controladores de interação de interface gráfica do usuário   611
   Processamento distribuído   612
Conclusão   613
Bibliografia   613

Capítulo 37   Estudo de caso da folha de pagamentos: o banco de dados   615
Construindo o banco de dados   615
Uma falha no projeto do código   616
Adicionando um funcionário   619
Transações   631
Carregando um funcionário   637
O que falta?   652

Capítulo 38 A interface do usuário do sistema de folha de pagamentos: MODEL VIEW PRESENTER 653

A interface 655
Implementação 656
Construindo uma janela 666
A janela Payroll 673
A inauguração 686
Conclusão 687
Bibliografia 687

Apêndice A Uma sátira de duas empresas 689

Rufus Inc.: Projeto Kickoff 689
Rupert Industries: Projeto Alpha 689

Apêndice B O que é software? 703

Índice 715

Seção I

DESENVOLVIMENTO ÁGIL

As interações humanas são complicadas e nunca são muito claras e precisas em seus efeitos, mas elas importam mais do que qualquer outro aspecto do trabalho.

—Tom DeMarco e Timothy Lister, *Peopleware*

Princípios, padrões e práticas são importantes, mas são as pessoas que os fazem funcionar. Como afirma Alistair Cockburn: "Processo e tecnologia são um efeito de segunda ordem no resultado de um projeto. O efeito de primeira ordem são as pessoas".[1]

Não podemos gerenciar equipes de programadores como se eles fossem sistemas constituídos de componentes conduzidos por um processo. Citando Alistair Cockburn novamente, as pessoas não são "unidades de programação substituíveis por meio de um plugue". Se nossos projetos devem ser bem-sucedidos, precisamos montar equipes colaborativas e auto-organizadas.

As empresas que estimulam a formação de tais equipes terão uma vantagem competitiva *enorme* sobre aquelas que conservam a visão de que uma organização de desenvolvimento de software nada mais é do que um monte de pessoinhas retorcidas e parecidas. Uma equipe que tem um bom relacionamento é a força de desenvolvimento de software mais poderosa que existe.

---

[1] Comunicação particular.

Capítulo 1

PRÁTICAS ÁGEIS

*O galo cata-vento na torre da igreja, embora feito de ferro,
logo seria quebrado pelo vento da tempestade
se não entendesse a nobre arte de girar a cada sopro.*

—Heinrich Heine

Muitos de nós já sobrevivemos ao pesadelo de participar de um projeto sem práticas para servirem de guias. A falta de práticas eficazes leva à imprevisibilidade, a erros repetidos e a esforço em vão. Os clientes ficam desapontados com cronogramas atrasados, aumento de orçamento e qualidade insatisfatória. Os desenvolvedores ficam desanimados por trabalharem durante horas para produzir software deficiente.

Depois de vivenciar tal fiasco, ficamos com receio de repetir a experiência. Nossos medos nos motivam a criar um processo que restrinja nossas atividades e exija certos resultados e artefatos. Tiramos essas restrições e resultados da experiência passada, escolhendo o que pareceu funcionar em projetos anteriores. Nossa esperança é que funcione novamente e acabe com nossos temores.

No entanto, os projetos não são tão simples a ponto de algumas restrições e artefatos conseguirem evitar erros de forma confiável. À medida que os erros continuam a ser cometidos, os diagnosticamos e colocamos em vigor ainda mais restrições e artefatos para evitá-los no futuro. Depois de muitas experiências assim, acabamos sobrecarregados com um processo enorme e desajeitado, que nos impede de fazer os projetos.

Um processo grande e desajeitado pode criar exatamente os mesmos problemas que deveria evitar. Ele pode diminuir a velocidade da equipe a ponto de atrasar os cronogramas e estourar os orçamentos. Também pode reduzir a rapidez de resposta da equipe a ponto de ela sempre criar o produto errado. Infelizmente, isso leva muitas equipes a acreditar que não têm processo suficiente. Assim, em uma espécie de inflação de processo descontrolada, elas tornam seus processos ainda maiores.

Inflação de processo descontrolada é uma boa descrição para o que acontecia em muitas empresas de software nos anos 2000. Embora muitas equipes ainda estivessem funcionando sem nenhum processo, a adoção de enormes processos pesos-pesados aumentava rapidamente, sobretudo nas grandes empresas.

A Aliança Ágil

Motivado pela observação de que as equipes de software de muitas empresas estavam presas no atoleiro do processo sempre crescente, um grupo de especialistas do setor, autodenominados *Aliança Ágil*, se reuniu no início de 2001 para esboçar os valores e princípios que permitiriam às equipes de software desenvolver rapidamente e responder às mudanças. Nos meses seguintes, esse grupo trabalhou para criar uma declaração dos valores. O resultado foi o *Manifesto da Aliança Ágil*.

Manifesto para o Desenvolvimento Ágil de Software

Estamos descobrindo maneiras melhores de desenvolver software, fazendo-o nós mesmos e ajudando outros a fazê-lo.
Com esse trabalho, passamos a valorizar:

Indivíduos e interações mais que processos e ferramentas
Software em funcionamento mais que documentação abrangente
Colaboração com o cliente mais que negociação de contratos
Resposta a mudanças mais que seguir um plano

Ou seja, mesmo havendo valor nos itens à direita, valorizamos mais os itens à esquerda.

Kent Beck	Mike Beedle	Arie van Bennekum	Alistair Cockburn
Ward Cunningham	Martin Fowler	James Grenning	Jim Highsmith
Andrew Hunt	Ron Jeffries	Jon Kern	Brian Marick
Robert C. Martin	Steve Mellor	Ken Schwaber	Jeff Sutherland
Dave Thomas			

Indivíduos e interações mais que processos e ferramentas

As pessoas são o ingrediente mais importante do sucesso. Um bom processo não salvará um projeto do fracasso se a equipe não tiver participantes competentes, mas um processo ruim pode tornar ineficiente até o mais competente dos participantes. Mesmo um grupo de participantes competentes pode fracassar, se não trabalhar como uma equipe.

Um participante competente não é necessariamente um programador excepcional. Um participante competente pode ser um programador comum, mas alguém que trabalhe bem com outras pessoas. Trabalhar bem com outras pessoas – comunicando-se e interagindo – é mais importante do que o talento natural para programação. Uma equipe de programadores comuns que se comunicam bem tem mais probabilidade de ser bem-sucedida do que um grupo de celebridades que não consegue interagir como uma equipe.

As ferramentas corretas podem ser muito importantes para o sucesso. Compiladores, ambientes de desenvolvimento interativos (IDEs), sistemas de controle de código-fonte etc. – todos são fundamentais para o funcionamento correto de uma equipe de desenvolvedores. Contudo, as ferramentas podem ser supervalorizadas. O excesso de ferramentas enormes e de difícil manuseio é tão ruim quanto a falta de ferramentas.

Nosso conselho é começar pequeno. Não presuma que você deve abandonar uma ferramenta até a ter experimentado e verificado que não pode utilizá-la. Em vez de comprar o sistema de controle de código-fonte topo de linha e supercaro, encontre um gratuito e utilize-o até ter certeza de que deve abandoná-lo. Antes de adquirir licenças para a melhor de todas as ferramentas de engenharia de software auxiliada por computador (CASE) para a equipe, use quadros de avisos e papel quadriculado até que você possa mostrar inequivocamente que precisa de mais. Antes de comprometer-se com o melhor e maior sistema de banco de dados, experimente os arquivos planos. Não presuma que as maiores e melhores ferramentas o ajudarão automaticamente a fazer o melhor. Frequentemente, elas mais atrapalham do que ajudam.

Lembre-se de que montar a equipe é mais importante do que construir o ambiente. Muitas equipes e gerentes cometem o erro de construir o ambiente primeiro e esperar que a equipe se entenda bem automaticamente. Em vez disso, trabalhe para criar a equipe e depois a deixe configurar o ambiente de acordo com a necessidade.

Software em funcionamento mais que documentação abrangente

Software sem documentação é um desastre. O código não é o meio ideal para comunicar o fundamento lógico e a estrutura de um sistema. Em vez disso, a equipe precisa produzir documentos de fácil leitura por seres humanos, que descrevam o sistema e o fundamento lógico das decisões de projeto.

No entanto, documentação demais é pior do que pouca documentação. Documentos de software grandes demais demoram muito tempo para ser produzidos e ainda mais tempo para se manter sincronizados com o código. Se eles não se mantiverem sincronizados, se transformarão em mentiras enormes e complicadas e se tornarão uma fonte de orientação errada.

É sempre recomendável que a equipe escreva e mantenha um documento breve do fundamento lógico e da estrutura. Mas esse documento precisa ser curto e notório. Com *curto* quero dizer umas dez ou vinte páginas no máximo. Com *notório* quero dizer que ele deve discutir o fundamento lógico global do projeto e somente as estruturas de nível mais alto do sistema.

Se tudo que temos é um breve documento do fundamento lógico e da estrutura, como ensinamos os novos membros da equipe sobre o sistema? Trabalhamos com eles de perto. Transferimos nosso conhecimento sentando ao lado deles e os ajudando. Eles se tornam parte da equipe por meio de treinamento próximo e interação.

Os dois melhores documentos para a transferência de informações para novos membros são o código e a equipe. O código não mente sobre o que faz. Pode ser difícil extrair o fundamento lógico e o objetivo do código, mas ele é a única fonte de informação clara. A equipe tem na cabeça de seus membros o mapa sempre mutante do sistema. O modo mais rápido e eficiente de registrar esse mapa no papel e transferi-lo para outros é por meio da interação humana.

Muitas equipes têm se preocupado em buscar a documentação, em vez do software. Com frequência, essa é uma falha fatal. Existe uma regra simples que evita isso:

> **Primeira Lei da Documentação de Martin**
>
> *Não produza qualquer documento, a não ser que sua necessidade seja imediata e significativa.*

Colaboração com o cliente mais que negociação de contratos

Software não pode ser pedido como uma mercadoria. Você não pode escrever uma descrição do software que deseja e então fazer alguém desenvolvê-lo em um cronograma fixo, por um preço fixo. Tentativas de tratar projetos de software dessa maneira têm fracassado repetidamente. E às vezes os fracassos são espetaculares.

Para os gerentes da empresa, é tentador dizer ao seu pessoal de desenvolvimento quais são suas necessidades e esperar que eles retornem rapidamente com um sistema que atenda essas necessidades. Mas esse modo de operação leva a uma qualidade baixa e ao fracasso.

Os projetos bem-sucedidos envolvem o *feedback* regular e frequente do cliente. Em vez de depender de um contrato ou de um detalhamento de serviço, o cliente do software trabalha intimamente com a equipe de desenvolvimento, dando retorno frequente sobre seus esforços.

Um contrato que especifique os requisitos, o cronograma e o custo de um projeto é deficiente. Na maioria dos casos, os termos que ele especifica perdem o significado muito antes que o projeto termine, às vezes até muito antes de o contrato ser assinado! Os melhores contratos são aqueles que governam o modo como a equipe de desenvolvimento e o cliente trabalharão juntos.

Um exemplo de contrato bem-sucedido é o que negociei, em 1994, para um grande projeto de meio milhão que se estenderia por vários anos. Nós, a equipe de desenvolvimento, recebíamos um valor mensal relativamente baixo. Recebíamos pagamentos altos quando entregávamos certos blocos grandes de funcionalidade. Esses blocos não eram especificados em detalhes pelo contrato. Em vez disso, o contrato dizia que o pagamento de um bloco seria feito quando este passasse no teste de aceitação do cliente. Os detalhes desses testes de aceitação também não estavam especificados no contrato.

Durante o desenrolar desse projeto, trabalhamos muito intimamente com o cliente. Liberávamos o software para ele quase toda sexta-feira. Na segunda ou terça-feira da semana seguinte, ele tinha uma lista de alterações para colocar no software. Priorizávamos essas alterações em conjunto e, depois, as agendávamos para as semanas subsequentes. O cliente trabalhava tão próximo a nós que os testes de aceitação nunca deram problema. Ele sabia quando um bloco de funcionalidade atendia suas necessidades, pois o observava evoluir de uma semana para outra.

Os requisitos desse projeto estavam em constante mudança. Grandes alterações não eram incomuns. Blocos de funcionalidade inteiros eram removidos e outros inseridos. Ainda assim, o contrato e o projeto sobreviveram e foram bem-sucedidos. O segredo para esse sucesso foi a intensa colaboração com o cliente e um contrato que governava essa colaboração, em vez de tentar especificar os detalhes do escopo e da agenda por um custo fixo.

Resposta a mudanças mais que seguir um plano

A capacidade de responder à mudança frequentemente determina o sucesso ou o fracasso de um projeto de software. Quando criamos planos, precisamos garantir que eles sejam flexíveis e prontos para se adaptar às mudanças do negócio e da tecnologia.

O desenrolar de um projeto de software não pode ser planejado com muita antecedência. Primeiro, é provável que o ambiente comercial mude, fazendo os requisitos mudarem. Segundo, quando os clientes virem o sistema começar a funcionar, é provável que também alterem os requisitos. Por fim, mesmo que saibamos quais são os requisitos e tenhamos certeza de que eles não mudarão, não somos muito bons em estimar quanto tempo levará para desenvolvê-los.

Para os gerentes iniciantes é tentador criar e grudar na parede um belo diagrama PERT ou de Gantt do projeto inteiro. Eles podem achar que esse diagrama lhes dá controle sobre o projeto. Podem também acompanhar as tarefas individuais e riscá-las no diagrama quando são concluídas. Podem ainda comparar as datas reais com as planejadas no diagrama e reagir a qualquer discrepância.

Mas o que *realmente* acontece é que a estrutura do diagrama degrada. À medida que a equipe obtém conhecimento sobre o sistema e o cliente obtém conhecimento sobre as necessidades da equipe, certas tarefas que estão no diagrama se tornam desnecessárias. Outras tarefas serão descobertas e precisarão ser acrescentadas. Em resumo, o plano passará por mudanças na *forma* e não apenas nas datas.

Uma estratégia de planejamento melhor é fazer planos detalhados para a semana seguinte, planos aproximados para os próximos três meses e planos extremamente rudimentares para além disso. Devemos saber em quais tarefas individuais estaremos trabalhando na próxima semana. Devemos conhecer em linhas gerais os requisitos em que estaremos trabalhando nos próximos três meses. E devemos ter apenas uma vaga ideia do que o sistema fará depois de um ano.

Essa determinação decrescente do plano significa que estamos investindo em um plano detalhado apenas para as tarefas imediatas. Uma vez feito o plano detalhado, é difícil que ele mude, pois a equipe terá muito pique e comprometimento. Mas, como esse plano governa o trabalho de uma semana apenas, o restante dele permanece flexível.

Princípios

Os valores anteriores inspiraram os 12 princípios a seguir. Esses princípios são as características que diferenciam um conjunto de práticas ágeis de um processo peso-pesado.

1. *Nossa maior prioridade é satisfazer o cliente com a entrega antecipada e contínua de software de valor.* O MIT Sloan Management Review publicou uma análise das práticas de desenvolvimento de software que ajudam as empresas a fazer produtos de alta qualidade.[1] O artigo revelou várias práticas que tinham um impacto significativo na qualidade do sistema final. Uma delas era uma forte correlação entre qualidade e a entrega antecipada de um sistema em funcionamento parcial. O artigo relatou que *quanto menos funcional é a entrega inicial, maior é a qualidade na*

---

[1] "Product-Development Practices That Work: How Internet Companies Build Software", *MIT Sloan Management Review*, Winter 2001, número de reimpressão 4226.

entrega final. O artigo também revelou uma forte correlação entre a qualidade final e entregas frequentes de funcionalidade crescente. *Quanto mais frequentes são as entregas, maior é a qualidade final.*

Um conjunto de práticas ágeis faz entregas antecipada e frequentemente. Esforçamo-nos para entregar um sistema rudimentar dentro das primeiras semanas do início do projeto. Daí em diante, nos esforçamos para continuar a entregar sistemas com funcionalidade crescente a cada poucas semanas. Os clientes podem optar por colocar esses sistemas em produção, se acharem que são funcionais o bastante. Ou podem optar simplesmente por examinar a funcionalidade existente e informar as alterações que desejam fazer.

2. *Mudanças nos requisitos são bem-vindas, mesmo com o desenvolvimento já adiantado. Os processos ágeis canalizam a mudança para a vantagem competitiva do cliente.* Essa é uma declaração de atitude. Os participantes de um processo ágil não têm medo de mudanças. Eles consideram as mudanças nos requisitos como coisas *boas*, pois elas significam que a equipe aprendeu mais sobre o que será necessário para satisfazer o cliente.

Uma equipe ágil trabalha arduamente para manter a estrutura de seu software flexível, a fim de que, quando os requisitos mudarem, o impacto no sistema seja mínimo. Mais adiante neste livro, discutiremos os princípios, os padrões e as práticas de projetos orientados a objetos que nos ajudam a manter esse tipo de flexibilidade.

3. *Entregar com frequência software funcionando, de poucas semanas a poucos meses, dando preferência à escala de tempo mais curta.* Entregamos software *que funciona* e o entregamos antecipada e frequentemente. Não ficamos contentes de entregar um punhado de documentos ou planos. Não consideramos isso como verdadeiras entregas. Nossa atenção está no objetivo de entregar software que atenda as necessidades do cliente.

4. *Executivos e desenvolvedores devem trabalhar juntos diariamente ao longo de todo o projeto.* Para que um projeto seja ágil, clientes, desenvolvedores e interessados devem ter uma interação significativa e frequente. Um projeto de software não é como uma arma do tipo "atire e esqueça". Um projeto de software deve ser continuamente orientado.

5. *Construir projetos com indivíduos motivados. Fornecer a eles o ambiente e o apoio necessários e ter confiança de que eles farão o trabalho.* As pessoas são o fator de sucesso mais importante. Todos os outros fatores – processo, ambiente, administração etc. – são de segunda ordem e estão sujeitos à mudança, caso estejam prejudicando as pessoas.

6. *O método mais eficiente e eficaz de transmitir informações para e dentro de uma equipe de desenvolvimento é a conversa face a face.* Em um projeto ágil, as pessoas *falam* umas com as outras. O principal modo de comunicação é a interação humana. Os documentos escritos são criados e atualizados de forma incremental no mesmo cronograma que o software e somente quando necessário.

7. *Software funcionando é a principal medida do progresso.* Os projetos ágeis medem seu progresso pela quantidade de software que está satisfazendo a necessidade do cliente atualmente. Eles não medem o progresso em termos da fase em que estão nem pelo volume de documentação que foi produzida ou pela quantidade de código de infraestrutura criada. Eles estão 30% prontos quando 30% da funcionalidade necessária está funcionando.

8. *Processos ágeis promovem o desenvolvimento sustentável. Os patrocinadores, desenvolvedores e usuários devem manter um ritmo constante indefinidamente.* Um projeto ágil não é como uma corrida de 50 metros; é como uma maratona. A equipe não parte a toda velocidade e tenta manter essa velocidade durante o percurso. Em vez disso, ela corre em um ritmo rápido, porém sustentável. Correr demais leva ao esgotamento, a atalhos e ao fracasso. As equipes ágeis têm seu ritmo próprio. Elas não se permitem ficar cansadas demais. Não utilizam a energia de amanhã para fazer um pouco mais hoje. Elas trabalham em uma velocidade que lhes permite manter os padrões de qualidade mais alta durante todo o projeto.

9. *Atenção contínua à excelência técnica e ao bom projeto aumenta a agilidade.* Alta qualidade é o segredo da alta velocidade. O modo de ir rápido é manter o software o mais limpo e robusto possível. Assim, todos os membros da equipe ágil estão comprometidos a produzir somente o código da mais alta qualidade que puderem. Eles não fazem bagunça e depois dizem para si mesmos que arrumarão tudo quando tiverem mais tempo. Eles arrumam toda a bagunça quando ela é feita.

10. *Simplicidade – a arte de maximizar o volume de trabalho que não precisou ser feito – é essencial.* As equipes ágeis não tentam construir o sistema grandioso no céu. Em vez disso, elas sempre tomam o caminho mais simples que seja coerente com seus objetivos. Elas não dão muita importância à antecipação dos problemas de amanhã e também não tentam se defender de todos os de hoje. Em vez disso, fazem o trabalho mais simples e de qualidade mais alta hoje, confiantes de que ele será mais fácil de alterar, se e quando os problemas de amanhã surgirem.

11. *As melhores arquiteturas, requisitos e projetos emergem de equipes auto-organizadas.* Uma equipe ágil é auto-organizada. As responsabilidades não são dadas de fora aos membros individuais da equipe, mas, em vez disso, são comunicadas para a equipe como um todo. A equipe determina a melhor maneira de cumprir essas responsabilidades.

    Os membros da equipe ágil trabalham juntos em todos os aspectos do projeto. Cada membro pode contribuir com o todo. Nenhum membro da equipe sozinho é exclusivamente responsável pela arquitetura, pelos requisitos ou pelos testes. A equipe compartilha essas responsabilidades e cada membro tem influência sobre elas.

12. *Em intervalos regulares, a equipe reflete sobre como se tornar mais eficaz e, então, adapta e ajusta seu comportamento de forma correspondente.* Uma equipe ágil ajusta continuamente sua organização, suas regras, suas convenções, seus relacionamentos etc. Uma equipe ágil sabe que seu ambiente está mudando continuamente e que deve mudar com ele para permanecer ágil.

Conclusão

O objetivo profissional de todo desenvolvedor de software e de toda equipe de desenvolvimento é proporcionar o maior valor possível para empregadores e clientes. Apesar disso, nossos projetos muitaz vezes fracassam ou não proporcionam valor. A espiral ascendente da inflação do processo, embora bem intencionada, é culpada por pelo menos parte desse fracasso. Os princípios e valores do desenvolvimento ágil de software foram concebidos como um modo de ajudar as equipes a romper o ciclo da inflação do processo e para se concentrar em técnicas simples a fim de atingir seus objetivos.

Quando escrevíamos este livro, havia muitos processos ágeis para se escolher: Scrum,[2] Crystal,[3] desenvolvimento baseado em recursos (FDD),[4] desenvolvimento adaptativo de software (ADP)[5] e Programação Extrema (XP).[6] Contudo, a ampla maioria das equipes ágeis bem-sucedidas tem recorrido a todos esses processos para ajustar sua forma de agilidade. Essas adaptações parecem se aglutinar em torno de uma combinação de Scrum e XP, na qual as práticas de Scrum são utilizadas para gerenciar várias equipes que usam XP.

Bibliografia

[Beck99] Kent Beck, *Extreme Programming Explained: Embrace Change*, Addison-Wesley, 1999.

[Highsmith2000] James A. Highsmith, *Adaptive Software Development: A Collaborative Approach to Managing Complex Systems*, Dorset House, 2000.

[Newkirk2001] James Newkirk and Robert C. Martin, *Extreme Programming in Practice*, Addison-Wesley, 2001.

---

[2] www.controlchaos.com
[3] crystalmethodologies.org
[4] Peter Coad, Eric Lefebvre and Jeff De Luca, *Java Modeling in Color with UML: Enterprise Components and Process*, Prentice Hall, 1999.
[5] [Highsmith2000]
[6] [Beck99], [Newkirk2001]

Capítulo 2

VISÃO GERAL DA PROGRAMAÇÃO EXTREMA

Como desenvolvedores, precisamos lembrar que a XP não é a única possibilidade.

—Pete McBreen

O Capítulo 1 esboçou o que é o desenvolvimento de software ágil, mas não nos ensinou exatamente o que fazer. Aprendemos algumas superficialidades e objetivos, porém não tivemos uma orientação de verdade. Este capítulo supre essa lacuna.

As práticas da Programação Extrema

Equipe coesa

Queremos que clientes, gerentes e desenvolvedores trabalhem juntos para que todos conheçam os problemas uns dos outros e colaborem para resolvê-los. Quem é o cliente? O cliente de uma equipe de XP é a pessoa ou o grupo que define e prioriza recursos. Às vezes, o cliente é um grupo de analistas de negócio, especialistas em garantia da qualidade e/ou especialistas em marketing trabalhando na mesma empresa que os desenvolvedores. Às vezes, o cliente é um representante do usuário comissionado pelo grupo de usuários. Outras vezes, é quem de fato está pagando. Mas, em um projeto de XP, o cliente, seja lá como for definido, é um membro da equipe e está disponível para ela.

O melhor caso é quando o cliente trabalha na mesma sala que os desenvolvedores. O segundo melhor caso é quando o cliente trabalha a 100 minutos dos desenvolvedores. Quanto maior a distância, mais difícil é para o cliente ser um verdadeiro membro da equipe. É muito difícil integrar na equipe um cliente localizado em outro prédio ou em outro estado.

O que você faz se o cliente simplesmente não pode estar próximo? Meu conselho é encontrar alguém que possa estar perto e esteja disposto e seja capaz de substituir o verdadeiro cliente.

Histórias de usuário

Para planejar um projeto, devemos saber algo sobre os requisitos, mas não precisamos saber muito. Para propósitos de planejamento, precisamos saber sobre um requisito apenas o suficiente para estimá-lo. Talvez você ache que para estimar um requisito precisa conhecer todos os seus detalhes. Mas isso não é totalmente verdade. Você precisa saber que *existem* detalhes e os tipos de detalhes em termos gerais, mas não precisa conhecer os pormenores.

Os detalhes específicos de um requisito provavelmente mudam com o tempo, especialmente quando o cliente começa a ver o sistema a ser montado. Nada foca melhor os requisitos do que ver o sistema ganhar vida. Portanto, capturar os detalhes específicos sobre um requisito muito antes de ele ser implementado provavelmente resultará em esforço em vão e em enfoque prematuro.

Na XP, temos uma noção dos detalhes dos requisitos discutindo-os com o cliente. Mas não capturamos esses detalhes. Em vez disso, o cliente escreve algumas palavras em uma ficha que concordamos que vá nos lembrar da conversa. Os desenvolvedores escrevem uma estimativa na ficha quase ao mesmo tempo em que o cliente a escreve. Eles baseiam essa estimativa na noção do detalhe que obtiveram durante suas conversas com o cliente.

Uma *história de usuário* é uma indicação mnemônica de uma conversa em andamento a respeito de um requisito. É uma ferramenta de planejamento que o cliente usa para agendar a implementação de um requisito, com base em sua prioridade e em seu custo estimado.

Ciclos curtos

Um projeto de XP entrega software funcionando a cada duas semanas. Cada uma dessas iterações de duas semanas produz software que funciona e que trata de algumas das necessidades dos interessados. Ao final de cada iteração, o sistema é demonstrado aos interessados para obter seu retorno.

O plano de iteração   Normalmente, uma iteração dura duas semanas e representa uma entrega secundária que pode ou não ser colocada em produção. O plano de iteração é um conjunto de histórias de usuário selecionadas pelo cliente de acordo com um orçamento estabelecido pelos desenvolvedores.

Os desenvolvedores definem o orçamento de uma iteração medindo quanto fizeram na iteração anterior. O cliente pode selecionar qualquer número de histórias para a iteração, desde que o total da estimativa não exceda esse orçamento.

Uma vez iniciada uma iteração, a empresa concorda em não mudar a definição nem a prioridade das histórias nessa iteração. Durante esse tempo, os desenvolvedores estão livres para dividir as histórias em *tarefas* e para desenvolver as tarefas na ordem que fizer mais sentido técnico e comercial.

O plano de entrega   As equipes de XP frequentemente criam um plano de entrega que estabelece as próximas seis iterações, aproximadamente. Esse plano é conhecido como plano de entrega, plano de lançamento ou plano de produção (*release plan*). Geralmente, uma entrega se dá após três meses de trabalho. Ela representa uma entrega importante que normalmente pode ser colocada em produção. Um plano de entrega consiste em coleções de histórias de usuário priorizadas, que foram selecionadas pelo cliente de acordo com um orçamento apresentado pelos desenvolvedores.

Os desenvolvedores definem o orçamento da entrega medindo quanto fizeram na entrega anterior. O cliente pode selecionar qualquer número de histórias para a entrega, desde que o total da estimativa não exceda esse orçamento. A empresa também determina a ordem na qual as histórias serão implementadas na entrega. Se a equipe assim desejar, pode planejar as primeiras iterações da entrega mostrando quais histórias serão concluídas em quais iterações.

As entregas não são rígidas. A empresa pode mudar o conteúdo da entrega a qualquer momento. Ela pode cancelar histórias, escrever novas histórias ou mudar a prioridade de uma história. Contudo, a empresa deve se esforçar para não alterar uma *iteração*.

Testes de aceitação

Os detalhes sobre as histórias de usuário são capturados na forma de testes de aceitação especificados pelo cliente. Os testes de aceitação de uma história são escritos imediatamente antes ou mesmo concomitantemente com a implementação dessa história. Eles são redigidos em uma linguagem de script que os permita ser executados automática e repetidamente.[1] Juntos, eles atuam para verificar se o sistema está se comportando conforme os clientes especificaram.

Os testes de aceitação são escritos por analistas de negócio, especialistas em garantia da qualidade e examinadores durante a iteração. A linguagem em que são escritos é fácil para programadores, clientes e executivos lerem e entenderem. É a partir desses testes que os programadores conhecem a verdadeira operação detalhada das histórias que estão implementando. Esses testes se tornam o verdadeiro documento de requisitos do projeto. Cada detalhe sobre cada recurso é descrito nos testes de aceitação e esses testes são a autoridade final com relação a esses recursos estarem prontos e corretos.

Uma vez que um teste de aceitação seja aprovado, ele é adicionado no corpo de testes de aceitação aprovados e nunca mais pode falhar. Esse corpo de testes de aceitação crescente é executado várias vezes por dia, sempre que o sistema é construído. Se um teste de aceitação falha, a construção é declarada um fracasso. Assim, uma vez implementado um requisito, ele nunca é violado. O sistema é migrado de um estado de funcionamento para outro e nunca pode ficar inativo por mais do que algumas horas.

Programação em pares

O código é escrito por pares de programadores trabalhando juntos na mesma estação de trabalho. Um membro de cada par comanda o teclado e digita o código. O outro membro do par observa o código que está sendo digitado, procurando erros e melhorias.[2] Os dois interagem intensamente. Ambos estão completamente empenhados no ato de escrever software.

Os papéis mudam com frequência. Se o operador ficar cansado, o parceiro assume o teclado e começa a operar. O teclado mudará de mãos entre eles várias vezes em uma hora. O código resultante é projetado e escrito pelos dois membros. Nenhum deles pode receber mais de metade do crédito.

---

[1] Consulte o site www.fitnesse.org.
[2] Tenho visto pares nos quais um membro controla o teclado e o outro controla o mouse.

A associação de pares também muda com frequência. Uma meta razoável é mudar os parceiros pelo menos uma vez por dia, de modo que cada programador trabalhe em dois pares diferentes a cada dia. Durante o curso de uma iteração, todos os membros da equipe devem ter trabalhado entre si, e em todos os aspectos da iteração.

A programação em pares aumenta significativamente a difusão de conhecimento por toda a equipe. Embora as especialidades permaneçam e tarefas que exigem certas especialidades normalmente dependam de especialistas apropriados, esses especialistas formarão pares com quase todos na equipe. Isso difundirá a especialidade, de modo que os outros membros da equipe podem substituir os especialistas rapidamente. Estudos feitos por Williams[3] e Nosek[4] têm sugerido que a formação de pares não reduz a eficiência do pessoal de programação, mas diminui muito a taxa de falhas.

Desenvolvimento guiado por testes (TDD – Test-Driven Development)

O Capítulo 4 discute esse assunto com mais detalhes. O que se segue é uma rápida visão geral.

Todo código de produção é escrito para fazer um teste de unidade* falho passar. Primeiro, escrevemos um teste de unidade que falha, pois a funcionalidade que ele está testando não existe. Depois, escrevemos o código que faz o teste passar.

Essa iteração entre escrever casos de teste e código é muito rápida, cerca de um minuto, mais ou menos. Os casos de teste e o código evoluem juntos, com os casos de teste liderando o código por uma fração muito pequena. (Consulte o Capítulo 6 para ver um exemplo.)

Como resultado, um corpo de casos de teste muito completo desenvolve-se com o código. Esses testes permitem aos programadores verificar se o programa funciona. A programação de um par que faça uma pequena alteração pode executar os testes para garantir que nada foi danificado. Isso facilita muito a *refatoração* (discutida posteriormente neste capítulo).

Quando você escreve um código para fazer os casos de teste passar, por definição esse código é passível de teste. Além disso, há uma forte motivação para desacoplar os módulos, a fim de que eles possam ser testados de modo independente. Assim, o projeto de um código escrito dessa maneira tende a ser muito menos acoplado. Os princípios do projeto orientado a objetos (OOD – Object-Oriented Design) desempenham um papel poderoso em ajudá-lo nesse desacoplamento (consulte a Seção II).

Posse coletiva

Um par tem o direito de retirar *qualquer* módulo e melhorá-lo. Nenhum programador é responsável individualmente por qualquer módulo ou tecnologia específica. Todos trabalham na interface gráfica do usuário (GUI – Graphical User Interface).[5] Todos trabalham no middleware. Todos trabalham no banco de dados. Ninguém tem mais autoridade do que ninguém sobre um módulo ou sobre uma tecnologia.

---

[3] [Williams2000], [Cockburn2001]
[4] [Nosek98]
* N. de R.T.: Do original, *unit test*. Também frequentemente chamado de teste unitário.
[5] Não estou defendendo uma arquitetura de três camadas aqui. Simplesmente escolhi três divisões comuns da tecnologia de software.

Isso não significa que a XP nega as especialidades. Se a sua especialidade é a interface gráfica, é mais provável que trabalhe em tarefas de interface gráfica. Mas você também será solicitado a formar pares em tarefas de middleware e de banco de dados. Se você resolver aprender uma segunda especialidade, pode se inscrever para tarefas e trabalhar com especialistas que as ensinarão para você. Você não está restrito à sua especialidade.

Integração contínua

Os programadores registram seu código e o integram várias vezes por dia. A regra é simples. O primeiro a registrar vence; todos os outros mesclam.

As equipes de XP utilizam controle de código-fonte sem bloqueio. Isso significa que os programadores podem retirar qualquer módulo a qualquer momento, independentemente de quem mais o tenha retirado. Ao registrar o módulo novamente, após modificá-lo, o programador deve estar preparado para mesclá-lo com qualquer alteração feita por qualquer um que tenha registrado o módulo anteriormente. Para evitar longas sessões de mesclagem, os membros da equipe registram seus módulos com muita frequência.

Um *par* trabalhará por uma ou duas horas em uma tarefa. Eles criam casos de teste e código de produção. Em algum ponto de quebra conveniente, provavelmente muito antes que a tarefa esteja concluída, eles decidem registrar o código novamente. Primeiro eles se certificam de que todos os testes sejam executados. Depois, integram seu novo código na base de código existente. Se houver alguma mesclagem a fazer, eles a fazem. Se necessário, consultam os programadores que registraram antes deles. Uma vez que suas alterações estejam integradas, eles constroem o novo sistema. Eles executam cada teste no sistema, inclusive todos os testes de aceitação correntemente em andamento. Se estragarem algo que já funcionava, eles corrigem isso. Uma vez executados todos os testes, finalizam o registro.

Portanto, as equipes de XP construirão o sistema muitas vezes por dia. Elas constroem o sistema *inteiro, de ponta a ponta*.[6] Se o resultado final de um sistema é um CD-ROM, elas gravam o CD-ROM. Se o resultado final do sistema é um site ativo, elas instalam esse site, provavelmente em um servidor de teste.

Ritmo sustentável

Um projeto de software não é uma corrida de 100 metros rasos; é uma maratona. Uma equipe que saltar da linha de partida e começar a correr o mais rápido que puder ficará esgotada muito antes da chegada. Para terminar rapidamente, a equipe deve correr em um ritmo sustentável; ela deve economizar sua energia e ficar de prontidão. Ela deve correr intencionalmente em um ritmo constante e moderado.

A regra da XP é que uma equipe *não pode* fazer horas extras. A única exceção a essa regra é que, na última semana de uma entrega, uma equipe que esteja a uma grande distância de seu objetivo de entrega pode correr a toda velocidade até o final e fazer horas extras.

---

[6] Ron Jeffries diz: "De ponta a ponta é mais longe do que você pensa".

Área de trabalho aberta

A equipe trabalha junto em uma sala aberta. As mesas possuem estações de trabalho. Cada mesa tem duas ou três estações de trabalho. Duas cadeiras são colocadas em frente a cada estação de trabalho. As paredes são cobertas com gráficos de andamento, decomposições de tarefas, diagramas UML (Unified Modeling Language) etc.

O som nessa sala é um zumbido de conversa. Cada par fica ao alcance da audição de outro par. Todos conseguem ouvir quando outro está com problemas. Cada um conhece o estado do outro. Os programadores estão em uma posição que permite se comunicarem intensamente.

Alguém poderia pensar que esse seria um ambiente que distrai. Seria fácil ficar com receio de que você nunca fizesse nada, por causa do ruído e da distração constantes. Na verdade, isso não acontece. Além disso, em vez de interferir na produtividade, conforme sugeriu um estudo da Universidade de Michigan, trabalhar em um ambiente de "centro de comando de guerra" pode *aumentar a* produtividade por um fator de 2.[7]

Jogo de planejamento

O Capítulo 3 entra em mais detalhes sobre o jogo de planejamento da XP. Vamos descrevê-lo brevemente aqui.

A essência do jogo de planejamento é a divisão de responsabilidade entre negócio e desenvolvimento. Os executivos – clientes – julgam o quanto um recurso é importante e os desenvolvedores estimam quanto custará para implementar esse recurso.

No início de cada entrega e de cada iteração, os desenvolvedores fornecem um orçamento para os clientes. Os clientes escolhem as histórias cujos custos totalizem esse orçamento e não podem ultrapassar o orçamento. Os desenvolvedores determinam o orçamento com base no quanto foram capazes de realizar na iteração ou na entega anterior.

Com essas regras simples em vigor e com iterações curtas e entregas frequentes, não demorará muito para que os clientes e desenvolvedores se acostumem com o ritmo do projeto. Os clientes terão uma noção da velocidade dos desenvolvedores. Com base nessa noção, os clientes poderão determinar quanto tempo seu projeto levará e quanto custará.

Projeto simples

Uma equipe de XP torna seus projetos o mais simples e expressivos que puder. Além disso, a equipe restringe seu foco para considerar apenas as histórias que estão planejadas para a iteração atual, não se preocupando com as histórias futuras. Em vez disso, ela migra o projeto do sistema de uma iteração para outra, para que seja o melhor projeto para as histórias que o sistema implementa atualmente.

Isso significa que uma equipe de XP provavelmente não começará com a infraestrutura, provavelmente não selecionará primeiro o banco de dados e provavelmente não selecionará primeiro o middleware. Em vez disso, o primeiro ato da equipe será fazer o

---

[7] www.sciencedaily.com/releases/2000/12/001206144705.htm

primeiro lote de histórias funcionar *da maneira mais simples possível*. A equipe adicionará a infraestrutura somente quando aparecer uma história que obrigue a isso.

Três mantras da XP orientam o desenvolvedor.

1. *Pense na coisa mais simples que possa funcionar.* As equipes de XP sempre tentam encontrar a opção de projeto mais simples possível para o lote de histórias atual. Se pudermos fazer as histórias atuais funcionarem com arquivos planos, talvez não seja necessário o uso de um banco de dados. Se pudermos fazer as histórias atuais funcionarem com uma conexão via sockets simples, possivelmente não usaremos um ORB ou um Web Service. Se pudermos fazer as histórias atuais funcionarem sem multiencadeamento, há a possibilidade de não incluirmos multiencadeamento. Tentamos considerar a maneira mais simples de implementar as histórias atuais. Depois, escolhemos uma solução prática que seja a mais próxima possível da simplicidade que podemos obter do *ponto de vista prático*.

2. *Você não vai precisar disso.* Sim, mas *sabemos* que um dia vamos precisar desse banco de dados. *Sabemos* que um dia precisaremos ter um ORB. *Sabemos* que um dia precisaremos dar suporte para múltiplos usuários. Portanto, precisamos colocar os ganchos para essas coisas *agora*, certo?

    Uma equipe de XP considera seriamente o que acontecerá se resistir à tentação de adicionar a infraestrutura antes que ela seja estritamente necessária. A equipe começa a partir da suposição de que não precisará dessa infraestrutura. A equipe só coloca a infraestrutura se tiver uma prova ou pelo menos uma evidência muito convincente de que colocar a infraestrutura agora será mais econômico do que esperar.

3. *Uma vez e somente uma vez.* Os adeptos da XP não toleram duplicação de código. Onde quer que a encontrem, eles a eliminam.

Existem muitas fontes de duplicação de código. As mais evidentes são aquelas extensões de código que foram capturadas com um mouse e soltas em vários lugares. Quando as encontramos, as eliminamos criando uma função ou uma classe base. Às vezes, dois ou mais algoritmos podem ser muito semelhantes e, apesar disso, diferirem de maneiras sutis. Nós os transformamos em funções ou utilizamos o padrão TEMPLATE METHOD (consulte o Capítulo 22). Uma vez descoberta, não toleraremos duplicação, qualquer que seja sua origem.

A melhor maneira de eliminar redundância é criando abstrações. Afinal, se duas coisas são semelhantes, alguma abstração deve unificá-las. Assim, o ato de eliminar redundância obriga a equipe a criar muitas abstrações e a reduzir ainda mais o acoplamento.

Refatoração

O Capítulo 5 aborda a refatoração com mais detalhes.[8] O que se segue é uma breve visão geral.

O código tende a se deteriorar. À medida que adicionamos recursos e lidamos com erros, a estrutura do código degrada. Se não for controlada, essa degradação levará a uma bagunça complicada e impossível de organizar.

---

[8] [Fowler99]

As equipes de XP revertem essa degradação por meio da refatoração frequente. Refatoração é a prática de fazer uma série de pequenas transformações que melhoram a estrutura do sistema, sem afetar seu comportamento. Uma transformação sozinha é insignificante, mas, juntas, elas se combinam em transformações significativas do projeto e da arquitetura do sistema.

Após cada minúscula transformação, executamos os testes de unidade para garantir que não tenhamos estragado nada. Depois, fazemos a transformação seguinte, a seguinte e a seguinte, executando os testes após cada uma delas. Dessa maneira, mantemos o sistema funcionando enquanto transformamos seu projeto.

A refatoração é feita continuamente e não no final do projeto, da entrega ou da iteração, ou mesmo no final do dia. Refatoração é algo que fazemos a cada hora ou a cada meia hora. Com a refatoração, mantemos o código sempre o mais limpo, simples e expressivo possível.

Metáfora

A metáfora é a única prática de XP que não é concreta e direta, e, portanto, é a menos compreendida de todas as práticas de XP. Nós, adeptos da XP, somos profundamente pragmáticos e essa falta de definição nos deixa incomodados. Aliás, os proponentes da XP têm discutido com frequência a eliminação da metáfora como prática. No entanto, de certa forma ela é uma das práticas mais importantes da programação externa.

Pense em um quebra-cabeça. Como você sabe que as peças se encaixam? Claramente, cada peça faz fronteira com outras e seu formato deve complementar perfeitamente as peças que ela toca. Se você fosse cego e tivesse tato excelente, poderia montar o quebra-cabeça separando cada peça diligentemente e experimentando-a posição após posição.

Mas algo mais poderoso do que o formato das peças une o quebra-cabeça: uma imagem. A imagem é o verdadeiro guia. Ela é tão poderosa que, se duas peças adjacentes não têm formatos complementares, você *sabe* que o fabricante do quebra-cabeça cometeu um erro.

Isso é metáfora. Trata-se da visão global que interliga o sistema inteiro. É a visão do sistema que torna óbvia a localização e o formato de todos os módulos individuais. Se o formato de um módulo é incompatível com a metáfora, você sabe que é o módulo que está errado.

Frequentemente, uma metáfora se reduz a um sistema de nomes. Os nomes fornecem um vocabulário para os elementos do sistema e ajudam a definir suas relações.

Por exemplo, uma vez trabalhei em um sistema que transmitia texto para uma tela a 60 caracteres por segundo. Nessa velocidade, o preenchimento de uma tela poderia levar algum tempo. Assim, deixamos que o programa que estava gerando o texto preenchesse um buffer. Quando o buffer estava cheio, armazenávamos o programa no disco. Quando o buffer estava quase vazio, recarregávamos o programa e deixávamos executar mais um pouco.

Falávamos sobre esse sistema em termos de caminhões basculantes para transporte de lixo. Os buffers eram pequenos caminhões. A tela era o depósito. O programa era o produtor de lixo. Todos os nomes se encaixavam e nos ajudavam a pensar no sistema como um todo.

Como outro exemplo, uma vez trabalhei em um sistema que analisava tráfego de rede. A cada 30 minutos, ele sondava dezenas de adaptadores de rede e ativava o monitoramento dos dados neles contidos. Cada adaptador de rede nos fornecia um pequeno bloco de dados, composto de diversas variáveis individuais. Chamávamos esses blocos de "fatias". As fatias eram dados brutos que precisavam ser analisados. O programa de análise "cozinhava" as fatias; portanto, era chamado de "a torradeira". Chamávamos as variáveis individuais dentro das fatias de "migalhas". Em suma, essa era uma metáfora útil e divertida.

Evidentemente, uma metáfora é mais do que um sistema de nomes. Uma metáfora é uma visão do sistema. Ela orienta todos os desenvolvedores a escolher nomes adequados, a selecionar locais adequados para as funções, a criar novas classes e métodos apropriados etc.

Conclusão

A Programação Extrema é um conjunto de práticas simples e concretas que se combinam em um processo de desenvolvimento ágil. A XP é um bom método de uso geral para desenvolver software. Muitas equipes de projeto poderão adotá-la como ela é. Outras poderão adaptá-la, adicionando ou modificando práticas.

Bibliografia

[ARC97] Alistair Cockburn, "The Methodology Space", *Humans and Technology*, relatório técnico HaT TR.97.03 (datado de 97.10.03), http://members.aol.com/acockburn/papers/methyspace/methyspace.htm.

[Beck99] Kent Beck, *Extreme Programming Explained: Embrace Change*, Addison-Wesley, 1999.

[Beck2003] Kent Beck, *Test-Driven Development by Example*, Addison-Wesley, 2003.

[Cockburn2001] Alistair Cockburn and Laurie Williams, "The Costs and Benefits of Pair Programming", XP2000 Conference in Sardinia, reproduzido em Giancarlo Succi and Michele Marchesi, *Extreme Programming Examined*, Addison-Wesley, 2001.

[DRC98] Daryl R. Conner, *Leading at the Edge of Chaos*, Wiley, 1998.

[EWD72] D.J. Dahl, E.W. Dijkstra and C.A.R. Hoare, *Structured Programming*, Academic Press, 1972.

[Fowler99] Martin Fowler, *Refactoring: Improving the Design of Existing Code*, Addison-Wesley, 1999.

[Newkirk2001] James Newkirk and Robert C. Martin, *Extreme Programming in Practice*, Addison-Wesley, 2001.

[Nosek98] J.T. Nosek, "The Case for Collaborative Programming", *Communications of the ACM*, 1998, p. 105-108.

[Williams2000] Laurie Williams, Robert R. Kessler, Ward Cunningham, Ron Jeffries, "Strengthening the Case for Pair Programming", *IEEE Software*, July–Aug de 2000.

Capítulo 3

PLANEJAMENTO

Quando você consegue mensurar aquilo que defende expressá-lo em números, sabe algo sobre o assunto; mas quando você não consegue medi-lo e expressá-lo em números, seu conhecimento é exíguo e insatisfatório.

—Lord Kelvin, 1883

O que se segue é uma descrição do Jogo do Planejamento da Programação Extrema.[1] É semelhante à maneira como o planejamento é feito em vários outros métodos ágeis[2]: Scrum,[3] Crystal,[4] desenvolvimento baseado em funcionalidades[5] (FDD) e desenvolvimento adaptativo de software (ADP).[6] No entanto, nenhum desses processos explica com tanto detalhe e rigor.

Exploração inicial

No início do projeto, os desenvolvedores e os clientes conversam sobre o novo sistema para identificar todas as funcionalidades (*features*) significativas que conseguirem. Contudo, eles não tentam esgotar *todas* as *possibilidades*. À medida que o projeto prosseguir, os clientes continuarão a descobrir mais funcionalidades, fluxo que não parará até o projeto terminar.

Sempre que uma funcionalidade é identificada, ela é decomposta em uma ou mais *histórias de usuário*, as quais são escritas em fichas ou equivalente. Pouco recurso é escrito na ficha, além do nome da história (por exemplo, Login, Adicionar Usuário, Excluir Usuário ou Alterar Senha). Nesse estágio não estamos tentando capturar detalhes. Queremos simplesmente algo para nos lembrar das conversas que tivemos sobre as funcionalidades.

---

[1] [Beck99], [Newkirk2001]
[2] www.AgileAlliance.org
[3] www.controlchaos.com
[4] [Cockburn2005]
[5] Peter Coad, Eric Lefebvre and Jeff De Luca, *Java Modeling in Color with UML: Enterprise Components and Process*, Prentice Hall, 1999.
[6] [Highsmith2000]

Os desenvolvedores trabalham juntos para fazer uma estimativa das histórias. As estimativas são relativas e não absolutas. Escrevemos vários "pontos" em uma ficha de história para representar o custo relativo da história. Podemos não ter certeza absoluta sobre quanto tempo um ponto de história representa, mas sabemos que uma história com 8 pontos demorará duas vezes mais do que uma história com 4 pontos.

Melhoramento, divisão e velocidade

Histórias grandes ou pequenas demais são difíceis de estimar. Os desenvolvedores tendem a subestimar as histórias grandes e a superestimar as pequenas. Qualquer história que seja grande demais deve ser dividida em partes menores. Qualquer história que seja pequena demais deve ser combinada com outras histórias pequenas.

Por exemplo, considere a história "Os usuários podem transferir dinheiro com segurança para, de e entre suas contas". Essa é uma história grande. Estimá-la será difícil e provavelmente impreciso. No entanto, podemos dividi-la em muitas histórias que sejam mais fáceis de estimar:

- Os usuários podem fazer login.
- Os usuários podem fazer logout.
- Os usuários podem depositar dinheiro em suas contas.
- Os usuários podem retirar dinheiro de suas contas.
- Os usuários podem transferir dinheiro de uma de suas contas para outra conta.

Quando uma história é dividida ou combinada, ela precisa ser reavaliada. Não é sensato simplesmente adicionar ou subtrair a estimativa. O motivo de dividir ou combinar uma história é para que ela tenha um tamanho no qual a estimativa seja precisa. Não é surpresa descobrir que uma história estimada em 25 pontos seja decomposta em histórias que resultem em 30! Trinta é a estimativa mais precisa.

Toda semana concluímos determinado número de histórias. A soma das estimativas das histórias concluídas é uma métrica conhecida como *velocidade*. Se concluímos histórias de 42 pontos durante a semana anterior, nossa velocidade foi de 42.

Após três ou quatro semanas, teremos uma boa ideia de nossa velocidade média. Podemos usar isso para prever o volume de trabalho que faremos nas semanas subsequentes. O monitoramento da velocidade é uma das ferramentas de gerenciamento mais importantes em um projeto de XP.

No início de um projeto, os desenvolvedores não terão uma noção muito boa de sua velocidade. Eles devem fazer suposições iniciais por qualquer meio que acharem que dará os melhores resultados. A necessidade de precisão nesse ponto não é particularmente importante; portanto, eles não precisam gastar uma quantidade de tempo exagerada nisso. Aliás, o bom e velho chute abalizado normalmente é suficiente.

Planejamento da entrega

Dada uma velocidade, os clientes podem ter uma ideia do custo de cada uma das histórias, assim como de seu valor comercial e sua prioridade. Isso permite que os clientes escolham as histórias que querem executadas primeiro. Essa escolha não é apenas uma questão de prioridade. Algo importante, mas também dispendioso, pode ser adiado em favor de algo que tem menos importância, mas é muito menos dispendioso. Escolhas como essa são decisões *comerciais*. Os executivos decidem quais histórias lhes proporcionam mais valor pelo dinheiro gasto.

Os desenvolvedores e os clientes concordam com uma data para a primeira versão do projeto. Normalmente isso se dará dali a dois a quatro meses. Os clientes escolhem as histórias que desejam implementadas dentro dessa versão e a ordem aproximada em que devem ser implementadas. Os clientes não podem escolher mais histórias do que estejam de acordo com a velocidade atual. Como inicialmente a velocidade é imprecisa, essa escolha é rudimentar. Mas a precisão não é muito importante nesse ponto. O plano de entrega poderá ser ajustado quando a velocidade se tornar mais precisa.

Planejamento da iteração

Em seguida, os desenvolvedores e os clientes escolhem a dimensão da iteração: normalmente, uma ou duas semanas. Mais uma vez, os clientes escolhem as histórias que desejam implementadas na primeira iteração, mas não podem escolher mais histórias do que estejam de acordo com a velocidade atual.

A ordem das histórias dentro da iteração é uma decisão técnica. Os desenvolvedores implementam as histórias na ordem que fizer mais sentido técnico. Eles podem trabalhar nas histórias sucessivamente, finalizando uma após a outra, ou podem repartir as histórias e trabalhar em todas elas concomitantemente. Isso fica inteiramente por conta dos desenvolvedores.

Os clientes não podem mudar as histórias da iteração uma vez que ela tenha começado. Eles estão livres para alterar ou reordenar qualquer outra história do projeto, mas não aquelas em que os desenvolvedores estiverem trabalhando.

A iteração termina na data especificada, mesmo que nem todas as histórias tenham terminado. As estimativas de todas as histórias concluídas são totalizadas e a velocidade dessa iteração é calculada. Então, essa medida de velocidade é utilizada para planejar a próxima iteração. A regra é muito simples: a velocidade planejada para cada iteração é a velocidade medida da iteração anterior. Se a equipe conseguiu fazer 31 pontos de história na última iteração, deve planejar a obtenção de 31 pontos de história na próxima. A velocidade da equipe é de 31 pontos por iteração.

A informação da velocidade ajuda a manter o planejamento sincronizado com a equipe. Se a equipe obtiver qualificação e habilidades, a velocidade aumentará de forma proporcional. Se a equipe perder alguém, a velocidade cairá. Se for desenvolvida uma arquitetura que facilite o desenvolvimento, a velocidade aumentará.

Definição de "pronto"

Uma história não está pronta até que *todos* os seus testes de aceitação passem. Esses testes de aceitação são automatizados. Eles são escritos pelo cliente, por analistas de negócio, por especialistas em garantia da qualidade, por testadores e até por programadores, logo no início de cada iteração. Esses testes definem os detalhes das histórias e são a autoridade final a respeito de como as histórias se comportam. Veremos mais sobre testes de aceitação no próximo capítulo.

Planejamento de tarefas

No início de uma nova iteração, os desenvolvedores e clientes se reúnem para planejar. Os desenvolvedores decompõem as histórias em tarefas de desenvolvimento. Uma *tarefa* é algo que um desenvolvedor pode implementar em um período de 4 a 16 horas. As histórias são analisadas com a ajuda dos clientes e as tarefas são enumeradas o mais completamente possível.

Uma lista das tarefas é criada em um flip chart, em um quadro de avisos ou em algum outro meio conveniente. Então, um por um, os desenvolvedores se inscrevem para as tarefas que desejam implementar, estimando cada tarefa em pontos de tarefa arbitrários.[7]

Os desenvolvedores podem se inscrever para qualquer tipo de tarefa. Os especialistas em banco de dados não precisam se inscrever apenas em tarefas de banco de dados. O pessoal de interface do usuário pode se inscrever em tarefas de banco de dados, se desejarem. Embora possa parecer ineficiente, existe um mecanismo para gerenciar isso. A vantagem é óbvia: quanto mais os desenvolvedores sabem a respeito do projeto *inteiro*, mais saudável e informada é a equipe de projeto. Queremos que o conhecimento do projeto seja difundido por toda a equipe, independentemente da especialidade.

Cada desenvolvedor sabe quantos pontos de tarefa conseguiu implementar na iteração anterior; esse número é o *orçamento* do desenvolvedor. Ninguém se inscreve para mais pontos do que estão no orçamento.

A seleção de tarefas continua até que todas as tarefas estejam atribuídas ou até que todos os desenvolvedores tenham utilizado seus orçamentos. Se restarem tarefas, os desenvolvedores negociam uns com os outros, trocando tarefas com base em suas diversas habilidades. Se isso não criar condições suficientes para que todas as tarefas sejam atribuídas, os desenvolvedores pedem aos clientes para que retirem tarefas ou histórias da iteração. Se todas as tarefas forem atribuídas e os desenvolvedores ainda tiverem capacidade para mais trabalho em seus orçamentos, eles pedem mais histórias aos clientes.

Na metade da iteração, a equipe realiza uma reunião. Nesse ponto, metade das *histórias* agendadas para a iteração deve estar concluída. Se metade das *histórias* não estiver concluída, a equipe tenta repartir tarefas e responsabilidades para garantir que todas as histórias estejam concluídas ao final da iteração. Se os desenvolvedores não conseguirem resolver essa redistribuição, os clientes precisam ser avisados. Os clientes podem retirar uma tarefa ou história da iteração. No mínimo, eles indicarão as tarefas e histórias de prioridade mais baixa para que os desenvolvedores evitem trabalhar nelas.

Suponha, por exemplo, que os clientes selecionaram oito histórias, totalizando 24 pontos de história para a iteração. Suponha ainda que elas foram decompostas em 42 tarefas. Na metade da iteração, esperaríamos ter 21 tarefas e 12 pontos de história concluídos. Esses 12 pontos de história devem representar histórias totalmente concluídas. Nosso objetivo é concluir histórias e não simplesmente tarefas. O cenário de pesadelo é chegar ao fim da iteração com 90% das tarefas concluídos, mas nenhuma história terminada. Na metade do caminho, queremos ver histórias concluídas que representem a metade dos pontos de história da iteração.

---

[7] Muitos desenvolvedores acham interessante usar "horas de programação cheias" como pontos de tarefa.

Iteração

A cada duas semanas, a iteração atual termina e a seguinte começa. Ao final de cada iteração, o executável em andamento é demonstrado para os clientes. Os clientes são solicitados a avaliar a aparência, o comportamento e o desempenho do projeto. Eles darão retorno em termos de novas histórias de usuário.

Os clientes verificam o progresso frequentemente. Eles podem medir a velocidade, prever a velocidade da equipe e agendar histórias de alta prioridade antecipadamente. Em resumo, os clientes têm todos os dados e o controle necessário para gerenciar o projeto como quiserem.

Monitoramento

Monitorar e gerenciar um projeto de XP envolve registrar os resultados de cada iteração e usar esses resultados para prever o que acontecerá nas iterações seguintes. Considere, por exemplo, a Figura 3-1. Esse gráfico é chamado de *gráfico de velocidade*. Normalmente, o encontraríamos nas paredes do centro de comando de guerra do projeto.

Esse gráfico mostra quantos pontos de história foram concluídos – passaram em seus testes de aceitação automatizados – ao final de cada semana. Embora exista alguma variação entre as semanas, os dados mostram claramente que essa equipe está concluindo cerca de 42 pontos de história por semana.

Considere também o gráfico da Figura 3-2. Esse *gráfico de burndown*, como é conhecido, mostra, semana por semana, quantos pontos permanecem a ser concluídos para o próximo marco ou entrega importante. A inclinação desse gráfico é um indicador razoável da data final.

Note que a diferença entre as barras no gráfico de burndown não é igual à altura das barras no gráfico de velocidade. O motivo é que novas histórias estão sendo acrescentadas no projeto. Isso também pode indicar que os desenvolvedores reavaliaram as histórias.

Quando esses dois gráficos são deixados nas paredes da sala de projeto, qualquer um pode inspecioná-los e saber, em questão de segundos, qual é a situação do projeto. É possível saber quando o próximo marco importante será cumprido e até que ponto o escopo e as estimativas estão aumentando. Esses dois gráficos são a verdadeira essência da XP e de todos os métodos ágeis. No fim, tudo consiste em gerar informações de gerenciamento confiáveis.

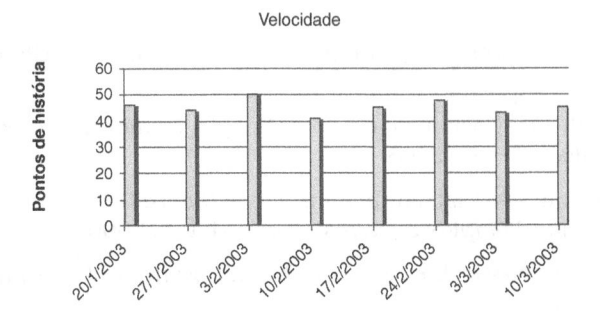

Figura 3-1
Gráfico de velocidade.

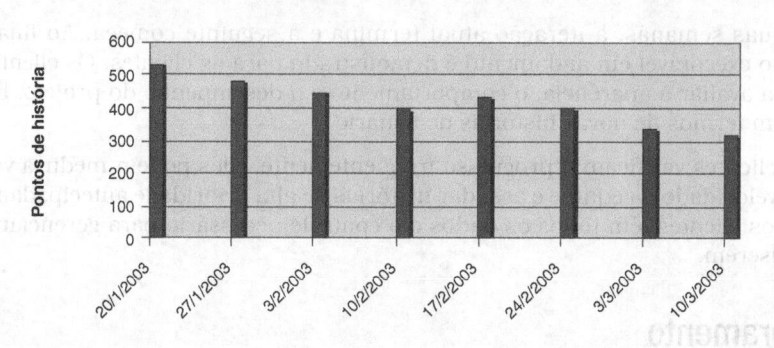

Figura 3-2
Gráfico de burndown.

Conclusão

De iteração em iteração e de entrega em entrega, o projeto entra em um ritmo previsível e confortável. Todos sabem o que esperar e quando. Os interessados verificam o progresso frequentemente e de forma substancial. Em vez de verem agendas cheias de diagramas e planos, os interessados veem software em funcionamento que podem tocar, sentir e dar opiniões.

Os desenvolvedores veem um plano razoável, baseado em suas próprias estimativas e controlado por suas próprias velocidades medidas. Eles escolhem as tarefas em que se sentem à vontade para trabalhar e mantêm alta a qualidade de sua mão de obra.

Os gerentes recebem dados de cada iteração e usam esses dados para controlar e gerenciar o projeto. Eles não precisam recorrer a pressão e ameaças ou apelar à lealdade para cumprir uma data arbitrária e não realista.

Isso pode parecer lindo e maravilhoso, mas não é. Os interessados nem sempre ficarão contentes com os dados produzidos pelo processo, especialmente no começo. Usar um método ágil não significa que os interessados obterão o que desejam. Significa simplesmente que eles poderão controlar a equipe para obter o máximo valor comercial pelo menor custo.

Bibliografia

[Beck99] Kent Beck, *Extreme Programming Explained: Embrace Change*, Addison-Wesley, 1999.

[Cockburn2005] Alistair Cockburn, *Crystal Clear: A Human-Powered Methodology for Small Teams*, Addison-Wesley, 2005.

[Highsmith2000] James A. Highsmith, *Adaptive Software Development: A Collaborative Approach to Managing Complex Systems*, Dorset House, 2000.

[Newkirk2001] James Newkirk e Robert C. Martin, *Extreme Programming in Practice*, Addison-Wesley, 2001.

Capítulo 4

TESTE

O fogo é o teste do ouro; a adversidade, o dos homens fortes.

—Sêneca (c. 3 A.C.-65 D.C.)

Escrever um teste de unidade* é mais um ato de projeto do que de verificação. Trata-se mais de documentar do que de verificar. O ato de escrever um teste de unidade fecha vários ciclos de informação, o menor dos quais é o relativo à verificação de funções.

Desenvolvimento guiado por testes

E se você seguisse estas três regras simples?

1. Não escrever código de produção até que você tenha escrito um teste de unidade que falhe.
2. Não escrever mais de um teste de unidade do que o suficiente para falhar ou que não compile.
3. Não escrever mais qualquer código de produção do que o suficiente para passar no teste falho.

Se seguíssemos esses passos, trabalharíamos em ciclos muito curtos. Escreveríamos apenas o suficiente de um teste de unidade para fazê-lo falhar e, depois, apenas o suficiente de código de produção para fazê-lo passar. Alternaríamos entre essas etapas a cada um ou dois minutos.

A primeira e mais evidente consequência é que toda função do programa tem testes que verificam seu funcionamento. Esse conjunto de testes funciona como um

---

*N. de R.T.: Também chamado de teste unitário.

impedimento para mais desenvolvimento. Ele nos diz quando danificamos inadvertidamente alguma funcionalidade já existente. Podemos adicionar funções no programa ou alterar sua estrutura sem receio de que, no processo, estraguemos algo importante. Os testes nos informam que o programa ainda está se comportando corretamente. Assim, estamos muito mais livres para fazer alterações e melhorias em nosso programa.

Um efeito mais importante, porém menos evidente, é que o ato de escrever primeiro o teste nos obriga a um ponto de vista diferente. Devemos ver o programa que estamos para escrever a partir da perspectiva de um chamador desse programa. Assim, ficamos imediatamente preocupados com a interface do programa e também com sua função. Escrevendo primeiro o teste, projetamos o software de modo a poder ser *chamado convenientemente*.

Além disso, escrevendo o teste primeiro, nos obrigamos a projetar o programa de modo que ele *possa ser testado*. Projetar o programa de modo que ele possa ser chamado e testado é muito importante. Para que isso seja possível, o software precisa estar desacoplado de seu ambiente. Assim, o ato de escrever os testes primeiro *nos obriga a desacoplar o software*!

Outro efeito importante de escrever testes antes é que eles funcionam como uma forma de documentação valiosa. Se você quer saber como chamar uma função ou como criar um objeto, existe um teste que mostra isso. Os testes atuam como um conjunto de exemplos que ajudam os outros programadores a saber como trabalhar com o código. Essa documentação pode ser compilada e executada. Ela permanecerá atualizada. E não pode mentir.

Exemplo de projeto com testes *a priori*

Apenas por diversão, escrevi recentemente uma versão de *Hunt the Wumpus (Caça ao Monstro)*. Esse programa é um jogo de ação simples no qual o jogador anda em uma caverna, tentando matar o monstro antes de ser comido por ele. A caverna é um conjunto de câmaras interligadas por corredores. Cada câmara pode ter passagens para o norte, sul, leste ou oeste. O jogador se movimenta dizendo ao computador em que direção deve ir.

Um dos primeiros testes que escrevi para esse programa foi testMove (Listagem 4-1). Essa função criava um novo WumpusGame, ligava a câmara 4 à câmara 5 por meio de uma passagem para leste, colocava o jogador na câmara 4, executava o comando para mover para leste e, então, declarava que o jogador devia estar na câmara 5.

Listagem 4-1

```
[Test]
public void TestMove()
{
    WumpusGame g = new WumpusGame();
    g.Connect(4,5,"E");
    g.GetPlayerRoom(4);
    g.East();
    Assert.AreEqual(5, g.GetPlayerRoom());
}
```

Todo esse código foi escrito antes de qualquer parte de WumpusGame. Aceitei o conselho de Ward Cunningham e escrevi o teste da maneira que eu queria fosse lido. Acreditei que poderia fazer o teste passar escrevendo o código que se adaptasse à estrutura decorrente do teste. Isso é chamado de *programação intencional*. Você expressa sua intenção em um teste antes de implementá-lo, mostrando-a da maneira mais simples e clara possível. Você confia em que essa simplicidade e clareza apontem para uma boa estrutura para o programa.

A programação pela intenção me levou imediatamente a uma decisão de projeto interessante. O teste nunca utiliza uma classe Room. A ação de *interligar* uma câmara à outra comunica minha intenção. Parece que não preciso de uma classe Room para facilitar essa comunicação. Em vez disso, posso simplesmente usar inteiros para representar as câmaras.

Isso pode parecer absurdo. Afinal, pode dar a impressão de que esse programa consiste exatamente em câmaras, mover-se entre câmaras, descobrir o que elas contêm etc. O projeto decorrente de minha intenção é imperfeito porque não tem uma classe Room?

Eu poderia argumentar que o conceito de interligações é bem mais importante para o jogo Wumpus do que o conceito de câmara. Poderia afirmar que esse teste inicial apontaria para uma boa maneira de resolver o problema. Aliás, acho que esse é o caso, mas não a ponto de eu tentar demonstrar. A questão é que o teste esclareceu um problema de projeto fundamental em uma etapa bastante antecipada. *O ato de escrever testes primeiro é um ato de discernir entre decisões de projeto.*

Note que o teste o informa como o programa funciona. A maioria de nós poderia escrever facilmente os quatro métodos nomeados em WumpusGame a partir dessa especificação simples. Também poderíamos nomear e escrever os outros três comandos de direção sem muitos problemas. Se quiséssemos, posteriormente, saber como interligar duas câmaras ou mover em uma direção específica, esse teste nos mostraria claramente como fazer isso. Esse teste funciona como um documento que descreve o programa e que pode ser compilado e executado.

Isolamento do teste

O ato de escrever testes antes do código de produção frequentemente expõe áreas no software que precisam ser desacopladas. Por exemplo, a Figura 4-1 mostra um diagrama UML simples de um aplicativo de folha de pagamentos. A classe Payroll usa a classe Employee-

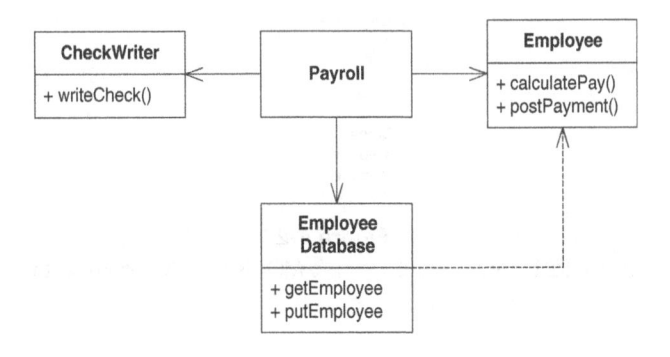

Figura 4-1
Modelo de folha de pagamentos acoplado.

Database para buscar um objeto Employee, pede para que Employee calcule seu pagamento, passa esse pagamento para o objeto CheckWriter para emitir um cheque e, por fim, lança o pagamento no objeto Employee e grava o objeto novamente no banco de dados.

Suponha que ainda não escrevemos nada desse código. Até aqui, esse diagrama está simplesmente em um quadro de avisos, após uma rápida sessão de projeto.[1] Agora, precisamos escrever os testes que especificam o comportamento do objeto Payroll. Vários problemas estão associados à escrita desse teste. Primeiro, que banco de dados usaremos? Payroll precisa ler algum tipo de banco de dados. Devemos escrever um banco de dados totalmente funcional antes que possamos testar a classe Payroll? Que dados carregamos nele? Segundo, como verificamos se foi impresso o cheque correto? Não podemos escrever um teste automatizado que procure um cheque na impressora e verifique o valor que está nele!

A solução para esses problemas é usar o padrão MOCK OBJECT.[2] Podemos inserir interfaces entre todos os colaboradores de Payroll e criar stubs de teste que implementem essas interfaces.

A Figura 4-2 mostra a estrutura. Agora a classe Payroll usa interfaces para se comunicar com EmployeeDatabase, CheckWriter e Employee. Foram criados três MOCK OBJECTs que implementam essas interfaces. Esses MOCK OBJECTs são consultados pelo objeto PayrollTest para ver se o objeto Payroll os gerenciou corretamente.

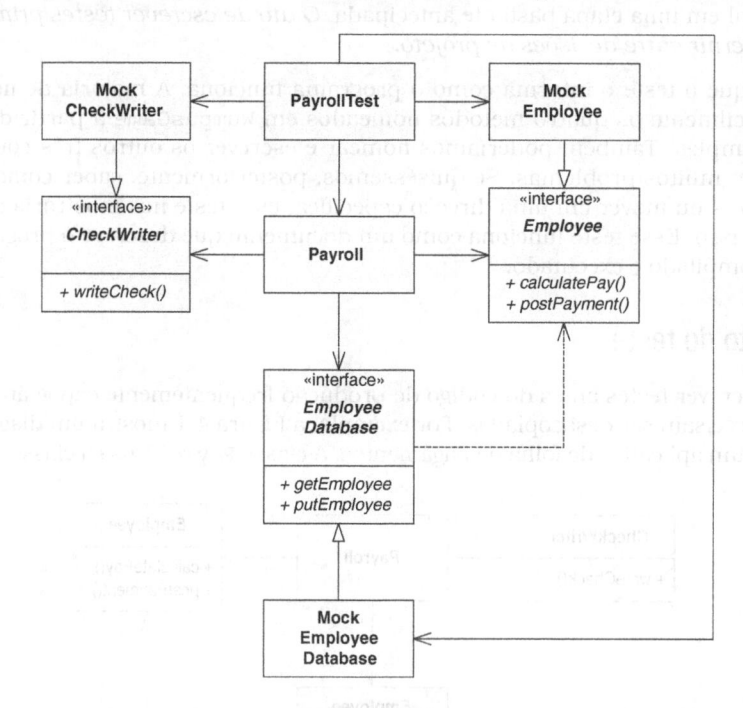

Figura 4-2
Payroll desacoplada usando MOCK OBJECT para teste.

---

[1] [Jeffries2001]
[2] [Mackinnon2000]

> **Listagem 4-2**
> **TestPayroll**
>
> ```
> [Test]
> public void TestPayroll()
> {
>   MockEmployeeDatabase db = new MockEmployeeDatabase();
>   MockCheckWriter w = new MockCheckWriter();
>   Payroll p = new Payroll(db, w);
>   p.PayEmployees();
>   Assert.IsTrue(w.ChecksWereWrittenCorrectly());
>   Assert.IsTrue(db.PaymentsWerePostedCorrectly());
> }
> ```

A Listagem 4-2 mostra a intenção do teste. Ela cria os MOCK OBJECTs adequados, passa-os para o objeto `Payroll`, diz para que o objeto `Payroll` pague todos os funcionários (employees) e, então, pede para que os MOCK OBJECTs verifiquem se todos os cheques foram escritos corretamente e se todos os pagamentos foram lançados corretamente.

É claro que esse teste está simplesmente verificando se `Payroll` chamou todas as funções corretas, com todos os dados corretos. O teste não está verificando se os cheques foram emitidos ou se um banco de dados verdadeiro foi utilizado corretamente. Em vez disso, está verificando se a classe `Payroll` está se comportando isoladamente como deve.

Você poderia se perguntar para que serve `MockEmployee`. Parece viável que a classe `Employee` real pudesse ser utilizada, em vez de uma simulada (mock). Se assim fosse, eu não teria escrúpulos em usá-la. Porém, nesse caso, presumi que a classe `Employee` era mais complexa do que o necessário para verificar a função de `Payroll`.

Desacoplamento casual

O desacoplamento de `Payroll` é bom. Ele nos permite alternar entre diferentes bancos de dados e emissores de cheque para testar e ampliar o aplicativo. Acho curioso o fato de esse desacoplamento ter ocorrido pela necessidade de testar. Aparentemente, a necessidade de isolar o módulo que está sendo testado nos obriga a desacoplar de uma forma que favorece a estrutura global do programa. *Escrever testes antes do código melhora nossos projetos.*

Grande parte deste livro consiste em princípios de projeto para gerenciar dependências. Esses princípios fornecem algumas diretrizes e técnicas para desacoplar classes e pacotes. Você achará esses princípios mais vantajosos se praticá-los como parte de sua estratégia de teste de unidade. São os testes de unidade que proporcionarão grande parte do incentivo e da orientação para o desacoplamento.

Testes de aceitação

Os testes de unidade são necessários, mas insuficientes como ferramentas de verificação. Os testes de unidade verificam se os pequenos elementos do sistema funcionam como deveriam, mas não verificam se o sistema como um todo funciona corretamente. Os testes de unidade são testes de caixa branca[3], que verificam os mecanismos individuais do sistema. Os testes de aceitação são testes de caixa preta[4], que verificam se os requisitos do cliente estão sendo cumpridos.

Os testes de aceitação são escritos por pessoas que não conhecem os mecanismos internos do sistema. Esses testes podem ser escritos diretamente pelo cliente ou por analistas de negócio, testadores ou especialistas em garantia da qualidade. Os testes de aceitação são automatizados. Normalmente eles são redigidos em uma linguagem de especificação especial que pode ser lida e escrita por pessoas sem muitos conhecimentos técnicos.

Os testes de aceitação são a documentação definitiva de uma funcionalidade. Uma vez que o cliente tenha escrito os testes de aceitação que verificam se uma funcionalidade está correta, os programadores podem ler esses testes para realmente entender a funcionalidade. Portanto, assim como os testes de unidade servem como uma documentação que pode ser compilada e executada dos detalhes internos do sistema, os testes de aceitação servem como uma documentação das funcionalidades do sistema, que também pode ser compilada e executada. Em resumo, *os testes de aceitação se tornam o verdadeiro documento de requisitos*.

Além disso, o ato de escrever testes de aceitação primeiro tem um impacto profundo na arquitetura do sistema. Para que o sistema possa ser testado, ele precisa ser desacoplado no nível alto da arquitetura. Por exemplo, a interface do usuário precisa ser desacoplada das regras de negócio de tal maneira que os testes de aceitação possam acessar essas regras de negócio sem passar pela IU.

Nas primeiras iterações de um projeto, a tentação é fazer testes de aceitação manualmente. Isso é desaconselhável, pois tira dessas primeiras iterações a pressão pelo desacoplamento exercida pela necessidade de automatizar os testes de aceitação. Quando você começa a primeira iteração sabendo perfeitamente que deve automatizar os testes de aceitação, assume compromissos arquitetônicos muito diferentes. Assim como os testes de unidade o motivam a tomar decisões de projeto melhores em pequena escala, os testes de aceitação o motivam a tomar decisões arquitetônicas melhores em grande escala.

Considere novamente o aplicativo de folha de pagamentos. Em nossa primeira iteração, devemos ter a capacidade de adicionar e excluir funcionários do banco de dados. Também devemos ter a capacidade de criar cheques-salário para os funcionários que estão no banco de dados. Felizmente, precisamos lidar apenas com funcionários mensalistas. Os outros tipos de funcionários foram deixados para uma iteração posterior.

Ainda não escrevemos nenhum código e não investimos em projeto algum. Este é o melhor momento para começar a pensar nos testes de aceitação. Mais uma vez, a programação intencional é uma ferramenta útil. Devemos escrever os testes de aceitação da

---

[3] Um teste que conhece e depende da estrutura interna do módulo que está sendo testado.
[4] Um teste que não conhece nem depende da estrutura interna do módulo que está sendo testado.

maneira como achamos que eles devem aparecer e, então, podemos projetar o sistema de folha de pagamentos de forma correspondente.

Quero que os testes de aceitação sejam cômodos de escrever e fáceis de alterar. Quero que eles sejam colocados em uma ferramenta de colaboração e que estejam disponíveis na rede interna para que eu possa executá-los sempre que desejar. Portanto, usarei a ferramenta de código-fonte aberto FitNesse.[5] A ferramenta FitNesse permite que cada teste de aceitação seja escrito como uma página Web simples, acessada e executada a partir de um navegador Web.

A Figura 4-3 mostra um exemplo de teste de aceitação escrito com a ferramenta FitNesse. O primeiro passo do teste é adicionar dois funcionários no sistema de folha de pagamentos. O segundo é pagá-los. O terceiro é garantir que os contracheques sejam emitidos corretamente. Nesse exemplo, estamos supondo que o desconto é uma dedução fixa de 20%.

Evidentemente, esse tipo de teste é muito fácil para os clientes lerem e escreverem. Mas pense no que isso significa para a estrutura do sistema. As duas primeiras tabelas do teste são funções do aplicativo de folha de pagamentos. Se você fosse escrever o sistema de folha de pagamentos como uma estrutura reutilizável, elas corresponderiam às funções de API (interface de programação de aplicativos). Aliás, para que a ferramenta FitNesse chame essas funções, as APIs devem ser escritas.[6]

Primeiro, adicionamos dois funcionários.

Adicionar funcionários		
id	nome	salário
1	Jeff Languid	1000.00
2	Kelp Holland	2000.00

Em seguida, os pagamos.

Criar contracheque	
data de pagamento	número do contracheque
31/1/2001	1000

Garantir que o desconto fixo de 20% seja feito.

Inspecionar contracheques		
id	salário bruto	salário líquido
1	1000	800
2	2000	1600

Figura 4-3
Exemplo de teste de aceitação.

---

[5] www.fitnesse.org.
[6] A maneira pela qual a ferramenta FitNesse chama essas funções de API está fora do escopo deste livro. Para obter mais informações, consulte a documentação da ferramenta FitNesse. Consulte também [Mugridge2005].

Arquitetura casual

Observe a pressão que os testes de aceitação fizeram em relação à arquitetura do sistema de folha de pagamentos. O próprio fato de termos pensado primeiro nos testes nos levou à ideia de uma API para as funções desse sistema. Claramente, a IU utilizará essa API para conseguir alcançar os seus objetivos. Observe também que a impressão dos contracheques deve ser desacoplada da função `Create Paychecks`. Essas são boas decisões arquitetônicas.

Conclusão

Quanto mais simples for a execução de um conjunto de testes, mais frequentemente esses testes serão executados. Quanto mais testes forem executados, mais cedo qualquer desvio deles será encontrado. Se pudermos executar os testes várias vezes por dia, então o sistema nunca estará danificado por mais do que alguns minutos. Essa é uma meta razoável. Simplesmente não permitimos que o sistema se deteriore. Uma vez que ele funcione em certo nível, nunca se deteriorará para um nível inferior.

Apesar disso, a verificação é apenas uma das vantagens de se escrever testes. Tanto os testes de unidade como os testes de aceitação são uma forma de documentação. Essa documentação pode ser compilada e executada e, portanto, é precisa e confiável. Além disso, esses testes são escritos em linguagens claras, fáceis para seu público ler. Os programadores podem ler os testes de unidade porque eles são escritos na linguagem de programação que eles utilizam. Os clientes podem ler os testes de aceitação porque são escritos em uma linguagem tabular simples.

Possivelmente, a vantagem mais importante de todos esses testes é o impacto que eles têm na arquitetura e no projeto. Para que um módulo ou um aplicativo se torne passível de teste, o módulo ou aplicativo também deve ser desacoplado. Quanto mais passível de teste ele for, mais desacoplado será. O ato de considerar testes de aceitação e de unidade amplos tem um efeito profundamente positivo na estrutura do software.

Bibliografia

[Jeffries2001] Ron Jeffries, *Extreme Programming Installed*, Addison-Wesley, 2001.

[Mackinnon2000] Tim Mackinnon, Steve Freeman, and Philip Craig, "Endo-Testing: Unit Testing with Mock Objects", in Giancarlo Succi and Michele Marchesi, *Extreme Programming Examined*, Addison-Wesley, 2001.

[Mugridge2005] Rick Mugridge and Ward Cunningham, *Fit for Developing Software: Framework for Integrated Tests*, Addison-Wesley, 2005.

Capítulo 5

REFATORAÇÃO

O único elemento que está se tornando escasso em um mundo de fartura é a atenção humana.

—Kevin Kelly, na *Wired*

Este capítulo fala sobre prestar atenção ao que você está fazendo e garantir que esteja dando o seu melhor. Discutimos sobre a diferença entre fazer algo funcionar e fazer algo direito. O valor que damos à estrutura de nosso código também é abordado.

Em sua obra clássica, *Refactoring*, Martin Fowler define a refatoração como "o processo de alterar um sistema de software de tal maneira que não mude o comportamento externo do código, embora melhore sua estrutura interna".[1] Por que desejaríamos melhorar a estrutura de um código que já funciona? "Em time que está ganhando, não se mexe", correto?

Todo módulo de software tem três funções. A primeira é a que ele realiza enquanto está sendo executado. Essa função é a razão da existência do módulo. A segunda função de um módulo é permitir alteração. Quase todos os módulos mudarão durante sua vida e os desenvolvedores são responsáveis por garantir que tais mudanças sejam as mais simples de fazer. Um módulo difícil de alterar precisa ser consertado, mesmo que funcione. A terceira função de um módulo é se comunicar com seus leitores. Desenvolvedores não familiarizados com o módulo devem ser capazes de lê-lo e entendê-lo sem muito exercício mental. Um módulo que não se comunica está estragado e precisa ser consertado.

O que é necessário para tornar um módulo fácil de ler e de alterar? Grande parte deste livro é dedicada aos princípios e padrões cujo principal objetivo é ajudá-lo a criar módulos flexíveis e adaptáveis. Mas é necessário algo mais do que apenas princípios e padrões para se produzir um módulo fácil de ler e alterar. Isso requer atenção. Requer disciplina. Requer paixão para criar a perfeição.

---

[1] [Fowler99], p. xvi

Um exemplo de refatoração simples: geração de números primos

Considere o código da Listagem 5-1. Esse programa gera números primos. Trata-se de uma função enorme, com muitas variáveis de uma só letra e comentários para nos ajudar a lê-lo.

Listagem 5-1
GeneratePrimes.cs, versão 1

```
/// <remark>
/// Esta classe gera números primos até um máximo especificado
/// pelo usuário. O algoritmo usado é o Crivo de Eratóstenes.
///
/// Eratóstenes de Cirene, b. c. 276 AC, Cirene, Líbia --
/// d. c. 194, Alexandria. O primeiro homem a calcular a
/// circunferência da Terra. Também conhecido por trabalhar em
/// calendários com anos bissextos e administrar a biblioteca
/// de Alexandria.
///
/// O algoritmo é muito simples. Dado um array de inteiros,
/// começando em 2, exclui todos os múltiplos de 2. Encontra
/// o próximo inteiro não excluído e exclui todos os seus
/// múltiplos. Repete até que você tenha passado a raiz
/// quadrada do valor máximo.
///
/// Escrito em Java por Robert C. Martin em 9 de Dez de 1999
/// Transformado em C# por Micah Martin em 12 de Jan de 2005.
///</remark>

using System;

/// <summary>
/// autor: Robert C. Martin
/// </summary>
public class GeneratePrimes
{
    ///<summary>
    /// Gera um array de números primos.
    ///</summary>
    ///
    /// <param name="maxValue">O limite da geração.</param>
    public static int[] GeneratePrimeNumbers(int maxValue)
    {
        if (maxValue >= 2) // único caso válido
        {
            // declarações
            int s = maxValue + 1; // tamanho do array
            bool[] f = new bool[s];
            int i;

            // inicializa o array como true
            for (i = 0; i < s; i++)
```

```
            f[i] = true;
        // descarta os não primos conhecidos
        f[0] = f[1] = false;
        // crivo
        int j;
        for (i = 2; i < Math.Sqrt(s) + 1; i++)
        {
          if(f[i]) // se i não é excluído, exclui seus múltiplos
          {
            for (j = 2 * i; j < s; j += i)
              f[j] = false; // o múltiplo não é primo
          }
        }

        // quantos números primos existem?
        int count = 0;
        for (i = 0; i < s; i++)
        {
          if (f[i])
            count++; // incrementa a contagem
        }

        int[] primes = new int[count];

        // move os números primos para o resultado
        for (i = 0, j = 0; i < s; i++)
        {
          if (f[i]) // se for primo
            primes[j++] = i;
        }

        return primes; // retorna os números primos
      }
      else // maxValue < 2
        return new int[0]; // retorna um array nulo se a entrada for inválida.
    }
  }
```

Teste de unidade

O teste de unidade de `GeneratePrimes` aparece na Listagem 5-2. Ele adota uma estratégia estatística, verificando se o gerador pode gerar números primos até 0, 2, 3 e 100. No primeiro caso, não deve haver números primos. No segundo, deve haver um número primo e deve ser o número 2. No terceiro, deve haver dois números primos e devem ser os números 2 e 3. No último caso, deve haver 25 números primos, o último dos quais é 97. Se todos os testes passarem, presumimos que o gerador está funcionando. Duvido que isso seja infalível, mas não consigo imaginar um cenário razoável no qual esses testes passariam e a função falharia.

Listagem 5-2
GeneratePrimesTest.cs

```
using NUnit.Framework;

[TestFixture]
public class GeneratePrimesTest
{
  [Test]
  public void TestPrimes()
  {
    int[] nullArray = GeneratePrimes.GeneratePrimeNumbers(0);
    Assert.AreEqual(nullArray.Length, 0);

    int[] minArray = GeneratePrimes.GeneratePrimeNumbers(2);
    Assert.AreEqual(minArray.Length, 1);
    Assert.AreEqual(minArray[0], 2);

    int[] threeArray = GeneratePrimes.GeneratePrimeNumbers(3);
    Assert.AreEqual(threeArray.Length, 2);
    Assert.AreEqual(threeArray[0], 2);
    Assert.AreEqual(threeArray[1], 3);

    int[] centArray = GeneratePrimes.GeneratePrimeNumbers(100);
    Assert.AreEqual(centArray.Length, 25);
    Assert.AreEqual(centArray[24], 97);
  }
}
```

Refatoração

Para ajudar a refatorar esse programa, estou usando Visual Studio com o complemento de refatoração *ReSharper* da *JetBrains*. Essa ferramenta torna trivial extrair métodos e renomear variáveis e classes.

    Parece bastante claro que a função principal quer ser três funções distintas. A primeira inicializa todas as variáveis e monta o filtro (crivo). A segunda executa a filtragem, e a terceira carrega os resultados filtrados em um array de inteiros. Para mostrar essa estrutura mais claramente, transcrevi essas funções em três métodos distintos (Listagem 5-3). Removi também alguns comentários desnecessários e mudei o nome da classe para `PrimeGenerator`. Todos os testes ainda funcionavam.

    Transcrever as três funções me obrigou a promover algumas das variáveis da função para campos estáticos da classe. Isso torna muito mais claro quais variáveis são locais e quais têm influência mais ampla.

Listagem 5-3
PrimeGenerator.cs, versão 2

```csharp
///<remark>
/// Esta classe gera números primos até um máximo especificado
/// pelo usuário. O algoritmo usado é o Crivo de Eratóstenes.
/// Dado um array de inteiros, começando em 2,
/// encontra o primeiro inteiro não excluído e exclui todos
/// os seus múltiplos. Repete até que não existam mais
/// múltiplos no array.
///</remark>
using System;

public class PrimeGenerator
{
  private static int s;
  private static bool[] f;
  private static int[] primes;

  public static int[] GeneratePrimeNumbers(int maxValue)
  {
    if (maxValue < 2)
      return new int[0];
    else
    {
      InitializeSieve(maxValue);
      Sieve();
      LoadPrimes();
      return primes; // retorna os números primos
    }
  }

  private static void LoadPrimes()
  {
    int i;
    int j;
    // quantos números primos existem?
    int count = 0;
    for (i = 0; i < s; i++)
    {
      if (f[i])
        count++; // incrementa a contagem
    }

    primes = new int[count];

    // move os números primos para o resultado
    for (i = 0, j = 0; i < s; i++)
    {
      if (f[i]) // se for primo
        primes[j++] = i;
    }
```

```csharp
  }
  private static void Sieve()
  {
    int i;
    int j;
    for (i = 2; i < Math.Sqrt(s) + 1; i++)
    {
      if(f[i]) // se i não é excluído, exclui seus múltiplos.
      {
        for (j = 2 * i; j < s; j += i)
          f[j] = false; // o múltiplo não é primo
      }
    }
  }

  private static void InitializeSieve(int maxValue)
  {
    // declarações
    s = maxValue + 1; // tamanho do array
    f = new bool[s];
    int i;

    // inicializa o array como true.
    for (i = 0; i < s; i++)
      f[i] = true;

    // descarta os não primos conhecidos
    f[0] = f[1] = false;
  }
}
```

Listagem 5-4
PrimeGenerator.cs, versão 3 (parcial)

```csharp
public class PrimeGenerator
{
  private static bool[] f;
  private static int[] result;

  public static int[] GeneratePrimeNumbers(int maxValue)
  {
    if (maxValue < 2)
      return new int[0];
    else
```

```
    {
      InitializeArrayOfIntegers(maxValue);
      CrossOutMultiples();
      PutUncrossedIntegersIntoResult();
      return result;
    }
  }
  private static void InitializeArrayOfIntegers(int maxValue)
  {
    // declarações
    f = new bool[maxValue + 1];
    f[0] = f[1] = false; //nem primos nem múltiplos.
    for (int i = 2; i < f.Length; i++)
      f[i] = true;
  }
}
```

A função `InitializeSieve` é um pouco complicada, de modo que a limpei bastante (Listagem 5-4). Em primeiro lugar, substituí todos os usos da variável s por f.Length. Depois, mudei os nomes das três funções para algo um pouco mais expressivo. Por fim, reorganizei a parte interna de `InitializeArrayOfIntegers` (nascida com o nome `InitializeSieve`) para ser um pouco mais legível. Todos os testes ainda funcionavam.

Em seguida, considerei `CrossOutMultiples`. Nessa função e em outras havia várias declarações da forma if(f[i] == true). O objetivo era verificar se i não tinha sido excluída; portanto, mudei o nome de f para unCrossed. Mas isso levou a declarações horríveis, como unCrossed[i] = false. Achei a dupla negativa confusa. Portanto, mudei o nome do array para isCrossed e alterei o sentido de todos os booleanos. Todos os testes ainda funcionavam.

Descartei a inicialização que configurava isCrossed[0] e isCrossed[1] como true e simplesmente garanti que nenhuma parte da função usasse o array isCrossed para índices menores do que 2. Retirei o loop interno da função CrossOutMultiples e o chamei de CrossOutMultiplesOf. Também achei que if (isCrossed[i] == false) era confuso, de modo que criei uma função chamada NotCrossed e alterei a declaração de if para if (NotCrossed(i)). Todos os testes ainda funcionavam.

Dediquei um bom tempo para escrever um comentário que tentasse explicar por que você precisa iterar apenas até a raiz quadrada do tamanho do array. Isso me levou a colocar o cálculo em uma função onde eu pudesse escrever o comentário explicativo. Ao escrever o comentário, percebi que a raiz quadrada é o máximo fator primo de qualquer um dos inteiros no array. Portanto, escolhi esse nome (maxPrimeFactor) para as variáveis e funções que tratavam disso. O resultado de todas essas refatorações aparece na Listagem 5-5. Todos os testes ainda funcionavam.

Listagem 5-5
`PrimeGenerator.cs`, versão 4 (parcial)

```
public class PrimeGenerator
{
  private static bool[] isCrossed;
  private static int[] result;

  public static int[] GeneratePrimeNumbers(int maxValue)
  {
    if (maxValue < 2)
      return new int[0];
    else
    {
      InitializeArrayOfIntegers(maxValue);
      CrossOutMultiples();
      PutUncrossedIntegersIntoResult();
      return result;
    }
  }

  private static void InitializeArrayOfIntegers(int maxValue)
  {
    isCrossed = new bool[maxValue + 1];
    for (int i = 2; i < isCrossed.Length; i++)
      isCrossed[i] = false;
  }

  private static void CrossOutMultiples()
  {
    int maxPrimeFactor = CalcMaxPrimeFactor();
    for (int i = 2; i < maxPrimeFactor + 1; i++)
    {
      if(NotCrossed(i))
        CrossOutputMultiplesOf(i);
    }
  }

  private static int CalcMaxPrimeFactor()
  {
    // Excluímos todos os múltiplos de p, onde p é primo.
    // Assim, todos os múltiplos excluídos têm p e q como
    // fatores. Se p > sqrt do tamanho do array, então
    // q nunca será maior do que 1. Assim, p é o
    // maior fator primo no array e também é
    // o limite da iteração.

    double maxPrimeFactor = Math.Sqrt(isCrossed.Length) + 1;
    return (int) maxPrimeFactor;
  }
```

```csharp
    private static void CrossOutputMultiplesOf(int i)
    {
      for (int multiple = 2*i;
        multiple < isCrossed.Length;
        multiple += i)
        isCrossed[multiple] = true;
    }

    private static bool NotCrossed(int i)
    {
      return isCrossed[i] == false;
    }
  }
```

A última função a refatorar é `PutUncrossedIntegersIntoResult`. Esse método tem duas partes. A primeira conta o número de inteiros não excluídos no array e cria o array de resultados com esse tamanho. A segunda move os inteiros não excluídos para o array de resultados. Coloquei a primeira parte em sua própria função e fiz algumas limpezas (Listagem 5-6). Todos os testes ainda funcionavam.

Listagem 5-6
PrimerGenerator.cs, versão 5 (parcial)

```csharp
    private static void PutUncrossedIntegersIntoResult()
    {
      result = new int[NumberOfUncrossedIntegers()];
      for (int j = 0, i = 2; i < isCrossed.Length; i++)
      {
        if (NotCrossed(i))
          result[j++] = i;
      }
    }

    private static int NumberOfUncrossedIntegers()
    {
      int count = 0;
      for (int i = 2; i < isCrossed.Length; i++)
      {
        if (NotCrossed(i))
          count++; // incrementa a contagem.
      }
      return count;
    }
```

A releitura final

Em seguida, fiz uma última varredura pelo programa inteiro, lendo-o do começo ao fim, assim como alguém leria uma prova geométrica. Essa é uma etapa importante. Até aqui, estive refatorando fragmentos. Agora, quero ver se o programa inteiro permanece unido como um todo *legível*.

Logo percebo que não gosto do nome `InitializeArrayOfIntegers`. O que de fato está sendo inicializado não é um array de inteiros, mas um array de valores booleanos. Mas `InitializeArrayOfBooleans` não é uma melhoria. O que estamos realmente fazendo nesse método é não excluir todos os inteiros relevantes para que, então, possamos excluir os múltiplos. Assim, mudei o nome para `UncrossIntegersUpTo`. Percebi também que não gostei do nome `isCrossed` para o array de booleanos. Portanto, mudei para `crossedOut`. Todos os testes ainda funcionam.

Alguém poderia pensar que estou sendo frívolo com essas mudanças de nome, mas com um navegador de refatoração você pode se permitir fazer esses tipos de ajustes; eles custam praticamente nada. Mesmo sem um navegador de refatoração, uma operação simples de localizar e substituir é muito barata. E os testes reduzem significativamente as chances de estragarmos algo involuntariamente.

Não sei o que eu estava fumando quando escrevi toda aquela porcaria de `maxPrime-Factor`. Oh, Deus! A raiz quadrada do tamanho do array não é necessariamente um número primo. Esse método *não* calculava o máximo fator primo. O comentário explicativo simplesmente estava *errado*. Portanto, reescrevi o comentário para explicar melhor o fundamento lógico por trás da raiz quadrada e renomeei todas as variáveis adequadamente.[2] Todos os testes ainda funcionam.

Que diabos esse +1 está fazendo ali? Deve ter sido paranoia. Eu estava com receio de que uma raiz quadrada fracionária fosse convertida em um inteiro pequeno demais para servir como limite de iteração. Mas isso é tolice. O verdadeiro limite de iteração é o maior número primo menor ou igual à raiz quadrada do tamanho do array. Vou me livrar do +1.

Todos os testes funcionam, mas essa última alteração me deixa bastante nervoso. Eu entendo o fundamento lógico por trás da raiz quadrada, mas tive a sensação horrível de que poderia haver alguns casos ocultos que não estavam sendo abordados. Portanto, vou escrever outro teste que verifique se não existem múltiplos em qualquer das listas de números primos entre 2 e 500. (Consulte a função `TestExhaustive` na Listagem 5-8.) O novo teste passa e meus receios foram atenuados.

O restante do código me parece perfeito. Portanto, acho que terminamos. A versão final aparece nas listagens 5-7 e 5-8.

---

[2] Certa vez, observei Kent Beck refatorar esse mesmo programa. Ele aboliu completamente a raiz quadrada. Seu fundamento lógico era que a raiz quadrada era difícil de entender e que nenhum teste falharia se você iterasse até o tamanho do array. Não sou capaz de abrir mão da eficiência. Acho que isso mostra minhas raízes na linguagem assembly.

Listagem 5-7
PrimeGenerator.cs (final)

```csharp
///<remark>
/// Esta classe gera números primos até um máximo especificado
/// pelo usuário. O algoritmo usado é o Crivo de Eratóstenes.
/// Dado um array de inteiros, começando em 2,
/// encontra o primeiro inteiro não excluído e exclui todos
/// os seus múltiplos. Repete até que não existam
/// mais múltiplos no array.
///</remark>
using System;

public class PrimeGenerator
{
  private static bool[] crossedOut;
  private static int[] result;

  public static int[] GeneratePrimeNumbers(int maxValue)
  {
    if (maxValue < 2)
      return new int[0];
    else
    {
      UncrossIntegersUpTo(maxValue);
      CrossOutMultiples();
      PutUncrossedIntegersIntoResult();
      return result;
    }
  }

  private static void UncrossIntegersUpTo(int maxValue)
  {
    crossedOut = new bool[maxValue + 1];
    for (int i = 2; i < crossedOut.Length; i++)
      crossedOut[i] = false;
  }

  private static void PutUncrossedIntegersIntoResult()
  {
    result = new int[NumberOfUncrossedIntegers()];
    for (int j = 0, i = 2; i < crossedOut.Length; i++)
    {
      if (NotCrossed(i))
        result[j++] = i;
    }
  }
```

```
    private static int NumberOfUncrossedIntegers()
    {
      int count = 0;
      for (int i = 2; i < crossedOut.Length; i++)
      {
        if (NotCrossed(i))
          count++; // incrementa a contagem.
      }
      return count;
    }
    private static void CrossOutMultiples()
    {
      int limit = DetermineIterationLimit();
      for (int i = 2; i <= limit; i++)
      {
        if(NotCrossed(i))
          CrossOutputMultiplesOf(i);
      }
    }
    private static int DetermineIterationLimit()
    {
      // Todo múltiplo no array tem um fator primo que
      // é menor ou igual à raiz do tamanho do array;
      // portanto, não precisamos excluir múltiplos de números
      // maiores do que essa raiz.
      double iterationLimit = Math.Sqrt(crossedOut.Length);
      return (int) iterationLimit;
    }
    private static void CrossOutputMultiplesOf(int i)
    {
      for (int multiple = 2*i;
        multiple < crossedOut.Length;
        multiple += i)
        crossedOut[multiple] = true;
    }
    private static bool NotCrossed(int i)
    {
      return crossedOut[i] == false;
    }
}
```

Listagem 5-8
GeneratePrimesTest.cs (final)

```csharp
using NUnit.Framework;

[TestFixture]
public class GeneratePrimesTest
{
  [Test]
  public void TestPrimes()
  {
    int[] nullArray = PrimeGenerator.GeneratePrimeNumbers(0);
    Assert.AreEqual(nullArray.Length, 0);

    int[] minArray = PrimeGenerator.GeneratePrimeNumbers(2);
    Assert.AreEqual(minArray.Length, 1);
    Assert.AreEqual(minArray[0], 2);

    int[] threeArray = PrimeGenerator.GeneratePrimeNumbers(3);
    Assert.AreEqual(threeArray.Length, 2);
    Assert.AreEqual(threeArray[0], 2);
    Assert.AreEqual(threeArray[1], 3);

    int[] centArray = PrimeGenerator.GeneratePrimeNumbers(100);
    Assert.AreEqual(centArray.Length, 25);
    Assert.AreEqual(centArray[24], 97);
  }

  [Test]
  public void TestExhaustive()
  {
    for (int i = 2; i<500; i++)
      VerifyPrimeList(PrimeGenerator.GeneratePrimeNumbers(i));
  }

  private void VerifyPrimeList(int[] list)
  {
    for (int i=0; i<list.Length; i++)
      VerifyPrime(list[i]);
  }

  private void VerifyPrime(int n)
  {
    for (int factor=2; factor<n; factor++)
      Assert.IsTrue(n%factor != 0);
  }
}
```

Conclusão

O resultado final desse programa é lido de forma muito melhor do que no início. Ele também funciona um pouco melhor. Estou muito satisfeito com o resultado. O programa é muito mais fácil de entender e, portanto, muito mais fácil de alterar. Além disso, a estrutura do programa isolou suas partes. Isso também torna o programa mais fácil de alterar.

Você pode pensar remover funções que são chamadas apenas uma vez pode afetar o desempenho adversamente. Eu acho que, na maioria dos casos, a maior clareza compensa alguns nanossegundos a mais. Contudo, pode haver loops internos profundos onde esses poucos nanossegundos serão dispendiosos. Meu conselho é presumir que o custo será desprezível e esperar que se prove o contrário.

Esse tempo investido valeu a pena? Afinal, a função já estava correta quando começamos. Recomendo com veemência que você *sempre* pratique tal refatoração em *todo* módulo que escrever e em todo módulo que mantiver. O investimento de tempo é muito pequeno comparado com o trabalho que estará evitando para você e para outros no futuro próximo.

Refatorar é como limpar a cozinha depois do jantar. Na primeira vez que você ignora a limpeza, termina o jantar mais cedo. Mas a falta de pratos limpos e de espaço de trabalho torna o jantar mais demorado de preparar no dia seguinte. Isso o leva a querer fugir da limpeza novamente. Aliás, você sempre pode terminar o jantar mais rapidamente *hoje*, se ignorar a limpeza. Mas a bagunça só aumenta. Então, você acabará perdendo muito tempo procurando os utensílios de cozinha corretos, removendo a comida ressecada incrustada nas vasilhas, esfregando-as para que estejam devidamente limpas etc. O jantar demora uma infinidade. Ignorar a limpeza não o torna mais rápido.

O objetivo da refatoração, conforme descrito neste capítulo, é limpar seu código todos os dias, a toda hora e a todo minuto. Não queremos que a bagunça aumente. Não queremos ter de esfregar e arear os trechos incrustados que se acumulam com o tempo. Queremos ser capazes de ampliar e modificar nossos sistemas com um mínimo de trabalho. O mais importante capacitador dessa habilidade é a limpeza do código.

Não consigo enfatizar isso o suficiente. Todos os princípios e padrões deste livro nada adiantam se o código dentro dos quais eles são utilizados for uma bagunça. Antes de investir em princípios e padrões, invista em código limpo.

Bibliografia

[Fowler99] Martin Fowler, *Refactoring: Improving the Design of Existing Code*, Addison-Wesley, 1999.

Capítulo 6

UM EPISÓDIO DE PROGRAMAÇÃO

*Projetar e programar são atividades humanas;
esqueça isso e tudo estará perdido.*

— Bjarne Stroustrup, 1991

Para demonstrar as práticas de programação ágeis, Bob Koss (RSK) e Bob Martin (RCM) programarão em dupla um aplicativo simples, enquanto você fica observa como uma mosca na parede. Para criar nosso aplicativo, usaremos desenvolvimento guiado por testes e muita refatoração. O que se segue é uma reprodução bastante fiel de um episódio de programação que os dois Bobs fizeram em um quarto de hotel, no final de 2000.

Cometemos muitos erros enquanto programávamos. Alguns deles foram de código, outros de lógica, alguns de projeto e outros nos requisitos. À medida que você ler, nos verá debatendo em todas essas áreas, identificando e, finalmente, lidando com nossos erros e concepções erradas. O processo é desordenado, como todos os processos humanos. O resultado: bem, a ordem que resultou de um processo tão desordenado é espantosa.

O programa calcula o placar de um jogo de boliche; portanto, saber as regras será importante. Se você não conhece as regras do boliche, consulte o quadro da página 120.

O jogo de boliche

RCM: Você me ajuda a escrever um pequeno aplicativo que calcule os pontos do boliche?

RSK: (Pensa consigo mesmo: a prática XP da programação em pares afirma que não posso negar um pedido de ajuda. Quando é seu chefe quem está pedindo, então) Claro, Bob, ficarei contente em ajudar.

RCM: Certo, excelente. Quero escrever um aplicativo que leve em conta as regras da federação de boliche. Ele precisa registrar todos os jogos, determinar as classificações das equipes, definir os vencedores e perdedores de cada competição semanal e mostrar a pontuação de cada jogo com precisão.

RSK: Legal. Eu já fui um bom jogador de boliche. Será divertido. Você citou várias histórias de usuário; com qual delas gostaria de começar?

RCM: Vamos começar com a contagem de um jogo só.

RSK: Certo. O que isso significa? Quais são as entradas e saídas dessa história?

RCM: A mim me parece que as entradas são simplesmente uma sequência de arremessos. Um arremesso é um inteiro que informa quantos pinos foram derrubados pela bola. A saída é a contagem de cada quadro.

RSK: Estou supondo que você está atuando como cliente neste exercício; portanto, em que forma você deseja que as entradas e saídas estejam?

RCM: Sim, eu sou o cliente. Precisaremos de uma função que seja chamada para somar os arremessos e de outra que obtenha o placar. Algo do tipo:

```
ThrowBall(6);
ThrowBall(3);
Assert.AreEqual(9, GetScore());
```

RSK: Certo, vamos precisar de alguns dados de teste. Deixe-me esboçar o desenho de um cartão de marcação. [Consulte a Figura 6-1.]

1	4	4	5	6	/	5	/	■		0	1	7	/	6	/	■		2	/	6
5		14		29		49		60		61		77		97		117		133		

Figura 6-1
Cartão de marcação típico de jogo de boliche.

RCM: Esse cara é muito irregular.

RSK: Ou está bêbado, mas isso servirá como um teste de aceitação decente.

RCM: Precisaremos de outros, mas vamos tratar disso depois. Como devemos começar? Devemos propor um projeto para o sistema?

RSK: Queria um diagrama UML que mostrasse a ideia geral do domínio do problema que podemos ver a partir do cartão de pontuação. Isso fornecerá alguns candidatos a objetos que poderemos explorar melhor no código.

RCM: (Colocando seu chapéu de projetista de objetos poderoso.) Certo, evidentemente, um objeto jogo (`Game`) consiste em uma sequência de dez quadros (`Frame`). Cada objeto quadro contém um, dois ou três arremessos (`Throw`).

RSK: Genial. Era exatamente isso que eu estava pensando. Deixe-me desenhar isso rapidamente. [Consulte a Figura 6-2.]

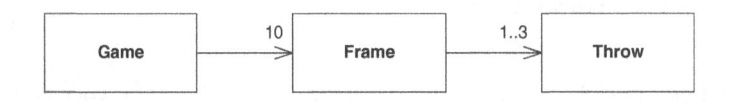

```
┌──────┐   10   ┌───────┐  1..3   ┌───────┐
│ Game │ ─────▷ │ Frame │ ──────▷ │ Throw │
└──────┘        └───────┘         └───────┘
```

Figura 6-2
Diagrama UML do cartão de marcação para boliche.

RSK: Bem, escolha uma classe, qualquer classe. Devemos começar no final do encadeamento de dependência e trabalhar de trás para diante? Isso tornará o teste mais fácil.

RCM: Claro, por que não? Vamos criar um caso de teste para a classe `Throw`.

RSK: (Começa a digitar.)

```
//ThrowTest.cs------------------------------
using NUnit.Framework;

[TestFixture]
public class ThrowTest
{
  [Test]
  public void Test???
}
```

RSK: Você tem ideia de qual deve ser o comportamento de um objeto `Throw`?

RCM: Ele contém o número de pinos derrubados pelo jogador.

RSK: Certo, você acabou de dizer em poucas palavras que, na verdade, ele não faz nada. Talvez devamos voltar a ele e nos concentrarmos em um objeto que tenha de fato um comportamento, em vez de ser simplesmente um armazém de dados.

RCM: Humm. Você quer dizer que a classe `Throw` poderia não existir?

RSK: Bem, se ela não tem um comportamento, que importância teria? Ainda não sei se ela existe ou não. Eu acharia mais produtivo se trabalhássemos com um objeto que tivesse mais do que métodos set e get. Mas se você quer pilotar... (empurrando o teclado para RCM).

RCM: Vamos mover o encadeamento de dependência para `Frame` e ver se podemos escrever casos de teste que nos obriguem a terminar `Throw` (empurrando o teclado de volta para RSK).

RSK: (Refletindo se RCM o estava levando a um beco sem saída para ensiná-lo ou se estava realmente concordando.) Certo, arquivo novo, novo caso de teste.

```
//FrameTest.cs-----------------------------------------
using NUnit.Framework;

[TestFixture]
public class FrameTest
{
  [Test]
  public void Test???
}
```

RCM: Tudo bem, essa é a segunda vez que digitamos isso. Agora, você consegue imaginar algum caso de teste interessante para `Frame`?

RSK: Um `Frame` poderia fornecer sua pontuação, o número de pinos em cada arremesso, se foi um strike ou um spare...

RCM: Certo, mostre-me o código.

RSK: (digita)

```
//FrameTest.cs------------------------------
using NUnit.Framework;

[TestFixture]
public class FrameTest
{
    [Test]
    public void TestScoreNoThrows()
    {
      Frame f = new Frame();
      Assert.AreEqual(0, f.Score);
    }
}
//Frame.cs--------------------------------------
public class Frame
{
    public int Score
    {
      get { return 0; }
    }
}
```

RCM: Está bem, o caso de teste passa. Mas `Score` é uma propriedade realmente estúpida. Ela falhará se adicionarmos um arremesso em `Frame`. Então, vamos escrever o caso de teste que adicione alguns arremessos e depois verifique a pontuação.

```
//FrameTest.cs------------------------------
[Test]
public void TestAddOneThrow()
{
  Frame f = new Frame();
  f.Add(5);
  Assert.AreEqual(5, f.Score);
}
```

RCM: Isso não compila. Não existe um método Add em Frame.

RSK: Aposto que, se você definir o método, ele compilará ;-)

RCM: (Digita.)

```
//Frame.cs------------------------------------
public class Frame
{
   public int Score
   {
     get { return 0 };
   }
   public void Add(Throw t)
   {
   }
}
```

RCM: (Pensando em voz alta.) Isso não compila, pois não escrevemos a classe Throw.

RSK: Diga-me, Bob. O teste está passando um inteiro e o método espera um objeto Throw. Você não pode ter as duas coisas. Antes de tomarmos novamente o caminho de Throw, você pode descrever seu comportamento?

RCM: Uau! Eu não tinha reparado que tinha escrito f.Add(5). Eu deveria ter escrito f.Add(new Throw(5)), mas isso é horrível. O que quero mesmo escrever é f.Add(5).

RSK: Feio ou não, vamos deixar a estética de lado por enquanto. Você pode descrever algum comportamento de um objeto Throw? Resposta binária, Bob.

RCM: 101101011010100101. Não sei se existe algum comportamento em Throw; estou começando a achar que Throw é apenas um int. Mas, não precisamos considerar isso ainda, pois podemos escrever Frame.Add de forma a aceitar um int.

RSK: Então eu acho que devemos fazer isso justamente porque é simples. Quando nos sentirmos mal, faremos algo mais sofisticado.

RCM: Combinado.

```
//Frame.cs------------------------------------
public class Frame
{
  public int Score
  {
    get { return 0 };
  }
  public void Add(int pins)
  {
  }
}
```

RCM: Certo, isso compila e o teste falha. Agora, vamos fazer o teste passar.

```
//Frame.cs---------------------------------------
public class Frame
{
  private int score;

  public int Score
  {
    get { return score; }
  }

  public void Add(int pins)
  {
    score += pins;
  }
}
```

RCM: Isso compila e os testes passam. Mas é claramente simplista. Qual é o próximo caso de teste?

RSK: Podemos fazer uma pausa primeiro?

----------------------------Break--------------------------

RCM: Isso está melhor. `Frame.Add` é uma função frágil. E se você chamá-la com um 11?

RSK: Ela pode lançar uma exceção se isso acontecer. Mas quem a está chamando? Isso vai ser uma estrutura de aplicativo que milhares de pessoas usarão, e precisaremos protegê-la contra tais coisas, ou vai ser usada somente por você? Se for o segundo caso, simplesmente não a chame com um 11 (risos).

RCM: Bem pensado. Os testes do resto do sistema obterão um argumento inválido. Se tivermos problemas, podemos colocar a verificação mais tarde.

Então, a função `Add` não trata ainda de strikes ou spares. Vamos escrever um caso de teste que expresse isso.

RSK: Hummmm. Se chamamos `Add(10)` para representar um strike, o que `GetScore()` deve retornar? Não sei como escrever a declaração; portanto, talvez estejamos fazendo a pergunta errada. Ou então estamos fazendo a pergunta certa com o objeto errado.

RCM: Quando você chama `Add(10)` ou `Add(3)`, seguido de `Add(7)`, não tem sentido chamar `Score` em `Frame`. `Frame` teria de examinar suas instâncias posteriores para calcular a pontuação. Se instâncias posteriores de `Frame` não existirem, ele teria de retornar algo horrível, como -1. Não quero retornar -1.

RSK: Sim, também detesto a ideia do -1. Você introduziu a ideia de `Frames` saber sobre outros `Frames`. Quem está guardando esses diferentes objetos `Frame`?

RCM: O objeto `Game`.

RSK: Portanto, `Game` depende de `Frame` e `Frame`, por sua vez, depende de `Game`. Odeio isso.

RCM: `Frames` não precisam depender de `Game`; eles poderiam ser organizados em uma lista encadeada. Cada `Frame` poderia conter ponteiros para seus próximos `Frames` e para os anteriores. Para obter a pontuação de um `Frame`, o `Frame` olharia

	para trás, para obter a pontuação do Frame anterior, e olharia para frente para as bolas que conseguissem um spare ou um strike.
RSK:	Estou me sentindo meio burro, pois não consigo visualizar isso. Mostre-me algum código.
RCM:	Certo. Mas, precisamos de um caso de teste primeiro.
RSK:	Para Game ou outro teste para Frame?
RCM:	Acho que precisamos de um para Game, pois será Game que construirá os Frames e os interligará.
RSK:	Quer parar o que estamos fazendo em Frame e pular mentalmente para Game ou quer apenas ter um objeto MockGame que faça exatamente o que precisamos para que Frame funcione?
RCM:	Não, vamos parar de trabalhar em Frame e começar a trabalhar em Game. Os casos de teste em Game devem provar que precisamos da lista encadeada de Frames.
RSK:	Não tenho certeza sobre como eles mostrarão a necessidade da lista. Preciso codificar.
RCM:	(digita)

```
//GameTest.cs----------------------------------------
using NUnit.Framework;

[TestFixture]
public class GameTest
{
  [Test]
  public void TestOneThrow()
  {
    Game game = new Game();
    game.Add(5);
    Assert.AreEqual(5, game.Score);
  }
}
```

RCM:	Isso parece razoável?
RSK:	Claro, mas ainda estou procurando a evidência dessa lista de Frames.
RCM:	Eu também. Vamos continuar seguindo esses casos de teste e ver onde eles levam.

```
//Game.cs---------------------------------
public class Game
{
  public int Score
  {
    get { return 0; }
  }
  public void Add(int pins)
  {
  }
}
```

RCM: Tudo bem; isso compila e o teste falha. Agora, vamos fazê-lo passar.

```
//Game.cs--------------------------------
public class Game
{
  private int score;

  public int Score
  {
    get { return score; }
  }

  public void Add(int pins)
  {
    score += pins;
  }
}
```

RCM: Isso passa. Bom.

RSK: Não posso discordar. Mas ainda estou procurando aquela grande evidência da necessidade de uma lista encadeada de objetos `Frame`. Foi exatamente isso que nos levou a `Game`.

RCM: Sim, é isso que estou procurando também. Espero realmente que, quando começarmos a introduzir casos de teste de spare e strike, precisemos construir `Frames` e interligá-los em uma lista encadeada. Mas não quero construir isso até que o código nos obrigue.

RSK: Bem pensado. Vamos continuar em pequenas etapas em `Game`. Que tal outro teste que verifique dois arremessos sem nenhum spare?

RCM: Tudo bem; isso deve passar agora. Vamos tentar.

```
//GameTest.cs-----------------------------
[Test]
public void TestTwoThrowsNoMark()
{
  Game game = new Game();
  game.Add(5);
  game.Add(4);
  Assert.AreEqual(9, game.Score);
}
```

RCM: Sim, esse passa. Agora, vamos tentar quatro bolas, sem nenhuma pontuação.

RSK: Esse também passará. Eu não esperava por isso. Podemos continuar a adicionar arremessos e não precisaremos de um `Frame`. Mas, quando fizermos um spare ou um strike, talvez precisamos de um.

RCM: É com isso que estou contando. Mas veja este caso de teste:

```
//TestGame.cs-----------------------------
[Test]
public void TestFourThrowsNoMark()
```

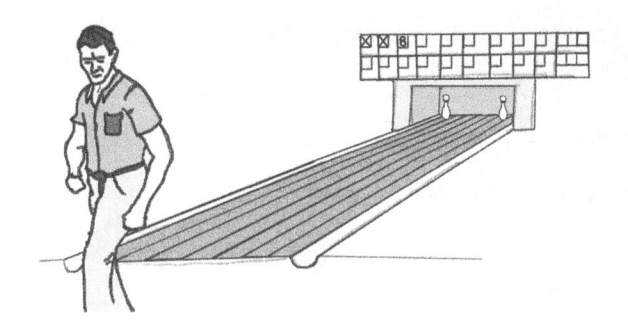

```
{
  Game game = new Game();
  game.Add(5);
  game.Add(4);
  game.Add(7);
  game.Add(2);
  Assert.AreEqual(18, game.Score);
  Assert.AreEqual(9, game.ScoreForFrame(1));
  Assert.AreEqual(18, game.ScoreForFrame(2));
}
```

RCM: Isso parece razoável?

RSK: Com certeza. Esqueci que temos de mostrar a pontuação em cada quadro. Ah, nosso esboço de cartão de marcação estava servindo de encosto para minha Coca-Cola Diet. Sim, foi por isso que esqueci.

RCM: (Suspiro.) Tudo bem; primeiro, vamos fazer esse caso de teste falhar, adicionando o método `ScoreForFrame` em `Game`.

```
//Game.cs---------------------------------
public int ScoreForFrame(int frame)
{
  return 0;
}
```

RCM: Excelente; isso compila e falha. Agora, como o fazemos passar?

RSK: Podemos começar a fazer objetos `Frame`. Mas essa é a coisa mais simples que fará o teste passar?

RCM: Não, na verdade, poderíamos simplesmente criar um array de inteiros em `Game`. Cada chamada de `Add` adicionaria um novo inteiro no array. Cada chamada de `ScoreForFrame` simplesmente percorrerá o array e calculará o placar.

```
//Game.cs---------------------------------
public class Game
{
  private int score;
  private int[] throws = new int[21];
  private int currentThrow;
```

```
        public int Score
        {
          get { return score; }
        }

        public void Add(int pins)
        {
          throws[currentThrow++] = pins;
          score += pins;
        }

        public int ScoreForFrame(int frame)
        {
          int score = 0;
          for(int ball = 0;
              frame > 0 && ball < currentThrow;
              ball+=2, frame--)
          {
            score += throws[ball] + throws[ball + 1];
          }
          return score;
        }
      }
```

RCM: (muito satisfeito consigo mesmo) Aí está! Isso funciona.

RSK: Por que o número mágico 21?

RCM: Esse é o número máximo de arremessos possíveis em um jogo.

RSK: Eca! Deixe-me adivinhar; quando jovem, você era viciado em UNIX e se orgulhava de escrever um aplicativo inteiro em uma única instrução que mais ninguém podia decifrar.

ScoreForFrame() precisa ser refatorado para ser mais comunicativo. Mas antes de considerarmos a refatoração, deixe-me fazer outra pergunta. Game é o melhor lugar para esse método? Eu acho que Game está violando o Princípio da Responsabilidade Única (SRP). [Consulte o Capítulo 8.] Ele está aceitando arremessos *e* sabe como pontuar para cada quadro. O que você acharia de um objeto Scorer?

RCM: (Fazendo um gesto brusco com a mão.) Não sei onde as funções estão agora; no momento, estou interessado em fazer a pontuação funcionar. Quando isso estiver funcionando, *aí* poderemos discutir os valores do SRP. No entanto, entendi o que você quis dizer com viciado em UNIX; vamos tentar simplificar esse loop.

```
        public int ScoreForFrame(int theFrame)
        {
          int ball = 0;
          int score = 0;
          for (int currentFrame = 0;
            currentFrame < theFrame;
            currentFrame++)
          {
```

```
        score += throws[ball++] + throws[ball++];
    }
    return score;
}
```

RCM: Agora está um pouco melhor, mas existem efeitos colaterais na expressão `score+=`. Eles não importam aqui, pois não interessa em que ordem as duas expressões de adendo são avaliadas. (Ou interessa? É possível que os dois incrementos sejam feitos antes de uma das operações do array?)

RSK: Suponho que poderíamos fazer uma experiência para verificar se existem efeitos colaterais, mas essa função não vai funcionar com spares e strikes. Devemos continuar tentando torná-la mais legível ou devemos aumentar sua funcionalidade?

RCM: A experiência poderia fazer sentido apenas em certos compiladores. Outros poderiam usar ordens de avaliação diferentes. Não sei se isso é um problema, mas vamos nos livrar da possível dependência da ordem e prosseguir com mais casos de teste.

```
public int ScoreForFrame(int theFrame)
{
  int ball = 0;
  int score=0;
  for (int currentFrame = 0;
    currentFrame < theFrame;
    currentFrame++)
  {
    int firstThrow = throws[ball++];
    int secondThrow = throws[ball++];
    score += firstThrow + secondThrow;
  }
  return score;
}
```

RCM: Certo, próximo caso de teste. Vamos tentar um spare.

```
[Test]
public void TestSimpleSpare()
{
  Game game = new Game();
}
```

RCM: Estou cansado de escrever isso. Vamos refatorar o teste e colocar a criação do jogo em uma função `SetUp`.

```
//GameTest.cs-----------------------------
using NUnit.Framework;

[TestFixture]
public class GameTest
{
```

```
    private Game game;

    [SetUp]
    public void SetUp()
    {
      game = new Game();
    }

    [Test]
    public void TestOneThrow()
    {
      game.Add(5);
      Assert.AreEqual(5, game.Score);
    }

    [Test]
    public void TestTwoThrowsNoMark()
    {
      game.Add(5);
      game.Add(4);
      Assert.AreEqual(9, game.Score);
    }

    [Test]
    public void TestFourThrowsNoMark()
    {
      game.Add(5);
      game.Add(4);
      game.Add(7);
      game.Add(2);
      Assert.AreEqual(18, game.Score);
      Assert.AreEqual(9, game.ScoreForFrame(1));
      Assert.AreEqual(18, game.ScoreForFrame(2));
    }

    [Test]
    public void TestSimpleSpare()
    {
    }
  }
```

RCM: Está melhor; agora, vamos escrever o caso de teste do spare.

```
    [Test]
    public void TestSimpleSpare()
    {
      game.Add(3);
      game.Add(7);
      game.Add(3);
      Assert.AreEqual(13, game.ScoreForFrame(1));
    }
```

RCM: Tudo bem, esse caso de teste falha. Agora precisamos fazê-lo passar.

RSK: Eu digito.

```
public int ScoreForFrame(int theFrame)
{
  int ball = 0;
  int score = 0;
  for (int currentFrame = 0;
    currentFrame < theFrame;
    currentFrame++)
  {
    int firstThrow = throws[ball++];
    int secondThrow = throws[ball++];

    int frameScore = firstThrow + secondThrow;

    // o spare precisa do primeiro arremesso do próximo quadro
    if (frameScore == 10)
      score += frameScore + throws[ball++];
    else
      score += frameScore;
  }
  return score;
}
```

RSK: Irrá! Funciona!

RCM: (Pegando o teclado.) Certo, mas acho que o incremento de `ball` no caso `frameScore==10` não devia estar ali. Aqui está um caso de teste que prova meu argumento.

```
[Test]
public void TestSimpleFrameAfterSpare()
{
  game.Add(3);
  game.Add(7);
  game.Add(3);
  game.Add(2);
  Assert.AreEqual(13, game.ScoreForFrame(1));
  Assert.AreEqual(18, game.Score);
}
```

RCM: Ah! Veja! Isso falha. Agora, se apenas removermos esse incômodo incremento...

```
if (frameScore == 10)
  score += frameScore + throws[ball];
```

RCM: Uh, ainda falha. O método `Score` pode estar errado? Vou testar isso mudando o caso de teste para usar `ScoreForFrame(2)`.

```
[Test]
public void TestSimpleFrameAfterSpare()
{
```

```
game.Add(3);
game.Add(7);
game.Add(3);
game.Add(2);
Assert.AreEqual(13, game.ScoreForFrame(1));
Assert.AreEqual(18, game.ScoreForFrame(2));
}
```

RCM: Hummmm. Isso passa. A propriedade Score deve estar bagunçada. Vamos examiná-la.

```
public int Score
{
  get { return score; }
}
public void Add(int pins)
{
  throws[currentThrow++] = pins;
  score += pins;
}
```

RCM: Sim, isso está errado. A propriedade Score está simplesmente retornando a soma dos pinos e não o placar correto. Precisamos que Score chame ScoreForFrame() com o quadro atual.

RSK: Não sabemos qual é o quadro atual. Vamos acrescentar uma mensagem em cada um de nossos testes atuais, um por vez, é claro.

RCM: Certo.

```
//GameTest.cs--------------------------------
  [Test]
  public void TestOneThrow()
  {
    game.Add(5);
    Assert.AreEqual(5, game.Score);
    Assert.AreEqual(1, game.CurrentFrame);
  }
//Game.cs------------------------------------
  public int CurrentFrame
  {
    get { return 1; }
  }
```

RCM: Isso funciona, mas é estúpido. Vamos fazer o próximo caso de teste.

```
  [Test]
  public void TestTwoThrowsNoMark()
  {
    game.Add(5);
    game.Add(4);
```

```
          Assert.AreEqual(9, game.Score);
          Assert.AreEqual(1, game.CurrentFrame);
        }
```

RCM: Esse não é interessante; vamos tentar o próximo.

```
        [Test]
        public void TestFourThrowsNoMark()
        {
          game.Add(5);
          game.Add(4);
          game.Add(7);
          game.Add(2);
          Assert.AreEqual(18, game.Score);
          Assert.AreEqual(9, game.ScoreForFrame(1));
          Assert.AreEqual(18, game.ScoreForFrame(2));
          Assert.AreEqual(2, game.CurrentFrame);
        }
```

RCM: Esse falha. Agora vamos fazê-lo passar.

RSK: Acho que o algoritmo é trivial. Basta dividir o número de arremessos por 2, pois são dois arremessos por quadro. A menos que tenhamos um strike. Mas ainda não temos strikes; portanto, vamos ignorá-los aqui também.

RCM: (agita-se, somando e subtraindo 1 até que funcione)[1]

```
        public int CurrentFrame
        {
          get { return 1 + (currentThrow - 1) / 2; }
        }
```

RCM: Isso não está muito bom.

RSK: E se não calcularmos isso a cada vez? E se ajustarmos uma variável membro currentFrame após cada arremesso?

RCM: Certo, vamos tentar isso.

```
        //Game.cs--------------------------------
          private int currentFrame;
          private bool isFirstThrow = true;

          public int CurrentFrame
          {
            get { return currentFrame; }
          }

          public void Add(int pins)
          {
            throws[currentThrow++] = pins;
            score += pins;
```

---

[1] Dave Thomas e Andy Hunt chamam isso de *programação por coincidência*.

```
            if (isFirstThrow)
            {
              isFirstThrow = false;
              currentFrame++;
            }
            else
            {
              isFirstThrow = true;;
            }
          }
```

RCM: Tudo bem, isso funciona. Mas também significa que o quadro atual (current-Frame) é o do arremesso da última bola e não o quadro no qual a próxima bola será arremessada. Se nos lembrarmos disso, tudo bem.

RSK: Eu não tenho memória tão boa; portanto, vamos tornar isso mais legível. Mas antes de perdermos tempo com mais alguma coisa, vamos tirar esse código de Add() e colocá-lo em uma função membro privada chamada AdjustCurrentFrame() ou algo parecido.

RCM: Certo, isso parece bom.

```
      public void Add(int pins)
      {
        throws[currentThrow++] = pins;
        score += pins;

        AdjustCurrentFrame();
      }

      private void AdjustCurrentFrame()
      {
        if (isFirstThrow)
        {
          isFirstThrow = false;
          currentFrame++;
        }
        else
        {
          isFirstThrow = true;
        }
      }
```

RCM: Agora, vamos mudar os nomes de variáveis e funções para que sejam mais claros. Como devemos chamar currentFrame?

RSK: Gosto desse nome, mas acho que não a estamos incrementando no lugar certo. Para mim, o quadro atual é o número do quadro em que estou arremessando. Portanto, ela deve ser incrementada imediatamente após o último arremesso de um quadro.

RCM: Concordo. Vamos alterar os casos de teste para refletir isso; depois, corrigiremos AdjustCurrentFrame.

```
//GameTest.cs-------------------------------
[Test]
public void TestTwoThrowsNoMark()
{
  game.Add(5);
  game.Add(4);
  Assert.AreEqual(9, game.Score);
  Assert.AreEqual(2, game.CurrentFrame);
}

[Test]
public void TestFourThrowsNoMark()
{
  game.Add(5);
  game.Add(4);
  game.Add(7);
  game.Add(2);
  Assert.AreEqual(18, game.Score);
  Assert.AreEqual(9, game.ScoreForFrame(1));
  Assert.AreEqual(18, game.ScoreForFrame(2));
  Assert.AreEqual(3, game.CurrentFrame);
}
//Game.cs-------------------------------
private int currentFrame = 1;

private void AdjustCurrentFrame()
{
  if (isFirstThrow)
  {
    isFirstThrow = false;
  }
  else
  {
    isFirstThrow = true;
    currentFrame++;
  }
}
```

RCM: Está funcionando. Agora, vamos testar CurrentFrame nos dois casos de spare.

```
[Test]
public void TestSimpleSpare()
{
  game.Add(3);
  game.Add(7);
  game.Add(3);
  Assert.AreEqual(13, game.ScoreForFrame(1));
  Assert.AreEqual(2, game.CurrentFrame);
}

[Test]
public void TestSimpleFrameAfterSpare()
{
```

```
          game.Add(3);
          game.Add(7);
          game.Add(3);
          game.Add(2);
          Assert.AreEqual(13, game.ScoreForFrame(1));
          Assert.AreEqual(18, game.ScoreForFrame(2));
          Assert.AreEqual(3, game.CurrentFrame);
        }
```

RCM: Funciona. Agora, vamos voltar ao problema original. Precisamos que Score funcione. Podemos escrever Score agora, para chamar ScoreForFrame(CurrentFrame-1).

```
        [Test]
        public void TestSimpleFrameAfterSpare()
        {
          game.Add(3);
          game.Add(7);
          game.Add(3);
          game.Add(2);
          Assert.AreEqual(13, game.ScoreForFrame(1));
          Assert.AreEqual(18, game.ScoreForFrame(2));
          Assert.AreEqual(18, game.Score);
          Assert.AreEqual(3, game.CurrentFrame);
        }
        //Game.cs---------------------------------
        public int Score()
        {
          return ScoreForFrame(CurrentFrame - 1);
        }
```

RCM: Isso faz o caso de teste TestOneThrow falhar. Vamos examiná-lo.

```
        [Test]
        public void TestOneThrow()
        {
          game.Add(5);
          Assert.AreEqual(5, game.Score);
          Assert.AreEqual(1, game.CurrentFrame);
        }
```

RCM: Com apenas um arremesso, o primeiro quadro está incompleto. O método score está chamando ScoreForFrame(0). Isso é nojento.

RSK: Talvez sim, talvez não. Para quem estamos escrevendo esse programa e quem vai chamar Score? É razoável supor que ele não será chamado em um quadro incompleto?

RCM: Sim, mas isso me incomoda. Para contornar esse problema, precisamos retirar score do caso de teste TestOneThrow. É isso que queremos fazer?

RSK: Talvez. Poderíamos eliminar o caso de teste TestOneThrow inteiro. Ele foi usado para nos levar aos casos de teste de interesse. Será que tem alguma utilidade agora? Ainda temos cobertura em todos os outros casos de teste.

RCM: Sim, entendo o que você quer dizer. Certo, vamos acabar com ele (edita o código, executa o teste, obtém a barra verde). Ahhh, assim está melhor.

Agora é melhor trabalharmos no caso de teste do strike. Afinal, queremos ver todos esses objetos `Frame` construídos em uma lista encadeada, não é? (abafando o riso).

```
[Test]
public void TestSimpleStrike()
{
  game.Add(10);
  game.Add(3);
  game.Add(6);
  Assert.AreEqual(19, game.ScoreForFrame(1));
  Assert.AreEqual(28, game.Score);
  Assert.AreEqual(3, game.CurrentFrame);
}
```

RCM: Certo, isso compila e falha, conforme o previsto. Agora, precisamos fazê-lo passar.

```
//Game.cs--------------------------------
public class Game
{
  private int score;
  private int[] throws = new int[21];
  private int currentThrow;
  private int currentFrame = 1;
  private bool isFirstThrow = true;

  public int Score
  {
    get { return ScoreForFrame(GetCurrentFrame() - 1); }
  }
  public int CurrentFrame
  {
    get { return currentFrame; }
  }
  public void Add(int pins)
  {
```

```
    throws[currentThrow++] = pins;
    score += pins;

    AdjustCurrentFrame(pins);
  }

  private void AdjustCurrentFrame(int pins)
  {
    if (isFirstThrow)
    {
      if(pins == 10) //Strike
        currentFrame++;
      else
        isFirstThrow = false;
    }
    else
    {
      isFirstThrow=true;
      currentFrame++;
    }
  }

  public int ScoreForFrame(int theFrame)
  {
    int ball = 0;
    int score = 0;
    for (int currentFrame = 0;
      currentFrame < theFrame;
      currentFrame++)
    {
      int firstThrow = throws[ball++];
      if(firstThrow == 10) //Strike
      {
        score += 10 + throws[ball] + throws[ball+1];
      }
      else
      {
        int secondThrow = throws[ball++];

        int frameScore = firstThrow + secondThrow;

        // o spare precisa do primeiro arremesso dos
           próximos quadros
        if (frameScore == 10)
          score += frameScore + throws[ball];
        else
          score += frameScore;
      }
    }
    return score;
  }
}
```

RCM: Certo, não foi muito difícil. Vamos ver se ele consegue mostrar o placar de um jogo perfeito.

```
[Test]
public void TestPerfectGame()
{
  for (int i=0; i<12; i++)
  {
    game.Add(10);
  }
  Assert.AreEqual(300, game.Score);
  Assert.AreEqual(10, game.CurrentFrame);
}
```

RCM: Argh, isso está dizendo que o placar é 330. Por quê?

RSK: Porque o quadro atual está sendo incrementado até 12.

RCM: Ah! Precisamos limitá-lo em 10.

```
private void AdjustCurrentFrame(int pins)
{
  if (isFirstThrow)
  {
    if(pins == 10) //Strike
      currentFrame++;
    else
      isFirstThrow = false;
  }
  else
  {
    isFirstThrow=true;
    currentFrame++;
  }
  if(currentFrame > 10)
    currentFrame = 10;
}
```

RCM: Droga, agora está dizendo que o placar é 270. O que está acontecendo?

RSK: Bob, a propriedade Score está subtraindo 1 de SetCurrentFrame; portanto, está fornecendo a pontuação do quadro 9 e não do 10.

RCM: O quê? Você quer dizer que devo limitar o quadro atual em 11 e não 10? Vou tentar isso.

```
if(currentFrame > 11)
  currentFrame = 11;
```

RCM: Certo, então agora ele obtém a pontuação correta, mas falha porque o quadro atual é 11 e não 10. Eca! Essa coisa de quadro atual é um pé no saco. Queremos que o quadro atual seja aquele em que o jogador está fazendo o arremesso, mas o que isso significa no final do jogo?

RSK: Talvez devamos voltar à ideia de que o quadro atual seja o da última bola arremessada.

RCM: Ou talvez precisemos pensar na ideia do último quadro *completado*? Afinal, o placar do jogo a qualquer momento é a pontuação do último quadro completado.

RSK: Um quadro completado é aquele no qual você pode escrever o placar, certo?

RCM: Sim, um quadro contendo um spare é completado depois da próxima bola. Um quadro contendo um strike é completado depois das duas próximas bolas. Um quadro sem pontuação é completado após a segunda bola do quadro.

Espere um pouco. Estamos tentando fazer a propriedade Score funcionar, certo? Basta forçar Score a chamar ScoreForFrame(10), caso o jogo tenha terminado.

RSK: Como sabemos se o jogo terminou?

RCM: Se AdjustCurrentFrame tentar incrementar currentFrame após o décimo quadro, o jogo estará terminado.

RSK: Espere. O que você está dizendo é que, se CurrentFrame retornar 11, o jogo estará terminado; esse é o modo como o código funciona agora!

RCM: Humm. Você quer dizer que devemos alterar o caso de teste para corresponder ao código?

```
[Test]
public void TestPerfectGame()
{
  for (int i=0; i<12; i++)
  {
    game.Add(10);
  }
  Assert.AreEqual(300, game.Score);
  Assert.AreEqual(11, game.CurrentFrame);
}
```

RCM: Bem, funciona. Mas ainda estou preocupado com isso.

RSK: Talvez algo aconteça conosco depois. No momento, acho que estou vendo um erro. Posso? (pegando o teclado)

```
[Test]
public void TestEndOfArray()
{
  for (int i=0; i<9; i++)
  {
    game.Add(0);
    game.Add(0);
  }
  game.Add(2);
  game.Add(8); // Spare do 10° quadro
  game.Add(10); // Strike na última posição do array.
  Assert.AreEqual(20, game.Score);
}
```

RSK: Humm. Isso não falha. Pensei que, como a vigésima primeira posição do array era um strike, o marcador tentaria adicionar a vigésima segunda e a vigésima terceira posições no placar. Mas acho que não.

RCM: Humm, você ainda está pensando naquele objeto `scorer`, não é? Seja como for, vejo que você estava chegando a isso, mas como `score` nunca chama `ScoreForFrame` com um número maior do que 10, o último strike não é contado realmente como strike. Ele contou apenas um 10 para completar o último spare. Nós nunca ultrapassamos o final do array.

RSK: Certo, vamos colocar nosso cartão de marcação original no programa.

```
[Test]
public void TestSampleGame()
{
  game.Add(1);
  game.Add(4);
  game.Add(4);
  game.Add(5);
  game.Add(6);
  game.Add(4);
  game.Add(5);
  game.Add(5);
  game.Add(10);
  game.Add(0);
  game.Add(1);
  game.Add(7);
  game.Add(3);
  game.Add(6);
  game.Add(4);
  game.Add(10);
  game.Add(2);
  game.Add(8);
  game.Add(6);
  Assert.AreEqual(133, game.Score);
}
```

RSK: Isso funciona. Você consegue pensar em outros casos de teste?

RCM: Sim, vamos testar mais algumas condições limite; o que você acha do panaca que consegue 11 strikes e depois um 9 final?

```
[Test]
public void TestHeartBreak()
{
  for (int i=0; i<11; i++)
    game.Add(10);
  game.Add(9);
  Assert.AreEqual(299, game.Score);
}
```

RCM: Funciona. Tá, o que você acha de um spare no décimo quadro?

```
[Test]
public void TestTenthFrameSpare()
{
  for (int i=0; i<9; i++)
    game.Add(10);
  game.Add(9);
  game.Add(1);
  game.Add(1);
  Assert.AreEqual(270, game.Score);
}
```

RCM: (Olhando todo feliz para a barra verde.) Isso também funciona. Não consigo pensar em mais nada, e você?

RSK: Não, acho que abrangemos tudo. Além disso, quero muito refatorar essa bagunça. Ainda vejo o objeto `scorer` em alguns lugares.

RCM: Certo, bem, a função `ScoreForFrame` está uma bagunça. Vamos considerá-la.

```
public int ScoreForFrame(int theFrame)
{
  int ball = 0;
  int score=0;
  for (int currentFrame = 0;
    currentFrame < theFrame;
```

```
      currentFrame++)
{
  int firstThrow = throws[ball++];
  if(firstThrow == 10) //Strike
  {
    score += 10 + throws[ball] + throws[ball+1];
  }
  else
  {
    int secondThrow = throws[ball++];

    int frameScore = firstThrow + secondThrow;

    // o spare precisa do primeiro arremesso do
      próximo quadro
    if (frameScore == 10)
      score += frameScore + throws[ball];
    else
      score += frameScore;
  }
}
    return score;
}
```

RCM: Eu quero retirar o corpo dessa cláusula else e colocar em um método separado, chamado HandleSecondThrow, mas não posso, pois ela usa as variáveis locais ball, firstThrow e secondThrow.

RSK: Poderíamos transformar essas variáveis locais em variáveis membros.

RCM: Sim, de certo modo isso reforça sua ideia de que poderemos colocar a pontuação em seu próprio objeto scorer. Tá, vamos tentar isso.

RSK: (pega o teclado)

```
    private int ball;
    private int firstThrow;
    private int secondThrow;
    public int ScoreForFrame(int theFrame)
    {
      ball = 0;
      int score=0;
      for (int currentFrame = 0;
        currentFrame < theFrame;
        currentFrame++)
      {
        firstThrow = throws[ball++];
        if(firstThrow == 10) //Strike
        {
          score += 10 + throws[ball] + throws[ball+1];
        }
        else
        {
```

```
        secondThrow = throws[ball++];

        int frameScore = firstThrow + secondThrow;

        // o spare precisa do primeiro arremesso do próximo quadro
        if (frameScore == 10)
          score += frameScore + throws[ball];
        else
          score += frameScore;
      }
    }

    return score;
  }
```

RSK: Isso funciona; agora podemos colocar a cláusula `else` em sua própria função.

```
    public int ScoreForFrame(int theFrame)
    {
      ball = 0;
      int score=0;
      for (int currentFrame = 0;
        currentFrame < theFrame;
        currentFrame++)
      {
        firstThrow = throws[ball++];
        if(firstThrow == 10) //Strike
        {
          score += 10 + throws[ball] + throws[ball+1];
        }
        else
        {
          score += HandleSecondThrow();
        }
      }
      return score;
    }

    private int HandleSecondThrow()
    {
      int score = 0;
      secondThrow = throws[ball++];

      int frameScore = firstThrow + secondThrow;

      // o spare precisa do primeiro arremesso do próximo quadro
      if (frameScore == 10)
        score += frameScore + throws[ball];
      else
        score += frameScore;
      return score;
    }
```

RCM: Veja a estrutura de `ScoreForFrame`! Em pseudocódigo, é parecido com isto:

```
      if strike
        score += 10 + NextTwoBalls;
      else
        HandleSecondThrow.
```

RCM: E se mudássemos para:

```
      if strike
        score += 10 + NextTwoBalls;
      else if spare
        score += 10 + NextBall;
      else
        score += TwoBallsInFrame
```

RSK: Céus! Essas são praticamente as regras da pontuação do boliche, não é? Tudo bem, vamos ver se conseguimos colocar essa estrutura na função real. Primeiro, vamos mudar a maneira como a variável ball está sendo incrementada, para que os três casos a manipulem de modo independente.

```
      public int ScoreForFrame(int theFrame)
      {
        ball = 0;
        int score=0;
        for (int currentFrame = 0;
          currentFrame < theFrame;
          currentFrame++)
        {
          firstThrow = throws[ball];
          if(firstThrow == 10) //Strike
          {
            ball++;
            score += 10 + throws[ball] + throws[ball+1];
          }
          else
          {
            score += HandleSecondThrow();
          }
        }
        return score;
      }
      private int HandleSecondThrow()
      {
        int score = 0;
        secondThrow = throws[ball + 1];

        int frameScore = firstThrow + secondThrow;

        // o spare precisa do primeiro arremesso do próximo quadro
        if (frameScore == 10)
        {
          ball += 2;
          score += frameScore + throws[ball];
        }
```

```
      else
      {
        ball += 2;
        score += frameScore;
      }
      return score;
    }
```

RCM: (Pega o teclado.) Agora vamos nos livrar das variáveis firstThrow e secondThrow e substituí-las pelas funções apropriadas.

```
    public int ScoreForFrame(int theFrame)
    {
      ball = 0;
      int score=0;
      for (int currentFrame = 0;
           currentFrame < theFrame;
           currentFrame++)
      {
        firstThrow = throws[ball];
        if(Strike())
        {
          ball++;
          score += 10 + NextTwoBalls;
        }
        else
        {
          score += HandleSecondThrow();
        }
      }
      return score;
    }
    private bool Strike()
    {
      return throws[ball] == 10;
    }
    private int NextTwoBalls
    {
      get { return (throws[ball] + throws[ball+1]); }
    }
```

RCM: Essa etapa funciona; vamos continuar.

```
    private int HandleSecondThrow()
    {
      int score = 0;
      secondThrow = throws[ball + 1];

      int frameScore = firstThrow + secondThrow;

      // o spare precisa do primeiro arremesso do próximo quadro
      if (Spare())
```

```
      {
        ball += 2;
        score += 10 + NextBall;
      }
      else
      {
        ball += 2;
        score += frameScore;
      }
      return score;
    }

    private bool Spare()
    {
      return throws[ball] + throws[ball+1] == 10;
    }

    private int NextBall
    {
      get { return throws[ball]; }
    }
```

RCM: Isso também funciona. Agora, vamos cuidar de `frameScore`.

```
    private int HandleSecondThrow()
    {
      int score = 0;
      secondThrow = throws[ball + 1];

      int frameScore = firstThrow + secondThrow;

      // o spare precisa do primeiro arremesso do próximo quadro
      if (IsSpare())
      {
        ball += 2;
        score += 10 + NextBall;
      }
      else
      {
        score += TwoBallsInFrame;
        ball += 2;
      }
      return score;
    }

    private int TwoBallsInFrame
    {
      get { return throws[ball] + throws[ball+1]; }
    }
```

RSK: Bob, você não está incrementando `ball` de maneira uniforme. No caso do spare e do strike, você incrementa antes de calcular o placar. No caso de `TwoBallsInFrame`, você incrementa *depois* de calcular o placar. E o código *depende* dessa ordem! O que está acontecendo?

RCM: Desculpe, eu devia ter explicado. Estou pretendendo mover os incrementos para Strike, Spare e TwoBallsInFrame. Assim, eles desaparecerão do método ScoreForFrame e o método será como nosso pseudocódigo.

RSK: Tudo bem, vou confiar em você por mais algumas etapas; mas, lembre-se, estou de olho.

RCM: Agora, como ninguém mais usa firstThrow, secondThrow e frameScore, podemos nos livrar deles.

```
public int ScoreForFrame(int theFrame)
{
  ball = 0;
  int score=0;
  for (int currentFrame = 0;
    currentFrame < theFrame;
    currentFrame++)
  {
    if(Strike())
    {
      ball++;
      score += 10 + NextTwoBalls;
    }
    else
    {
      score += HandleSecondThrow();
    }
  }
  return score;
}
private int HandleSecondThrow()
{
  int score = 0;
  // o spare precisa do primeiro arremesso do próximo quadro
  if (Spare())
  {
    ball += 2;
    score += 10 + NextBall;
  }
  else
  {
    score += TwoBallsInFrame;
    ball += 2;
  }
  return score;
}
```

RCM: (O brilho em seus olhos é um reflexo da barra verde.) Agora, como a única variável que acopla os três casos é ball, e ball é tratada de modo independente em cada caso, podemos mesclar os três casos.

```
public int ScoreForFrame(int theFrame)
{
```

```
    ball = 0;
    int score=0;
    for (int currentFrame = 0;
      currentFrame < theFrame;
      currentFrame++)
    {
      if(Strike())
      {
        ball++;
        score += 10 + NextTwoBalls;
      }
      else if (Spare())
      {
        ball += 2;
        score += 10 + NextBall;
      }
      else
      {
        score += TwoBallsInFrame;
        ball += 2;
      }
    }
    return score;
}
```

RSK: Certo, agora podemos tornar os incrementos uniformes e renomear as funções para que sejam mais explícitas. (pega o teclado)

```
public int ScoreForFrame(int theFrame)
{
  ball = 0;
  int score=0;
  for (int currentFrame = 0;
    currentFrame < theFrame;
    currentFrame++)
  {
    if(Strike())
    {
      score += 10 + NextTwoBallsForStrike;
      ball++;
    }
    else if (Spare())
    {
      score += 10 + NextBallForSpare;
      ball += 2;
    }
    else
    {
      score += TwoBallsInFrame;
      ball += 2;
    }
  }
}
```

```
      return score;
    }
    private int NextTwoBallsForStrike
    {
      get { return (throws[ball+1] + throws[ball+2]); }
    }

    private int NextBallForSpare
    {
      get { return throws[ball+2]; }
    }
```

RCM: Veja este método ScoreForFrame! São as regras do boliche expressas da maneira mais sucinta possível.

RSK: Mas, Bob, o que aconteceu com a lista encadeada de objetos Frame? (fala abafando o riso)

RCM: (Suspira.) Fomos enfeitiçados pelos duendes do projeto esquemático exagerado. Meu Deus, três caixinhas desenhadas nas costas de um guardanapo – Game, Frame e Throw – e ainda assim complicado demais e completamente errado.

RSK: Cometemos um erro, começando com a classe Throw. Devíamos ter começado com a classe Game!

RCM: É verdade! Na próxima vez, vamos tentar começar no nível mais alto e depois descer.

RSK: (Respira fundo.) Projeto *top-down*!??!?!?

RCM: Correção: projeto *top-down* com *testes a priori*. Francamente, eu não sei se essa regra é boa. É apenas o que teria nos ajudado neste caso. Portanto, na próxima vez, vou experimentar isso e ver o que acontece.

RSK: Sim, tudo bem. De qualquer forma, ainda temos alguma refatoração a fazer. A variável ball é simplesmente um iterador privado de ScoreForFrame e seus subordinados. Todos eles devem ser movidos para um objeto diferente.

RCM: Oh, sim, seu objeto Scorer. Você estava certo, afinal. Vamos fazer isso.

RSK: (Pega o teclado e dá vários passos pequenos, pontuados por testes a serem criados.)

```
//Game.cs---------------------------------
public class Game
{
  private int score;
  private int currentFrame = 1;
  private bool isFirstThrow = true;
  private Scorer scorer = new Scorer();

  public int Score
  {
    get { return ScoreForFrame(GetCurrentFrame() - 1); }
  }

  public int CurrentFrame
  {
    get { return currentFrame; }
```

```
    }
    public void Add(int pins)
    {
      scorer.AddThrow(pins);
      score += pins;
      AdjustCurrentFrame(pins);
    }
    private void AdjustCurrentFrame(int pins)
    {
      if (isFirstThrow)
      {
        if(pins == 10) //Strike
          currentFrame++;
        else
          isFirstThrow = false;
      }
      else
      {
        isFirstThrow = true;
        currentFrame++;
      }

      if(currentFrame > 11)
        currentFrame = 11;
    }
    public int ScoreForFrame(int theFrame)
    {
      return scorer.ScoreForFrame(theFrame);
    }
}
//Scorer.cs----------------------------------
public class Scorer
{
  private int ball;
  private int[] throws = new int[21];
  private int currentThrow;

  public void AddThrow(int pins)
  {
    throws[currentThrow++] = pins;
  }

  public int ScoreForFrame(int theFrame)
  {
    ball = 0;
    int score=0;
    for (int currentFrame = 0;
      currentFrame < theFrame;
      currentFrame++)
    {
      if(Strike())
      {
        score += 10 + NextTwoBallsForStrike;
```

```
          ball++;
        }
        else if (Spare())
        {
          score += 10 + NextBallForSpare;
          ball += 2;
        }
        else
        {
          score += TwoBallsInFrame;
          ball += 2;
        }
      }
      return score;
    }
    private int NextTwoBallsForStrike
    {
      get { return (throws[ball+1] + throws[ball+2]); }
    }
    private int NextBallForSpare
    {
      get { return throws[ball+2]; }
    }
    private bool Strike()
    {
      return throws[ball] == 10;
    }
    private int TwoBallsInFrame
    {
      get { return throws[ball] + throws[ball+1]; }
    }
    private bool Spare()
    {
      return throws[ball] + throws[ball+1] == 10;
    }
  }
```

RSK: Isso está muito melhor. Agora, Game simplesmente controla os quadros e Scorer calcula o placar. O Princípio da Responsabilidade Única impera!

RCM: Seja o que for, está melhor. Você notou que a variável score não está mais sendo usada?

RSK: Ah! Você está certo. Vamos eliminá-la. (Começa a apagar as coisas alegremente.)

```
      public void Add(int pins)
      {
        scorer.AddThrow(pins);
        AdjustCurrentFrame(pins);
      }
```

RSK: Nada mal. Agora, devemos limpar aquele `AdjustCurrentFrame`?

RCM: Certo, vamos ver isso.

```
private void AdjustCurrentFrame(int pins)
{
  if (isFirstThrow)
  {
    if(pins == 10) //Strike
      currentFrame++;
    else
      isFirstThrow = false;
  }
  else
  {
    isFirstThrow = true;
    currentFrame++;
  }
  if(currentFrame > 11)
    currentFrame = 11;
}
```

RCM: Tudo bem. Primeiro, vamos colocar os incrementos em uma única função que também restrinja o quadro em 11. (Brrrr. Ainda não gosto desse 11.)

RSK: Bob, 11 significa fim do jogo.

RCM: Sim. Brrrr. (Pega o teclado, faz algumas alterações, pontuadas por testes.)

```
private void AdjustCurrentFrame(int pins)
{
  if (isFirstThrow)
  {
    if(pins == 10) //Strike
      AdvanceFrame();
    else
      isFirstThrow = false;
  }
  else
  {
    isFirstThrow = true;
    AdvanceFrame();
  }
}
private void AdvanceFrame()
{
  currentFrame++;
  if(currentFrame > 11)
    currentFrame = 11;
}
```

RCM: Certo, está um pouco melhor. Agora, vamos colocar o caso do strike em sua própria função. (Dá mais alguns passos pequenos e executa testes entre cada um deles.)

```
          private void AdjustCurrentFrame(int pins)
          {
            if (isFirstThrow)
            {
              if(AdjustFrameForStrike(pins) == false)
                isFirstThrow = false;
            }
            else
            {
              isFirstThrow = true;
              AdvanceFrame();
            }
          }

          private bool AdjustFrameForStrike(int pins)
          {
            if(pins == 10)
            {
              AdvanceFrame();
              return true;
            }
            return false;
          }
```

RCM: Está muito bom. Agora, e 11?

RSK: Você realmente detesta isso, não é?

RCM: Sim, veja a propriedade `Score`:

```
          public int Score
          {
            get { return ScoreForFrame(GetCurrentFrame() - 1); }
          }
```

RCM: Esse `-1` é estranho. É o único lugar onde realmente usamos `CurrentFrame` e, apesar disso, precisamos ajustar o que ele retorna.

RSK: Droga, você está certo. Quantas vezes nós invertemos nisso?

RCM: Muitas. Mas é isso. O código quer `currentFrame` para representar o quadro da bola do último arremesso e não o quadro no qual estamos para arremessar.

RSK: Xiii, isso vai estragar muitos casos de teste.

RCM: Na verdade, acho que devemos retirar `CurrentFrame` de todos os casos de teste e retirar a própria função `CurrentFrame`. Ninguém a utiliza.

RSK: Certo, entendi o que você quer dizer. Farei isso. Será como acabar com o sofrimento de um cavalo manco. (Pega o teclado.)

```
          //Game.cs---------------------------------
            public int Score
            {
              get { return ScoreForFrame(currentFrame); }
            }
```

```
      private void AdvanceFrame()
      {
        currentFrame++;
        if(currentFrame > 10)
          currentFrame = 10;
      }
```

RCM: Oh, meu Deus! Você está querendo dizer que estávamos nos preocupando com *isso*? Só mudamos o limite de 11 para 10 e removemos o -1. Puxa!

RSK: Sim, tio Bob, não valeu toda a preocupação que tivemos.

RCM: Detesto o efeito colateral em `AdjustFrameForStrike()`. Quero me livrar dele. O que você acha disto?

```
      private void AdjustCurrentFrame(int pins)
      {
        if ((isFirstThrow && pins == 10) || (!isFirstThrow))
          AdvanceFrame();
        else
          isFirstThrow = false;
      }
```

RSK: Eu gosto da ideia e isso passa nos testes, mas odeio a longa instrução `if`. E quanto a isto?

```
      private void AdjustCurrentFrame(int pins)
      {
        if (Strike(pins) || (!isFirstThrow))
          AdvanceFrame();
        else
          isFirstThrow = false;
      }
      private bool Strike(int pins)
      {
        return (isFirstThrow && pins == 10);
      }
```

RCM: Sim, está ótimo. Poderíamos até ir um passo adiante:

```
      private void AdjustCurrentFrame(int pins)
      {
        if (LastBallInFrame(pins))
          AdvanceFrame();
        else
          isFirstThrow = false;
      }
      private bool LastBallInFrame(int pins)
      {
        return Strike(pins) || (!isFirstThrow);
      }
```

RSK: Perfeito!

RCM: Certo, parece que terminamos. Vamos apenas ler o programa inteiro e ver se é o mais simples e comunicativo possível.

```csharp
//Game.cs---------------------------------
public class Game
{
  private int currentFrame = 0;
  private bool isFirstThrow = true;
  private Scorer scorer = new Scorer();

  public int Score
  {
    get { return ScoreForFrame(currentFrame); }
  }

  public void Add(int pins)
  {
    scorer.AddThrow(pins);
    AdjustCurrentFrame(pins);
  }

  private void AdjustCurrentFrame(int pins)
  {
    if (LastBallInFrame(pins))
      AdvanceFrame();
    else
      isFirstThrow = false;
  }

  private bool LastBallInFrame(int pins)
  {
    return Strike(pins) || (!isFirstThrow);
  }

  private bool Strike(int pins)
  {
    return (isFirstThrow && pins == 10);
  }

  private void AdvanceFrame()
  {
    currentFrame++;
    if(currentFrame > 10)
      currentFrame = 10;
  }

  public int ScoreForFrame(int theFrame)
  {
    return scorer.ScoreForFrame(theFrame);
  }
}

//Scorer.cs---------------------------------
public class Scorer
{
```

```
    private int ball;
    private int[] throws = new int[21];
    private int currentThrow;

    public void AddThrow(int pins)
    {
      throws[currentThrow++] = pins;
    }

    public int ScoreForFrame(int theFrame)
    {
      ball = 0;
      int score=0;
      for (int currentFrame = 0;
        currentFrame < theFrame;
        currentFrame++)
      {
        if(Strike())
        {
          score += 10 + NextTwoBallsForStrike;
          ball++;
        }
        else if (Spare())
        {
          score += 10 + NextBallForSpare;
          ball += 2;
        }
        else
        {
          score += TwoBallsInFrame;
          ball += 2;
        }
      }
      return score;
    }
    private int NextTwoBallsForStrike
    {
      get { return (throws[ball+1] + throws[ball+2]); }
    }
    private int NextBallForSpare
    {
      get { return throws[ball+2]; }
    }
    private bool Strike()
    {
      return throws[ball] == 10;
    }
    private int TwoBallsInFrame
    {
      get { return throws[ball] + throws[ball+1]; }
    }
```

```
      private bool Spare()
      {
        return throws[ball] + throws[ball+1] == 10;
      }
    }
```

RCM: Parece muito bom. Não consigo pensar em mais nada para fazer.

RSK: Sim, está legal. Vamos examinar os testes só por precaução.

```
//GameTest.cs--------------------------------
using NUnit.Framework;

[TestFixture]
public class GameTest
{
  private Game game;

  [SetUp]
  public void SetUp()
  {
    game = new Game();
  }

  [Test]
  public void TestTwoThrowsNoMark()
  {
    game.Add(5);
    game.Add(4);
    Assert.AreEqual(9, game.Score);
  }

  [Test]
  public void TestFourThrowsNoMark()
  {
    game.Add(5);
    game.Add(4);
    game.Add(7);
    game.Add(2);
    Assert.AreEqual(18, game.Score);
    Assert.AreEqual(9, game.ScoreForFrame(1));
    Assert.AreEqual(18, game.ScoreForFrame(2));
  }

  [Test]
  public void TestSimpleSpare()
  {
    game.Add(3);
    game.Add(7);
    game.Add(3);
    Assert.AreEqual(13, game.ScoreForFrame(1));
  }

  [Test]
  public void TestSimpleFrameAfterSpare()
  {
```

```
  game.Add(3);
  game.Add(7);
  game.Add(3);
  game.Add(2);
  Assert.AreEqual(13, game.ScoreForFrame(1));
  Assert.AreEqual(18, game.ScoreForFrame(2));
  Assert.AreEqual(18, game.Score);
}

[Test]
public void TestSimpleStrike()
{
  game.Add(10);
  game.Add(3);
  game.Add(6);
  Assert.AreEqual(19, game.ScoreForFrame(1));
  Assert.AreEqual(28, game.Score);
}

[Test]
public void TestPerfectGame()
{
  for (int i=0; i<12; i++)
  {
    game.Add(10);
  }
  Assert.AreEqual(300, game.Score);
}

[Test]
public void TestEndOfArray()
{
  for (int i=0; i<9; i++)
  {
    game.Add(0);
    game.Add(0);
  }
  game.Add(2);
  game.Add(8); // Spare do 10º quadro
  game.Add(10); // Strike na última posição do array.
  Assert.AreEqual(20, game.Score);
}

[Test]
public void TestSampleGame()
{
  game.Add(1);
  game.Add(4);
  game.Add(4);
  game.Add(5);
  game.Add(6);
  game.Add(4);
  game.Add(5);
  game.Add(5);
  game.Add(10);
```

```
      game.Add(0);
      game.Add(1);
      game.Add(7);
      game.Add(3);
      game.Add(6);
      game.Add(4);
      game.Add(10);
      game.Add(2);
      game.Add(8);
      game.Add(6);
      Assert.AreEqual(133, game.Score);
    }

    [Test]
    public void TestHeartBreak()
    {
      for (int i=0; i<11; i++)
        game.Add(10);
      game.Add(9);
      Assert.AreEqual(299, game.Score);
    }

    [Test]
    public void TestTenthFrameSpare()
    {
      for (int i=0; i<9; i++)
        game.Add(10);
      game.Add(9);
      game.Add(1);
      game.Add(1);
      Assert.AreEqual(270, game.Score);
    }
  }
```

RSK: Agora sim. Você consegue pensar em mais algum caso de teste significativo?

RCM: Não, acho que deu. Não vejo mais nada para retirar agora.

RSK: Então, terminamos.

RCM: Acho que sim. Muito obrigado por sua ajuda.

RSK: Qua nada, foi divertido.

Conclusão

Depois de escrever este capítulo, eu o publiquei no site da Object Mentor.[2] Muitas pessoas leram e fizeram comentários. Algumas ficaram incomodadas com o fato de quase não usarmos projeto orientado a objetos. Acho essa reação interessante. Devemos ter projeto orientado a objetos em todo aplicativo e em todo programa? No caso em questão, o programa simplesmente não precisou dele. A classe `Scorer` foi a única concessão ao OO e, ainda assim, foi mais uma divisão simples do que um verdadeiro projeto orientado a objetos.

Outras pessoas acharam que devia haver uma classe `Frame`. Uma delas inclusive criou uma versão do programa com essa classe, muito maior e mais complexa do que a que você vê aqui.

Alguns acharam que não fomos leais à UML. Afinal, não fizemos um projeto completo antes de começar. O ridículo diagrama UML nas costas do guardanapo (Figura 6-2) não era um projeto completo; ele não incluía diagramas de sequência. Eu acho esse argumento muito estranho. Para mim, não parece provável que adicionar diagramas de sequência na Figura 6-2 nos faria abandonar as classes `Throw` e `Frame`. Aliás, acho que isso nos levaria a crer que essas classes eram necessárias.

Isso significa que os diagramas são inadequados? Claro que não. Bem, na verdade, sim, de certa maneira. Para esse programa, os diagramas não ajudaram em nada. Aliás, atrapalharam. Se os tivéssemos seguido, teríamos terminado com um programa muito mais complexo do que o necessário. Você poderia afirmar que também teríamos acabado com um programa mais fácil de manter, mas discordo. O programa que você vê aqui é fácil de entender e, portanto, fácil de manter. Não existem dentro dele dependências mal gerenciadas que o tornariam rígido ou frágil.

Portanto, sim, às vezes os diagramas são inadequados. Mas quando? Quando você os cria sem código para validá-los *e, depois, pretende segui-los*. Nada há de errado em desenhar um diagrama para explorar uma ideia. No entanto, tendo produzido um diagrama, você não deve supor que ele é o melhor projeto para a tarefa. Você pode descobrir que o melhor projeto evoluirá quando der passos muito pequenos, escrevendo testes primeiro.

Corroborando essa conclusão, vou deixá-lo com as palavras do general Dwight David Eisenhower: "*Na preparação para a batalha, tenho sempre verificado que os planos são inúteis, mas o planejamento é indispensável*".

---

[2] www.objectmentor.com

Visão geral das regras do boliche

O boliche é um jogo no qual se lança uma bola do tamanho de um melão em uma pista estreita, em direção a dez pinos de madeira. O objetivo é derrubar o número máximo possível de pinos por arremesso.

O jogo é composto de dez quadros. No início de cada quadro, os dez pinos estão levantados. O jogador tem duas chances para derrubar todos eles.

Se o jogador derruba todos os pinos na primeira tentativa, isso é chamado de "strike" e o quadro termina. Se o jogador não derruba todos os pinos com a primeira bola, mas consegue com a segunda, isso é chamado de "spare". Após a segunda bola, o quadro termina, mesmo que ainda existam pinos em pé.

Um quadro de *strike* tem a pontuação calculada somando-se dez à contagem do quadro anterior, mais o número de pinos derrubados pelas duas próximas bolas. Um quadro de *spare* tem a pontuação calculada somando-se dez à contagem do quadro anterior, mais o número de pinos derrubados pela próxima bola. Caso contrário, um quadro tem sua pontuação calculada somando-se o número de pinos derrubados pelas duas bolas à pontuação do quadro anterior.

Se no décimo quadro for conseguido um strike, o jogador pode arremessar mais duas bolas para completar a pontuação do strike. Do mesmo modo, se no décimo quadro for conseguido um spare, o jogador pode arremessar mais uma bola para completar a pontuação do spare. Assim, o décimo quadro pode ter três bolas, em vez de duas.

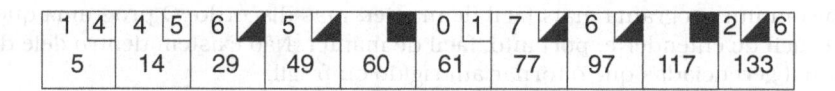

1	4	4	5	6	/	5	/	■	0	1	7	/	6	/	■	2	/	6
5		14		29		49		60		61		77		97		117		133

O cartão de marcação acima mostra um jogo típico, mas um tanto sofrível. No primeiro quadro, o jogador derrubou um pino com a primeira bola e quatro com a segunda. Assim, a pontuação do jogador para o quadro é 5. No segundo quadro, o jogador derrubou quatro pinos com a primeira bola e cinco com a segunda. Isso significa nove pinos no total, que somados ao quadro anterior dão 14 pontos.

No terceiro quadro, o jogador derrubou seis pinos com a primeira bola e derrubou o resto com a segunda, conseguindo um spare. Nenhuma pontuação pode ser calculada para esse quadro, até que a próxima bola seja lançada.

No quarto quadro, o jogador derruba cinco pinos com a primeira bola. Isso nos permite completar a pontuação do spare do quadro 3. Pontuação do quadro 3: 10, mais a pontuação do quadro 2 (14), mais a primeira bola do quadro 4 (5), ou seja, 29 pontos. A última bola do quadro 4 é um spare.

O quadro 5 é um strike. Isso nos permite concluir a pontuação do quadro 4, que é: 29 + 10 + 10 = 49.

O quadro 6 é deplorável. A primeira bola caiu na canaleta e não derrubou nenhum pino. A segunda bola derrubou apenas um pino. A pontuação para o strike do quadro 5 é: 49 + 10 + 0 + 1 = 60.

O resto você provavelmente descobrirá sozinho.

Seção II
PROJETO ÁGIL

Se *agilidade* consiste em criar software em incrementos minúsculos, como você pode *projetar* o software? Como garantir que o software tenha uma boa estrutura, que seja flexível, passível de manutenção e reutilizável? Se você o cria em incrementos minúsculos, não está realmente preparando o terreno para muito descarte e reformulação em nome da refatoração? Você não vai perder a visão global?

Em uma equipe ágil, a visão global evolui com o software. A cada iteração, a equipe melhora o projeto do sistema de modo que ele seja o melhor possível para o sistema conforme ele está *agora*. A equipe não perde muito tempo antecipando os requisitos e as necessidades futuras. Nem tenta construir hoje a infraestrutura para suportar as funcionalidades que talvez sejam necessárias amanhã. Em vez disso, a equipe se concentra na estrutura do sistema *atual*, tornando-a tão boa quanto possível.

Isso não é um abandono da arquitetura e do projeto. Em vez disso, é uma maneira de evoluir progressivamente a arquitetura e o projeto mais adequados para o sistema. Também é uma maneira de manter esse projeto e essa arquitetura adequados, à medida que o sistema cresce e evolui com o tempo. O desenvolvimento ágil torna o processo de projeto e arquitetura *contínuo*.

Como sabemos se o projeto de um sistema de software é bom? O Capítulo 7 enumera e descreve os sintomas de um projeto ruim. Tais sintomas (ou maus cheiros de projeto) frequentemente permeiam a estrutura global do software. O capítulo demonstra como esses sintomas se acumulam em um projeto de software e explica como evitá-los.

Os sintomas são:

- *Rigidez*. É difícil alterar o projeto.
- *Fragilidade*. O projeto (design) é fácil de estragar.
- *Imobilidade*. É difícil reutilizar o projeto.
- *Viscosidade*. É difícil fazer a coisa certa.
- *Complexidade desnecessária*. Projeto excessivo.
- *Repetição desnecessária*. Abuso do mouse.
- *Opacidade*. Expressão desorganizada.

Esses sintomas têm natureza semelhante aos maus cheiros do código, mas estão em um nível mais alto. Eles são os maus cheiros que permeiam a estrutura global do software, em vez de uma pequena seção de código.

Como sintoma, um mau cheiro de projeto é algo que pode ser medido subjetivamente ou mesmo objetivamente. Com frequência, o mau cheiro é causado pela violação de um ou mais princípios de projeto. Os Capítulos 8 a 12 descrevem os princípios de projetos orientados a objetos que ajudam os desenvolvedores a eliminar os sintomas do projeto ruim – os maus cheiros de projeto – e a criar os melhores projetos para o conjunto de funcionalidades atual.

Os princípios são:

- Capítulo 8: O Princípio da Responsabilidade Única (SRP)
- Capítulo 9: O Princípio do Aberto/Fechado (OCP)
- Capítulo 10: O Princípio da Substituição de Liskov (LSP)
- Capítulo 11: O Princípio da Inversão de Dependência (DIP)
- Capítulo 12: O Princípio da Segregação de Interface (ISP)

Esses princípios resultam de décadas de experiência em engenharia de software. Eles não foram produzidos por uma só pessoa, mas representam a integração das ideias e publicações de uma grande quantidade de desenvolvedores de software e pesquisadores. Embora sejam apresentados aqui como princípios de projeto orientado a objetos, na verdade eles são casos especiais de princípios consagrados da engenharia de software.

As equipes ágeis aplicam os princípios apenas para resolver maus cheiros; elas não aplicam os princípios quando os maus cheiros não existem. Seria um erro obedecer a um princípio incondicionalmente apenas porque se trata de um princípio. Os princípios existem para nos ajudar a eliminar os maus cheiros. Eles não são um perfume que deve ser borrifado por todo o sistema. A submissão excessiva aos princípios leva ao mau cheiro de projeto da complexidade desnecessária.

Capítulo 7

O QUE É PROJETO ÁGIL?

> *Depois de examinar o ciclo de vida do desenvolvimento de software do meu ponto de vista, concluí que a única documentação de software que parece realmente satisfazer os critérios de um projeto de engenharia são as listagens de código-fonte.*
>
> — Jack Reeves

Em 1992, Jack Reeves escreveu um artigo influente – "O que é projeto de software?" – no *C++ Journal*.[1] Nesse texto, Reeves argumentava que o projeto de um sistema de software é documentado principalmente pelo seu código-fonte, e que os diagramas representando o código-fonte são auxiliares do projeto e não o projeto em si. O artigo de Jack é considerado precursor do desenvolvimento ágil.

Nas páginas a seguir, falaremos frequentemente sobre "o projeto". Você não deve tomar isso como um conjunto de diagramas UML separados do código. Um conjunto de diagramas UML pode representar partes de um projeto, mas eles não são *o* projeto. Um projeto de software é um conceito abstrato. Ele está relacionado à forma e estrutura globais do programa, assim como à forma e estrutura detalhadas de cada módulo, classe e método. O projeto pode ser representado por muitos meios diferentes, mas sua materialização final é o código-fonte. No final, o código-fonte é o projeto.

Maus cheiros do projeto

Se tiver sorte, você começa um projeto com uma ideia clara de como deseja que o sistema seja. O projeto do sistema é uma imagem vital em sua mente. Se tiver mais sorte ainda, a primeira versão reflete a imagem do projeto.

Mas aí algo dá errado. O software começa a apodrecer como um pedaço de carne estragada. À medida que o tempo passa, o apodrecimento continua. Feridas horríveis, cheias de pus e furúnculos, se acumulam no código, tornando-o cada vez mais difícil de manter. Por

---

[1] [Reeves92] Trata-se de um artigo excelente. Recomendo que você o leia. Ele foi incluído neste livro, no Apêndice B, página 703.

fim, o mero esforço exigido para fazer mesmo a mais simples das alterações se torna tão oneroso que os desenvolvedores e os gerentes de linha de frente clamam por uma revisão.

Tais revisões raramente são bem-sucedidas. Embora os projetistas comecem com boas intenções, eles descobrem que estão atirando em um alvo móvel. O sistema antigo continua a evoluir e mudar, e o novo projeto precisa continuar. As verrugas e úlceras se acumulam no novo projeto, antes mesmo que ele chegue à sua primeira entrega (release).

Maus cheiros do projeto – os odores do software em putrefação

Você sabe que o software está apodrecendo quando ele começa a exalar um dos seguintes odores:

- Rigidez
- Fragilidade
- Imobilidade
- Viscosidade
- Complexidade desnecessária
- Repetição desnecessária
- Opacidade

Rigidez

Rigidez é a tendência do software de ser difícil de alterar, mesmo de maneira simples. Um projeto é rígido quando uma única modificação provoca uma sucessão de alterações subsequentes em módulos dependentes. Quanto mais módulos precisam ser alterados, mais rígido é o projeto.

A maioria dos desenvolvedores se depara com essa situação. Eles são solicitados a fazer o que parece ser uma alteração simples. Examinam a modificação e fazem uma estimativa razoável do trabalho necessário. Depois, no entanto, à medida que trabalham na alteração, descobrem que existem consequências imprevistas. Os desenvolvedores se descobrem perseguindo a alteração em partes enormes do código, modificando bem mais módulos do que tinham estimado inicialmente e descobrindo diversas outras alterações que precisam fazer. No final, as mudanças demoram muito mais tempo do que a estimativa inicial. Quando perguntados por que sua estimativa foi tão equivocada, eles repetem o tradicional lamento dos desenvolvedores de software: "Foi muito mais complicado do que eu pensava!".

Fragilidade

Fragilidade é a tendência de um programa estragar em muitos lugares quando uma única alteração é feita. Frequentemente, os novos problemas estão em áreas que não têm uma relação conceitual com a área alterada. Corrigir esses problemas leva a ainda mais problemas e a equipe de desenvolvimento começa a parecer um cachorro correndo atrás do rabo.

À medida que a fragilidade de um módulo aumenta, a probabilidade de que uma alteração introduza problemas inesperados aproxima-se da certeza. Isso parece absurdo, mas tais módulos não são incomuns. Tratam-se dos módulos que constantemente precisam de reparos, aqueles que nunca ficam fora da lista de bugs. São aqueles que todos sabem que precisam ser revisados, mas que ninguém quer encarar. São os módulos que, quanto mais você os corrige, *pior* ficam.

Imobilidade

Um projeto é imóvel quando contém partes que poderiam ser úteis em outros sistemas, mas o trabalho e o risco envolvidos na separação dessas partes do sistema original são grandes demais. Essa é uma ocorrência infeliz, porém muito comum.

Viscosidade

A viscosidade aparece em duas formas: viscosidade do software e viscosidade do ambiente. Quando se deparam com uma alteração, os desenvolvedores normalmente encontram mais de uma maneira de fazê-la. Alguns deles preservam o projeto; outros, não (isto é, produzem soluções malfeitas). Quando os métodos que preservam o projeto são mais difíceis de usar do que as soluções malfeitas, a viscosidade do projeto é alta. É fácil fazer a coisa errada, mas difícil fazer a coisa certa. Queremos projetar nosso software de modo que as alterações que preservam o projeto sejam fáceis de fazer.

A viscosidade do ambiente ocorre quando o ambiente de desenvolvimento é lento e ineficiente. Por exemplo, se os tempos de compilação forem muito longos, os desenvolvedores ficarão tentados a fazer alterações que não obriguem grandes recompilações, mesmo que essas alterações não preservem o projeto. Se o sistema de controle de código-fonte exigir horas para verificar apenas alguns arquivos, os desenvolvedores ficarão tentados a fazer alterações que exijam o mínimo de check-ins possível, independentemente de o projeto ser preservado.

Nos dois casos, um projeto viscoso é aquele no qual o projeto do software é difícil de preservar. Queremos criar sistemas e ambientes de projeto que tornem fácil preservar e aprimorar o projeto.

Complexidade desnecessária

Um projeto tem o mau cheiro da complexidade desnecessária quando contém elementos que não são úteis no momento. Isso acontece com muita frequência, quando os desenvolvedores antecipam mudanças nos requisitos e colocam recursos no software para lidar com essas mudanças em potencial. Isso pode parecer bom em um primeiro momento. Afinal, a preparação para futuras mudanças deve manter nosso código flexível e evitar alterações apavorantes mais adiante.

Infelizmente, muitas vezes o efeito é justamente o oposto. Preparando-se para muitas possibilidades, o projeto se torna sujo, contendo construções que nunca são utilizadas. Algumas dessas preparações podem compensar, mas outras tantas não. Nesse meio-tempo, o projeto carrega o peso desses elementos não utilizados. Isso torna o software complexo e difícil de entender.

Repetição desnecessária

Recortar e colar podem ser operações de edição de texto úteis, mas podem ser desastrosas na edição de código. Com muita frequência, os sistemas de software são baseados em dezenas ou centenas de elementos de código repetidos. Isso acontece da seguinte forma: Ralph precisa escrever algum código que *frave o arvadent*.[2] Ele olha em outras partes do código onde suspeita que ocorreu outro caso de fravar o arvadent e encontra um trecho de código conveniente. Ele recorta e cola esse código em seu módulo e faz as modificações adequadas.

Sem o conhecimento de Ralph, o código que ele pegou com o mouse foi colocado lá por Todd, que o pegou de um módulo escrito por Lilly. Lilly foi a primeira a fravar um arvadent, mas percebeu que fravar um arvadent era muito parecido com fravar um garnatosh. Ela encontrou em algum lugar um código que fravava um garnatosh, recortou e colou em seu módulo e o modificou conforme foi necessário.

Quando o mesmo código aparece inúmeras vezes, de formas ligeiramente diferentes, está faltando uma abstração para os desenvolvedores. Encontrar todas as repetições e eliminá-las com uma abstração adequada pode não estar na lista de prioridades, mas tornaria o sistema mais fácil de entender e manter.

Quando existe código redundante no sistema, o trabalho de alterar o sistema pode se tornar árduo. Os erros encontrados em tal unidade repetida precisam ser corrigidos em cada repetição. Contudo, como cada repetição é ligeiramente diferente das outras, a correção nem sempre é a mesma.

Opacidade

Opacidade refere-se à dificuldade de compreensão de um módulo. O código pode ser escrito de maneira clara e intelegível ou de maneira opaca e enrolada. Ainda, o código tende a se tornar cada vez mais opaco com o tempo. É necessário um esforço constante a fim de manter o código claro e a opacidade diminuir.

Quando os desenvolvedores escrevem um módulo pela primeira vez, o código parece claro para eles. Afinal, eles trabalharam muito nele e o compreendem nos mínimos detalhes. Depois de um tempo, é provável que se perguntem como foram capazes de escrever algo tão horrível. Para evitar isso, os desenvolvedores precisam se colocar no lugar de seus leitores e fazer um esforço para refatorar seu código a fim de que todos possam compreendê-lo. Seu código também precisa ser revisado por outros.

Por que o software apodrece

Em ambientes não ágeis, os projetos degradam porque os requisitos mudam de maneiras não previstas no projeto inicial. Frequentemente, essas mudanças precisam ser feitas o mais rápido possível e podem ser realizadas por desenvolvedores que não estejam familiarizados com a filosofia original do projeto. Assim, embora a alteração no projeto funcione, de algum modo ela viola o projeto original. À medida que as mudanças continuam, essas violações se acumulam até que a podridão surja.

No entanto, não podemos culpar a mudança dos requisitos pela degradação do projeto. Nós, como desenvolvedores de software, sabemos muito bem que os requisitos mudam. Aliás, a maioria de nós entende que os requisitos são os elementos mais voláteis do projeto. Se nossos projetos estão fracassando devido à constante mudança de requisitos,

---

[2] Para os leitores que não têm o inglês como língua materna, o termo *fravle the arvadent* (aqui levemente adaptado) é composto de palavras sem sentido cujo propósito é indicar alguma atividade de programação indefinível.

são nossos projetos e práticas que estão errados. Devemos encontrar uma maneira de tornar nossos projetos resistentes a tais mudanças e usar práticas que os protejam do apodrecimento.

Uma equipe ágil lida bem com mudanças. Ela investe pouco no início e, assim, não fica comprometida com um projeto inicial obsoleto. Em vez disso, a equipe mantém o projeto do sistema o mais limpo e simples possível e o respalda com muitos testes de unidade e de aceitação. Isso mantém o projeto flexível e fácil de alterar. A equipe tira proveito dessa flexibilidade para aprimorar o projeto continuamente; assim, cada iteração termina com um sistema cujo projeto é o mais adequado possível para os requisitos dessa iteração.

O programa `Copy`

Um cenário familiar

Observar um projeto apodrecer ilustra o que acabamos de relatar. Digamos que, na segunda-feira bem cedo, seu chefe peça para que você escreva um programa que copie caracteres do teclado para a impressora. Fazendo alguns exercícios mentais rápidos, você conclui que isso exigirá menos de dez linhas de código. O tempo de projeto e codificação deverá ocupar bem menos de uma hora. Com as reuniões de grupo multifuncional, as reuniões de qualidade, as reuniões de progresso de grupo diárias e as três crises atuais no campo, esse programa deverá levar cerca de uma semana para terminar – se você fizer horas extras. Entretanto, você sempre multiplica suas estimativas por 3.

"Três semanas", você avisa ao seu chefe. Ele dá um riso de desdém e sai, deixando-o com sua tarefa.

O projeto inicial   Sobrou um tempinho antes de a reunião de revisão de processo começar e você decide traçar um projeto para o programa. Usando projeto estruturado, você produz o diagrama estrutural da Figura 7-1.

Existem três módulos (ou subprogramas) no aplicativo. O módulo `Copy` chama os outros dois. O programa `Copy` busca caracteres do módulo de leitura do teclado `Read Keyboard` e os encaminha para o módulo de escrita na impressora `Write Printer`.

Você examina seu projeto e constata que ele é bom. Com um sorriso no rosto, sai de seu escritório para ir àquela reunião. Pelo menos você poderá tirar uma soneca lá.

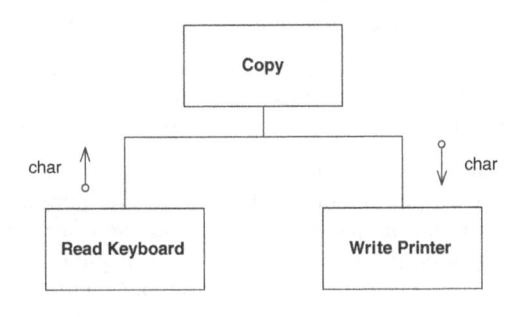

Figura 7-1
Diagrama estrutural do programa `Copy`.

Listagem 7-1
O programa Copy

```
public class Copier
{
  public static void Copy()
  {
    int c;
    while((c=Keyboard.Read())!=-1)
      Printer.Write(c);
  }
}
```

Na terça-feira, você chega um pouco mais cedo para finalizar o programa Copy. Infelizmente, uma das crises no campo esquentou durante a noite e você tem de ir ao laboratório para ajudar a depurar um problema. No intervalo para o almoço, que finalmente acontece às 15h, você consegue digitar o código do programa Copy. O resultado é a Listagem 7-1.

Você acabou de salvar a edição, quando você termina percebe que já está atrasado para a reunião sobre qualidade. Você não pode faltar; o tema será a importância dos defeitos zero. Assim, você engole suas batatas-fritas e sua Coca-Cola e vai para a reunião.

Na quarta-feira, você chega mais cedo novamente e, desta vez, nada parece estar fora de ordem. Você começa a compilar o código-fonte do programa Copy. Ora, vejam! Ele compila na primeira vez, sem erros! Isso é bom, pois seu chefe o chama para uma reunião inesperada sobre a necessidade de conservar toner de impressora a laser.

Na quinta-feira, depois de passar quatro horas ao telefone, acompanhando um técnico em Rocky Mount, Carolina do Norte, através de comandos de depuração e log de erros remotos em um dos componentes mais obscuros do sistema, você pega um Hoho e testa seu programa Copy. Ele funciona na primeira vez! Ótimo, pois seu novo estagiário acabou de apagar o diretório mestre de código-fonte do servidor e você precisa encontrar as fitas de backup mais recentes e restaurá-lo. Evidentemente, o último backup completo foi tirado há três meses e, além dele, você tem 94 backups incrementais para restaurar.

A sexta-feira está completamente vaga. Que bom, pois demora o dia inteiro para carregar o programa Copy em seu sistema de controle de código-fonte.

Obviamente, o programa é um grande sucesso e é implantado em toda a empresa. Sua reputação de excelente programador é confirmada mais uma vez e você se deleita com a glória de suas realizações. Com sorte, você poderá produzir 30 linhas de código este ano!

Os requisitos são "mutantes" Alguns meses depois, seu chefe lhe informa que o programa Copy também deve ser capaz de ler a leitora de fita de papel. Você range os dentes, revira os olhos e se pergunta, por que as pessoas estão sempre mudando os requisitos. Seu programa não foi projetado para uma leitora de fita de papel! Você avisa seu chefe que essa alteração vai acabar com a elegância de seu projeto. No entanto, seu chefe é inflexível e afirma que os usuários realmente precisam ler caracteres da leitora de fita de papel de vez em quando.

Você suspira e planeja as modificações. Você gostaria de adicionar um argumento booleano na função `Copy`. Se fosse `true`, você leria a leitora de fita de papel; se fosse `false`, leria o teclado, como antes. Infelizmente, você não pode alterar a interface porque agora muitos programas usam `Copy`. Alterar a interface acarretaria semanas e semanas de recompilação e novos testes. Os engenheiros de teste de sistema iriam linchá-lo, sem mencionar as sete pessoas do grupo de controle de configuração. E o inspetor de processo teria de obrigar todos os tipos de revisões de código para cada módulo que chamasse `Copy`!

Não, alterar a interface está fora de cogitação. Mas como o programa `Copy` saberá que deve ler a leitora de fita de papel? Você usará uma global! É óbvio! Você também usará o melhor e mais útil recurso da família C de linguagens, o operador `?:`! A Listagem 7-2 mostra o resultado.

Os chamadores de `Copy` que queiram ler a leitora de fita de papel devem primeiro configurar `ptFlag` como `true`. Depois, eles podem chamar `Copy` e o programa lerá a leitora de fita de papel sem problemas. Quando `Copy` retornar, o chamador deve reinicializar `ptFlag`; caso contrário, o próximo chamador poderá ler a leitora de fita de papel por engano, em vez do teclado. Para lembrar os programadores de sua tarefa de reinicializar esse flag, você adicionou um comentário.

Mais uma vez, você libera seu software para a aprovação. Ele é ainda mais bem-sucedido que antes e hordas de programadores aguardam ansiosamente uma oportunidade para usá-lo. A vida é boa.

Dê a eles uma ninharia   Algumas semanas depois, seu chefe – que ainda é seu chefe, apesar das três reorganizações de toda a empresa no mesmo intervalo de meses – diz que às vezes os clientes querem que o programa `Copy` gere saída na perfuradora de fita de papel. Clientes! Eles estão sempre arruinando seus projetos. *Escrever software seria muito mais fácil se não fossem os clientes*. Você comenta com seu chefe que essas alterações incessantes estão tendo um impacto extremamente negativo na elegância de seu projeto, e avisa que, se as mudanças continuarem nesse ritmo horrível, será impossível manter o software antes que o ano chegue ao fim. Seu chefe assente com a cabeça e pede que você faça a mudança assim mesmo.

Listagem 7-2
Primeira modificação do programa Copy

```
public class Copier
{
  //lembrar de reinicializar este flag
  public static bool ptFlag = false;
  public static void Copy()
  {
    int c;
    while((c=(ptFlag ? PaperTape.Read()
                     : Keyboard.Read())) != -1)
      Printer.Write(c);
  }
}
```

Listagem 7-3
Segunda modificação do programa Copy

```
public class Copier
{
  //lembre de reinicializar estes flags
  public static bool ptFlag = false;      // para a impressora
  public static bool punchFlag = false;   // para a fita
  public static void Copy()
  {
    int c;
    while((c=(ptFlag ? PaperTape.Read()
                     : Keyboard.Read())) != -1)
      punchFlag ? PaperTape.Punch(c) : Printer.Write(c);
  }
}
```

Essa mudança de projeto é semelhante à anterior. Precisamos apenas de outra global e outro operador ?:! A Listagem 7-3 mostra o resultado de seus esforços.

Você se orgulha de ter se lembrado de alterar o comentário. Apesar disso, você receia que a estrutura de seu programa esteja começando a ruir. Qualquer alteração a mais no dispositivo de entrada certamente o obrigará a reestruturar completamente a condicional do loop while. Talvez seja hora de tirar a poeira de seu currículo.

Espere mudanças Você tem a liberdade de determinar quanto dessa história foi um exagero satírico. O objetivo foi mostrar como o projeto de um programa pode degradar rapidamente na presença de mudanças. O projeto original do programa Copy era simples e elegante. Depois de apenas duas alterações, ele começou a mostrar sinais de rigidez, fragilidade, imobilidade, complexidade, redundância e opacidade. Essa tendência certamente vai continuar e o programa se tornará uma bagunça.

Poderíamos cruzar os braços e culpar as alterações. Poderíamos nos queixar que o programa foi bem projetado para a especificação original e que as mudanças na especificação fizeram o projeto degradar. Contudo, isso desconsidera um dos fatos mais importantes no desenvolvimento de software: *os requisitos sempre mudam!*

Lembre que as coisas mais voláteis na maioria dos projetos de software são os requisitos. Os requisitos mudam constantemente. Esse é um fato que nós, desenvolvedores, precisamos aceitar! *Vivemos em um mundo de requisitos que mudam e nosso trabalho é garantir que o software sobreviva a essas mudanças.* Se o projeto de nosso software degradar porque os requisitos mudaram, não estamos sendo ágeis.

Listagem 7-4
Versão ágil 2 de Copy

```
public interface Reader
{
  int Read();
}
public class KeyboardReader: Reader
{
  public int Read() {return Keyboard.Read();}
}
public class Copier
{
  public static Reader reader = new KeyboardReader();
  public static void Copy()
  {
    int c;
    while((c=(reader.Read())) != -1)
      Printer.Write(c);
  }
}
```

Projeto ágil do programa Copy

Uma equipe de desenvolvimento ágil começa exatamente da mesma maneira, com o código da Listagem 7-1.[3] Quando o chefe pede que o programa leia a leitora de fita de papel, os desenvolvedores alteram o projeto de modo que seja flexível a esse tipo de mudança. O resultado é parecido com a Listagem 7-4.

Em vez de tentar reparar o projeto para fazer o novo requisito funcionar, a equipe aproveita a oportunidade para melhorá-lo, de modo que ele seja mais flexível a esse tipo de alteração no futuro. Assim, quando o chefe solicitar um novo tipo de dispositivo de entrada, a equipe responderá de modo a não causar degradação no programa Copy.

A equipe seguiu o *Princípio do Aberto/Fechado (OCP)*, que descrevemos no Capítulo 9. Esse princípio nos orienta a projetar nossos módulos de modo que eles possam ser estendidos sem modificação. Exatamente o que a equipe fez. Todo novo dispositivo de entrada que o chefe pedir será providenciado sem modificar o programa Copy.

No entanto, observe que na primeira vez que projetou o módulo, a equipe não tentou prever como o programa iria mudar. Em vez disso, escreveu o módulo da maneira mais simples possível. A equipe modificou o projeto do módulo para ser flexível a alterações somente quando os requisitos mudaram.

Você poderia pensar que a equipe fez apenas metade do trabalho. Os desenvolvedores se precaveram contra diferentes dispositivos de entrada, mas eles também poderiam

---

[3] Na verdade, provavelmente a prática do desenvolvimento guiado por testes obrigaria o projeto a ser flexível o suficiente para suportar o chefe sem alteração. Contudo, neste exemplo, vamos ignorar isso.

ter se precavido contra diferentes dispositivos de saída. Contudo, na verdade a equipe não tinha como prever que os dispositivos de saída mudariam. Acrescentar proteção extra antes não teria utilidade. É claro que, se tal proteção fosse necessária, seria fácil acrescentá-la posteriormente. Portanto, não haveria motivo para acrescentá-la antes.

Seguindo práticas ágeis Os desenvolvedores ágeis de nosso exemplo construíram uma classe abstrata para se precaver contra mudanças no dispositivo de entrada. Como eles souberam fazer isso? A resposta está em um dos dogmas fundamentais do projeto orientado a objetos.

O projeto inicial do programa `Copy` é rígido por causa da *direção* de suas dependências. Veja a Figura 7-1 novamente. Note que o módulo `Copy` depende diretamente de `KeyboardReader` e de `PrinterWriter`. `Copy` é um módulo de alto nível nesse aplicativo. Ele define a política do aplicativo. Ele sabe como copiar caracteres. Infelizmente, ele também se tornou dependente dos detalhes de baixo nível do teclado e da impressora. Assim, quando os detalhes de baixo nível mudam, a política de alto nível é afetada.

Quando a rigidez foi exposta, os desenvolvedores ágeis sabiam que a dependência do módulo `Copy` em relação ao dispositivo de entrada precisava ser *invertida*, usando o Princípio da Inversão de Dependência (DIP) do Capítulo 11, de modo que `Copy` não dependesse mais desse dispositivo. Assim, eles usaram o padrão STRATEGY, discutido no Capítulo 22, para produzir a inversão desejada.

Portanto, em poucas palavras, os desenvolvedores ágeis sabiam o que fazer porque seguiram estes passos:

1 Eles detectaram o problema seguindo as práticas ágeis.

2. Eles diagnosticaram o problema aplicando princípios de projeto.

3. Eles resolveram o problema aplicando um padrão de projeto apropriado.

A interação entre esses três aspectos do desenvolvimento de software é o ato de projetar.

Mantendo o projeto tão bom quanto possível Os desenvolvedores ágeis se dedicam a manter o projeto o mais adequado e limpo possível. Esse não é um comprometimento casual ou experimental. Os desenvolvedores ágeis não "limpam" o projeto a cada poucas semanas. Em vez disso, eles mantêm o software o mais limpo, simples e expressivo que puderem – todos os dias, a toda hora e a todo minuto. Eles nunca dizem: "Vamos corrigir isso depois". Eles não deixam a podridão começar.

A atitude que os desenvolvedores ágeis têm em relação ao projeto do software é a mesma que os cirurgiões têm em relação ao procedimento de esterilização. O procedimento de esterilização é o que torna a cirurgia *possível*. Sem ele, o risco de infecção seria intolerável. Os desenvolvedores ágeis se sentem da mesma maneira em relação aos seus projetos. O risco de permitir que mesmo a menor deterioração comece é alto demais.

O projeto deve permanecer limpo. E como o código-fonte é a expressão mais importante do projeto, ele também deve permanecer limpo. O profissionalismo prescreve que nós, desenvolvedores de software, não podemos tolerar a podridão de código.

Conclusão

O que é projeto ágil, afinal? Projeto ágil é um processo e não uma circunstância. É a aplicação contínua de princípios, padrões e práticas para melhorar a estrutura e a legibilidade do software. É a dedicação em manter o projeto do sistema o mais simples, limpo e expressivo possível, o tempo todo.

Nos capítulos a seguir, vamos investigar os princípios e padrões do projeto de software. À medida que você ler, lembre que um desenvolvedor ágil não aplica esses princípios e padrões de antemão em um projeto grande. Em vez disso, eles são aplicados de iteração para iteração, em uma tentativa de manter limpos o código e o projeto que o incorpora.

Bibliografia

[**Reeves92**] Jack Reeves, "What Is Software Design?", *C++ Journal*, (2), 1992. Também disponível no endereço www.bleading-edge.com/Publications/C++Journal/Cpjour2.htm.

Capítulo 8

PRINCÍPIO DA RESPONSABILIDADE ÚNICA (SRP)

> *Ninguém, a não ser o Buda, deve assumir a responsabilidade de revelar segredos ocultos...*
>
> — E. Cobham Brewer 1810-1897, *Dictionary of Phrase and Fable* (1898)

O Princípio da Responsabilidade Única (SRP – Single Responsibility Principle) foi descrito no trabalho de Tom DeMarco[1] e Meilir Page-Jones.[2] Eles o chamavam de *coesão*, o que definiam como a afinidade funcional dos elementos de um módulo. Neste capítulo, alteramos um pouco esse significado e relacionamos a coesão com as forças que fazem um módulo (ou uma classe) mudar.

> **Princípio da Responsabilidade Única**
>
> *Uma classe deve ter apenas um motivo para mudar.*

Considere o jogo de boliche do Capítulo 6. Na maior parte de seu desenvolvimento, a classe Game estava lidando com duas responsabilidades: controlar o quadro atual e calcular o placar. No fim, RCM e RSK separaram essas duas responsabilidades em duas classes. A classe Game manteve a responsabilidade de controlar os quadros e a classe Scorer assumiu a responsabilidade de calcular o placar.

Por que era importante separar essas duas responsabilidades em classes distintas? Porque cada responsabilidade é um eixo de mudança. Quando os requisitos mudarem, a alteração se manifestará por meio de uma mudança na responsabilidade entre as classes. Se uma classe assumir mais de uma responsabilidade, ela terá mais de um motivo para mudar.

---

[1] [DeMarco79], p. 310
[2] [PageJones88], p. 82

```
┌──────────────┐      ┌─────────────────┐      ┌──────────────┐
│ Computational│      │   Rectangle     │      │  Graphical   │
│   Geometry   │─────▷│ + draw()        │◁─────│ Application  │
│  Application │      │ + area(): double│      │              │
└──────────────┘      └─────────────────┘      └──────────────┘
                             │
                             ▽
                         ┌───────┐
                         │  GUI  │◁───
                         └───────┘
```

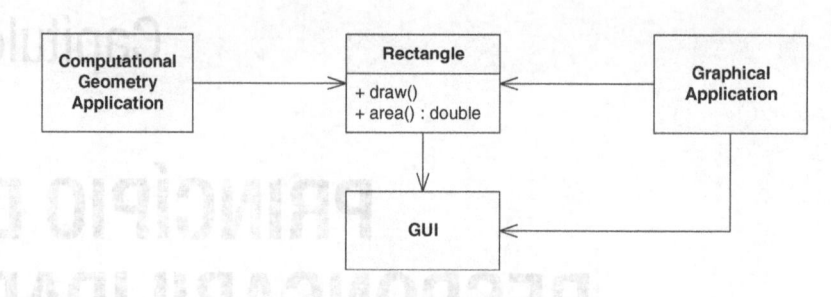

Figura 8-1
Mais de uma responsabilidade.

Se uma classe tem mais de uma responsabilidade, as responsabilidades se tornam acopladas. Mudanças em uma responsabilidade podem prejudicar ou inibir a capacidade da classe de cumprir as outras. Esse tipo de acoplamento leva a projetos frágeis que estragam de maneiras inesperadas quando alterados.

Considere, por exemplo, o projeto da Figura 8-1. A classe Rectangle mostra dois métodos. Um deles desenha o retângulo na tela e o outro calcula a área do retângulo.

Dois aplicativos diferentes usam a classe Rectangle. Um deles faz geometria computacional. Usa Rectangle para ajudar na matemática das formas geométricas, mas nunca desenha o retângulo na tela (GUI – Graphical User Interface, Interface Gráfica com o Usuário). O outro aplicativo é gráfico por natureza e também pode efetuar alguma geometria computacional, mas claramente desenha o retângulo na tela.

Esse projeto viola o SRP. A classe Rectangle tem duas responsabilidades. A primeira é fornecer um modelo matemático da geometria de um retângulo. A segunda é representar o retângulo em uma interface gráfica.

A violação do SRP causa vários problemas desagradáveis. Primeiro, precisamos incluir GUI no aplicativo de geometria computacional. Em .NET, o assembly GUI precisaria ser construído e entregue com o aplicativo de geometria computacional.

Segundo, se uma alteração em GraphicalApplication fizer Rectangle mudar por algum motivo, essa mudança poderá nos obrigar a reconstruir, testar novamente e entregar ComputationalGeometryApplication outra vez. Se esquecermos de fazer isso, esse aplicativo poderá estragar de maneiras imprevisíveis.

Um projeto melhor é separar as duas responsabilidades em duas classes completamente diferentes, como mostrado na Figura 8-2. Esse projeto move as partes computacionais de Rectangle para a classe GeometricRectangle. Agora, as mudanças feitas no modo como os retângulos são desenhados não podem afetar ComputationalGeometryApplication.

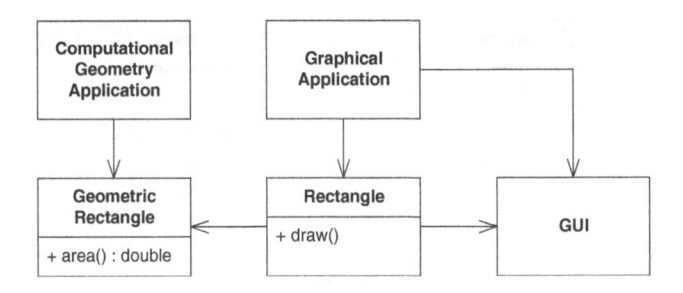

Figura 8-2
Responsabilidades separadas.

Definindo uma responsabilidade

No contexto do SRP, definimos uma responsabilidade como *um motivo para mudar*. Se você consegue pensar em mais de um motivo para mudar uma classe, essa classe tem mais de uma responsabilidade. Às vezes é difícil ver isso. Estamos acostumados a considerar a responsabilidade em grupos. Pense, por exemplo, na interface Modem da Listagem 8-1. A maioria de nós concordará que essa interface parece perfeitamente razoável. As quatro funções que ela declara certamente são funções pertencentes a um modem.

No entanto, duas responsabilidades estão sendo mostradas aqui. A primeira é o gerenciamento da conexão. A segunda, a comunicação de dados. As funções dial e hangup gerenciam a conexão do modem; as funções send e recv transmitem dados.

Essas duas responsabilidades devem ser separadas? Isso depende de como o aplicativo está mudando. Se o aplicativo mudar de uma maneira que afete a assinatura das funções de conexão, o projeto terá o mau cheiro da rigidez, pois as classes que chamam send e read precisarão ser recompiladas e reentregues com mais frequência do que gostaríamos. Nesse caso, as duas responsabilidades devem ser separadas, como mostrado na Figura 8-3. Isso impede os aplicativos clientes de acoplar as duas responsabilidades.

Listagem 8-1
Modem.cs -- violação do SRP

```csharp
public interface Modem
{
  public void Dial(string pno);   // Discar
  public void Hangup();           // Desligar
  public void Send(char c);       // Enviar
  public char Recv();             // Receber
}
```

```
          «interface»                    «interface»
             Data                        Connection
           Channel

        + send(:char)                + dial(pno : String)
        + recv() : char              + hangup()
                △                            △
                ┊                            ┊
                ┊         Modem              ┊
                └──── Implementation ────────┘
```

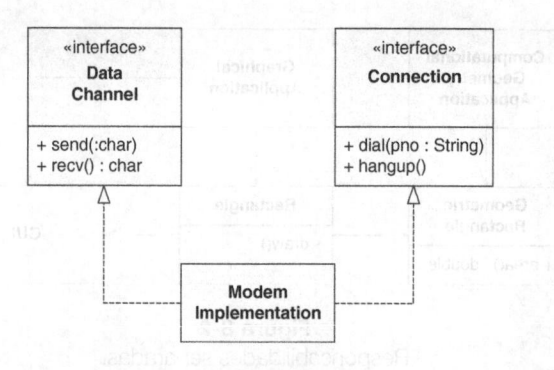

Figura 8-3
Interface de modem separada.

Por outro lado, se o aplicativo não estiver mudando de uma maneira que faça as duas responsabilidades mudarem em momentos diferentes, não haverá necessidade de separá-las. Aliás, separá-las teria o mau cheiro da complexidade desnecessária.

Há um corolário aqui. *Um eixo de mudança só será um eixo de mudança se as mudanças ocorrerem.* Não é sensato aplicar SRP – aliás, qualquer outro princípio – se não houver um sintoma.

Separando responsabilidades acopladas

Note que, na Figura 8-3, mantivemos as duas responsabilidades acopladas na classe `ModemImplementation`. Isso não é desejável, mas pode ser necessário. Frequentemente existem motivos, relacionados aos detalhes do hardware ou do sistema operacional, que nos obrigam a acoplar o que normalmente não acoplaríamos. Contudo, separando suas interfaces, desacoplamos os conceitos no que diz respeito ao restante do aplicativo.

Podemos ver a classe `ModemImplementation` como uma solução deselegante ou uma verruga; no entanto, note que todas as dependências *desapareceram* dela. Ninguém precisa depender dessa classe. Ninguém, exceto `main`, precisa saber que ela existe. Assim, colocamos o trecho feio atrás de uma cerca. Sua feiura não precisa vir a público e poluir o resto do aplicativo.

Persistência

A Figura 8-4 mostra uma violação comum do SRP. A classe `Employee` (que representa um funcionário) contém regras de negócio (como calcular o pagamento) e controle de persistência (armazenar). Essas duas responsabilidades quase nunca devem ser misturadas. As regras de negócio tendem a mudar frequentemente e, embora a persistência possa não mudar com tanta frequência, ela muda por motivos completamente diferentes. Vincular regras de negócio ao subsistema de persistência é procurar problemas.

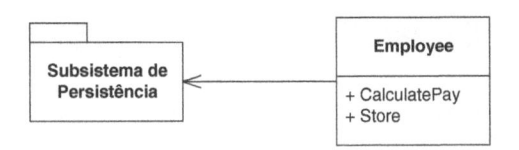

```
┌─────────────┐         ┌──────────────┐
│ Subsistema de│◁────────│  Employee    │
│ Persistência │         ├──────────────┤
└─────────────┘         │ + CalculatePay│
                        │ + Store       │
                        └──────────────┘
```

Figura 8-4
Persistência acoplada.

Felizmente, conforme vimos no Capítulo 4, a prática do desenvolvimento guiado por testes normalmente obrigará essas duas responsabilidades a serem separadas muito antes que o projeto comece a cheirar mal. Contudo, se os testes não impuserem a separação e se os maus cheiros da rigidez e da fragilidade se tornarem fortes, o projeto deverá ser refatorado, usando-se os padrões FAÇADE (FACHADA), DAO (Data Access Object – Objeto de Acesso a Dados) ou PROXY para separar as duas responsabilidades.

Conclusão

O Princípio da Responsabilidade Única é simples, porém difícil de acertar. Temos a tendência de unir responsabilidades. Encontrar e separar essas responsabilidades corresponde em grande parte ao projeto de software em si. De fato, os demais princípios que discutiremos de certo modo sempre voltam a esse problema.

Bibliografia

[**DeMarco79**] Tom DeMarco, *Structured Analysis and System Specification*, Yourdon Press Computing Series, 1979.

[**PageJones88**] Meilir Page-Jones, *The Practical Guide to Structured Systems Design*, 2d ed., Yourdon Press Computing Series, 1988.

Capítulo 9

PRINCÍPIO DO ABERTO/ FECHADO (OCP)

> **Porta holandesa:** Substantivo. Porta dividida horizontalmente de modo que as partes inferior e superior podem ser abertas de maneira independente.
>
> — The American Heritage Dictionary of the English Language, quarta edição, 2000

Como disse Ivar Jacobson, "Todos os sistemas mudam durante seus ciclos de vida. Isso deve ser lembrado ao se desenvolver sistemas com expectativa de durar mais do que a primeira versão".[1] Como podemos criar projetos que sejam estáveis em face à mudança e que durem mais do que a primeira versão? Bertrand Meyer[2] nos orientou há muito tempo, em 1988, quando inventou o agora famoso princípio do aberto/fechado. Para parafraseá-lo:

> **Princípio do Aberto/Fechado (OCP)**
>
> As entidades de software (classes, módulos, funções etc.) devem ser abertas para ampliação, mas fechadas para modificação.

Quando uma única mudança em um programa resulta em uma sucessão de mudanças nos módulos dependentes, o projeto tem o mau cheiro da rigidez. O OCP nos aconselha a refatorar o sistema para que alterações desse tipo não causem mais modificações. Se o OCP for bem aplicado, mudanças desse tipo são obtidas pela adição de novo código e não pela alteração de código antigo que já funciona. Isso pode parecer bom demais – um ideal inatingível —, mas, na verdade, existem algumas estratégias relativamente simples e eficazes para se *aproximar* desse ideal.

---

[1] [Jacobson92], pg. 21
[2] [Meyer97]

Descrição do OCP

Os módulos que obedecem ao OCP têm duas características principais.

1. Eles são *abertos para ampliação*. Isso significa que o comportamento do módulo pode ser ampliado. À medida que os requisitos do aplicativo mudam, podemos ampliar o módulo com novos comportamentos que satisfaçam essas alterações. Em outras palavras, podemos mudar o que o módulo faz.
2. Eles são *fechados para modificação*. Ampliar o comportamento de um módulo não resulta em mudanças no código-fonte (ou binário) do módulo. A versão em binário executável do módulo – seja em uma biblioteca que pode ser vinculada, uma DLL ou um arquivo .EXE – permanece intacta.

Essas duas características parecem estar em conflito. O modo normal de ampliar o comportamento de um módulo é alterando seu código-fonte. Um módulo que não pode ser alterado normalmente é considerado como tendo um comportamento fixo.

Como é possível modificar os comportamentos de um módulo sem alterar seu código-fonte? Como podemos mudar o que o módulo faz sem alterá-lo?

A resposta é: com *abstração*. Em C# ou em qualquer outra linguagem de programação orientada a objetos (OOPL – Object-Oriented Programming Language), é possível criar abstrações fixas e que ainda assim representem um grupo ilimitado de comportamentos possíveis. As abstrações são classes base abstratas e o grupo ilimitado de comportamentos possíveis é representado por todas as classes derivadas possíveis.

Um módulo pode manipular uma abstração. Tal módulo pode ser fechado para modificação, pois ele depende de uma abstração fixa. Apesar disso, o comportamento desse módulo pode ser ampliado pela criação de novas derivadas da abstração.

A Figura 9-1 mostra um projeto simples que não obedece ao OCP. As classes Client e Server são concretas. A classe Client *usa* a classe Server. Se quisermos que um objeto Client use um objeto de servidor diferente, a classe Client deve ser alterada para citar a nova classe de servidor.

A Figura 9-2 mostra o projeto correspondente que obedece ao OCP, usando o padrão STRATEGY (consulte o Capítulo 22). Nesse caso, a classe ClientInterface é abstrata, com funções membro abstratas. A classe Client usa essa abstração. Contudo, os objetos da classe Client usarão objetos da classe derivada Server. Se quisermos que objetos Client usem uma classe de servidor diferente, uma nova derivada da classe ClientInterface pode ser criada. A classe Client pode permanecer inalterada.

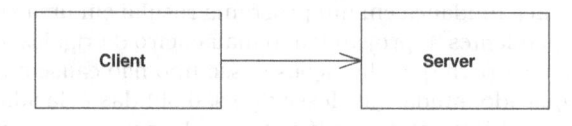

Figura 9-1
Client não é aberta e fechada.

```
          ┌────────┐          «interface»
          │ Client │────────▶ Client Interface
          └────────┘          ─────────────────
                                     △
                                     │
                                 ┌───────┐
                                 │ Server│
                                 └───────┘
```

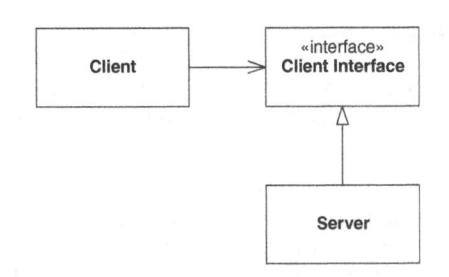

Figura 9-2
Padrão STRATEGY: `Client` é aberta e fechada.

A classe `Client` tem algum trabalho que precisa fazer e pode descrevê-lo em termos da interface abstrata apresentada por `ClientInterface`. Os subtipos de `ClientInterface` podem implementar essa interface da maneira que escolherem. Assim, o comportamento especificado em `Client` pode ser ampliado e modificado pela criação de novos subtipos de `ClientInterface`.

Você pode estar se perguntando por que chamei `ClientInterface` dessa maneira. Por que, em vez disso, não chamei de `AbstractServer`? O motivo, conforme veremos posteriormente, é que as *classes abstratas são mais intimamente associadas aos seus clientes do que às classes que as implementam.*

A Figura 9-3 mostra uma estrutura alternativa usando o padrão TEMPLATE METHOD (consulte o Capítulo 22). A classe `Policy` tem um conjunto de funções públicas concretas que implementam uma diretriz (policy), semelhantes às funções de `Client` na Figura 9-2. Como antes, essas funções de diretriz descrevem o trabalho que precisa ser feito em termos de algumas interfaces abstratas. Neste caso, no entanto, as interfaces abstratas fazem parte da própria classe `Policy`. Em C#, elas seriam métodos abstratos. Essas funções são implementadas nos subtipos de `Policy`. Assim, os comportamentos especificados dentro de `Policy` podem ser ampliados ou modificados pela criação de novas derivadas da classe `Policy`.

Esses dois padrões são as maneiras mais comuns de satisfazer o OCP. Eles representam uma clara separação entre a funcionalidade genérica e a implementação detalhada dessa funcionalidade.

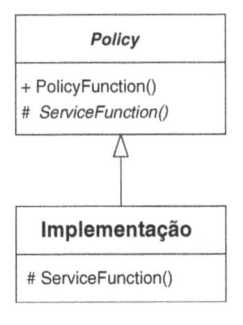

```
          ┌─────────────────────┐
          │      Policy         │
          ├─────────────────────┤
          │ + PolicyFunction()  │
          │ # ServiceFunction() │
          └─────────────────────┘
                    △
                    │
          ┌─────────────────────┐
          │   Implementação     │
          ├─────────────────────┤
          │ # ServiceFunction() │
          └─────────────────────┘
```

Figura 9-3
Padrão TEMPLATE METHOD: a classe base é aberta e fechada.

O aplicativo Shape

O exemplo Shape tem aparecido em muitos livros sobre projeto orientado a objetos. Esse exemplo abominável é muito usado para mostrar o funcionamento do polimorfismo. Desta vez, no entanto, ele será usado para explicar o OCP.

Temos um aplicativo que deve ser capaz de desenhar círculos e quadrados em uma interface gráfica de usuário padrão. Os círculos e quadrados devem ser desenhados em uma ordem específica. Uma lista de círculos e quadrados será criada na ordem apropriada e o programa deve percorrer a lista nessa ordem e desenhar cada círculo ou quadrado.

Violando o OCP

Em C, usando técnicas procedurais que não obedecem ao OCP, poderíamos resolver esse problema como mostrado na Listagem 9-1. Aqui, vemos um conjunto de estruturas de dados que têm o mesmo primeiro elemento, mas que, fora isso, são diferentes. O primeiro elemento de cada uma delas é um código de tipo que identifica a estrutura de dados como Circle ou como Square. A função DrawAllShapes percorre um array de ponteiros para essas estruturas de dados, examinando o código do tipo e, então, chamando a função apropriada, DrawCircle ou DrawSquare.

Listagem 9-1
Solução procedural para o problema do quadrado/círculo

```
--shape.h-----------------------------------
enum ShapeType {circle, square};

struct Shape
{
  ShapeType itsType;
};

--circle.h----------------------------------
struct Circle
{
  ShapeType itsType;
  double itsRadius;
  Point itsCenter;
};

void DrawCircle(struct Circle*);

--square.h----------------------------------
struct Square
{
  ShapeType itsType;
  double itsSide;
  Point itsTopLeft;
```

```
};
void DrawSquare(struct Square*);
--drawAllShapes.cc-------------------------------
typedef struct Shape *ShapePointer;

void DrawAllShapes(ShapePointer list[], int n)
{
  int i;
  for (i=0; i<n; i++)
  {
    struct Shape* s = list[i];
    switch (s->itsType)
    {
    case square:
      DrawSquare((struct Square*)s);
    break;

    case circle:
      DrawCircle((struct Circle*)s);
    break;
    }
  }
}
```

Como não pode ser fechada para novos tipos de figuras, a função `DrawAllShapes` não obedece ao OCP. Se eu quisesse ampliar essa função para desenhar uma lista de figuras que incluísse triângulos, teria de modificá-la. Na verdade, eu teria de modificar a função para qualquer novo tipo de figura que precisasse desenhar.

Evidentemente, esse programa é apenas um exemplo simples. Na vida real, a instrução `switch` da função `DrawAllShapes` seria repetida muitas vezes em várias funções ao longo de todo o aplicativo, cada uma fazendo algo um pouco diferente. Poderia haver uma de cada para arrastar figuras, alongar figuras, mover figuras, excluir figuras etc. Adicionar uma nova figura a esse aplicativo significa procurar cada lugar em que existam tais instruções `switch` – ou encadeamentos de `if/else` – e adicionar a nova figura a cada uma.

Além disso, é bastante improvável que todas as instruções `switch` e encadeamentos de `if/else` sejam tão perfeitamente estruturados como o que está em `DrawAllShapes`. É muito mais provável que os predicados das instruções `if` sejam combinados com operadores lógicos ou que as cláusulas `case` das instruções `switch` sejam combinadas para "simplificar" a tomada de decisão local. Em algumas situações patológicas, as funções podem fazer com objetos `Square` exatamente as mesmas coisas que fazem com objetos `Circle`. Tais funções nem mesmo teriam as instruções `switch/case` ou os encadeamentos de `if/else`. Assim, o problema de encontrar e entender todos os lugares onde a nova figura precisa ser adicionada pode não ser simples.

Além disso, considere os tipos de alterações que teriam de ser feitas. Teríamos de adicionar um novo membro à enumeração `ShapeType`. Como todas as diferentes figuras dependem da declaração dessa enumeração, teríamos de recompilar todas elas.[3] Além disso, também precisaríamos recompilar todos os módulos que dependem de Shape.

Portanto, precisaríamos não apenas modificar o código-fonte de todas as instruções switch/case ou encadeamentos de if/else, mas também alterar os arquivos binários, por meio de recompilação, de todos os módulos que utilizam qualquer uma das estruturas de dados Shape. Alterar os arquivos binários significa que os assemblies, as DLLs ou qualquer outro tipo de componente binário precisará ser entregue novamente. O simples ato de adicionar uma nova figura no aplicativo acarreta uma sucessão de mudanças subsequentes em muitos módulos do código-fonte e mais ainda em módulos binários e componentes binários. Claramente, o impacto de adicionar uma nova figura é muito grande.

Vamos repassar isso rapidamente. A solução da Listagem 9-1 é rígida porque a adição de Triangle faz Shape, Square, Circle e DrawAllShapes serem recompiladas e novamente entregues. A solução é frágil porque haverá muitas outras instruções switch/case ou if/else que serão difíceis de encontrar e decifrar. A solução é imóvel porque qualquer um que tente reutilizar DrawAllShapes em outro programa será obrigado a carregar Square e Circle, mesmo que esse novo programa não precise delas. Em resumo, a Listagem 9-1 manifesta muitos maus cheiros de um projeto ruim.

Obedecendo ao OCP

A Listagem 9-2 mostra o código de uma solução para o problema square/circle que obedece ao OCP. Nesse caso, escrevemos uma classe abstrata chamada Shape. Essa classe abstrata tem um método abstrato chamado Draw. Circle e Square são derivadas da classe Shape.

Note que, para ampliar o comportamento da função DrawAllShapes na Listagem 9-2 para desenhar um novo tipo de figura, basta adicionar uma nova classe derivada da classe Shape. A função DrawAllShapes não precisa mudar. Assim, DrawAllShapes obedece ao OCP. Seu comportamento pode ser estendido sem modificá-la. Aliás, adicionar uma classe Triangle *não efeito algum* sobre quaisquer módulo mostrado aqui. Claramente, alguma parte do sistema deve mudar para lidar com a classe Triangle, mas todo o código mostrado aqui é imune à mudança.

Em um aplicativo real, a classe Shape teria muito mais métodos. Apesar disso, adicionar uma nova figura ao aplicativo ainda é muito simples, pois basta criar a nova derivada e implementar todas as suas funções. Não há necessidade de percorrer todo o aplicativo procurando lugares que exigem alterações. Esta solução não é frágil.

Também não é uma solução rígida. Nenhum dos módulos de código-fonte existentes precisa ser modificado e nenhum dos módulos binários existentes precisa ser recompilado – com uma exceção. O módulo que cria instâncias da nova classe derivada de Shape precisa ser modificado. Normalmente, isso é feito por main, em alguma função chamada por main ou no método de algum objeto criado por main.[4]

---

[3] Em C/C++, as alterações em enumerações podem causar uma mudança no tamanho da variável usada para conter a enumeração. Assim, você deve tomar muito cuidado se decidir que não precisa recompilar as outras declarações de figura.
[4] Tais objetos, conhecidos como *fábricas*, serão abordados em mais detalhes no Capítulo 29.

> **Listagem 9-2**
> **Solução de projeto orientado a objetos para o problema Square/Circle**
>
> ```
> public interface Shape
> {
>   void Draw();
> }
> public class Square: Shape
> {
>   public void Draw()
>   {
>     //desenha um quadrado
>   }
> }
> public class Circle: Shape
> {
>   public void Draw()
>   {
>     //desenha um círculo
>   }
> }
>   public void DrawAllShapes(IList shapes)
>   {
>     foreach(Shape shape in shapes)
>       shape.Draw();
>   }
> ```

Por fim, a solução não é imóvel. `DrawAllShapes` pode ser reutilizada por qualquer aplicativo, sem a necessidade de usar `Square` ou `Circle` junto. Assim, a solução não manifesta as características de mau projeto mencionadas.

Este programa obedece ao OCP. *Ele é alterado pela adição de novo código, em vez de o ser pela alteração de código já existente.* Portanto, o programa não experimenta a sucessão de mudanças exibida por programas que não obedecem ao princípio. As únicas alterações exigidas são a adição do novo módulo e a alteração de `main` relacionada que permita a instanciação dos novos objetos.

Mas considere o que aconteceria com a função `DrawAllShapes` da Listagem 9-2, se decidíssemos que *todos os objetos `Circle` devem ser desenhados antes de qualquer objeto `Square`.* A função `DrawAllShapes` não é fechada em relação a uma alteração como essa. Para implementar essa mudança, precisaríamos entrar em `DrawAllShapes` e percorrer a lista, primeiro em busca de objetos `Circle`, depois em busca de objetos `Square`.

Antecipação e estrutura "natural"

Se tivéssemos antecipado esse tipo de mudança, poderíamos ter inventado uma abstração que nos protegesse dela. As abstrações que escolhemos na Listagem 9-2 prejudicam mais do que ajudam esse tipo de alteração. Isso parece surpreendente; afinal, que código poderia ser mais natural do que uma classe base Shape com derivadas Square e Circle? Por que esse modelo natural do mundo real não é a melhor opção? Claramente, a resposta é que esse modelo *não é* natural em um sistema em que a ordem está acoplada ao tipo de figura.

Isso nos leva a uma conclusão perturbadora. Em geral, independentemente de quanto um módulo seja "fechado", sempre haverá algum tipo de mudança com relação à qual ele não será fechado. *Não existe um modelo que seja natural para todos os contextos!*

Como o fechamento não pode ser completo, ele deve ser estratégico. Isto é, o projetista deve escolher os tipos de alterações em relação às quais vai fechar o projeto, deve imaginar os tipos de mudanças que serão mais prováveis e, então, construir abstrações para se precaver contra essas mudanças.

Isso exige certa antevisão, derivada da experiência. Os projetistas experientes esperam conhecer os usuários e o setor bem o suficiente para avaliar a probabilidade de diversos tipos de mudanças. Então, esses projetistas invocam o OCP perante as mudanças mais prováveis.

Isso não é fácil, pois significa fazer conjecturas fundamentadas sobre os prováveis tipos de mudanças que o aplicativo sofrerá ao longo do tempo. Quando os projetistas fazem suposições corretas, eles vencem. Quando fazem suposições erradas, perdem. E algumas vezes eles certamente farão suposições erradas.

Além disso, obedecer ao OCP é dispendioso. É necessário tempo de desenvolvimento e esforço para criar as abstrações adequadas. Essas abstrações também aumentam a complexidade do projeto de software. Existe um limite para a quantidade de abstração que os desenvolvedores podem se permitir. Claramente, queremos limitar a aplicação do OCP às mudanças prováveis.

Como sabemos quais mudanças são prováveis? Fazemos a pesquisa apropriada, fazemos as perguntas adequadas e utilizamos nossa experiência e bom senso. Depois de tudo isso, *esperamos até que as mudanças aconteçam!*

Inserindo os "ganchos"

Como nos precavemos contra as mudanças? No século passado, dizíamos que teríamos de "inserir os ganchos" para as mudanças que pensávamos que poderiam ocorrer. Achávamos que isso tornaria nosso software flexível.

Contudo, os ganchos que inseríamos frequentemente eram incorretos. Pior ainda, eles tinham o mau cheiro da complexidade desnecessária que precisava ser suportada e mantida, mesmo que os ganchos não fossem usados. Isso não é bom. Não queremos carregar o projeto com muitas abstrações desnecessárias. Em vez disso, queremos inserir a abstração apenas quando precisamos dela.

Engane-me uma vez "Engane-me uma vez e você deveria se envergonhar. Engane-me duas vezes e eu deveria me envergonhar". Essa é uma atitude poderosa no projeto de software. Para evitar que nosso software fique cheio de complexidade desnecessária, podemos nos permitir ser enganados *uma vez*. Isso significa que, inicialmente, escrevemos nosso código esperando que ele não mude. Quando ocorre uma mudança, implementamos as abstrações que nos protegem de mudanças futuras *desse tipo*. Em resumo, *levamos o primeiro tiro* e, depois, nos certificamos de estarmos protegidos de mais tiros provenientes dessa arma específica.

Estimulando a mudança   Se decidimos levar o primeiro tiro, será vantajoso receber as balas desde o início e com frequência. Queremos saber quais tipos de mudanças são prováveis, antes de termos ido muito longe no caminho do desenvolvimento. Quanto mais tempo esperarmos para descobrir quais tipos de mudanças serão prováveis, mais difícil será criar as abstrações adequadas.

Portanto, precisamos estimular as mudanças. Fazemos isso por meio das diversas maneiras discutidas no Capítulo 2.

- Escrevemos os testes primeiro. O teste é um tipo de utilização do sistema. Escrevendo os testes primeiro, obrigamos o sistema a ser passível de teste. Portanto, mudanças na capacidade de testar não nos surpreenderão posteriormente. Teremos construído as abstrações que tornam o sistema passível de teste. Provavelmente, muitas dessas abstrações nos precaverão contra outros tipos de mudanças no futuro.
- Utilizamos ciclos de desenvolvimento muito curtos: dias, em vez de semanas.
- Desenvolvemos as funcionalidades antes da infraestrutura e mostramos essas funcionalidades frequentemente para os interessados.
- Desenvolvemos primeiro as funcionalidades mais importantes.
- Entregamos o software desde cedo e com frequência. Fazemos isso na frente de nossos clientes e usuários o mais rápida e frequentemente possível.

Usando abstração para obter fechamento explícito

Certo, levamos o primeiro tiro. O usuário quer que desenhemos todos os objetos `Circle` antes de qualquer objeto `Square`. Agora queremos nos precaver contra qualquer mudança futura desse tipo.

Como podemos fechar a função `DrawAllShapes` em relação a mudanças na ordem de desenho? Lembre que o fechamento é baseado na abstração. Assim, para fechar `DrawAllShapes` em relação à ordem, precisamos de algum tipo de "abstração de ordem". Essa abstração forneceria uma interface abstrata, por meio da qual qualquer diretiva de ordenação possível poderia ser expressa.

Uma diretiva de ordenação significa que, dados quaisquer dois objetos, é possível descobrir qual deve ser desenhado primeiro. A linguagem C# fornece tal abstração. `IComparable` é uma interface com um só método, `CompareTo`. Esse método recebe um objeto como parâmetro e retorna -1 se o objeto receptor for menor do que o parâmetro, 0 se eles forem iguais e 1 se o objeto receptor for maior do que o parâmetro.

A Figura 9-3 mostra como a classe `Shape` poderia ficar ao estender a interface `IComparable`.

Listagem 9-3
Shape estendendo IComparable

```
public interface Shape: IComparable
{
    void Draw();
}
```

Listagem 9-4
DrawAllShapes com ordenação

```
public void DrawAllShapes(ArrayList shapes)
{
    shapes.Sort();
    foreach(Shape shape in shapes)
        shape.Draw();
}
```

Agora que temos uma maneira de determinar a ordem relativa de dois objetos Shape, podemos ordená-los e, então, desenhá-los em ordem. A Listagem 9-4 mostra o código C# que faz isso.

Isso nos proporciona uma maneira de ordenar objetos Shape e desenhá-los na ordem apropriada. Mas ainda não temos uma abstração de ordem decente. Como se vê, os objetos Shape individuais terão de sobrescrever o método CompareTo para especificar a ordenação. Como isso funcionaria? Que tipo de código escreveríamos em Circle.CompareTo para garantir que os objetos Circle fossem desenhados antes dos objetos Square? Considere a Listagem 9-5.

Listagem 9-5
Ordenando um objeto Circle

```
public class Circle: Shape
{
    public int CompareTo(object o)
    {
        if(o is Square)
            return -1;
        else
            return 0;
    }
}
```

Claramente, essa função e todas as suas irmãs nas outras classes derivadas de Shape não obedecem ao OCP. Não há como fechá-las em relação às novas derivadas de Shape. Sempre que uma nova classe derivada de Shape for criada, todas as funções CompareTo() precisarão ser alteradas.[5]

Isso não terá importância se nenhuma nova classe derivada de Shape for criada. Por outro lado, se elas fossem criadas com frequência, esse projeto causaria uma quantidade significativa de alterações e descarte de código. Novamente, levaríamos o primeiro tiro.

Usando uma estratégia orientada a dados para obter fechamento

Se devemos fechar as classes derivadas de Shape quanto a uma saber da outra, podemos usar uma estratégia baseada em tabela. A Listagem 9-6 mostra uma possibilidade.

Adotando essa estratégia, fechamos com êxito a função DrawAllShapes em relação aos problemas de ordenação em geral e cada uma das classes derivadas de Shape em relação à criação de novas derivadas de Shape ou de uma mudança na diretiva que reordena os objetos Shape pelo tipo (por exemplo, mudando a ordem para que os objetos Square sejam desenhados primeiro).

O único item que não é fechado em relação à ordem dos vários objetos Shape é a tabela em si. E essa tabela pode ser colocada em seu próprio módulo, separado de todos os outros módulos, de forma que as alterações feitas nele não afetem os outros módulos.

Listagem 9-6
Mecanismo de ordenação de tipos baseado em tabela

```
/// <summary>
/// Este comparador pesquisará o tipo de uma figura
/// na tabela de hashing de prioridades. A tabela de
/// prioridades define a ordem das figuras. As figuras
/// que não são encontradas precedem as que são.
/// </summary>
public class ShapeComparer: IComparer
{
  private static Hashtable priorities = new Hashtable();
  static ShapeComparer()
  {
    priorities.Add(typeof(Circle), 1);
    priorities.Add(typeof(Square), 2);
  }

  private int PriorityFor(Type type)
  {
    if(priorities.Contains(type))
      return (int)priorities[type];
    else
```

---

[5] É possível resolver esse problema usando o padrão ACYCLIC VISITOR, descrito no Capítulo 35. Mostrar essa solução agora seria precipitado; mais adiante, vou lembrá-lo de voltar para cá.

```
      return 0;
   }

   public int Compare(object o1, object o2)
   {
      int priority1 = PriorityFor(o1.GetType());
      int priority2 = PriorityFor(o2.GetType());
      return priority1.CompareTo(priority2);
   }
}

public void DrawAllShapes(ArrayList shapes)
{
   shapes.Sort(new ShapeComparer());
   foreach(Shape shape in shapes)
      shape.Draw();
}
```

Conclusão

De muitas maneiras, o Princípio do Aberto/Fechado está no centro do projeto orientado a objetos. A obediência a esse princípio é responsável pelos maiores benefícios oriundos da tecnologia orientada a objetos: flexibilidade, capacidade de reutilização e facilidade de manutenção. Apesar disso, a obediência a esse princípio não é obtida simplesmente usando-se uma linguagem de programação orientada a objetos. Também não é recomendável aplicar abstração desenfreada em todas as partes do aplicativo. É necessário dedicação dos desenvolvedores para aplicar abstração somente nas partes do programa que exibem mudanças frequentes. *Resistir à abstração precipitada é tão importante quanto a abstração em si.*

Bibliografia

[Jacobson92] Ivar Jacobson, Patrick Johnsson, Magnus Christerson e Gunnar Övergaard, *Object-Oriented Software Engineering: A Use Case Driven Approach*, Addison-Wesley, 1992.

[Meyer97] Bertrand Meyer, *Object Oriented Software Construction*, 2d ed., Prentice Hall, 1997.

Capítulo 10

PRINCÍPIO DA SUBSTITUIÇÃO DE LISKOV (LSP)

Os principais mecanismos por trás do Princípio do Aberto/Fechado são a abstração e o polimorfismo. Em linguagens estaticamente tipadas, como C#, um dos principais mecanismos que suportam abstração e polimorfismo é a herança. Com o uso da herança, criamos classes derivadas que implementam métodos abstratos de classes base.

Quais são as regras de projeto que governam esse uso específico da herança? Quais são as características das melhores hierarquias de herança? Quais são as armadilhas que nos farão criar hierarquias que não obedecem ao OCP? Essas perguntas são respondidas pelo Princípio da Substituição de Liskov (LSP – Liskov Substitution Principle).

> **Princípio da Substituição de Liskov**
>
> *Os subtipos devem ser substituíveis pelos seus tipos de base.*

Barbara Liskov escreveu este princípio em 1988[1]:

> O que se deseja aqui é algo como a seguinte propriedade de substituição: se para cada objeto o_1 do tipo S existe um objeto o_2 do tipo T, tal que, para todos os programas P definidos em termos de T, o comportamento de P fica inalterado quando o_1 é substituído por o_2, então S é um subtipo de T.

---

[1] [Liskov88]

A importância desse princípio se torna evidente quando você considera as consequências de sua violação. Suponha que tenhamos uma função *f* que recebe como argumento uma referência para alguma classe base *B*. Suponha também que, quando passada para *f* disfarçada de *B*, alguma classe derivada *D* de *B* faz *f* se comportar incorretamente. Então, *D* viola o LSP. Claramente, *D* é frágil na presença de *f*.

Os autores de *f* ficarão tentados a submeter *D* a algum tipo de teste, de modo que *f* possa se comportar corretamente quando um *D* é passado a ela. Esse teste viola o *OCP* porque, agora, *f* não é fechada para todas as diversas derivadas de *B*. Tais testes são um mau cheiro de código provocado por desenvolvedores inexperientes ou, o que é pior, por desenvolvedores apressados para reagir às violações do LSP.

Listagem 10-1
Uma violação do LSP causando uma violação do OCP

```
struct Point {double x, y;}
public enum ShapeType {square, circle};
public class Shape
{
  private ShapeType type;
  public Shape(ShapeType t) {type = t;}
  public static void DrawShape(Shape s)
  {
    if(s.type == ShapeType.square)
      (s as Square).Draw();
    else if(s.type == ShapeType.circle)
      (s as Circle).Draw();
  }
}
public class Circle: Shape
{
  private Point center;
  private double radius;

  public Circle(): base(ShapeType.circle) {}
  public void Draw() {/* desenha o círculo */}
}
public class Square: Shape
{
  private Point topLeft;
  private double side;

  public Square(): base(ShapeType.square) {}
  public void Draw() {/* desenha o quadrado */}
}
```

Violações do LSP

Um exemplo simples

Violar o LSP frequentemente resulta no uso de verificação de tipo em tempo de execução de uma maneira que viola inteiramente o OCP. Muitas vezes, uma instrução if ou um encadeamento if/else explícito é usado para determinar o tipo de um objeto, para que o comportamento apropriado a esse tipo possa ser selecionado. Considere a Listagem 10-1.

Claramente, a função DrawShape da Listagem 10-1 viola o OCP. Ela precisa conhecer cada derivada possível da classe Shape e deve ser alterada sempre que novas classes derivadas de Shape forem criadas. Aliás, muitos consideram, justificadamente, a estrutura dessa função como um anátema do bom projeto. O que levaria um programador a escrever uma função como essa?

Considere Joe, o engenheiro. Joe estudou tecnologia orientada a objetos e concluiu que a sobrecarga de trabalho resultante do polimorfismo é alta demais para valer a pena.[2] Portanto, ele definiu a classe Shape sem qualquer função abstrata. As classes Square e Circle derivam de Shape e têm funções Draw(), mas não sobrescrevem uma função de Shape. Como Circle e Square não podem ser substituídas por Shape, DrawShape deve inspecionar o objeto Shape recebido, determinar seu tipo e, depois, chamar a função Draw adequada.

O fato de Square e Circle não poderem ser substituídas por Shape é uma violação do LSP. Essa violação forçou a violação do OCP por parte de DrawShape. Assim, *uma violação do LSP é uma violação latente do OCP.*

Uma violação mais sutil

É claro que existem outras maneiras bem mais sutis de violar o LSP. Considere um aplicativo que usa a classe Rectangle, como descrito na Listagem 10-2.

Imagine que esse aplicativo funcione bem e esteja instalado em muitos locais. Assim como acontece com todo software bem-sucedido, seus usuários exigem mudanças de tempos em tempos. Um dia, os usuários pedem a capacidade de manipular *quadrados, além de* retângulos.

É dito frequentemente que herança é o relacionamento *É-Um*. Em outras palavras, diz-se que, se um novo tipo de objeto pode satisfazer o relacionamento É-Um com um tipo de objeto antigo, a classe do novo objeto deve ser derivada da classe do objeto antigo.

Para todos os fins práticos normais, um quadrado *é um* retângulo. Assim, é lógico considerar a classe Square (quadrado) como derivada da classe Rectangle (retângulo). (Consulte a Figura 10-1.)

---

[2] Em uma máquina razoavelmente rápida, essa sobrecarga é da ordem de 1ns por chamada de método; portanto, é difícil entender o argumento de Joe.

Listagem 10-2
Classe Rectangle

```
public class Rectangle
{
  private Point topLeft;
  private double width;
  private double height;

  public double Width
  {
    get { return width; }
    set { width = value; }
  }

  public double Height
  {
    get { return height; }
    set { height = value; }
  }
}
```

Às vezes, esse uso do relacionamento É-Um é considerado uma das técnicas fundamentais da análise orientada a objetos, um termo muito utilizado, mas raramente definido. Um quadrado é um retângulo e, assim, a classe Square deve ser derivada da classe Rectangle. Esse tipo de pensamento pode levar a alguns problemas sutis, porém significativos. Geralmente, esses problemas não são antecipados, até que apareçam no código.

Nossa primeira pista de que algo deu errado pode ser o fato de que um objeto Square não precisa das variáveis membro height e width (altura e largura). Ainda assim, ele as herdará de Rectangle. Claramente, isso é um desperdício. Em muitos casos, tal desperdício é insignificante. Mas, se precisarmos criar centenas de milhares de objetos Square – como em um programa de CAD/CAE, no qual cada pino de cada componente de um circuito complexo é desenhado como um quadrado –, esse desperdício poderá ser significativo.

Vamos supor, por enquanto, que não estamos muito preocupados com eficiência de memória. Outros problemas resultam de derivar Square de Rectangle. Square herdará

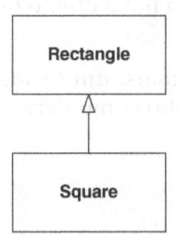

Figura 10-1
Square herda de Rectangle.

as propriedades `Width` e `Height`. Essas propriedades são inadequadas para um objeto `Square`, pois a largura e a altura de um quadrado são idênticas. Esse é um forte indício de que há um problema. No entanto, existe uma maneira de esquivar-se dele. Poderíamos sobrescrever `Width` e `Height`, como segue:

```
public new double Width
{
  set
  {
    base.Width = value;
    base.Height = value;
  }
}
public new double Height
{
  set
  {
    base.Height = value;
    base.Width = value;
  }
}
```

Agora, quando alguém definir a largura de um objeto `Square`, sua altura mudará de modo correspondente. E quando alguém definir a altura, sua largura mudará com ela. Assim, as invariantes – aquelas propriedades que sempre devem ser verdadeiras, independentemente do estado – do objeto `Square` permanecem intactas. O objeto `Square` continuará sendo um quadrado matematicamente correto:

```
Square s = new Square();
s.SetWidth(1); // Felizmente também define a altura como 1.
s.SetHeight(2); // Define a largura e a altura como 2.
               // Coisa boa.
```

Mas considere a seguinte função:

```
void f(Rectangle r)
{
  r.SetWidth(32); // chama Rectangle.SetWidth
}
```

Se passarmos uma referência para um objeto `Square` nessa função, o objeto `Square` será corrompido, pois a altura não mudará. Essa é uma clara violação do LSP. A função `f` não serve para derivadas de seus argumentos. O motivo da falha é que `Width` e `Height` não foram declaradas como `virtual` em `Rectangle` e, portanto, não são polimórficas.

Podemos corrigir isso facilmente, declarando as propriedades do método set como `virtual`. Contudo, quando a criação de uma classe derivada nos obriga a fazer mudanças na classe base, isso frequentemente significa que o projeto é imperfeito. Certamente, ele viola o OCP. Poderíamos reagir a isso dizendo que esquecer de tornar `Width` e `Height` virtuais foi a falha de projeto real e que agora estamos simplesmente corrigindo esse erro. Contudo, isso é difícil de justificar, pois definir a altura e a largura de um retângulo é uma operação bastante elementar. Por meio de qual raciocínio as tornaríamos virtuais, se não antecipamos a existência de Square?

Entretanto, vamos supor que aceitemos o argumento e corrijamos as classes. Teríamos o código da Listagem 10-3.

Listagem 10-3
Rectangle e Square coerentes

```
public class Rectangle
{
  private Point topLeft;
  private double width;
  private double height;

  public virtual double Width
  {
    get { return width; }
    set { width = value; }
  }

  public virtual double Height
  {
    get { return height; }
    set { height = value; }
  }
}

public class Square: Rectangle
{
  public override double Width
  {
    set
    {
      base.Width = value;
      base.Height = value;
    }
  }

  public override double Height
  {
    set
    {
      base.Height = value;
      base.Width = value;
    }
  }
}
```

O problema real   Agora, `Square` e `Rectangle` parecem funcionar. Independentemente do que você faça com um objeto `Square`, ele permanecerá coerente com um quadrado matemático. E independentemente do que você faça com um objeto `Rectangle`, ele continuará sendo um retângulo matemático. Além disso, você pode passar um objeto `Square` para uma função que aceite um objeto `Rectangle` e o objeto `Square` ainda atuará como um quadrado e permanecerá coerente.

Assim, poderíamos concluir que o projeto agora é coerente e correto. Contudo, essa conclusão estaria errada. Um projeto coerente não o é necessariamente para todos os seus usuários! Considere a função g:

```
void g(Rectangle r)
{
  r.Width = 5;
  r.Height = 4;
  if(r.Area() != 20)
    throw new Exception("Área incorreta!");
}
```

Essa função chama os membros `Width` e `Height` do que acredita ser um objeto `Rectangle`. Ela funciona muito bem para um objeto `Rectangle`, mas lança uma exceção (`Exception`) se receber um objeto `Square`. Portanto, aqui está o verdadeiro problema: *o autor de g supôs que alterar a largura de um objeto* `Rectangle` *deixa sua altura inalterada.*

Claramente, é razoável supor que mudar a largura de um retângulo não afeta sua altura! Contudo, nem todos os objetos que podem ser passados como `Rectangle` satisfazem essa suposição. Se você passar uma instância de um objeto `Square` para uma função como g, cujo autor fez essa suposição, ela não funcionará. A função g é frágil com relação à hierarquia `Square/Rectangle`.

A função g mostra que existem funções que recebem objetos `Rectangle`, mas que não podem operar corretamente com objetos `Square`. Como para essas funções `Square` não é substituível por `Rectangle`, o relacionamento entre `Square` e `Rectangle` viola o LSP.

Alguém poderia afirmar que o problema reside na função g, que o autor não tinha o direito de fazer a suposição de que a largura e a altura eram independentes. O autor de g discordaria. A função g recebe um objeto `Rectagle` como argumento. Existem invariantes, declarações de verdade, que obviamente se aplicam a uma classe chamada `Rectangle`, e uma dessas invariantes é que altura e largura são independentes. O autor de g tinha todo o direito de declarar essa invariante. Foi o autor de `Square` que violou a invariante.

Curiosamente, o autor de `Square` não violou uma invariante de `Square`. Derivando `Square` de `Rectangle`, o autor de `Square` violou uma invariante de `Rectangle`!

A validade não é intrínseca   O Princípio da Substituição de Liskov nos leva a uma conclusão muito importante: *um modelo visto isoladamente não pode ser validado de forma significativa.* A validade de um modelo só pode ser expressa em termos de seus clientes. Por exemplo, quando examinamos a versão final das classes `Square` e `Rectangle` isoladamente, descobrimos que elas eram coerentes e válidas. Apesar disso, quando as examinamos do ponto de vista de um programador que fez suposições razoáveis a respeito da classe base, o modelo falhou.

Ao considerar se um projeto específico é adequado, você não pode simplesmente ver a solução de maneira isolada. É preciso considerá-la em termos das suposições razoáveis feitas pelos usuários desse projeto.[3]

Quem sabe quais suposições razoáveis os usuários de um projeto vão fazer? A maioria dessas suposições não é fácil prever. Aliás, se tentássemos prever todas elas, provavelmente acabaríamos impregnando nosso sistema com o mau cheiro da complexidade desnecessária. Portanto, assim como acontece com todos os outros princípios, frequentemente é melhor adiar todas as violações do LSP (menos as mais evidentes) até que se tenha sentido o mau cheiro da fragilidade relacionada.

É-Um está relacionado ao comportamento   Então, o que aconteceu? Por que o modelo aparentemente razoável de Square e Rectangle deu errado? Afinal, um objeto Square não é um objeto Rectangle? O relacionamento É-Um não vale?

Não, no que diz respeito ao autor de g! Um quadrado poderia ser um retângulo, mas do ponto de vista de g, um objeto Square definitivamente *não é um* objeto Rectangle. Por quê? Porque o *comportamento* de um objeto Square não é compatível com a expectativa de g quanto ao comportamento de um objeto Rectangle. Quanto ao comportamento, um objeto Square não é um objeto Rectangle e, na realidade, o software está relacionado ao *comportamento*. O LSP torna claro que, no projeto orientado a objetos, o relacionamento É-Um pertence ao *comportamento* que pode ser razoavelmente suposto e do qual os clientes dependem.

Projeto por contrato   Muitos desenvolvedores podem se sentir pouco à vontade com a ideia de um comportamento "razoavelmente suposto". Como você sabe o que seus clientes realmente esperarão? Existe uma técnica para tornar essas suposições razoáveis explícitas e, com isso, forçar o LSP. Tal técnica é denominada *projeto por contrato* (DBC – *Design by Contract*) e é explicada por Bertrand Meyer.[4]

Usando DBC, o autor de uma classe declara o contrato dessa classe explicitamente. O contrato informa ao autor de qualquer código cliente sobre os comportamentos com os quais pode contar. O contrato é especificado pela declaração de pré-condições e pós-condições para cada método. As pré-condições devem ser verdadeiras para que o método execute. Ao ser concluído, o método garante que as pós-condições são verdadeiras.

Podemos ver a pós-condição do método set Rectangle.Width como segue:

```
assert((width == w) && (height == old.height));
```

onde old é o valor de Rectangle antes que Width seja chamado. Agora a regra das pré-condições e pós-condições das classes derivadas, conforme declarada por Meyer, é: "A nova declaração de uma rotina [em uma classe derivada] só pode substituir a pré-condição original por outra igual ou mais fraca, e a pós-condição original, por uma igual ou mais forte".[5]

Em outras palavras, ao utilizar um objeto por meio da interface de sua classe base, o usuário só conhece as pré-condições e pós-condições da classe base. Assim, os objetos derivados não devem esperar que esses usuários obedeçam pré-condições mais fortes do que as exigidas pela classe base. Ou seja, os usuários devem aceitar tudo que a classe base

---

[3] Frequentemente, você descobrirá que essas suposições razoáveis são declaradas nos testes de unidade escritos para a classe base. Esse é mais um bom motivo para praticar o desenvolvimento guiado por testes.
[4] [Meyer97], p. 331
[5] [Meyer97], p. 573

possa aceitar. Além disso, as classes derivadas devem obedecer a todas as pós-condições da classe base. Isto é, seus comportamentos e saídas não devem violar as restrições estabelecidas para a classe base. Os usuários da classe base não devem ser confundidos pela saída da classe derivada.

Claramente, a pós-condição do método set Square.Width é mais fraca[6] do que a pós-condição do método set Rectangle.Width, pois não impõe a restrição (height == old.height). Assim, a propriedade Width de Square viola o contrato da classe base.

Certas linguagens, como a Eiffel, têm suporte direto para pré-condições e pós-condições. Você pode declará-las e fazer o sistema de runtime as verificar. A linguagem C# não tem esse recurso. Em C#, devemos considerar manualmente as pré-condições e pós-condições de cada método e garantir que a regra de Meyer não seja violada. Além disso, pode ser muito útil documentar essas pré-condições e pós-condições nos comentários de cada método.

Especificando contratos em testes de unidade Os contratos também podem ser especificados escrevendo-se testes de unidade. Testando completamente o comportamento de uma classe, os testes de unidade tornam claro o comportamento da classe. Os autores de código cliente desejarão examinar os testes de unidade para saber o que supor razoavelmente em relação às classes que estão usando.

Um exemplo real

Chega de quadrados e retângulos! O LSP diz respeito a software real? Vamos ver um estudo de caso proveniente de um projeto em que trabalhei há alguns anos.

Motivação No início dos anos 1990, adquiri uma biblioteca de classes que continha algumas classes contêineres.[7] As classes contêineres eram aproximadamente relacionadas às classes Bag e Set de Smalltalk. Havia duas variedades de Set e duas variedades semelhantes de Bag. A primeira variedade se chamava *bounded* e era baseada em um array. A segunda se chamava *unbounded* e era baseada em uma lista encadeada.

O construtor de BoundedSet especificava o número máximo de elementos que o conjunto poderia conter. O espaço para esses elementos era alocado previamente como um array dentro de BoundedSet. Assim, se a criação de BoundedSet fosse bem-sucedida, podíamos garantir que teria memória suficiente. Como ela tinha por base um array, era muito rápida. Não havia alocações de memória durante a operação normal. E, como a memória era alocada previamente, podíamos ter certeza de que a operação de BoundedSet não esgotaria o heap. Por outro lado, isso era um desperdício de memória, pois poucas vezes utilizava todo o espaço previamente alocado.

Diferentemente, UnboundedSet não tinha um limite declarado para o número de elementos que podia conter. Desde que houvesse memória para o heap, UnboundedSet continuaria a aceitar elementos. Portanto, era muito flexível. Além disso, era econômica, pois utilizava apenas a memória necessária para conter os elementos que continha no momento. Também era lenta, pois precisava alocar e desalocar memória como parte de sua operação normal. Por fim, um perigo era que sua operação normal podia esgotar o heap.

Eu não estava satisfeito com as interfaces dessas classes. Não queria que o código de meu aplicativo dependesse delas, pois achava que iria querer substituí-las por classes

---

[6] O termo *mais fraca* pode confundir. X é mais fraca do que Y se X não impõe todas as restrições de Y. Não importa quantas restrições novas X imponha.

[7] A linguagem era C++, muito antes da biblioteca de contêineres padrão estar disponível.

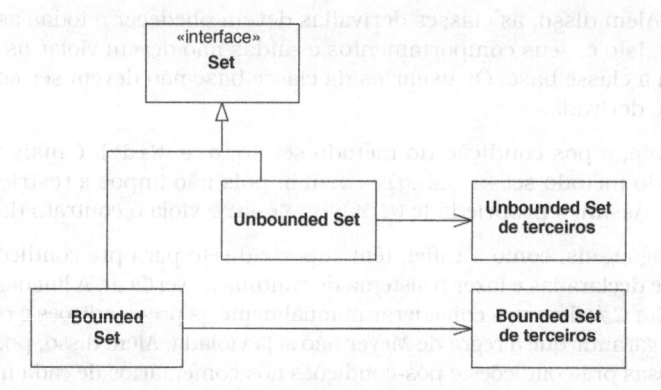

Figura 10-2
Camada adaptadora da classe contêiner.

melhores posteriormente. Assim, envolvi essas classes contêineres em minha própria interface abstrata, como mostrado na Figura 10-2.

Criei uma interface, chamada Set, que apresentava as funções abstratas Add, Delete e IsMember, como mostrado na Listagem 10-4.[8] Essa estrutura unificou as variedades unbounded e bounded dos dois conjuntos e permitiu que elas fossem acessadas com uma interface comum. Assim, algum cliente poderia aceitar um argumento de tipo Set e não se preocupar se o tipo Set real em que funcionava fosse da variedade bounded ou unbounded. (Veja a função PrintSet na Listagem 10-5.)

É uma grande vantagem não ter de saber ou se preocupar com o tipo de Set que você está usando. Isso significa que o programador pode decidir qual tipo de Set é necessário em cada instância específica e que nenhuma das funções clientes será afetada por essa decisão. O programador pode escolher um tipo UnboundedSet quando houver pouca memória e a velocidade não for fundamental ou pode escolher um tipo BoundedSet quando houver bastante memória e a velocidade for importante. As funções clientes manipularão esses objetos por meio da interface da classe base Set e, portanto, não saberão nem se preocuparão com o tipo de Set que estão usando.

Listagem 10-4
Classe Set abstrata

```
public interface Set
{
  public void Add(object o);
  public void Delete(object o);
  public bool IsMember(object o);
}
```

---

[8] O código original foi transformado em C# aqui, para tornar mais fácil para os programadores .NET entenderem.

Listagem 10-5
PrintSet

```
void PrintSet(Set s)
{
  foreach(object o in s)
  Console.WriteLine(o.ToString());
}
```

Problema   Eu queria adicionar um objeto `PersistentSet` nessa hierarquia. Um conjunto persistente (`PersistentSet`) pode ser armazenado em um fluxo (*stream*) e lido de volta posteriormente, possivelmente por outro aplicativo. No entanto, o único contêiner a que eu tinha acesso e que também oferecia persistência não era aceitável. Ele aceitava objetos derivados da classe base abstrata `PersistentObject`. Eu criei a hierarquia mostrada na Figura 10-3.

Note que `PersistentSet` contém uma instância do conjunto persistente para a qual delega todos os seus métodos. Assim, se você chama `Add` no objeto `PersistentSet`, ele simplesmente delega isso ao método apropriado do conjunto persistente contido.

Superficialmente, tudo parecia correto. Contudo, existe uma implicação bastante ameaçadora. Os elementos adicionados ao conjunto persistente devem ser derivados de `PersistentObject`. Como `PersistentSet` simplesmente delega para o conjunto persistente, qualquer elemento adicionado a `PersistentSet` deve derivar de `PersistentObject`. Apesar disso, a interface de `Set` não tem tal restrição.

Quando um cliente está adicionando membros à classe base `Set`, esse cliente não pode ter certeza se `Set` poderá ser um objeto `PersistentSet`. Assim, o cliente não tem como saber se os elementos que adiciona devem ser derivados de `PersistentObject`.

Considere o código de `PersistentSet.Add()` na Listagem 10-6. Esse código torna claro que, se qualquer cliente tentar adicionar a meu `PersistentSet` um objeto que não seja derivado da classe `PersistentObject`, resultará em um erro de tempo de execução. A coerção (*cast*) lançará uma exceção. Nenhum dos clientes existentes da classe base abstrata `Set` espera que exceções sejam lançadas em `Add`. Como essas funções serão confundidas por uma classe derivada de `Set`, essa mudança na hierarquia viola o LSP.

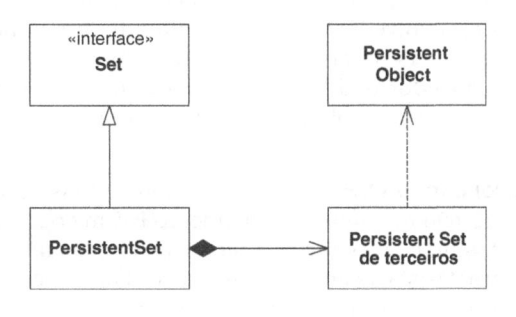

Figura 10-3
Hierarquia PersistentSet.

> **Listagem 10-6**
> **Método Add em `PersistentSet`**
>
> ```
> void Add(object o)
> {
>   PersistentObject p = (PersistentObject)o;
>   thirdPartyPersistentSet.Add(p);  // PersistentSet de terceiros
> }
> ```

Isso é um problema? Certamente. Funções que nunca falharam antes quando passadas a uma classe derivada de `Set`, agora podem causar erros de tempo de execução quando passadas para um `PersistentSet`. Depurar esse tipo de problema é relativamente difícil, pois o erro de tempo de execução ocorre muito longe do erro de lógica. O erro de lógica é a decisão de passar um `PersistentSet` para uma função ou adicionar um objeto em `PersistentSet` que não é derivado de `PersistentObject`. Em um ou outro caso, a decisão poderia estar a milhões de instruções da chamada do método `Add`. Encontrá-la seria difícil. Corrigi-la seria pior.

Uma solução que *não* obedece ao LSP Como resolvemos esse problema? Há vários anos, eu o resolvi por convenção, o que significa que não o resolvi no código-fonte. Em vez disso, estabeleci uma convenção segundo a qual `PersistentSet` e `PersistentObject` ficavam ocultos do aplicativo. Eles eram conhecidos apenas por um módulo específico.

Esse módulo era responsável por ler e escrever todos os contêineres no repositório persistente. Quando um contêiner precisava ser escrito, seu conteúdo era copiado nas classes derivadas adequadas de `PersistentObject` e depois adicionado aos objetos `PersistentSet`, os quais eram então salvos em um fluxo (*stream*). Quando um contêiner precisava ser lido de um fluxo, o processo era invertido. Um objeto `PersistentSet` era lido do fluxo e depois os objetos `PersistentObject` eram removidos do `PersistentSet` e copiados nos objetos não persistentes normais, os quais eram então adicionados a um conjunto `Set` normal.

Essa solução pode parecer muito restritiva, mas foi a única maneira que encontrei de impedir que objetos `PersistentSet` aparecessem na interface de funções que queriam adicionar objetos não persistentes a elas. Além do mais, isso eliminou a dependência do restante do aplicativo em relação à ideia de persistência.

Essa solução funcionou? Na verdade, não. A convenção era violada em várias partes do aplicativo, por desenvolvedores que não entendiam sua necessidade. Esse é o problema das convenções: elas precisam ser continuamente revendidas para cada desenvolvedor. Se o desenvolvedor não tiver sido informado da convenção ou se não concordar com ela, a convenção será violada. Além disso, uma violação pode comprometer a estrutura inteira.

Uma solução compatível com o LSP Como eu resolveria isso agora? Eu reconheceria que uma `PersistentSet` não tem um relacionamento É-Um com `Set`, que não é uma derivada correta de `Set`. Assim, eu separaria as hierarquias, mas não completamente. `Set` e `PersistentSet` têm características em comum. Na verdade, apenas o método `Add` causa a dificuldade com o LSP. Dessa forma, eu criaria uma hierarquia na qual tanto `Set` como `PersistentSet` fossem irmãs, sob uma interface que permitisse teste de participação, iteração etc. (Consulte a Figura 10-4.) Isso permitiria que objetos `PersistentSet` fossem

PRINCÍPIO DA SUBSTITUIÇÃO DE LISKOV (LSP)

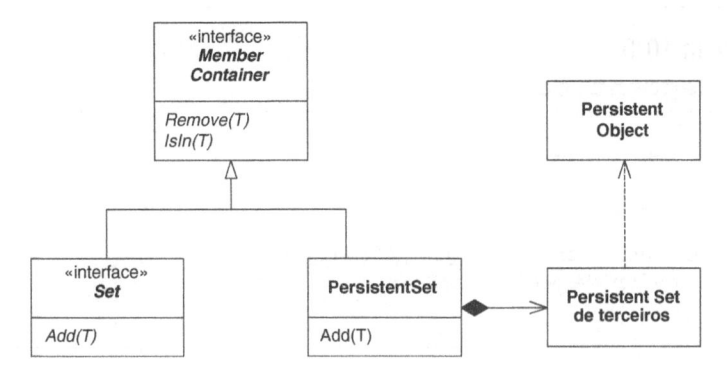

Figura 10-4
Uma solução compatível com o LSP.

iterados e testados quanto à participação etc., mas não proporcionaria a capacidade de adicionar em a `PersistentSet` objetos que não fossem derivados de `PersistentObject`.

Fatorar em vez de derivar

Outro caso de herança interessante e enigmático é o de `Line` e `LineSegment`.[9] Considere as listagens 10-7 e 10-8. Inicialmente, essas duas classes parecem ser candidatas naturais para herança. `LineSegment` precisa de cada variável membro e de cada função membro declarada em `Line`. Além disso, `LineSegment` adiciona sua própria função membro, `Length`, e sobrescreve o significado da função `IsOn`. Apesar disso, essas duas classes violam o LSP de maneira sutil.

Listagem 10-7
`Line.cs`

```
public class Line
{
  private Point p1;
  private Point p2;

  public Line(Point p1, Point p2){this.p1=p1; this.p2=p2;}

  public Point P1 { get { return p1; } }
  public Point P2 { get { return p2; } }
  public double Slope { get {/*código*/} }
  public double YIntercept { get {/*código*/} }
  public virtual bool IsOn(Point p) {/*código*/}
}
```

---

[9] Apesar da semelhança deste exemplo com o de `Square/Rectangle`, ele procede de um aplicativo real e estava sujeito aos problemas reais discutidos.

Listagem 10-8
LineSegment.cs

```
public class LineSegment : Line
{
  public LineSegment(Point p1, Point p2) : base(p1, p2) {}
  public double Length() { get {/*código*/} }
  public override bool IsOn(Point p) {/*código*/}
}
```

Um usuário de `Line` tem o direito de esperar que todos os pontos (points) colineares estejam nela. Por exemplo, o ponto retornado pela propriedade `YIntercept` é aquele no qual a linha cruza o eixo Y. Como esse ponto é colinear em relação à linha, os usuários de `Line` têm o direito de esperar que `IsOn(YIntercept) == true`. Contudo, em muitas instâncias de `LineSegment` essa declaração falhará.

Por que esse problema é importante? Por que não derivar `LineSegment` de `Line` e conviver com os problemas sutis? Essa é uma boa oportunidade para usar o discernimento. Existem *raras* ocasiões em que é melhor aceitar uma falha sutil em um comportamento polimórfico do que tentar manipular o projeto para obter completa compatibilidade com o LSP. Aceitar o compromisso, em vez de buscar a perfeição, é uma decisão de engenharia. Um bom engenheiro sabe quando o compromisso é mais *lucrativo* do que a perfeição. Contudo, a obediência ao LSP *não deve ser renunciada levianamente.* A garantia de que uma subclasse sempre funcionará onde suas classes base são usadas é uma maneira poderosa de gerenciar a complexidade. Uma vez que ela seja abandonada, devemos considerar cada subclasse individualmente.

No caso de `Line` e `LineSegment`, uma solução simples ilustra uma ferramenta importante do projeto orientado a objetos. Se temos acesso às classes `Line` e `LineSegment`, podemos *fatorar* os elementos comuns de ambas em uma classe base abstrata. As listagens 10-9, 10-10 e 10-11 mostram a fatoração de `Line` e `LineSegment` na classe base `LinearObject`.

Representando tanto `Line` como `LineSegment`, `LinearObject` fornece a maior parte da funcionalidade e dos membros de dados de ambas as subclasses, com exceção do método `IsOn`, que é abstrato. Os usuários de `LinearObject` não podem supor que compreendem a extensão do objeto que estão utilizando. Assim, eles podem aceitar um objeto `Line` ou `LineSegment` sem problemas. Além disso, os usuários de `Line` nunca precisarão lidar com um objeto `LineSegment`.

A fatoração é uma ferramenta poderosa. Se qualidades de duas subclasses podem ser decompostas, existe a clara possibilidade de que posteriormente apareçam outras classes que também precisem dessas qualidades. Sobre a fatoração, Rebecca Wirfs-Brock, Brian Wilkerson e Lauren Wiener comentam:

> Podemos afirmar que, se todas as classes em um conjunto de classes aceitam uma responsabilidade comum, elas devem herdar essa responsabilidade de uma superclasse comum.
>
> Se ainda não existir uma superclasse comum, crie uma e mova as responsabilidades comuns para ela. Afinal, tal classe é comprovadamente útil – você já mostrou que as responsabilidades serão herdadas por algumas classes. Não é concebível que uma

ampliação posterior de seu sistema possa adicionar uma nova subclasse que aceite essas mesmas responsabilidades de uma nova maneira? Essa nova superclasse provavelmente será uma classe abstrata.[10]

Listagem 10-9
LinearObject.cs

```
public abstract class LinearObject
{
  private Point p1;
  private Point p2;

  public LinearObject(Point p1, Point p2)
  {this.p1=p1; this.p2=p2;}

  public Point P1 { get { return p1; } }
  public Point P2 { get { return p2; } }

  public double Slope { get {/*código*/} }
  public double YIntercept { get {/*código*/} }

  public virtual bool IsOn(Point p) {/*código*/}
}
```

Listagem 10-10
Line.cs

```
public class Line: LinearObject
{
  public Line(Point p1, Point p2) : base(p1, p2) {}
  public override bool IsOn(Point p) {/*código*/}
}
```

Listagem 10-11
LineSegment.cs

```
public class LineSegment : LinearObject
{
  public LineSegment(Point p1, Point p2) : base(p1, p2) {}

  public double GetLength() {/*código*/}
  public override bool IsOn(Point p) {/*código*/}
}
```

---

[10] [Wirfs-Brock90], p. 113

Listagem 10-12
`Ray.cs`

```
public class Ray: LinearObject
{
  public Ray(Point p1, Point p2) : base(p1, p2) {/*código*/}
  public override bool IsOn(Point p) {/*código*/}
}
```

Listagem 10-13
Uma função degenerada em uma derivada

```
public class Base
{
  public virtual void f() {/*algum código*/}
}

public class Derived: Base
{
  public override void f() {}
}
```

A Listagem 10-12 mostra como os atributos de `LinearObject` podem ser usados por uma classe não prevista: `Ray`. Um objeto `Ray` pode ser substituído por um objeto `LinearObject` e nenhum usuário de `LinearObject` teria qualquer problema para lidar com ele.

Heurísticas e convenções

Algumas heurísticas simples podem fornecer indícios sobre violações do LSP. Todas essas heurísticas são relacionadas às classes derivadas que de algum modo *removem* funcionalidade de duas classes base. Uma derivada que faz menos do que sua base normalmente não é substituível por essa base e, portanto, viola o LSP.

Considere a Figura 10-13. A função `f` em `Base` é implementada, mas em `Derived` é degenerada. Aparentemente, o autor de `Derived` descobriu que a função `f` não tinha utilidade em um objeto `Derived`. Infelizmente, os usuários de `Base` não sabem que não devem chamar `f` e, assim, existe uma violação de substituição.

A presença de funções degeneradas em classes derivadas nem sempre indica uma violação do LSP, mas é interessante examiná-las quando ocorrerem.

Conclusão

O Princípio do Aberto/Fechado é um elemento crucial do projeto orientado a objetos. Quando esse princípio é usado, os aplicativos são mais passíveis de manutenção, reutilizáveis e robustos. O Princípio da Substituição de Liskov é um dos principais capacitadores do OCP. A possibilidade de substituição de subtipos permite que um módulo, expresso em termos de um tipo base, seja extensível sem modificação. Essa possibilidade de substituição deve ser algo de que os desenvolvedores dependam implicitamente. Assim, o contrato do tipo base precisa ser bem compreendido, se não explicitamente imposto, pelo código.

O termo *É-Um* é amplo demais para ser usado como definição de um subtipo. A verdadeira definição de subtipo é *substituível*, onde a possibilidade de substituição é definida por um contrato explícito ou implícito.

Bibliografia

[Liskov88] "Data Abstraction and Hierarchy", Barbara Liskov, *SIGPLAN Notices*, 23(5) (May 1988).

[Meyer97] Bertrand Meyer, *Object-Oriented Software Construction*, 2d ed., Prentice Hall, 1997.

[Wirfs-Brock90] Rebecca Wirfs-Brock et al., *Designing Object-Oriented Software*, Prentice Hall, 1990.

Capítulo 11

PRINCÍPIO DA INVERSÃO DE DEPENDÊNCIA (DIP)

Nunca mais
Deixe os principais interesses do estado dependerem
Dos milhares de acasos que podem influenciar
Um elemento da fraqueza humana

— Sir Thomas Noon Talfourd (1795-1854)

Princípio da Inversão de Dependência (DIP – Dependency-Inversion Principle)

A. *Módulos de alto nível não devem depender de módulos de baixo nível. Ambos devem depender de abstrações.*

B. *As abstrações não devem depender de detalhes. Os detalhes devem depender das abstrações.*

Com o passar dos anos, muitos têm me questionado por que utilizo a palavra *inversão* no nome desse princípio. O motivo é que os métodos de desenvolvimento de software mais tradicionais, como o projeto e análise estruturados, tendem a criar estruturas de software nas quais os módulos de alto nível dependem de módulos de baixo nível e nas quais a diretiva (*policy*) depende do detalhe. Aliás, um dos objetivos desses métodos é definir a hierarquia de subprogramas que descreve como os módulos de alto nível chamam os módulos de baixo nível. O projeto inicial do programa Copy da Figura 7-1 é um bom exemplo de tal hierarquia. A estrutura de dependência de um programa orientado a objetos bem projetado é "invertida" com relação à estrutura de dependência que normalmente resulta dos métodos procedurais tradicionais.

Considere as implicações dos módulos de alto nível que dependem de módulos de baixo nível. São os módulos de alto nível que contêm as decisões de diretiva importantes e os modelos de negócio de um aplicativo. Esses módulos contêm a identidade do aplicativo. Apesar disso, quando esses módulos dependem de módulos de nível mais baixo, alterações nestes últimos podem ter efeitos diretos nos módulos de nível mais alto e podem obrigá-los a mudar também.

Essa situação é absurda! São os módulos que definem diretivas de alto nível que devem influenciar os módulos detalhados de baixo nível. Os módulos que contêm as regras de negócio de alto nível devem ter precedência e ser independentes dos módulos que contêm os detalhes da implementação. Os módulos de alto nível simplesmente não devem depender dos módulos de baixo nível.

Além disso, são os módulos que definem diretivas de alto nível que queremos reutilizar. Já fazemos um bom trabalho na reutilização de módulos de baixo nível na forma de bibliotecas de sub-rotinas. Quando módulos de alto nível dependem de módulos de baixo nível, torna-se muito difícil reutilizá-los em diferentes contextos. Contudo, quando os módulos de alto nível são independentes dos módulos de baixo nível, eles podem ser reutilizados com muita simplicidade. Esse princípio está no centro do projeto de *frameworks*.

Disposição em camadas

De acordo com Booch, "todas as arquiteturas orientadas a objetos bem estruturadas têm camadas claramente definidas, com cada camada fornecendo algum conjunto coerente de serviços por meio de uma interface bem definida e controlada".[1] Uma interpretação simplista dessa declaração poderia levar um projetista a produzir uma estrutura semelhante à Figura 11-1. Nesse diagrama, a camada Policy de alto nível utiliza uma camada Mechanism de nível inferior, a qual por sua vez utiliza uma camada Utility de nível detalhado. Embora isso possa parecer adequado, tem a característica traiçoeira de que a camada Policy é sensível às alterações feitas na camada inferior Utility. *A dependência é transitiva.* A camada Policy depende de algo que depende da camada Utility; assim, a camada Policy depende transitivamente da camada Utility. Isso é muito inadequado.

A Figura 11-2 mostra um modelo mais adequado. Cada camada de nível superior declara uma interface abstrata para os serviços de que precisa. Então, as camadas de nível inferior são concretizadas a partir dessas interfaces abstratas. Cada classe de nível superior utiliza a camada de nível mais baixo seguinte, por meio da interface abstrata. Assim, as camadas superiores não dependem das inferiores. Em vez disso, as camadas inferiores dependem de interfaces de serviço abstratas *declaradas nas* camadas superiores. Não apenas a dependência transitiva da camada Policy em relação à camada Utility é eliminada, como também a dependência direta da camada Policy em relação à camada Mechanism.

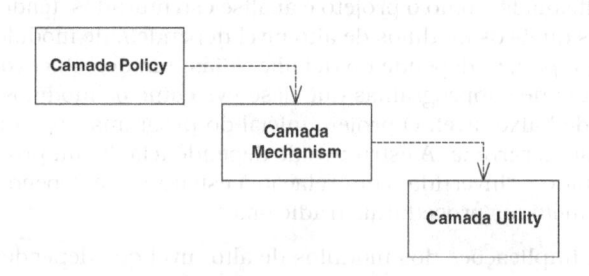

Figura 11-1
Esquema de disposição em camadas simplista.

---

[1] [Booch96], p. 54

Inversão de posse

Note que a inversão aqui não é apenas de dependências, mas também de posse da interface. Frequentemente, pensamos nas bibliotecas de utilidades (utility) como tendo suas próprias interfaces. Mas quando o DIP é empregado, descobrimos que os clientes tendem a possuir as interfaces abstratas e que seus servidores derivam delas.

Às vezes isso é conhecido como o princípio de Hollywood: "Não nos procure; nós o procuraremos".[2] Os módulos de nível inferior fornecem a implementação das interfaces declaradas dentro dos módulos de nível superior e chamadas por eles.

Usando essa inversão de posse, a camada `Policy` não é afetada pelas alterações feitas na camada `Mechanism` ou na camada `Utility`. Além disso, a camada `Policy` pode ser reutilizada em qualquer contexto que defina módulos de nível inferior que obedeçam à interface `PolicyServiceInterface`. Assim, invertendo as dependências, criamos uma estrutura que é simultaneamente mais flexível, durável e móvel.

Nesse contexto, posse significa simplesmente que as interfaces são distribuídas com os clientes que as possuem e não com os servidores que as implementam. A interface está no mesmo pacote ou biblioteca que o cliente. Isso obriga a biblioteca ou pacote do servidor a depender da biblioteca ou pacote do cliente.

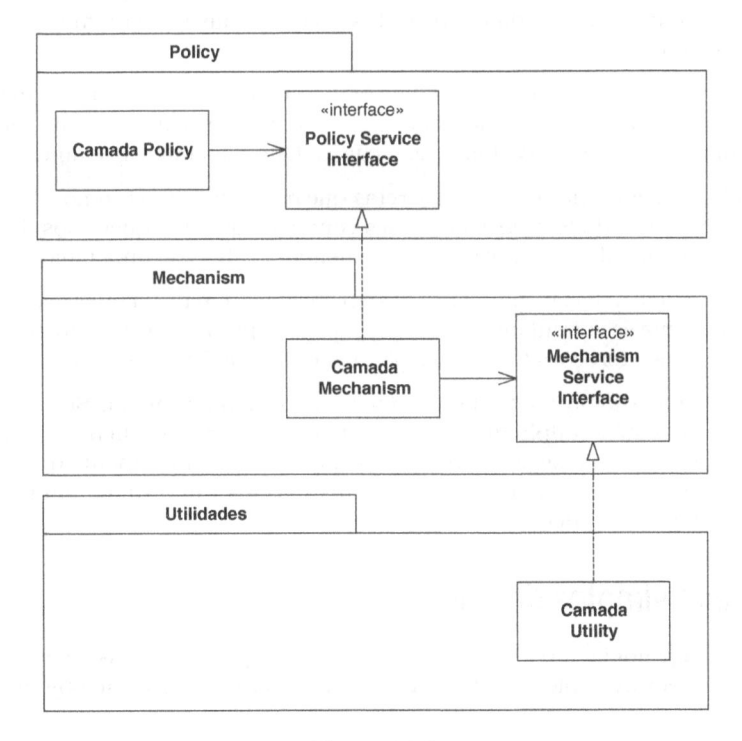

Figura 11-2
Camadas invertidas.

---

[2] [Sweet85]

Evidentemente, existem ocasiões em que não queremos que o servidor dependa do cliente. Por exemplo, quando existem muitos clientes, mas apenas um servidor. Nesse caso, os clientes devem concordar com a interface de serviço e publicá-la em um pacote separado.

Dependência de abstrações

Uma interpretação do DIP um tanto mais simplista, apesar de ainda muito poderosa, é a heurística "depender de abstrações". Dito de forma simples, essa heurística recomenda que você não deve depender de uma classe concreta, mas que todos os relacionamentos em um programa devem terminar em uma classe ou interface abstrata.

- Nenhuma variável deve conter uma referência para uma classe concreta.
- Nenhuma classe deve derivar de uma classe concreta.
- Nenhum método deve sobrescrever um método implementado de qualquer uma de suas classes base.

Certamente, essa heurística é violada pelo menos uma vez em todo programa. Alguém precisa criar as instâncias das classes concretas e qualquer módulo que faça isso dependerá delas.[3] Além disso, parece não haver motivo para seguir essa heurística para classes que são concretas mas não voláteis. Se uma classe concreta não vai mudar muito e não serão criadas outras classes derivadas semelhantes, depender dela causará pouco dano.

Por exemplo, na maioria dos sistemas, a classe que descreve uma string é concreta. Em C#, por exemplo, é a classe concreta string. Essa classe não é volátil. Isto é, ela não muda com muita frequência. Portanto, não causa dano depender diretamente dela.

Contudo, a maioria das classes concretas que *nós* escrevemos como parte de um programa aplicativo *é* volátil. São *dessas* classes concretas que não queremos depender diretamente. Sua volatilidade pode ser isolada mantendo-as atrás de uma interface abstrata.

Essa não é uma solução completa. Existem ocasiões em que a interface de uma classe volátil deve mudar, e essa mudança deve ser propagada para a interface abstrata que representa a classe. Tais alterações forçam o isolamento da interface abstrata.

Esse é o motivo pelo qual a heurística é um pouco simplista. Se, por outro lado, adotarmos a visão mais ampla de que os módulos ou camadas clientes declaram as interfaces de serviço de que necessitam, as interfaces mudarão somente quando o *cliente* precisar da mudança. As alterações feitas nas classes que implementam a interface abstrata não afetarão o cliente.

Um exemplo simples de DIP

A inversão de dependência pode ser aplicada sempre que uma classe envia uma mensagem para outra. Por exemplo, considere o caso do objeto Button e do objeto Lamp.

---

[3] Na verdade, existem maneiras de contornar esse fato, se você puder usar strings para criar classes. A linguagem C# e outras tantas permitem isso. Nessas linguagens, os nomes das classes concretas podem ser passados para o programa como dados de configuração.

Button		Lamp
+ Poll()	─▷	+ TurnOn() + TurnOff()

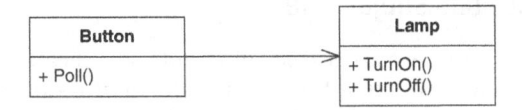

Figura 11-3
Modelo simplista de objetos `Button` e `Lamp`.

O objeto `Button` (botão) sente o ambiente externo. Ao receber a mensagem `Poll`, o objeto `Button` determina se um usuário o "pressionou". Seja qual for o mecanismo de percepção – um ícone de botão em uma interface gráfica do usuário, um botão físico sendo pressionado por um dedo humano ou mesmo um detector de movimento em um sistema de segurança domiciliar –, o objeto `Button` detecta que um usuário o ativou ou desativou.

O objeto `Lamp` (lâmpada) afeta o ambiente externo. Ao receber uma mensagem `TurnOn`, o objeto `Lamp` acende uma luz de algum tipo. Ao receber uma mensagem `TurnOff`, ele apaga essa luz. O mecanismo físico não tem importância. Poderia ser um LED no console de um computador, uma lâmpada de vapor de mercúrio em um estacionamento ou mesmo o laser em uma impressora a laser.

Como podemos projetar um sistema de modo que o objeto `Button` controle o objeto `Lamp`? A Figura 11-3 mostra um modelo simplista. O objeto `Button` recebe mensagens `Poll`, determina se o botão foi pressionado e, depois, simplesmente envia a mensagem `TurnOn` ou `TurnOff` para o objeto `Lamp`.

Por que isso é simplista? Considere o código em C# decorrente desse modelo (Listagem 11-1). Note que a classe `Button` depende diretamente da classe `Lamp`. Essa dependência significa que `Button` será afetada por alterações em `Lamp`. Além disso, não será possível reutilizar `Button` para controlar um objeto `Motor`. Nesse modelo, os objetos `Button` controlam objetos `Lamp` e *somente* objetos `Lamp`.

Essa solução viola o DIP. A diretiva de alto nível do aplicativo não foi separada da implementação de baixo nível. As abstrações não foram separadas dos detalhes. Sem tal separação, a diretiva de alto nível depende automaticamente dos módulos de baixo nível e as abstrações dependem automaticamente dos detalhes.

Listagem 11-1
`Button.cs`

```csharp
public class Button
{
  private Lamp lamp;
  public void Poll()
  {
    if (/*alguma condição*/)
      lamp.TurnOn();
  }
}
```

Encontrando a abstração subjacente

Qual é a diretiva de alto nível? É a abstração subjacente ao aplicativo, as verdades que não variam quando os detalhes são alterados. É o sistema *dentro* do sistema – é a metáfora. No exemplo Button/Lamp, a abstração subjacente é detectar um gesto de ligar/desligar de um usuário e transmitir esse gesto para um objeto de destino. Que mecanismo é usado para detectar o gesto do usuário? Não importa! Qual é o objeto de destino? É irrelevante! Esses são detalhes que não afetam a abstração.

O modelo da Figura 11-3 pode ser melhorado invertendo-se a dependência do objeto Lamp. Na Figura 11-4, vemos que agora o objeto Button contém uma associação com algo chamado ButtonServer, que fornece as interfaces que Button pode usar para ligar ou desligar algo. Lamp implementa a interface ButtonServer. Assim, Lamp está agora causando a dependência, em vez de ser dependente.

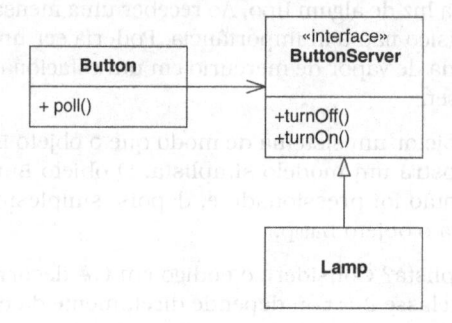

Figura 11-4
Inversão de dependência aplicada a Lamp.

O projeto da Figura 11-4 permite que um objeto Button controle qualquer dispositivo que queira implementar a interface ButtonServer. Isso nos proporciona muita flexibilidade e também significa que os objetos Button poderão controlar objetos que ainda não foram inventados.

Contudo, essa solução também impõe uma restrição para qualquer objeto que precise ser controlado por um objeto Button. Tal objeto *deve* implementar a interface Button-Server. Isso é inadequado, pois esses objetos também podem querer ser controlados por um objeto Switch (comutador ou chave) ou algum tipo de objeto que não seja Button.

Invertendo a direção da dependência e fazendo o objeto Lamp impor a dependência em vez de ser dependente, tornamos Lamp dependente de um detalhe diferente: Button. Ou não?

Lamp certamente depende de ButtonServer, mas ButtonServer não depende de Button. Qualquer tipo de objeto que saiba como manipular a interface ButtonServer poderá controlar um objeto Lamp. Assim, a dependência é apenas em relação ao nome. Podemos corrigir isso mudando o nome de ButtonServer para algo um pouco mais genérico, como SwitchableDevice (dispositivo comutável). Também podemos garantir que Button e SwitchableDevice sejam mantidos em bibliotecas separadas para que o uso de SwitchableDevice não implique o uso de Button.

Nesse caso, ninguém possui a interface. Temos a interessante situação na qual a interface pode ser usada por muitos clientes diferentes e implementada por muitos servidores diferentes. Assim, a interface precisa operar independentemente, sem pertencer a um ou outro grupo. Em C#, a colocaríamos em um namespace e em uma biblioteca separados.[4]

O exemplo Furnace

Vamos ver um exemplo mais interessante. Considere o software que poderia controlar o regulador de um forno (furnace). O software pode ler a temperatura atual em um canal de entrada/saída (E/S) e instruir o forno para ligar ou desligar, enviando comandos para outro canal de E/S. A estrutura do algoritmo poderia ser como a da Listagem 11-2.

Listagem 11-2
Algoritmo simples para um termostato

```
const byte TERMOMETER = 0x86;
const byte FURNACE = 0x87;
const byte ENGAGE = 1;
const byte DISENGAGE = 0;

void Regulate(double minTemp, double maxTemp)
{
  for(;;)
  {
    while (in(THERMOMETER) > minTemp)
      wait(1);
    out(FURNACE,ENGAGE);

    while (in(THERMOMETER) < maxTemp)
      wait(1);
    out(FURNACE,DISENGAGE);
  }
}
```

A intenção de alto nível do algoritmo é clara, mas o código está repleto de detalhes de baixo nível. Esse código nunca poderia ser reutilizado com um hardware de controle diferente.

Talvez isso não seja uma grande perda, pois o código é muito pequeno. Mas, mesmo assim, é uma vergonha não poder reutilizar o algoritmo. Em vez disso, inverteríamos as dependências e veríamos algo como a Figura 11-5.

---

[4] Em linguagens dinâmicas, como Smalltalk, Python ou Ruby, a interface simplesmente não existiria como uma entidade de código-fonte explícita.

Isso mostra que a função `Regulate` recebe dois argumentos, os quais são ambos interfaces. A interface `Thermometer` pode ser lida (read) e a interface `Heater` (para o aquecedor) pode ser ativada (engage) e desativada (disengage). Isso é tudo que o algoritmo `Regulate` precisa. Agora ele pode ser escrito como mostrado na Listagem 11-3

Isso inverteu as dependências de modo que a diretiva de regulagem de alto nível não depende de quaisquer detalhes específicos do termômetro ou do forno. O algoritmo é perfeitamente reutilizável.

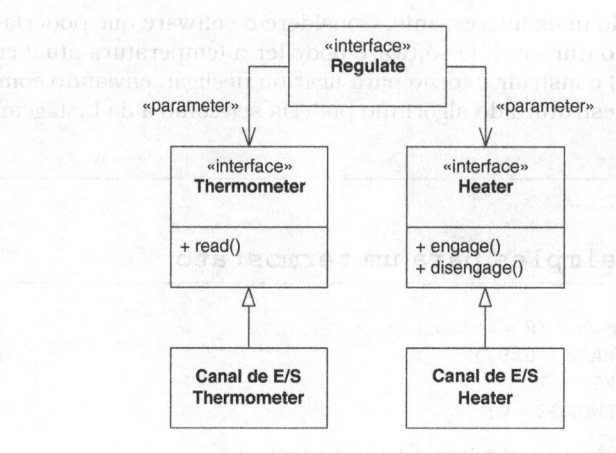

Figura 11-5
Regulador genérico.

Listagem 11-3
Regulador genérico

```
void Regulate(Thermometer t, Heater h,
        double minTemp, double maxTemp)
{
  for(;;)
  {
    while (t.Read() > minTemp)
      wait(1);
    h.Engage();

    while (t.Read() < maxTemp)
      wait(1);
    h.Disengage();
  }
}
```

Conclusão

A programação procedural tradicional cria uma estrutura de dependência na qual a diretiva depende dos detalhes. Isso é inadequado, pois as diretivas tornam-se vulneráveis às mudanças nos detalhes. A programação orientada a objetos inverte essa estrutura de dependência de modo que tanto os detalhes como as diretivas dependam da abstração, e as interfaces de serviço são frequentemente de posse de seus clientes.

Aliás, essa inversão de dependências é a característica marcante do bom projeto orientado a objetos. Não importa em qual linguagem um programa seja escrito. Se suas dependências são invertidas, tem-se um projeto de OO. Se suas dependências não são invertidas, tem-se um projeto procedural.

O princípio da inversão de dependência é o mecanismo de baixo nível fundamental por trás de muitos dos benefícios reivindicados pela tecnologia orientada a objetos. Sua aplicação correta é necessária para a criação de *frameworks* reutilizáveis. Ele também é fundamentalmente importante para a construção de código maleável em presença de mudança. Como as abstrações e os detalhes são isolados uns dos outros, o código é muito mais fácil de manter.

Bibliografia

[**Booch96**] Grady Booch, *Object Solutions: Managing the Object-Oriented Project*, Addison-Wesley, 1996.

[**GOF95**] Eric Gamma, Richard Helm, Ralph Johnson, and John Vlissides, *Design Patterns: Elements of Reusable Object-Oriented Software*, Addison-Wesley, 1995.

[**Sweet85**] Richard E. Sweet, "The Mesa Programming Environment", *SIGPLAN Notices*, 20(7) July 1985: 216-229.

Capítulo 12

PRINCÍPIO DA SEGREGAÇÃO DE INTERFACE (ISP)

O princípio da Segregação de Interface (ISP – Interface Segregation Principle) lida com as desvantagens das interfaces "gordas". As classes cujas interfaces não são coesas têm interfaces "gordas". Ou seja, as interfaces da classe podem ser divididas em grupos de métodos. Cada grupo atende a um conjunto diferente de clientes. Assim, alguns clientes usam um grupo de métodos e outros clientes usam outros grupos.

O ISP reconhece que existem objetos que exigem interfaces não coesas; contudo, ele sugere que os clientes não devem reconhecê-las como uma única classe. Em vez disso, os clientes devem reconhecer classes base abstratas que têm interfaces coesas.

Poluição de interface

Considere um sistema de segurança no qual objetos Door (porta) podem ser travados (lock) e destravados (unlock) e saber se estão abertos ou fechados. (Consulte a Listagem 12-1.) Door

Listagem 12-1
Porta de segurança

```
public interface Door
{
  void Lock();
  void Unlock();
  bool IsDoorOpen();
}
```

é codificado como uma interface para que os clientes possam utilizar objetos compatíveis com a interface Door sem depender de implementações específicas de Door.

Agora, considere que uma implementação, TimedDoor, precisa fazer soar um alarme quando a porta for deixada aberta por muito tempo. Para tanto, o objeto TimedDoor se comunica com outro objeto, chamado Timer. (Consulte a Listagem 12-2.)

Quando um objeto deseja ser informado sobre um limite de tempo (timeout), ele chama a função Register de Timer. Os argumentos dessa função são o limite de tempo e uma referência para um objeto TimerClient cuja função TimeOut será chamada quando esse tempo expirar.

Como podemos fazer a classe TimerClient se comunicar com a classe TimedDoor para que o código de TimedDoor possa ser notificado do limite de tempo? Existem várias alternativas. A Figura 12-1 mostra uma solução comum. Obrigamos Door (e, portanto, TimedDoor) a herdar de TimerClient. Isso garante que TimerClient possa se registrar em Timer e receber a mensagem de TimeOut.

O problema dessa solução é que a classe Door agora depende de TimerClient. Nem todas as variedades de portas precisam de temporização. Aliás, a abstração de

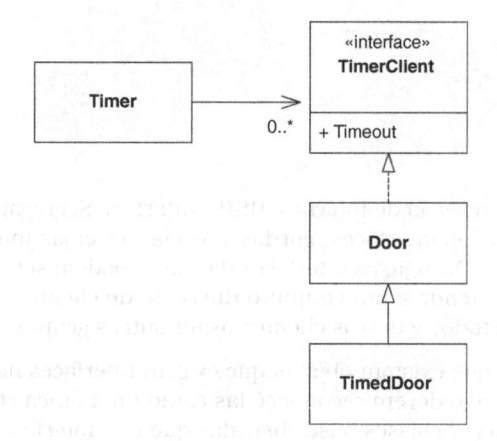

Figura 12-1
TimerClient no topo da hierarquia.

Listagem 12-2

```
public class Timer
{
  public void Register(int timeout, TimerClient client)
  {/*código*/}
}
public interface TimerClient
{
  void TimeOut();
}
```

Door original nada tinha a ver com temporização. Se forem criadas derivadas de Door isentas de temporização, elas terão de fornecer às implementações degeneradas do método TimeOut uma violação em potencial do LSP. Além disso, os aplicativos que usam essas classes derivadas terão de importar a definição da classe TimerClient, mesmo que não seja utilizada. Isso tem o mau cheiro da complexidade e da redundância desnecessárias.

Esse é um exemplo de poluição de interface, uma síndrome comum em linguagens estaticamente tipadas, como C#, C++ e Java. A interface de Door foi poluída com um método de que ela não necessita. Ela foi obrigada a incorporar esse método exclusivamente para beneficiar uma de suas subclasses. Se essa prática for seguida, sempre que uma derivada precisar de um novo método, esse método será adicionado à classe base. Isso poluirá ainda mais a interface da classe base, tornando-a "gorda".

Além disso, sempre que um novo método é adicionado à classe base, esse método deve ser implementado ou aparecer por padrão nas classes derivadas. Aliás, uma prática associada é adicionar esses métodos à classe base, fornecendo-lhes implementações degeneradas (ou padrão), especificamente para que as classes derivadas não sejam sobrecarregadas com a necessidade de implementá-las. Conforme aprendemos anteriormente, tal prática pode violar o LSP, levando a problemas de manutenção e reutilização.

Separar clientes significa separar interfaces

Door e TimerClient representam interfaces utilizadas por clientes completamente diferentes. Timer usa TimerClient e as classes que manipulam portas usam Door. Como os clientes são separados, as interfaces também devem permanecer separadas. Por quê? Porque os clientes exercem forças sobre suas interfaces servidoras.

Quando pensamos nas forças que causam mudanças no software, normalmente pensamos em como as alterações nas interfaces afetarão seus usuários. Por exemplo, estaríamos preocupados com as mudanças para todos os usuários de TimerClient se sua interface mudasse. Contudo, existe uma força que atua na outra direção. Às vezes, o *usuário* força uma mudança na interface.

Por exemplo, alguns usuários de Timer registrarão mais de um pedido de limite de tempo. Considere TimedDoor. Quando detecta que a porta (Door) foi aberta, ele envia a mensagem Register para Timer, solicitando um limite de tempo. Contudo, antes que o limite de tempo expire, a porta fecha, permanece fechada durante algum tempo e, depois, abre novamente. Isso nos faz registrar um *novo* pedido de limite de tempo antes que o antigo tenha expirado. Por fim, o primeiro pedido de limite de tempo expira e a função TimeOut de TimedDoor é chamada. Door faz soar um alarme falso.

Podemos corrigir essa situação usando a convenção mostrada na Listagem 12-3. Incluímos um único código timeOutId em cada registro de limite de tempo e repetimos esse código na chamada de TimeOut para TimerClient. Isso permite que cada derivada de TimerClient saiba qual pedido de limite de tempo está sendo respondido.

Claramente, essa mudança afetará todos os usuários de TimerClient. Aceitamos isso, pois a falta de timeOutId é uma omissão que precisa ser corrigida. Contudo, o projeto da Figura 12-1 também fará Door e todos os seus clientes serem afetados por essa correção! Isso tem o mau cheiro da rigidez e da viscosidade. Por que um erro em TimerClient deve ter *algum* efeito sobre os clientes das derivadas de Door que não

> **Listagem 12-3**
> `Timer with ID`
>
> ```
> public class Timer
> {
>   public void Register(int timeout,
>                        int timeOutId,
>                        TimerClient client)
>   {/*código*/}
> }
> public interface TimerClient
> {
>   void TimeOut(int timeOutID);
> }
> ```

exigem temporização? Esse tipo de interdependência estranha arrepia os clientes e gerentes até os ossos. Quando uma mudança em uma parte do programa afeta outras partes totalmente não relacionadas, o custo e as repercussões das mudanças se tornam imprevisíveis e o risco de consequências negativas da mudança aumenta substancialmente.

> **Princípio da Segregação de Interface**
>
> *Os clientes não devem ser obrigados a depender de métodos que não utilizam.*

Quando os clientes são obrigados a depender de métodos que não utilizam, esses clientes estão sujeitos às mudanças feitas nesses métodos. Isso resulta em um acoplamento involuntário entre todos os clientes. Dito de outra maneira, quando um cliente depende de uma classe que contém métodos não utilizados por ele, mas que outros clientes *usam*, aquele cliente será afetado pelas mudanças impostas à classe por esses outros clientes. Devemos evitar tais acoplamentos sempre que possível e, portanto, precisamos separar as interfaces.

Interfaces de classe *versus* interfaces de objeto

Considere `TimedDoor` novamente. Aqui está um objeto que tem duas interfaces separadas, utilizadas por dois clientes distintos: `Timer` e os usuários de `Door`. Essas duas interfaces *devem* ser implementadas no mesmo objeto, pois a implementação de ambas manipula os mesmos dados. Como podemos obedecer ao ISP? Como podemos separar as interfaces quando elas devem permanecer juntas?

A resposta reside no fato de que os clientes de um objeto não precisam acessá-lo pela interface do objeto. Em vez disso, eles podem acessá-lo por meio de delegação ou por uma classe base do objeto.

Separação por meio de delegação

Uma solução é criar um objeto que derive de `TimerClient` e delegue para `TimedDoor`. A Figura 12-2 mostra essa solução. Quando quer registrar um pedido de limite de tempo em `Timer`, `TimedDoor` cria um `DoorTimerAdapter` e o registra em `Timer`. Quando `Timer` envia a mensagem `TimeOut` para `DoorTimerAdapter`, `DoorTimerAdapter` delega a mensagem para `TimedDoor`.

Essa solução obedece ao ISP e impede o acoplamento de clientes de `Door` com `Timer`. Mesmo que a mudança em `Timer` mostrada na Listagem 12-3 fosse feita, nenhum dos

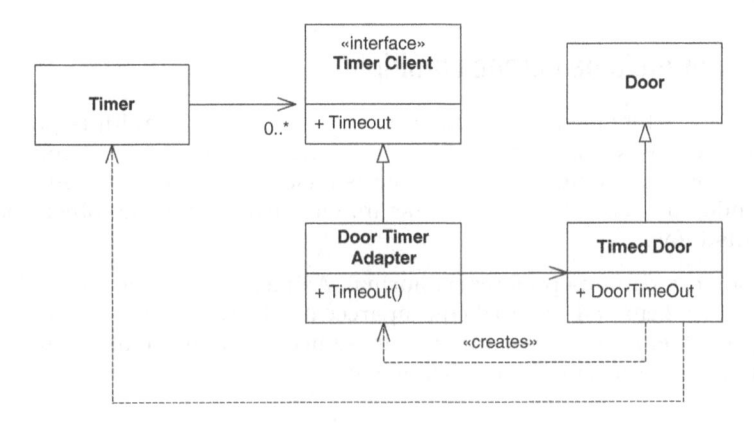

Figura 12-2
Adaptador para o temporizador da porta.

Listagem 12-4
TimedDoor.cs

```
public interface TimedDoor: Door
{
  void DoorTimeOut(int timeOutId);
}
public class DoorTimerAdapter: TimerClient
{
  private TimedDoor timedDoor;

  public DoorTimerAdapter(TimedDoor theDoor)
  {
    timedDoor = theDoor;
  }

  public virtual void TimeOut(int timeOutId)
  {
    timedDoor.DoorTimeOut(timeOutId);
  }
}
```

usuários de Door seria afetado. Além disso, TimedDoor não precisa ter exatamente a mesma interface que TimerClient. DoorTimerAdapter pode *transformar* a interface TimerClient na interface TimedDoor. Assim, essa é uma solução para muitos casos. (Consulte a Listagem 12-4.)

No entanto, essa solução também é um tanto deselegante. Ela envolve a criação de um novo objeto sempre que queremos registrar um limite de tempo. Além disso, a delegação exige uma quantidade muito pequena (mas ainda diferente de zero) de tempo de execução e memória. Em alguns domínios de aplicação, como nos sistemas de controle de tempo real embarcados, tempo de execução e memória são suficientemente escassos para tornar isso uma preocupação.

Separação por meio de herança múltipla

A Figura 12-3 e a Listagem 12-5 mostram como a herança múltipla pode ser usada para alcançar o ISP. Nesse modelo, TimedDoor herda tanto de Door como de TimerClient. Embora os clientes das duas classes base possam usar TimedDoor, nenhum deles depende da classe TimedDoor. Assim, eles usam o mesmo objeto por meio de interfaces distintas.

Essa solução é minha preferência normal. A única vez em que eu escolheria a solução da Figura 12-2 em detrimento da que aparece na Figura 12-3 seria se a transformação realizada pelo objeto DoorTimerAdapter fosse necessária ou se diferentes transformações fossem necessárias em diferentes momentos.

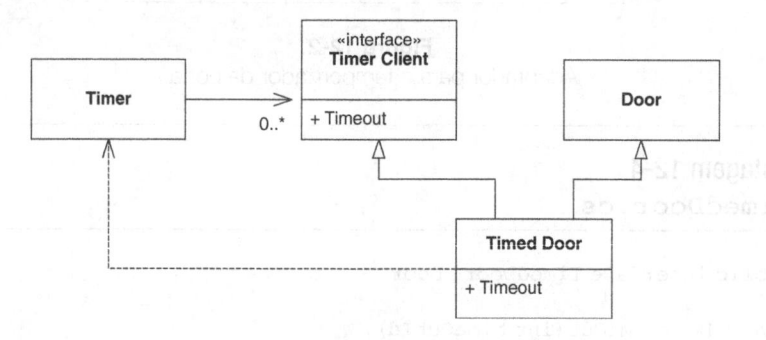

Figura 12-3
TimedDoor com herança múltipla.

Listagem 12-5
TimedDoor.cpp

```
public interface TimedDoor: Door, TimerClient
{
}
```

O exemplo de interface de usuário de caixa eletrônico

Agora, vamos considerar um exemplo mais significativo: o tradicional problema do caixa eletrônico (ATM – Automated Tester Machine). A interface do usuário (UI – User Interface) de um caixa eletrônico precisa ser muito flexível. Talvez a saída precise ser traduzida para vários idiomas e ser apresentada em uma tela (`Screen UI`), em um painel em braille (`Braille UI`) ou falada em um sintetizador de voz (`Speech UI`) (Figura 12-4). Claramente, essa flexibilidade pode ser obtida criando-se uma classe base abstrata que tenha métodos abstratos para todas as diferentes mensagens que precisam ser apresentadas pela interface.

Considere também que cada transação realizada pelo caixa eletrônico é encapsulada como uma derivada de uma classe `Transaction`. Assim, poderíamos ter classes para operações de depósito, saque e transferência, como `DepositTransaction`, `WithdrawalTransaction`, `TransferTransaction` etc. Cada uma dessas classes chama métodos UI. Por exemplo, para pedir ao usuário para que digite o valor a ser depositado, o objeto `DepositTransaction` chama o método `RequestDepositAmount` da classe UI. Do mesmo modo, para perguntar ao usuário quanto em dinheiro vai transferir entre contas, o objeto `TransferTransaction` chama o método `RequestTransferAmount` de UI. Isso corresponde ao diagrama da Figura 12-5.

Note que é precisamente essa a situação que o ISP nos diz para evitar. Cada uma das transações está usando métodos UI que nenhuma outra classe utiliza. Isso gera a possibilidade de que mudanças em uma das classes derivadas de `Transaction` obriguem uma mudança correspondente em UI, afetando com isso todas as outras derivadas de `Transaction` e toda e qualquer outra classe que dependa da interface UI. Algo está exalando os maus cheiros da rigidez e da fragilidade por aqui.

Por exemplo, se fôssemos adicionar uma transação `PayGasBillTransaction`, teríamos que adicionar novos métodos em UI para tratar das mensagens específicas que essa transação desejaria exibir. Infelizmente, como `DepositTransaction`, `WithdrawalTransaction` e `TransferTransaction` dependem da interface UI, todas provavelmente serão recompiladas. Pior ainda, se todas as transações fossem entregues como componentes em assemblies separados, muito provavelmente esses assemblies precisariam ser novamente entregues, mesmo que nada de sua lógica fosse alterado. Você consegue sentir o mau cheiro da viscosidade?

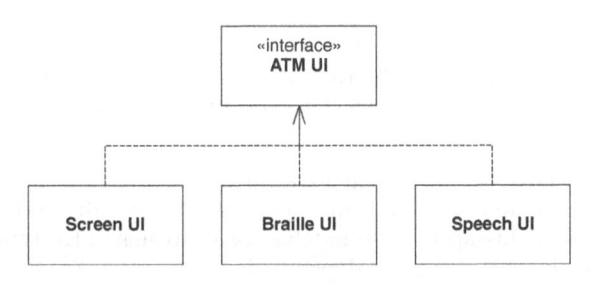

Figura 12-4
Interface de usuário de caixa eletrônico.

```
                    ┌─────────────┐
                    │ Transaction │
                    │  {abstract} │
                    │ + Execute() │
                    └─────────────┘
                           △
         ┌─────────────────┼─────────────────┐
   ┌──────────┐      ┌──────────┐      ┌──────────┐
   │ Deposit  │      │Withdrawal│      │ Transfer │
   │Transaction│     │Transaction│     │Transaction│
   └──────────┘      └──────────┘      └──────────┘
         ╎                 ╎                 ╎
         └─────────────────┼─────────────────┘
                           ▽
                ┌───────────────────────┐
                │      «interface»      │
                │          UI           │
                ├───────────────────────┤
                │ + RequestDepositAmt   │
                │ + RequestWithdrawalAmt│
                │ + RequestTransferAmt  │
                │ + InformInsufficientFunds │
                └───────────────────────┘
```

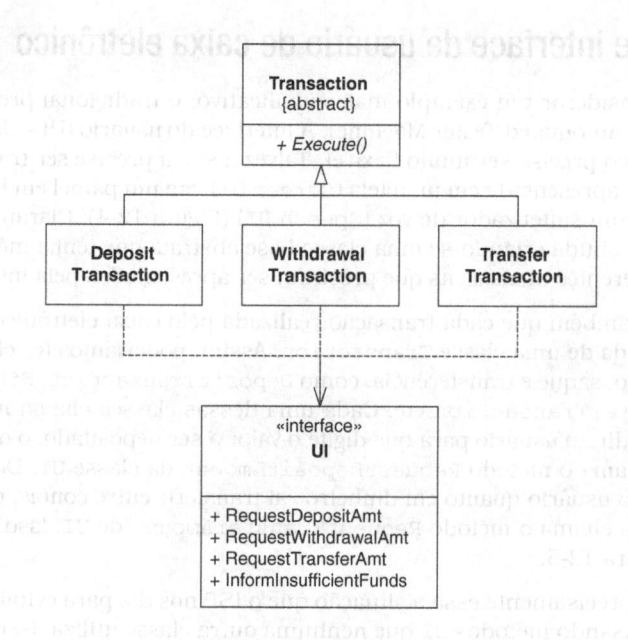

Figura 12-5
Hierarquia de transações do caixa eletrônico.

Esse infeliz acoplamento pode ser evitado segregando-se a interface UI em interfaces individuais, como DepositUI, WithdrawUI e TransferUI. Essas interfaces separadas podem então ser herdadas por herança múltipla na interface UI final. A Figura 12-6 e a Listagem 12-6 mostram esse modelo.

Quando uma nova derivada da classe Transaction for criada, será necessária uma classe base correspondente para a interface UI abstrata e, assim, a interface UI e todas as suas derivadas devem mudar. Contudo, essas classes não são amplamente usadas. Aliás, elas provavelmente só são utilizadas por main ou por qualquer processo que inicialize o sistema e crie a instância concreta de UI. Portanto, o impacto da adição de novas classes base de UI é minimizado.

Um exame cuidadoso da Figura 12-6 mostra um dos problemas da compatibilidade com o ISP que não era evidente a partir do exemplo TimedDoor. Note que cada transação precisa de alguma forma saber sobre sua versão particular da UI. DepositTransaction deve saber sobre DepositUI, WithdrawTransaction deve saber sobre WithdrawalUI e assim por diante. Na Listagem 12-6, tratei desse problema obrigando cada transação a ser construída com uma referência à sua UI específica. Note que isso me permite usar o idioma da Listagem 12-7.

Isso é útil, mas também obriga cada transação a conter um membro de referência para sua UI. Em C#, alguém poderia ficar tentado a colocar todos os componentes de UI em uma única classe. A Listagem 12-8 mostra essa estratégia. Entretanto, isso tem um efeito desastroso. A classe UIGlobals depende de DepositUI, WithdrawalUI e TransferUI. Isso significa que um módulo que queira usar qualquer uma das interfaces UI dependerá transitivamente de todas elas, exatamente a situação que o ISP nos avisa para evitar. Se for feita uma alteração em qualquer uma das interfaces UI, todos os módulos que usam UIGlobals poderão ser obrigados a recompilar. A classe UIGlobals uniu novamente as interfaces que tivemos tanto trabalho para segregar!

PRINCÍPIO DA SEGREGAÇÃO DE INTERFACE (ISP)

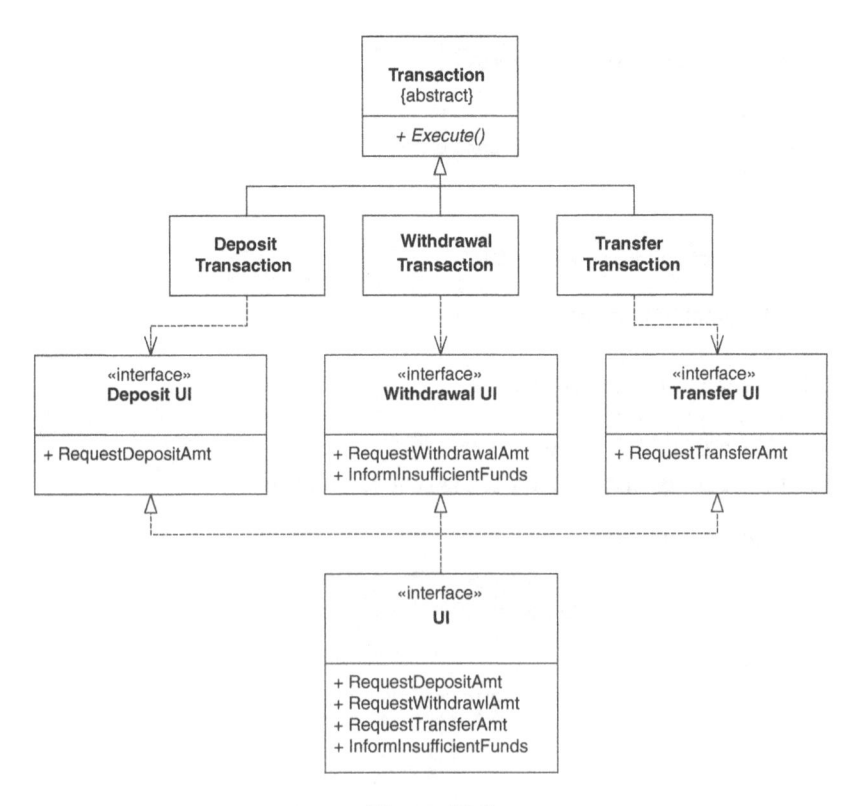

Figura 12-6
Interface UI segregada para caixa eletrônico.

Listagem 12-6
Interface UI segregada para caixa eletrônico

```
public interface Transaction
{
  void Execute();
}
public interface DepositUI
{
  void RequestDepositAmount();
}
public class DepositTransaction: Transaction
{
  privateDepositUI depositUI;

  public DepositTransaction(DepositUI ui)
  {
    depositUI = ui;
  }
```

```csharp
      public virtual void Execute()
      {
        /*código*/
        depositUI.RequestDepositAmount();
        /*código*/
      }
    }
    public interface WithdrawalUI
    {
      void RequestWithdrawalAmount();
    }
    public class WithdrawalTransaction: Transaction
    {
      private WithdrawalUI withdrawalUI;

      public WithdrawalTransaction(WithdrawalUI ui)
      {
        withdrawalUI = ui;
      }
      public virtual void Execute()
      {
        /*código*/
        withdrawalUI.RequestWithdrawalAmount();
        /*código*/
      }
    }
    public interface TransferUI
    {
      void RequestTransferAmount();
    }
    public class TransferTransaction: Transaction
    {
      private TransferUI transferUI;

      public TransferTransaction(TransferUI ui)
      {
        transferUI = ui;
      }
      public virtual void Execute()
      {
        /*código*/
        transferUI.RequestTransferAmount();
        /*código*/
      }
    }
    public interface UI: DepositUI, WithdrawalUI, TransferUI
    {
    }
```

Listagem 12-7
Idioma de inicialização de interface

```
UI Gui; // objeto global;
void f()
{
    DepositTransaction dt = new DepositTransaction(Gui);
}
```

Listagem 12-8
Empacotando as globais em uma classe

```
public class UIGlobals
{
  public static WithdrawalUI withdrawal;
  public static DepositUI deposit;
  public static TransferUI transfer;

  static UIGlobals()
  {
    UI Lui = new AtmUI(); // Alguma implementação de UI
    UIGlobals.deposit = Lui;
    UIGlobals.withdrawal = Lui;
    UIGlobals.transfer = Lui;
  }
}
```

Considere agora uma função g que precisa acessar `DepositUI` e `TransferUI`. Considere também que desejamos passar as interfaces do usuário para essa função. Devemos escrever a declaração da função como segue:

>   void g(DepositUI depositUI, TransferUI transferUI)

Ou assim:

>   void g(UI ui)

A tentação de escrever esta última forma (monadária) é forte. Afinal, sabemos que na primeira forma (polidária) os dois argumentos vão se referir ao *mesmo objeto*. Além disso, se fôssemos usar a forma polidária, sua chamada poderia ser como segue:

>   g(ui, ui);

De algum modo isso parece perverso.

Perversa ou não, a forma polidária em geral é preferível à forma monadária. A forma monadária obriga g a depender de cada interface incluída em UI. Assim, quando WithdrawalUI mudasse, g e todos os clientes de g poderiam ser afetados. Isso é pior do que g(ui,ui)! Além disso, não podemos garantir que os dois argumentos de g irão *sempre* se referir ao mesmo objeto! No futuro, pode ser que os objetos da interface sejam separados por algum motivo. O fato de que todas as interfaces estão combinadas em um único objeto é uma informação que g não precisa saber. Assim, prefiro a forma polidária para tais funções.

Muitas vezes os clientes podem ser agrupados pelos métodos de serviço que chamam. Tais agrupamentos permitem criar interfaces segregadas para cada grupo, em vez de para cada cliente. Isso reduz muito o número de interfaces que o serviço precisa entender e evita que ele dependa de cada tipo de cliente.

Às vezes, os métodos chamados por diferentes grupos de clientes coincidirão. Se a sobreposição for pequena, as interfaces dos grupos deverão permanecer separadas. As funções comuns devem ser declaradas em todas as interfaces que se sobrepõem. A classe servidora herdará as funções comuns de cada uma dessas interfaces, mas as implementará apenas uma vez.

Quando aplicativos orientados a objetos são mantidos, as interfaces para classes e componentes existentes frequentemente mudam. Às vezes, essas mudanças têm um impacto enorme e obrigam a recompilação e a redistribuição de uma parte muito grande do sistema. Esse impacto pode ser reduzido pela adição de novas interfaces nos objetos existentes, em vez de alterar a interface existente. Se os clientes da interface antiga quiserem acessar métodos da nova interface, eles poderão consultar o objeto dessa interface, como mostrado na Listagem 12-9.

Listagem 12-9

```
void Client(Service s)
{
  if(s is NewService)
  {
    NewService ns = (NewService)s;
    // usa a nova interface de serviço
  }
}
```

Assim como com os demais princípios, tome cuidado para não exagerar. O fantasma de uma classe com centenas de interfaces diferentes, algumas segregadas pelo cliente e outras segregadas pela versão, é assustador.

Conclusão

Classes gordas causam acoplamentos bizarros e prejudiciais entre seus clientes. Quando um cliente obriga uma mudança na classe gorda, todos os outros clientes são afetados. Assim, os clientes devem depender apenas dos métodos que chamam. Isso pode ser alcançado dividindo-se a interface da classe gorda em muitas interfaces específicas do cliente. Cada interface específica declara apenas as funções chamadas por seu cliente ou grupo de clientes específico. A classe gorda pode então herdar todas as interfaces específicas do cliente e implementá-las. Isso acaba com a dependência dos clientes em relação a métodos que não chamam e permite que os clientes sejam independentes uns dos outros.

Bibliografia

[GOF95] Erich Gamma, Richard Helm, Ralph Johnson, and John Vlissides, *Design Patterns: Elements of Reusable Object-Oriented Software*, Addison-Wesley, 1995.

Capítulo 13

VISÃO GERAL DA UML PARA PROGRAMADORES C#

UML (Unified Modeling Language) é uma notação gráfica para desenhar diagramas de conceitos de software. Você pode usá-la para desenhar diagramas de um domínio de problema, de um projeto de software proposto ou de uma implementação de software já concluída. Fowler descreve esses três níveis como *conceitual, especificação* e *implementação*.[1] Este livro trata dos dois últimos.

Os diagramas em nível de especificação e de implementação têm uma forte ligação com o código-fonte. Aliás, o objetivo de um diagrama em nível de especificação é ser transformado em código-fonte. Do mesmo modo, o objetivo de um diagrama em nível de implementação é descrever um código-fonte já existente. Assim, os diagramas nesses níveis devem seguir certas regras e certa semântica. Tais diagramas têm pouca ambiguidade e bastante formalidade.

Por outro lado, os diagramas no nível conceitual não são fortemente relacionados com o código-fonte. Em vez disso, se relacionam com a linguagem *humana*. Eles são uma forma abreviada, utilizada para descrever conceitos e abstrações que existem no domínio do problema humano. Como não seguem regras semânticas rígidas, seu significado pode ser ambíguo e estar sujeito à interpretação.

Considere, por exemplo, a seguinte frase: *Um cachorro é um animal*. Podemos criar um diagrama UML conceitual que represente essa frase, como mostrado na Figura 13-1.

Esse diagrama representa duas entidades – *Animal* e *Dog* (*cachorro*) – ligadas pela relação de *generalização*. *Animal* é uma generalização de *Dog*. *Dog* é um caso especial de *Animal*. Isso é tudo que o diagrama significa. Nada mais pode ser deduzido a partir dele. Poderíamos estar afirmando que nosso cachorro de estimação, Sparky, é um animal; ou

---

[1] [Fowler1999]

```
            ┌─────────┐
            │ Animal  │
            └─────────┘
                 △
                 │
            ┌─────────┐
            │   Dog   │
            └─────────┘
```

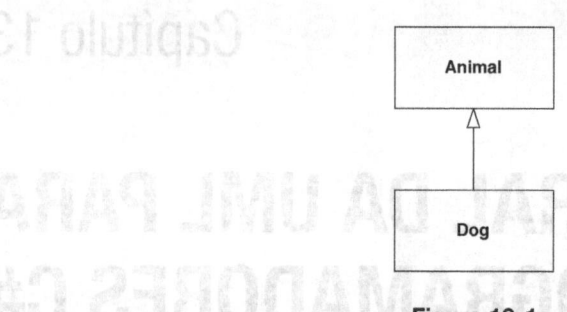

Figura 13-1
Diagrama UML conceitual.

então, poderíamos estar afirmando que os cachorros, como uma espécie biológica, pertencem ao reino animal. Assim, o diagrama está sujeito à interpretação.

Contudo, o mesmo diagrama no nível da especificação ou da implementação tem um significado muito mais preciso:

```
public class Animal {}
public class Dog: Animal {}
```

Esse código-fonte define Animal e Dog como classes ligadas por uma relação de *herança*. Enquanto o modelo conceitual não diz absolutamente nada sobre computadores, processamento de dados ou programas, o modelo da especificação *descreve parte de um programa*.

Infelizmente, os diagramas em si não comunicam em que nível foram desenhados. O não reconhecimento do nível de um diagrama é uma fonte de falha de comunicação significativa entre programadores e analistas. Um diagrama em nível conceitual *não* define código-fonte – nem deveria definir. Um diagrama em nível de especificação que descreve a solução para um problema não precisa ser parecido com o diagrama em nível conceitual que descreve esse problema.

Todos os diagramas restantes deste livro estão nos níveis de especificação/implementação e, onde é possível, são acompanhados pelo código-fonte correspondente. Acabamos de ver nosso último diagrama em nível conceitual.

A seguir faremos um giro muito breve pelos principais diagramas utilizados na UML. Então, você será capaz de ler e escrever a maioria dos diagramas UML de que normalmente precisará. Restarão apenas (e capítulos subsequentes tratarão disso) os detalhes e formalismos com os quais você precisará se tornar proficiente em UML.

A UML tem três tipos de diagramas principais. Os *diagramas estáticos* descrevem a estrutura lógica imutável de elementos de software, representando classes, objetos e estruturas de dados, e os relacionamentos existentes entre eles. Os *diagramas dinâmicos* mostram como as entidades de software mudam durante a execução, representando o fluxo da execução ou a maneira como as entidades mudam de estado. Os *diagramas físicos* mostram a estrutura física imutável das entidades de software, representando entidades físicas, como arquivos de código-fonte, bibliotecas, arquivos binários, arquivos de dados e seus semelhantes, e os relacionamentos existentes entre elas.

Listagem 13-1
TreeMap.cs

```csharp
using System;

namespace TreeMap
{
  public class TreeMap
  {
    private TreeMapNode topNode = null;

    public void Add(IComparable key, object value)
    {
      if (topNode == null)
        topNode = new TreeMapNode(key, value);
      else
        topNode.Add(key, value);
    }

    public object Get(IComparable key)
    {
      return topNode == null ? null : topNode.Find(key);
    }
  }
  internal class TreeMapNode
  {
    private static readonly int LESS = 0;       // menor
    private static readonly int GREATER = 1;    // maior
    private IComparable key;
    private object value;
    private TreeMapNode[] nodes = new TreeMapNode[2];
    public TreeMapNode(IComparable key, object value)
    {
      this.key = key;
      this.value = value;
    }

    public object Find(IComparable key)
    {
      if (key.CompareTo(this.key) == 0) return value;
      return FindSubNodeForKey(SelectSubNode(key), key);
    }

    private int SelectSubNode(IComparable key)
    {
      return (key.CompareTo(this.key) < 0) ? LESS : GREATER;
    }

    private object FindSubNodeForKey(int node, IComparable key)
    {
      return nodes[node] == null ? null : nodes[node].Find(key);
    }
```

```
        public void Add(IComparable key, object value)
        {
          if (key.CompareTo(this.key) == 0)
            this.value = value;
          else
            AddSubNode(SelectSubNode(key), key, value);
        }
        private void AddSubNode(int node, IComparable key,
          object value)
        {
          if (nodes[node] == null)
            nodes[node] = new TreeMapNode(key, value);
          else
            nodes[node].Add(key, value);
        }
      }
    }
```

Considere o código da Listagem 13-1. Esse programa implementa um mapa baseado em um algoritmo de árvore binária simples. Familiarize-se com o código antes de considerar os diagramas a seguir.

Diagramas de classes

O *diagrama de classes* da Figura 13-2 mostra as principais classes e relacionamentos do programa. Uma classe TreeMap tem métodos públicos chamados Add e Get e uma referência para um nó TreeMapNode em uma variável chamada topNode. Cada nó TreeMapNode contém uma referência para duas outras instâncias de TreeMapNode em algum tipo de contêiner chamado nodes. Cada instância de TreeMapNode contém referências para duas outras instâncias, em variáveis chamadas key e value. A variável key contém uma referência para alguma instância que implementa a interface IComparable. A variável value contém simplesmente uma referência para algum objeto.

Vamos examinar as nuanças dos diagramas de classe no Capítulo 19. Por enquanto, você precisa saber apenas que:

- Retângulos representam classes e setas representam relacionamentos.
- Nesse diagrama, todos os relacionamentos são *associações*. As associações são relacionamentos de dados simples nos quais um objeto contém uma referência para outro e chama métodos do outro.
- O nome em uma associação mapeia o nome da variável que contém a referência.
- Um número ao lado de uma seta normalmente mostra a quantidade de instâncias mantidas pelo relacionamento. Se esse número é maior do que 1, está implícito algum tipo de contêiner, normalmente um array.

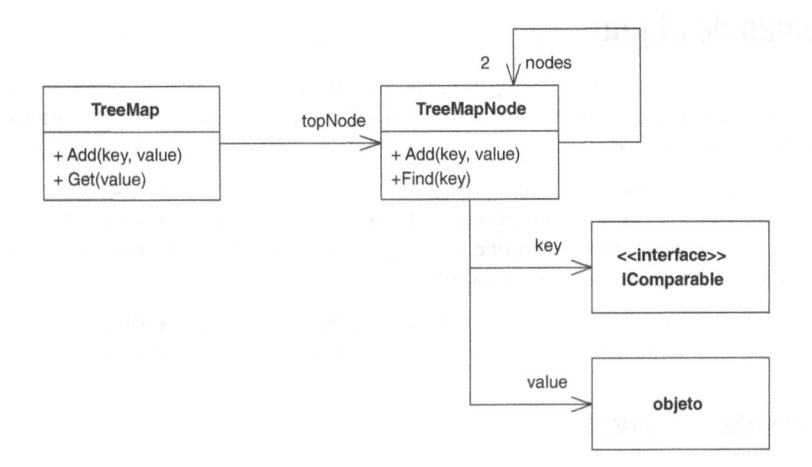

Figura 13-2
Diagrama de classes de `TreeMap`.

- Os ícones de classe podem ter mais de um compartimento. O compartimento superior sempre contém o nome da classe. Os outros compartimentos descrevem funções e variáveis.
- A notação «`interface`» significa que `IComparable` é uma interface.
- A maioria das notações mostradas é opcional.

Examine atentamente esse diagrama e relacione-o com o código da Listagem 13-1. Observe como os relacionamentos de associação correspondem às variáveis de instância. Por exemplo, a associação de `TreeMap` com `TreeMapNode` é denominada `topNode` e corresponde à variável `topNode` dentro de `TreeMap`.

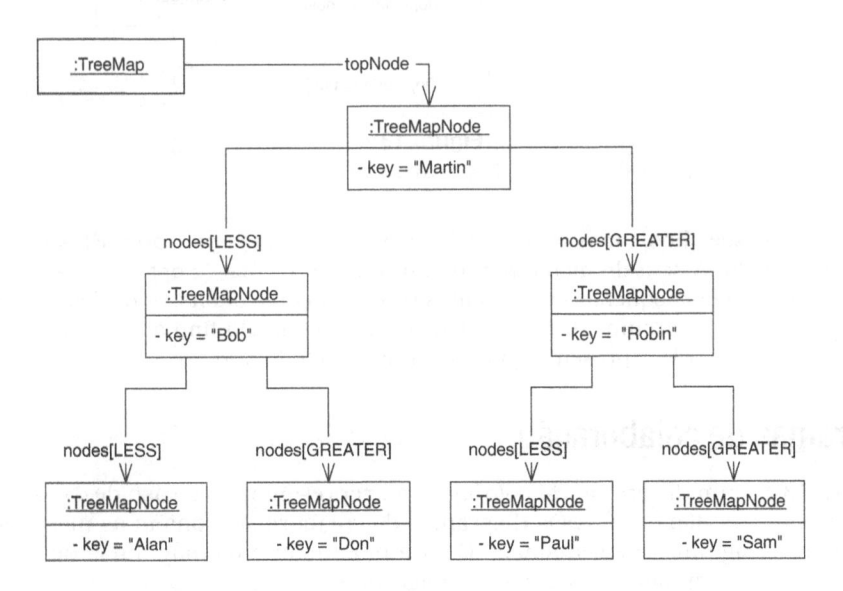

Figura 13-3
Diagrama de objetos de `TreeMap`.

Diagramas de objetos

A Figura 13-3 é um *diagrama de objetos*. Ele mostra um conjunto de objetos e relacionamentos em um momento específico da execução do sistema. Você pode considerá-lo como um instantâneo da memória.

Nesse diagrama, os ícones de retângulo representam objetos. Você pode saber que são objetos porque seus nomes estão sublinhados. O que aparece após os dois-pontos é o nome da classe a que o objeto pertence. Note que o compartimento inferior de cada objeto mostra o valor da variável key desse objeto.

Os relacionamentos entre os objetos são denominados links e derivam das associações da Figura 13-2. Note que os links recebem nomes para as duas células no array nodes.

Diagramas de sequência

A Figura 13-4 é um *diagrama de sequência*. Ele descreve como o método TreeMap.Add é implementado.

O bonequinho representa um chamador desconhecido. Esse chamador chama o método Add em um objeto TreeMap. Se a variável topNode é null, TreeMap responde criando um novo nó TreeMapNode e atribuindo-o a topNode. Caso contrário, TreeMap envia a mensagem Add para topNode.

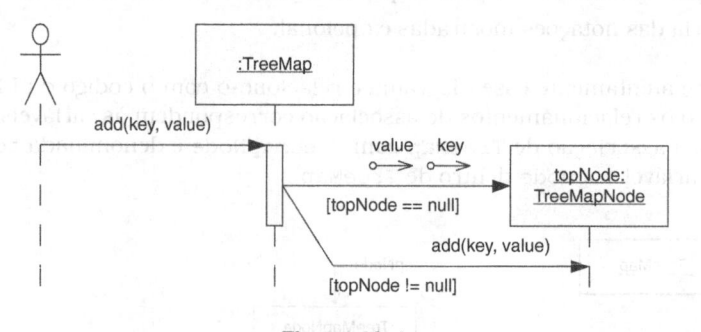

Figura 13-4
TreeMap.add.

As expressões booleanas entre colchetes são chamadas *guardas*. Elas mostram o caminho tomado. A seta de mensagem que termina no ícone TreeMapNode representa *construção*. As setas pequenas com círculos são chamadas *tokens de dados*. Nesse caso, elas representam os argumentos da construção. O retângulo fino abaixo de TreeMap é chamado *ativação*. Ele representa quanto tempo o método add executa.

Diagramas de colaboração

A Figura 13-5 é um *diagrama de colaboração*, representando o caso de TreeMap.Add no qual topNode não é null. Os diagramas de colaboração contêm as mesmas informações dos diagramas de sequência. Contudo, enquanto os diagramas de sequência esclarecem a ordem das mensagens, os diagramas de colaboração esclarecem os relacionamentos entre os objetos.

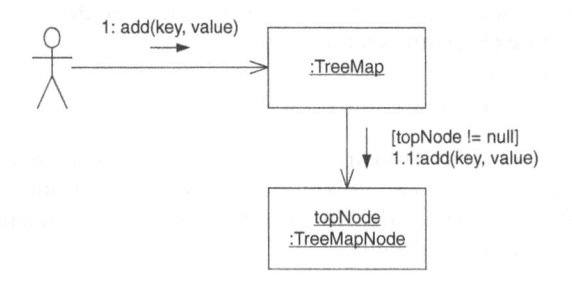

```
         1: add(key, value)
   Ω ─────────────────→  :TreeMap
   ╱│╲
   ╱ ╲            │ [topNode != null]
                  │ 1.1:add(key, value)
                  ▼
              topNode
              :TreeMapNode
```

Figura 13-5
Diagrama de colaboração de um caso de `TreeMap.Add`.

Os objetos são ligados por relacionamentos chamados links. Um *link* existe sempre que um objeto pode enviar uma mensagem para outro. O que trafega por esses links são as mensagens em si. Elas são representadas pelas setas menores. As mensagens são rotuladas com seu nome, seu número de sequência e por quaisquer guardas que se apliquem.

A estrutura de pontos do número de sequência mostra a hierarquia chamadora. A função `TreeMap.Add` (mensagem 1) chama a função `TreeMapNode.Add` (mensagem 1.1). Assim, a mensagem 1.1 é a primeira enviada pela função chamada pela mensagem 1.

Diagramas de estados

A UML tem uma notação ampla para máquinas de estados finitos. A Figura 13-6 mostra apenas o subconjunto mais simples dessa notação.

A Figura 13-6 mostra a máquina de estado de uma roleta de metrô. Existem dois *estados:* `Locked` e `Unlocked`. Dois *eventos* podem ser enviados para a máquina. O evento `coin` significa que o usuário colocou uma moeda na roleta. O evento `pass` significa que o usuário passou pela roleta.

As setas são chamadas *transições*. Elas são rotuladas com o *evento* que dispara a transição e pela *ação* que a transição realiza. Quando uma transição é disparada, ela faz o estado do sistema mudar.

Podemos traduzir a Figura 13-6 para o português, como segue:

- Se estivermos no estado `Locked` e recebermos um evento `coin`, fazemos a transição para o estado `Unlocked` e chamamos a função `Unlock`.
- Se estivermos no estado `Unlocked` e recebermos um evento `pass`, fazemos a transição para o estado `Locked` e chamamos a função `Lock`.

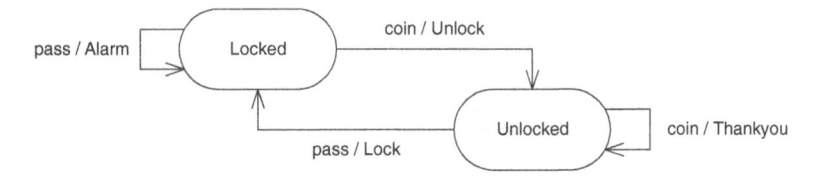

```
                          coin / Unlock
   pass / Alarm  ┌──────┐ ─────────────→ ┌────────┐
         ───→    │Locked│                │Unlocked│  coin / Thankyou
                 └──────┘ ←───────────── └────────┘
                          pass / Lock
```

Figura 13-6
Máquina de estados de uma roleta de metrô.

- Se estivermos no estado Unlocked e recebermos um evento coin, permanecemos no estado Unlocked e chamamos a função Thankyou.
- Se estivermos no estado Locked e recebermos um evento pass, permanecemos no estado Locked e chamamos a função Alarm.

Os diagramas de estados são extremamente úteis para se descobrir como um sistema se comporta. Eles nos dão a oportunidade de explorar o que o sistema deve fazer em casos inesperados, como quando um usuário deposita uma moeda e depois deposita *outra* moeda sem um motivo específico.

Conclusão

Os diagramas mostrados neste capítulo são suficientes para a maioria dos objetivos. A maioria dos programadores sobrevive sem problemas apenas com o conhecimento de UML mostrado aqui.

Bibliografia

[Fowler1999] Martin Fowler with Kendall Scott, *UML Distilled: A Brief Guide to the Standard Object Modeling Language*, 2d ed., Addison-Wesley, 1999.

Capítulo 14

TRABALHANDO COM DIAGRAMAS

Antes de explorarmos os detalhes da UML, devemos falar sobre quando e por que a utilizamos. Muito dano tem sido causado nos projetos de software devido ao uso errado e ao abuso da UML.

Por que modelar?

Por que os engenheiros constroem modelos? Por que os engenheiros aeroespaciais constroem modelos de avião? Por que os engenheiros estruturais constroem modelos de pontes? Para que servem esses modelos?

Esses engenheiros constroem modelos para saber se seus projetos funcionarão. Os engenheiros aeroespaciais constroem modelos de aviões e depois os colocam em túneis de vento para saber se os aviões voarão. Os engenheiros estruturais constroem modelos de pontes para saber se elas se manterão em pé. Os arquitetos constroem modelos de prédios para saber se seus clientes gostarão de como ficarão. *Os modelos são construídos para descobrir se algo funcionará.*

Isso significa que os modelos devem ser passíveis de teste. De nada adianta construir um modelo se você não puder aplicar critérios para testá-lo. Se você não pode avaliar o modelo, ele não tem valor.

Por que os engenheiros aeroespaciais simplesmente não constroem o avião e tentam fazê-lo voar? Por que os engenheiros estruturais simplesmente não constroem a ponte e depois verificam se ela para em pé? Porque aviões e pontes são *muito* mais caros do que os modelos. *Investigamos os projetos com modelos quando estes são mais baratos do que a coisa real que estamos construindo.*

Por que construir modelos de software?

Um diagrama UML pode ser testado? É muito mais barato criá-lo e testá-lo do que o software que representa? Em ambos os casos, a resposta não é tão óbvia quanto para engenheiros aeroespaciais e engenheiros estruturais. Não existem critérios sólidos para testar um diagrama UML. Podemos examiná-lo, avaliá-lo e aplicar nele princípios e padrões, mas no final a avaliação ainda é subjetiva. É mais barato desenhar diagramas UML do que escrever software, mas a diferença não é muito grande. Aliás, existem casos em que é mais fácil alterar código-fonte do que um diagrama. Então, quando faz sentido utilizar UML?

Eu não escreveria alguns capítulos deste livro se não fizesse sentido utilizar UML. No entanto, também é fácil usar UML de forma errada. *Usamos UML quando precisamos testar algo definitivo e quando seu uso é mais barato do que utilizar código.* Por exemplo, digamos que eu tenha uma ideia para certo projeto. Preciso saber se os outros desenvolvedores de minha equipe acham que se trata de uma ideia boa. Assim, eu desenho um diagrama UML no quadro branco e peço a opinião de meus colegas.

Devemos produzir projetos completos antes de codificar?

Por que os arquitetos, engenheiros aeroespaciais e engenheiros estruturais desenham plantas? O motivo é que uma única pessoa pode desenhar a planta de uma casa que, para ser construída, exigirá cinco ou mais pessoas. Uma dezena de engenheiros aeroespaciais pode desenhar plantas de um avião que, para ser construído, exigirá milhares de pessoas. As plantas podem ser desenhadas sem se escavar as fundações, despejar concreto ou instalar janelas. Em resumo, é *muito* mais barato planejar uma construção antecipadamente do que construí-la sem planejamento. Não custa muito jogar fora uma planta errada, mas custa *muito* demolir um prédio defeituoso.

Mais uma vez, as coisas não são tão claros no software. Nem sempre desenhar diagramas UML é muito mais barato do que escrever código. Aliás, muitas equipes de projeto têm gasto *mais* em seus diagramas do que no código em si. Também não é óbvio que jogar fora um diagrama é muito mais barato do que jogar código fora. Portanto, não é tão evidente que criar um projeto amplo em UML antes de escrever código seja uma opção econômica.

Usando UML de modo eficiente

Aparentemente, arquitetura, engenharia aeroespacial e engenharia estrutural não fornecem uma metáfora clara para desenvolvimento de software. Não podemos usar UML despreocupadamente, da maneira que essas outras disciplinas utilizam plantas e modelos (consulte o Apêndice B). Portanto, quando e por que *devemos* usar UML?

Os diagramas são mais úteis para comunicação com outras pessoas e para ajudar a resolver problemas de projeto. É importante utilizar somente a quantidade de detalhes necessária para atingir seu objetivo. Um diagrama com muitos adornos é contraproducente. Crie diagramas simples e limpos. Diagramas UML não são código-fonte e não devem ser tratados como um lugar para declarar cada método, variável e relacionamento.

Comunicando-se com os outros

A UML é extremamente útil para comunicar conceitos de projeto entre desenvolvedores de software. Muita coisa pode ser feita em um quadro branco, com um pequeno grupo de desenvolvedores. Se você tem algumas ideias que precisa comunicar, a UML pode ser uma órima opção.

A UML é muito boa para comunicar ideias de projeto específicas. Por exemplo, o diagrama da Figura 14-1 é muito claro. Vemos `LoginPage` derivando da classe `Page` e usando `UserDatabase`. Aparentemente, as classes `HttpRequest` e `HttpResponse` são necessárias para `LoginPage`. Alguém poderia facilmente imaginar um grupo de desenvolvedores diante de um quadro branco e debatendo a respeito de um diagrama como esse. Aliás, o diagrama torna muito claro como seria a estrutura do código.

Por outro lado, a UML não é tão boa para comunicar detalhes algorítmicos. Considere o código simples de ordenação pelo método da bolha da Listagem 14-1. Expressar esse módulo simples em UML não é muito satisfatório.

A Figura 14-2 nos fornece uma estrutura aproximada, mas é desajeitada e não reflete os detalhes interessantes. A Figura 14-3 não é mais fácil de ler do que o código e é significativamente mais difícil de criar. Para esses propósitos, a UML deixa muito a desejar.

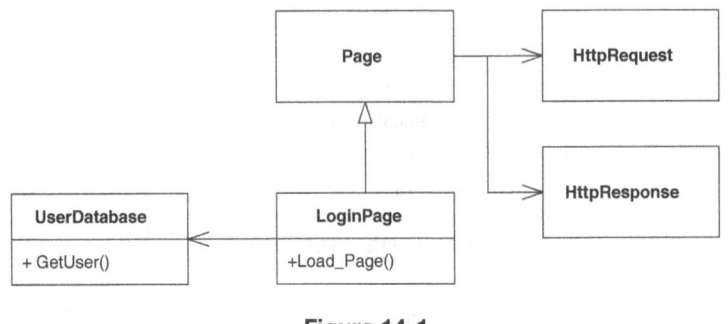

Figura 14-1
`LoginPage`.

Listagem 14-1
BubbleSorter.cs

```csharp
public class BubbleSorter
{
  private static int operations;

  public static int Sort(int [] array)
  {
    operations = 0;
    if (array.Length <= 1)
      return operations;

    for (int nextToLast = array.Length-2;
         nextToLast >= 0; nextToLast--)
      for (int index = 0; index <= nextToLast; index++)
        CompareAndSwap(array, index);
    return operations;
  }

  private static void Swap(int[] array, int index)
  {
    int temp = array[index];
    array[index] = array[index+1];
    array[index+1] = temp;
  }

  private static void CompareAndSwap(int[] array, int index)
  {
    if (array[index] > array[index+1])
      Swap(array, index);
    operations++;
  }
}
```

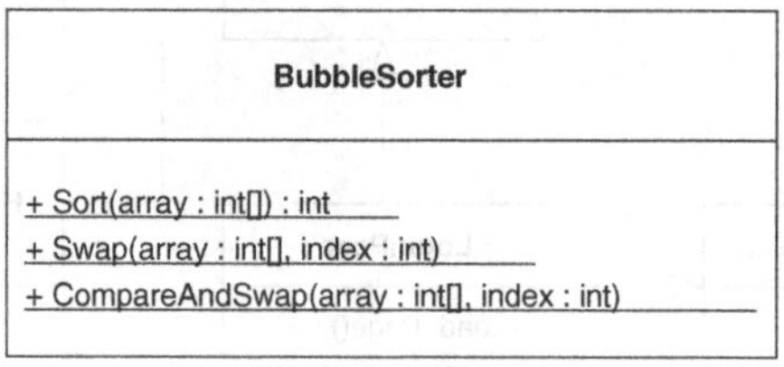

BubbleSorter
+ Sort(array : int[]) : int
+ Swap(array : int[], index : int)
+ CompareAndSwap(array : int[], index : int)

Figura 14-2
BubbleSorter.

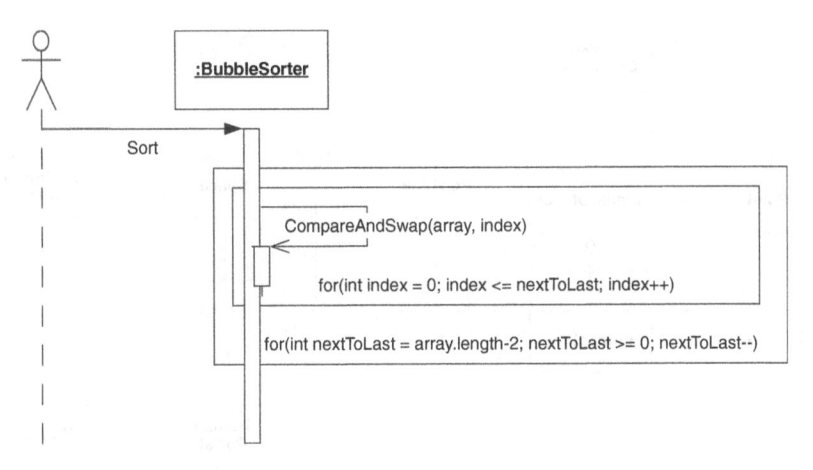

Figura 14-3
Diagrama de sequência de `BubbleSorter`.

Roteiros

A UML pode ser útil para criar roteiros de grandes estruturas de software. Tais roteiros oferecem aos desenvolvedores uma maneira rápida de descobrir quais classes dependem de quais outras e fornecem uma referência para a estrutura do sistema inteiro.

Por exemplo, na Figura 14-4, é fácil ver que os objetos `Space` têm um objeto `PolyLine` constituído de muitos objetos `Line` derivados de `LinearObject`, os quais contêm dois objetos `Point`. Descobrir essa estrutura no código seria maçante. Descobri-la em um diagrama seria trivial.

Tais roteiros podem ser ferramentas de ensino úteis. Contudo, qualquer membro da equipe deve ser capaz de desenhar tal diagrama no quadro branco rapidamente. Aliás, o da Figura 14-4 eu tinha em minha memória, de um sistema em que trabalhei há dez anos. Tais diagramas capturam o conhecimento que todos os desenvolvedores devem ter em mente para trabalhar de maneira eficiente no sistema. Portanto, de modo geral, não faz muito sentido tanta preocupação em criar e arquivar tais documentos. Sua maior utilidade é, mais uma vez, no quadro branco.

Documentação final

O melhor momento para criar um documento de projeto que você pretende guardar é no final do projeto. Esse documento refletirá precisamente o último estado do projeto e certamente poderá ser útil para uma próxima equipe.

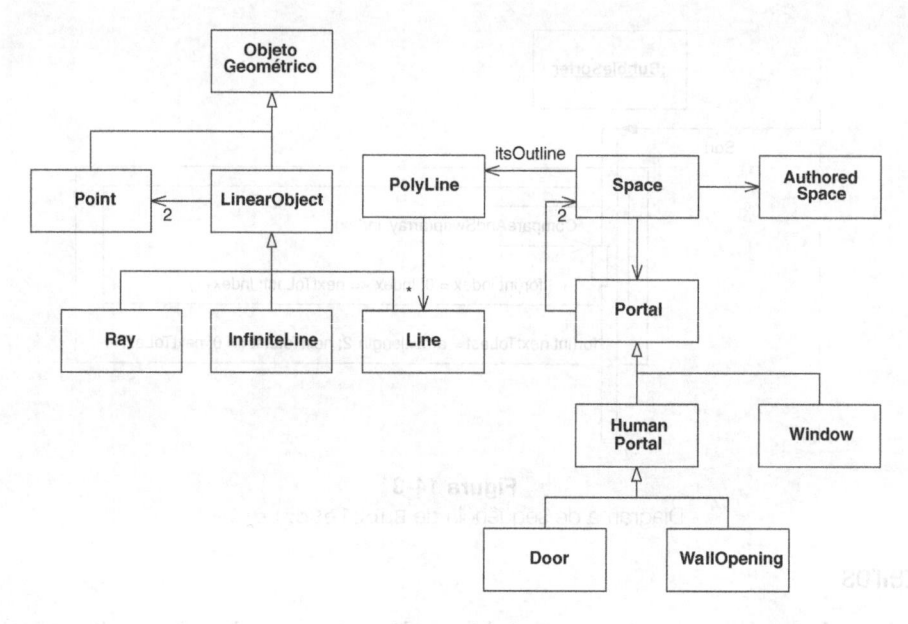

Figura 14-4
Diagrama de roteiro.

Existem algumas armadilhas, no entanto. Os diagramas UML precisam ser considerados cuidadosamente. Não queremos milhares de páginas de diagramas de sequência! Em vez disso, queremos alguns diagramas importantes que descrevam as principais questões do sistema. Não ter um diagrama UML é pior do que ter um confuso, repleto de linhas e caixas, como o da Figura 14-5.

O que manter e o que jogar fora

Aprenda a jogar diagramas UML fora. Melhor ainda, crie-os em um meio efêmero. Escreva-os em um quadro branco ou em folhas de papel.

Apague o quadro branco frequentemente e jogue fora as folhas de papel. Não use uma ferramenta CASE nem um programa de desenho como regra. Existe tempo e lugar para tais ferramentas, mas a maioria de seus diagramas UML deve ter vida curta.

Contudo, alguns diagramas devem ser guardados: aqueles que expressam uma solução de projeto comum em seu sistema. Guarde os diagramas que registram protocolos complexos, difíceis de ver no código. Esses são os diagramas que fornecem roteiros para áreas do sistema que não são tocadas com muita frequência, que registram o objetivo do projetista de uma maneira melhor do que o código pode expressá-lo.

Você não precisa procurar esses diagramas; quando os vir, saberá. Também não é necessário criá-los antecipadamente. Você estará pressupondo e vai supor errado. Os diagramas úteis aparecerão muitas vezes. Eles aparecerão em quadros brancos ou em folhas de papel, em diferentes sessões de projeto. Em algum momento, alguém fará uma cópia do diagrama, apenas para que ele não precise ser desenhado novamente. Esse é o momento de guardar o diagrama em alguma área comum a que todos tenham acesso.

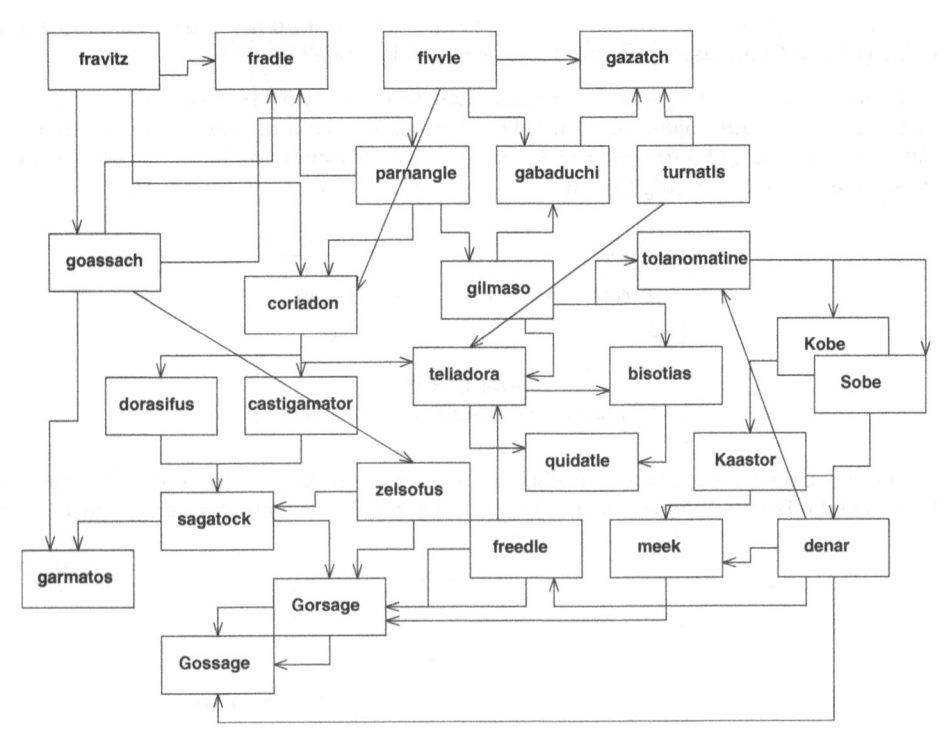

Figura 14-5
Um exemplo ruim, mas muito comum.

É importante manter as áreas comuns acessíveis e organizadas. É recomendável colocar diagramas úteis em um servidor Web ou em uma base de conhecimento em rede. Contudo, não permita que centenas ou milhares de diagramas se acumulem ali. Seja criterioso com relação a quais diagramas são verdadeiramente úteis e quais poderiam ser recriados rapidamente por alguém da equipe. Mantenha apenas aqueles cuja sobrevivência a longo prazo seria muito valiosa.

Refinamento iterativo

Como criamos diagramas UML? Em um momento de inspiração? Desenhamos os diagramas de classe primeiro e depois os diagramas de sequência? Devemos erigir a estrutura do sistema inteira antes de dar corpo aos detalhes?

A resposta para todas essas perguntas é um retumbante *não*. Tudo que os seres humanos fazem bem, eles o fazem dando passos minúsculos e depois avaliando o que fizeram. Erramos quando damos saltos enormes. Queremos criar diagramas UML úteis. Portanto, os criaremos dando passos minúsculos.

Comportamento primeiro

Gosto de começar com o comportamento. Se eu acho que a UML vai me ajudar a refletir sobre um problema, começo desenhando um diagrama de sequência ou um diagrama de colaboração simples do problema. Considere, por exemplo, o software que controla um telefone celular. Como esse software faz a ligação telefônica?

Poderíamos imaginar que o software detecta cada botão pressionado e envia uma mensagem para algum objeto que controla a discagem. Portanto, desenharemos um objeto botão (Button) e um objeto discador (Dialer) e mostraremos o objeto Button enviando muitas mensagens digit (dígito) para Dialer (Figura 14-6). (O asterisco significa *muitos*.)

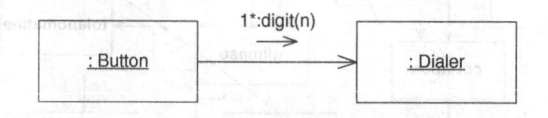

Figura 14-6
Um diagrama de sequência simples.

O que Dialer fará quando receber uma mensagem digit? Bem, ele precisa exibir o dígito na tela. Portanto, talvez envie displayDigit para o objeto Screen (Figura 14-7).

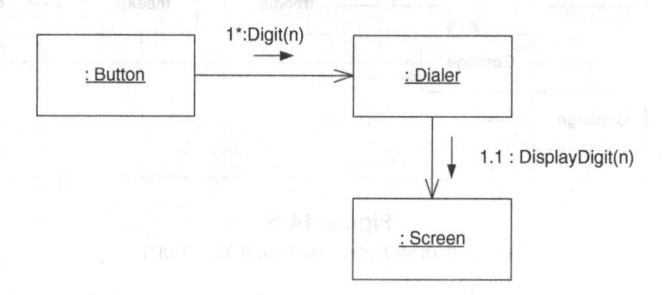

Figura 14-7
Continuação da Figura 14-6.

Em seguida, o objeto Dialer precisa que um tom seja emitido pelo alto-falante. Portanto, o faremos enviar a mensagem tone para o objeto Speaker (Figura 14-8).

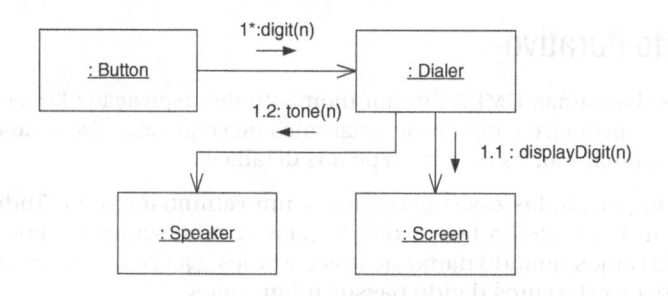

Figura 14-8
Continuação da Figura 14-7.

Em algum ponto, o usuário vai clicar no botão Send (Enviar), indicando que a ligação deve ser feita. Nesse ponto, precisaremos dizer ao transmissor do celular para que se conecte com a rede celular e transmita o número de telefone que foi discado (Figura 14-9).

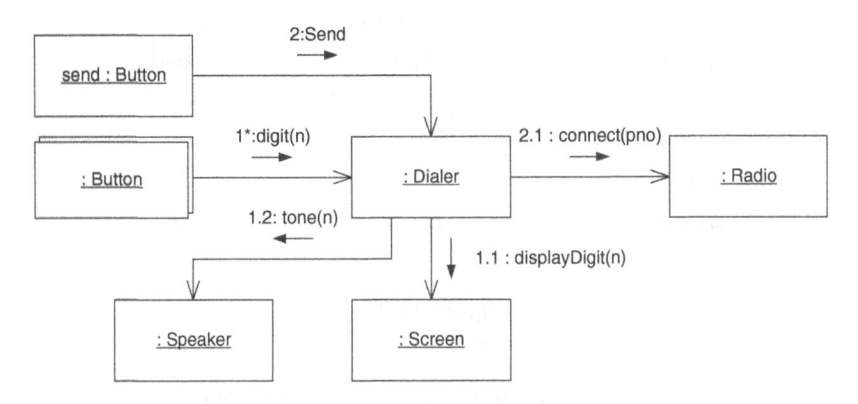

Figura 14-9
Diagrama de colaboração.

Uma vez estabelecida a conexão, o objeto `Radio` pode dizer ao objeto `Screen` para que acenda a luz do indicador de "em uso". É quase certo que essa mensagem será enviada em uma thread de controle diferente, o que é denotado pela letra em frente ao número de sequência. O diagrama de colaboração final aparece na Figura 14-10.

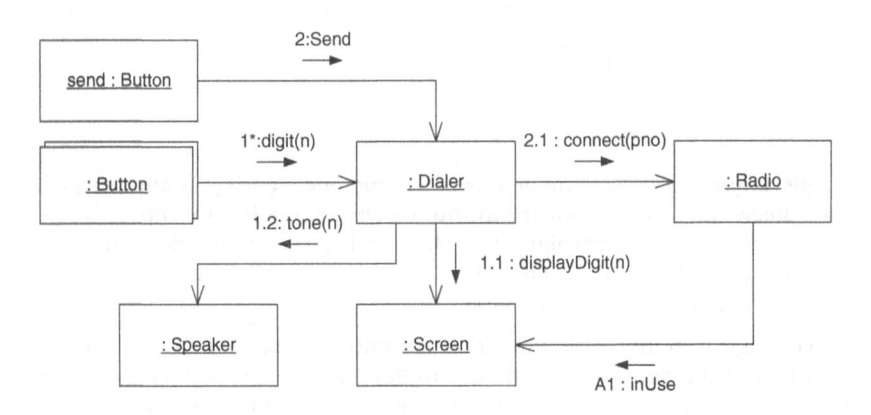

Figura 14-10
Diagrama de colaboração do telefone celular.

Verifique a estrutura

Esse pequeno exercício mostrou como construímos uma colaboração a partir do nada. Observe como inventamos objetos ao longo do caminho. Não sabíamos que esses objetos estariam lá; sabíamos apenas que precisávamos que certas coisas acontecessem; portanto, inventamos objetos para fazê-las.

Antes de continuarmos, precisamos examinar o que essa colaboração significa para a estrutura do código. Portanto, criaremos um diagrama de classes (Figura 14-11) que suporte a colaboração. Esse diagrama terá uma classe para cada objeto da colaboração e uma associação para cada link da colaboração.

```
┌────────┐      ┌────────┐      ┌────────┐
│ Button │─────▶│ Dialer │─────▶│ Radio  │
└────────┘      └────────┘      └────────┘
                 │      │
                 ▼      ▼
            ┌────────┐ ┌────────┐
            │Speaker │ │ Screen │◀──
            └────────┘ └────────┘
```

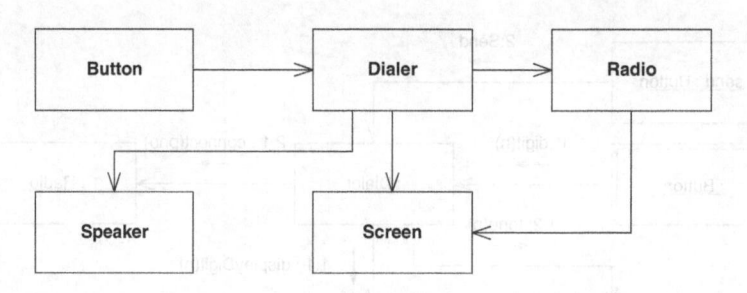

Figura 14-11
Diagrama de classes do telefone celular.

Aqueles que conhecem a UML notarão que ignoramos a agregação e a composição. Isso foi intencional. Haverá bastante tempo para considerar se qualquer um desses relacionamentos se aplica.

O importante agora é a análise das dependências. Por que `Button` deve depender de `Dialer`? Se você pensar a respeito, isso é terrível. Considere o código decorrente:

```
public class Button
{
  private Dialer itsDialer;          // Referência ao seu Dialer
  public Button(Dialer dialer)
  {itsDialer = dialer;}
  ...
}
```

Não quero que o código-fonte de `Button` mencione o código-fonte de `Dialer`. `Button` é uma classe que posso utilizar em muitos contextos. Por exemplo, eu gostaria de usar a classe `Button` para controlar a tecla liga/desliga ou o botão de menu ou os outros botões de controle do telefone. Se eu vincular `Button` a `Dialer`, não poderei reutilizar o código de `Button` para outros propósitos.

Posso corrigir isso inserindo uma interface entre `Button` e `Dialer`, como mostrado na Figura 14-12. Aqui, vemos que cada objeto `Button` recebe um token que o identifica. Ao detectar que o botão foi pressionado, a classe `Button` chama o método `buttonPressed` da interface `ButtonListener`, passando o token. Isso elimina a dependência de `Button` em relação a `Dialer` e permite que `Button` seja usado em praticamente qualquer lugar que precise receber pressionamentos de botão.

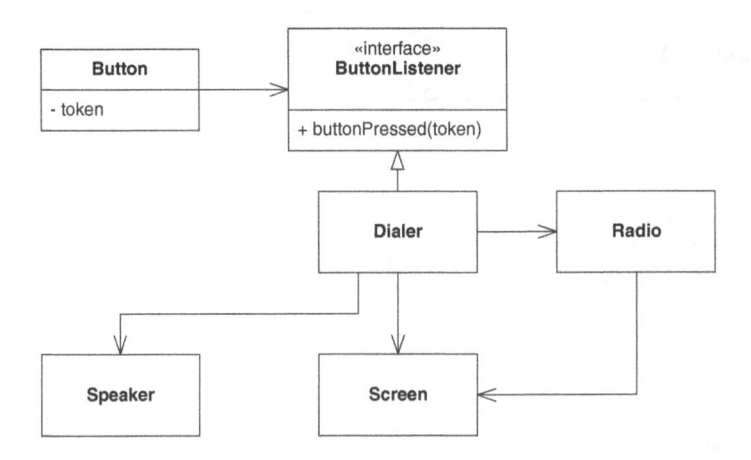

Figura 14-12
Isolando `Button` de `Dialer`.

Note que essa mudança não teve efeito sobre o diagrama dinâmico da Figura 14-10. Todos os objetos são os mesmos; apenas as classes mudaram.

Infelizmente, agora fizemos `Dialer` saber algo sobre `Button`. Por que `Dialer` deve obter sua entrada de `ButtonListener`? Por que deve conter um método chamado `buttonPressed`? O que `Dialer` tem a ver com `Button`?

Podemos resolver esse problema e nos desfazer de toda essa bobagem de token usando um grupo de adaptadores (Figura 14-13). O adaptador `ButtonDialerAdapter` implementa a interface `ButtonListener`, recebendo o método `buttonPressed` e enviando uma mensagem `digit(n)` para `Dialer`. O dígito (`digit`) passado para `Dialer` é mantido no adaptador.

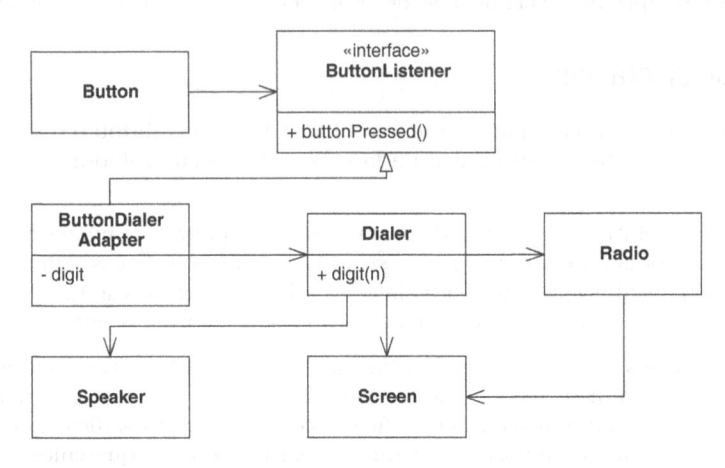

Figura 14-13
Adaptando objetos `Button` a objetos `Dialer`.

Listagem 14-2
ButtonDialerAdapter.cs

```csharp
public class ButtonDialerAdapter: ButtonListener
{
  private int digit;
  private Dialer dialer;

  public ButtonDialerAdapter(int digit, Dialer dialer)
  {
    this.digit = digit;
    this.dialer = dialer;
  }

  public void ButtonPressed()
  {
    dialer.Digit(digit);
  }
}
```

Visualizando o código

Podemos visualizar facilmente o código de `ButtonDialerAdapter`. Ele aparece na Listagem 14-2. A capacidade de visualizar o código é *extremamente* importante ao trabalhar com diagramas. Usamos os diagramas como um atalho para o código e não como substitutos dele. Se você estiver desenhando diagramas e não puder visualizar o código que eles representam, estará construindo castelos no ar. *Pare o que está fazendo e descubra como transformar isso em código.* Nunca deixe os diagramas se tornarem um fim em si mesmos. Você sempre deve certificar-se de conhecer o código que está representando.

Evolução de diagramas

Note que a última alteração que fizemos na Figura 14-13 invalidou o modelo dinâmico da Figura 14-10. O modelo dinâmico nada sabe sobre os adaptadores. Vamos mudar isso agora.

A Figura 14-14 mostra como os diagramas evoluem juntos, de maneira iterativa. Você começa com um pouco de dinâmica. Em seguida, explora o que essa dinâmica significa para os relacionamentos estáticos. Você altera os relacionamentos estáticos de acordo com os princípios do bom projeto. Então, volta e aprimora os diagramas dinâmicos.

Cada um desses passos é *minúsculo*. Não queremos investir mais do que *cinco minutos* em um diagrama dinâmico, antes de explorarmos a estrutura estática decorrente. Não queremos passar mais do que cinco minutos refinando essa estrutura estática, antes de considerarmos o impacto sobre o comportamento dinâmico. Em vez disso, queremos evoluir os dois diagramas juntos, usando ciclos muito curtos.

Lembre-se de que provavelmente estaremos fazendo isso em um quadro branco, e provavelmente não estaremos registrando para a posteridade o que estamos fazendo. Não estamos tentando ser muito formais ou muito precisos. Aliás, os diagramas que incluí nas figuras anteriores são pouco mais precisos e formais do que você normalmente precisaria

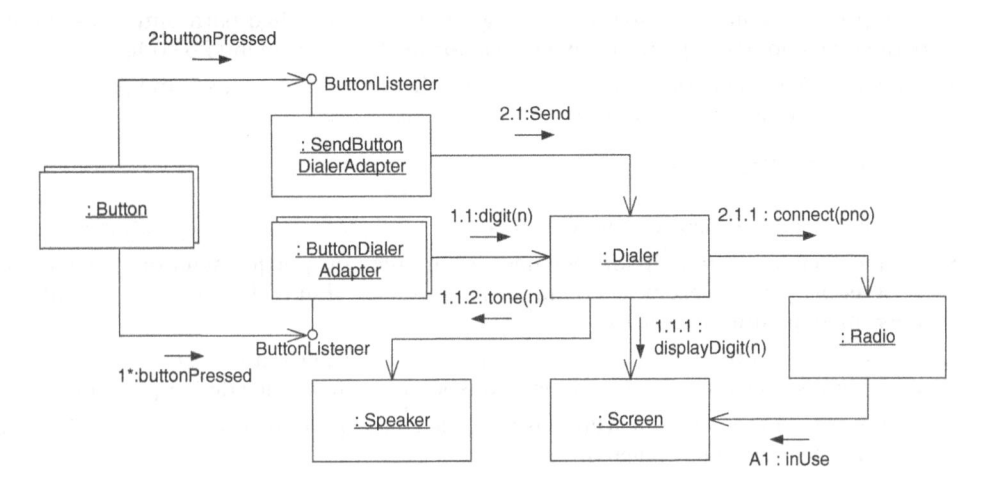

Figura 14-14
Adicionando adaptadores ao modelo dinâmico.

ser. O objetivo no quadro branco não é ter todos os pontos corretos em seus números de sequência. O objetivo é que todos os que estão diante do quadro entendam a discussão. O objetivo é parar de trabalhar no quadro e começar a escrever código.

Quando e como desenhar diagramas

Desenhar diagramas UML pode ser uma atividade muito útil. Também pode ser um terrível desperdício de tempo. A decisão de usar UML pode ser muito boa ou muito ruim. Tudo depende de como e quanto você opta por utilizá-la.

Quando desenhar diagramas e quando parar

Não estabeleça a regra de que tudo deve ser diagramado. Tais regras são completamente inúteis. Quantidades enormes de tempo de projeto e energia podem ser desperdiçadas na busca de diagramas que ninguém jamais lerá.

Desenhe diagramas quando:

- Várias pessoas precisam compreender a estrutura de uma parte específica do projeto, pois todas elas vão trabalhar nele simultaneamente. Pare quando todos concordarem que compreendem.
- Você quer o consenso da equipe, mas duas ou mais pessoas discordam sobre como um elemento específico deve ser projetado. Estabeleça um limite de tempo para a discussão e, em seguida, escolha uma maneira de decidir, como o voto ou um juiz imparcial. Pare no final do tempo ou quando a decisão puder ser tomada. Em seguida, apague o diagrama.
- Você quer trabalhar em uma ideia de projeto e os diagramas podem ajudá-lo a refletir sobre ela. Pare quando puder concluir seu raciocínio no código. Descarte os diagramas.

- Você precisa explicar a estrutura de alguma parte do código para outra pessoa ou para si mesmo. Pare quando a explicação for melhor examinando o código.
- O fim do projeto está próximo e seu cliente solicitou os diagramas como parte de um fluxo de documentação para outros.

Não desenhe diagramas:

- Porque o processo pede que você faça isso.
- Porque você se sente culpado por não desenhá-los ou porque acha que é isso que os bons projetistas fazem. Os bons projetistas escrevem código. Eles só desenham diagramas quando necessário.
- Para criar documentação abrangente da fase de projeto, antes de codificar. Tais documentos quase nunca têm valor e consomem quantidades de tempo imensas.
- Para outras pessoas codificarem. Os verdadeiros arquitetos de software participam da codificação de seus projetos.

Ferramentas CASE

As ferramentas CASE para UML podem ser vantajosas, mas também dispendiosas. Tenha *muito* cuidado ao tomar a decisão de adquirir e implantar uma ferramenta CASE para UML.

- *As ferramentas CASE para UML não tornam mais fácil desenhar diagramas?* Não, elas tornam muito mais difícil. Há uma longa curva de aprendizagem para se tornar proficiente e, mesmo então, as ferramentas são mais desajeitadas do que os quadros brancos, que são muito fáceis de usar. Normalmente os desenvolvedores já estão familiarizados com eles. Se não for o caso, praticamente não há curva de aprendizagem.
- *As ferramentas CASE para UML não facilitam a colaboração de equipes grandes nos diagramas?* Em alguns casos. Contudo, a grande maioria dos desenvolvedores e dos projetos de desenvolvimento não precisa produzir diagramas em quantidades e complexidades tais que exijam um sistema cooperativo automatizado para coordenar suas atividades de diagramação. Em todo caso, o melhor momento para adquirir um sistema para coordenar a preparação de diagramas UML é quando um sistema manual já tiver sido colocado em vigor, estiver começando a apresentar deficiências e a única escolha for automatizar.
- *As ferramentas CASE para UML não tornam mais fácil gerar código?* É improvável que o esforço global envolvido na criação de diagramas, geração do código e uso do código gerado seja menor do que o custo de simplesmente escrever o código. Se houver um ganho, ele não será muito grande ou nem mesmo de um fator de 2. Os desenvolvedores sabem editar arquivos de texto e usar IDEs. Gerar código a partir de diagramas pode parecer uma boa ideia, mas insisto veementemente que você meça o ganho de produtividade antes de gastar muito dinheiro.
- *E quanto a essas ferramentas CASE que também são IDEs e mostram o código e os diagramas juntos?* Essas ferramentas são definitivamente interessantes. Contudo, a presença constante de UML não é importante. O fato de que o diagrama muda quando modifico o código ou que o código muda quando modifico o diagrama não me ajuda muito, na verdade. Francamente, prefiro comprar um IDE que tenha se esmerado em descobrir como me ajudar a manipular meus programas, em vez de meus diagramas.

Novamente, meça o ganho de produtividade antes de assumir um enorme compromisso financeiro.

Em resumo, observe antes de dar o salto e observe muito bem. *Pode* ser uma vantagem prover sua equipe com uma ferramenta CASE dispendiosa, mas confirme essa vantagem com suas próprias experiências, antes de comprar algo que poderá ficar na prateleira.

E a documentação?

Uma boa documentação é fundamental para qualquer projeto. Sem ela, a equipe ficará perdida em um mar de código. Por outro lado, documentação demais do tipo errado é pior, pois você tem toda essa papelada que distrai e engana, e ainda tem o mar de código.

A documentação precisa ser criada, mas deve ser criada prudentemente. A escolha do que *não documentar* é tão importante quanto a escolha do que *documentar*. Um protocolo de comunicação complexo precisa ser documentado. Um esquema relacional complexo precisa ser documentado. Uma estrutura reutilizável complexa precisa ser documentada. Contudo, nenhuma dessas coisas precisa de 100 páginas de UML. A documentação do software deve ser *curta e objetiva*. O valor de um documento de software é inversamente proporcional ao seu tamanho.

Para uma equipe de projeto de 12 pessoas, trabalhando em um projeto de um milhão de linhas de código, eu teria um total de 25 a 200 páginas de documentação persistente, sendo minha preferência a menor. Esses documentos incluiriam diagramas UML da estrutura de alto nível dos módulos importantes, diagramas ER (Entidade-Relacionamento) do esquema relacional, uma ou duas páginas sobre como compilar o sistema, instruções de teste, instruções de controle do código-fonte e assim por diante. Eu colocaria essa documentação em um wiki[1] ou em alguma ferramenta de composição colaborativa, para que todos da equipe pudessem acessá-la na tela, pesquisá-la e alterá-la conforme fosse necessário.

Dá muito trabalho tornar um documento pequeno, mas vale a pena. As pessoas leem documentos pequenos. Elas não leriam tomos de mil páginas.

Conclusão

Algumas pessoas diante de um quadro branco podem usar UML para ajudá-las a refletir sobre um problema de projeto. Tais diagramas devem ser criados iterativamente, em ciclos muito curtos. É melhor explorar cenários dinâmicos primeiro e, então, determinar suas implicações na estrutura estática. É importante evoluir os diagramas dinâmicos e estáticos em conjunto, usando ciclos iterativos muito curtos, da ordem de cinco minutos ou menos.

As ferramentas CASE para UML podem ser vantajosas em certos casos. Mas para uma equipe de desenvolvimento normal, elas provavelmente mais atrapalham do que ajudam. Se você acha que precisa de uma ferramenta CASE para UML, mesmo integrada com um IDE, faça primeiro algumas experiências quanto à produtividade. Observe antes de dar o salto.

A UML é uma ferramenta e não um fim em si mesmo. Como ferramenta, ela pode ajudá-lo a refletir sobre seus projetos e a comunicá-los para outros. Utilize-a moderadamente e ela proporcionará a você o maior benefício. Abuse dela e ela desperdiçará grande parte de seu tempo. Quando usar UML, *pense pequeno*.

---

[1] Uma ferramenta de composição de documentos colaborativa baseada na Web. Consulte os sites http://c2.com e http://fitnesse.org.

Capítulo 15

DIAGRAMAS DE ESTADOS

A UML tem um rico conjunto de notações para descrever máquinas de estados finitos (FSMs – Finite State Machines). Neste capítulo, examinaremos as partes mais úteis dessa notação. As máquinas de estados finitos são ferramentas extremamente úteis para se escrever todos os tipos de software. Eu as utilizo para interfaces gráficas do usuário, protocolos de comunicação e para qualquer outro tipo de sistema baseado em eventos. Infelizmente, acho que muitos desenvolvedores não conhecem os conceitos das máquinas de estados finitos e, portanto, estão perdendo muitas oportunidades para simplificar. Neste capítulo, darei minha pequena contribuição para corrigir isso.

Os fundamentos

A Figura 15-1 mostra um *diagrama de transição de estados* (STD – State Transition Diagram) simples que descreve uma FSM que controla o modo de um usuário fazer login em um sistema. Os retângulos arredondados representam *estados*. O nome de cada estado aparece em seu compartimento superior. No compartimento inferior estão ações especiais que nos dizem o que fazer quando entramos (entry) ou saímos (exit) do estado. Por exemplo, quando entramos no estado Prompting for Login (Solicitando login), ativamos a ação showLoginScreen para exibir a tela de login. Quando saímos desse estado, ativamos a ação hideLoginScreen para escondê-la.

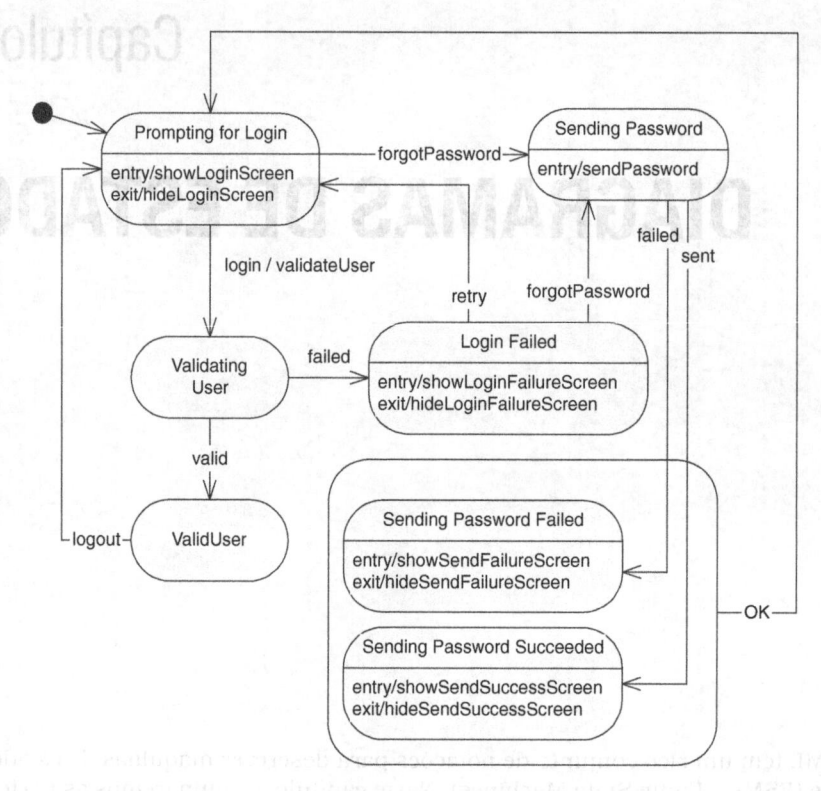

Figura 15-1
Máquina de estados para login simples.

As setas entre os estados são denominadas *transições*. Cada uma delas é rotulada com o nome do evento que dispara a transição. Algumas também são rotuladas com uma ação a ser executada quando a transição for disparada. Por exemplo, se estamos no estado Prompting for Login e recebemos um evento login, fazemos a transição para o estado Validating User e ativamos a ação validateUser.

O círculo preto no canto superior esquerdo do diagrama é denominado *pseudoestado inicial*. Uma FSM começa sua vida seguindo a transição desse pseudoestado. Assim, nossa máquina de estados começa fazendo a transição para o estado Prompting for Login.

Desenhei um *superestado* em torno dos estados Sending Password Failed e Sending Password Succeeded porque ambos reagem ao evento OK fazendo a transição para o estado Prompting for Login. Não quis desenhar duas setas idênticas, de modo que usei a conveniência de um superestado.

Essa FSM torna claro o funcionamento do processo de login e decompõe o processo em pequenas funções. Se implementarmos todas as funções de ação, como `showLoginScreen`, `validateUser` e `sendPassword`, e as conectarmos com a lógica mostrada no diagrama, poderemos ter certeza de que o processo de login funcionará.

Eventos especiais

O compartimento inferior de um estado contém pares evento/ação. Os eventos `entry` e `exit` são padrão, mas, como se vê na Figura 15-2, você pode fornecer seus próprios eventos, se quiser. Se um desses eventos especiais ocorre enquanto a FSM está nesse estado, então a ação correspondente é ativada.

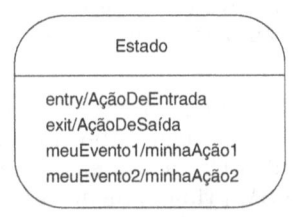

Figura 15-2
Estados e eventos especiais na UML.

Antes da UML, eu costumava representar um evento especial como uma seta de transição que fazia um loop de volta para o mesmo estado, como na Figura 15-3. Contudo, na UML isso tem um significado ligeiramente diferente. Qualquer transição que saia de um estado ativará a ação `exit`, se houver. Do mesmo modo, qualquer transição que entre em um estado ativará a ação `entry`, se houver. Assim, na UML, uma transição reflexiva, como a da Figura 15-3, ativa não apenas a `minhaAção`, mas também as ações `exit` e `entry`.

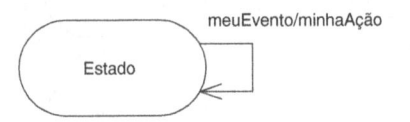

Figura 15-3
Transição reflexiva.

Superestados

Como você viu na FSM de login da Figura 15-1, os superestados são convenientes quando você tem muitos estados que respondem a alguns dos mesmos eventos da mesma maneira. Você pode desenhar um superestado em torno desses estados semelhantes e simplesmente desenhar as setas de transição saindo do superestado, em vez de saírem dos estados individuais. Assim, os dois diagramas da Figura 15-4 são equivalentes.

As transições de superestado podem ser sobrescritas desenhando-se uma transição explícita a partir dos subestados. Assim, na Figura 15-5, a transição pause de S3 sobrescreve a transição pause padrão do superestado Cancelable. Nesse sentido, um superestado é parecido com uma classe base. Os subestados podem sobrescrever suas transições de superestado da mesma maneira que as classes derivadas podem sobrescrever seus métodos de classe base. Contudo, é desaconselhável levar essa metáfora longe demais. O relacionamento entre superestados e subestados não é exatamente equivalente à herança.

Os superestados podem ter ações entry, exit e eventos especiais, da mesma maneira que os estados normais. A Figura 15-6 mostra uma FSM na qual tanto os superestados como os subestados têm ações exit e entry. Quando faz a transição de Algum Estado para Sub, a FSM primeiramente ativa a ação entrarSuper, seguida da ação entrarSub. Do mesmo modo, se faz a transição de Sub2 de volta para Algum Estado, a FSM primeiramente ativa sairSub2 e depois sairSuper. Contudo, como não sai do superestado, a transição e2 de Sub para Sub2 simplesmente ativa sairSub e entrarSub2.

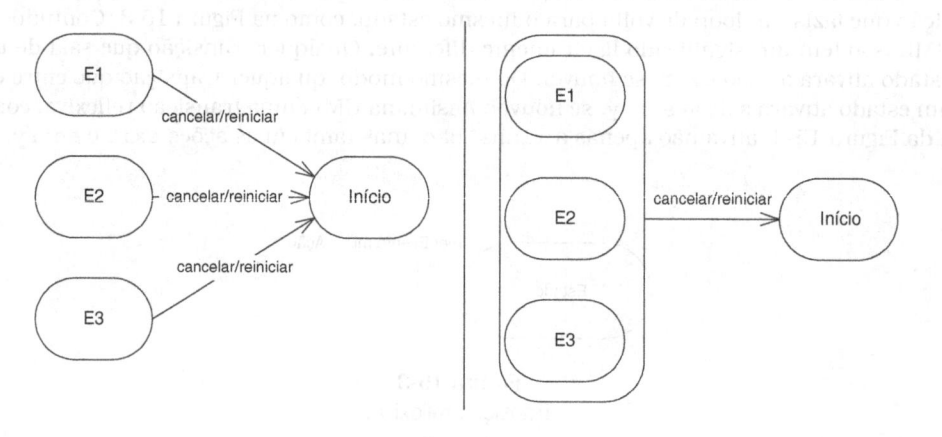

Figura 15-4
Transição: múltiplos estados e superestado.

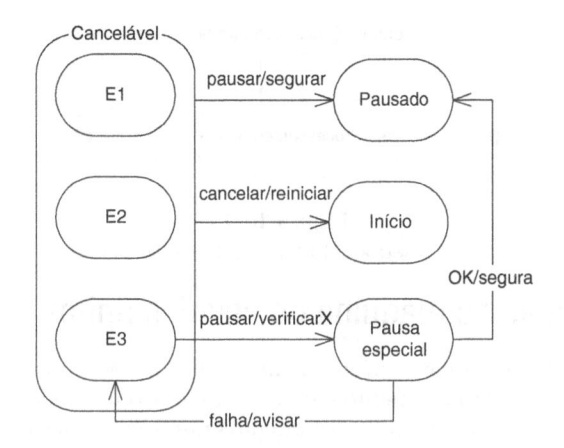

Figura 15-5
Sobrescrevendo transições de superestado.

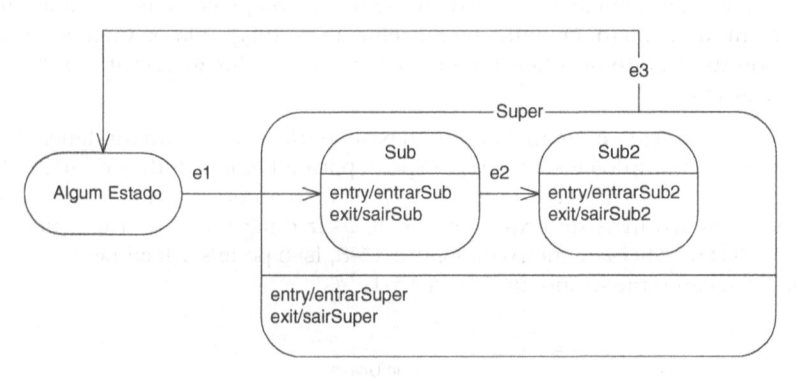

Figura 15-6
Ativação hierárquica de ações `entry` e `exit`.

Pseudoestados iniciais e finais

A Figura 15-7 mostra dois pseudoestados muito usados na UML. As FSMs começam a existir *no processo de* transição do pseudoestado inicial. A transição que sai do pseudoestado inicial não pode ter um evento, pois o evento é a criação da máquina de estados. Contudo, a transição pode ter uma ação. Essa ação será a primeira ativada após a criação da FSM.

Analogamente, uma FSM acaba no processo de transição para o *pseudoestado final*. O pseudoestado final nunca é realmente alcançado. Qualquer ação na transição para o pseudoestado final será a última ativada pela FSM.

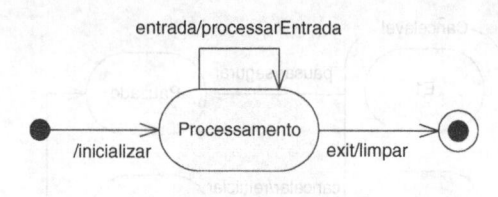

Figura 15-7
Pseudoestados inicial e final.

Usando diagramas de máquina de estados finitos

Considero diagramas como esses extremamente úteis para descobrir máquinas de estado para subsistemas cujo comportamento é conhecido. Por outro lado, a maioria dos sistemas receptivos às FSMs não tem comportamentos que são conhecidos antecipadamente. Em vez disso, os comportamentos da maioria dos sistemas crescem e evoluem com o passar do tempo. Os diagramas não são um meio propício para sistemas que precisam mudar frequentemente. Problemas de layout e espaço interferem no conteúdo dos diagramas. Essa interferência às vezes pode impedir que os projetistas façam as mudanças necessárias em um projeto. O fantasma da reforma do diagrama os impede de adicionar uma classe ou um estado necessário e os faz usar uma solução precária que não afete o layout do diagrama.

Por outro lado, texto é um meio muito flexível para se lidar com mudança. Os problemas de layout são mínimos e sempre há espaço para adicionar linhas de texto. Portanto, para sistemas que evoluem, eu crio *tabelas de transição de estado* (STTs – State Transition Tables) em arquivos de texto, em vez de usar diagramas de transição de estado. Considere o STD da roleta de metrô da Figura 15-8. Isso pode ser facilmente representado como uma STT, como mostrado na Tabela 15-1.

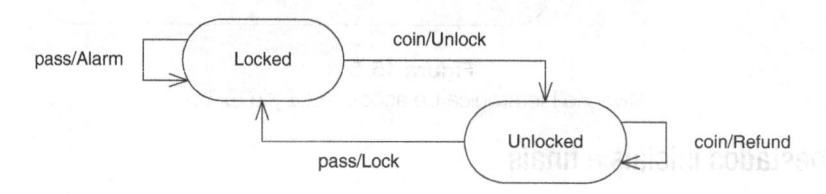

Figura 15-8
STD de roleta de metrô.

Tabela 15-1   STT de roleta de metrô

Estado atual	Evento	Novo estado	Ação
Locked	coin	Unlocked	Unlock
Locked	pass	Locked	Alarm
Unlocked	coin	Unlocked	Refund
Unlocked	pass	Locked	Lock

A STT é uma tabela simples com quatro colunas. Cada linha da tabela representa uma transição. Observe cada seta de transição no diagrama. Você verá que as linhas da tabela contêm os dois pontos finais de cada seta, assim como o evento e a ação da seta. A STT é lida usando-se o seguinte modelo de frase: "Se estamos no estado Locked e recebemos um evento coin, vamos para o estado Unlocked e chamamos a função Unlock".

Essa tabela pode ser convertida em um arquivo de texto, de forma muito simples:

```
Locked      coin    Unlocked    Unlock
Locked      pass    Locked      Alarm
Unlocked    coin    Unlocked    Refund
Unlocked    pass    Locked      Lock
```

Essas 16 palavras contêm toda a lógica da FSM.

O compilador de máquina de estados (SMC – State Machine Compiler) é um compilador simples que escrevi em 1989 para ler STTs e gerar código em C++ para implementar a lógica. Desde então, o SMC cresceu e mudou para gerar código de várias linguagens. Examinaremos o SMC com muito mais detalhes no Capítulo 36, quando discutirmos o padrão STATE. O SMC está disponível gratuitamente na seção de recursos do site www.objectmentor.com.

Criar e manter máquinas de estados finitos dessa forma é muito mais fácil do que tentar manter diagramas e a geração do código economiza muito tempo. Assim, embora os diagramas possam ser muito úteis para ajudá-lo a refletir sobre uma FSM ou apresentá-la para outros, a forma de texto é muito mais conveniente para desenvolvimento.

Conclusão

As máquinas de estados finitos representam um conceito poderoso para estruturar software. A UML fornece uma notação muito poderosa para visualizar FSMs. Contudo, frequentemente é mais fácil desenvolver e manter uma FSM usando uma linguagem textual em vez de diagramas.

A notação de diagrama de estados da UML é muito mais rica do que a descrita aqui. Existem vários outros pseudoestados, ícones e elementos que você pode aplicar. Contudo, raramente os considero úteis. A notação que descrevi neste capítulo é tudo que utilizo.

Capítulo 16

DIAGRAMAS DE OBJETOS

Às vezes pode ser útil mostrar o estado do sistema em um momento específico. Como um instantâneo de um sistema em execução, um diagrama de objetos UML mostra objetos, relacionamentos e valores de atributos que mantém em determinado momento.

Um instantâneo no tempo

Há algum tempo, eu estava envolvido com um aplicativo que permitia aos usuários desenharem a planta baixa de um prédio em uma interface gráfica. O programa capturava na estrutura de dados os aposentos, portas, janelas e vãos na parede, como mostrado na Figura 16-1. Embora esse diagrama mostre os tipos de estruturas de dados possíveis, não informa exatamente quais objetos e relacionamentos são instanciados em dado momento.

Vamos supor que um usuário de nosso programa desenhe dois aposentos, uma cozinha e um refeitório, conectados por um vão na parede. Tanto a cozinha como o refeitório têm uma janela para o lado de fora. O refeitório também tem uma porta que se abre para fora. Esse cenário é representado pelo diagrama de objetos da Figura 16-2. Esse diagrama mostra os objetos que estão no sistema e a quais outros objetos estão conectados. Ele mostra `kitchen` (cozinha) e `lunchRoom` (refeitório) como instâncias distintas de `Space`. Mostra também como esses dois aposentos são conectados por um vão na parede (`WallOpening`). Mostra ainda que o exterior é representado por outra instância de `Space`. Além disso, mostra todos os outros objetos e relacionamentos que devem existir.

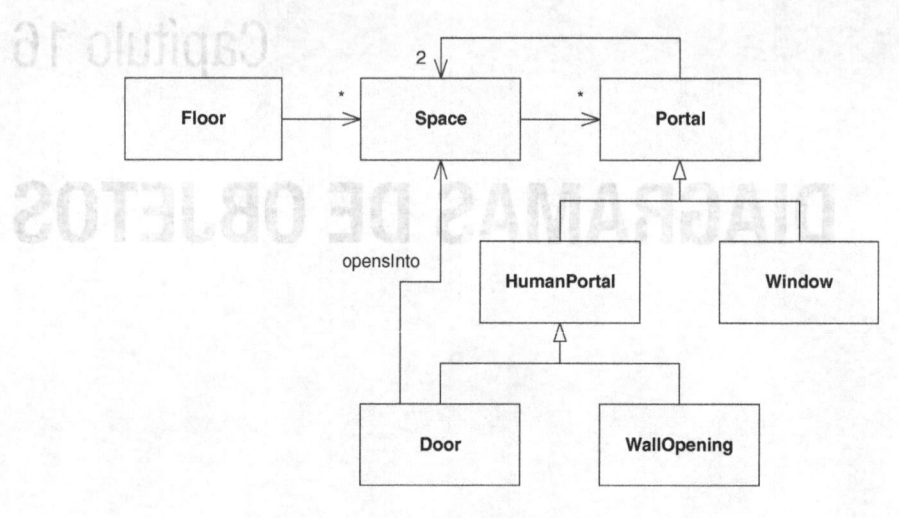

Figura 16-1
Planta baixa.

Diagramas de objetos como esse são úteis quando você precisa mostrar como é a estrutura interna de um sistema em dado momento, ou quando o sistema está em um estado específico. Um diagrama de objetos mostra a intenção do projetista. Mostra a maneira como certas classes e relacionamentos serão utilizados. Ele pode ajudar a mostrar como o sistema mudará à medida que várias entradas forem dadas.

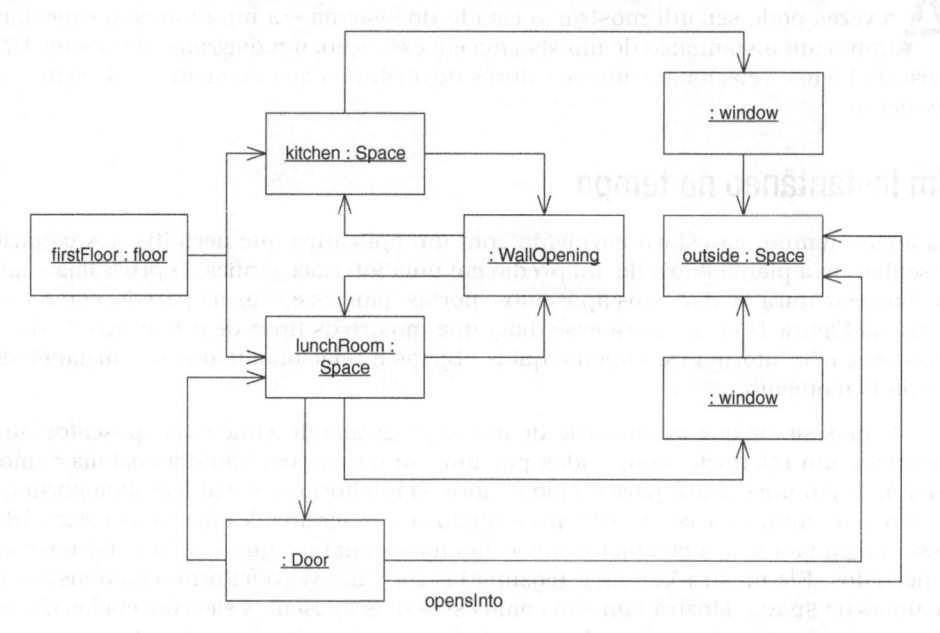

Figura 16-2
Refeitório e cozinha.

Mas, tenha cuidado; é fácil deixar-se levar. Na década passada, eu provavelmente teria desenhado menos de uma dezena de diagramas de objetos desse tipo. A necessidade deles simplesmente não surgia com muita frequência. Quando necessários, eles são indispensáveis, e é por isso que os estou incluindo neste livro. Contudo, você não vai precisar deles muitas vezes e definitivamente não deve supor que precisa desenhá-los para cada cenário do sistema ou mesmo para cada sistema.

Objetos ativos

Os diagramas de objetos também são úteis em sistemas multitarefas. Considere, por exemplo, o código de `SocketServer` da Listagem 16-1. Esse programa implementa um framework simples que o permite escrever servidores de sockets sem ter de lidar com todos os problemas desagradáveis relacionados a threads e sincronismo que acompanham os sockets.

Listagem 16-1
SocketServer.cs

```csharp
using System.Collections;
using System.Net;
using System.Net.Sockets;
using System.Threading;

namespace SocketServer
{
  public interface SocketService
  {
    void Serve(Socket s);
  }

  public class SocketServer
  {
    private TcpListener serverSocket = null;
    private Thread serverThread = null;
    private bool running = false;
    private SocketService itsService = null;
    private ArrayList threads = new ArrayList();

    public SocketServer(int port, SocketService service)
    {
      itsService = service;
      IPAddress addr = IPAddress.Parse("127.0.0.1");
      serverSocket = new TcpListener(addr, port);
      serverSocket.Start();
      serverThread = new Thread(new ThreadStart(Server));
```

230 PROJETO ÁGIL

```
      serverThread.Start();
    }

    public void Close()
    {
      running = false;
      serverThread.Interrupt();
      serverSocket.Stop();
      serverThread.Join();
      WaitForServiceThreads();
    }

    private void Server()
    {
      running = true;
      while (running)
      {
        Socket s = serverSocket.AcceptSocket();
        StartServiceThread(s);
      }
    }

    private void StartServiceThread(Socket s)
    {
      Thread serviceThread =
        new Thread(new ServiceRunner(s, this).ThreadStart());
      lock (threads)
      {
        threads.Add(serviceThread);
      }
      serviceThread.Start();
    }

    private void WaitForServiceThreads()
    {
      while (threads.Count > 0)
      {
        Thread t;
        lock (threads)
        {
          t = (Thread) threads[0];
        }
        t.Join();
      }
    }

    internal class ServiceRunner
    {
      private Socket itsSocket;
      private SocketServer itsServer;

      public ServiceRunner(Socket s, SocketServer server)
      {
```

```
        itsSocket = s;
        itsServer = server;
    }

    public void Run()
    {
      itsServer.itsService.Serve(itsSocket);
      lock (itsServer.threads)
      {
         itsServer.threads.Remove(Thread.CurrentThread);
      }
      itsSocket.Close();

    }

    public ThreadStart ThreadStart()
    {
      return new ThreadStart(Run);
    }
   }
  }
 }
```

O diagrama de classes desse código aparece na Figura 16-3. Ele não é muito inspirador e, a partir do diagrama de classes, é difícil ver qual é a intenção desse código. A figura mostra todas as classes e relacionamentos, mas de algum modo a visão global não cumpre sua obrigação.

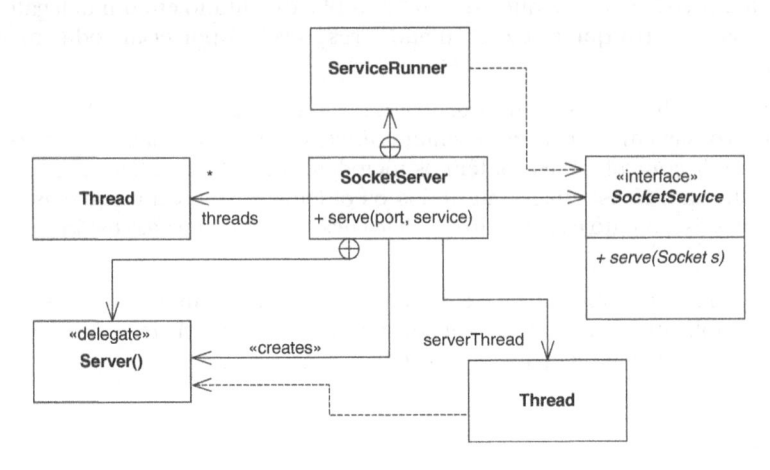

Figura 16-3
Diagrama de classes de `SocketServer`.

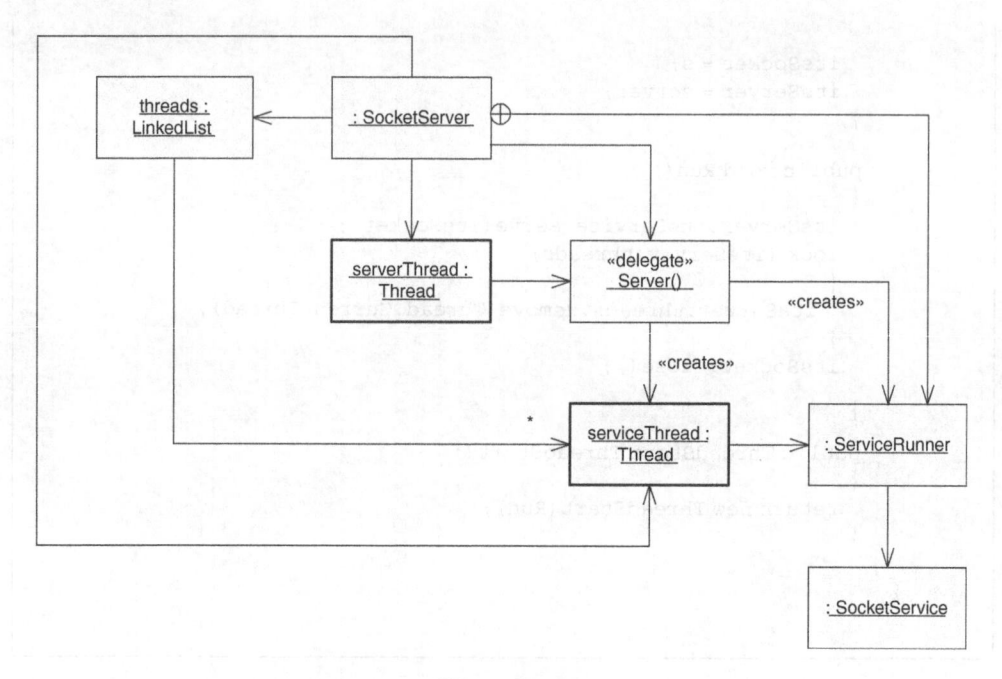

Figura 16-4
Diagrama de objetos de `SocketServer`.

No entanto, veja o diagrama de objetos da Figura 16-4. Isso mostra a estrutura muito melhor do que o diagrama de classes. A Figura 16-4 mostra que `SocketServer` está ligado a `serverThread` e que `serverThread` é executado em um delegate chamado `Server()`. Isso mostra que `serverThread` é responsável por criar todas as instâncias de `ServiceRunner`.

Observe as linhas grossas em negrito em torno das instâncias de `Thread`. Os objetos com bordas grossas em negrito representam *objetos ativos*, os quais atuam como cabeça de uma thread de controle. Eles contêm os métodos, como `Start`, `Abort`, `Sleep` etc., que controlam a thread. Nesse diagrama, todos os objetos ativos são instâncias de `Thread`, pois todo o processamento é realizado em delegates para os quais as instâncias de `Thread` contêm referências.

O diagrama de objetos é mais expressivo do que o diagrama de classes porque a estrutura desse aplicativo em particular é construída em tempo de execução. Nesse caso, a estrutura consiste mais em objetos do que em classes.

Conclusão

Os diagramas de objetos fornecem um instantâneo do estado do sistema em um momento específico. Essa pode ser uma maneira interessante de representar um sistema, especialmente quando a estrutura do sistema é construída dinamicamente, em vez de ser imposta pela estrutura estática de suas classes. No entanto, deve-se ter prudência ao desenhar muitos diagramas de objetos. Na maioria das vezes, eles podem ser inferidos diretamente dos diagramas de classes correspondentes e, portanto, ter pouca utilidade.

Capítulo 17

CASOS DE USO

Os casos de uso são uma ideia maravilhosa, mas sua aplicação não tem sido bem-sucedida. Muitas equipes acabam complicando demais o ato de escrever casos de uso. Normalmente, tais equipes discutem problemas de forma, em vez de conteúdo. Elas argumentam e debatem sobre pré-condições, pós-condições, atores, atores secundários e muitos outros fatores que *simplesmente não importam*.

O segredo para um bom caso de uso é a *simplicidade*. Não se preocupe com a forma; simplesmente escreva-o em um papel *em branco*, e em um processador de textos simples ou em fichas *em branco*. Não se preocupe em preencher todos os detalhes. Os detalhes só serão importantes mais adiante. Também não se preocupe em capturar *todos* os casos de uso; essa é uma tarefa impossível.

Lembre sempre: *amanhã os casos de uso vão mudar*. Não importa a quantidade de detalhes, o tempo dedicado à escrita ou o esforço de exploração e análise dos requisitos: *amanhã* eles vão mudar.

Se algo vai mudar amanhã, você não precisa anotar seus detalhes hoje. Aliás, você deve adiar a captura dos detalhes até o último momento possível. Considere os casos de uso como *requisitos daquele momento*.

Escrevendo casos de uso

Preste atenção ao título desta seção. Nós *escrevemos* casos de uso, não os desenhamos. Os casos de uso não são diagramas, mas sim descrições textuais de requisitos comportamentais, escritos a partir de determinado ponto de vista.

"Peraí!" você diria. "Eu sei que a UML tem diagramas de caso de uso, eu os vi".

Sim, a UML tem diagramas de caso de uso. No entanto, esses diagramas nada informam sobre o *conteúdo* dos casos de uso. Eles não apresentam dados sobre os requisitos comportamentais que os casos de uso capturam. Os diagramas de caso de uso da UML mostram algo totalmente diferente.

Um caso de uso é uma descrição do comportamento de um sistema. Essa descrição é escrita do ponto de vista de um usuário que acabou de pedir para o sistema fazer algo específico. Um caso de uso captura a sequência *visível* de eventos pela qual um sistema passa em resposta ao estímulo de um *único* usuário.

Um *evento visível* é aquele que o usuário pode ver. Os casos de uso não descrevem comportamentos não visíveis. Eles não discutem os mecanismos ocultos do sistema. Eles descrevem apenas o que o usuário pode ver.

Normalmente, um caso de uso é dividido em duas seções. A primeira é o *curso principal*. Aqui, descrevemos como o sistema responde ao estímulo do usuário e presumimos que nada dá errado.

Por exemplo, este é um caso de uso típico para um sistema de ponto de venda.

Pagamento do item:

1. O caixa passa o produto pelo scanner; o scanner lê o código UPC (código de produto universal).
2. O preço e a descrição do item, assim como o subtotal atual, aparecem na tela diante do cliente. O preço e a descrição também aparecem na tela do caixa.
3. O preço e a descrição são impressos no recibo.
4. O sistema emite um tom de "reconhecimento" audível para informar o caixa de que o código UPC foi lido corretamente.

Esse é o curso principal de um caso de uso. Nada mais complexo é necessário. Talvez até mesmo essa minúscula sequência seja detalhada demais, se fosse demorar um pouco para ser o caso de uso implementado. Não deveríamos registrar esse tipo de detalhe até que o caso de uso estivesse há alguns dias ou semanas de ser implementado.

Como você pode avaliar um caso de uso se não registra seu detalhe? Você fala com os interessados sobre o detalhe, sem necessariamente registrá-lo. Isso fornecerá as informações que precisa para fazer uma estimativa aproximada. Por que não registrar os detalhes, se você vai falar com os interessados a respeito deles? Porque amanhã os detalhes vão mudar. Essa mudança não afetaria a estimativa? Sim, mas no decorrer de muitos casos de uso, esses efeitos são integrados. Registrar os detalhes cedo demais não é eficaz em termos de custo.

Se ainda não vamos registrar os detalhes do caso de uso, o que *devemos* registrar? Como sabemos que o caso de uso existe, se não anotamos algo? Escreva o nome do caso de uso. Mantenha uma lista deles em uma planilha eletrônica ou em um documento de processador de textos. Melhor ainda, escreva o nome do caso de uso em uma ficha e mantenha uma pilha de fichas de caso de uso. Preencha os detalhes quando eles estiverem próximos da implementação.

Cursos alternativos

Alguns desses detalhes estarão relacionados a fatores que podem dar errado. Durante as conversas com os interessados, discuta sobre cenários de falha. À medida que o momento em que o caso de uso será implementado se aproximar, reflita cada vez mais sobre esses cursos alternativos. Eles se tornam adendos do curso principal do caso de uso. Eles podem ser escritos como segue.

O código UPC não é lido:

Se o scanner não conseguir capturar o código UPC, o sistema deve emitir o tom de "passar de novo", dizendo ao caixa para que tente outra vez. Se após três tentativas o scanner ainda não capturar o código UPC, o caixa deverá digitá-lo manualmente.

Não existe código UPC:

Se o item não tiver um código UPC, o caixa deverá digitar o preço manualmente.

Esses cursos alternativos são interessantes, pois sugerem outros casos de uso que os interessados podem não ter identificado inicialmente. Neste caso, parece necessário ter a capacidade de digitar o código UPC ou o preço manualmente.

O que mais?

E quanto aos atores, atores secundários, pré-condições, pós-condições e o resto? Não se preocupe com essas coisas. Para a ampla maioria dos sistemas em que você trabalhará, não precisará saber de tudo isso. Se precisar saber mais sobre casos de uso, você pode ler o trabalho definitivo de Alistair Cockburn sobre o assunto.[1] Por enquanto, aprenda a andar, antes de correr. Acostume-se a escrever casos de uso simples. Quando você dominá-los – ou seja, quando eles tiverem sido usados com sucesso em um projeto –, poderá adotar cuidadosa e parcimoniosamente algumas das técnicas mais sofisticadas. Mas, lembre-se: não enrole.

Diagramando casos de uso

De todos os diagramas da UML, os diagramas de caso de uso são os mais confusos e menos úteis. Recomendo que você os evite sempre, com exceção do diagrama de limite do sistema.

A Figura 17-1 mostra um diagrama de limite do sistema. O retângulo grande é o limite do sistema. Tudo que está dentro do retângulo faz parte do sistema sob desenvolvimento. Fora do retângulo estão os *atores* que *influem* no sistema. Os atores são entidades de fora do sistema e fornecem os estímulos para o sistema. Normalmente, os atores são usuários humanos. Também poderiam ser outros sistemas ou mesmo dispositivos, como relógios de tempo real.

---

[1] [Cockburn2001]

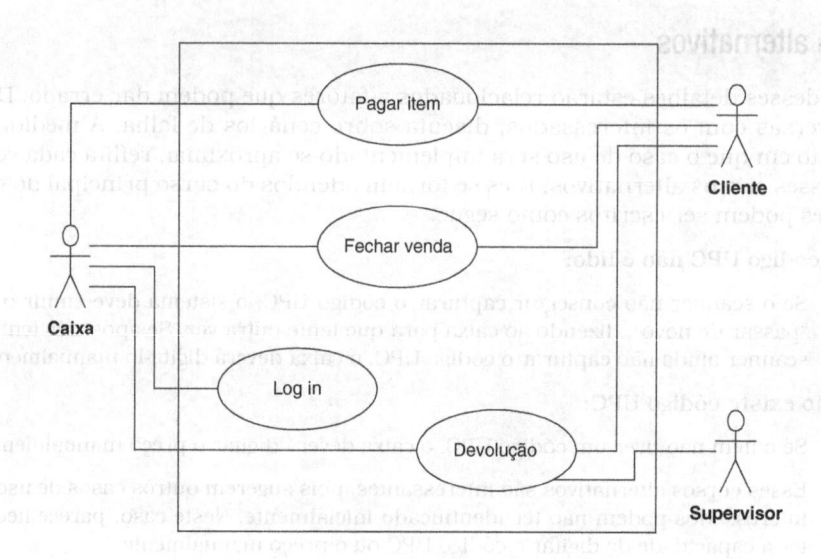

Figura 17-1
Diagrama de limite do sistema.

Dentro do retângulo delimitador estão os casos de uso: as elipses com nomes dentro. As linhas conectam os atores aos casos de uso que eles estimulam. Evite usar setas; ninguém sabe realmente o que significa a direção das setas.

Esse diagrama é quase inútil, mas não totalmente. Ele contém pouca informação de utilidade para o programador, mas constitui uma boa capa para uma apresentação para os interessados.

Sugiro que você ignore totalmente os relacionamentos de caso de uso. Eles não agregarão valor algum aos seus casos de uso nem ao seu entendimento do sistema, e irão gerar debates improdutivos sobre a escolha entre usar «extends» ou «generalization».

Conclusão

Este foi um capítulo curto, o que é adequado, pois o assunto é simples. Essa simplicidade deve ser sua atitude em relação aos casos de uso. Se alguma vez você seguir o caminho sombrio da complexidade, ele governará seu destino para sempre. Esteja com a força e mantenha seus casos de uso simples.

Bibliografia

[Cockburn2001] Alistair Cockburn, *Writing Effective Use Cases*, Addison-Wesley, 2001.

… Capítulo 18

DIAGRAMAS DE SEQUÊNCIA

Os diagramas de sequência são os modelos dinâmicos mais comuns desenhados pelos usuários de UML. Evidentemente, a UML oferece muitos recursos para ajudá-lo a desenhar diagramas incompreensíveis. Neste capítulo, descreveremos esses recursos e tentaremos convencê-lo a utilizá-los com muita moderação.

Certa vez, prestei consultoria para uma equipe que tinha decidido criar diagramas de sequência para cada método de cada classe. Por favor, não faça isso; é puro desperdício de tempo. Use diagramas de sequência quando você tiver uma necessidade imediata de explicar a alguém como um grupo de objetos colabora ou quando quiser visualizar essa colaboração. Utilize-os como uma ferramenta de que você se vale de vez em quando para aprimorar suas habilidades analíticas e não como uma documentação necessária.

Os fundamentos

Aprendi a desenhar diagramas de sequência pela primeira vez em 1978. James Grenning, um amigo e colega de longa data, os mostrou para mim quando trabalhávamos em um projeto que envolvia protocolos de comunicação complexos entre computadores interligados por modems. O que vou mostrar aqui é muito parecido com a notação simples que ele me ensinou naquela época e deve ser suficiente para a ampla maioria dos diagramas de sequência que você precisará desenhar.

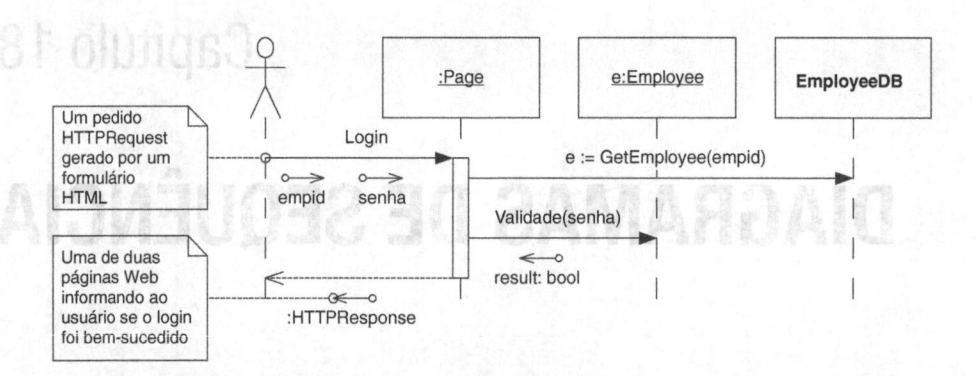

Figura 18-1
Diagrama de sequência típico.

Objetos, linhas de vida, mensagens e outras minúcias

A Figura 18-1 mostra um diagrama de sequência típico. Os objetos e classes envolvidos na colaboração aparecem na parte superior. Os objetos têm os nomes sublinhados; as classes, não. O bonequinho (ator) à esquerda representa um objeto anônimo. Ele é a nascente e o sumidouro de todas as mensagens que entram e saem da colaboração. Nem todos os diagramas de sequência têm esse ator anônimo, mas muitos têm.

As linhas tracejadas abaixo dos objetos e do ator são denominadas *linhas de vida*. Uma mensagem sendo enviada de um objeto para outro é mostrada como uma seta entre as duas linhas de vida. Cada mensagem é rotulada com seu nome. Os argumentos aparecem entre os parênteses que vêm após o nome ou ao lado dos *tokens de dados* (as pequenas setas com círculos na extremidade). O tempo está na dimensão vertical; portanto, quanto mais abaixo uma mensagem aparece, mais tarde ela é enviada.

O pequeno retângulo fino na linha de vida do objeto Page é chamado *ativação*. As ativações são opcionais; a maioria dos diagramas não precisa delas. As ativações representam o tempo em que uma função executa. Nesse caso, ela mostra por quanto tempo a função Login é executada. As duas mensagens que saem à direita da ativação foram enviadas pelo método Login. A seta tracejada não rotulada mostra a função Login retornando para o ator e passando de volta um valor de retorno.

Observe o uso da variável e na mensagem GetEmployee. Isso significa o valor retornado por GetEmployee. Observe também que o objeto Employee (Funcionário) é chamado de e. Você adivinhou: eles são a mesma coisa. O valor retornado por GetEmployee é uma referência para o objeto Employee.

Por fim, note que, como EmployeeDB é uma classe, seu nome não está sublinhado. Isso só pode significar que GetEmployee é um método estático. Assim, esperaríamos que EmployeeDB fosse codificada como na Listagem 18-1.

Criação e destruição

Podemos mostrar a criação de um objeto em um diagrama de sequência usando a convenção ilustrada na Figura 18-2. Uma mensagem não rotulada termina no objeto a ser criado e não em sua linha de vida. Esperaríamos que ShapeFactory fosse implementada como mostrado na Listagem 18-2.

Listagem 18-1
EmployeeDB.cs

```
public class EmployeeDB
{
  public static Employee GetEmployee(string empid)
  {
    ...
  }
  ...
}
```

Listagem 18-2
ShapeFactory.cs

```
public class ShapeFactory
{
  public Shape MakeSquare()
  {
    return new Square();
  }
}
```

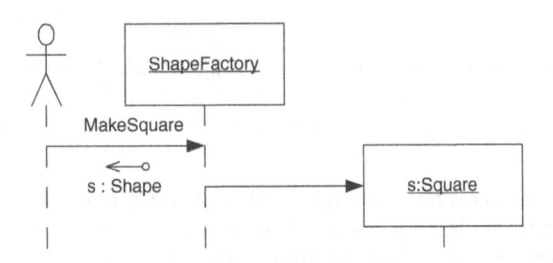

Figura 18-2
Criando um objeto.

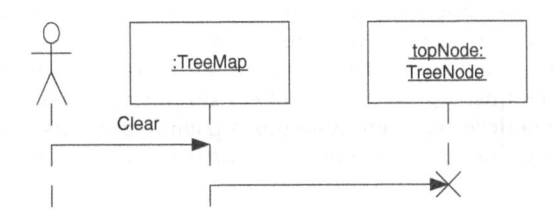

Figura 18-3
Liberando um objeto para o coletor de lixo.

> **Listagem 18-3**
> **TreeMap.cs**
>
> ```
> public class TreeMap
> {
>   private TreeNode topNode;
>   public void Clear()
>   {
>     topNode = null;
>   }
> }
> ```

Em C#, não destruímos objetos explicitamente. O coletor de lixo realiza toda a destruição explícita para nós. No entanto, existem ocasiões em que queremos explicitar que acabamos de usar um objeto e que, no que nos diz respeito, o coletor de lixo pode pegá-lo.

A Figura 18-3 mostra como denotamos isso na UML. A linha de vida do objeto a ser liberado chega a um fim prematuro em um grande X. A seta de mensagem que termina no X representa o ato de liberar o objeto para o coletor de lixo.

A Listagem 18-3 mostra a implementação que poderíamos esperar desse diagrama. Note que o método `Clear` configura a variável `topNode` como `null`. Como é o único objeto que contém uma referência para essa instância de `TreeNode`, `TreeMap` será liberado para o coletor de lixo.

Loops simples

Você pode representar um loop simples em um diagrama UML desenhando uma caixa em torno das mensagens que se repetem. A condição do loop é apresentada entre colchetes e é colocada em algum lugar na caixa, normalmente no canto inferior direito. Consulte a Figura 18-4.

Essa é uma convenção de marcação útil. Contudo, não é correto tentar capturar algoritmos em diagramas de sequência. Os diagramas de sequência devem ser usados para revelar as conexões entre objetos e não os pequenos detalhes de um algoritmo.

Casos e cenários

Não desenhe diagramas de sequência como o da Figura 18-5, com tantos objetos e uma enorme quantidade de mensagens. Ninguém consegue lê-los. Ninguém os lerá. Eles são um enorme desperdício de tempo. Em vez disso, aprenda a desenhar alguns diagramas de sequência menores que capturem a *essência* do que você está tentando fazer. Cada diagrama de sequência deve caber em uma única página, com bastante espaço para texto explicativo. Não deve ser necessário reduzir os ícones para tamanhos diminutos para que caibam na página.

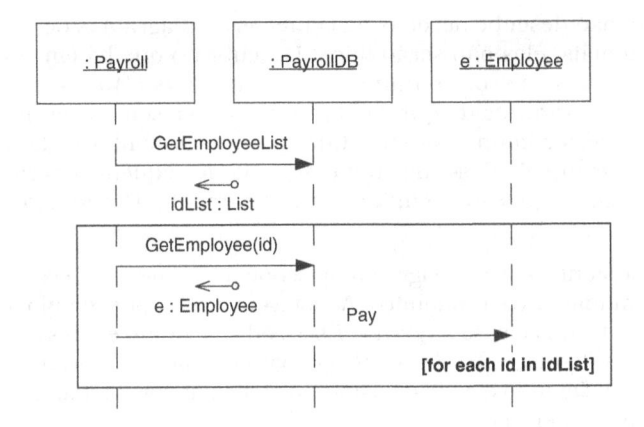

Figura 18-4
Um loop simples.

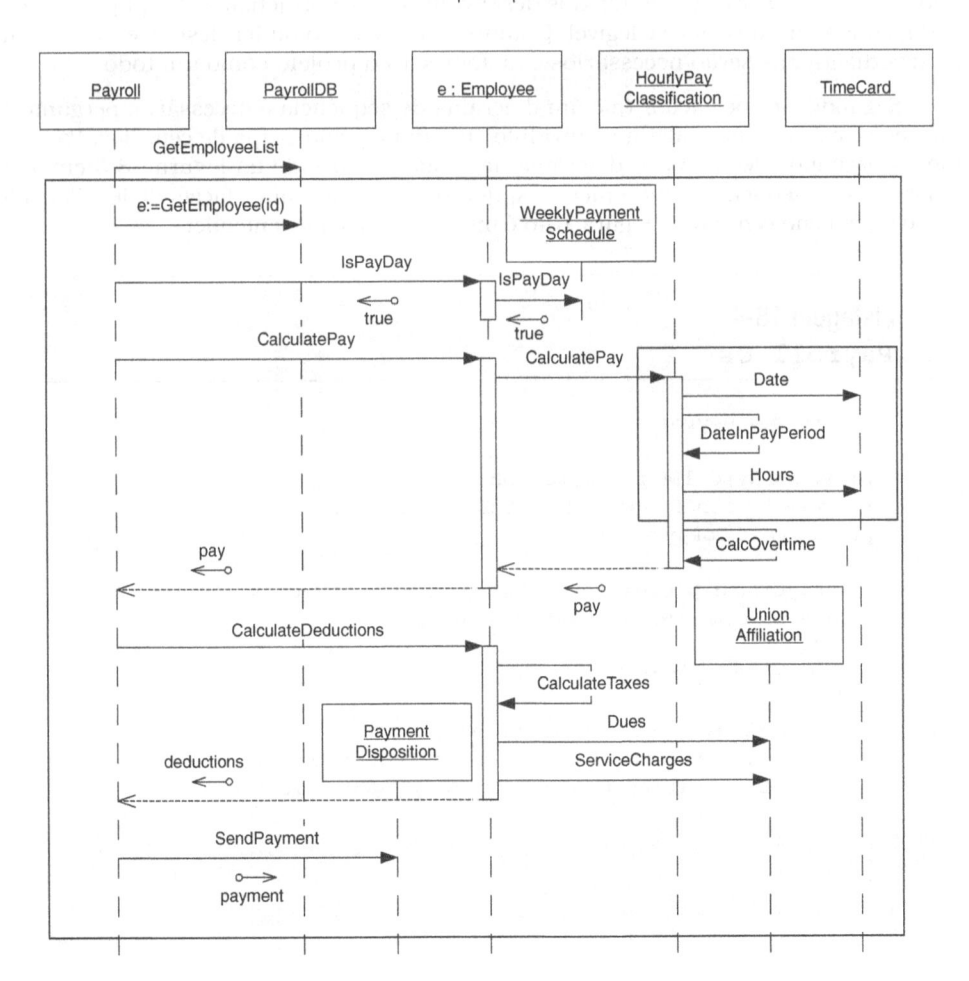

Figura 18-5
Um diagrama de sequência excessivamente complexo.

Além disso, não desenhe dezenas ou centenas de diagramas de sequência. Se houver diagramas demais, eles não serão lidos. Descubra o que há em comum a todos os cenários e concentre-se nisso. *No mundo dos diagramas UML, os pontos em comum são muito mais importantes do que as diferenças*. Use seus diagramas para mostrar os temas e as práticas comuns. Não os utilize para documentar cada pequeno detalhe. Se você precisar realmente desenhar um diagrama de sequência para descrever como as mensagens fluem, faça isso sucinta e moderadamente. Desenhe o mínimo possível deles.

Primeiro, pergunte-se se o diagrama de sequência é mesmo necessário. Em geral, o código é mais comunicativo e econômico. A Listagem 18-4, por exemplo, mostra como poderia ser o código de uma classe `Payroll`. Esse código é muito expressivo e autossuficiente. Não precisamos do diagrama de sequência para entendê-lo; portanto, não há necessidade de desenhá-lo. Quando o código basta-se a si mesmo, os diagramas são redundantes e representam um desperdício.

O código realmente pode ser usado para descrever parte de um sistema? Na verdade, *esse deve ser um objetivo* dos desenvolvedores e projetistas. A equipe deve criar código que seja expressivo e legível. Quanto mais o código puder descrever a si mesmo, menos diagramas serão necessários e melhor será o projeto como um todo.

Segundo, se você achar que um diagrama de sequência é necessário, pergunte a si mesmo se existe uma maneira de dividi-lo em um pequeno grupo de cenários. Por exemplo, poderíamos decompor o diagrama de sequência grande da Figura 18-5 em vários diagramas de sequência muito menores, que seriam muito mais fáceis de ler. Considere como o pequeno cenário da Figura 18-6 é muito mais fácil de entender.

Listagem 18-4
`Payroll.cs`

```csharp
public class Payroll
{
  private PayrollDB itsPayrollDB;
  private PaymentDisposition itsDisposition;
  public void DoPayroll()
  {
    ArrayList employeeList = itsPayrollDB.GetEmployeeList();
    foreach (Employee e in employeeList)
    {
      if (e.IsPayDay())
      {
        double pay = e.CalculatePay();
        double deductions = e.CalculateDeductions();
        itsDisposition.SendPayment(pay - deductions);
      }
    }
  }
}
```

Terceiro, pense no que você quer retratar. Você está tentando mostrar os detalhes de uma operação de baixo nível, como na Figura 18-6, que ilustra como calcular o pagamento por hora (hourly pay)? Ou está tentando mostrar uma visão de alto nível do fluxo global do sistema, como na Figura 18-7? Em geral, os diagramas de alto nível são mais úteis do que os de baixo nível. Os diagramas de alto nível ajudam o leitor a compor o sistema mentalmente. Eles expõem mais os pontos em comum do que as diferenças.

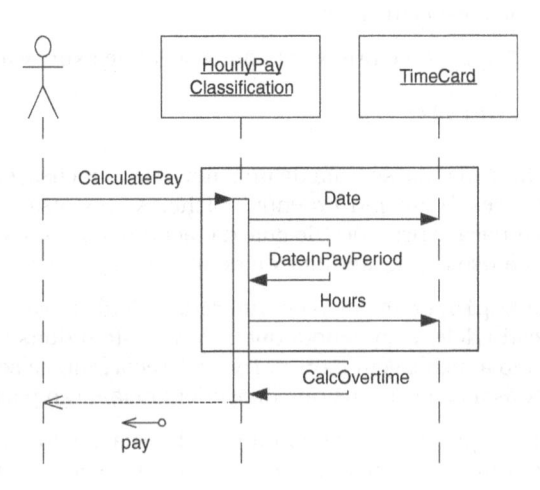

Figura 18-6
Um pequeno cenário.

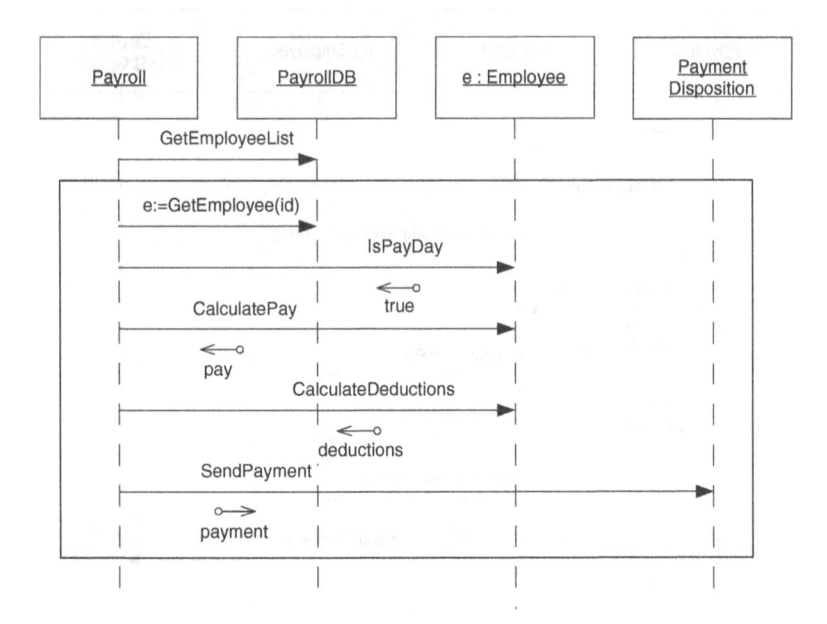

Figura 18-7
Uma visão de alto nível.

Conceitos avançados

Loops e condições

É possível desenhar um diagrama de sequência que especifique um algoritmo completamente. A Figura 18-8 mostra o algoritmo da folha de pagamentos (payroll) completo, com loops e instruções `if` bem especificados.

A mensagem `payEmployee` é prefixada com a seguinte expressão de *recorrência*:

    *[foreach id in idList]

O asterisco nos informa que se trata de uma iteração; a mensagem será enviada repetidamente até que a expressão de *guarda* entre colchetes seja falsa. Embora a UML tenha uma sintaxe específica para expressões de guarda, acho mais útil usar um pseudocódigo do tipo C# que sugira o uso de um iterador ou de uma instrução `foreach`.

A mensagem `payEmployee` termina em um retângulo de ativação que está tocando o primeiro, mas deslocado dele. Isso denota que agora existem duas funções em execução no mesmo objeto. Como a mensagem `payEmployee` é recorrente, a segunda ativação também será e, assim, todas as mensagens que dependem dela farão parte do loop.

Observe a ativação que está próxima da guarda relacionada ao dia do pagamento `[payday]`. Isso denota uma instrução `if`. A segunda ativação só obterá o controle se a condição de guarda for verdadeira. Assim, se `isPayDay` retornar `true`, `calculatePay`, `calculateDeductions` e `sendPayment` serão executadas; caso contrário, não serão.

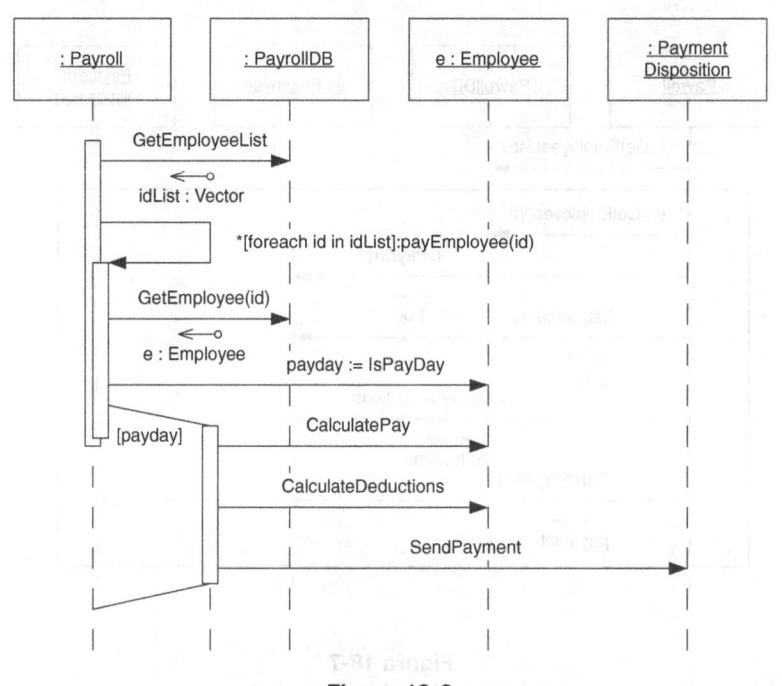

Figura 18-8
Diagrama de sequência com loops e condições.

O fato de ser *possível* capturar todos os detalhes de um algoritmo em um diagrama de sequência não deve ser interpretado como uma licença para capturar todos os seus algoritmos dessa maneira. A representação de algoritmos na UML é deselegante, na melhor das hipóteses. Um código como o da Listagem 18-4 é uma maneira *muito* melhor de expressar um algoritmo.

Mensagens que demoram

Normalmente, não consideramos o tempo que leva para enviar uma mensagem de um objeto para outro. Na maioria das linguagens de OO, esse tempo é praticamente zero. É por isso que desenhamos as linhas de mensagem horizontalmente: elas são imediatas. Em alguns casos, no entanto, as mensagens *demoram* a serem enviadas. Poderíamos tentar enviar uma mensagem por uma rede ou em um sistema em que a thread de controle possa ser dividida entre a chamada e a execução de um método. Quando isso é possível, podemos denotá-lo usando linhas *inclinadas*, como mostrado na Figura 18-9.

Essa figura mostra uma ligação telefônica. Esse diagrama de sequência tem três objetos. O objeto `caller` é a pessoa que está fazendo a ligação. O objeto `callee` é a pessoa que está recebendo a ligação. O objeto `telco` é a companhia telefônica.

Tirar o telefone do gancho envia a mensagem de "em uso" (off-hook) para a companhia telefônica, a qual responde com um tom de discagem (dial tone). Tendo recebido o tom de discagem, o chamador (caller) disca o número do telefone do receptor (callee). A companhia telefônica responde fazendo tocar o telefone do receptor e fazendo soar um tom de toque (ringback) para o chamador. O receptor atende ao telefone em resposta ao toque. A companhia telefônica estabelece a conexão. O receptor diz "alô" ("hello") e a ligação telefônica é bem-sucedida.

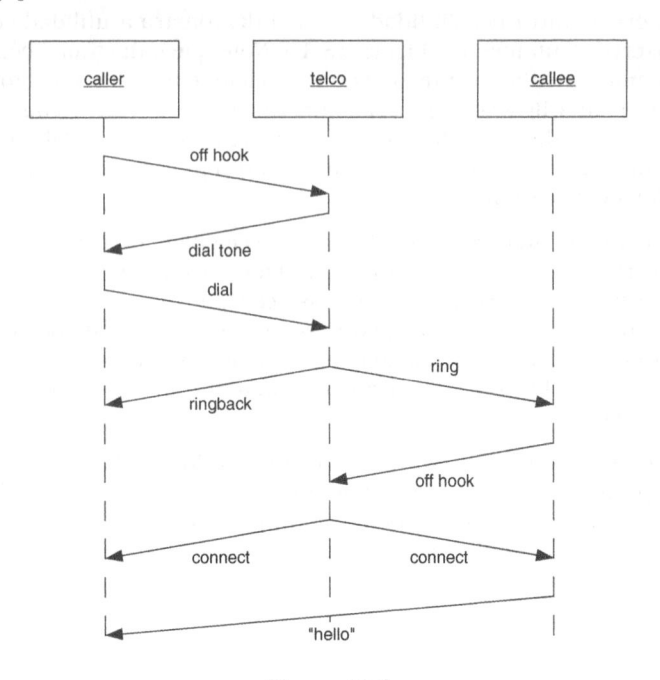

Figura 18-9
Ligação telefônica normal.

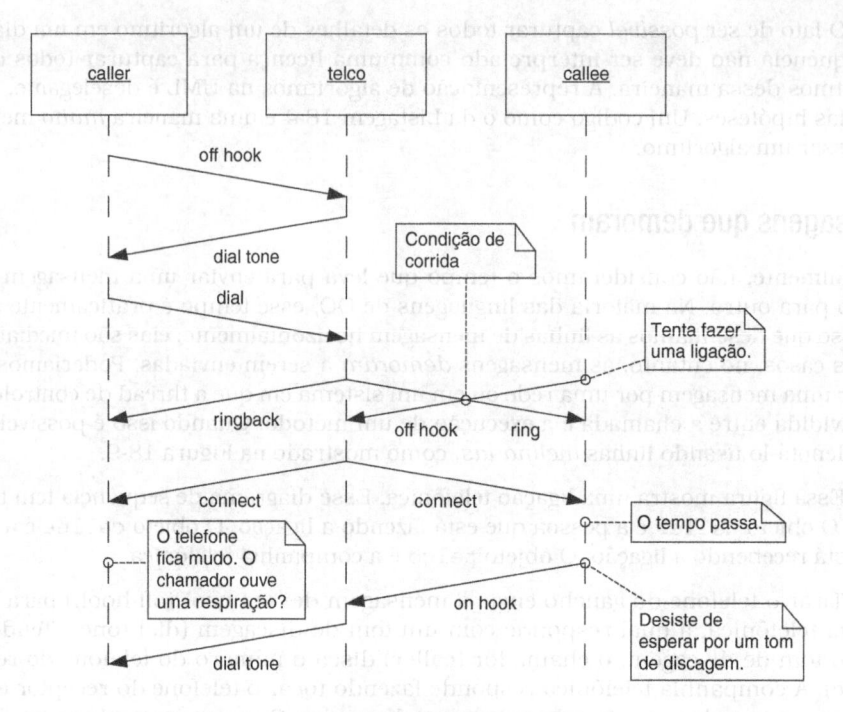

Figura 18-10
Ligação telefônica falha.

Contudo, existe outra possibilidade, a qual demonstra a utilidade desses tipos de diagramas. Observe atentamente a Figura 18-10. Note que o diagrama começa exatamente igual. No entanto, imediatamente antes que o telefone toque, o receptor tira o fone do gancho para fazer uma ligação. Agora o chamador está conectado com o receptor, mas nenhum dos dois sabe disso. O chamador está esperando por um "alô" e o receptor está esperando por um tom de discagem. Finalmente, o receptor desliga, frustrado, e o chamador ouve um tom de discagem.

O cruzamento das duas setas na Figura 18-10 é chamado *condição de corrida**. As condições de corrida ocorrem quando duas entidades assíncronas podem executar simultaneamente operações incompatíveis. Em nosso caso, a companhia telefônica executou a operação *ring* e o receptor estava ocupado. Nesse ponto, todos os participantes tinham uma ideia diferente do estado do sistema. O chamador estava esperando por um "alô", a companhia telefônica achava que seu trabalho tinha terminado e o receptor estava esperando por um tom de discagem.

Nos sistemas de software, as condições de corrida podem ser muito difíceis de descobrir e depurar. Esses diagramas podem ser úteis para encontrá-las e diagnosticá-las. Principalmente, eles são úteis para explicá-las para outras pessoas, uma vez descobertas.

---

* N. de R.T.: Do original, *race condition*.

Mensagens assíncronas

Quando você envia uma mensagem para um objeto, normalmente não espera receber o controle de volta até que o objeto receptor tenha acabado de executar. As mensagens que se comportam dessa maneira são denominadas *mensagens síncronas*. Contudo, em sistemas distribuídos ou multitarefas é possível que o objeto que está enviando obtenha o controle de volta imediatamente e que o objeto receptor execute em outra thread de controle. Tais mensagens são denominadas *mensagens assíncronas*.

A Figura 18-11 mostra uma mensagem assíncrona. Note que a ponta da seta é aberta, em vez de ser preenchida. Veja de novo todos os outros diagramas de sequência deste capítulo. Todos eles foram desenhados com mensagens síncronas (pontas de seta preenchidas). É a elegância – ou perversidade; faça sua escolha – da UML o fato de que tal diferença sutil na ponta da seta possa ter uma profunda diferença no comportamento representado.

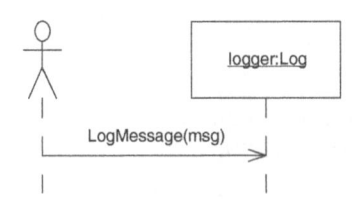

Figura 18-11
Mensagem assíncrona.

As versões anteriores da UML usavam metade de pontas de seta para denotar mensagens assíncronas, como se vê na Figura 18-12. Visualmente, isso é muito mais distintivo. Os olhos do leitor são imediatamente atraídos para a assimetria da ponta da seta. Portanto, eu continuo a usar essa convenção, mesmo tendo sido trocada na UML 2.0.

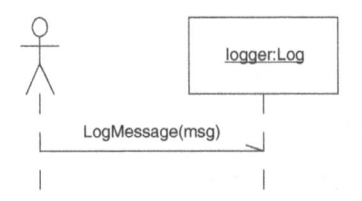

Figura 18-12
Maneira melhor e antiga de representar mensagens assíncronas.

As listagens 18-5 e 18-6 mostram código que poderia corresponder à Figura 18-11. A Listagem 18-5 mostra um teste de unidade para a classe `AsynchronousLogger` da Listagem 18-6. Note que a função `LogMessage` retorna imediatamente após colocar a mensagem na fila. Note também que a mensagem é processada em uma thread completamente diferente, iniciada pelo construtor. A classe `TestLog` garante que o método `logMessage` se comporte de forma assíncrona por primeiramente verificar se a mensagem foi colocada na fila, mas não processada, então deixando o processador para outras threads e, finalmente, verificando se a mensagem foi processada e retirada da fila.

Essa é apenas uma implementação para uma mensagem assíncrona. Outras implementações são possíveis. Em geral, denotamos uma mensagem como assíncrona se o chamador pode esperar que ela retorne antes que as operações desejadas sejam executadas.

Listagem 18-5
`TestLog.cs`

```csharp
using System;
using System.Threading;
using NUnit.Framework;

namespace AsynchronousLogger
{
  [TestFixture]
  public class TestLog
  {
    private AsynchronousLogger logger;
    private int messagesLogged;

    [SetUp]
    protected void SetUp()
    {
      messagesLogged = 0;
      logger = new AsynchronousLogger(Console.Out);
      Pause();
    }

    [TearDown]
    protected void TearDown()
    {
      logger.Stop();
    }

    [Test]
    public void OneMessage()
    {
      logger.LogMessage("one message");
      CheckMessagesFlowToLog(1);
    }

    [Test]
```

```csharp
    public void TwoConsecutiveMessages()
    {
      logger.LogMessage("another");
      logger.LogMessage("and another");
      CheckMessagesFlowToLog(2);
    }

    [Test]
    public void ManyMessages()
    {
      for (int i = 0; i < 10; i++)
      {
        logger.LogMessage(string.Format("message:{0}", i));
        CheckMessagesFlowToLog(1);
      }
    }

    private void CheckMessagesFlowToLog(int queued)
    {
      CheckQueuedAndLogged(queued, messagesLogged);
      Pause();
      messagesLogged += queued;
      CheckQueuedAndLogged(0, messagesLogged);
    }

    private void CheckQueuedAndLogged(int queued, int logged)
    {
      Assert.AreEqual(queued,
                      logger.MessagesInQueue(), "queued");
      Assert.AreEqual(logged,
                      logger.MessagesLogged(), "logged");
    }

    private void Pause()
    {
      Thread.Sleep(50);
    }
  }
}
```

Listagem 18-6
AsynchronousLogger.cs

```csharp
using System;
using System.Collections;
using System.IO;
using System.Threading;

namespace AsynchronousLogger
{
  public class AsynchronousLogger
  {
    private ArrayList messages =
      ArrayList.Synchronized(new ArrayList());
    private Thread t;
    private bool running;
    private int logged;
    private TextWriter logStream;

    public AsynchronousLogger(TextWriter stream)
    {
      logStream = stream;
      running = true;
      t = new Thread(new ThreadStart(MainLoggerLoop));
      t.Priority = ThreadPriority.Lowest;
      t.Start();
    }

    private void MainLoggerLoop()
    {
      while (running)
      {
        LogQueuedMessages();
        SleepTillMoreMessagesQueued();
        Thread.Sleep(10); // Lembrar-me de explicar isto.
      }
    }

    private void LogQueuedMessages()
    {
      while (MessagesInQueue() > 0)
        LogOneMessage();
    }

    private void LogOneMessage()
    {
      string msg = (string) messages[0];
```

```
      messages.RemoveAt(0);
      logStream.WriteLine(msg);
      logged++;
    }

    private void SleepTillMoreMessagesQueued()
    {
      lock (messages)
      {
        Monitor.Wait(messages);
      }
    }

    public void LogMessage(String msg)
    {
      messages.Add(msg);
      WakeLoggerThread();
    }

    public int MessagesInQueue()
    {
      return messages.Count;
    }

    public int MessagesLogged()
    {
      return logged;
    }

    public void Stop()
    {
      running = false;
      WakeLoggerThread();
      t.Join();
    }

    private void WakeLoggerThread()
    {
      lock (messages)
      {
        Monitor.PulseAll(messages);
      }
    }
  }
}
```

Múltiplas threads

Mensagens assíncronas significam múltiplas threads de controle. Podemos mostrar várias threads de controle diferentes em um diagrama UML rotulando o nome da mensagem com um identificador de thread, como mostrado na Figura 18-13.

Note que o nome da mensagem é prefixado com um identificador, como T1, seguido de dois-pontos. Esse identificador refere-se à thread a partir da qual a mensagem foi enviada. No diagrama, o objeto `AsynchronousLogger` foi criado e manipulado pela thread T1. A thread que registra a mensagem, executando dentro do objeto `Log`, é chamada T2.

Como você pode ver, os identificadores de thread não correspondem necessariamente aos nomes que aparecem no código. A Listagem 18-6 não identifica a thread de log T2. Em vez disso, os identificadores de thread servem para o diagrama.

Objetos ativos

Às vezes, queremos denotar que um objeto tem uma thread interna separada. Tais objetos são conhecidos como *objetos ativos*. Eles são mostrados com um contorno em negrito, como na Figura 18-14.

Os objetos ativos instanciam e controlam suas próprias threads. Não existem restrições em relação aos seus métodos. Seus métodos podem ser executados na thread do objeto ou na thread do chamador.

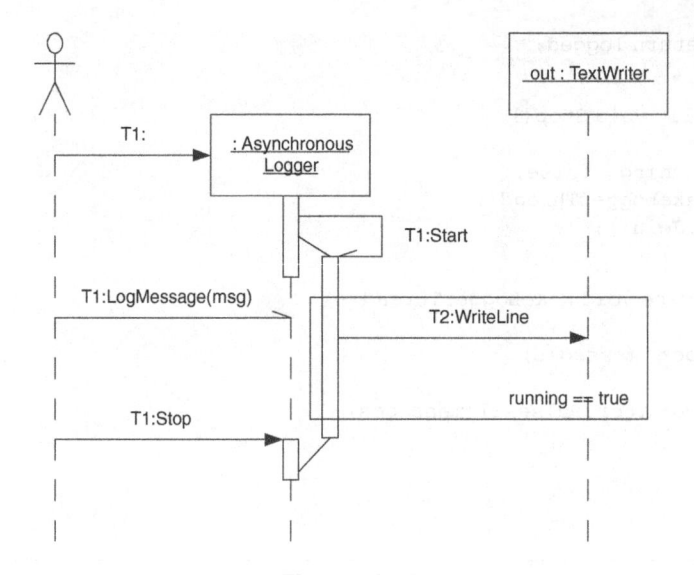

Figura 18-13
Múltiplas threads de controle.

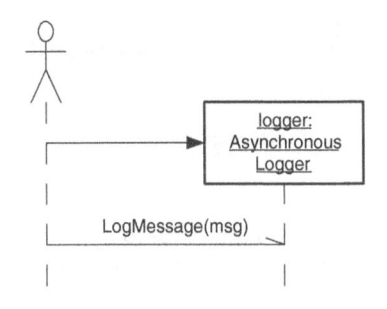

Figura 18-14
Objeto ativo.

Enviando mensagens para interfaces

Nossa classe `AsynchronousLogger` é uma maneira de registrar mensagens através de um log. E se quiséssemos que nosso aplicativo fosse capaz de usar muitos tipos diferentes de registradores de log? Provavelmente criaríamos uma interface `Logger` (registrador de log) que declarasse o método `LogMessage` e derivasse nossa classe `AsynchronousLogger` e todas as outras implementações dessa interface. Consulte a Figura 18-15.

O aplicativo vai enviar mensagens para a interface `Logger`. O aplicativo não saberá que o objeto é um `AsynchronousLogger`. Como podemos representar isso em um diagrama de sequência?

A Figura 18-16 mostra a estratégia óbvia. Você simplesmente nomeia o objeto como a interface e pronto. Talvez isso pareça violar as regras, pois é impossível ter uma instância de uma interface. No entanto, estamos afirmando apenas que o objeto `logger` corresponde ao tipo `Logger`. Não estamos dizendo que de algum modo conseguimos instanciar uma interface nua.

```
interface Logger {
  void LogMessage(string msg);
}

public class AsynchronousLogger : Logger {
  ...
}
```

Figura 18-15
Projeto de registrador de log simples.

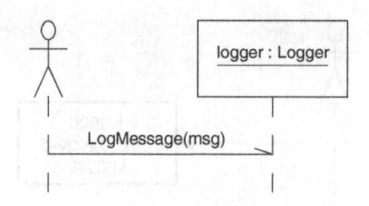

Figura 18-16
Enviando para uma interface.

Às vezes, contudo, sabemos o tipo do objeto e ainda assim queremos mostrar a mensagem sendo enviada para uma interface. Por exemplo, poderíamos saber que criamos um objeto `AsynchronousLogger`, mas ainda queremos mostrar o aplicativo usando apenas a interface `Logger`. A Figura 18-17 mostra como isso é representado. Usamos o pirulito de interface na linha de vida do objeto.

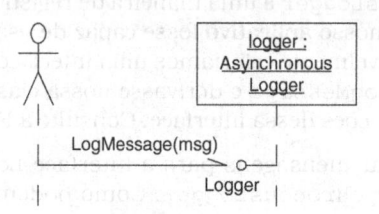

Figura 18-17
Enviando para um tipo derivado por meio de uma interface.

Conclusão

Vimos que os diagramas de sequência são uma maneira eficaz de comunicar o fluxo de mensagens em um aplicativo orientado a objetos. No entanto, também alertamos que é fácil abusar e ir longe demais com eles.

Vez ou outra, um diagrama de sequência no quadro branco pode ser valioso. Um documento muito curto, com cinco ou seis diagramas de sequência denotando as interações mais comuns em um subsistema, pode valer ouro. Por outro lado, um documento com mil diagramas de sequência provavelmente não valerá o papel em que está impresso.

Uma das grandes falácias do desenvolvimento de software nos anos 1990 era a ideia de que os desenvolvedores deveriam desenhar diagramas de sequência para todos os métodos *antes* de escreverem o código. Não faça isso: é sempre um desperdício de tempo muito dispendioso.

Em vez disso, use diagramas de sequência como a ferramenta que foram destinados a ser. Utilize-os em um quadro branco para se comunicar com outras pessoas em tempo real. Use em um documento conciso para capturar as colaborações importantes e centrais do sistema.

No que diz respeito aos diagramas de sequência, pouco é melhor do que muito. Você sempre pode desenhar um deles posteriormente, se achar que precisa.

Capítulo 19

DIAGRAMAS DE CLASSES

Os diagramas de classes da UML nos permitem denotar o conteúdo estático – e os relacionamentos – de classes. Em um diagrama de classes podemos mostrar as variáveis membro e as funções membro de uma classe. Também podemos mostrar se uma classe herda de outra ou se contém uma referência para outra. Em resumo, podemos retratar todas as *dependências de código-fonte* entre as classes.

Isso pode ser valioso. Pode ser muito mais fácil avaliar a estrutura de dependência de um sistema a partir de um diagrama do que a partir do código-fonte. Os diagramas tornam certas estruturas de dependência visíveis. Podemos *ver* ciclos de dependência e determinar a melhor forma de rompê-los. Podemos ver quando classes abstratas dependem de classes concretas e podemos determinar uma estratégia para redirecionar tais dependências.

Os fundamentos

Classes

A Figura 19-1 mostra a forma mais simples de diagrama de classes. A classe chamada Dialer está representada como um retângulo simples. Esse diagrama representa nada o código mostrado à sua direita.

```
                            public class
   ┌──────────────┐         {
   │    Dialer    │         }
   └──────────────┘
```

Figura 19-1
Símbolo de classe.

Essa é a maneira mais comum de representar uma classe. Na maioria dos diagramas, as classes podem ser representadas apenas pelos seus nomes.

Um símbolo de classe pode ser subdividido em compartimentos. O compartimento superior contém o nome da classe, o segundo contém as variáveis da classe e o terceiro contém os seus métodos. A Figura 19-2 mostra esses compartimentos e como eles se traduzem em código.

```
public class Dialer
{
    private ArrayList digits;
    private int nDigits;
    public void Digit(int n);
    protected bool RecordDigit(int n);
}
```

Figura 19-2
Compartimentos do símbolo de classe com o código correspondente.

Observe o caractere na frente das variáveis e funções no símbolo de classe. Um traço (-) denota private; o jogo da velha (#), protected; e um sinal de adição (+), public.

O tipo de uma variável ou o argumento de uma função aparece após os dois-pontos que seguem o nome da variável ou do argumento. Da mesma forma, o valor de retorno de uma função aparece após os dois-pontos que seguem a função.

Esse tipo de detalhe às vezes é útil, mas não deve ser usado com muita frequência. Os diagramas UML não são um lugar para se declarar variáveis e funções. Tais declarações são mais bem realizadas no código-fonte. Use esses adornos somente quando eles forem essenciais para o propósito do diagrama.

Associação

As associações entre classes na maioria das vezes representam variáveis de instância que contêm referências para outros objetos. Por exemplo, a Figura 19-3 mostra uma associação entre Phone e Button. A direção da seta indica que Phone contém uma referência para Button. O nome próximo à ponta da seta é o nome da variável de instância. O número próximo à ponta da seta indica quantas referências são mantidas.

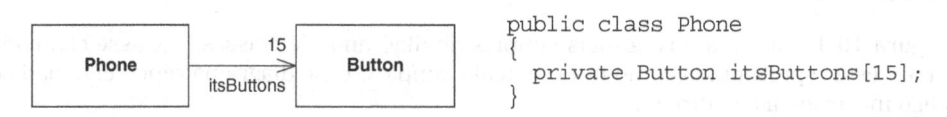

```
public class Phone
{
    private Button itsButtons[15];
}
```

Figura 19-3
Associação.

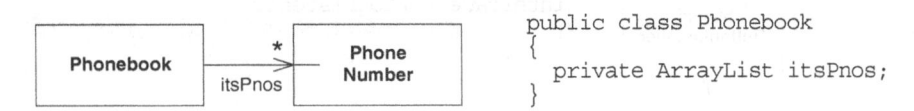

```
                                        public class Phonebook
  ┌──────────┐  *  ┌────────┐           {
  │Phonebook │─────▷│ Phone  │              private ArrayList itsPnos;
  └──────────┘itsPnos│Number │           }
                    └────────┘
```

Figura 19-4
Associação de um para muitos.

Na Figura 19-3, 15 objetos `Button` estão conectados ao objeto `Phone`. A Figura 19-4 mostra o que acontece quando não há limite. Um objeto `Phonebook` está conectado a *muitos objetos* `PhoneNumber`. (O asterisco significa *muitos*.) Em C#, isso é mais comumente implementado com `ArrayList` ou alguma outra coleção.

Eu poderia ter dito, "um `Phonebook` *tem* muitos `PhoneNumbers`". Em vez disso, evitei o uso da palavra *tem*. Isso foi intencional. Os verbos comuns da OO TEM-UM e É-UM têm levado a vários mal-entendidos lamentáveis. Por enquanto, não espere que eu utilize os termos comuns. Em vez disso, usarei termos que descrevem o que acontece no software, como *está conectado a*.

Herança

Na UML, você deve tomar muito cuidado com as setas. A Figura 19-5 mostra o porquê. A seta que aponta para `Employee` denota *herança*.[1] Se você desenhar suas setas de qualquer jeito, poderá ser difícil saber se elas significam herança ou associação. Para evitar problemas, eu frequentemente desenho os relacionamentos de herança verticais e as associações horizontais.

Na UML, todas as setas apontam na direção da *dependência do código-fonte*. Como é a classe `SalariedEmployee` que menciona o nome de `Employee`, a seta aponta para `Employee`. Portanto, na UML as setas de herança apontam para a classe base.

```
  ┌──────────┐           public class Employee
  │ Employee │           {
  └──────────┘              ...
       △                 }
       │
  ┌──────────┐           public class SalariedEmployee : Employee
  │ Salaried │           {
  │ Employee │              ...
  └──────────┘           }
```

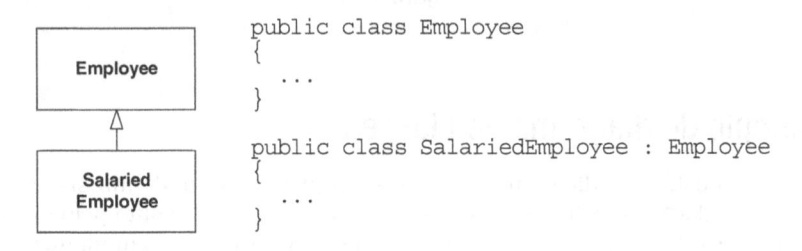

Figura 19-5
Herança.

---

[1] Na verdade, ela denota *generalização*, mas no que diz respeito ao programador de C#, a diferença é discutível.

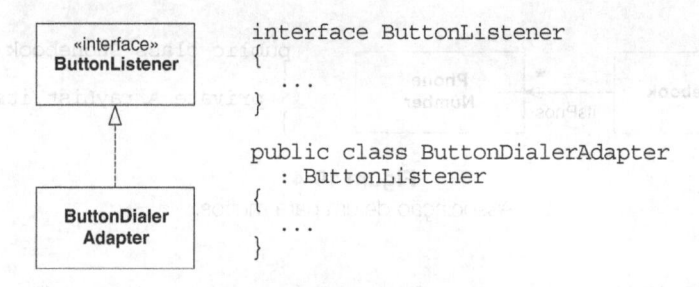

```
      «interface»          interface ButtonListener
     ButtonListener         {
                             ...
           △                }
           ┆
           ┆                public class ButtonDialerAdapter
           ┆                   : ButtonListener
       ButtonDialer         {
         Adapter              ...
                            }
```

Figura 19-6
Relacionamento realiza.

A UML tem uma notação especial para o tipo de herança usado entre uma classe e uma interface da linguagem C#. Como se vê na Figura 19-6, trata-se de uma seta de herança tracejada.[2] Nos próximos diagramas, você verá que me esqueci de tracejar as setas que apontam para interfaces. Sugiro que você também se esqueça de tracejar as setas que desenhar em quadros brancos. A vida é curta demais para se ficar tracejando setas.

A Figura 19-7 mostra outra maneira de transmitir a mesma informação. As interfaces podem ser desenhadas como pirulitos nas classes que as implementam. Vemos frequentemente esse tipo de notação em projetos de COM*.

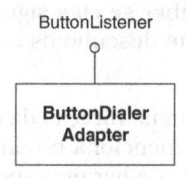

```
                    ButtonListener
                          ○
                          │
                    ┌─────┴──────┐
                    │ ButtonDialer│
                    │   Adapter   │
                    └─────────────┘
```

Figura 19-7
Indicador de interface tipo pirulito.

Um exemplo de diagrama de classes

A Figura 19-8 mostra um diagrama de classes simples de parte de um sistema de caixa eletrônico. Esse diagrama é interessante tanto pelo que mostra quanto pelo que não mostra. Note que me esforcei para indicar todas as interfaces. Considero fundamental garantir que meus leitores saibam quais classes pretendo que sejam interfaces e quais pretendo que sejam implementadas. Por exemplo, o diagrama mostra imediatamente que `WithdrawalTransaction` (transação de saque) se comunica com uma interface `CashDispenser` (dispositivo que entrega as cédulas). Claramente, alguma classe no sistema terá de implementar `CashDispenser`, mas nesse diagrama não nos importamos com qual ela é.

---

[2] Isso é chamado de relacionamento *realiza*. Há mais nisso do que apenas herança de interface, mas a diferença está fora dos objetivos deste livro e provavelmente fora dos objetivos de qualquer um que escreva código para sobreviver.

*N. de R.T.: Component Object Model.

Perceba que não fui muito meticuloso na documentação dos métodos das diversas interfaces UI. Certamente, `WithdrawalUI` (interface para saques) precisará de mais do que os dois métodos mostrados ali. E quanto a `PromptForAccount` (solicitar número de conta) ou `InformCashDispenserEmpty` (informar que não há cédulas suficientes)? Inserir esses métodos no diagrama o tornaria congestionado. Fornecer um grupo representativo dos métodos é o suficiente para que o leitor entenda o recado.

Novamente, observe que a convenção da associação horizontal e da herança vertical ajuda a diferenciar esses tipos de relacionamentos completamente distintos. Sem uma convenção como essa, pode ser difícil entender o significado do emaranhado.

Observe como separei o diagrama em três zonas distintas. As transações e suas ações estão à esquerda, as diversas interfaces UI estão todas à direita e a implementação de UI está na parte inferior. Note também que as conexões entre os agrupamentos são mínimas e regulares. Em um caso, são três associações, todas apontando da mesma maneira. No outro caso, são três relacionamentos de herança, todos unidos em uma única linha. Os agrupamentos e a maneira como estão conectados ajudam o leitor a ver o diagrama em trechos coerentes.

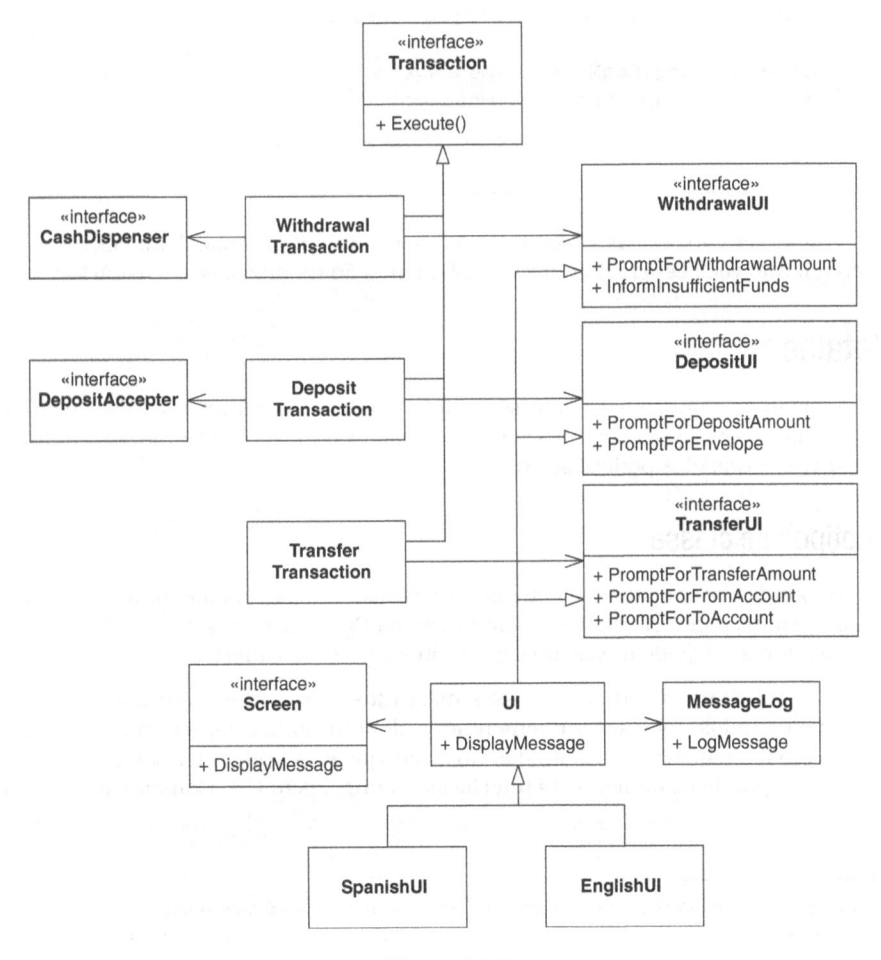

Figura 19-8
Diagrama de classes de caixa eletrônico.

Listagem 19-1
UI.cs

```
public abstract class UI:
   WithdrawalUI, DepositUI, TransferUI
{
   private Screen itsScreen;
   private MessageLog itsMessageLog;

   public abstract void PromptForDepositAmount();
   public abstract void PromptForWithdrawalAmount();
   public abstract void InformInsufficientFunds();
   public abstract void PromptForEnvelope();
   public abstract void PromptForTransferAmount();
   public abstract void PromptForFromAccount();
   public abstract void PromptForToAccount();

   public void DisplayMessage(string message)
   {
      itsMessageLog.LogMessage(message);
      itsScreen.DisplayMessage(message);
   }
}
```

Você deve ser capaz de *ver* o código ao olhar para o diagrama. A Listagem 19-1 é parecida com o que você esperaria para a implementação da interface do usuário?

Os detalhes

Inúmeros detalhes e adornos podem ser adicionados aos diagramas de classes da UML. Na maioria das vezes, esses detalhes e adornos não devem ser inseridos. No entanto, existem ocasiões em que eles podem ser úteis.

Estereótipos de classe

Os estereótipos de classe aparecem entre os caracteres « e »[3], normalmente acima do nome da classe. Já os vimos antes. A denotação «interface» na Figura 19-8 é um estereótipo de classe. Os programadores C# podem usar dois estereótipos padrão: «interface» e «utility».

«interface» Todos os métodos de classes marcados com esse estereótipo são abstratos. Nenhum dos métodos pode ser implementado. Além disso, as classes «interface» não podem ter variáveis de instância. As únicas variáveis que elas podem ter são variáveis estáticas. Isso corresponde exatamente às interfaces da linguagem C#. Consulte a Figura 19-9.

---

[3] Esses caracteres *não são dois sinais de menor e dois de maior*. Se você usar operadores de desigualdade duplicados, em vez dos caracteres « e » adequados e corretos, a polícia da UML o *encontrará*.

Eu desenho interfaces com tanta frequência que explicitar o estereótipo inteiro no quadro branco pode ser bastante inconveniente. Assim, muitas vezes uso a forma abreviada que aparece na parte inferior da Figura 19-9 para tornar o desenho mais fácil. Isso não é UML padrão, mas é muito mais conveniente.

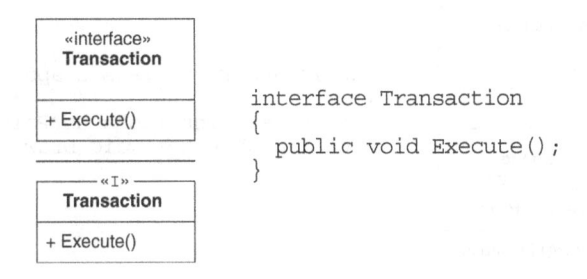

```
interface Transaction
{
    public void Execute();
}
```

Figura 19-9
Estereótipo de classe «interface».

«utility»   Todos os métodos e variáveis de uma classe «utility» são estáticos. Booch costumava chamar essas classes de *utilitárias*.[4] Consulte a Figura 19-10.

```
public class Math
{
    public static readonly double PI =
                         3.14159265358979323;

    public static double Sin(double theta){...}
    public static double Cos(double theta){...}
}
```

Figura 19-10
Estereótipo de classe «utility».

Se quiser, você pode fazer seus próprios estereótipos. Eu uso com frequência os estereótipos «persistent», «C-API», «struct» ou «function». Basta garantir que quem irá ler seus diagramas saberá o que seus estereótipos significam.

Classes abstratas

Na UML, existem duas maneiras de denotar que uma classe ou um método é abstrato. Você pode escrever o nome em itálico ou usar a propriedade {abstract}. As duas opções são mostradas na Figura 19-11.

É difícil escrever em itálico em um quadro branco e a propriedade {abstract} é pouco concisa. Assim, no quadro branco eu uso a convenção mostrada na Figura 19-12, caso preci-

---

[4] [Booch94], p. 186.

se denotar uma classe ou método como abstrato. Novamente, isso não é UML padrão, mas no quadro branco é muito mais conveniente.[5]

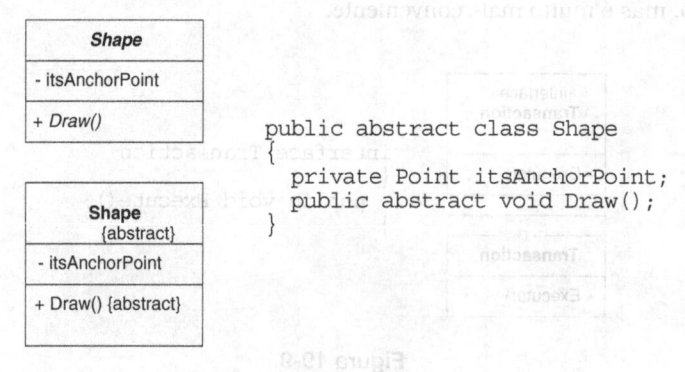

```
public abstract class Shape
{
    private Point itsAnchorPoint;
    public abstract void Draw();
}
```

Figura 19-11
Classes abstratas.

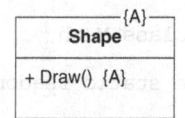

Figura 19-12
Indicação extraoficial de classes abstratas.

Propriedades

Propriedades como {abstract} podem ser adicionadas em qualquer classe. Elas representam informações extras que normalmente não fazem parte de uma classe. Você pode criar suas próprias propriedades a qualquer momento.

As propriedades são escritas em uma lista separada por vírgulas de pares nome/valor, como segue:

    {author=Martin, date=20020429, file=shape.cs, private}

As propriedades do exemplo anterior não fazem parte da UML. Além disso, as propriedades não precisam ser específicas do código, mas podem conter qualquer metadado que você imaginar. A propriedade {abstract} é a única definida pela UML que os programadores normalmente acham útil.

---

[5] Talvez você se lembre da notação de Booch. Uma qualidade dessa notação era sua conveniência; Ela era ótima para o quadro branco.

```
         ┌─────────────────┐
         │     Shape       │
         ├─────────────────┤
         │ {author=Martin, │
         │  date=20020429, │
         │  file=shape.cs, │
         │  private}       │
         └─────────────────┘
```

Figura 19-13
Propriedades.

Presume-se que uma propriedade que não tenha um valor assuma o valor booleano true. Assim, {abstract} e {abstract = true} são sinônimos. As propriedades são escritas abaixo e à direita do nome da classe, como mostrado na Figura 19-13.

A não ser na propriedade {abstract}, não sei se isso será muito útil. Em minha experiência de muitos anos desenhando diagramas UML, nunca precisei usar propriedades de classe.

Agregação

Agregação é uma forma especial de associação que significa um relacionamento todo/parte (whole/part). A Figura 19-14 mostra como ela é desenhada e implementada. Note que a implementação mostrada na Figura 19-14 é indistinguível da associação. Isso é um indício.

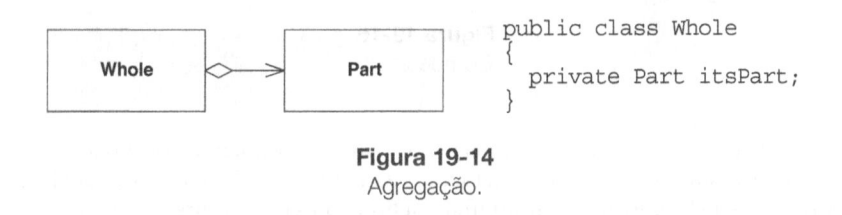

```
┌───────┐      ┌──────┐      public class Whole
│ Whole │◇────▶│ Part │      {
└───────┘      └──────┘          private Part itsPart;
                              }
```

Figura 19-14
Agregação.

Infelizmente, a UML não fornece uma definição segura para esse relacionamento. Isso pode ser confuso, pois vários programadores e analistas adotam suas definições favoritas para o relacionamento. Por esse motivo, eu não uso o relacionamento e recomendo que você também o evite. De fato, esse relacionamento quase foi eliminado da UML 2.0.

A única regra concreta que a UML nos fornece com relação às agregações é esta: um todo não pode ser sua própria parte. Portanto, *instâncias* não podem formar ciclos de agregações. Um único objeto não pode ser um agregado de si mesmo, dois objetos não podem ser agregados um do outro, três objetos não podem formar um círculo de agregação e assim por diante. Consulte a Figura 19-15.

Não acho que essa seja uma definição útil. Com que frequência fico preocupado em garantir que instâncias formem um grafo acíclico dirigido? Poucas vezes. Portanto, acho esse relacionamento inútil nos tipos de diagramas que desenho.

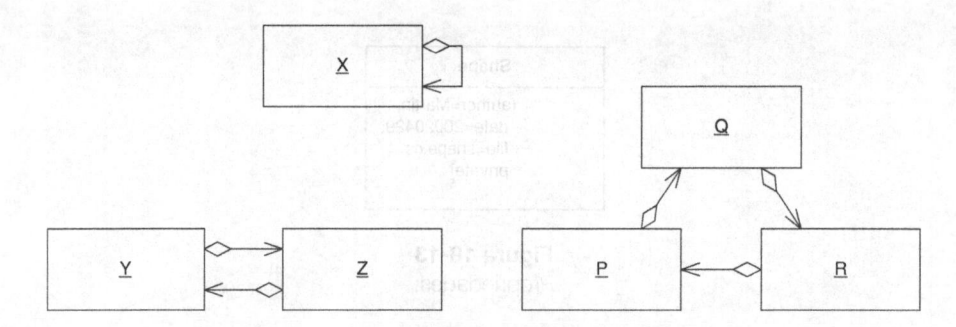

Figura 19-15
Ciclos inválidos de agregação entre instâncias.

Composição

Composição é uma forma especial de agregação, como mostrado na Figura 19-16. Novamente, note que a implementação é indistinguível da associação. Desta vez, entretanto, o motivo é que o relacionamento não tem muita utilidade em um programa C#. Por outro lado, os programadores C++ encontram *muitos* usos para ele.

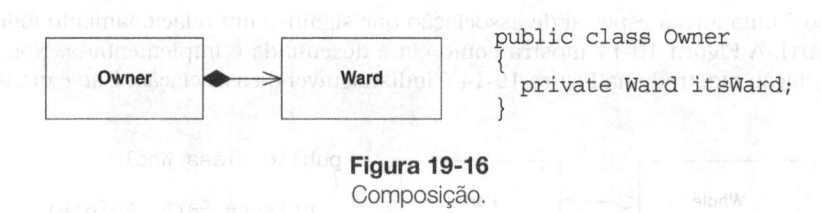

```
public class Owner
{
    private Ward itsWard;
}
```

Figura 19-16
Composição.

A mesma regra que se aplica à agregação se aplica também à composição. Não pode haver ciclos de instâncias. Um proprietário (owner) não pode ser seu próprio guardião (ward). Contudo, a UML fornece muito mais definição para a composição.

- Uma instância de guardião não pode pertencer simultaneamente a dois proprietários. O diagrama de objeto da Figura 19-17 é inválido. Contudo, note que o diagrama de classes correspondente não é inválido. Um proprietário pode transferir a posse de um guardião para outro proprietário.

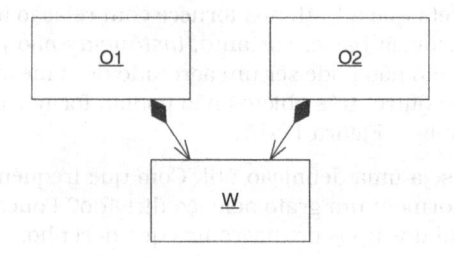

Figura 19-17
Composição inválida.

DIAGRAMAS DE CLASSES

- O proprietário é responsável pela duração do guardião. Se o proprietário é destruído, o guardião deve ser destruído com ele. Se o proprietário é copiado, o guardião deve ser copiado com ele.

Em C#, a destruição acontece nos bastidores por causa do coletor de lixo; portanto, raramente há necessidade de gerenciar a duração de um objeto. Cópias profundas não são desconhecidas, mas a necessidade de mostrar a semântica da cópia profunda em um diagrama é rara. Assim, embora eu tenha usado relacionamentos de composição para descrever alguns programas em C#, tal uso é raro.

A Figura 19-18 mostra como a composição é utilizada para denotar cópia profunda. Temos uma classe chamada `Address` (endereço) que contém muitos objetos `string`. Cada string contém uma linha do endereço. Claramente, quando você faz uma cópia de `Address`, quer que a cópia mude independentemente do original. Assim, precisamos fazer uma cópia profunda. O relacionamento de composição entre `Address` e os objetos `String` indica que as cópias precisam ser profundas.[6]

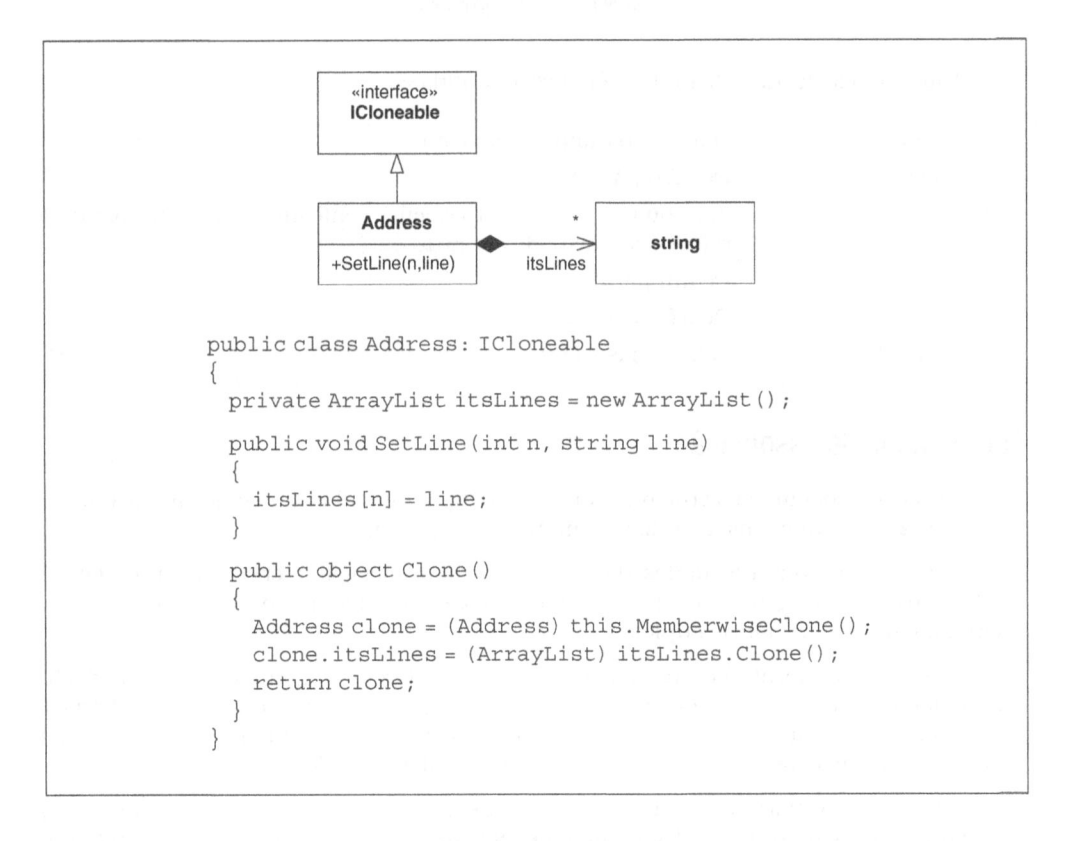

```
public class Address: ICloneable
{
   private ArrayList itsLines = new ArrayList();
   public void SetLine(int n, string line)
   {
      itsLines[n] = line;
   }
   public object Clone()
   {
      Address clone = (Address) this.MemberwiseClone();
      clone.itsLines = (ArrayList) itsLines.Clone();
      return clone;
   }
}
```

Figura 19-18
Cópia profunda decorrente da composição.

---

[6]*Exercício:* Por que foi suficiente clonar a coleção `itsLines`? Por que não precisei clonar as instâncias reais de `string`?

Multiplicidade

Os objetos podem conter arrays ou coleções de outros objetos, ou podem conter muitos objetos do mesmo tipo em variáveis de instância separadas. Na UML, isso pode ser mostrado colocando-se uma expressão de *multiplicidade* na extremidade da associação. As expressões de multiplicidade podem ser números simples, intervalos ou uma combinação de ambos. Por exemplo, a Figura 19-19 mostra um `BinaryTreeNode` usando uma multiplicidade igual a 2.

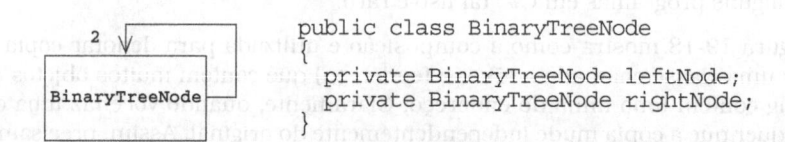

```
public class BinaryTreeNode
{
    private BinaryTreeNode leftNode;
    private BinaryTreeNode rightNode;
}
```

Figura 19-19
Multiplicidade simples.

Aqui estão as formas de multiplicidade permitidas:

- Dígito.   O número exato de elementos
- * ou 0..*   De zero para muitos
- 0..1   Zero ou um, em Java, frequentemente implementado com uma referência que pode ser `null`
- 1..*   De um para muitos
- 3..5   De três a cinco
- 0, 2..5, 9..*   Tolice, mas válido

Estereótipos de associação

As associações podem ser rotuladas com estereótipos que alteram seus significados. A Figura 19-20 mostra os que eu utilizo com mais frequência.

O estereótipo «create» indica que o destino da associação é criado pela origem. A implicação é que a origem cria o destino e então o passa para outras partes do sistema. No exemplo, mostrei uma fábrica típica*.

O estereótipo «local» é usado quando a classe de origem cria uma instância do destino e a mantém em uma variável local. A implicação é que a instância criada não sobrevive após a função membro que a cria ter terminado. Assim, ela não é mantida por nenhuma variável de instância nem passada para o sistema de algum modo.

O estereótipo «parameter» mostra que a classe de origem obtém acesso à instância de destino por meio do parâmetro de uma de suas funções membro. Novamente, a implicação é que a origem se esquece completamente desse objeto quando a função membro retorna. O destino não é salvo em uma variável de instância.

---

* N. de R.T.: O autor refere-se ao padrão de projeto denominado Factory Method, que será visto mais adiante.

```
public class A {
    public B MakeB() {
        return new B();
    }
}
```

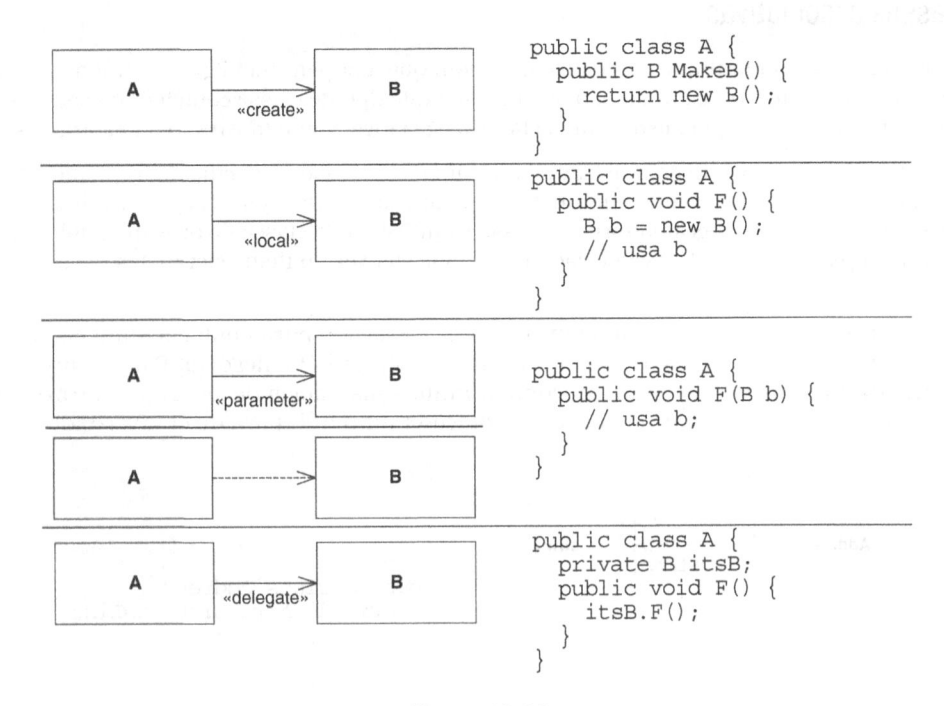

A →«create»→ B

```
public class A {
    public void F() {
        B b = new B();
        // usa b
    }
}
```

A →«local»→ B

```
public class A {
    public void F(B b) {
        // usa b;
    }
}
```

A →«parameter»→ B

A --→ B

```
public class A {
    private B itsB;
    public void F() {
        itsB.F();
    }
}
```

A →«delegate»→ B

Figura 19-20
Estereótipos de associação.

Usar setas de dependência tracejadas, como mostra o diagrama, é um idioma comum e conveniente para denotar parâmetros. Eu normalmente prefiro isso a usar o estereótipo «parameter».

O estereótipo «delegate» é usado quando a classe de origem encaminha a chamada de uma função membro para o destino. Vários padrões de projeto aplicam essa técnica: PROXY, DECORATOR e COMPOSITE.[7] Como utilizo muito esses padrões, acho a notação útil.

Classes aninhadas

As classes aninhadas são representadas na UML com uma associação adornada com um círculo cruzado, como mostrado na Figura 19-21.

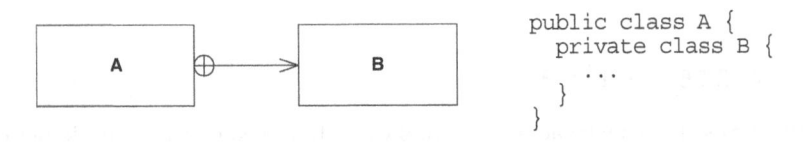

```
public class A {
    private class B {
        ...
    }
}
```

A ⊕→ B

Figura 19-21
Classe aninhada.

---

[7] [GOF95], p. 163, 175, 207.

Classes associativas

As associações com multiplicidade nos informam que a origem está ligada a muitas instâncias do destino, mas o diagrama não nos informa que tipo de classe contêiner é usado. Isso pode ser representado pelo uso de uma classe associativa, como mostrado na Figura 19-22.

As classes associativas mostram como uma associação específica é implementada. No diagrama, elas aparecem como uma classe normal ligada à associação por uma linha tracejada. Para nós, programadores C#, isso significa que a classe de origem contém uma referência para a classe de associação, a qual por sua vez contém referências para o destino.

As classes associativas também podem ser escritas para conter instâncias de algum outro objeto. Às vezes, essas classes impõem regras de negócio. Por exemplo, na Figura 19-23, uma classe Company contém muitas instâncias de Employee através de EmployeeContracts. Nunca achei essa notação muito útil, para dizer a verdade.

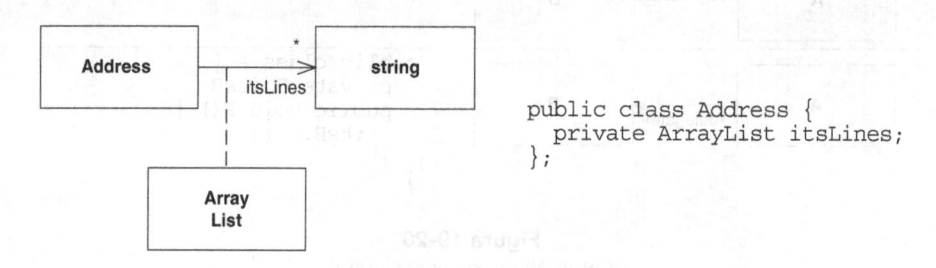

```
public class Address {
    private ArrayList itsLines;
};
```

Figura 19-22
Classe associativa.

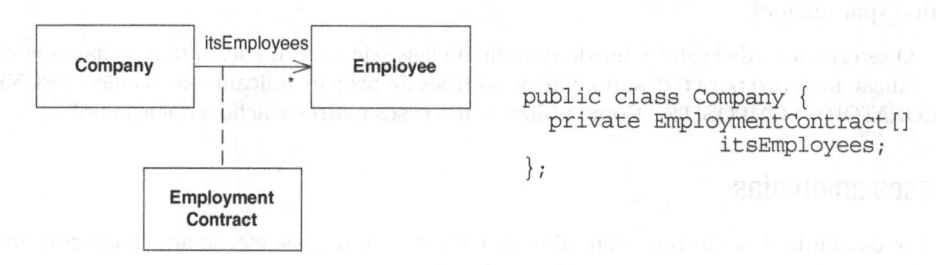

```
public class Company {
    private EmploymentContract[]
                         itsEmployees;
};
```

Figura 19-23
Contrato de trabalho (employment contract).

Qualificadores de associação

Os qualificadores de associação são usados quando a associação é implementada por meio de algum tipo de chave ou token, em vez de uma referência normal da linguagem C#. O exemplo da Figura 19-24 mostra um objeto LoginTransaction associado a um objeto Employee. A associação é intermediada por uma variável membro chamada empid, a qual contém a chave do banco de dados para Employee.

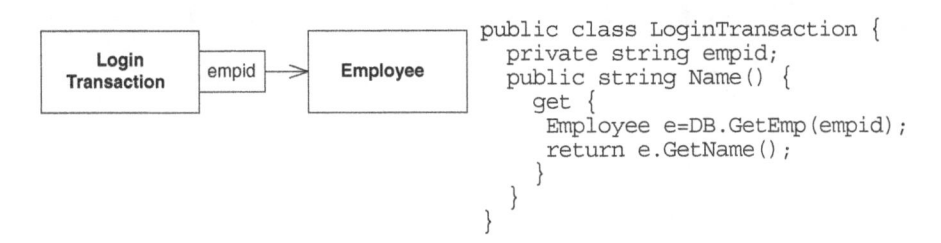

```
                                    public class LoginTransaction {
   ┌──────────┐        ┌──────────┐    private string empid;
   │  Login   │ empid  │          │    public string Name() {
   │Transaction│──────▶│ Employee │      get {
   └──────────┘        └──────────┘        Employee e=DB.GetEmp(empid);
                                           return e.GetName();
                                         }
                                       }
                                    }
```

Figura 19-24
Qualificador de associação.

Essa notação é útil em pouquíssimas situações. Às vezes, é conveniente mostrar que um objeto está associado a outro por um banco de dados ou uma chave de dicionário. No entanto, quem ler o diagrama deve saber como o qualificador é usado para acessar o objeto, o que não é imediatamente evidente a partir da notação.

Conclusão

A UML tem muitos elementos, adornos e artefatos. São tantos que você pode dedicar parte de sua vida a se tornar um advogado especialista em UML, fazendo o que de melhor os advogados fazem: escrever documentos que ninguém consegue entender.

Neste capítulo, evitei a maioria dos recursos misteriosos e complexos da UML. Em vez disso, mostrei as partes da UML que *eu* utilizo. Espero que, além desse conhecimento, você também tenha aprendido o valor do minimalismo. Em UML, quase sempre menos é mais.

Bibliografia

[Booch94] Grady Booch, *Object-Oriented Analysis and Design with Applications*, 2d ed. Addison-Wesley, 1994.

[GOF95] Erich Gamma, Richard Helm, Ralph Johnson, and John Vlissides, *Design Patterns: Elements of Reusable Object-Oriented Software*, Addison-Wesley, 1995.

Capítulo 20

HEURÍSTICAS E CAFÉ

Tenho ensinado projeto orientado a objetos para desenvolvedores de software profissionais há 12 anos. Meus cursos são divididos em aulas de manhã e exercícios à tarde. Para os exercícios, eu divido a classe em equipes e peço para que resolvam um problema de projeto usando UML. Na manhã seguinte, escolhemos uma ou duas equipes para apresentar suas soluções em um quadro branco e criticamos seus projetos.

Em meus cursos, tenho notado que os alunos cometem sempre um mesmo conjunto de erros de projetos. Este capítulo apresenta alguns dos equívocos mais comuns, mostra por que são erros e discute como podem ser corrigidos. Em seguida, resolve o problema de modo a solucionar todas as necessidades de projeto habilmente.

A cafeteira elétrica Mark IV Special

Na primeira manhã de uma aula de projeto orientado a objetos, eu apresento as definições básicas de classes, objetos, relacionamentos, métodos, polimorfismo etc. Ao mesmo tempo, apresento também os fundamentos da UML. Assim, os alunos aprendem os conceitos fundamentais, o vocabulário e as ferramentas do projeto orientado a objetos.

Durante a tarde, dou à turma o seguinte exercício para trabalhar: projete o software que controla uma cafeteira elétrica simples. Aqui está a especificação que forneço a eles.[1]

---

[1] Esse problema está em meu primeiro livro: [Martin1995], p. 60.

Especificação

A cafeteira Mark IV Special produz até 12 xícaras de café por vez. O usuário coloca um filtro no porta-filtro, enche o filtro com grãos de café e desliza o porta-filtro para seu receptáculo. Então, o usuário despeja até 12 xícaras de água no respectivo receptáculo e pressiona o botão Brew (Preparar). A água é aquecida até ferver. A pressão do vapor força a água a borrifar nos grãos de café e o café goteja na jarra, passando pelo filtro. A jarra é mantida aquecida por períodos prolongados por meio de uma chapa de aquecimento, a qual só é ligada se houver café na jarra. Se a jarra é retirada da chapa de aquecimento enquanto a água está sendo borrifada nos grãos, o fluxo de água é interrompido para que o café filtrado não seja derramado na chapa. Os seguintes itens de hardware precisam ser monitorados ou controlados:

- A resistência do boiler. Ela pode ser ligada ou desligada.
- A resistência da chapa de aquecimento. Ela pode ser ligada ou desligada.
- O sensor da chapa de aquecimento. Ele tem três estados: `warmerEmpty`, `potEmpty`, `potNotEmpty` (aquecedor vazio, jarra vazia e jarra não vazia, respectivamente).
- Um sensor para o boiler, o qual determina se ele contém água. Ele tem dois estados: `boilerEmpty` ou `boilerNotEmpty` (boiler vazio, boiler não vazio).
- O botão Brew. Esse botão momentâneo inicia o ciclo de preparação. Ele tem um indicador que acende quando o ciclo de preparação termina e o café está pronto.
- Uma válvula de alívio de pressão que se abre para reduzir a pressão no boiler. A queda de pressão interrompe o fluxo de água no filtro. A válvula pode ser aberta ou fechada.

O hardware da Mark IV foi projetado e atualmente está em desenvolvimento. Os engenheiros de hardware forneceram uma API de baixo nível para utilizarmos, de modo que não precisamos escrever nenhum código de driver de E/S trabalhoso. O código dessas funções de interface está mostrado na Listagem 20-1. Se esse código parece estranho para você, lembre-se de que foi escrito por engenheiros de hardware.

Listagem 20-1
CoffeeMakerAPI.cs

```
namespace CoffeeMaker
{
  public enum WarmerPlateStatus
  {
    WARMER_EMPTY,
    POT_EMPTY,
    POT_NOT_EMPTY
  };

  public enum BoilerStatus
  {
    EMPTY,NOT_EMPTY
  };

  public enum BrewButtonStatus
```

```
{
  PUSHED,NOT_PUSHED
};

public enum BoilerState
{
  ON,OFF
};

public enum WarmerState
{
  ON,OFF
};

public enum IndicatorState
{
  ON,OFF
};

public enum ReliefValveState
{
  OPEN, CLOSED
};

public interface CoffeeMakerAPI
{
/*
  * Esta função retorna o status do sensor da chapa de aquecimento.
  * Esse sensor detecta a presença da jarra
  * e se ela contém café.
  */

WarmerPlateStatus GetWarmerPlateStatus();

/*
  * Esta função retorna o status do interruptor do boiler.
  * Trata-se de um sensor por flutuação que detecta se
  * há mais de 1/2 xícara de água no boiler.
  */

BoilerStatus GetBoilerStatus();

/*
  * Esta função retorna o status do botão de preparo.
  * O botão de preparo é um interruptor momentâneo que recorda
  * seu estado. Cada chamada para essa função retorna o
  * estado recordado e, então, redefine esse estado como
  * NOT_PUSHED (não pressionado).
  *
  * Assim, mesmo que essa função seja sondada em uma velocidade
  * muito lenta, ela ainda detectará quando o botão de preparo
  * está pressionado.
  */

BrewButtonStatus GetBrewButtonStatus();
```

```
    /*
     * Esta função liga ou desliga a resistência de aquecimento no
     * boiler.
     */
    void SetBoilerState(BoilerState s);

    /*
     * Esta função liga ou desliga a resistência na
     * chapa de aquecimento.
     */
    void SetWarmerState(WarmerState s);

    /*
     * Esta função liga ou desliga a luz do indicador.
     * A luz do indicador deve ser ligada no final
     * do ciclo de preparação. Ela deve ser desligada quando
     * o usuário pressionar o botão de preparo.
     */
    void SetIndicatorState(IndicatorState s);

    /*
     * Esta função abre e fecha a válvula de alívio de pressão.
     * Quando essa válvula for fechada, a pressão do vapor no
     * boiler forçará a água quente a borrifar sobre
     * o filtro de café. Quando a válvula for aberta, o vapor
     * no boiler escapará para o ambiente e a água
     * do boiler não será borrifada no filtro.
     */
    void SetReliefValveState(ReliefValveState s);
    }
}
```

Se quiser um desafio, pare de ler aqui e tente projetar esse software. Lembre-se de que você está projetando o software de um sistema embarcado de tempo real simples. O que espero de meus alunos é um conjunto de diagramas de classe, diagramas de sequência e máquinas de estado.

Uma solução comum, mas horrível

A solução mais comum apresentada por meus alunos é a da Figura 20-1. Nesse diagrama, a classe central CoffeeMaker é circundada por subordinadas que controlam os diversos dispositivos. A classe CoffeeMaker contém um objeto Boiler, um WarmerPlate, um Button e um Light (respectivamente, boiler, chapa de aquecimento, botão e luz). `Boiler` contém um objeto `BoilerSensor` e um objeto `BoilerHeater` (respectivamente, sensor do boiler e aquecedor do boiler). `WarmerPlate` contém um objeto `PlateSensor` e um objeto `PlateHeater` (respectivamente, sensor da chapa e aquecedor da chapa). Por fim, duas classes base, `Sensor` e `Heater`, atuam como pais dos elementos `Boiler` e `WarmerPlate`, respectivamente.

Para os iniciantes é difícil avaliar o quanto essa estrutura é horrível. Muitos erros graves estão ocultos nesse diagrama. Muitos deles não seriam notados até que você tentasse codificar esse projeto e descobrisse que o código é absurdo.

Antes de entrarmos nos problemas do projeto em si, vamos ver os problemas da maneira como a UML é criada.

Métodos ausentes O maior problema que a Figura 20-1 apresenta é a completa ausência de métodos. Estamos escrevendo um *programa*, e os programas consistem em comportamento! Onde está o comportamento nesse diagrama?

Quando criam diagramas sem métodos, os projetistas podem estar dividindo o software em algo que não é comportamento. As divisões que não são baseadas em comportamento quase sempre são erros significativos. O comportamento de um sistema é o primeiro indício de como o software deve ser dividido.

Classes vapor Se considerarmos os métodos que poderíamos colocar na classe `Light`, poderemos ver quanto esse projeto está mal dividido. Claramente, o objeto `Light` quer ser ligado ou desligado. Assim, poderíamos colocar um método `On()` e um método `Off()` na classe `Light`. Como seria a implementação dessa função? Consulte a Listagem 20-2.

Listagem 20-2
Light.cs

```
public class Light {
  public void On() {
    CoffeeMaker.api.SetIndicatorState(IndicatorState.ON);
  }
  public void Off() {
    CoffeeMaker.api.SetIndicatorState(IndicatorState.OFF);
  }
}
```

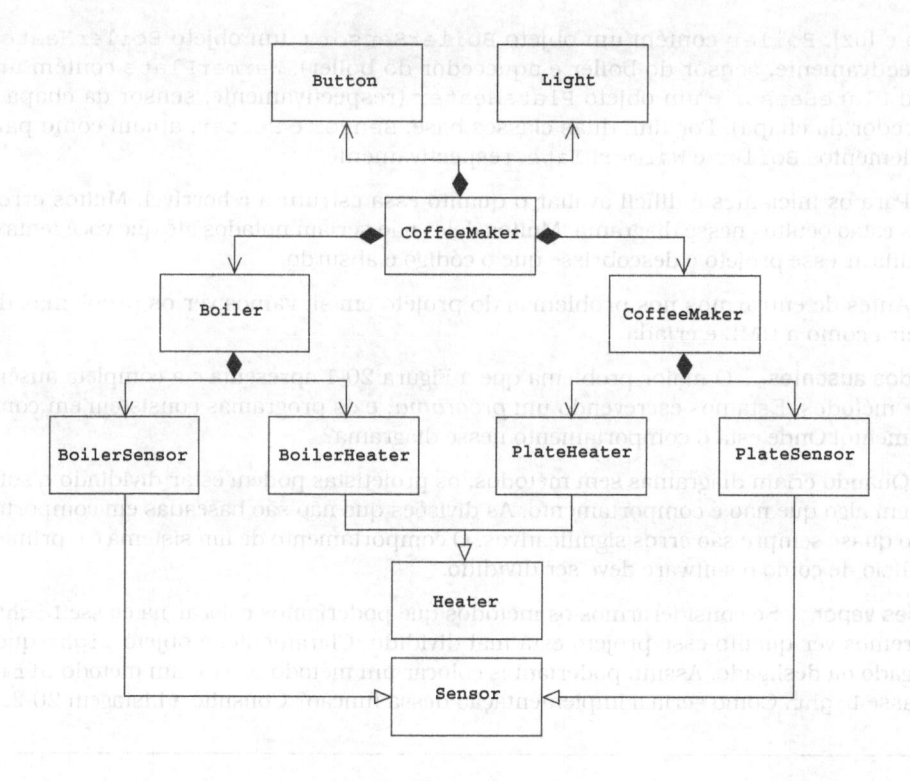

Figura 20-1
Cafeteira elétrica hiperconcreta.

A classe `Light` tem algumas peculiaridades. Primeiro, ela não tem variáveis. Isso é estranho, pois um objeto normalmente manipula algum tipo de estado. Além disso, os métodos `On()` e `Off()` simplesmente delegam para o método `SetIndicatorState` de `CoffeeMakerAPI`. Aparentemente, a classe `Light` nada mais é do que um transformador de chamadas e nada está fazendo de útil.

Esse mesmo raciocínio pode ser aplicado às classes `Button`, `Boiler` e `WarmerPlate`. Elas nada mais são do que adaptadoras que transformam uma chamada de função de uma forma para outra. Aliás, elas poderiam ser completamente retiradas do projeto, sem alterar a lógica da classe `CoffeeMaker`. Essa classe teria apenas que chamar `CoffeeMakerAPI` diretamente, em vez de chamar por meio das adaptadoras.

Considerando os métodos e, então, o código, rebaixamos essas classes da posição eminente de contêiner da Figura 20-1, para simples espaços reservados sem muita razão para existir. Por isso, eu as chamo de *classes vapor*.

Abstração imaginária

Observe as classes base `Sensor` e `Heater` da Figura 20-1. A seção anterior deve tê-lo convencido de que suas derivadas eram puro vapor, mas e quanto às classes base em si? Superficialmente, elas parecem fazer sentido, mas parece não haver lugar para suas derivadas.

Abstrações são complicadas. Nós, seres humanos, as vemos por toda parte, mas muitas não são adequadas para serem transformadas em classes base. Essas, em particular, não têm lugar nesse projeto. Para garantir, pergunte-se: *quem as utiliza?*

Nenhuma classe no sistema utiliza a classe `Sensor` ou a classe `Heater`. Se ninguém as utiliza, que motivo elas têm de existir? Às vezes, podemos tolerar uma classe base que ninguém usa, caso forneça algum código comum para suas derivadas, mas essas classes base não contêm qualquer código. Na melhor das hipóteses, seus métodos são abstratos. Considere, por exemplo, a interface `Heater` da Listagem 20-3. Uma classe sem nada a não ser funções abstratas e que nenhuma outra classe utiliza é oficialmente inútil.

Listagem 20-3
Heater.cs

```
public interface Heater {
  void TurnOn();
  void TurnOff();
}
```

A classe `Sensor` (Listagem 20-4) é pior! Assim como `Heater`, ela tem métodos abstratos e nenhum usuário. O pior é que o valor de retorno de seu único método é ambíguo. O que o método `Sense()` retorna? Em `BoilerSensor`, ele retorna dois valores possíveis, mas em `WarmerPlateSensor` retorna três valores possíveis. Em resumo, não podemos especificar o contrato de `Sensor` na interface. O melhor que podemos fazer é dizer que esses sensores podem retornar valores `int`. Isso é muito pouco.

O que aconteceu aqui foi que lemos a especificação, encontramos um monte de substantivos prováveis, fizemos algumas inferências a respeito de seus relacionamentos e, então, criamos um diagrama UML com base nesse raciocínio. Se aceitássemos essas decisões como uma arquitetura e as implementássemos da maneira como estão, acabaríamos com uma classe todo-poderosa `CoffeeMaker` circundada por subordinadas vaporosas. Poderíamos igualmente programá-la em C!

Listagem 20-4
Sensor.cs

```
public interface Sensor {
  int Sense();
}
```

Classes deusas Todo mundo sabe que classes deusas são uma má ideia. Você não deve concentrar toda a inteligência de um sistema em um único objeto ou em uma única função. Dois dos objetivos do projeto orientado a objetos são a divisão e a distribuição de comportamento em muitas classes e muitas funções. No entanto, muitos modelos de objeto que parecem ser distribuídos são na verdade redutos de classes deusas. A Figura 20-1 é um bom exemplo. À primeira vista, muitas classes parecem ter um comportamento interessante. Mas, à medida que nos aprofundamos no código que implementaria essas classes, descobrimos que apenas uma delas, `CoffeeMaker`, tem comportamento interessante; as restantes são todas abstrações imaginárias ou classes vapor.

Uma solução melhorada

A solução do problema da cafeteira elétrica é um interessante exercício de abstração. A maioria dos desenvolvedores iniciantes na OO fica bastante surpresa com o resultado.

O truque para resolver esse (ou qualquer outro) problema é retroceder e separar os detalhes essenciais. Esqueça os boilers, válvulas, aquecedores, sensores e todos os pequenos detalhes; concentre-se no problema subjacente. Qual é esse problema? O problema é: como você faz café?

Como você *faz* café? A solução mais comum e mais simples para esse problema é gotejar água quente sobre grãos de café e coletar a infusão resultante em algum tipo de recipiente. De onde obtemos a água quente? Vamos chamar isso de `HotWaterSource` (fonte de água quente). Onde coletamos o café? Vamos chamar isso de `ContainmentVessel` (recipiente de contenção).[2]

São essas duas classes de abstrações? Um objeto `HotWaterSource` tem um comportamento que poderia ser capturado no software? Um objeto `ContainmentVessel` faz algo que o software possa controlar? Se pensarmos sobre a unidade Mark IV, podemos imaginar o boiler, a válvula e o sensor do boiler desempenhando o papel de `HotWaterSource`. O objeto `HotWaterSource` seria responsável por aquecer a água e distribuí-la pelos grãos de café para gotejar no objeto `ContainmentVessel`. Também poderíamos imaginar a chapa de aquecimento e seu sensor desempenhando o papel do objeto `ContainmentVessel`. Ele seria responsável por manter o café aquecido e por permitir que saibamos se restou café no recipiente.

Como você capturaria a discussão anterior em um diagrama UML? A Figura 20-2 mostra um possível esquema. `HotWaterSource` e `ContainmentVessel` são representados como classes e são associados pelo fluxo de café (*coffee flow*).

---

[2] Esse nome é particularmente adequado para o tipo de café que *eu* gosto de tomar.

A associação mostra um erro comumente cometido pelos iniciantes em OO. A associação é feita com algo físico em relação ao problema, em vez do controle do comportamento do software. O fato de o café fluir de `HotWaterSource` para `ContainmentVessel` é completamente irrelevante para a associação entre essas duas classes.

Por exemplo, e se o software de `ContainmentVessel` informasse a `HotWaterSource` quando deveria iniciar e interromper o fluxo de água quente para o recipiente? Isso poderia ser representado como mostrado na Figura 20-3. Note que `ContainmentVessel` está enviando a mensagem `Start` (iniciar) para `HotWaterSource`. Isso significa que a associação da Figura 20-2 está invertida. `HotWaterSource` não depende de `ContainmentVessel`. Em vez disso, `ContainmentVessel` depende de `HotWaterSource`.

Figura 20-2
Linhas cruzadas.

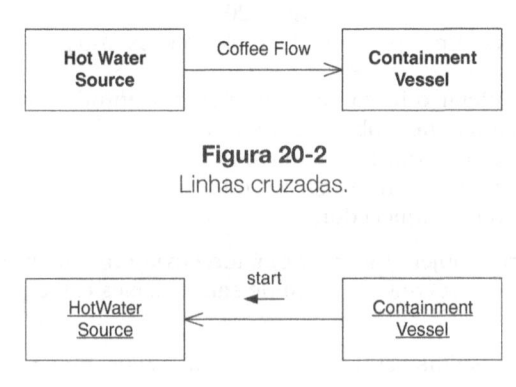

Figura 20-3
Iniciando o fluxo de água quente.

A lição aqui é simplesmente esta: as associações são os caminhos pelos quais as mensagens são enviadas entre os objetos. Elas nada têm a ver com o fluxo de objetos físicos. O fato de a água quente fluir do boiler para a jarra não significa que deve haver uma associação de `HotWaterSource` para `ContainmentVessel`.

Chamo esse erro específico de *linhas cruzadas*, porque as linhas entre as classes se cruzaram entre os domínios lógico e físico.

A interface do usuário da cafeteira elétrica Deve ser evidente que está faltando algo em nosso modelo de cafeteira elétrica. Temos um objeto `HotWaterSource` e um objeto `ContainmentVessel`, mas nenhuma maneira para um ser humano interagir com o sistema. Em algum lugar, nosso sistema precisa detectar os comandos de um ser humano. Do mesmo modo, o sistema deve ser capaz de relatar seu status para seus proprietários humanos. Certamente, a Mark IV tinha hardware dedicado a esse propósito. O botão e a luz serviam como interface do usuário.

Assim, adicionaremos uma classe `UserInterface` em nosso modelo de cafeteira elétrica. Isso nos dará uma tríade de classes interagindo, para fazer café sob a orientação de um usuário.

Caso de uso 1: O usuário pressiona o botão de preparo Certo, dadas essas três classes, como suas instâncias se comunicam? Vamos examinar vários casos de uso para ver se podemos descobrir qual é o comportamento dessas classes.

Qual de nossos objetos detecta o fato de que o usuário pressionou o botão Brew? Claramente, deve ser o objeto `UserInterface`. O que esse objeto deve fazer quando o botão Brew é pressionado?

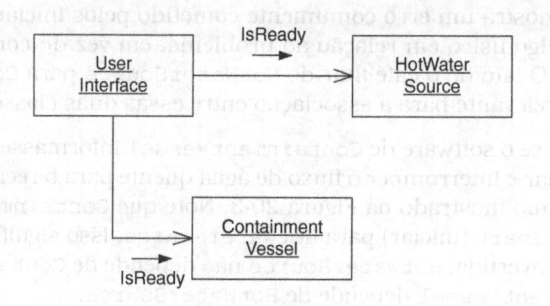

Figura 20-4
Botão Brew pressionado, verificando se está pronto.

Nosso objetivo é iniciar o fluxo de água quente. Contudo, antes de podermos fazer isso, é melhor garantirmos que o objeto `ContainmentVessel` esteja pronto para aceitar café. Também seria melhor garantirmos que o objeto `HotWaterSource` esteja pronto. Se pensarmos sobre a Mark IV, estamos garantindo que o boiler esteja cheio e que a jarra esteja vazia e posicionada no aquecedor.

Portanto, primeiro o objeto `UserInterface` envia uma mensagem para `HotWaterSource` e para `ContainmentVessel`, a fim de saber se eles estão prontos. Isso está mostrado na Figura 20-4.

Se uma dessas consultas retornar `false`, nos recusamos a começar a preparar o café. O objeto `UserInterface` pode alertar o usuário de que seu pedido foi negado. No caso da Mark IV, poderíamos fazer a luz piscar algumas vezes.

Se as duas consultas retornarem `true`, precisamos iniciar o fluxo de água quente. O objeto `UserInterface` provavelmente deve enviar uma mensagem `Start` para `HotWaterSource`. Então, o objeto `HotWaterSource` começará a fazer o que for necessário para que a água quente flua. No caso da Mark IV, ele fechará a válvula e ligará o boiler. A Figura 20-5 mostra o cenário completo.

Caso de uso 2: O recipiente de contenção não está pronto Na Mark IV, sabemos que o usuário pode tirar a jarra do aquecedor enquanto o café está sendo preparado. Qual de nossos objetos detectaria o fato de que a jarra foi retirada? Certamente, seria o objeto

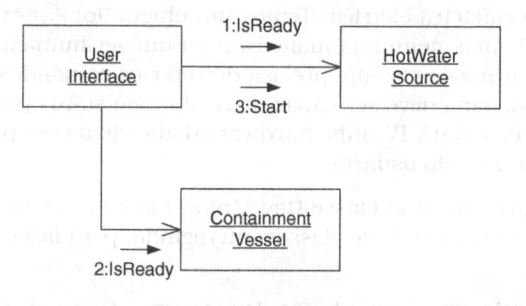

Figura 20-5
Botão Brew pressionado, completo.

`ContainmentVessel`. Os requisitos da Mark IV nos informam que, quando isso acontece, precisamos interromper o fluxo de café. Assim, o objeto `ContainmentVessel` deve ser capaz de dizer a `HotWaterSource` para que pare de enviar água quente. Do mesmo modo, precisa ser capaz de dizer a ele para que comece novamente quando a jarra for recolocada. A Figura 20-6 acrescenta os novos métodos.

Caso de uso 3: Preparo concluído Em algum ponto, terminaremos o preparo do café e teremos de desligar o fluxo de água quente. Qual de nossos objetos sabe quando o preparo está concluído? No caso da Mark IV, o sensor do boiler nos informa que este está vazio, de modo que nosso objeto `HotWaterSource` detectaria isso. Contudo, não é difícil imaginar uma cafeteira elétrica na qual o objeto `ContainmentVessel` detectaria que o preparo estaria terminado. Por exemplo, e se nossa cafeteira elétrica fosse ligada ao encanamento e, portanto, tivesse um fornecimento de água infinito? E se um gerador de micro-ondas aquecesse a água à medida que ela fluísse pelo encanamento em um recipiente com isolamento térmico?[3] E se esse recipiente tivesse uma torneira por meio da qual os usuários pegassem o café? Nesse caso, um sensor no recipiente saberia se estaria cheio e se a água quente deveria ser desligada.

No domínio abstrato de `HotWaterSource` e `ContainmentVessel` nenhum deles é um candidato convincente para detectar a conclusão do preparo. Minha solução para isso é ignorar o problema. Vou supor que um ou outro objeto pode informar aos outros que o preparo está concluído.

Quais objetos em nosso modelo precisam saber que o preparo está concluído? O objeto `UserInterface` com certeza, pois na Mark IV ele precisa acender a luz. Também deve estar claro que o objeto `HotWaterSource` precisa saber que o preparo terminou, pois ele precisará interromper o fluxo de água quente. Na Mark IV, ele desligará o boiler e abrirá a válvula. O objeto `ContainmentVessel` precisa saber que o preparo está concluído? `ContainmentVessel` precisa fazer ou monitorar algo especial quando o preparo tiver terminado? Na Mark IV, ele vai detectar uma jarra vazia sendo colocada de volta na chapa, sinalizando que o usuário serviu o último café. Isso faz a Mark IV *desligar a luz*. Portanto, sim, o objeto `ContainmentVessel` precisa saber que o preparo está terminado. Aliás, o mesmo argumento pode ser usado para dizer que `UserInterface` deve enviar a mensagem `Start` para `ContainmentVessel` quando o preparo começar. A Figura 20-7 mostra as novas mensagens. Note que mostrei que `HotWaterSource` ou `ContainmentVessel` podem enviar a mensagem `Done` (pronto).

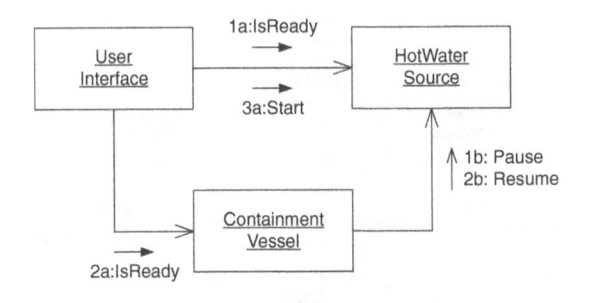

Figura 20-6
Fazendo uma pausa e retomando o fluxo de água quente.

---

[3] Certo, estou me divertindo um pouco. Mas, e se?

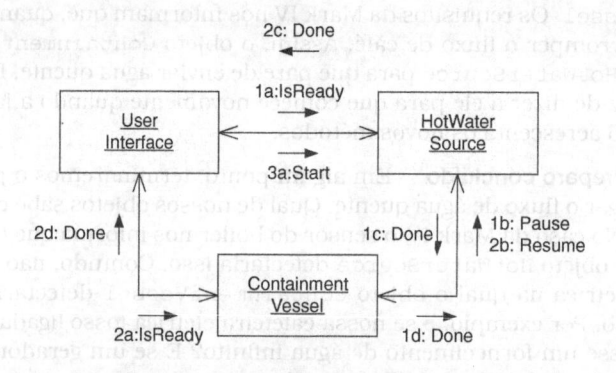

Figura 20-7
Detectando quando o preparo está concluído.

Caso de uso 4: Todo o café consumido   A Mark IV apaga a luz quando o preparo está terminado e uma jarra vazia é colocada na chapa. Claramente, em nosso modelo de objetos é `ContainmentVessel` que deve detectar isso. Ele terá que enviar uma mensagem `Complete` para `UserInterface`. A Figura 20-8 mostra o diagrama de colaboração completo.

A partir desse diagrama, podemos desenhar um diagrama de classes com todas as associações intactas. Esse diagrama não contém surpresas. Você pode vê-lo na Figura 20-9.

Implementando o modelo abstrato

Nosso modelo de objetos está razoavelmente bem dividido. Temos três áreas de responsabilidade distintas e cada uma parece estar enviando e recebendo mensagens de modo equilibrado. Parece não haver um objeto deus em nenhum lugar. Também não parece haver quaisquer classes vapor.

Até aqui, tudo bem, mas como implementamos a Mark IV nessa estrutura? Simplesmente implementamos os métodos dessas três classes para chamar `CoffeeMakerAPI`? Isso seria uma vergonha! Capturamos a essência do que é necessário para fazer café. O projeto seria deficiente se agora vinculássemos essa essência à Mark IV.

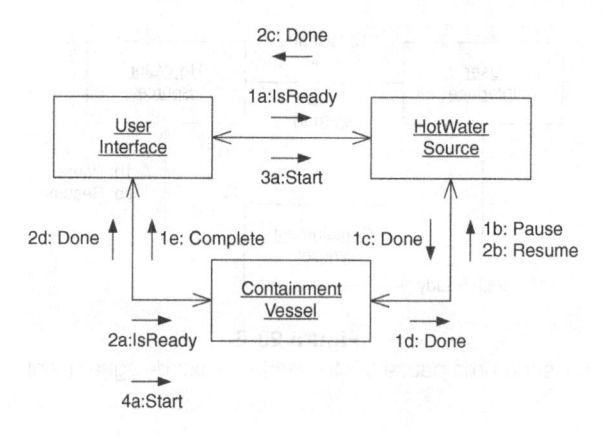

Figura 20-8
Todo o café consumido.

```
                  ┌──────────────┐         ┌──────────────┐
                  │ User Interface│◄───────►│  Hot Water   │
                  └──────────────┘         │   Source     │
                         ▲                 └──────────────┘
                         │                         ▲
                         │                         │
                         │   ┌──────────────┐      │
                         └──►│ Containment  │◄─────┘
                             │   Vessel     │
                             └──────────────┘
```

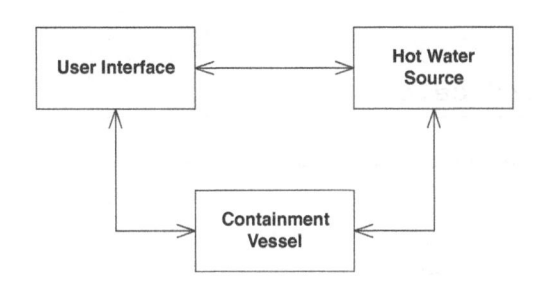

Figura 20-9
Diagrama de classes.

Na verdade, vou estabelecer uma regra agora mesmo. Nenhuma das três classes que criamos deve saber *qualquer coisa* sobre a Mark IV. Esse é o Princípio da Inversão de Dependência (DIP). Não vamos permitir que a diretiva de alto nível para fazer café desse sistema dependa da implementação de baixo nível.

Certo, mas como criaremos a implementação da Mark IV? Vamos ver todos os casos de uso novamente. Desta vez, vamos examiná-los do ponto de vista da Mark IV.

Caso de uso 1: O usuário pressiona o botão Brew   Como a interface do usuário (`UserInterface`) sabe que o botão Brew foi pressionado? Claramente, ele deve chamar a função `CoffeeMakerAPI.GetBrewButtonStatus()`. Onde deve chamar essa função? Já decretamos que a classe `UserInterface` em si não pode saber nada sobre `CoffeeMakerAPI`. Então, onde fica essa chamada?

Aplicaremos o DIP e colocaremos a chamada em uma derivada de `UserInterface`. Consulte a Figura 20-10 para ver os detalhes.

Derivamos `M4UserInterface` de `UserInterface` e colocamos um método `CheckButton()` em `M4UserInterface`. Quando essa função for chamada, ela chamará a função `CoffeeMakerAPI.GetBrewButtonStatus()`. Se o botão tiver sido pressionado (PUSHED), a função chamará o método protegido `StartBrewing()` de `UserInterface`. As listagens 20-5 e 20-6 mostram como isso seria codificado.

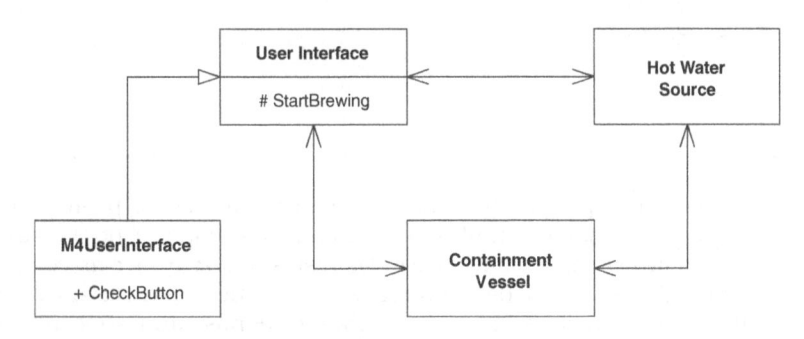

Figura 20-10
Detectando o botão Brew.

Listagem 20-5
M4UserInterface.cs

```
public class M4UserInterface : UserInterface
{
  private void CheckButton()
  {
    BrewButtonStatus status =
      CoffeeMaker.api.GetBrewButtonStatus();
    if (status == BrewButtonStatus.PUSHED)
    {
      StartBrewing();
    }
  }
}
```

Listagem 20-6
UserInterface.cs

```
public class UserInterface
{
  private HotWaterSource hws;
  private ContainmentVessel cv;

  public void Done() {}
  public void Complete() {}
  protected void StartBrewing()
  {
    if (hws.IsReady() && cv.IsReady())
    {
      hws.Start();
      cv.Start();
    }
  }
}
```

Talvez você esteja se perguntando por que eu criei o método protegido Start-Brewing(). Por que não chamei simplesmente as funções Start() de M4UserInterface? O motivo é simples, mas significativo. Os testes IsReady() e as consequentes chamadas dos métodos Start() de HotWaterSource e de ContainmentVessel são diretivas de alto nível que a classe UserInterface deve possuir. Esse código é válido independentemente de estarmos implementando uma Mark IV e, portanto, não deve ser acoplado à derivada de Mark IV. Esse é outro exemplo do Princípio da Responsabilidade Única (SRP). Eu faço essa mesma distinção várias vezes neste exemplo. Eu mantenho o máximo de código possível nas classes de alto nível. O único código que coloco nas derivadas é aquele direta e inextricavelmente associado à Mark IV.

Implementando as funções IsReady( )   Como os métodos `IsReady()` de `HotWaterSource` e de `ContainmentVessel` são implementados? Deve estar claro que esses são os únicos métodos abstratos e que, portanto, essas classes são classes abstratas. As derivadas correspondentes `M4HotWaterSource` e `M4ContainmentVessel` as implementarão chamando as funções `CoffeeMakerAPI` apropriadas. A Figura 20-11 mostra a nova estrutura e as listagens 20-7 e 20-8 mostram a implementação das duas derivadas.

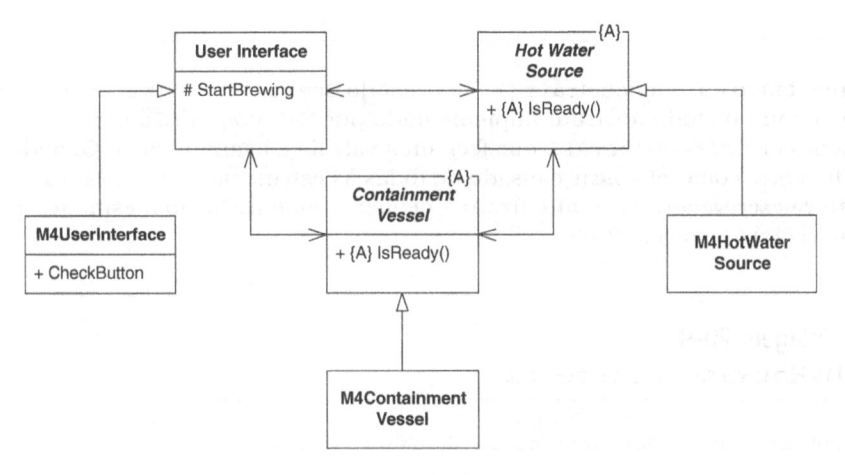

Figura 20-11
Implementando os métodos `isReady`.

Listagem 20-7
M4HotWaterSource.cs

```csharp
public class M4HotWaterSource: HotWaterSource
{
  public override bool IsReady()
  {
    BoilerStatus status =
      CoffeeMaker.api.GetBoilerStatus();
    return status == BoilerStatus.NOT_EMPTY;
  }
}
```

Listagem 20-8
M4ContainmentVessel.cs

```csharp
public class M4ContainmentVessel: ContainmentVessel
{
  public override bool IsReady()
  {
    WarmerPlateStatus status =
        CoffeeMaker.api.GetWarmerPlateStatus();
    return status == WarmerPlateStatus.POT_EMPTY;
  }
}
```

Implementando as funções Start()   O método Start() de HotWaterSource é simplesmente um método abstrato implementado por M4HotWaterSource para chamar as funções de CoffeeMakerAPI que fecham a válvula e ligam o boiler. Quando escrevi essas funções, comecei a ficar cansado de todas as estruturas CoffeeMaker.api.XXX que estava escrevendo; portanto, fiz uma pequena refatoração ao mesmo tempo. O resultado está na Listagem 20-9.

Listagem 20-9
M4HotWaterSource.cs

```csharp
public class M4HotWaterSource: HotWaterSource
{
  private CoffeeMakerAPI api;
  public M4HotWaterSource(CoffeeMakerAPI api)
  {
    this.api = api;
  }
  public override bool IsReady()
  {
    BoilerStatus status = api.GetBoilerStatus();
    return  status == BoilerStatus.NOT_EMPTY;
  }
  public override void Start()
  {
    api.SetReliefValveState(ReliefValveState.CLOSED);
    api.SetBoilerState(BoilerState.ON);
  }
}
```

Listagem 20-10
M4ContainmentVessel.cs

```csharp
public class M4ContainmentVessel: ContainmentVessel
{
  private CoffeeMakerAPI api;
  private bool isBrewing = false;
  public M4ContainmentVessel(CoffeeMakerAPI api)
  {
    this.api = api;
  }
  public override bool IsReady()
  {
    WarmerPlateStatus status = api.GetWarmerPlateStatus();
    return status == WarmerPlateStatus.POT_EMPTY;
  }
  public override void Start()
  {
    isBrewing = true;
  }
}
```

O método `Start()` de `ContainmentVessel` é um pouco mais interessante. A única ação que `M4ContainmentVessel` precisa executar é lembrar-se do estado do preparo do sistema. Conforme veremos mais adiante, isso permitirá que ele responda corretamente quando jarras forem colocadas ou retiradas da chapa. A Listagem 20-10 mostra o código.

Chamando `M4UserInterface.CheckButton` Como o fluxo de controle chega em um lugar no qual a função `CoffeeMakerAPI.GetBrewButtonStatus()` possa ser chamada? A propósito, como o fluxo de controle chega onde *qualquer* um dos sensores possa ser detectado?

Muitas equipes que tentam resolver esse problema ficam completamente travadas nesse ponto. Algumas não querem supor que existe um sistema operacional multitarefa na cafeteira elétrica e, assim, utilizam uma estratégia de sondagem (*polling*) para os sensores. Outras querem usar multitarefas para que não tenham que se preocupar com sondagem. Tenho visto esse argumento em particular ir e voltar por uma hora ou mais em algumas equipes.

O erro dessas equipes – que eu finalmente aponto, depois de deixá-las suar um pouco – é que a escolha entre multitarefa e sondagem é totalmente irrelevante. Essa decisão pode ser tomada no último minuto, sem prejudicar o projeto. Portanto, é sempre melhor supor que as mensagens podem ser enviadas de forma assíncrona, como se fossem threads independentes, e depois colocar a sondagem ou a multitarefa no último minuto.

Até aqui, o projeto supôs que, de algum modo, o fluxo de controle entrará de forma assíncrona no objeto M4UserInterface para que ele possa chamar CoffeeMakerAPI. GetBrewButtonStatus(). Agora, vamos supor que estamos trabalhando em uma plataforma mínima que não suporta múltiplas threads. Isso significa que vamos ter de sondar. Como fazemos isso funcionar?

Considere a interface Pollable da Listagem 20-11. Essa interface tem apenas um método Poll(). E se M4UserInterface implementasse essa interface? E se o programa Main() travasse em um loop incondicional, chamando esse método repetidamente? O fluxo de controle entraria repetidas vezes em M4UserInterface e poderíamos detectar o botão Brew.

Aliás, podemos repetir esse padrão para todas as três derivadas M4. Cada uma tem seus próprios sensores que precisa verificar. Portanto, como mostrado na Figura 20-12, podemos extrair todas as derivadas M4 de Pollable e chamar todas elas a partir de Main().

Listagem 20-11
Pollable.cs

```
public interface Pollable
{
  void Poll();
}
```

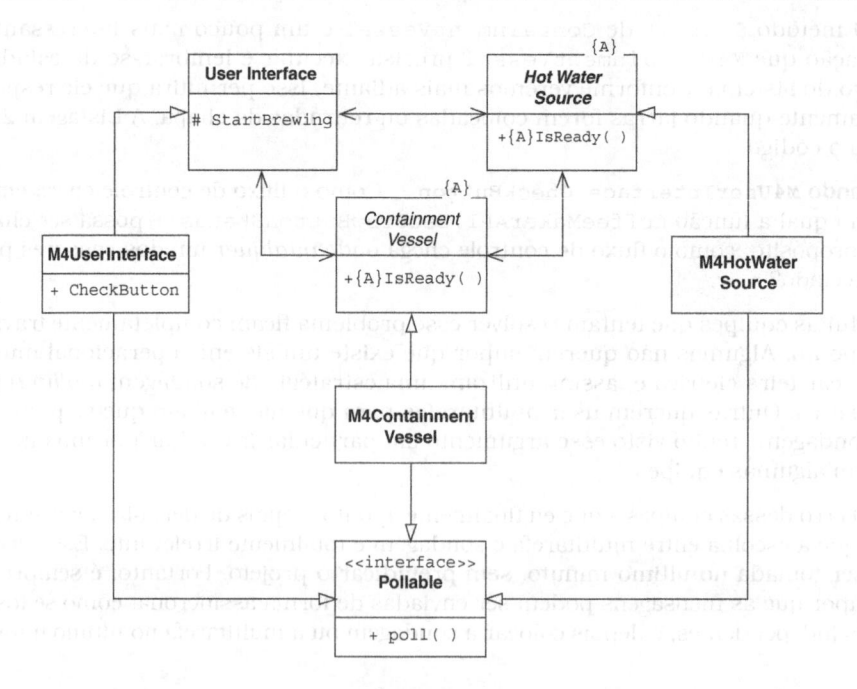

Figura 20-12
Cafeteira elétrica com sondagem.

A Listagem 20-12 mostra como poderia ser a função `Main`. Ela é colocada em uma classe chamada `M4CoffeeMaker`. A função `Main()` cria a versão implementada da `api` e, então, cria os três componentes M4. Ela chama funções `Init()` para interligar os componentes. Por fim, ela permanece em um loop infinito, chamando `Poll()` em cada um dos componentes por sua vez.

Listagem 20-12
`M4CoffeeMaker.cs`

```csharp
public static void Main(string[] args)
{
  CoffeeMakerAPI api = new M4CoffeeMakerAPI();
  M4UserInterface ui = new M4UserInterface(api);
  M4HotWaterSource hws = new M4HotWaterSource(api);
  M4ContainmentVessel cv = new M4ContainmentVessel(api);

  ui.Init(hws,cv);
  hws.Init(ui, cv);
  cv.Init(hws,ui);

  while (true)
  {
    ui.Poll();
    hws.Poll();
    cv.Poll();
  }
}
```

Listagem 20-13
`M4UserInterface.cs`

```csharp
public class M4UserInterface: UserInterface, Pollable
{
  private CoffeeMakerAPI api;

  public M4UserInterface(CoffeeMakerAPI api)
  {
    this.api = api;
  }
  public void Poll()
  {
    BrewButtonStatus status = api.GetBrewButtonStatus();
    if (status == BrewButtonStatus.PUSHED)
    {
      StartBrewing();
    }
  }
}
```

Agora deve estar claro como a função `M4UserInterface.CheckButton()` é chamada. Aliás, deve estar claro que essa função não é chamada `CheckButton()`. Ela é chamada `Poll()`. A Listagem 20-13 mostra como `M4UserInterface` fica agora.

Completando a cafeteira elétrica O raciocínio usado nas seções anteriores pode ser repetido para cada um dos outros componentes da cafeteira elétrica. O resultado aparece nas listagens 20-14 a 20-21.

As vantagens desse projeto

Apesar da natureza simples do problema, esse projeto exibe algumas características muito interessantes. A Figura 20-13 mostra a estrutura. Tracei uma linha em torno das três classes abstratas. Essas classes contêm a diretiva de alto nível da cafeteira elétrica. Note que todas as dependências que cruzam a linha apontam para dentro. Nada dentro da linha depende de algo de fora. Assim, as abstrações são completamente separadas dos detalhes.

As classes abstratas nada sabem sobre botões, luzes, válvulas, sensores ou quaisquer outros elementos detalhados da cafeteira elétrica. De maneira similar, as derivadas são dominadas por esses detalhes.

Note que as três classes abstratas poderiam ser reutilizadas para se fazer muitos tipos diferentes de máquinas de café. Poderíamos utilizá-las facilmente em uma máquina de café que estivesse ligada ao encanamento e usasse um tanque e uma torneira. Parece provável que também poderíamos utilizá-las para uma máquina de venda automática de café. Aliás, acho que poderíamos utilizá-las em um fervedor de chá automático ou mesmo em uma fazedora de canja de galinha. Essa segregação entre diretiva de alto nível e detalhe é a essência do projeto orientado a objetos.

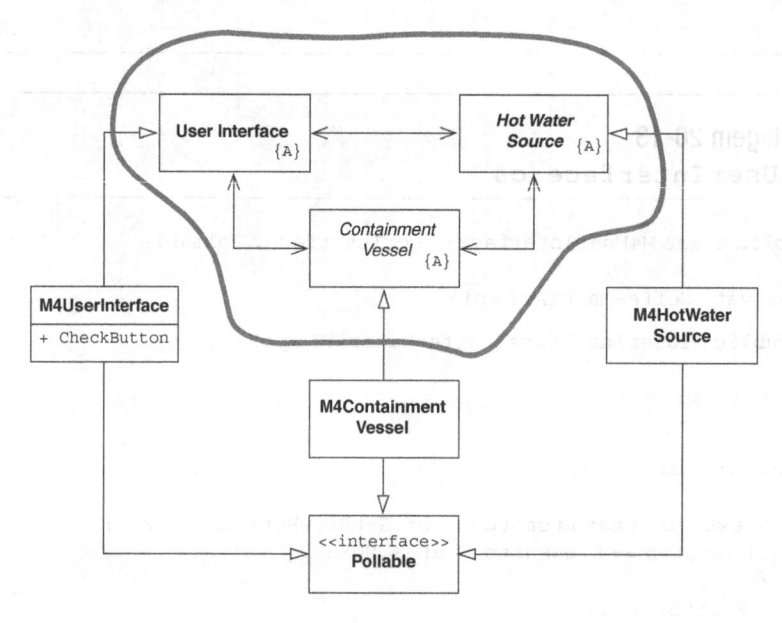

Figura 20-13
Componentes da cafeteira elétrica.

As origens desse projeto Eu não me sentei um belo dia e simplesmente desenvolvi esse projeto de maneira simples e direta. Aliás, em 1993, meu primeiro projeto para a cafeteira elétrica era muito mais parecido com a Figura 20-1. Contudo, escrevi muitas vezes sobre esse problema e o utilizei como exercício em inúmeras aulas. Assim, esse projeto foi refinado com o passar do tempo.

O código foi criado, com teste primeiro, usando os testes de unidade da Listagem 20-22. Criei o código baseado na estrutura da Figura 20-13, mas o montei gradativamente, um caso de teste falho por vez.[4]

Não estou convencido de que os casos de teste estão completos. Se esse fosse mais do que um exemplo de programa, eu teria feito uma análise mais exaustiva dos casos de teste. Contudo, achei que tal análise teria sido exagero para este livro.

ExagerOO

Este exemplo tem certas vantagens pedagógicas. Ele é pequeno, fácil de entender e mostra como os princípios do projeto orientado a objetos podem ser usados para gerenciar dependências e separar preocupações. Por outro lado, sua pequeneza significa que as vantagens dessa separação provavelmente não compensam os custos.

Se fôssemos escrever a cafeteira elétrica Mark IV como uma FSM, veríamos que ela teria sete estados e 18 transições.[5] Poderíamos codificar isso em 18 linhas de código SMC. Um loop principal simples que sondasse os sensores teria outras dez linhas mais ou menos, e as funções de ação que a FSM chamaria teriam mais uma dezena. Em resumo, poderíamos escrever o programa inteiro em menos de uma página de código.

Se não contarmos os testes, a solução OO da cafeteira elétrica tem *cinco* páginas de código. Não há como justificarmos essa disparidade. Em aplicativos maiores, as vantagens do gerenciamento de dependências e da separação de preocupações claramente compensam os custos do projeto orientado a objetos. Nesse exemplo, no entanto, é mais provável que o inverso seja verdadeiro.

Listagem 20-14
`UserInterface.cs`

```
using System;
namespace CoffeeMaker
{
  public abstract class UserInterface
  {
    private HotWaterSource hws;
    private ContainmentVessel cv;
    protected bool isComplete;
```

---

[4] [Beck2002]
[5] [Martin1995], p. 65.

```csharp
public UserInterface()
{
    isComplete = true;
}

public void Init(HotWaterSource hws, ContainmentVessel cv)
{
    this.hws = hws;
    this.cv = cv;
}

public void Complete()
{
    isComplete = true;
    CompleteCycle();
}

protected void StartBrewing()
{
    if (hws.IsReady() && cv.IsReady())
    {
        isComplete = false;
        hws.Start();
        cv.Start();
    }
}

public abstract void Done();
public abstract void CompleteCycle();
}
```

Listagem 20-15
M4UserInterface.cs

```csharp
using CoffeeMaker;

namespace M4CoffeeMaker
{
    public class M4UserInterface: UserInterface, Pollable
    {
        private CoffeeMakerAPI api;

        public M4UserInterface(CoffeeMakerAPI api)
        {
            this.api = api;
        }

        public void Poll()
```

```csharp
    {
      BrewButtonStatus buttonStatus = api.GetBrewButtonStatus();
      if (buttonStatus == BrewButtonStatus.PUSHED)
      {
        StartBrewing();
      }
    }

    public override void Done()
    {
      api.SetIndicatorState(IndicatorState.ON);
    }

    public override void CompleteCycle()
    {
      api.SetIndicatorState(IndicatorState.OFF);
    }
  }
}
```

Listagem 20-16
HotWaterSource.cs

```csharp
namespace CoffeeMaker
{
  public abstract class HotWaterSource
  {
    private UserInterface ui;
    private ContainmentVessel cv;
    protected bool isBrewing;

    public HotWaterSource()
    {
      isBrewing = false;
    }

    public void Init(UserInterface ui, ContainmentVessel cv)
    {
      this.ui = ui;
      this.cv = cv;
    }

    public void Start()
    {
      isBrewing = true;
      StartBrewing();
    }

    public void Done()
    {
```

```
      isBrewing = false;
    }
    protected void DeclareDone()
    {
      ui.Done();
      cv.Done();
      isBrewing = false;
    }

    public abstract bool IsReady();
    public abstract void StartBrewing();
    public abstract void Pause();
    public abstract void Resume();
  }
}
```

Listagem 20-17
M4HotWaterSource.cs

```
using System;
using CoffeeMaker;

namespace M4CoffeeMaker
{
  public class M4HotWaterSource: HotWaterSource, Pollable
  {
    private CoffeeMakerAPI api;

    public M4HotWaterSource(CoffeeMakerAPI api)
    {
      this.api = api;
    }

    public override bool IsReady()
    {
      BoilerStatus boilerStatus = api.GetBoilerStatus();
      return boilerStatus == BoilerStatus.NOT_EMPTY;
    }

    public override void StartBrewing()
    {
      api.SetReliefValveState(ReliefValveState.CLOSED);
      api.SetBoilerState(BoilerState.ON);
    }

    public void Poll()
    {
      BoilerStatus boilerStatus = api.GetBoilerStatus();
```

```csharp
      if (isBrewing)
      {
        if (boilerStatus == BoilerStatus.EMPTY)
        {
          api.SetBoilerState(BoilerState.OFF);
          api.SetReliefValveState(ReliefValveState.CLOSED);
          DeclareDone();
        }
      }
    }

    public override void Pause()
    {
      api.SetBoilerState(BoilerState.OFF);
      api.SetReliefValveState(ReliefValveState.OPEN);
    }

    public override void Resume()
    {
      api.SetBoilerState(BoilerState.ON);
      api.SetReliefValveState(ReliefValveState.CLOSED);
    }
  }
}
```

Listagem 20-18
`ContainmentVessel.cs`

```csharp
using System;

namespace CoffeeMaker
{
  public abstract class ContainmentVessel
  {
    private UserInterface ui;
    private HotWaterSource hws;
    protected bool isBrewing;
    protected bool isComplete;

    public ContainmentVessel()
    {
      isBrewing = false;
      isComplete = true;
    }

    public void Init(UserInterface ui, HotWaterSource hws)
    {
      this.ui = ui;
```

```csharp
        this.hws = hws;
    }

    public void Start()
    {
      isBrewing = true;
      isComplete = false;
    }

    public void Done()
    {
      isBrewing = false;
    }

    protected void DeclareComplete()
    {
      isComplete = true;
      ui.Complete();
    }

    protected void ContainerAvailable()
    {
      hws.Resume();
    }

    protected void ContainerUnavailable()
    {
      hws.Pause();
    }

    public abstract bool IsReady();
  }
}
```

Listagem 20-19
M4ContainmentVessel.cs

```csharp
using CoffeeMaker;

namespace M4CoffeeMaker
{
  public class M4ContainmentVessel: ContainmentVessel, Pollable
  {
    private CoffeeMakerAPI api;
    private WarmerPlateStatus lastPotStatus;

    public M4ContainmentVessel(CoffeeMakerAPI api)
    {
      this.api = api;
      lastPotStatus = WarmerPlateStatus.POT_EMPTY;
```

```
}
public override bool IsReady()
{
  WarmerPlateStatus plateStatus =
                    api.GetWarmerPlateStatus();
  return plateStatus == WarmerPlateStatus.POT_EMPTY;
}
public void Poll()
{
  WarmerPlateStatus potStatus = api.GetWarmerPlateStatus();
  if (potStatus!= lastPotStatus)
  {
    if (isBrewing)
    {
      HandleBrewingEvent(potStatus);
    }
    else if (isComplete == false)
    {
      HandleIncompleteEvent(potStatus);
    }
    lastPotStatus = potStatus;
  }
}
private void
HandleBrewingEvent(WarmerPlateStatus potStatus)
{
  if (potStatus == WarmerPlateStatus.POT_NOT_EMPTY)
  {
    ContainerAvailable();
    api.SetWarmerState(WarmerState.ON);
  }
  else if (potStatus == WarmerPlateStatus.WARMER_EMPTY)
  {
    ContainerUnavailable();
    api.SetWarmerState(WarmerState.OFF);
  }
  else
  { // potStatus == POT_EMPTY
    ContainerAvailable();
    api.SetWarmerState(WarmerState.OFF);
  }
}
private void
HandleIncompleteEvent(WarmerPlateStatus potStatus)
{
  if (potStatus == WarmerPlateStatus.POT_NOT_EMPTY)
  {
    api.SetWarmerState(WarmerState.ON);
  }
```

```csharp
          else if (potStatus == WarmerPlateStatus.WARMER_EMPTY)
          {
            api.SetWarmerState(WarmerState.OFF);
          }
          else
          { // potStatus == POT_EMPTY
            api.SetWarmerState(WarmerState.OFF);
            DeclareComplete();
          }
        }
      }
    }
```

Listagem 20-20
Pollable.cs

```csharp
using System;

namespace M4CoffeeMaker
{
  public interface Pollable
  {
    void Poll();
  }
}
```

Listagem 20-21
CoffeeMaker.cs

```csharp
using CoffeeMaker;

namespace M4CoffeeMaker
{
  public class M4CoffeeMaker
  {
    public static void Main(string[] args)
    {
      CoffeeMakerAPI api = new M4CoffeeMakerAPI();
      M4UserInterface ui = new M4UserInterface(api);
      M4HotWaterSource hws = new M4HotWaterSource(api);
      M4ContainmentVessel cv = new M4ContainmentVessel(api);

      ui.Init(hws, cv);
```

```
      hws.Init(ui, cv);
      cv.Init(ui, hws);

      while (true)
      {
        ui.Poll();
        hws.Poll();
        cv.Poll();
      }
    }
  }
}
```

Listagem 20-22
TestCoffeeMaker.cs

```
using M4CoffeeMaker;
using NUnit.Framework;

namespace CoffeeMaker.Test
{
  internal class CoffeeMakerStub: CoffeeMakerAPI
  {
    public bool buttonPressed;
    public bool lightOn;
    public bool boilerOn;
    public bool valveClosed;
    public bool plateOn;
    public bool boilerEmpty;
    public bool potPresent;
    public bool potNotEmpty;

    public CoffeeMakerStub()
    {
      buttonPressed = false;
      lightOn = false;
      boilerOn = false;
      valveClosed = true;
      plateOn = false;
      boilerEmpty = true;
      potPresent = true;
      potNotEmpty = false;
    }

    public WarmerPlateStatus GetWarmerPlateStatus()
    {
      if (!potPresent)
        return WarmerPlateStatus.WARMER_EMPTY;
      else if (potNotEmpty)
        return WarmerPlateStatus.POT_NOT_EMPTY;
```

```
      else
        return WarmerPlateStatus.POT_EMPTY;
    }
    public BoilerStatus GetBoilerStatus()
    {
      return boilerEmpty ?
            BoilerStatus.EMPTY : BoilerStatus.NOT_EMPTY;
    }
    public BrewButtonStatus GetBrewButtonStatus()
    {
      if (buttonPressed)
      {
        buttonPressed = false;
        return BrewButtonStatus.PUSHED;
      }
      else
      {
        return BrewButtonStatus.NOT_PUSHED;
      }
    }
    public void SetBoilerState(BoilerState boilerState)
    {
      boilerOn = boilerState == BoilerState.ON;
    }
    public void SetWarmerState(WarmerState warmerState)
    {
      plateOn = warmerState == WarmerState.ON;
    }
    public void
    SetIndicatorState(IndicatorState indicatorState)
    {
      lightOn = indicatorState == IndicatorState.ON;
    }
    public void
    SetReliefValveState(ReliefValveState reliefValveState)
    {
      valveClosed = reliefValveState == ReliefValveState.CLOSED;
    }
}
[TestFixture]
public class TestCoffeeMaker
{
  private M4UserInterface ui;
  private M4HotWaterSource hws;
  private M4ContainmentVessel cv;
  private CoffeeMakerStub api;

  [SetUp]
```

```
public void SetUp()
{
  api = new CoffeeMakerStub();
  ui = new M4UserInterface(api);
  hws = new M4HotWaterSource(api);
  cv = new M4ContainmentVessel(api);
  ui.Init(hws, cv);
  hws.Init(ui, cv);
  cv.Init(ui, hws);
}

private void Poll()
{
  ui.Poll();
  hws.Poll();
  cv.Poll();
}

[Test]
public void InitialConditions()
{
  Poll();
  Assert.IsFalse(api.boilerOn);
  Assert.IsFalse(api.lightOn);
  Assert.IsFalse(api.plateOn);
  Assert.IsTrue(api.valveClosed);
}

[Test]
public void StartNoPot()
{
  Poll();
  api.buttonPressed = true;
  api.potPresent = false;
  Poll();
  Assert.IsFalse(api.boilerOn);
  Assert.IsFalse(api.lightOn);
  Assert.IsFalse(api.plateOn);
  Assert.IsTrue(api.valveClosed);
}

[Test]
public void StartNoWater()
{
  Poll();
  api.buttonPressed = true;
  api.boilerEmpty = true;
  Poll();
  Assert.IsFalse(api.boilerOn);
  Assert.IsFalse(api.lightOn);
  Assert.IsFalse(api.plateOn);
  Assert.IsTrue(api.valveClosed);
}
```

```
[Test]
public void GoodStart()
{
  NormalStart();
  Assert.IsTrue(api.boilerOn);
  Assert.IsFalse(api.lightOn);
  Assert.IsFalse(api.plateOn);
  Assert.IsTrue(api.valveClosed);
}

private void NormalStart()
{
  Poll();
  api.boilerEmpty = false;
  api.buttonPressed = true;
  Poll();
}

[Test]
public void StartedPotNotEmpty()
{
  NormalStart();
  api.potNotEmpty = true;
  Poll();
  Assert.IsTrue(api.boilerOn);
  Assert.IsFalse(api.lightOn);
  Assert.IsTrue(api.plateOn);
  Assert.IsTrue(api.valveClosed);
}

[Test]
public void PotRemovedAndReplacedWhileEmpty()
{
  NormalStart();
  api.potPresent = false;
  Poll();
  Assert.IsFalse(api.boilerOn);
  Assert.IsFalse(api.lightOn);
  Assert.IsFalse(api.plateOn);
  Assert.IsFalse(api.valveClosed);

  api.potPresent = true;
  Poll();
  Assert.IsTrue(api.boilerOn);
  Assert.IsFalse(api.lightOn);
  Assert.IsFalse(api.plateOn);
  Assert.IsTrue(api.valveClosed);
}

[Test]
public void PotRemovedWhileNotEmptyAndReplacedEmpty()
{
  NormalFill();
  api.potPresent = false;
```

```csharp
      Poll();
      Assert.IsFalse(api.boilerOn);
      Assert.IsFalse(api.lightOn);
      Assert.IsFalse(api.plateOn);
      Assert.IsFalse(api.valveClosed);

      api.potPresent = true;
      api.potNotEmpty = false;
      Poll();
      Assert.IsTrue(api.boilerOn);
      Assert.IsFalse(api.lightOn);
      Assert.IsFalse(api.plateOn);
      Assert.IsTrue(api.valveClosed);
    }
    private void NormalFill()
    {
      NormalStart();
      api.potNotEmpty = true;
      Poll();
    }

    [Test]
    public void PotRemovedWhileNotEmptyAndReplacedNotEmpty()
    {
      NormalFill();
      api.potPresent = false;
      Poll();
      api.potPresent = true;
      Poll();
      Assert.IsTrue(api.boilerOn);
      Assert.IsFalse(api.lightOn);
      Assert.IsTrue(api.plateOn);
      Assert.IsTrue(api.valveClosed);
    }

    [Test]
    public void BoilerEmptyPotNotEmpty()
    {
      NormalBrew();
      Assert.IsFalse(api.boilerOn);
      Assert.IsTrue(api.lightOn);
      Assert.IsTrue(api.plateOn);
      Assert.IsTrue(api.valveClosed);
    }
    private void NormalBrew()
    {
      NormalFill();
      api.boilerEmpty = true;
      Poll();
    }

    [Test]
```

```
        public void BoilerEmptiesWhilePotRemoved()
        {
          NormalFill();
          api.potPresent = false;
          Poll();
          api.boilerEmpty = true;
          Poll();
          Assert.IsFalse(api.boilerOn);
          Assert.IsTrue(api.lightOn);
          Assert.IsFalse(api.plateOn);
          Assert.IsTrue(api.valveClosed);

          api.potPresent = true;
          Poll();
          Assert.IsFalse(api.boilerOn);
          Assert.IsTrue(api.lightOn);
          Assert.IsTrue(api.plateOn);
          Assert.IsTrue(api.valveClosed);
        }

        [Test]
        public void EmptyPotReturnedAfter()
        {
          NormalBrew ();
          api.potNotEmpty = false;
          Poll ();
          Assert.IsFalse(api.boilerOn);
          Assert.IsFalse(api.lightOn);
          Assert.IsFalse(api.plateOn);
          Assert.IsTrue(api.valveClosed);
        }
      }
    }
```

Bibliografia

[Beck2002] Kent Beck, *Test-Driven Development*, Addison-Wesley, 2002.

[Martin1995] Robert C. Martin, *Designing Object-Oriented C++ Applications Using the Booch Method*, Prentice Hall, 1995.

Seção III

ESTUDO DE CASO DA FOLHA DE PAGAMENTOS

Chegou a hora de nosso primeiro estudo de caso grande. Já estudamos as práticas e os princípios. Discutimos a essência do projeto. Falamos sobre teste e planejamento. Agora, ao trabalho!

Nos próximos capítulos, exploraremos o projeto e a implementação de um sistema de folha de pagamentos em lote, cuja especificação básica aparece a seguir. Como parte desse projeto e implementação, faremos uso de vários padrões de projeto: COMMAND, TEMPLATE METHOD, STRATEGY, SINGLETON, NULL OBJECT, FACTORY e FAÇADE. Esses padrões são o assunto dos próximos capítulos. No Capítulo 26, trabalharemos no projeto e implementação do problema da folha de pagamentos.

Você pode ler esse estudo de caso de diversas maneiras.

- Leia tudo, aprendendo primeiro os padrões de projeto e depois vendo como eles são aplicados no problema da folha de pagamentos.
- Se você conhece os padrões e não está interessado em uma revisão, vá direto para o Capítulo 26.
- Leia primeiro o Capítulo 26 e depois volte e leia os capítulos que descrevem os padrões que foram utilizados.
- Leia o Capítulo 26 por partes. Quando ele mencionar um padrão que você não conhece, leia o capítulo que descreve esse padrão e depois volte para o Capítulo 26.

Não existem regras. Escolha (ou invente) a estratégia que funcione melhor para você.

Especificação básica do sistema de folha de pagamentos

A seguir estão algumas anotações que fizemos enquanto conversávamos com nosso cliente. (Essas anotações também são dadas no Capítulo 26.)

Esse sistema consiste em um banco de dados dos funcionários da empresa e suas informações relacionadas, como os cartões de ponto. O sistema deve fazer o pagamento de todos os funcionários no valor correto, pontualmente, pelo método que eles especificarem. Além disso, vários descontos devem ser feitos no pagamento.

- Alguns funcionários trabalham por hora. Eles recebem um salário por hora, que é um dos campos em seus registros de empregado. Eles apresentam cartões de ponto diários que registram a data e o número de horas trabalhadas. Se trabalham mais de 8 horas por dia, eles recebem 1,5 vezes seu salário normal pelas horas extras. Eles recebem todas as sextas-feiras.
- Alguns funcionários recebem um salário fixo. Eles são pagos no último dia útil do mês. Seu salário mensal é um dos campos em seus registros de empregado.
- Alguns dos funcionários assalariados também recebem uma comissão baseada em suas vendas. Eles apresentam recibos de venda que registram a data e o valor da venda. A taxa da comissão é um campo em seus registros de empregado. Eles recebem a cada duas sextas-feiras.
- Os funcionários podem escolher o método de pagamento. Eles podem ter seus cheques-salário enviados para o endereço postal de sua escolha, podem pegá-los com o pagador ou solicitar que os cheques sejam depositados diretamente na conta bancária de sua escolha.
- Alguns funcionários pertencem ao sindicato. Seus registros de empregado têm um campo para desconto das taxas semanais. As taxas devem ser descontadas de seus pagamentos. Além disso, de tempos em tempos o sindicato pode cobrar despesas de serviço individualmente de seus membros. Essas despesas de serviço são apresentadas pelo sindicato semanalmente e devem ser descontadas do valor do próximo pagamento do funcionário apropriado.
- O aplicativo de folha de pagamentos será executado uma vez a cada dia útil e fará o pagamento dos funcionários apropriados nesse dia. O sistema será informado sobre a data em que os funcionários devem ser pagos; portanto, gerará os pagamentos dos registros desde a última vez que o funcionário foi pago até a data especificada.

Exercício

Antes de continuar, recomendo que você projete o sistema de folha de pagamentos por conta própria, agora. Talvez você queira esboçar alguns diagramas UML iniciais. Melhor ainda, talvez queira escrever os primeiros casos de uso com testes a priori. Aplique os princípios e as práticas que aprendemos até aqui e tente criar um projeto equilibrado e saudável. Lembre-se da cafeteira elétrica!

Consulte os casos de uso a seguir, se for projetar a sua folha de pagamentos. Caso contrário, pule-os; eles serão apresentados novamente no Capítulo 26.

Caso de uso 1: Adicionar novo funcionário

Um novo funcionário é adicionado pelo recebimento de uma transação AddEmp. Essa transação contém o nome, endereço e número atribuído ao funcionário. A transação tem três formas:

1. AddEmp   <EmpID>   "<name>"   "<address>"   H   <hrly-rate>
2. AddEmp   <EmpID>   "<name>"   "<address>"   S   <mtly-slry>
3. AddEmp   <EmpID>   "<name>"   "<address>"   C   <mtly-slry>   <comm-rate>

O registro de empregado é criado com seus campos designados apropriadamente.

Alternativas: Um erro na estrutura da transação   Se a estrutura da transação é inadequada, ela é impressa em uma mensagem de erro e nenhuma ação é executada.

Caso de uso 2: Excluir um funcionário

Os funcionários são excluídos quando uma transação DelEmp é recebida. A forma dessa transação é a seguinte:

DelEmp <EmpID>

Quando essa transação é recebida, o registro de empregado apropriado é excluído.

Alternativa: EmpID inválido ou desconhecido   Se o campo <EmpID> não está estruturado corretamente ou não se refere a um registro de empregado válido, a transação é impressa com uma mensagem de erro e nenhuma outra ação é executada.

Caso de uso 3: Lançar um cartão de ponto (Time Card)

Ao receber uma transação TimeCard, o sistema criará um registro de cartão de ponto e o associará ao registro de empregado apropriado:

TimeCard <empid> <date> <hours>

Alternativa 1: O funcionário selecionado não recebe por hora   O sistema imprimirá uma mensagem de erro apropriada e não executará mais nenhuma ação.

Alternativa 2: Um erro na estrutura da transação   O sistema imprimirá uma mensagem de erro apropriada e não executará mais nenhuma ação.

Caso de uso 4: Lançar um recibo de venda (Sales Receipt)

Ao receber a transação SalesReceipt, o sistema criará um novo registro de recibo de venda e o associará ao funcionário comissionado apropriado.

SalesReceipt <EmpID> <date> <amount>

Alternativa 1: O funcionário selecionado não é comissionado O sistema imprimirá uma mensagem de erro apropriada e não executará mais ações.

Alternativa 2: Um erro na estrutura da transação O sistema imprimirá uma mensagem de erro apropriada e não executará mais ações.

Caso de uso 5: Lançar uma taxa de serviço do sindicato

Ao receber essa transação, o sistema criará um registro de taxa de serviço e o associará ao membro do sindicato apropriado:

```
ServiceCharge <memberID> <amount>
```

Alternativa: Transação malformada Se a transação não estiver bem formada ou se `<memberID>` não se referir a um membro do sindicato existente, a transação será impressa com uma mensagem de erro apropriada.

Caso de uso 6: Alterar detalhes do funcionário

Ao receber essa transação, o sistema alterará um dos detalhes do registro de empregado apropriado. Essa transação tem diversas variações possíveis:

`ChgEmp <EmpID> Name <name>`	Altera o nome do funcionário
`ChgEmp <EmpID> Address <address>`	Altera o endereço do funcionário
`ChgEmp <EmpID> Hourly <hourlyRate>`	Muda para por hora
`ChgEmp <EmpID> Salaried <salary>`	Muda para assalariado
`ChgEmp <EmpID> Commissioned <salary> <rate>`	Muda para comissionado
`ChgEmp <EmpID> Hold`	Mantém o cheque-salário
`ChgEmp <EmpID> Direct <bank> <account>`	Depósito direto
`ChgEmp <EmpID> Mail <address>`	Envia cheque-salário pelo correio
`ChgEmp <EmpID> Member <memberID> Dues <rate>`	Coloca o funcionário no sindicato
`ChgEmp <EmpID> NoMember`	Desliga o funcionário do sindicato

Alternativa: Erros de transação Se a estrutura da transação está incorreta, `<EmpID>` não se refere a um funcionário real ou `<memberID>` já se refere a um membro, imprime um erro conveniente e não executa mais qualquer ação.

Caso de uso 7: Executar a folha de pagamentos de hoje

Ao receber a transação de dia de pagamento, o sistema descobre todos os funcionários que devem ser pagos na data especificada. Depois, o sistema determina quanto eles devem receber e os paga de acordo com seus métodos de pagamento selecionados. É impresso um relatório de trilha de auditoria mostrando a ação executada por cada funcionário:

```
Payday <date>
```

Capítulo 21

COMMAND E ACTIVE OBJECT: VERSATILIDADE E MULTITAREFA

Nenhum homem recebeu da natureza o direito de comandar seus semelhantes.

— Denis Diderot (1713 -1784)

De todos os padrões de projeto que têm sido descritos ao longo dos anos, considero COMMAND um dos mais simples e elegantes. Mas a simplicidade é enganosa. A variedade de usos que podem ser feitos de COMMAND provavelmente não tem limite.

A simplicidade de COMMAND, como se vê na Figura 21-1, é quase risível. A Listagem 21-1 não ajuda a reduzir a leveza. Parece absurdo que possamos ter um padrão consistindo em nada mais do que uma interface com um método.

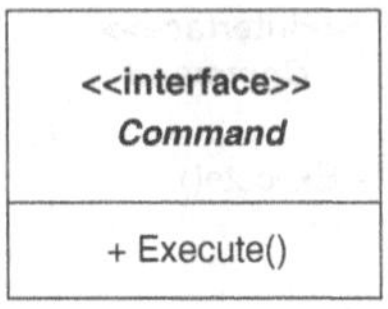

```
<<interface>>
Command

+ Execute()
```

Figura 21-1
Padrão COMMAND.

Listagem 21-1
Command.cs

```
public interface Command
{
  void Execute();
}
```

De fato, esse padrão rompe um limite que revela uma complexidade interessante. A maioria das classes associa um conjunto de métodos a um conjunto de variáveis correspondente. O padrão COMMAND não faz isso. Ele encapsula uma única função isenta de qualquer variável.

Esse padrão pode ser considerado um anátema que beira a decomposição funcional. Ele eleva o papel de uma função ao nível de uma classe, blasfêmia! Apesar disso, nessa fronteira onde dois paradigmas colidem, coisas interessantes começam a acontecer.

Comandos simples

Anos atrás, fiz uma consultoria para uma grande empresa que produzia fotocopiadoras. Eu estava ajudando uma de suas equipes de desenvolvimento no projeto e implementação do software embarcado de tempo real que determinava o funcionamento interno de uma nova copiadora. Tivemos a ideia de usar o padrão COMMAND para controlar os dispositivos de hardware. Criamos uma hierarquia semelhante à Figura 21-2.

A função dessas classes deve ser óbvia. Chamar `Execute()` em um `RelayOnCommand` ativa um relé. Chamar `Execute()` em um `MotorOffCommand` desliga um motor. O endereço do motor ou do relé é passado para o objeto como um argumento para seu construtor.

Com essa estrutura em vigor, pudemos passar objetos `Command` no sistema e executá-los (com `Execute()`) sem saber precisamente que tipo de comando (`Command`) eles representavam. Isso levou a algumas simplificações interessantes.

O sistema era dirigido por eventos. Os relés (relays) abriam ou fechavam, os motores (motors) davam a partida ou paravam e os engates (clutches) engatavam ou desengatavam, de acordo com certos eventos que ocorriam no sistema. Muitos desses eventos eram detectados por sensores. Por exemplo, quando um sensor ótico determinava que uma folha de papel tinha atingido certo ponto na trajetória do papel, precisávamos acionar certo engate. Pudemos implementar isso simplesmente vinculando o `ClutchOnCommand` apropriado ao objeto que controlava esse sensor ótico em particular. Consulte a Figura 21-3.

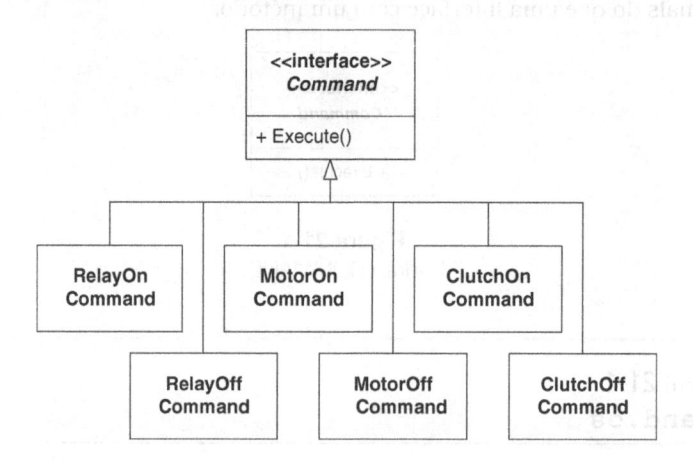

Figura 21-2
Alguns comandos simples para o software da copiadora.

COMMAND E ACTIVE OBJECT: VERSATILIDADE E MULTITAREFA   311

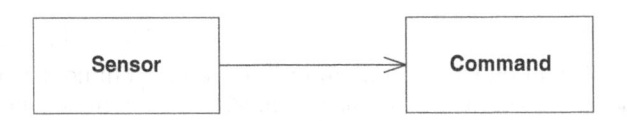

```
┌─────────┐         ┌─────────┐
│ Sensor  │────────▶│ Command │
└─────────┘         └─────────┘
```

Figura 21-3
Um comando acionado por um sensor.

Essa estrutura simples tem uma grande vantagem. O objeto Sensor não tem ideia do que está fazendo. Ao detectar um evento, ele simplesmente chama Execute() no objeto Command a que está vinculado. Isso significa que os objetos Sensor não precisam saber a respeito de engates ou relés individuais. Eles não precisam conhecer a estrutura mecânica do trajeto do papel. Sua função se torna consideravelmente simples.

A complexidade de determinar quais relés se fecham quando certos sensores declaram eventos foi movida para uma função de inicialização. Em algum ponto durante a inicialização do sistema, cada objeto Sensor é vinculado a um objeto Command apropriado. Isso coloca todas as interligações lógicas entre os sensores e comandos – a *fiação* – em um único lugar e as retira do corpo principal do sistema. Aliás, seria possível criar um arquivo de texto simples que descrevesse quais objetos Sensor estavam vinculados a quais objetos Command. O programa de inicialização poderia ler esse arquivo e construir o sistema adequadamente. Assim, a *fiação do sistema* poderia ser determinada completamente fora do programa e poderia ser ajustada sem recompilação.

Encapsulando a *noção* de comando, esse padrão nos permitiu desacoplar as interligações lógicas do sistema dos dispositivos que estavam sendo conectados. Essa foi uma vantagem e tanto.

Onde foi parar o *I* ?

Na comunidade .NET, é comum preceder o nome de uma interface com um I maiúsculo. No exemplo anterior, a interface Command provavelmente seria chamada ICommand. Embora muitas convenções .NET sejam boas, e em geral este livro as siga, essa convenção específica não é adotada pelos humildes autores deste livro.

Não é recomendável poluir o nome de algo com um conceito irrelevante, especialmente se esse conceito pode mudar. E se, por exemplo, decidirmos que ICommand deve ser uma classe abstrata em vez de uma interface? Devemos então encontrar todas as referências a ICommand e alterá-las para Command? Devemos também recompilar e redistribuir todos os assemblies afetados?

Estamos no século XXI. Temos IDEs inteligentes que nos informam, com uma passada de mouse, se uma classe é uma interface. É hora de os últimos vestígios da notação húngara serem finalmente aposentados.

Transações

O padrão COMMAND tem outro uso comum que acharemos útil no problema da folha de pagamentos: a criação e execução de transações. Imagine, por exemplo, que estejamos escrevendo o software que mantém um banco de dados de funcionários (consulte a Figura 21-4). Os usuários podem executar diversas operações nesse banco de dados, como adicionar novos funcionários, excluir funcionários antigos ou alterar os atributos de funcionários existentes.

Um usuário que decida adicionar um novo funcionário deve especificar todas as informações necessárias para criar o registro de empregado com sucesso. Antes de atuar sobre essas informações, o sistema precisa verificar se elas estão sintática e semanticamente corretas. O padrão COMMAND pode ajudar nesse trabalho. O objeto comando atua como um repositório dos dados não validados, implementa os métodos de validação e implementa os métodos que finalmente executam a transação.

Considere, por exemplo, a Figura 21-5. `AddEmployeeTransaction` contém os mesmos campos de dados de `Employee`, assim como um ponteiro para um objeto `PayClassification` (classificação do pagamento). Esses campos e esse objeto são criados a partir dos dados especificados pelo usuário ao instruir o sistema para que adicione um novo funcionário.

O método `Validate` inspeciona todos os dados e garante que eles façam sentido. Ele os verifica quanto à correção sintática e semântica. Ele pode até fazer uma verificação para garantir se os dados da transação são coerentes com o estado atual do banco de dados. Por exemplo, ele poderia certificar-se de que esse funcionário ainda não existe.

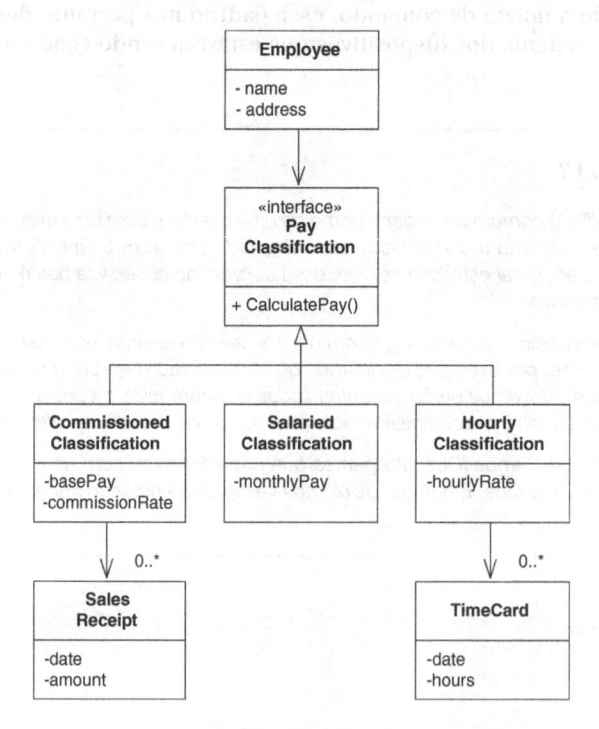

Figura 21-4
Banco de dados de funcionários.

```
          «interface»
          Transaction

          + validate()
          + execute()
              △
              │
    ┌─────────┴─────────┐
    │                   │
  AddEmployee        «interface»
  Transaction          Pay
                    Classification
  - name      ────▷
  - address
                    + CalculatePay()
  + validate()
  + execute()
```

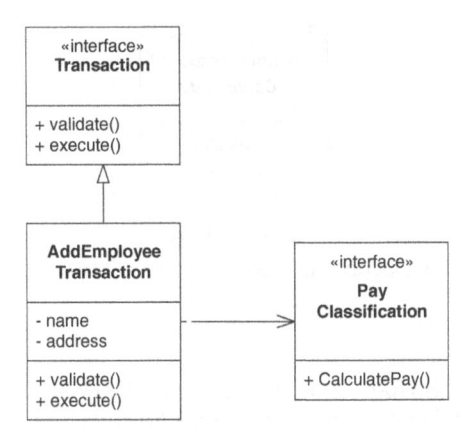

Figura 21-5
Transação `AddEmployee`.

O método `Execute` usa os dados validados para atualizar o banco de dados. Em nosso exemplo simples, um novo objeto `Employee` seria criado e carregado com os campos do objeto `AddEmployeeTransaction`. O objeto `PayClassification` seria movido ou copiado no objeto `Employee`.

Desacoplamento físico e temporal

A vatagem que isso nos proporciona é o excepcional desacoplamento do código que obtém os dados do usuário, do código que valida e opera nesses dados e dos próprios objetos de negócio. Por exemplo, poderia se esperar que os dados para adicionar um novo funcionário fossem obtidos de uma caixa de diálogo em uma interface gráfica do usuário. Seria uma vergonha se o código da interface gráfica do usuário contivesse os algoritmos de validação e execução da transação. Tal acoplamento impediria que o código de validação e execução fosse utilizado em outras interfaces. Separando o código de validação e execução na classe `AddEmployeeTransaction`, desacoplamos fisicamente esse código da interface de obtenção. Além disso, separamos o código que sabe manipular a logística do banco de dados das próprias entidades de negócio.

Desacoplamento temporal

Também desacoplamos o código de validação e execução de uma maneira diferente. Uma vez obtidos os dados, não há motivo para que os métodos de validação e execução devam ser chamados imediatamente. Os objetos da transação podem ser mantidos em uma lista e validados e executados muito mais tarde.

Suponha que tenhamos um banco de dados que deve permanecer inalterado durante o dia. As mudanças só podem ser aplicadas entre meia-noite e 1h. Seria uma vergonha ter de esperar até a meia-noite e, então, correr para digitar todos os comandos antes da 1h. Seria muito mais conveniente digitar todos os comandos, validá-los imediatamente e, então, executá-los mais tarde, à meia-noite. O padrão COMMAND nos proporciona essa capacidade.

```
        <<interface>>
         Command

        + Execute()
        + Undo()
```

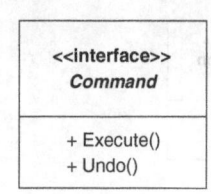

Figura 21-6
Variação Undo do padrão COMMAND.

Método Undo

A Figura 21-6 acrescenta o método Undo() ao padrão COMMAND. É lógico que, se o método Execute() de uma derivada de Command pode ser implementado para lembrar dos detalhes da operação que executa, o método Undo() pode ser implementado para desfazer essa operação e retornar o sistema ao seu estado original.

Imagine, por exemplo, um aplicativo que permita ao usuário desenhar formas geométricas na tela. Uma barra de ferramentas tem botões que permitem ao usuário desenhar círculos, quadrados, retângulos etc. Digamos que o usuário clique no botão Draw Circle (Desenhar Círculo). O sistema cria um objeto DrawCircleCommand e, então, chama Execute() nesse comando. O objeto DrawCircleCommand monitora o mouse do usuário, esperando por um clique na janela de desenho. Ao receber esse clique, ele define o ponto do clique no centro do círculo e começa a desenhar um círculo animado nesse centro, com um raio que acompanha a posição atual do mouse. Quando o usuário clica novamente, o objeto DrawCircleCommand interrompe a animação do círculo e adiciona o objeto círculo apropriado na lista de formas atualmente exibidas na tela de desenho. Ele também armazena a ID do novo círculo em sua própria variável privada. Então, ele retorna do método Execute(). Em seguida, o sistema coloca o objeto DrawCircleCommand expandido na pilha de comandos concluídos.

Algum tempo depois, o usuário clica no botão Undo (Desfazer) na barra de ferramentas. O sistema lê a pilha de comandos concluídos e chama Undo() no objeto Command resultante. Ao receber a mensagem Undo(), o objeto DrawCircleCommand exclui o círculo correspondente à ID salva da lista de objetos correntemente exibidos na tela de desenho.

Com essa técnica, você pode implementar Undo de maneira fácil em praticamente qualquer aplicativo. O código que sabe como desfazer um comando está sempre próximo ao código que sabe como executar o comando.

Objeto ativo

Uma de minhas utilizações prediletas do padrão COMMAND é o padrão ACTIVE OBJECT.[1] Essa antiga técnica de implementação de múltiplas threads de controle tem sido usada, de uma forma ou de outra, para fornecer um núcleo multitarefa simples para milhares de sistemas industriais.

---

[1] [Lavender96].

A ideia é muito simples. Considere as listagens 21-2 e 21-3. Um objeto `Active-ObjectEngine` mantém uma lista encadeada de objetos `Command`. Os usuários podem adicionar novos comandos ao mecanismo ou podem chamar `Run()`. A função `Run()` simplesmente percorre a lista encadeada, executando e removendo cada comando.

Talvez isso não pareça muito grandioso. Mas imagine o que aconteceria se um dos objetos `Command` da lista encadeada se colocasse de volta na lista. A lista nunca ficaria vazia e a função `Run()` nunca retornaria.

Considere o caso de teste da Listagem 21-4. Esse caso de teste cria um objeto `SleepCommand`, o qual, dentre outras coisas, passa um atraso de 1.000 ms para o construtor de `SleepCommand`. Então, o caso de teste coloca o objeto `SleepCommand` em `ActiveObjectEngine`. Após chamar `Run()`, o caso de teste espera que determinado número de milissegundos tenha decorrido.

Listagem 21-2
ActiveObjectEngine.cs

```csharp
using System.Collections;

public class ActiveObjectEngine
{
  ArrayList itsCommands = new ArrayList();

  public void AddCommand(Command c)
  {
    itsCommands.Add(c);
  }

  public void Run()
  {
    while (itsCommands.Count > 0)
    {
      Command c = (Command) itsCommands[0];
      itsCommands.RemoveAt(0);
      c.Execute();
    }
  }
}
```

Listagem 21-3
Command.cs

```csharp
public interface Command
{
  void Execute();
}
```

Listagem 21-4
TestSleepCommand.cs

```csharp
using System;
using NUnit.Framework;

[TestFixture]
public class TestSleepCommand
{
  private class WakeUpCommand : Command
  {
    public bool executed = false;
    public void Execute()
    {
      executed = true;
    }
  }

  [Test]
  public void TestSleep()
  {
    WakeUpCommand wakeup = new WakeUpCommand();
    ActiveObjectEngine e = new ActiveObjectEngine();
    SleepCommand c = new SleepCommand(1000, e, wakeup);
    e.AddCommand(c);
    DateTime start = DateTime.Now;
    e.Run();
    DateTime stop = DateTime.Now;
    double sleepTime = (stop-start).TotalMilliseconds;
    Assert.IsTrue(sleepTime >= 1000,
      "SleepTime " + sleepTime + " expected > 1000");
    Assert.IsTrue(sleepTime <= 1100,
      "SleepTime " + sleepTime + " expected < 1100");
    Assert.IsTrue(wakeup.executed, "Command Executed");
  }
}
```

Vamos examinar melhor esse caso de teste. O construtor de SleepCommand contém três argumentos. O primeiro é o tempo de atraso, em milissegundos. O segundo é o objeto ActiveObjectEngine em que o comando será executado. Por fim, existe outro objeto comando chamado wakeup. O objetivo é que o objeto SleepCommand espere pelo número especificado de milissegundos e, então, execute o comando wakeup.

A Listagem 21-5 mostra a implementação de SleepCommand. Ao ser executado, SleepCommand verifica se já foi executado antes. Se não foi, ele registra o tempo de início. Se o tempo de espera não tiver decorrido, ele se coloca de volta em ActiveObjectEngine. Se o tempo de espera tiver decorrido, ele coloca o comando wakeup em ActiveObjectEngine.

Podemos fazer uma analogia entre esse programa e um programa multitarefa que esteja esperando um evento. Em um programa multitarefa, quando uma thread espera por um evento, normalmente faz uma chamada do sistema operacional que bloqueia a thread até que o evento tenha ocorrido. O programa da Listagem 21-5 não faz o bloqueio.

Listagem 21-5
SleepCommand.cs

```
using System;

public class SleepCommand : Command
{
  private Command wakeupCommand = null;
  private ActiveObjectEngine engine = null;
  private long sleepTime = 0;
  private DateTime startTime;
  private bool started = false;

  public SleepCommand(long milliseconds, ActiveObjectEngine e, Com-
                     mand wakeupCommand)
  {
    sleepTime = milliseconds;
    engine = e;
    this.wakeupCommand = wakeupCommand;
  }

  public void Execute()
  {
    DateTime currentTime = DateTime.Now;
    if (!started)
    {
      started = true;
      startTime = currentTime;
      engine.AddCommand(this);
    }
    else
    {
      TimeSpan elapsedTime = currentTime - startTime;
      if (elapsedTime.TotalMilliseconds < sleepTime)
      {
        engine.AddCommand(this);
      }
      else
      {
        engine.AddCommand(wakeupCommand);
      }
    }
  }
}
```

Em vez disso, se o evento que está esperando por (`elapsedTime.TotalMilliseconds < sleepTime`) não tiver ocorrido, a thread simplesmente se coloca de volta em `ActiveObjectEngine`.

Construir sistemas multitarefa usando variações dessa técnica tem sido (e continuará a ser) uma prática muito comum. Threads desse tipo são conhecidas como tarefas de *execução até a conclusão* (RTC – *Run-To-Completion*); cada instância de `Command` é executada até a conclusão, antes que a próxima possa ser executada. O nome RTC significa que as instâncias de Command não são bloqueadas.

O fato de as instâncias de Command serem todas executadas até a conclusão proporciona às threads RTC a interessante vantagem de compartilharem a mesma pilha de tempo de execução. Ao contrário das threads de um sistema multitarefa tradicional, não é necessário definir nem alocar uma pilha de tempo de execução separada para cada thread RTC. Isso pode ser uma vantagem poderosa em um sistema com memória restrita e com muitas threads.

Continuando nosso exemplo, a Listagem 21-6 mostra um programa simples que utiliza SleepCommand e exibe comportamento multitarefa. Esse programa é chamado DelayedTyper.

Note que DelayedTyper implementa Command. O método Execute simplesmente imprime um caractere que foi passado no construtor, verifica o flag stop e, se este não foi ativado, chama DelayAndRepeat. DelayAndRepeat constrói um SleepCommand usando o atraso que foi passado no construtor e, então, insere o objeto SleepCommand em ActiveObjectEngine.

É fácil prever o comportamento desse objeto Command. Na verdade, ele fica preso em um loop, digitando repetidamente um caractere especificado e esperando por um atraso especificado. Ele sai do loop quando o flag stop é ativado.

O programa Main de DelayedTyper inicia várias instâncias de DelayedTyper que vão para ActiveObjectEngine, cada uma com seu próprio caractere e atraso, e depois chama um SleepCommand que ativará o flag stop após algum tempo. A execução desse programa produz uma string simples de valores 1, 3, 5 e 7. Executá-lo novamente produz uma string semelhante, porém diferente. Aqui estão duas execuções típicas:

```
135711311511371113151131715131113151731111351113711531111357...
135711131513171131511311713511131151731113151131711351113117...
```

Essas strings são diferentes porque o clock da CPU e o relógio de tempo real não estão em perfeito sincronismo. Esse tipo de comportamento não determinístico é a característica distintiva dos sistemas multitarefas.

O comportamento não determinístico também é a fonte de muita angústia, aflição e dor. Como qualquer um que já tenha trabalhado em sistemas embarcados de tempo real sabe, é difícil depurar comportamento não determinístico.

Listagem 21-6
`DelayedTyper.cs`

```csharp
using System;

public class DelayedTyper : Command
{
  private long itsDelay;
  private char itsChar;
  private static bool stop = false;
  private static ActiveObjectEngine engine =
    new ActiveObjectEngine();

  private class StopCommand : Command
  {
    public void Execute()
    {
      DelayedTyper.stop = true;
    }
  }

  public static void Main(string[] args)
  {
    engine.AddCommand(new DelayedTyper(100, '1'));
    engine.AddCommand(new DelayedTyper(300, '3'));
    engine.AddCommand(new DelayedTyper(500, '5'));
    engine.AddCommand(new DelayedTyper(700, '7'));

    Command stopCommand = new StopCommand();
    engine.AddCommand(
      new SleepCommand(20000, engine, stopCommand));
    engine.Run();
  }

  public DelayedTyper(long delay, char c)
  {
    itsDelay = delay;
    itsChar = c;
  }

  public void Execute()
  {
    Console.Write(itsChar);
    if (!stop)
      DelayAndRepeat();
  }

  private void DelayAndRepeat()
  {
    engine.AddCommand(
      new SleepCommand(itsDelay, engine, this));
  }
}
```

Conclusão

A simplicidade do padrão COMMAND esconde sua versatilidade. O padrão COMMAND pode ser usado para uma formidável variedade de objetivos, de transações de banco de dados a controle de dispositivos, núcleos multitarefa e administração de operações fazer/desfazer de interface do usuário.

Tem-se sugerido que o padrão COMMAND viola o paradigma da OO, enfatizando as funções em detrimento das classes. Talvez seja verdade, mas no mundo real do desenvolvedor de software, a utilidade se sobrepõe à teoria. O padrão COMMAND pode ser muito útil.

Bibliografia

[**GOF95**] Erich Gamma, Richard Helm, Ralph Johnson, and John Vlissides, *Design Patterns: Elements of Reusable Object-Oriented Software*, Addison-Wesley, 1995

[**Lavender96**] R. G. Lavender and D. C. Schmidt, "Active Object: An Object Behavioral Pattern for Concurrent Programming", in J. O. Coplien, J. Vlissides, and N. Kerth, eds. *Pattern Languages of Program Design*, Addison-Wesley, 1996.

Capítulo 22

TEMPLATE METHOD E STRATEGY: HERANÇA *VERSUS* DELEGAÇÃO

A melhor estratégia na vida é a diligência.

— Provérbio chinês

No início dos anos 1990 – nos primórdios da OO —, estávamos todos empolgados com a ideia de herança. As implicações do relacionamento eram profundas. Com a herança podíamos *programar pela diferença!* Ou seja, dada uma classe que tivesse algo quase útil para nós, podíamos criar uma subclasse e alterar apenas os trechos que quiséssemos. Podíamos reutilizar código simplesmente herdando-o! Podíamos estabelecer taxonomias de estruturas de software inteiras, cada nível das quais reutilizava código dos níveis superiores. Era o admirável mundo novo.

Obviamente, estávamos deslumbrados. Em 1995, ficou claro que era muito fácil e dispendioso abusar da herança. Gamma, Helm, Johnson e Vlissides chegaram a enfatizar: *"Favoreça a composição de objetos em detrimento da herança de classe"*.[1] Assim, reduzimos nosso uso de herança, frequentemente substituindo-a por composição ou delegação.

Este capítulo é a história de dois padrões que simbolizam a diferença entre herança e delegação. TEMPLATE METHOD e STRATEGY resolvem problemas semelhantes e podem ser usados indistintamente em muitas ocasiões. Contudo, TEMPLATE METHOD usa herança para resolver o problema, enquanto STRATEGY usa delegação.

Tanto TEMPLATE METHOD quanto STRATEGY resolvem o problema de separar um algoritmo genérico de um contexto detalhado. Muitas vezes vemos necessidade disso no projeto de software. Temos um algoritmo genericamente aplicável. Para obedecermos ao Princípio da Inversão de Dependência (DIP), queremos garantir que o algoritmo genérico não dependa da implementação detalhada. Em vez disso, queremos que o algoritmo genérico e a implementação detalhada dependam de abstrações.

---

[1] [GOF95], p. 20.

TEMPLATE METHOD

Pense em todos os programas que você já escreveu. Muitos provavelmente têm esta estrutura de `loop principal` fundamental:

```
Initialize();
while (!Done()) // loop principal
{
Idle(); // faz algo útil.
}
Cleanup();
```

Primeiro, inicializamos o aplicativo. Em seguida, entramos no `loop principal`, onde fazemos o que o programa precisa fazer. Poderíamos processar eventos de interface gráfica do usuário ou talvez registros de banco de dados. Por fim, ao terminarmos, saímos do `loop principal` e, antes disso, fazemos a limpeza de saída.

Essa estrutura é tão comum que podemos capturá-la em uma classe chamada `Application`. Depois, podemos reutilizar essa classe em todo novo programa que quisermos escrever. Pense nisso! Nunca mais teremos de escrever esse loop![2]

Listagem 22-1
`FtoCRaw.cs`

```
using System;
using System.IO;
public class FtoCRaw
{
  public static void Main(string[] args)
  {
    bool done = false;
    while (!done)
    {
      string fahrString = Console.In.ReadLine();
      if (fahrString == null || fahrString.Length == 0)
        done = true;
      else
      {
        double fahr = Double.Parse(fahrString);
        double celcius = 5.0/9.0*(fahr - 32);
        Console.Out.WriteLine("F={0}, C={1}",fahr,celcius);
      }
    }
    Console.Out.WriteLine("ftoc exit");
  }
}
```

---

[2] Quem dera!.

Considere, por exemplo, a Listagem 22-1. Aqui, vemos todos os elementos do programa padrão. `TextReader` e `TextWriter` são inicializados. Um `loop principal` faz leituras em Fahrenheit de `Console.In` e imprime as conversões em Celsius. No final é impressa uma mensagem de saída.

Esse programa tem todos os elementos da estrutura de `loop principal` anterior. Ele faz alguma inicialização, realiza seu trabalho em um `loop principal`, em seguida faz a limpeza e sai.

Podemos separar essa estrutura fundamental do programa `ftoc` usando o padrão TEMPLATE METHOD. Esse padrão coloca todo o código genérico em um método implementado de uma classe base abstrata. O método implementado captura o algoritmo genérico, mas transfere todos os detalhes para métodos abstratos da classe base.

Assim, por exemplo, podemos capturar a estrutura do `loop principal` em uma classe base abstrata chamada `Application`. Consulte a Listagem 22-2.

Essa classe descreve uma aplicação de loop principal genérico. Podemos ver o loop principal na função implementada `Run`. Também podemos ver que todo o trabalho está sendo transferido para os métodos abstratos `Init`, `Idle` e `Cleanup`. O método `Init` cuida de toda inicialização que precisamos fazer. O método `Idle` faz o trabalho principal do programa e será chamado repetidamente até que `SetDone` seja chamado. O método `Cleanup` faz o que precisa ser feito antes de sairmos.

Listagem 22-2
Application.cs

```csharp
public abstract class Application
{
  private bool isDone = false;

  protected abstract void Init();
  protected abstract void Idle();
  protected abstract void Cleanup();
  protected void SetDone()
  {
    isDone = true;
  }

  protected bool Done()
  {
    return isDone;
  }
  public void Run()
  {
    Init();
    while (!Done())
      Idle();
    Cleanup();
  }
}
```

Podemos reescrever a classe ftoc herdando de Application e simplesmente completando os métodos abstratos. A Listagem 22-3 mostra como fica isso.

É fácil ver como o antigo aplicativo ftoc foi enquadrado no padrão TEMPLATE METHOD.

Listagem 22-3
FtoCTemplateMethod.cs

```
using System;
using System.IO;

public class FtoCTemplateMethod: Application
{
  private TextReader input;
  private TextWriter output;

  public static void Main(string[] args)
  {
    new FtoCTemplateMethod().Run();
  }

  protected override void Init()
  {
    input = Console.In;
    output = Console.Out;
  }
  protected override void Idle()
  {
    string fahrString = input.ReadLine();
    if (fahrString == null || fahrString.Length == 0)
      SetDone();
    else
    {
      double fahr = Double.Parse(fahrString);
      double celcius = 5.0/9.0*(fahr - 32);
      output.WriteLine("F={0}, C={1}", fahr, celcius);
    }
  }
  protected override void Cleanup()
  {
    output.WriteLine("ftoc exit");
  }
}
```

Abuso de padrão

Você deve estar pensando: *"Ele está falando sério? Ele realmente espera que eu utilize essa classe Application em todos os novos aplicativos? Ela não ajudou em nada e ainda complicou demais o problema".*

Er..., é verdade...: ^(

Escolhi esse exemplo porque era simples e oferecia uma boa plataforma para mostrar a mecânica de TEMPLATE METHOD. Por outro lado, na verdade não recomendo construir `ftoc` desse modo.

Esse é um bom exemplo de abuso de padrão. Usar TEMPLATE METHOD para esse aplicativo específico é ridículo. Ele complica e aumenta o programa. Encapsular o loop principal de todos os aplicativos do universo parecia maravilhoso quando começamos, mas a aplicação prática não dá resultados nesse caso.

Os padrões de projeto são maravilhosos. Eles podem ajudá-lo em muitos problemas de projeto. Mas o fato de existirem não significa que sempre devem ser utilizados. Nesse caso, TEMPLATE METHOD era aplicável ao problema, mas seu uso não era aconselhável. O custo do padrão era maior do que o benefício que ele proporcionava.

Bubble Sort

Vamos ver um exemplo mais útil. Consulte a Listagem 22-4. Note que, assim como `Application`, `Bubble Sort` é fácil de entender e, portanto, constitui uma ferramenta de ensino útil. Contudo, ninguém em seu legítimo direito jamais usaria `Bubble Sort` se tivesse um volume significativo de ordenação a fazer. Existem algoritmos *muito* melhores.

Listagem 22-4
BubbleSorter.cs

```csharp
public class BubbleSorter
{
    static int operations = 0;
    public static int Sort(int [] array)
    {
        operations = 0;
        if (array.Length <= 1)
```

```
        return operations;

    for (int nextToLast = array.Length-2;
      nextToLast >= 0; nextToLast--)
      for (int index = 0; index <= nextToLast; index++)
        CompareAndSwap(array, index);

    return operations;
  }

  private static void Swap(int[] array, int index)
  {
    int temp = array[index];
    array[index] = array[index+1];
    array[index+1] = temp;
  }

  private static void CompareAndSwap(int[] array, int index)
  {
    if (array[index] > array[index+1])
      Swap(array, index);
    operations++;
  }
}
```

A classe `BubbleSorter` sabe como ordenar um array de inteiros usando o algoritmo de ordenação por bolhas. O método `Sort` de `BubbleSorter` contém o algoritmo que sabe como fazer uma ordenação por bolhas. Os dois métodos auxiliares – `Swap` e `CompareAndSwap` – tratam dos detalhes dos inteiros e arrays e manipulam os mecanismos exigidos pelo algoritmo `Sort`.

Usando o padrão TEMPLATE METHOD, podemos separar o algoritmo de ordenação por bolhas em uma classe base abstrata chamada `BubbleSorter`. `BubbleSorter` contém uma implementação de função `Sort` que chama um método abstrato denominado `OutOfOrder` e outro denominado `Swap`. O método `OutOfOrder` compara dois elementos adjacentes no array e retorna `true` se eles estão fora de ordem. O método `Swap` troca duas células adjacentes no array.

O método `Sort` não sabe a respeito do array e também não se preocupa com os tipos de objetos armazenados no array. Ele simplesmente chama `OutOfOrder` para vários índices no array e determina se esses índices devem ser trocados. Consulte a Listagem 22-5.

Dado `BubbleSorter`, podemos agora criar derivadas simples que consigam ordenar qualquer tipo diferente de objeto. Por exemplo, poderíamos criar `IntBubbleSorter`, que ordenaria arrays de inteiros, e `DoubleBubbleSorter`, que ordenaria arrays de doubles. Consulte a Figura 22-1 e as listagens 22-6 e 22-7.

O padrão TEMPLATE METHOD mostra uma das formas clássicas de reutilização na programação orientada a objetos. Algoritmos genéricos são colocados na classe base e herdados em diferentes contextos detalhados. Mas essa técnica tem seus custos. A herança é um relacionamento muito forte. As derivadas são inextricavelmente vinculadas às suas classes base.

Listagem 22-5
BubbleSorter.cs

```csharp
public abstract class BubbleSorter
{
  private int operations = 0;
  protected int length = 0;

  protected int DoSort()
  {
    operations = 0;
    if (length <= 1)
      return operations;

    for (int nextToLast = length-2;
      nextToLast >= 0; nextToLast--)
      for (int index = 0; index <= nextToLast; index++)
      {
        if (OutOfOrder(index))
          Swap(index);
        operations++;
      }
    return operations;
  }
  protected abstract void Swap(int index);
  protected abstract bool OutOfOrder(int index);
}
```

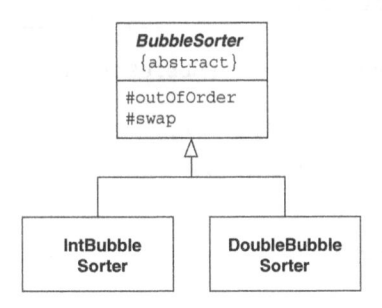

Figura 22-1
Estrutura do ordenador por bolhas.

Listagem 22-6
IntBubbleSorter.cs

```csharp
public class IntBubbleSorter : BubbleSorter
{
  private int[] array = null;

  public int Sort(int[] theArray)
  {
    array = theArray;
    length = array.Length;
    return DoSort();
  }

  protected override void Swap(int index)
  {
    int temp = array[index];
    array[index] = array[index + 1];
    array[index + 1] = temp;
  }

  protected override bool OutOfOrder(int index)
  {
    return (array[index] > array[index + 1]);
  }
}
```

Listagem 22-7
DoubleBubbleSorter.cs

```csharp
public class DoubleBubbleSorter : BubbleSorter
{
  private double[] array = null;

  public int Sort(double[] theArray)
  {
    array = theArray;
    length = array.Length;
    return DoSort();
  }

  protected override void Swap(int index)
  {
    double temp = array[index];
    array[index] = array[index + 1];
    array[index + 1] = temp;
  }

  protected override bool OutOfOrder(int index)
  {
    return (array[index] > array[index + 1]);
  }
}
```

Por exemplo, as funções `OutOfOrder` e `Swap` de `IntBubbleSorter` são exatamente o que é necessário para outros tipos de algoritmos de ordenação. Mas não há como reutilizar `OutOfOrder` e `Swap` nesses outros algoritmos. Herdando `BubbleSorter`, condenamos `IntBubbleSorter` a ser eternamente vinculado a `BubbleSorter`. O padrão STRATEGY oferece outra opção.

STRATEGY

O padrão STRATEGY resolve o problema da inversão das dependências do algoritmo genérico e da implementação detalhada de uma maneira muito diferente. Considere mais uma vez o problema `Application` que faz abuso de padrão.

Em vez de colocar o algoritmo genérico do aplicativo em uma classe base abstrata, o colocamos em uma classe *concreta* chamada `ApplicationRunner`. Definimos os métodos abstratos que o algoritmo genérico precisa chamar dentro de uma interface denominada `Application`. Derivamos `FtoCStrategy` dessa interface e o passamos para `ApplicationRunner`. Então, `ApplicationRunner` delega para essa interface. Consulte a Figura 22-2 e as listagens 22-8 a 22-10.

Deve estar claro que essa estrutura tem vantagens e custos em relação à estrutura TEMPLATE METHOD. O padrão STRATEGY envolve mais classes totais e mais indireção do que o padrão TEMPLATE METHOD. O ponteiro de delegação dentro de `ApplicationRunner` acarreta um custo ligeiramente maior em termos de tempo de execução e espaço de dados do que a herança acarretaria. Por outro lado, se tivéssemos muitos aplicativos diferentes para executar, poderíamos reutilizar a *instância* de `ApplicationRunner` e passar muitas implementações diferentes de `Application`, reduzindo com isso a sobrecarga de espaço de código.

Nenhum desses custos e vantagens é predominante. Na maioria dos casos, nenhum deles possui grande significância. No caso típico, o mais preocupante é a classe extra, necessária para o padrão STRATEGY. Contudo, há mais coisas a considerar.

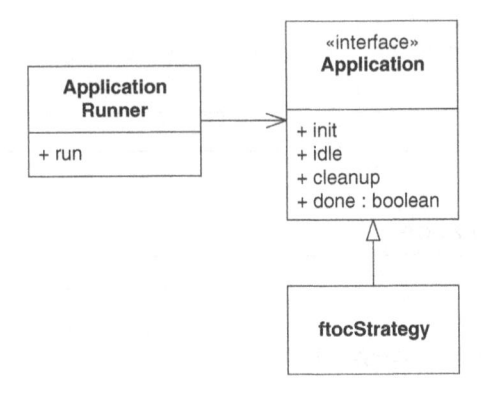

Figura 22-2
Estrutura do padrão STRATEGY para o algoritmo `Application`.

Listagem 22-8
ApplicationRunner.cs

```
public class ApplicationRunner
{
  private Application itsApplication = null;
  public ApplicationRunner(Application app)
  {
    itsApplication = app;
  }
  public void run()
  {
    itsApplication.Init();
    while (!itsApplication.Done())
      itsApplication.Idle();
    itsApplication.Cleanup();
  }
}
```

Listagem 22-9
Application.cs

```
public interface Application
{
  void Init();
  void Idle();
  void Cleanup();
  bool Done();
}
```

Listagem 22-10
FtoCStrategy.cs

```
using System;
using System.IO;
public class FtoCStrategy : Application
{
  private TextReader input;
  private TextWriter output;
  private bool isDone = false;

  public static void Main(string[] args)
  {
```

```csharp
      (new ApplicationRunner(new FtoCStrategy())).run();
    }
    public void Init()
    {
      input = Console.In;
      output = Console.Out;
    }
    public void Idle()
    {
      string fahrString = input.ReadLine();
      if (fahrString == null || fahrString.Length == 0)
        isDone = true;
      else
      {
        double fahr = Double.Parse(fahrString);
        double celcius = 5.0/9.0*(fahr - 32);
        output.WriteLine("F={0}, C={1}", fahr, celcius);
      }
    }
    public void Cleanup()
    {
      output.WriteLine("ftoc exit");
    }
    public bool Done()
    {
      return isDone;
    }
}
```

Vejamos uma implementação da ordenação por bolhas que utiliza o padrão STRATEGY. Consulte as listagens 22-11 a 22-13.

Listagem 22-11
BubbleSorter.cs

```csharp
public class BubbleSorter
{
  private int operations = 0;
  private int length = 0;
  private SortHandler itsSortHandler = null;

  public BubbleSorter(SortHandler handler)
  {
    itsSortHandler = handler;
```

```csharp
  }
  public int Sort(object array)
  {
    itsSortHandler.SetArray(array);
    length = itsSortHandler.Length();
    operations = 0;
    if (length <= 1)
      return operations;

    for (int nextToLast = length - 2;
      nextToLast >= 0; nextToLast--)
      for (int index = 0; index <= nextToLast; index++)
      {
        if (itsSortHandler.OutOfOrder(index))
          itsSortHandler.Swap(index);
        operations++;
      }

    return operations;
  }
```

Listagem 22-12
SortHandler.cs

```csharp
public interface SortHandler
{
  void Swap(int index);
  bool OutOfOrder(int index);
  int Length();
  void SetArray(object array);
}
```

Listagem 22-13
IntSortHandler.cs

```csharp
public class IntSortHandler : SortHandler
{
  private int[] array = null;

  public void Swap(int index)
  {
    int temp = array[index];
    array[index] = array[index + 1];
    array[index + 1] = temp;
  }
```

```
    public void SetArray(object array)
    {
      this.array = (int[]) array;
    }
    public int Length()
    {
      return array.Length;
    }
    public bool OutOfOrder(int index)
    {
      return (array[index] > array[index + 1]);
    }
  }
```

Note que a classe `IntSortHandler` nada sabe a respeito de `BubbleSorter`, e não depende de qualquer maneira da implementação da ordenação por bolhas. Isso não acontece com o padrão TEMPLATE METHOD. Examine novamente a Listagem 22-6 e veja como `IntBubbleSorter` depende diretamente de `BubbleSorter`, a classe que contém o algoritmo de ordenação por bolhas.

A estratégia do padrão TEMPLATE METHOD viola o DIP parcialmente. A implementação dos métodos `Swap` e `OutOfOrder` depende diretamente do algoritmo de ordenação por bolhas. A estratégia do padrão STRATEGY não contém tal dependência. Assim, podemos usar `IntSortHandler` com implementações de `Sorter` que não sejam `BubbleSorter`.

Por exemplo, podemos criar uma variação da ordenação por bolhas que termina mais cedo, caso uma passagem pelo array o encontre em ordem. (Veja a Figura 22-14.) `QuickBubbleSorter` também pode usar `IntSortHandler` ou qualquer outra classe derivada de `SortHandler`.

Listagem 22-14
QuickBubbleSorter.cs

```
public class QuickBubbleSorter
{
  private int operations = 0;
  private int length = 0;
  private SortHandler itsSortHandler = null;

  public QuickBubbleSorter(SortHandler handler)
  {
     itsSortHandler = handler;
  }

  public int Sort(object array)
  {
    itsSortHandler.SetArray(array);
    length = itsSortHandler.Length();
```

```
        operations = 0;
        if (length <= 1)
          return operations;

        bool thisPassInOrder = false;
        for (int nextToLast = length-2;
          nextToLast >= 0 && !thisPassInOrder; nextToLast--)
        {
          thisPassInOrder = true; //potencialmente.
          for (int index = 0; index <= nextToLast; index++)
          {
            if (itsSortHandler.OutOfOrder(index))
            {
              itsSortHandler.Swap(index);
              thisPassInOrder = false;
            }
            operations++;
          }
        }
        return operations;
      }
    }
```

Assim, o padrão STRATEGY oferece uma vantagem em relação ao padrão TEMPLATE METHOD. Enquanto o padrão TEMPLATE METHOD permite que um algoritmo genérico manipule muitas implementações detalhadas possíveis, o padrão STRATEGY, obedecendo totalmente ao DIP, permite, além disso, que cada implementação detalhada seja manipulada por muitos algoritmos genéricos diferentes.

Conclusão

O padrão TEMPLATE METHOD é simples de escrever e utilizar, mas também é rígido. O padrão STRATEGY é flexível, mas você precisa criar uma classe extra, instanciar um objeto extra e ligar o objeto extra ao sistema. Portanto, a escolha entre TEMPLATE METHOD e STRATEGY depende de você precisar da flexibilidade de STRATEGY ou poder conviver com a simplicidade de TEMPLATE METHOD. Muitas vezes, tenho optado pelo padrão TEMPLATE METHOD simplesmente porque ele é mais fácil de implementar e usar. Por exemplo, eu usaria a solução do padrão TEMPLATE METHOD para o problema da ordenação por bolhas, a não ser que tivesse certeza absoluta de que precisaria de algoritmos de ordenação diferentes.

Bibliografia

[GOF95] Erich Gamma, Richard Helm, Ralph Johnson, and John Vlissides, *Design Patterns: Elements of Reusable Object-Oriented Software*, Addison-Wesley, 1995.

[PLOPD3] Robert C. Martin, Dirk Riehle, and Frank Buschmann, eds. *Pattern Languages of Program Design 3*, Addison-Wesley, 1998.

Capítulo 23

FAÇADE E MEDIATOR

*O simbolismo erige uma fachada de respeitabilidade
para ocultar a indecência dos sonhos.*

— Mason Cooley

Os dois padrões discutidos neste capítulo têm um objetivo comum: impor um tipo de diretiva (*policy*) para outro grupo de objetos. O padrão FAÇADE impõe a diretiva a partir de cima; o padrão MEDIATOR, a partir de baixo. O uso de FAÇADE é visível e restritivo; o de MEDIATOR é invisível e permissivo.

FAÇADE

O padrão FAÇADE[1] é usado quando você quer fornecer uma interface simples e específica para um grupo de objetos que têm uma interface complexa e geral. Considere, por exemplo, a classe DB.cs da Listagem 34-9. Essa classe impõe uma interface muito simples, específica para ProductData, nas interfaces complexas e gerais das classes dentro do namespace System.Data. A Figura 23-1 mostra a estrutura.

Note que a classe DB evita que Application precise saber da intimidade do namespace System.Data. A classe oculta toda a generalidade e complexidade de System.Data atrás de uma interface muito simples e específica.

Uma fachada como DB impõe muitas diretivas em relação ao uso de System.Data, sabendo como inicializar e fechar a conexão com o banco de dados, transformar os membros de ProductData em campos de banco de dados e desfazer essa transformação, e construir as consultas e comandos apropriados para manipular o banco de dados. Toda essa complexidade fica oculta dos usuários. Do ponto de vista de Application, System.Data não existe; fica oculta atrás da fachada.

---

[1] N. de R.T.: O nome correto é FAÇADE (com "Ç"); vem do francês (pronuncia-se "fassad", aproximadamente) e significa, literalmente, fachada.

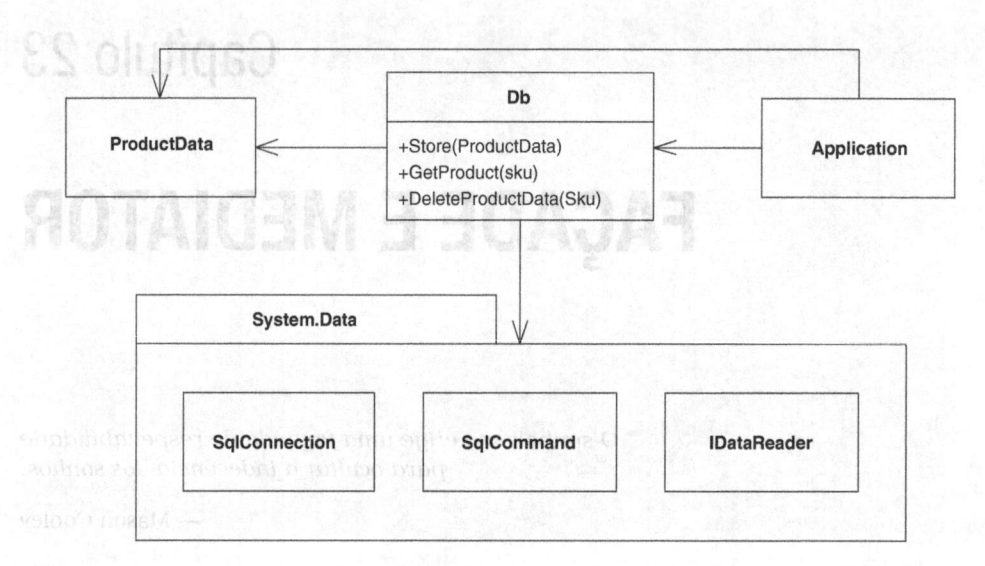

Figura 23-1
A fachada (FAÇADE) DB.

O uso do padrão FAÇADE indica que os desenvolvedores adotaram a convenção de que todas as chamadas do banco de dados devem passar por DB. Se alguma parte do código de Application passar diretamente para System.Data, em vez de passar pela fachada, essa convenção é violada. Desse modo, o padrão FAÇADE impõe suas diretivas no aplicativo. Por convenção, DB se torna o único intermediário das instalações de System.Data.

O padrão FAÇADE pode ser usado para ocultar qualquer aspecto de um programa. Contudo, usar FAÇADE para ocultar o banco de dados se tornou tão comum que o padrão também é conhecido como TABLE DATA GATEWAY (gateway de dados de tabela).

MEDIATOR

O padrão MEDIATOR também impõe diretivas. Contudo, enquanto o padrão FAÇADE impõe suas diretivas de maneira visível e restritiva, o padrão MEDIATOR impõe as suas de maneira oculta e não restritiva. Por exemplo, a classe QuickEntryMediator da Listagem 23-1 fica em silêncio nos bastidores e vincula um campo de entrada de texto a uma lista. Quando você digita no campo de entrada de texto, o primeiro elemento da lista que corresponda ao que foi digitado é realçado. Isso permite que você digite abreviações e selecione um item da lista rapidamente.

Listagem 23-1
QuickEntryMediator.cs

```csharp
using System;
using System.Windows.Forms;

/// <summary>
/// QuickEntryMediator. Esta classe recebe um componente TextBox
/// e um componente ListBox. Ela presume que o usuário digitará
/// no componente TextBox caracteres que são prefixos de
/// entradas no componente ListBox. Ela seleciona
/// automaticamente o primeiro item do componente ListBox que
/// corresponde ao prefixo corrente no componente TextBox.
///
/// Se o componente TextField for nulo ou se o prefixo não
/// corresponder a nenhum elemento no componente ListBox, então
/// a seleção do ListBox será apagada.
///
/// Não existem métodos a chamar para esse objeto. Você
/// simplesmente o cria e se esquece dele. (Mas não o deixe
/// ser pego pelo coletor de lixo...)
///
/// Exemplo:
///
/// TextBox t = new TextBox();
/// ListBox l = new ListBox();
///
/// QuickEntryMediator qem = new QuickEntryMediator(t,l);
/// // isso é tudo, pessoal.
///
/// Escrito originalmente em Java
/// por Robert C. Martin, Robert S. Koss
/// em 30 de junho de 1999 2113 (SLAC)
/// Transformado em C# por Micah Martin
/// em 23 de maio de 2005 (no trem)
/// </summary>
public class QuickEntryMediator
{
  private TextBox itsTextBox;
  private ListBox itsList;

  public QuickEntryMediator(TextBox t, ListBox l)
  {
    itsTextBox = t;
    itsList = l;
    itsTextBox.TextChanged += new
    EventHandler(TextFieldChanged);
  }

  private void
    TextFieldChanged(object source, EventArgs args)
    {
```

```csharp
      string prefix = itsTextBox.Text;
      if (prefix.Length == 0)
      {
        itsList.ClearSelected();
        return;
      }
      ListBox.ObjectCollection listItems = itsList.Items;
      bool found = false;
      for (int i = 0; found == false &&
             i < listItems.Count; i++)
      {
        Object o = listItems[i];
        String s = o.ToString();
        if (s.StartsWith(prefix))
        {
          itsList.SetSelected(i, true);
          found = true;
        }
      }
      if (!found)
      {
        itsList.ClearSelected();
      }
    }
}
```

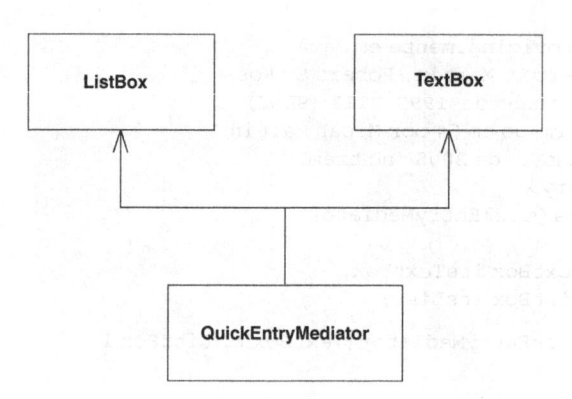

Figura 23-2
QuickEntryMediator.

A estrutura de `QuickEntryMediator` aparece na Figura 23-2. Uma instância de `QuickEntryMediator` é construída com um componente `ListBox` e um componente `TextBox`. `QuickEntryMediator` registra um `EventHandler` no componente `TextBox`. Esse `EventHandler` chama o método `TextFieldChanged` quando há uma mudança no texto. Então, esse método encontra um elemento de `ListBox` que seja prefixado pelo texto e o seleciona.

Os usuários de `ListBox` e `TextField` não têm ideia de que esse MEDIATOR existe. Ele fica lá, em silêncio, impondo sua diretiva nesses objetos sem sua permissão ou conhecimento.

Conclusão

A imposição de diretivas pode ser feita a partir de cima usando o padrão FAÇADE, caso essa diretiva precise ser grande e visível. Por outro lado, se são necessárias sutileza e discrição, o padrão MEDIATOR pode ser a escolha mais adequada. As fachadas (FAÇADE) normalmente são o ponto focal de uma convenção. Todos concordam em usar a fachada (FAÇADE), em vez dos objetos que estão debaixo dela. O padrão MEDIATOR, por outro lado, fica oculto dos usuários. Sua diretiva é um fato consumado, em vez de uma questão de convenção.

Bibliografia

[**Fowler03**] Martin Fowler, *Patterns of Enterprise Application Architecture*, Addison-Wesley, 2003.

[**GOF95**] Erich Gamma, Richard Helm, Ralph Johnson, and John Vlissides, *Design Patterns: Elements of Reusable Object-Oriented Software*, Addison-Wesley, 1995.

Capítulo 24

SINGLETON E MONOSTATE

*Bênção infinita da existência! Ela é;
e nada há além dela.*

— Edwin A. Abbott, Flatland (1884)

Normalmente, existe um relacionamento de um para muitos entre classes e instâncias. Você pode criar muitas instâncias da maioria das classes. As instâncias são criadas quando necessárias e são descartadas quando sua utilidade termina. Elas vêm e vão em um fluxo de alocações e desalocações de memória.

Porém, algumas classes devem ter apenas uma instância. Essa instância deve aparentar ter surgido quando o programa começou e ser descartada somente quando o programa termina. Tais objetos às vezes são as raízes do aplicativo. A partir das raízes, você pode chegar a muitos outros objetos do sistema. Às vezes, esses objetos são fábricas, as quais você pode usar para criar os outros objetos do sistema. Às vezes esses objetos são gerenciadores, responsáveis por monitorar determinados outros objetos e orientá-los em seus passos.

Quaisquer que sejam esses objetos, será uma falha lógica grave se mais de um deles for criado. Se mais de uma raiz é criada, o acesso aos objetos no aplicativo pode depender de uma raiz escolhida. Os programadores, não sabendo que existe mais de uma raiz, podem se encontrar examinando um subconjunto dos objetos do aplicativo sem saber. Se existe mais de uma fábrica, o controle administrativo sobre os objetos criados pode ficar comprometido. Se existe mais de um gerenciador, atividades destinadas a ser seriais podem se tornar concomitantes.

Pode parecer que os mecanismos que impõem a singularidade desses objetos sejam excessivos. Afinal, quando você inicializa o aplicativo, pode simplesmente criar um de cada e pronto.[1] Na verdade, essa normalmente é a melhor estratégia. Tal mecanismo deve ser evitado quando não existe necessidade imediata e significativa. Contudo, também

---

[1] Chamo isso de padrão JUST CREATE ONE (basta criar um).

queremos que nosso código comunique nosso objetivo. Se o mecanismo para impor a singularidade é trivial, a vantagem da comunicação pode superar o custo do mecanismo.

Este capítulo ocupa-se de dois padrões que impõem a singularidade. Esses padrões têm compromissos de custo/benefício muito diferentes. Na maioria dos contextos, seu custo é baixo o suficiente para mais do que equilibrar a vantagem de sua expressividade.

SINGLETON

O padrão SINGLETON é muito simples.[2] O caso de teste da Listagem 24-1 mostra como ele deve funcionar. A primeira função de teste mostra que a instância de Singleton é acessada com o método public static Instance e que se Instance é chamado várias vezes, uma referência para exatamente a mesma instância é retornada a cada vez. O segundo caso de teste mostra que a classe Singleton não tem construtores public; portanto, não há como criar uma instância sem usar o método Instance.

Listagem 24-1
Caso de teste de Singleton

```
using System;
using System.Reflection;
using NUnit.Framework;

[TestFixture]
public class TestSimpleSingleton
{
  [Test]
  public void TestCreateSingleton()
  {
    Singleton s = Singleton.Instance;
    Singleton s2 = Singleton.Instance;
    Assert.AreSame(s, s2);
  }
  [Test]
  public void TestNoPublicConstructors()
  {
    Type singleton = typeof(Singleton);
    ConstructorInfo[] ctrs = singleton.GetConstructors();
    bool hasPublicConstructor = false;
    foreach(ConstructorInfo c in ctrs)
    {
      if(c.IsPublic)
```

---

[2] [GOF95], p. 127.

```
        {
          hasPublicConstructor = true;
          break;
        }
      }
      Assert.IsFalse(hasPublicConstructor);
    }
}
```

Listagem 24-2
Implementação de Singleton

```
public class Singleton
{
  private static Singleton theInstance = null;
  private Singleton() {}

  public static Singleton Instance
  {
    get
    {
      if (theInstance == null)
        theInstance = new Singleton();
      return theInstance;
    }
  }
}
```

Esse caso de teste é uma especificação do padrão SINGLETON e leva diretamente ao código mostrado na Listagem 24-2. Inspecionando-se esse código, deve ficar claro que nunca pode haver mais de uma instância da classe Singleton dentro do escopo da variável estática Singleton.theInstance.

Benefícios

- *Independência de plataforma:* Usando-se middleware adequado (por exemplo, Remoting), o padrão SINGLETON pode ser estendido para trabalhar em muitos CLRs (Common Language Runtime) e muitos computadores.
- *Aplicável a qualquer classe:* Você pode mudar qualquer classe para SINGLETON simplesmente tornando seus construtores private e adicionando as funções e variáveis static apropriadas.
- *Pode ser criado por derivação:* Dada uma classe, você pode criar uma subclasse SINGLETON.
- *Avaliação lenta:* Se o SINGLETON nunca é usado, ele nunca é criado.

Custos

- *Destruição indefinida:* Não existe uma boa maneira de destruir ou desativar um SINGLETON. Se você adiciona um método decommission que anula theInstance, outros módulos do sistema ainda podem conter uma referência para o SINGLETON. As chamadas subsequentes para Instance criarão outra instância, fazendo existir duas instâncias concomitantes. Esse problema é particularmente grave em C++, onde a instância *pode ser destruída*, levando à possível retirada da referência de um objeto destruído.
- *Não herdado:* Uma classe derivada de um SINGLETON não é um SINGLETON. Se ela precisa ser SINGLETON, a função e a variável static precisam ser adicionadas.
- *Eficiência:* Cada chamada de Instance chama a instrução if. Para a maioria dessas chamadas, a instrução if é inútil.
- *Não transparente:* Os usuários de um SINGLETON sabem que o estão usando, pois precisam chamar o método Instance.

SINGLETON em ação

Suponha que tenhamos um sistema baseado na Web que permite aos usuários fazer login em áreas seguras de um servidor Web. Tal sistema terá um banco de dados contendo nomes de usuário, senhas e outros atributos de usuário. Suponha ainda que o banco de dados seja acessado por uma API externa. Poderíamos acessar o banco de dados diretamente em cada módulo que precisasse ler e gravar um usuário. Contudo, isso espalharia a utilização da API externa pelo código e não nos deixaria nenhum lugar para impor convenções de acesso ou estrutura.

Uma solução melhor é usar o padrão FAÇADE e criar uma classe UserDatabase que forneça métodos para ler e gravar objetos User.[3] Esses métodos acessam a API externa do banco de dados, fazendo a transformação entre objetos User e as tabelas e linhas do banco de dados. Dentro de UserDatabase, podemos impor convenções de estrutura e acesso. Por exemplo, podemos garantir que nenhum registro de User seja gravado a menos que tenha um username que não esteja vazio. Ou então, podemos serializar o acesso a um registro de User, garantindo que dois módulos não possam ler e gravar nele simultaneamente.

O código das listagens 24-3 e 24-4 mostra uma solução SINGLETON. A classe SINGLETON é chamada UserDatabaseSource e implementa a interface UserDatabase. Note que o método estático Instance() não tem a instrução if tradicional para proteger contra criações múltiplas. Em vez disso, ele tira proveito do recurso de inicialização do .NET.

Esse é um uso extremamente comum do padrão SINGLETON. Ele garante que todo o acesso ao banco de dados seja feito com uma única instância de UserDatabaseSource. Isso torna fácil colocar verificações, contadores e bloqueios em UserDatabaseSource para impor as convenções de acesso e estrutura mencionadas anteriormente.

---

[3] Essa forma especial do padrão FAÇADE é conhecida como GATEWAY. Para uma discussão detalhada sobre GATEWAY, consulte [Fowler03].

Listagem 24-3
Interface UserDatabase

```
public interface UserDatabase
{
  User ReadUser(string userName);
  void WriteUser(User user);
}
```

Listagem 24-4
Singleton UserDatabase

```
public class UserDatabaseSource : UserDatabase
{
  private static UserDatabase theInstance =
    new UserDatabaseSource();

  public static UserDatabase Instance
  {
    get
    {
      return theInstance;
    }
  }

  private UserDatabaseSource()
  {
  }

  public User ReadUser(string userName)
  {
    // Alguma implementação
  }

  public void WriteUser(User user)
  {
    // Alguma implementação
  }
}
```

MONOSTATE

O padrão MONOSTATE é outra maneira de se obter singularidade. Ele funciona por meio de um mecanismo completamente diferente. Podemos ver como esse mecanismo funciona estudando o caso de teste `Monostate` da Listagem 24-5.

A primeira função de teste simplesmente descreve um objeto cuja variável x pode ser configurada e recuperada. Mas o segundo caso de teste mostra que duas instâncias da mesma classe se comportam *como se fossem uma só*. Se você configura a variável x de uma instância com um valor em particular, pode recuperar esse valor obtendo a variável x de uma instância diferente. É como se as duas instâncias fossem simplesmente nomes diferentes para o mesmo objeto.

Se colocássemos a classe `Singleton` nesse caso de teste e substituíssemos todas as instruções `new Monostate` por chamadas para `Singleton.Instance`, o caso de teste ainda passaria. Portanto, esse caso de teste descreve o *comportamento* de `Singleton` sem impor a restrição de uma única instância!

Listagem 24-5
Dispositivo de teste de Monostate

```
using NUnit.Framework;

[TestFixture]
public class TestMonostate
{
  [Test]
  public void TestInstance()
  {
    Monostate m = new Monostate();
    for (int x = 0; x < 10; x++)
    {
      m.X = x;
      Assert.AreEqual(x, m.X);
    }
  }

  [Test]
  public void TestInstancesBehaveAsOne()
  {
    Monostate m1 = new Monostate();
    Monostate m2 = new Monostate();

    for (int x = 0; x < 10; x++)
    {
      m1.X = x;
      Assert.AreEqual(x, m2.X);
    }
  }
}
```

> **Listagem 24-6**
> **Implementação de Monostate**
>
> ```
> public class Monostate
> {
>   private static int itsX;
>   public int X
>   {
>     get { return itsX; }
>     set { itsX = value; }
>   }
> }
> ```

Como duas instâncias podem se comportar como se fossem um único objeto? Em termos gerais, os dois objetos precisam compartilhar as mesmas variáveis. Isso é obtido facilmente, tornando-se todas as variáveis `static`. A Listagem 24-6 mostra a implementação de `Monostate` que passa no caso de teste anterior. Note que a variável `itsX` é `static`, mas que *nenhum dos métodos é*. Isso é importante, conforme veremos posteriormente.

Acho esse padrão deliciosamente idiossincrático. Não importa quantas instâncias de `Monostate` você crie, todas elas se comportarão como se fossem um *único objeto*. Você pode até destruir ou desativar todas as instâncias atuais sem perder os dados.

Note que a diferença entre os dois padrões é o comportamento *versus* estrutura. O padrão SINGLETON impõe a estrutura da singularidade, impedindo que mais de uma instância seja criada. Em contraste, o padrão MONOSTATE impõe o *comportamento* da singularidade, sem impor restrições estruturais. Para ressaltar essa diferença, considere que o caso de teste de MONOSTATE é válido para a classe `Singleton`, mas que o caso de teste de SINGLETON não está nem perto de ser válido para a classe `Monostate`.

Benefícios

- *Transparência:* Os usuários não se comportam de forma diferente dos usuários de um objeto normal. Eles não precisam saber que o objeto é monostate.
- *Capacidade de derivação:* As derivadas de um monostate são monostate. Aliás, todas as derivadas de um monostate fazem parte do *mesmo* monostate. Todas elas compartilham as mesmas variáveis estáticas.
- *Polimorfismo:* Como os métodos de um monostate não são estáticos, eles podem ser sobrescritos em uma derivada. Assim, diferentes derivadas podem oferecer diferentes comportamentos para o mesmo conjunto de variáveis estáticas.
- *Criação e destruição bem definidas:* As variáveis de um monostate, sendo estáticas, têm tempos de criação e destruição bem definidos.

Custos

- *Nenhuma conversão:* Uma classe que não é monostate não pode ser convertida em uma classe monostate por derivação.
- *Eficiência:* Como se trata de um objeto real, um monostate pode passar por muitas criações e destruições. Frequentemente, essas operações são dispendiosas.
- *Presença:* As variáveis de um monostate ocupam espaço, mesmo que o monostate nunca seja utilizado.
- *Local por plataforma:* Você não pode fazer um monostate funcionar em várias instâncias de CLR ou em várias plataformas juntas.

MONOSTATE em ação

Considere a implementação da máquina de estados finitos (FSM) simples da roleta de metrô mostrada na Figura 24-1. A roleta começa no estado Locked. Se uma moeda é depositada, a roleta muda para o estado Unlocked e destrava a catraca, reinicia qualquer estado de alarme que possa estar presente e deposita a moeda em sua caixa coletora. Se um usuário passa pela catraca nesse ponto, a roleta volta para o estado Locked e bloqueia a catraca.

Existem duas condições anormais. Se o usuário depositar duas ou mais moedas antes de passar pela catraca, será reembolsado e a catraca permanecerá destravada. Se o usuário passar sem pagar, um alarme soará e a catraca permanecerá bloqueada.

O programa de teste que descreve essa operação aparece na Listagem 24-7. Note que os métodos de teste presumem que Turnstile é um monostate e espera poder enviar eventos e reunir consultas de diferentes instâncias. Isso faz sentido, se nunca houver mais de uma instância de Turnstile.

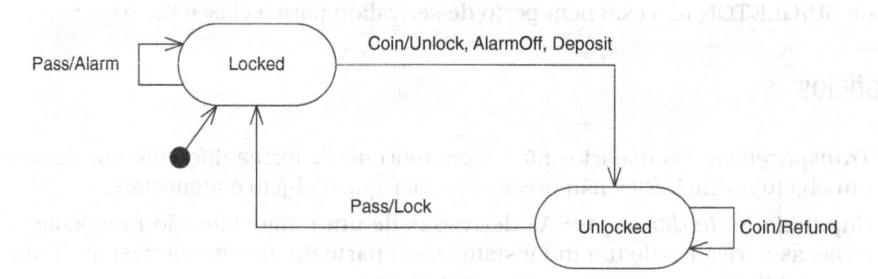

Figura 24-1
Máquina de estados finitos da roleta de metrô.

Listagem 24-7
TurnstileTest

```csharp
using NUnit.Framework;

[TestFixture]
public class TurnstileTest
{
  [SetUp]
  public void SetUp()
  {
    Turnstile t = new Turnstile();
    t.reset();
  }

  [Test]
  public void TestInit()
  {
    Turnstile t = new Turnstile();
    Assert.IsTrue(t.Locked());
    Assert.IsFalse(t.Alarm());
  }

  [Test]
  public void TestCoin()
  {
    Turnstile t = new Turnstile();
    t.Coin();
    Turnstile t1 = new Turnstile();
    Assert.IsFalse(t1.Locked());
    Assert.IsFalse(t1.Alarm());
    Assert.AreEqual(1, t1.Coins);
  }

  [Test]
  public void TestCoinAndPass()
  {
    Turnstile t = new Turnstile();
    t.Coin();
    t.Pass();

    Turnstile t1 = new Turnstile();
    Assert.IsTrue(t1.Locked());
    Assert.IsFalse(t1.Alarm());
    Assert.AreEqual(1, t1.Coins, "coins");
  }
```

```
    [Test]
    public void TestTwoCoins()
    {
      Turnstile t = new Turnstile();
      t.Coin();
      t.Coin();

      Turnstile t1 = new Turnstile();
      Assert.IsFalse(t1.Locked(), "unlocked");
      Assert.AreEqual(1, t1.Coins, "coins");
      Assert.AreEqual(1, t1.Refunds, "refunds");
      Assert.IsFalse(t1.Alarm());
    }

    [Test]
    public void TestPass()
    {
      Turnstile t = new Turnstile();
      t.Pass();
      Turnstile t1 = new Turnstile();
      Assert.IsTrue(t1.Alarm(), "alarm");
      Assert.IsTrue(t1.Locked(), "locked");

    }

    [Test]
    public void TestCancelAlarm()
    {
      Turnstile t = new Turnstile();
      t.Pass();
      t.Coin();
      Turnstile t1 = new Turnstile();
      Assert.IsFalse(t1.Alarm(), "alarm");
      Assert.IsFalse(t1.Locked(), "locked");
      Assert.AreEqual(1, t1.Coins, "coin");
      Assert.AreEqual(0, t1.Refunds, "refund");
    }

    [Test]
    public void TestTwoOperations()
    {
      Turnstile t = new Turnstile();
      t.Coin();
      t.Pass();
      t.Coin();
      Assert.IsFalse(t.Locked(), "unlocked");
      Assert.AreEqual(2, t.Coins, "coins");
      t.Pass();
      Assert.IsTrue(t.Locked(), "locked");
    }
  }
```

Listagem 24-8
Turnstile

```
public class Turnstile
{
  private static bool isLocked = true;
  private static bool isAlarming = false;
  private static int itsCoins = 0;
  private static int itsRefunds = 0;
  protected static readonly
    Turnstile LOCKED = new Locked();
  protected static readonly
    Turnstile UNLOCKED = new Unlocked();
  protected static Turnstile itsState = LOCKED;

  public void reset()
  {
    Lock(true);
    Alarm(false);
    itsCoins = 0;
    itsRefunds = 0;
    itsState = LOCKED;
  }

  public bool Locked()
  {
    return isLocked;
  }

  public bool Alarm()
  {
    return isAlarming;
  }

  public virtual void Coin()
  {
    itsState.Coin();
  }

  public virtual void Pass()
  {
    itsState.Pass();
  }

  protected void Lock(bool shouldLock)
  {
    isLocked = shouldLock;
  }

  protected void Alarm(bool shouldAlarm)
  {
    isAlarming = shouldAlarm;
  }
```

```csharp
    public int Coins
    {
      get { return itsCoins; }
    }
    public int Refunds
    {
      get { return itsRefunds; }
    }
    public void Deposit()
    {
      itsCoins++;
    }
    public void Refund()
    {
      itsRefunds++;
    }
}
internal class Locked: Turnstile
{
  public override void Coin()
  {
    itsState = UNLOCKED;
    Lock(false);
    Alarm(false);
    Deposit();
  }

  public override void Pass()
  {
    Alarm(true);
  }
}

internal class Unlocked: Turnstile
{
  public override void Coin()
  {
    Refund();
  }

  public override void Pass()
  {
    Lock(true);
    itsState = LOCKED;
  }
}
```

A implementação do monostate `Turnstile` está na Listagem 24-8. A classe base `Turnstile` delega as duas funções de evento, `coin` e `pass`, para duas derivadas de `Turnstile`, `Locked` e `Unlocked`, que representam os estados da FSM.

O exemplo da página anterior mostra alguns dos recursos úteis do padrão MONOSTATE. Ele tira proveito da capacidade das derivadas de monostate serem polimórficas e do fato de elas próprias serem monostate. Esse exemplo também mostra como às vezes pode ser difícil transformar um monostate em um não monostate. A estrutura dessa solução depende fortemente da natureza monostate de `Turnstile`. Se precisássemos controlar mais de uma roleta com essa FSM, o código exigiria alguma refatoração significativa.

Talvez você esteja preocupado com o uso não convencional da herança nesse exemplo. Ter derivado `Unlocked` e `Locked` de `Turnstile` parece uma violação dos princípios normais da OO. Contudo, como `Turnstile` é um monostate, não existem instâncias distintas dele. Assim, `Unlocked` e `Locked` não são realmente objetos distintos, mas em vez disso fazem parte da abstração de `Turnstile`. `Unlocked` e `Locked` têm acesso às mesmas variáveis e métodos de `Turnstile`.

Conclusão

Frequentemente, é necessário impor uma única instanciação de um objeto específico. Este capítulo mostrou duas técnicas muito diferentes. O padrão SINGLETON faz uso de construtores privados, de uma variável estática e de uma função estática para controlar e limitar a instanciação. O padrão MONOSTATE simplesmente torna todas as variáveis do objeto estáticas.

O melhor uso do padrão SINGLETON se dá quando você tem uma classe que deseja restringir por meio de derivação e não se importa de que todo mundo tenha que chamar o método `Instance()` para obter acesso. O melhor uso do padrão MONOSTATE se dá quando você quer que a natureza singular da classe seja transparente para os usuários ou quando quer usar derivadas polimórficas do único objeto.

Bibliografia

[Fowler03] Martin Fowler, *Patterns of Enterprise Application Architecture*, Addison-Wesley, 2003.

[GOF95] Erich Gamma, Richard Helm, Ralph Johnson, and John Vlissides, *Design Patterns: Elements of Reusable Object-Oriented Software*, Addison-Wesley, 1995.

[PLOPD3] Robert C. Martin, Dirk Riehle, and Frank Buschmann, eds. *Pattern Languages of Program Design 3*, Addison-Wesley, 1998.

Capítulo 25

NULL OBJECT

*Imperfeitamente sem falhas, friamente regular,
esplendidamente nula, Perfeição morta, nunca mais.*

— Lord Alfred Tennyson (1809-1892)

Descrição

Considere o código a seguir:

```
Employee e = DB.GetEmployee("Bob");
if (e != null && e.IsTimeToPay(today))
   e.Pay();
```

Procuramos no banco de dados um objeto `Employee` chamado "Bob". O objeto `DB` retornará `null` se tal objeto não existir. Caso contrário, ele retornará a instância de `Employee` solicitada. Se o funcionário (employee) existe e tem um pagamento, chamamos o método `pay`.

Todos nós já escrevemos código como o acima descrito. O idioma é comum porque, nas linguagens baseadas em C, a primeira expressão de `&&` é avaliada primeiro e a segunda só será avaliada se a primeira for `true`. A maioria de nós também já se roeu por dentro por ter se esquecido de testar o valor `null`. Embora o idioma possa ser comum, ele é horrível e propenso a erros.

Podemos atenuar a tendência ao erro fazendo `DB.GetEmployee` lançar uma exceção, em vez de retornar `null`. Contudo, blocos `try/catch` podem ser ainda mais feios do que uma verificação de `null`.

Podemos resolver esses problemas usando o padrão NULL OBJECT.[1] Esse padrão frequentemente elimina a necessidade de verificar o valor `null` e pode ajudar a simplificar o código.

---

[1] [PLOPD3], p. 5. Esse agradável artigo está repleto de humor, ironia e muitas recomendações práticas.

A Figura 25-1 mostra a estrutura. Employee se torna uma interface que tem duas implementações. EmployeeImplementation, a implementação normal, contém todos os métodos e variáveis que você esperaria de um objeto Employee. Quando encontra um funcionário no banco de dados, DB.GetEmployee retorna uma instância de EmployeeImplementation. NullEmployee só é retornado se DB.GetEmployee não consegue encontrar o funcionário.

NullEmployee implementa todos os métodos de Employee para fazer "nada". O que é "nada" depende do método. Por exemplo, poderia se esperar que IsTimeToPay fosse implementado para retornar false, pois um NullEmployee (funcionário nulo) nunca será pago.

Assim, usando esse padrão, podemos alterar o código original para:

```
Employee e = DB.GetEmployee("Bob");
if (e.IsTimeToPay(today))
    e.Pay();
```

Isso não é nem propenso a erros nem feio. Há uma coerência perfeita. DB.GetEmployee *sempre* retorna uma instância de Employee. Essa instância irá se comportar de modo correto, independentemente de o funcionário ser encontrado.

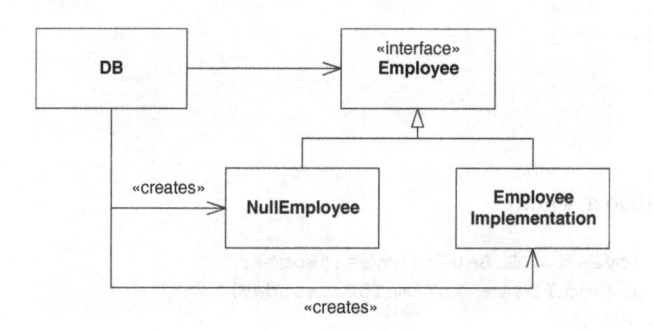

Figura 25-1
Padrão NULL OBJECT.

Listagem 25-1
EmployeeTest.cs (parcial)

```
[Test]
public void TestNull()
{
  Employee e = DB.GetEmployee("Bob");
  if (e.IsTimeToPay(new DateTime()))
    Assert.Fail();
  Assert.AreSame(Employee.NULL, e);
}
```

Evidentemente, em muitos casos ainda desejaremos saber se `DB.GetEmployee` não conseguiu encontrar um funcionário. Isso pode ser conseguido criando-se em `Employee` uma variável `static readonly` que contenha a única instância de `NullEmployee`.

A Listagem 25-1 mostra o caso de teste de `NullEmployee`. Nesse caso, "Bob" não existe no banco de dados. Note que o caso de teste espera que `IsTimeToPay` retorne `false`. Note também que ele espera que o funcionário retornado por `DB.GetEmployee` seja `Employee.NULL`.

A classe `DB` está mostrada na Listagem 25-2. Note que, para os propósitos de nosso teste, o método `GetEmployee` retorna simplesmente `Employee.NULL`.

Listagem 25-2
DB.cs

```
public class DB
{
  public static Employee GetEmployee(string s)
  {
    return Employee.NULL;
  }
}
```

> **Listagem 25-3**
> `Employee.cs`
>
> ```csharp
> using System;
>
> public abstract class Employee
> {
>   public abstract bool IsTimeToPay(DateTime time);
>   public abstract void Pay();
>   public static readonly Employee NULL =
>     new NullEmployee();
>
>   private class NullEmployee : Employee
>   {
>     public override bool IsTimeToPay(DateTime time)
>     {
>       return false;
>     }
>     public override void Pay()
>     {
>     }
>   }
> }
> ```

A classe `Employee` está mostrada na Listagem 25-3. Note que essa classe tem uma variável `static`, `NULL`, que contém a única instância da implementação aninhada de `Employee`. `NullEmployee` implementa `IsTimeToPay` para retornar `false` e `Pay` para não fazer nada.

Tornar `NullEmployee` uma classe aninhada `private` é uma maneira de garantir que exista apenas uma instância dela. Ninguém mais pode criar outras instâncias de `NullEmployee`. Isso é bom, pois queremos escrever coisas como:

```
if (e == Employee.NULL)
```

Isso não seria confiável se fosse possível criar muitas instâncias do funcionário nulo.

Conclusão

Aqueles que têm usado linguagens baseadas em C há muito tempo se acostumaram com funções que retornam `null` ou `0` em caso de algum tipo de falha. Presumimos que o valor de retorno de tais funções precisa ser testado. O padrão NULL OBJECT muda isso. Usando esse padrão, podemos garantir que as funções sempre retornem objetos válidos, mesmo quando falham. Esses objetos que representam falha "nada" fazem.

Bibliografia

[PLOPD3] Robert C. Martin, Dirk Riehle, and Frank Buschmann, eds. *Pattern Languages of Program Design 3*, Addison-Wesley, 1998.

Capítulo 26

ESTUDO DE CASO DA FOLHA DE PAGAMENTOS: ITERAÇÃO 1

Tudo que de algum modo é belo, é belo em si mesmo e termina em si mesmo, não tendo enaltecimento como parte de si mesmo.

— Marcos Aurélio, cerca de 170 D.C.

O estudo de caso a seguir descreve a primeira iteração do desenvolvimento de um sistema de folha de pagamentos em lote simples. Você verá que as histórias de usuário desse estudo de caso são simplistas. Por exemplo, os impostos simplesmente não são mencionados. Isso é típico de uma iteração inicial. Ela fornecerá apenas uma parte muito pequena do valor comercial que os clientes precisam.

Neste capítulo, faremos o tipo de análise e sessão de projeto rápidos que frequentemente ocorrem no início de uma iteração normal. O cliente selecionou as histórias para a iteração e agora precisamos descobrir como vamos implementá-las. Tais sessões de projeto são breves e superficiais, assim como este capítulo. Os diagramas UML que você verá aqui nada mais são do que rápidos esboços feitos em um quadro branco. O trabalho de projeto real ocorrerá no próximo capítulo, quando trabalharemos nos testes de unidade e nas implementações.

Especificação básica

A seguir estão algumas anotações que fizemos enquanto conversávamos com nosso cliente sobre as histórias que foram selecionadas para a primeira iteração.

- Alguns funcionários trabalham por hora. Eles recebem um salário por hora, que é um dos campos em seus registros de empregado. Eles apresentam cartões de ponto diários que registram a data e o número de horas trabalhadas. Se trabalham mais de 8 horas por dia, eles recebem 1,5 vezes seu salário normal pelas horas extras. Eles recebem todas as sextas-feiras.
- Alguns funcionários recebem um salário fixo. Eles são pagos no último dia útil do mês. Seu salário mensal é um dos campos em seus registros de empregado.

- Alguns dos funcionários assalariados também recebem uma comissão de vendas. Eles apresentam recibos de venda que registram a data e o valor da venda. A taxa da comissão é um campo em seus registros de empregado. Eles recebem a cada duas sextas-feiras.
- Os funcionários podem escolher o método de pagamento. Eles podem ter seus cheques-salário enviados para o endereço postal de sua escolha, podem pegá-los com o pagador ou solicitar que os cheques sejam depositados diretamente na conta bancária de sua escolha.
- Alguns funcionários pertencem ao sindicato. Seus registros de empregado têm um campo para desconto das taxas semanais. As taxas devem ser descontadas de seus pagamentos. Além disso, de tempos em tempos o sindicato pode cobrar despesas de serviço individualmente de seus membros. Essas despesas de serviço são apresentadas pelo sindicato semanalmente e devem ser descontadas do valor do próximo pagamento do funcionário apropriado.
- O aplicativo de folha de pagamentos será executado uma vez a cada dia útil e fará o pagamento dos funcionários apropriados nesse dia. O sistema será informado sobre a data em que os funcionários devem ser pagos; portanto, gerará os pagamentos dos registros desde a última vez que o funcionário foi pago até a data especificada.

Poderíamos começar gerando o esquema de banco de dados. Claramente, esse problema exige algum tipo de banco de dados relacional e os requisitos nos dão uma ideia muito boa de como poderiam ser as tabelas e campos. Seria fácil projetar um esquema viável e, então, construir algumas consultas. Contudo, essa estratégia gerará um aplicativo para o qual o banco de dados é a preocupação central.

Bancos de dados são detalhes de implementação! A consideração do banco de dados deve ser adiada tanto quanto possível. Aplicativos demais já foram projetados com o banco de dados em mente desde o início e, assim, são inextricavelmente vinculados a esses bancos de dados. Lembre-se da definição de abstração: "a ampliação do essencial e a eliminação do irrelevante". Neste estágio do projeto, o banco de dados é irrelevante; é apenas uma técnica usada para armazenar e acessar dados – nada mais.

Análise pelos casos de uso

Em vez de começarmos com os dados do sistema, vamos começar pelo seu comportamento. Afinal, é comportamento do sistema que estamos sendo pagos para criar.

Uma maneira de capturar e analisar o comportamento de um sistema é criar *casos de uso*. Conforme originalmente descrito por Jacobson, os casos de uso são muito parecidos com a noção de histórias de usuário na XP.[1] Um caso de uso é como uma história de usuário que foi elaborada com um pouco mais de detalhe. Tal elaboração é adequada, uma vez que a história de usuário tenha sido selecionada para implementação na iteração corrente.

Quando fazemos análise de caso de uso, examinamos as histórias de usuário e os testes de aceitação para descobrir os tipos de estímulos fornecidos pelos usuários desse sistema. Em seguida, tentamos descobrir como o sistema responde a esses estímulos. Por exemplo, aqui estão as histórias de usuário que nosso cliente escolheu para a próxima iteração:

---

[1] [Jacobson92].

1. Adicionar um novo funcionário
2. Excluir um funcionário
3. Lançar um cartão de ponto
4. Lançar um recibo de venda
5. Lançar uma taxa de serviço de sindicato
6. Alterar detalhes do funcionário (por exemplo, salário por hora, salário mensal etc.)
7. Executar a folha de pagamentos de hoje

Vamos converter cada uma dessas histórias de usuário em um caso de uso elaborado. Não precisamos entrar em muitos detalhes: apenas o suficiente para nos ajudar a refletir sobre o projeto do código que satisfaça cada história.

Adicionando funcionários

Caso de uso 1: Adicionar novo funcionário

Um novo funcionário é adicionado pelo recebimento de uma transação `AddEmp`. Essa transação contém o nome, endereço e número atribuído ao funcionário. A transação tem três formas:

1. `AddEmp <EmpID> "<name>" "<address>" H <hrly-rate>`
2. `AddEmp <EmpID> "<name>" "<address>" S <mtly-slry>`
3. `AddEmp <EmpID> "<name>" "<address>" C <mtly-slry> <com-rate>`

O registro de empregado é criado com seus campos designados apropriadamente.

Alternativa 1: Um erro na estrutura da transação

Se a estrutura da transação é inadequada, ela é impressa em uma mensagem de erro e nenhuma ação é executada.

O caso de uso 1 sugere uma abstração. A transação `AddEmp` tem três formas, todas as quais compartilham os campos `<EmpID>`, `<name>` e `<address>`. Podemos usar o padrão COMMAND para criar uma classe base abstrata `AddEmployeeTransaction` com três derivadas: `AddHourlyEmployeeTransaction`, para os funcionários que trabalham por hora; `AddSalariedEmployeeTransaction`, para os assalariados e `AddCommissionedEmployeeTransaction`, para os que recebem comissão (consulte a Figura 26-1).

```
         AddEmployee
         Transaction
         - Name
         - EmployeeId
         - Address
              △
     ┌────────┼────────┐
 AddHourly  AddCommissioned  AddSalaried
 Employee   Employee         Employee
 Transaction Transaction     Transaction
```

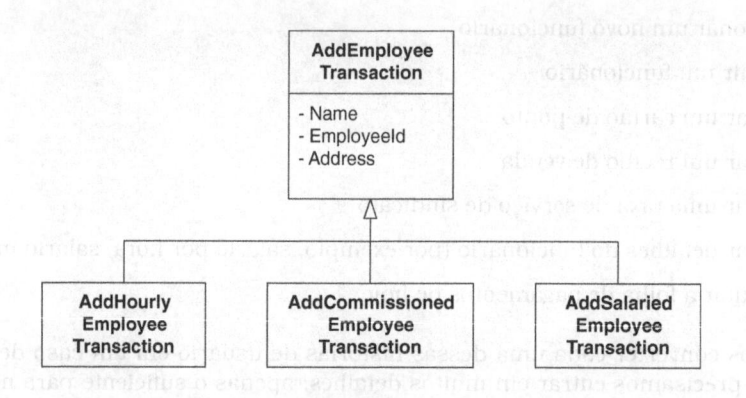

Figura 26-1
Hierarquia de classes `AddEmployeeTransaction`.

Essa estrutura obedece perfeitamente ao Princípio da Responsabilidade Única (SRP), separando cada tarefa em sua própria classe. A alternativa seria colocar todas essas tarefas em um único módulo. Embora isso possa reduzir o número de classes no sistema e, portanto, torná-lo mais simples, também concentraria todo o código de processamento de transações em um único lugar, criando um módulo grande e potencialmente propenso a erros.

O caso de uso 1 fala especificamente sobre um registro de empregado, o que implica algum tipo de banco de dados. Novamente, nossa predisposição aos bancos de dados pode nos fazer pensar sobre layouts de registro ou na estrutura de campos de uma tabela de banco de dados relacional, mas devemos resistir a esses impulsos. O que o caso de uso está realmente pedindo é que criemos um funcionário. Qual é o modelo de objeto de um funcionário? Uma pergunta melhor poderia ser: o que as três transações criam? A meu ver, elas criam três tipos de objetos funcionário, imitando os três tipos de transações `AddEmp`. A Figura 26-2 mostra uma possível estrutura.

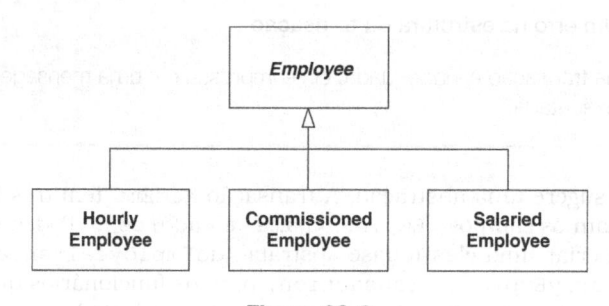

```
           Employee
              △
     ┌────────┼────────┐
   Hourly  Commissioned  Salaried
  Employee   Employee    Employee
```

Figura 26-2
Possível hierarquia de classes `Employee`.

Excluindo funcionários

Caso de uso 2: Excluir um funcionário

Os funcionários são excluídos quando uma transação `DelEmp` é recebida. A forma dessa transação é a seguinte:

    DelEmp <EmpID>

Quando essa transação é recebida, o registro de empregado apropriado é excluído.

Alternativa 1: `EmpID` **inválido ou desconhecido**

Se o campo `<EmpID>` não está estruturado corretamente ou não se refere a um registro de empregado válido, a transação é impressa com uma mensagem de erro e nenhuma outra ação é executada.

Além da classe `DeleteEmployeeTransaction` óbvia, não estou tendo nenhuma ideia em particular a partir do caso de uso 2. Vamos prosseguir.

Lançando cartões de ponto

Caso de uso 3: Lançar um cartão de ponto (`Time Card`)

Ao receber uma transação `TimeCard`, o sistema criará um registro de cartão de ponto e o associará ao registro de empregado apropriado.

    TimeCard <empid> <date> <hours>

Alternativa 1: O funcionário selecionado não recebe por hora

O sistema imprimirá uma mensagem de erro apropriada e não executará mais nenhuma ação.

Alternativa 2: Um erro na estrutura da transação

O sistema imprimirá uma mensagem de erro apropriada e não executará mais nenhuma ação.

Esse caso de uso indica que algumas transações só se aplicam a certos tipos de funcionários, reforçando a ideia de que cada tipo deve ser representado por uma classe diferente. Nesse caso, também existe uma associação implícita entre cartões de ponto e funcionários que recebem por hora. A Figura 26-3 mostra um possível modelo estático para essa associação.

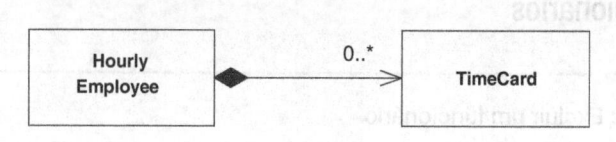

```
┌──────────┐         0..*  ┌──────────┐
│  Hourly  │◆─────────────▶│ TimeCard │
│ Employee │               │          │
└──────────┘               └──────────┘
```

Figura 26-3
Associação entre `HourlyEmployee` e `TimeCard`.

Lançando recibos de venda

Caso de uso 4: Lançar um recibo de venda `Sales Receipt`

Ao receber a transação `SalesReceipt`, o sistema criará um novo registro de recibo de venda e o associará ao funcionário comissionado apropriado.

    `SalesReceipt <EmpID> <date> <amount>`

Alternativa 1: O funcionário selecionado não é comissionado

O sistema imprimirá uma mensagem de erro apropriada e não executará mais ações.

Alternativa 2: Um erro na estrutura da transação

O sistema imprimirá uma mensagem de erro apropriada e não executará mais ações.

Este caso de uso é muito parecido com o caso de uso 3 e implica na estrutura mostrada na Figura 26-4.

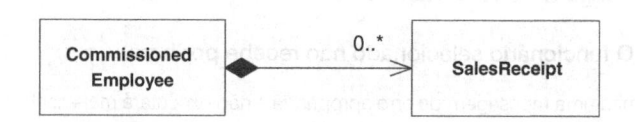

```
┌──────────────┐         0..*  ┌─────────────┐
│ Commissioned │◆─────────────▶│ SalesReceipt│
│   Employee   │               │             │
└──────────────┘               └─────────────┘
```

Figura 26-4
Funcionários comissionados e recibos de venda.

Lançando uma taxa de serviço de sindicato

Este caso de uso mostra que os membros do sindicato não são acessados por IDs de funcionário. O sindicato mantém seu próprio esquema de numeração para identificação de seus membros. Assim, o sistema deve ser capaz de associar membros do sindicato a funcionários. Existem muitas maneiras de prover esse tipo de associação; portanto, para não sermos arbitrários, vamos deixar essa decisão para depois. Talvez restrições de outras partes do sistema nos obriguem a agir de uma maneira ou de outra.

> **Caso de uso 5: Lançar uma taxa de serviço do sindicato**
>
> Ao receber essa transação, o sistema criará um registro de taxa de serviço e o associará ao membro do sindicato apropriado.
>
> ```
> ServiceCharge <memberID> <amount>
> ```
>
> **Alternativa 1: Transação malformada**
>
> Se a transação não estiver bem formada ou se `<memberID>` não se referir a um membro do sindicato existente, a transação será impressa com uma mensagem de erro adequada.

Uma coisa é certa. Existe uma associação direta entre os membros do sindicato e suas taxas de serviço. A Figura 26-5 mostra um possível modelo estático para essa associação.

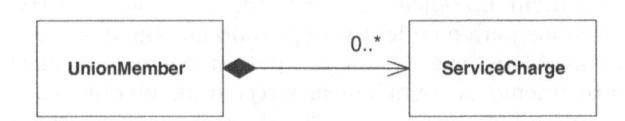

```
UnionMember ◆————0..*————▶ ServiceCharge
```

Figura 26-5
Membros do sindicato e taxas de serviço.

Alterando detalhes do funcionário

> **Caso de uso 6: Alterar detalhes do funcionário**
>
> Ao receber essa transação, o sistema alterará um dos detalhes do registro de empregado apropriado. Existem diversas variações possíveis para essa transação.
>
> ```
> ChgEmp <EmpID> Name <name>                         Altera o nome do funcionário
> ChgEmp <EmpID> Address <address>                   Altera o endereço do funcionário
> ChgEmp <EmpID> Hourly <hourlyRate>                 Muda para por hora
> ChgEmp <EmpID> Salaried <salary>                   Muda para assalariado
> ChgEmp <EmpID> Commissioned <salary> <rate>        Muda para comissionado
> ChgEmp <EmpID> Hold                                Mantém o cheque-salário
> ChgEmp <EmpID> Direct <bank> <account>             Depósito direto
> ChgEmp <EmpID> Mail <address>                      Envia cheque-salário pelo correio
> ChgEmp <EmpID> Member <memberID> Dues<rate>        Coloca o funcionário no sindicato
> ChgEmp <EmpID> NoMember                            Desliga o funcionário do sindicato
> ```
>
> **Alternativa 1: Erros de transação**
>
> Se a estrutura da transação está incorreta, `<EmpID>` não se refere a um funcionário real ou `<memberID>` já se refere a um membro, o sistema imprimirá um erro conveniente e não executará mais ações.

Este caso de uso é revelador. Ele nos informou a respeito de todos os aspectos do funcionário que devem estar sujeitos à mudança. O fato de podermos mudar um funcionário de salário por hora para salário mensal significa que o diagrama da Figura 26-2 certamente é inválido. Em vez disso, provavelmente seria mais apropriado usar o padrão STRATEGY para calcular o pagamento. A classe Employee poderia conter uma classe de estratégia chamada PaymentClassification, como na Figura 26-6. Isso é uma vantagem, pois podemos alterar o objeto PaymentClassification sem mudar nenhuma outra parte do objeto Employee. Quando um funcionário que recebe por hora é alterado para um funcionário de salário mensal, HourlyClassification do objeto Employee correspondente é substituído por um objeto SalariedClassification.

Existem três variedades de objetos PaymentClassification. Os objetos HourlyClassification mantêm o salário por hora e uma lista de objetos TimeCard. Os objetos SalariedClassification mantêm o valor do salário mensal. Os objetos CommissionedClassification mantêm um salário mensal, uma taxa de comissão e uma lista de objetos SalesReceipt.

O método de pagamento também deve ser alterável. A Figura 26-6 implementa essa ideia usando o padrão STRATEGY e derivando três tipos de classes PaymentMethod. Se o objeto Employee contém um objeto MailMethod, o funcionário correspondente terá os cheques-salário enviados para o endereço registrado no objeto MailMethod. Se o objeto Employee contém um objeto DirectMethod, o pagamento do funcionário correspondente será depositado diretamente na conta bancária registrada no objeto DirectMethod. Se o objeto Employee contém um objeto HoldMethod, os cheques-salário do funcionário correspondente serão enviados para o pagador mantê-los até que sejam pegos.

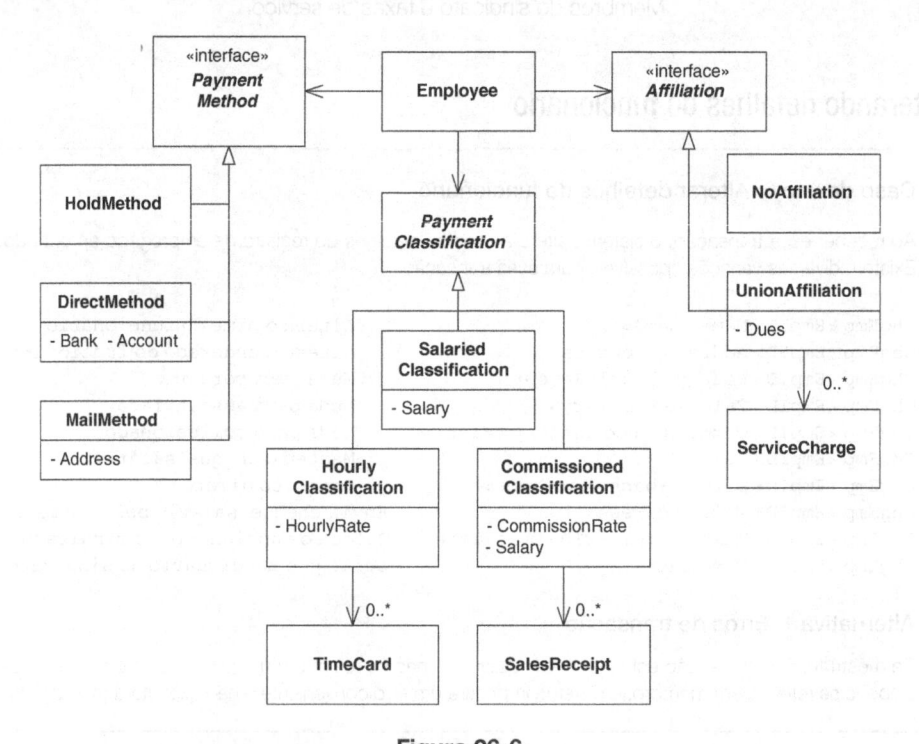

Figura 26-6
Diagrama de classes revisado de Payroll: o modelo central.

Por fim, a Figura 26-6 aplica o padrão NULL OBJECT para afiliação no sindicato. Cada objeto `Employee` contém um objeto `Affiliation`, o qual tem duas formas. Se o objeto `Employee` contém um objeto `NoAffiliation`, o pagamento do funcionário correspondente não é descontado por nenhuma organização a não ser o empregador. Contudo, se o objeto `Employee` contém um objeto `UnionAffiliation`, esse funcionário precisa pagar as quotas e taxas de serviço que estão registradas nesse objeto `UnionAffiliation`.

Esse uso dos padrões faz o sistema se adaptar bem ao Princípio do Aberto/Fechado (OCP). A classe `Employee` é fechada em relação às alterações no método de pagamento, na classificação do pagamento e na afiliação ao sindicato. Novos métodos, classificações e afiliações podem ser adicionados ao sistema sem afetar `Employee`.

A Figura 26-6 está se tornando nosso *modelo central** (ou arquitetura). Ele está no centro de tudo que o sistema de folha de pagamentos faz. Existirão muitas outras classes e projetos no aplicativo de folha de pagamentos, mas todos serão resultantes dessa estrutura fundamental. Evidentemente, essa estrutura não é rígida. Nós a modificaremos com o resto.

Dia do pagamento

Caso de uso 7: Executar a folha de pagamentos de hoje

Ao receber a transação de dia de pagamento, o sistema descobre todos os funcionários que devem ser pagos na data especificada. Então o sistema determina quanto eles devem receber e os paga de acordo com seus métodos de pagamento selecionados. É impresso um relatório de trilha de auditoria mostrando a ação executada por cada funcionário.

    Payday <date>

Embora seja fácil entender o objetivo desse caso de uso, não é tão simples determinar seu impacto sobre a estrutura estática da Figura 26-6. Precisamos responder várias perguntas.

Primeiro, como o objeto `Employee` sabe fazer o cálculo de seu pagamento? Certamente, o sistema precisa totalizar os cartões de ponto de um funcionário que recebe por hora e multiplicar pelo valor da hora. Analogamente, o sistema precisa totalizar os recibos de venda de um funcionário comissionado, multiplicar pela taxa de comissão e somar ao salário básico. Mas onde isso é feito? O lugar ideal parece ser nas derivadas de `PaymentClassification`. Esses objetos mantêm os registros necessários para calcular o pagamento; portanto, eles provavelmente devem ter os métodos para determinar o pagamento. A Figura 26-7 mostra um diagrama de colaboração que descreve como isso poderia funcionar.

---

* N. de R.T.: Do original, *core model*.

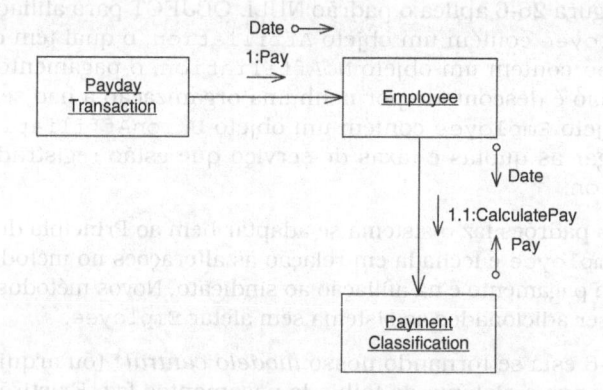

Figura 26-7
Calculando o pagamento de um funcionário.

Quando solicitado a calcular o pagamento, o objeto `Employee` remete esse pedido para seu objeto `PaymentClassification`. O algoritmo usado depende do tipo de `PaymentClassification` que o objeto `Employee` contém. As Figuras 26-8 a 26-10 mostram os três cenários possíveis.

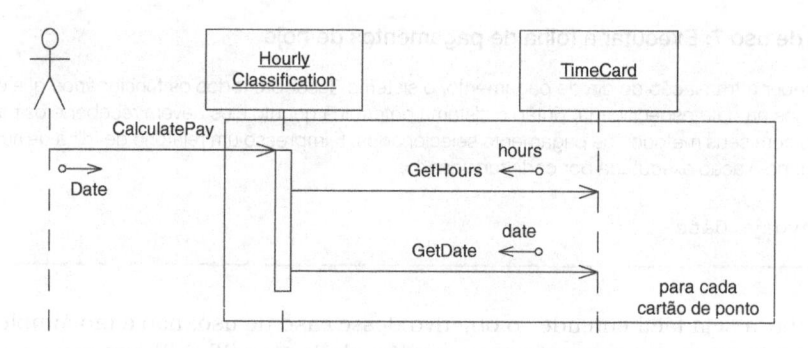

Figura 26-8
Calculando o pagamento de um funcionário que recebe por hora.

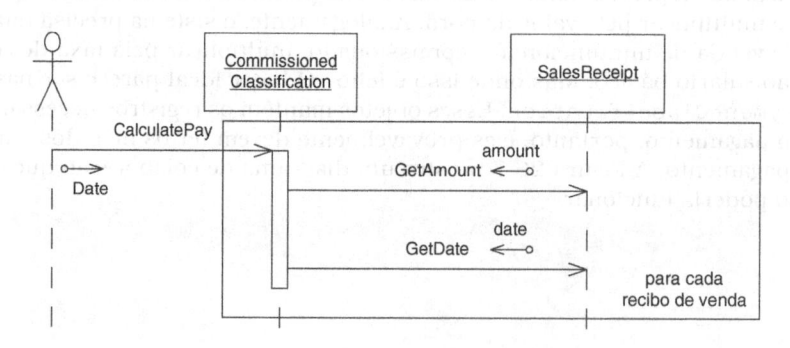

Figura 26-9
Calculando o pagamento de um funcionário comissionado.

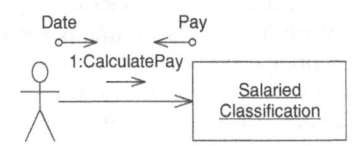

```
         Date        Pay
          o-->     <--o
          Q   1:CalculatePay
         /|\      ------>      ┌──────────────┐
          |                    │   Salaried   │
         / \                   │Classification│
                               └──────────────┘
```

Figura 26-10
Calculando o pagamento de um funcionário assalariado.

Reflexão: encontrando as abstrações subjacentes

Até aqui, aprendemos que a análise de um caso de uso simples pode fornecer muitas informações e ideias para o projeto de um sistema. As Figuras 26-6 a 26-10 resultaram do raciocínio a respeito dos casos de uso; ou seja, do raciocínio a respeito do comportamento.

Para usar o OCP de maneira eficiente, devemos procurar abstrações e descobrir aquelas que formam a base do aplicativo. Frequentemente, essas abstrações não são declaradas ou nem mesmo insinuadas pelos requisitos do aplicativo ou pelos casos de uso. Os requisitos e os casos de uso podem estar impregnados demais de detalhes para expressar as generalidades das abstrações subjacentes.

Pagamento de funcionários

Vamos examinar os requisitos novamente. Vemos declarações como estas: "alguns funcionários trabalham por hora", "alguns funcionários recebem um salário fixo" e "alguns funcionários recebem uma comissão". Isso sugere a seguinte generalização: todos os funcionários são pagos, mas são pagos por esquemas diferentes. A abstração aqui é que *todos os funcionários são pagos*. Nosso modelo de `PaymentClassification` nas Figuras 26-7 a 26-10 expressa perfeitamente essa abstração. Assim, essa abstração já foi descoberta em nossas histórias de usuário, fazendo-se uma análise de caso de uso muito simples.

Cronograma de pagamentos

Procurando outras abstrações, encontramos: "eles recebem todas as sextas-feiras", "eles são pagos no último dia útil do mês" e "eles recebem a cada duas sextas-feiras". Isso nos leva a outra generalidade: *todos os funcionários são pagos de acordo com um cronograma*. A abstração aqui é a noção de *cronograma*. Deve ser possível perguntar a um objeto `Employee` se determinada data é seu dia de pagamento. Os casos de uso mal mencionam isso. Os requisitos associam o cronograma de um funcionário e uma classificação de pagamento. Especificamente, os funcionários que recebem por hora são pagos semanalmente, os assalariados são pagos mensalmente e os que recebem comissões são pagos quinzenalmente; contudo, essa associação é essencial? A diretiva não poderia mudar um dia, de modo que os funcionários pudessem escolher um cronograma específico ou os funcionários pertencentes a diferentes departamentos ou a diferentes divisões pudessem ter cronograma diferentes? A diretiva do cronograma não poderia mudar independentemente da diretiva de pagamento? Certamente, isso parece provável.

Se, conforme os requisitos indicam, delegássemos o problema do cronograma para a classe `PaymentClassification`, nossa classe não poderia ser fechada em relação aos problemas de mudança no cronograma. Quando mudássemos a diretiva de pagamento, também teríamos que testar o cronograma; quando mudássemos os cronogramas, também teríamos que testar a diretiva de pagamento. Tanto o OCP como o SRP seriam violados.

Uma associação entre diretiva de cronograma e de pagamento poderia levar a erros nos quais uma mudança em uma diretiva de pagamento específica causaria o agendamento incorreto de certos funcionários. Erros como esse podem fazer sentido para os programadores, mas amedrontam gerentes e usuários. Eles temem, justificadamente, que, se os cronogramas podem ser infringidos por uma mudança na diretiva de pagamento, *qualquer* mudança feita *em qualquer lugar* poderia causar problemas em *qualquer* outra parte não relacionada do sistema. Eles receiam que não possam prever os efeitos de uma mudança. Quando os efeitos não podem ser previstos, a confiança é perdida e o programa assume o status de "perigoso e instável" na mente de seus gerentes e usuários.

Apesar da natureza básica da abstração da agenda, nossa análise de caso de uso não nos forneceu qualquer indício direto sobre sua existência. Identificar isso exigiu uma consideração cuidadosa dos requisitos e uma observação dos truques da comunidade de usuários. A dependência excessiva de ferramentas e procedimentos e a falta de confiança na inteligência e na experiência são receitas para um desastre.

As Figuras 26-11 e 26-12 mostram os modelos estáticos e dinâmicos da abstração do cronograma. Como você pode ver, usamos o padrão STRATEGY mais uma vez. A classe `Employee` contém a classe abstrata `PaymentSchedule`. As três variedades de `PaymentSchedule` correspondem aos três cronogramas conhecidos, por meio dos quais os funcionários são pagos.

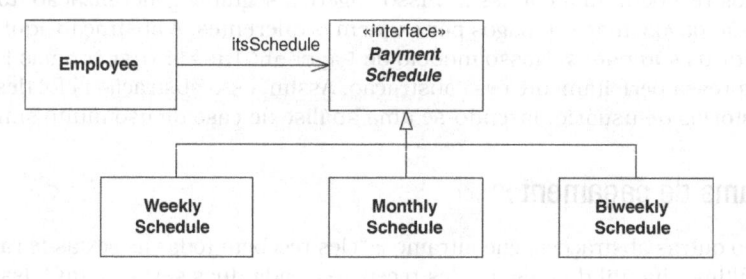

Figura 26-11
Modelo estático da abstração `Schedule`.

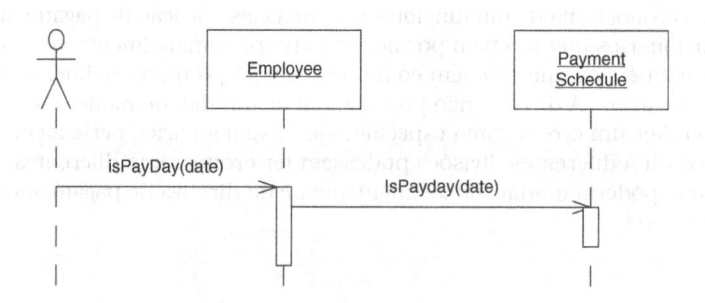

Figura 26-12
Modelo dinâmico da abstração `Schedule`.

Métodos de pagamento

Outra generalização que podemos fazer a partir dos requisitos é que *todos os funcionários recebem seu pagamento por meio de algum método*. A abstração é a classe `PaymentMethod`. Curiosamente, essa abstração já está expressa na Figura 26-6.

Afiliações

Os requisitos indicam que os funcionários podem ser afiliados a um sindicato; no entanto, o sindicato pode não ser a única organização que reivindique uma parte do pagamento de um funcionário. Talvez os funcionários queiram fazer contribuições automáticas para certas instituições beneficentes ou paguem mensalidades para associações profissionais, automaticamente. Portanto, a generalização se torna *o funcionário pode ser afiliado a muitas organizações que devem ser pagas automaticamente com seu cheque-salário*.

A abstração correspondente é a classe `Affiliation`, que está mostrada na Figura 26-6. Essa figura, entretanto, não mostra o objeto `Employee` contendo mais de um objeto `Affiliation` e mostra a presença de uma classe `NoAffiliation`. Esse projeto não se enquadra muito bem na abstração que agora achamos que precisamos. As figuras 26-13 e 26-14 mostram os modelos estáticos e dinâmicos que representam a abstração `Affiliation`.

A lista de objetos `Affiliation` tornou evidente a necessidade de usar o padrão NULL OBJECT para funcionários não afiliados. Agora, a lista de afiliações de um funcionário que não tem nenhuma afiliação simplesmente estará vazia.

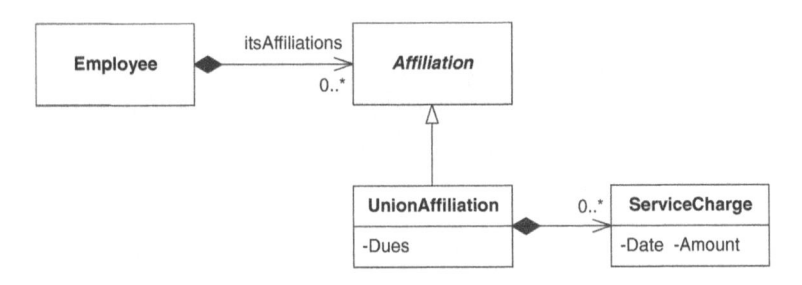

Figura 26-13
Estrutura estática da abstração `Affiliation`.

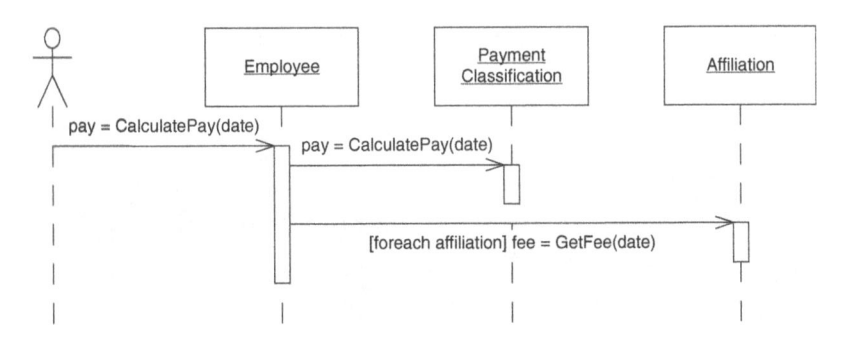

Figura 26-14
Estrutura dinâmica da abstração `Affiliation`.

Conclusão

Esse é um bom começo para um projeto. Ao transformar histórias de usuário em casos de uso e procurar abstrações nesses casos de uso, criamos um *molde* para o sistema. Uma arquitetura está se desenvolvendo. Note, entretanto, que essa arquitetura foi criada examinando-se apenas as primeiras histórias de usuário. Não fizemos uma análise abrangente de cada requisito do sistema. Também não exigimos que cada história de usuário e cada caso de uso fosse perfeito. Além disso, não fizemos um projeto exaustivo do sistema, com diagramas de classe e de sequência para cada detalhe e para cada título que poderíamos imaginar.

Pensar o projeto é importante. Pensar o projeto em etapas pequenas e incrementais é *fundamental*. Fazer muito é pior do que fazer pouco. Neste capítulo, concluímos uma quantidade de trabalho quase ideal. Ele parece inacabado, mas é suficiente para entendermos e evoluirmos.

Bibliografia

[Jacobson92] Ivar Jacobson, *Object-Oriented Software Engineering: A Use Case Driven Approach*, Addison-Wesley, 1992.

Capítulo 27

ESTUDO DE CASO DA FOLHA DE PAGAMENTOS: IMPLEMENTAÇÃO

Já está mais do que na hora de começarmos a escrever o código que suporta e verifica os projetos que estamos fabricando. Vou criar esse código em etapas muito pequenas e incrementais, mas no texto mostrarei a você apenas os pontos importantes. O fato de você ver apenas instantâneos de códigos completos não significa que os escrevi dessa forma. Cada lote de código apresentado passou por dezenas de edições, compilações e casos de teste, que fizeram mudanças minúsculas e evolutivas no código.

Você também vai ver muita UML. Pense nessa UML como um diagrama rápido que esboço em um quadro branco para mostrar a você, meu colega de dupla, o que tenho em mente. A UML é um meio de nos comunicarmos.

Transações

Começaremos pensando a respeito das transações que representam os casos de uso. A Figura 27-1 mostra que representamos transações como uma interface chamada Transaction, a qual tem um método denominado Execute(). Esse é, evidentemente, o padrão COMMAND. A implementação da classe Transaction está mostrada na Listagem 27-1.

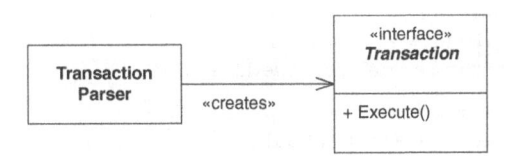

Figura 27-1
Interface Transaction.

Listagem 27-1
Transaction.cs

```
namespace Payroll
{
  public interface Transaction
  {
    void Execute();
  }
}
```

Adicionando funcionários

A Figura 27-2 mostra uma possível estrutura para as transações que adicionam funcionários. Note que é dentro dessas transações que o cronograma de pagamento dos funcionários é associado às suas classificações de pagamento. Isso é adequado, pois as transações são artifícios, em vez de serem parte do modelo central. Assim, por exemplo, o modelo central não sabe que os funcionários que recebem por hora são pagos semanalmente. A associação entre classificação de pagamento e cronograma de pagamento é apenas parte de um dos artifícios periféricos e pode ser alterada a qualquer momento. Por exemplo, poderíamos facilmente adicionar uma transação que nos permitisse mudar cronogramas de funcionário.

Listagem 27-2
PayrollTest.TestAddSalariedEmployee

```
[Test]
public void TestAddSalariedEmployee()
{
  int empId = 1;
  AddSalariedEmployee t =
    new AddSalariedEmployee(empId, "Bob", "Home", 1000.00);
  t.Execute();

  Employee e = PayrollDatabase.GetEmployee(empId);
  Assert.AreEqual("Bob", e.Name);

  PaymentClassification pc = e.Classification;
  Assert.IsTrue(pc is SalariedClassification);
  SalariedClassification sc = pc as SalariedClassification;
  Assert.AreEqual(1000.00, sc.Salary, .001);
  PaymentSchedule ps = e.Schedule;
  Assert.IsTrue(ps is MonthlySchedule);

  PaymentMethod pm = e.Method;
  Assert.IsTrue(pm is HoldMethod);
}
```

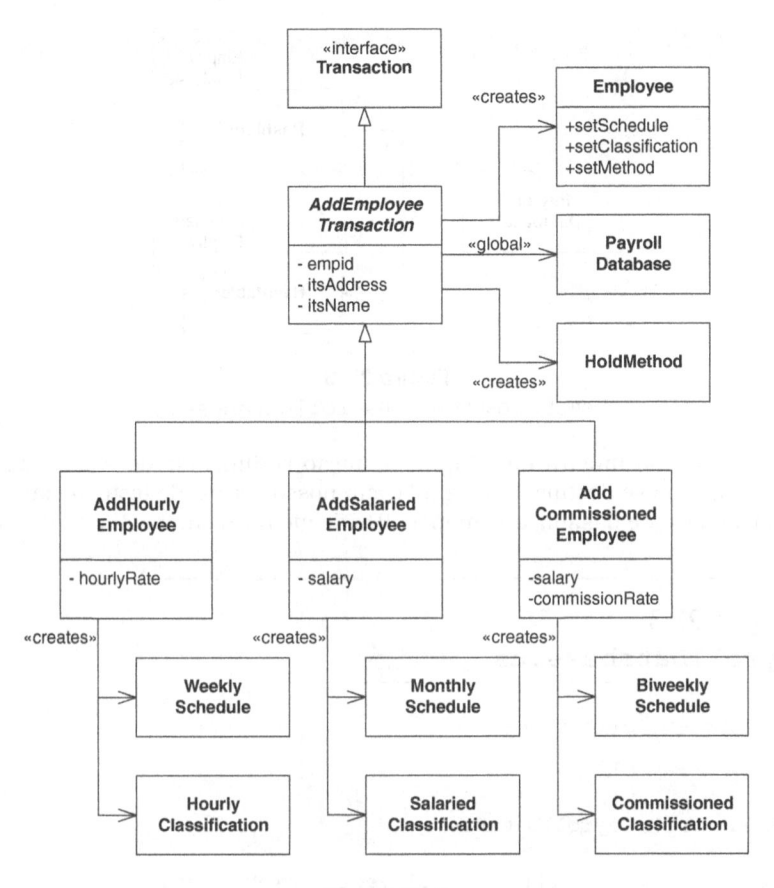

Figura 27-2
Modelo estático de `AddEmployeeTransaction`.

Essa decisão obedece perfeitamente ao OCP e ao SRP. É responsabilidade das transações (e não do modelo central) especificar a associação entre tipo de pagamento e cronograma de pagamento. Além disso, essa associação pode ser mudada sem se alterar o modelo central.

Note também que o método de pagamento padrão é manter o cheque-salário com o pagador. Se um funcionário quer um método de pagamento diferente, ele deve ser alterado com a transação `ChgEmp` apropriada.

Como sempre, começamos a produzir código escrevendo primeiro os testes. O caso de teste da Listagem 27-2 mostra que `AddSalariedTransaction` está funcionando corretamente. O código a seguir faz esse caso de teste passar.

O banco de dados da folha de pagamentos A classe `AddEmployeeTransaction` usa outra classe, chamada `PayrollDatabase`. Por enquanto, essa classe mantém todos os objetos `Employee` existentes em uma tabela de hashing (`Hashtable`) que tem chaves fornecidas por `empID`. A classe também mantém uma `Hashtable` que mapeia objetos `memberID` do sindicato em objetos `empID`. Descobriremos como tornar esse conteúdo persistente posteriormente. A estrutura dessa classe aparece na Figura 27-3. `PayrollDatabase` é um exemplo do padrão FAÇADE.

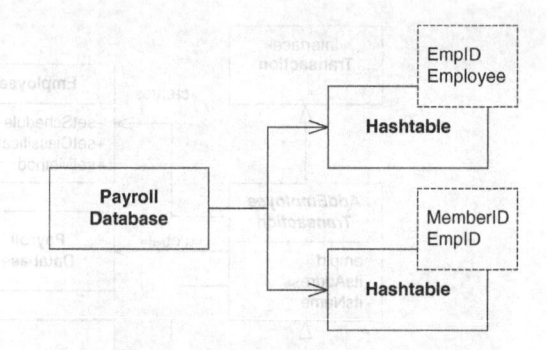

Figura 27-3
Estrutura estática de `PayrollDatabase`.

A Listagem 27-3 mostra uma implementação rudimentar de `PayrollDatabase`. Essa implementação se destina a nos ajudar em nossos casos de teste iniciais. Ela ainda não contém a tabela de hashing que mapeia IDs de membro em instâncias de `Employee`.

Listagem 27-3
PayrollDatabase.cs

```csharp
using System.Collections;

namespace Payroll
{
  public class PayrollDatabase
  {
    private static Hashtable employees = new Hashtable();

    public static void AddEmployee(int id, Employee employee)
    {
      employees[id] = employee;
    }
    public static Employee GetEmployee(int id)
    {
      return employees[id] as Employee;
    }
  }
}
```

Em geral, eu considero implementações de banco de dados como detalhes. As decisões sobre esses detalhes devem ser adiadas tanto quanto possível. Se esse banco de dados específicos vai ser implementado com um sistema de gerenciamento de banco de dados relacional (SGBDR), com arquivos planos ou com um sistema de gerenciamento de banco de dados orientado a objetos (SGBDOO), é irrelevante neste ponto. No momento, estou interessado apenas na criação da API que fornecerá serviços de banco de dados para o restante do aplicativo. Encontrarei as implementações apropriadas para o banco de dados posteriormente.

Adiar os detalhes sobre o banco de dados é uma prática incomum, mas vantajosa. As decisões sobre o banco de dados normalmente podem esperar até termos muito mais conhecimento sobre o software e suas necessidades. Esperando, evitamos o problema de colocar infraestrutura demais no banco de dados. Em vez disso, implementamos apenas recursos de banco de dados suficientes para as necessidades atuais do aplicativo.

Usando TEMPLATE METHOD para adicionar funcionários A Figura 27-4 mostra o modelo dinâmico para a adição de um funcionário. Note que o objeto `AddEmployeeTransaction` envia mensagens *para si mesmo* a fim de obter os objetos `PaymentClassification` e `PaymentSchedule` apropriados. Essas mensagens são implementadas nas derivadas da classe `AddEmployeeTransaction`. Essa é uma aplicação do padrão TEMPLATE METHOD.

A Listagem 27-4 mostra a implementação do padrão TEMPLATE METHOD na classe `AddEmployeeTransaction`. Essa classe implementa o método `Execute()` para chamar duas funções virtuais puras que serão implementadas por derivadas. Essas funções, `MakeSchedule()` e `MakeClassification()`, retornam os objetos `PaymentSchedule` e `PaymentClassification` de que o objeto `Employee` recentemente criado precisa. Em seguida, o método `Execute()` vincula esses objetos a `Employee` e salva `Employee` em `PayrollDatabase`.

Dois aspectos merecem destaque aqui. Primeiro, quando o padrão TEMPLATE METHOD é aplicado, como aqui, com o único propósito de criar objetos, ele é conhecido pelo

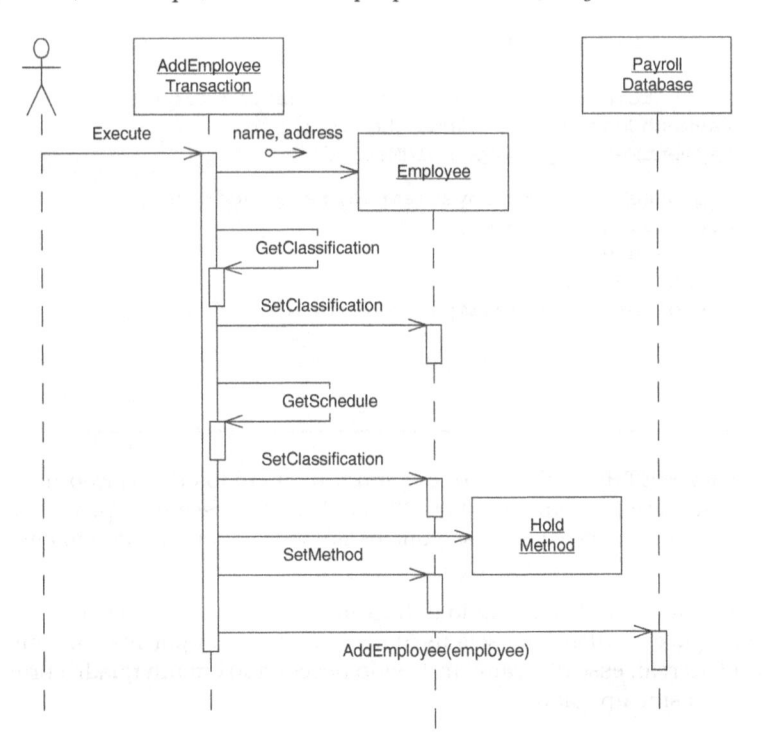

Figura 27-4
Modelo dinâmico para adicionar um funcionário.

Listagem 27-4
AddEmployeeTransaction.cs

```
namespace Payroll
{
  public abstract class AddEmployeeTransaction : Transaction
  {
    private readonly int empid;
    private readonly string name;
    private readonly string address;

    public AddEmployeeTransaction(int empid,
      string name, string address)
    {
      this.empid = empid;
      this.name = name;
      this.address = address;
    }
    protected abstract
      PaymentClassification MakeClassification();
    protected abstract
      PaymentSchedule MakeSchedule();

    public void Execute()
    {
      PaymentClassification pc = MakeClassification();
      PaymentSchedule ps = MakeSchedule();
      PaymentMethod pm = new HoldMethod();

      Employee e = new Employee(empid, name, address);
      e.Classification = pc;
      e.Schedule = ps;
      e.Method = pm;
      PayrollDatabase.AddEmployee(empid, e);
    }
  }
}
```

nome FACTORY METHOD. Segundo, é comum os métodos de criação no padrão FACTORY METHOD serem chamados `MakeXXX()`. Percebi esses dois problemas enquanto estava escrevendo o código e é por isso que os nomes de método diferem entre o código e o diagrama.

Eu deveria ter voltado e mudado o diagrama? Nesse caso, não vi necessidade disso. Não pretendo que esse diagrama seja usado como referência por mais ninguém. Aliás, se fosse um projeto real, esse diagrama teria sido desenhado em um quadro branco e provavelmente já teria sido apagado.

Listagem 27-5
AddSalariedEmployee.cs

```csharp
namespace Payroll
{
  public class AddSalariedEmployee : AddEmployeeTransaction
  {
    private readonly double salary;
    public AddSalariedEmployee(int id, string name,
      string address, double salary)
      : base(id, name, address)
    {
      this.salary = salary;
    }
    protected override
      PaymentClassification MakeClassification()
    {
      return new SalariedClassification(salary);
    }
    protected override PaymentSchedule MakeSchedule()
    {
      return new MonthlySchedule();
    }
  }
}
```

A Listagem 27-5 mostra a implementação da classe `AddSalariedEmployee`. Essa classe deriva de `AddEmployeeTransaction` e implementa os métodos `MakeSchedule()` e `MakeClassification()` para passar de volta os objetos apropriados para `AddEmployeeTransaction.Execute()`.

Faça `AddHourlyEmployee` e `AddCommissionedEmployee` como exercício. Lembre-se de escrever seus casos de teste primeiro.

Excluindo funcionários

As figuras 27-5 e 27-6 apresentam os modelos estático e dinâmico das transações que excluem funcionários. A Listagem 27-6 mostra o caso de teste para excluir um funcionário. A Listagem 27-7 mostra a implementação de `DeleteEmployeeTransaction`. Essa é uma implementação típica do padrão COMMAND. O construtor armazena os dados nos quais o método `Execute()` opera.

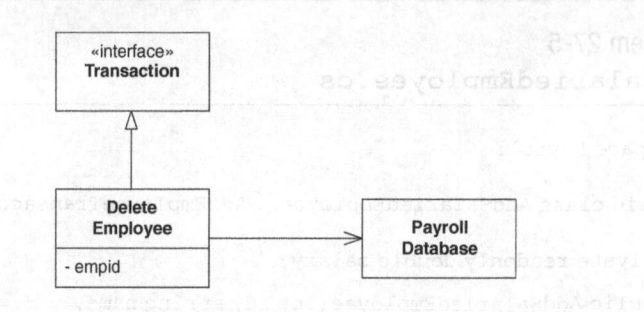

Figura 27-5
Modelo estático da transação `DeleteEmployee`.

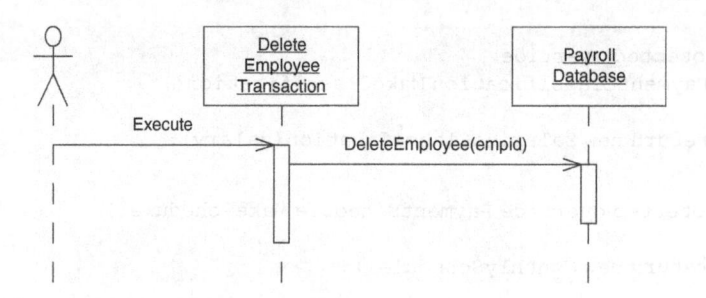

Figura 27-6
Modelo dinâmico da transação `DeleteEmployee`.

Listagem 27-6
PayrollTest.DeleteEmployee

```
[Test]
public void DeleteEmployee()
{
  int empId = 4;
  AddCommissionedEmployee t =
    new AddCommissionedEmployee(
    empId, "Bill", "Home", 2500, 3.2);
  t.Execute();

  Employee e = PayrollDatabase.GetEmployee(empId);
  Assert.IsNotNull(e);
  DeleteEmployeeTransaction dt =
    new DeleteEmployeeTransaction(empId);
  dt.Execute();

  e = PayrollDatabase.GetEmployee(empId);
  Assert.IsNull(e);
}
```

Listagem 27-7
DeleteEmployeeTransaction.cs

```
namespace Payroll
{
  public class DeleteEmployeeTransaction : Transaction
  {
    private readonly int id;
    public DeleteEmployeeTransaction(int id)
    {
      this.id = id;
    }
    public void Execute()
    {
      PayrollDatabase.DeleteEmployee(id);
    }
  }
}
```

A esta altura, você já deve ter observado que `PayrollDatabase` fornece acesso estático a seus campos. Na verdade, `PayrollDatabase.employees` é uma variável global. Durante décadas, livros-texto e professores desencorajaram o uso de variáveis globais, com bons motivos. Apesar disso, as variáveis globais não são intrinsecamente más ou prejudiciais. Esta situação em particular é uma escolha ideal para uma variável global. Sempre haverá apenas uma instância dos métodos e variáveis de `PayrollDatabase` e ela precisa ser conhecida por um público amplo.

Talvez você preferisse usar os padrões SINGLETON ou MONOSTATE para tanto. Eles atingiriam o objetivo, é verdade. Contudo, eles fariam isso usando variáveis globais eles mesmos. Um SINGLETON ou um MONOSTATE é, por definição, uma entidade global. Nesse caso, achei que um SINGLETON ou um MONOSTATE teriam o mau cheiro da complexidade desnecessária. É mais fácil simplesmente manter o banco de dados global.

Cartões de ponto, recibos de venda e taxas de serviço

A Figura 27-7 mostra a estrutura estática da transação que lança cartões de ponto de funcionários. A Figura 27-8 mostra o modelo dinâmico. A ideia básica é que a transação recebe o objeto `Employee` de `PayrollDatabase`, solicita o objeto `PaymentClassification` de `Employee` e, então, cria e adiciona um objeto `TimeCard` a esse objeto `PaymentClassification`.

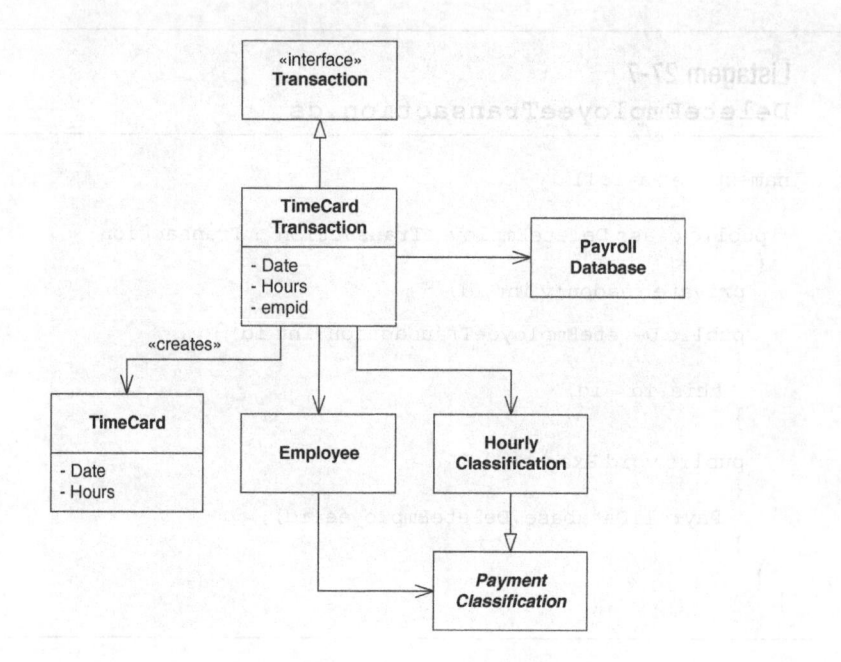

Figura 27-7
Estrutura estática de `TimeCardTransaction`.

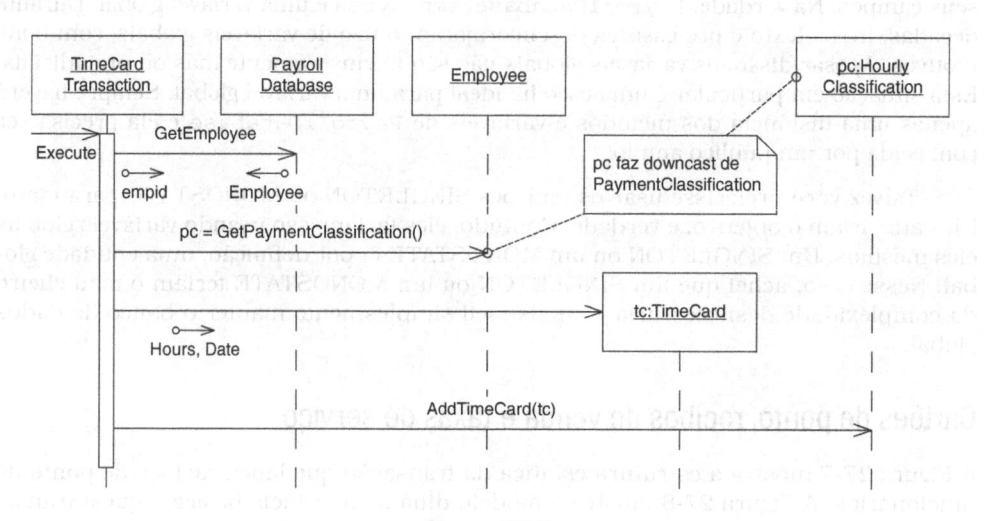

Figura 27-8
Modelo dinâmico para lançar um objeto `TimeCard`.

Listagem 27-8
PayrollTest.TestTimeCardTransaction

```
[Test]
public void TestTimeCardTransaction()
{
  int empId = 5;
  AddHourlyEmployee t =
    new AddHourlyEmployee(empId, "Bill", "Home", 15.25);
  t.Execute();
  TimeCardTransaction tct =
    new TimeCardTransaction(
      new DateTime(2005, 7, 31), 8.0, empId);
  tct.Execute();

  Employee e = PayrollDatabase.GetEmployee(empId);
  Assert.IsNotNull(e);

  PaymentClassification pc = e.Classification;
  Assert.IsTrue(pc is HourlyClassification);
  HourlyClassification hc = pc as HourlyClassification;

  TimeCard tc = hc.GetTimeCard(new DateTime(2005, 7, 31));
  Assert.IsNotNull(tc);
  Assert.AreEqual(8.0, tc.Hours);
}
```

Note que não podemos adicionar objetos `TimeCard` a objetos `PaymentClassification` gerais; só podemos adicioná-los a objetos `HourlyClassification`. Isso significa que devemos fazer um downcast* no objeto `PaymentClassification` recebido do objeto `Employee` para um objeto `HourlyClassification`. Esse é um bom uso para o operador as em C# (consulte a Listagem 27-10).

A Listagem 27-8 mostra um dos casos de teste que verifica se cartões de ponto podem ser adicionados para funcionários que recebem por hora. Esse código de teste simplesmente cria um funcionário pago por hora e o adiciona ao banco de dados. Então, ele cria um objeto `TimeCardTransaction`, chama `Execute()` e verifica se o objeto `HourlyClassification` do funcionário contém o objeto `TimeCard` apropriado.

A Listagem 27-9 mostra a implementação da classe `TimeCard`. No momento, essa classe não tem quase nada. Trata-se simplesmente de uma classe de dados.

A Listagem 27-10 mostra a implementação da classe `TimeCardTransaction`. Observe o uso de objetos `InvalidOperationException`. Essa não é uma prática de longo prazo particularmente boa, mas basta isso no início do desenvolvimento. Após termos alguma ideia de como devem ser as exceções, poderemos voltar e criar classes de exceção significativas.

As Figuras 27-9 e 27-10 mostram um projeto semelhante para a transação que lança recibos de venda para um funcionário comissionado. Deixei a implementação dessas classes como exercício.

---

*N. de R.T.: Conversão de um tipo mais genérico para um mais específico.

Listagem 27-9
TimeCard.cs

```csharp
using System;

namespace Payroll
{
  public class TimeCard
  {
    private readonly DateTime date;
    private readonly double hours;

    public TimeCard(DateTime date, double hours)
    {
      this.date = date;
      this.hours = hours;
    }
    public double Hours
    {
      get { return hours; }
    }

    public DateTime Date
    {
      get { return date; }
    }
  }
}
```

Listagem 27-10
TimeCardTransaction.cs

```csharp
using System;

namespace Payroll
{
  public class TimeCardTransaction : Transaction
  {
    private readonly DateTime date;
    private readonly double hours;
    private readonly int empId;

    public TimeCardTransaction(
      DateTime date, double hours, int empId)
    {
      this.date = date;
      this.hours = hours;
      this.empId = empId;
    }
```

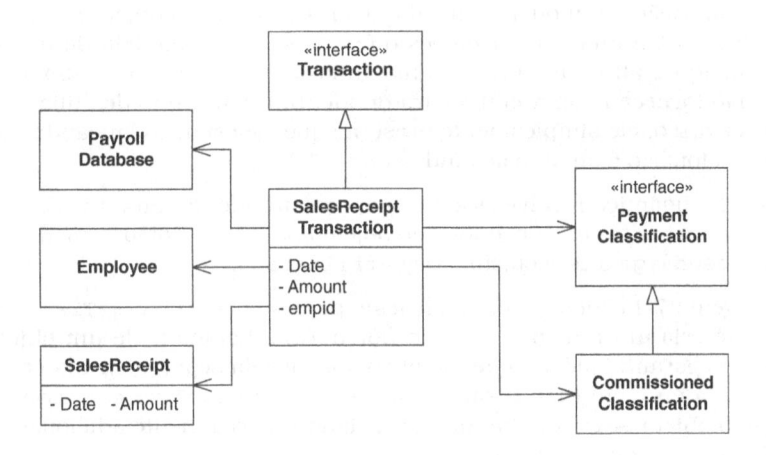

```csharp
    public void Execute()
    {
      Employee e = PayrollDatabase.GetEmployee(empId);

      if (e != null)
      {
        HourlyClassification hc =
          e.Classification as HourlyClassification;

        if (hc != null)
          hc.AddTimeCard(new TimeCard(date, hours));
        else
          throw new InvalidOperationException(
            "Tried to add timecard to " +
            "non-hourly employee");
      }
        else
          throw new InvalidOperationException(
            "No such employee.");
      }
    }
}
```

Figura 27-9
Modelo estático de `SalesReceiptTransaction`.

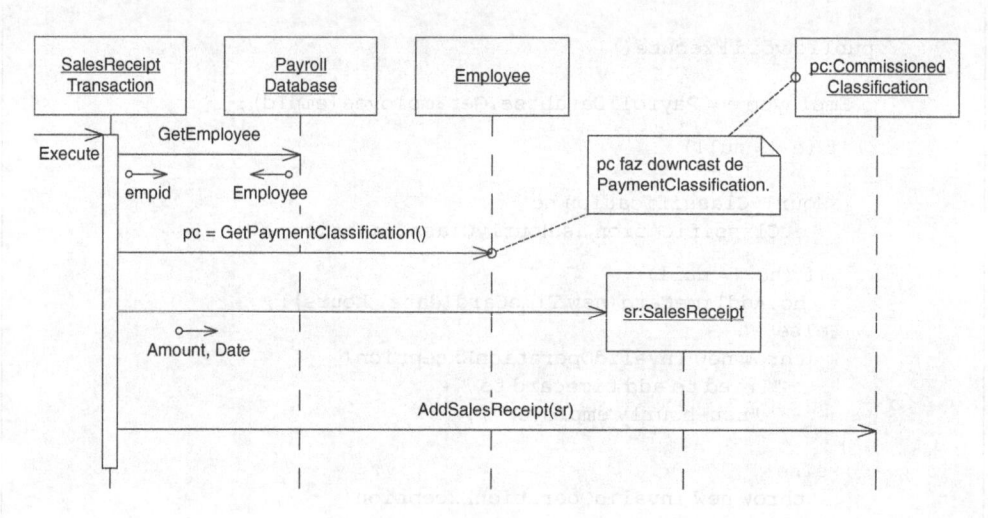

Figura 27-10
Modelo dinâmico de `SalesReceiptTransaction`.

As Figuras 27-11 e 27-12 mostram o projeto da transação que lança taxas de serviço para membros do sindicato. Esses projetos indicam um descasamento entre o modelo de transação e o modelo central que criamos. Nosso objeto `Employee` básico pode ser afiliado a muitas organizações diferentes, mas o modelo de transação presume que qualquer afiliação deve ser uma afiliação ao sindicato. Assim, o modelo de transação não fornece nenhuma maneira de identificar um tipo de afiliação em particular. Em vez disso, ele simplesmente presume que, se estamos lançando uma taxa de serviço, o funcionário é afiliado ao sindicato.

O modelo dinâmico resolve esse dilema, procurando `UnionAffiliation` no conjunto de objetos `Affiliation` contidos no objeto `Employee`. Então, o modelo adiciona o objeto `ServiceCharge` a esse objeto `UnionAffiliation`.

A Listagem 27-11 mostra o caso de teste para `ServiceChargeTransaction`. Ele simplesmente cria um funcionário pago por hora, adiciona a ele um objeto `Union-Affiliation`, garante que a ID de membro apropriada seja registrada em `Payroll-Database`, cria e executa uma transação `ServiceChargeTransaction` e, por fim, garante que o objeto `ServiceCharge` apropriado seja realmente adicionado ao objeto `UnionAffiliation` de `Employee`.

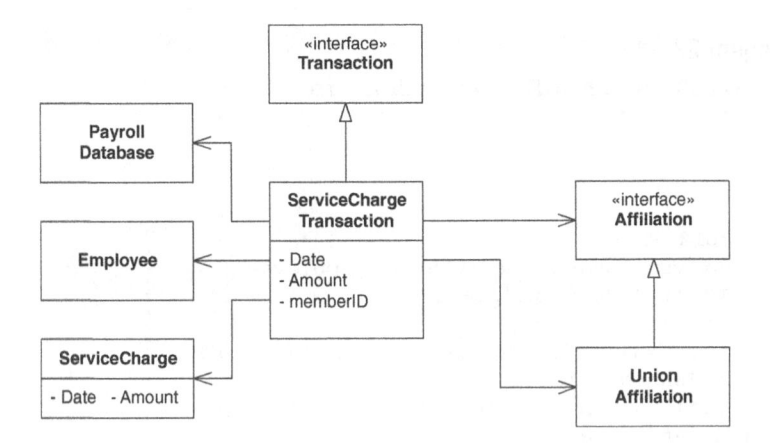

Figura 27-11
Modelo estático de `ServiceChargeTransaction`.

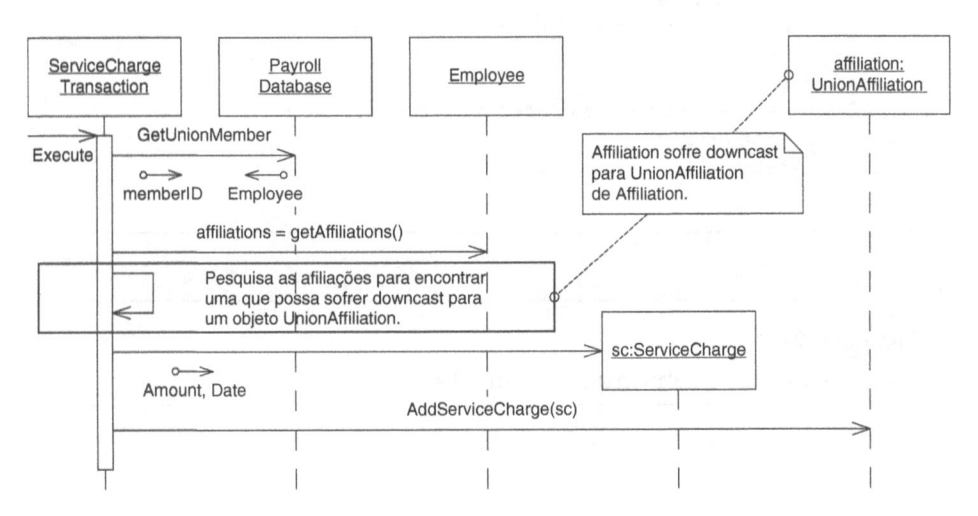

Figura 27-12
Modelo dinâmico de `ServiceChargeTransaction`.

Listagem 27-11
PayrollTest.AddServiceCharge

```
[Test]
public void AddServiceCharge()
{
  int empId = 2;
  AddHourlyEmployee t = new AddHourlyEmployee(
    empId, "Bill", "Home", 15.25);
  t.Execute();
  Employee e = PayrollDatabase.GetEmployee(empId);
  Assert.IsNotNull(e);
  UnionAffiliation af = new UnionAffiliation();
  e.Affiliation = af;
  int memberId = 86; // Maxwell Smart
  PayrollDatabase.AddUnionMember(memberId, e);
  ServiceChargeTransaction sct =
    new ServiceChargeTransaction(
    memberId, new DateTime(2005, 8, 8), 12.95);
  sct.Execute();
  ServiceCharge sc =
    af.GetServiceCharge(new DateTime(2005, 8, 8));
  Assert.IsNotNull(sc);
  Assert.AreEqual(12.95, sc.Amount, .001);
}
```

Listagem 27-12
ServiceChargeTransaction.cs

```
using System;

namespace Payroll
{
  public class ServiceChargeTransaction : Transaction
  {
    private readonly int memberId;
    private readonly DateTime time;
    private readonly double charge;

    public ServiceChargeTransaction(
      int id, DateTime time, double charge)
    {
      this.memberId = id;
      this.time = time;
      this.charge = charge;
    }
```

```
      public void Execute()
      {
        Employee e = PayrollDatabase.GetUnionMember(memberId);
        if (e != null)
        {
          UnionAffiliation ua = null;
          if(e.Affiliation is UnionAffiliation)
            ua = e.Affiliation as UnionAffiliation;

          if (ua != null)
            ua.AddServiceCharge(
              new ServiceCharge(time, charge));
          else
            throw new InvalidOperationException(
              "Tries to add service charge to union"
              + "member without a union affiliation");
        }
          else
            throw new InvalidOperationException(
              "No such union member.");
        }
      }
    }
```

Quando desenhei a UML da Figura 27-12, pensei que substituir `NoAffiliation` por uma lista de afiliações era um projeto melhor. Achei que seria mais flexível e menos complexo. Afinal, eu poderia adicionar novas afiliações sempre que quisesse e não precisaria criar a classe `NoAffiliation`. Contudo, ao escrever o caso de teste da Listagem 27-11, percebi que configurar a propriedade `Affiliation` em `Employee` era melhor do que chamar `AddAffiliation`. Afinal, os requisitos não pedem para que um funcionário tenha mais de um objeto `Affiliation`; portanto, não há necessidade de usar uma conversão para fazer uma escolha entre muitos tipos em potencial. Fazer isso seria mais complexo do que o necessário.

Esse é um exemplo do motivo pelo qual pode ser perigoso produzir UML demais sem verificá-la no código. O código pode revelar muitas coisas sobre seu projeto que a UML não revela. Aqui, eu estava colocando estruturas na UML que não eram necessárias. Talvez um dia elas pudessem ser úteis, mas não precisam ser mantidas desde já. O custo dessa manutenção pode não compensar o benefício.

Nesse caso, mesmo que o custo de manter o downcast seja relativamente baixo, não vou utilizar isso; é muito mais simples implementar sem uma lista de objetos `Affiliation`. Assim, manterei o padrão NULL OBJECT funcionando na classe `NoAffiliation`.

A Listagem 27-12 mostra a implementação de `ServiceChargeTransaction`. Ela é realmente muito mais simples sem o loop que procura objetos `UnionAffiliation`. Ela simplesmente recebe o objeto `Employee` do banco de dados, faz um downcast do seu objeto `Affiliation` para um objeto `UnionAffiliation` e adiciona a ele o objeto `ServiceCharge`.

Alterando funcionários

A Figura 27-13 mostra a estrutura estática das transações que alteram os atributos de um funcionário. Essa estrutura é extraída facilmente do Caso de Uso 6. Todas as transações recebem um argumento EmpID, de modo que podemos criar uma classe base de nível superior chamada ChangeEmployeeTransaction. Abaixo dessa classe base estão as classes que alteram atributos simples, como ChangeNameTransaction e ChangeAddressTransaction. As transações que mudam classificações têm uma semelhança de propósito no sentido de que todas elas modificam o mesmo campo do objeto Employee. Assim, elas podem ser agrupadas sob uma classe base abstrata, ChangeClassificationTransaction. O mesmo vale para as transações que alteram o pagamento e as afiliações. Isso pode ser visto na estrutura de ChangeMethodTransaction e de ChangeAffiliationTransaction.

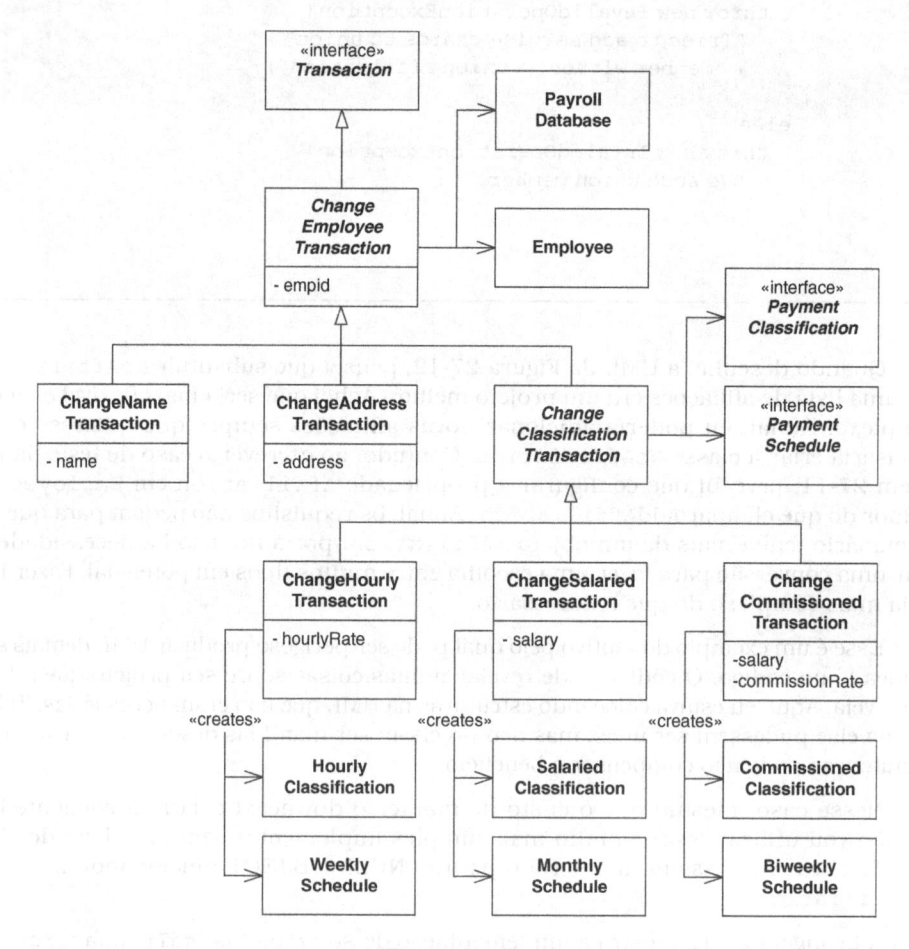

Figura 27-13
Modelo estático de ChangeEmployeeTransaction.

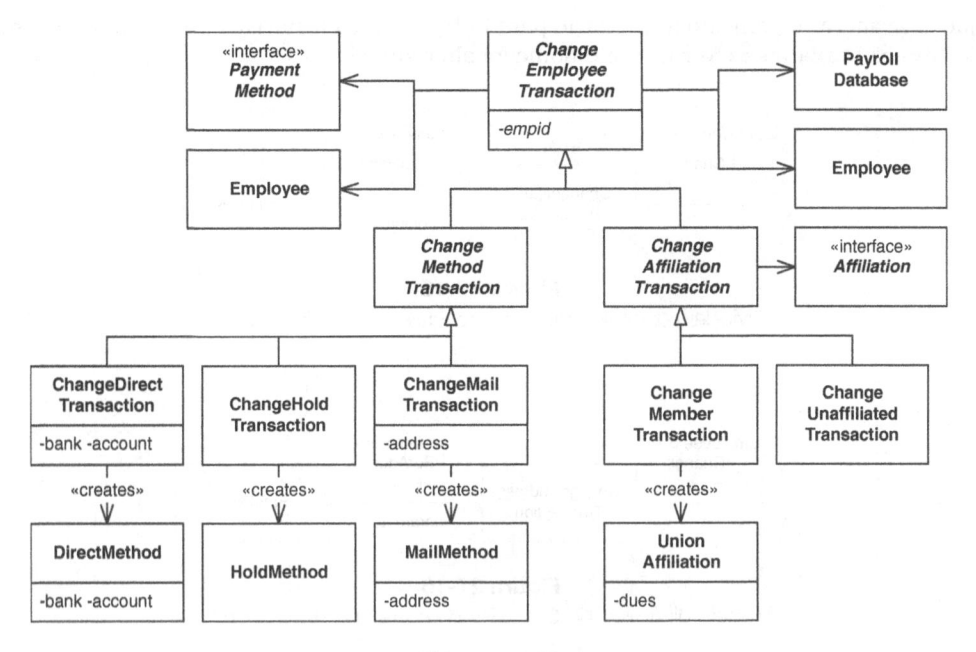

Figura 27-13
(Continuação).

A Figura 27-14 mostra o modelo dinâmico de todas as transações de alteração. Novamente, vemos o padrão TEMPLATE METHOD em uso. Em cada caso, o objeto `Employee` correspondente ao `EmpID` deve ser recuperado de `PayrollDatabase`. Assim, a função `Execute` de `ChangeEmployeeTransaction` implementa esse comportamento e, então, envia a mensagem `Change` para si mesma. Esse método será declarado como virtual e implementado nas derivadas, como mostrado nas Figuras 27-15 e 27-16.

A Listagem 27-13 mostra o caso de teste de `ChangeNameTransaction`. Esse caso de teste simples usa a transação `AddHourlyEmployee` para criar um funcionário pago por hora, chamado Bill. Então, ele cria e executa uma transação `ChangeNameTransaction`

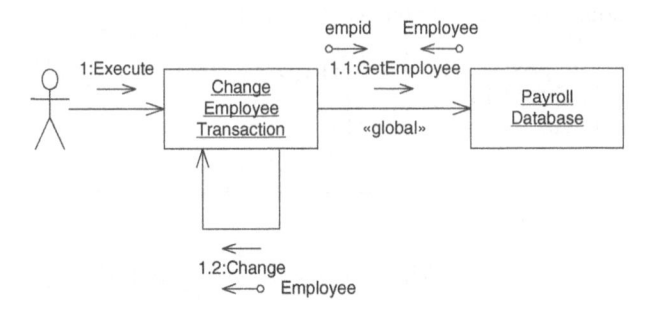

Figura 27-14
Modelo dinâmico de `ChangeEmployeeTransaction`.

que deve alterar o nome do funcionário para Bob. Por fim, ele busca a instância Employee de PayrollDatabase e verifica se o nome foi alterado.

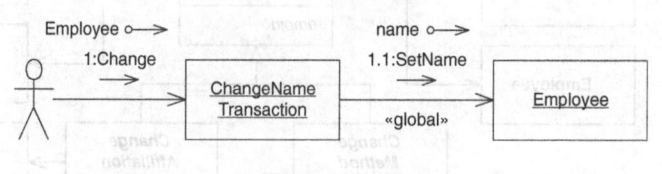

Figura 27-15
Modelo dinâmico de ChangeNameTransaction.

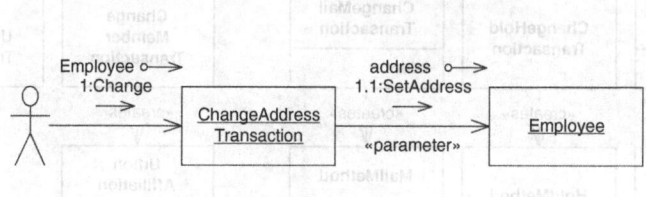

Figura 27-16
Modelo dinâmico de ChangeAddressTransaction.

Listagem 27-13
PayrollTest.TestChangeNameTransaction()

```
[Test]
public void TestChangeNameTransaction()
{
  int empId = 2;
  AddHourlyEmployee t =
    new AddHourlyEmployee(empId, "Bill", "Home", 15.25);
  t.Execute();
  ChangeNameTransaction cnt =
    new ChangeNameTransaction(empId, "Bob");
  cnt.Execute();
  Employee e = PayrollDatabase.GetEmployee(empId);
  Assert.IsNotNull(e);
  Assert.AreEqual("Bob", e.Name);
}
```

A Listagem 27-14 mostra a implementação da classe base abstrata `ChangeEmployeeTransaction`. A estrutura do padrão TEMPLATE METHOD está claramente em evidência. O método `Execute()` simplesmente lê a instância de `Employee` apropriada de `PayrollDatabase` e, se tiver êxito, chama o método abstrato `Change()`.

Listagem 27-14
ChangeEmployeeTransaction.cs

```csharp
using System;
namespace Payroll
{
  public abstract class ChangeEmployeeTransaction : Transaction
  {
    private readonly int empId;
    public ChangeEmployeeTransaction(int empId)
    {
      this.empId = empId;
    }
    public void Execute()
    {
      Employee e = PayrollDatabase.GetEmployee(empId);
      if(e != null)
        Change(e);
      else
        throw new InvalidOperationException(
          "No such employee.");
    }
    protected abstract void Change(Employee e);
  }
}
```

A Listagem 27-15 mostra a implementação de `ChangeNameTransaction`. A segunda metade do padrão TEMPLATE METHOD pode ser vista facilmente. O método `Change()` é implementado para mudar o nome do argumento `Employee`. A estrutura de `ChangeAddressTransaction` é muito semelhante e foi deixada como exercício.

Listagem 27-15
ChangeNameTransaction.cs

```
namespace Payroll
{
  public class ChangeNameTransaction :
    ChangeEmployeeTransaction
  {
    private readonly string newName;

    public ChangeNameTransaction(int id, string newName)
    : base(id)
    {
      this.newName = newName;
    }

    protected override void Change(Employee e)
    {
      e.Name = newName;
    }
  }
}
```

Mudando a classificação A Figura 27-17 mostra como a hierarquia sob `Change-ClassificationTransaction` é imaginada. O padrão TEMPLATE METHOD é usado mais uma vez. Todas essas transações devem criar um novo objeto `PaymentClassification` e, então, enviá-lo ao objeto `Employee`. Isso é conseguido enviando-se a mensagem `GetClassification` para ele mesmo. Esse método abstrato é implementado em cada uma das classes derivadas de `ChangeClassificationTransaction`, como mostrado nas Figuras 27-18 a 27-20.

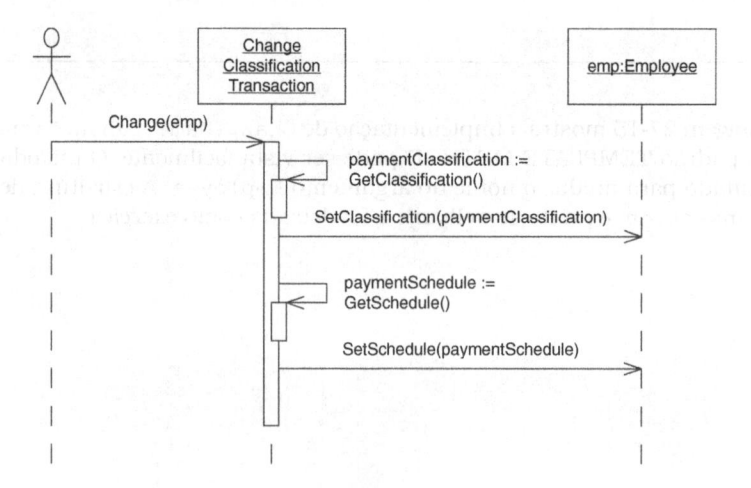

Figura 27-17
Modelo dinâmico de `ChangeClassificationTransaction`.

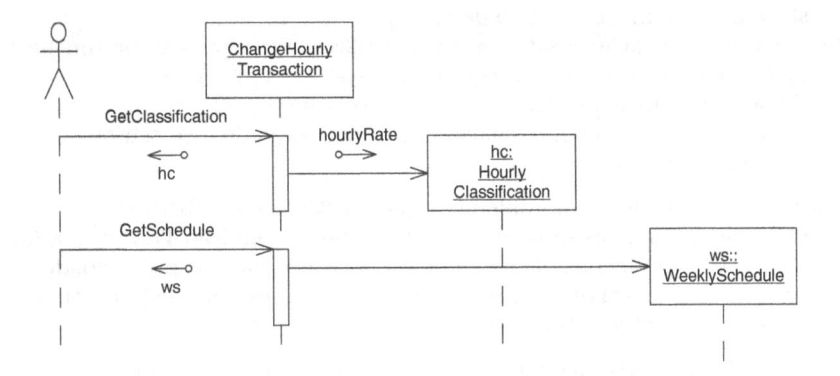

ESTUDO DE CASO DA FOLHA DE PAGAMENTOS: IMPLEMENTAÇÃO

Figura 27-18
Modelo dinâmico de `ChangeHourlyTransaction`.

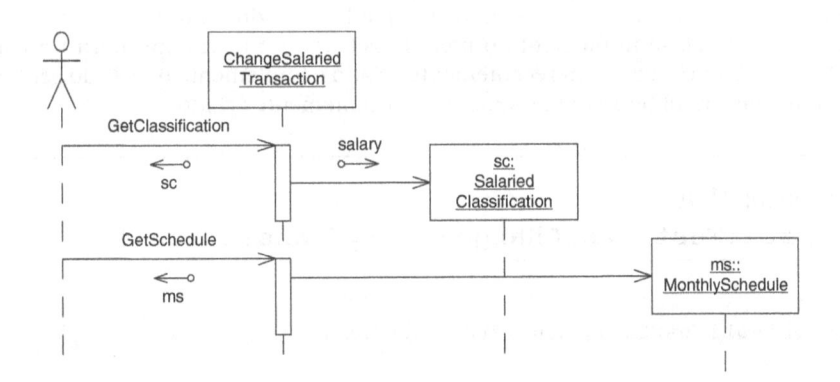

Figura 27-19
Modelo dinâmico de `ChangeSalariedTransaction`.

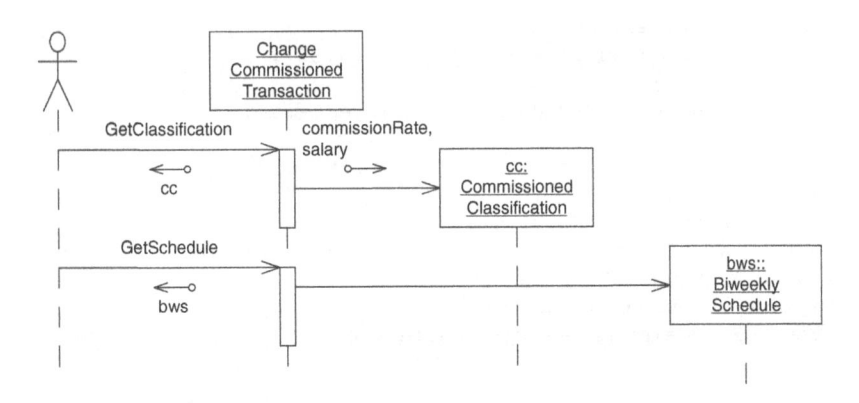

Figura 27-20
Modelo dinâmico de `ChangeCommissionedTransaction`.

A Listagem 27-16 mostra o caso de teste para ChangeHourlyTransaction. O caso de teste usa uma transação AddCommissionedEmployee para criar um funcionário comissionado e, então, cria uma transação ChangeHourlyTransaction e a executa. A transação busca o funcionário alterado e verifica se seu objeto PaymentClassification é HourlyClassification com o salário por hora adequado e se seu objeto PaymentSchedule é WeeklySchedule.

A Listagem 27-17 mostra a implementação da classe base abstrata ChangeClassificationTransaction. Mais uma vez, é fácil distinguir o padrão TEMPLATE METHOD. O método Change() chama os dois métodos get abstratos para as propriedades Classification e Schedule e usa os valores dessas propriedades para definir a classificação e a agenda (*schedule*) do objeto Employee.

A decisão de usar propriedades em vez de funções get foi tomada à medida que o código estava sendo escrito. Novamente, vemos a tensão entre os diagramas e o código.

A Listagem 27-18 mostra a implementação da classe ChangeHourlyTransaction. Essa classe completa o padrão TEMPLATE METHOD, implementando os métodos get das propriedades Classification e Schedule que herdou de ChangeClassificationTransaction. A classe implementa o método get Classification para retornar um objeto HourlyClassification recentemente criado e implementa o método get Schedule para retornar um objeto WeeklySchedule recentemente criado.

Listagem 27-16
PayrollTest.TestChangeHourlyTransaction()

```
[Test]
public void TestChangeHourlyTransaction()
{
  int empId = 3;
  AddCommissionedEmployee t =
    new AddCommissionedEmployee(
    empId, "Lance", "Home", 2500, 3.2);
  t.Execute();
  ChangeHourlyTransaction cht =
    new ChangeHourlyTransaction(empId, 27.52);
  cht.Execute();
  Employee e = PayrollDatabase.GetEmployee(empId);
  Assert.IsNotNull(e);
  PaymentClassification pc = e.Classification;
  Assert.IsNotNull(pc);
  Assert.IsTrue(pc is HourlyClassification);
  HourlyClassification hc = pc as HourlyClassification;
  Assert.AreEqual(27.52, hc.HourlyRate, .001);
  PaymentSchedule ps = e.Schedule;
  Assert.IsTrue(ps is WeeklySchedule);
}
```

Listagem 27-17
ChangeClassificationTransaction.cs

```csharp
namespace Payroll
{
  public abstract class ChangeClassificationTransaction
    : ChangeEmployeeTransaction
  {
    public ChangeClassificationTransaction(int id)
      : base (id)
    {}
    protected override void Change(Employee e)
    {
      e.Classification = Classification;
      e.Schedule = Schedule;
    }
    protected abstract
      PaymentClassification Classification { get; }
    protected abstract PaymentSchedule Schedule { get; }
  }
}
```

Listagem 27-18
ChangeHourlyTransaction.cs

```csharp
namespace Payroll
{
  public class ChangeHourlyTransaction
    : ChangeClassificationTransaction
  {
    private readonly double hourlyRate;
    public ChangeHourlyTransaction(int id, double hourlyRate)
      : base(id)
    {
      this.hourlyRate = hourlyRate;
    }
    protected override PaymentClassification Classification
    {
      get { return new HourlyClassification(hourlyRate); }
    }
    protected override PaymentSchedule Schedule
    {
      get { return new WeeklySchedule(); }
    }
  }
}
```

Como sempre, `ChangeSalariedTransaction` e `ChangeCommissionedTransaction` são deixados como exercício.

Um mecanismo semelhante é usado para a implementação de `ChangeMethodTransaction`. A propriedade abstrata `Method` é usada para selecionar a derivada correta de `PaymentMethod`, a qual é então enviada para o objeto `Employee` (consulte as Figuras 27-21 a 27-24).

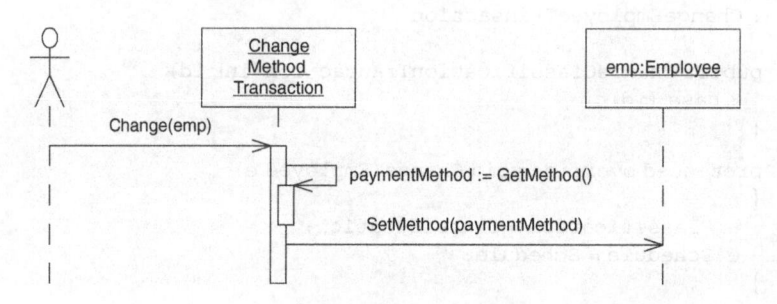

Figura 27-21
Modelo dinâmico de `ChangeMethodTransaction`.

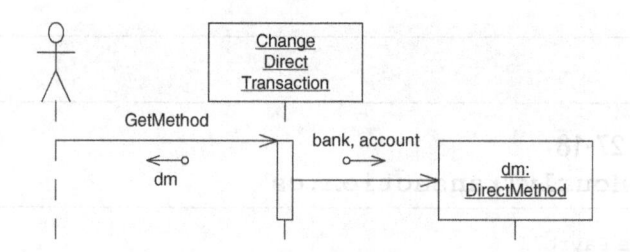

Figura 27-22
Modelo dinâmico de `ChangeDirectTransaction`.

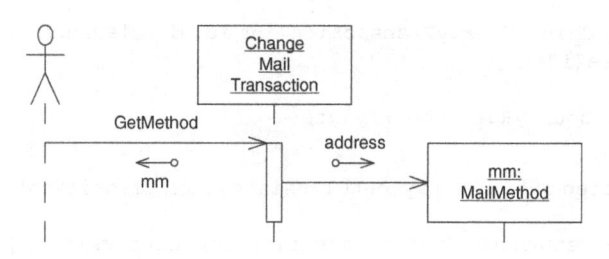

Figura 27-23
Modelo dinâmico de `ChangeMailTransaction`.

Figura 27-24
Modelo dinâmico de `ChangeHoldTransaction`.

A implementação dessas classes se mostrou simples e previsível. Elas também são deixadas como exercício.

A Figura 27-25 mostra a implementação de `ChangeAffiliationTransaction`. Mais uma vez, usamos o padrão TEMPLATE METHOD para selecionar a derivada de `Affiliation` que deve ser enviada para o objeto `Employee`. (Consulte as Figuras 27-26 a 27-28.)

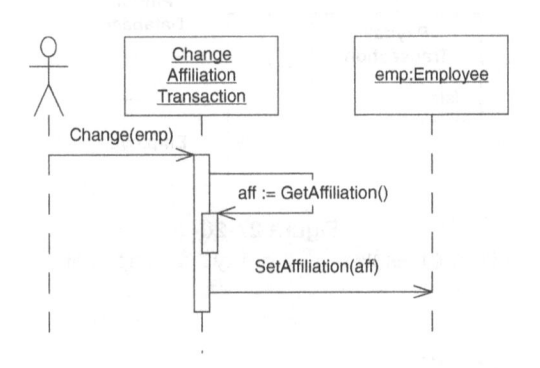

Figura 27-25
Modelo dinâmico de `ChangeAffiliationTransaction`.

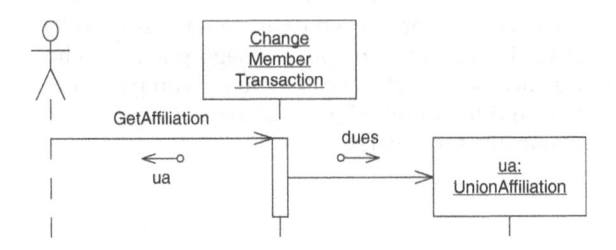

Figura 27-26
Modelo dinâmico de `ChangeMemberTransaction`.

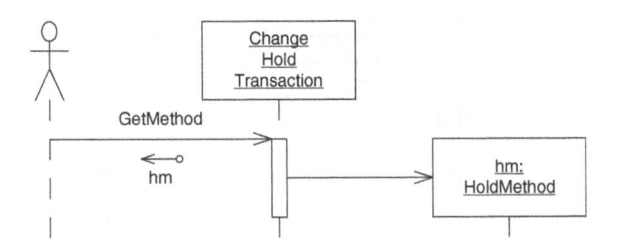

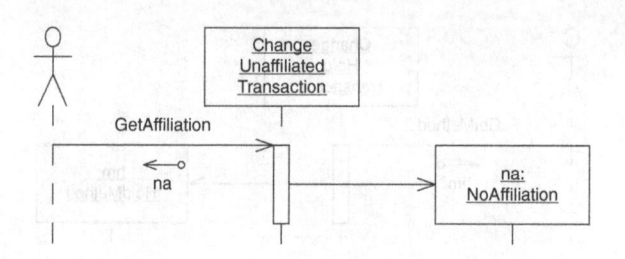

Figura 27-27
Modelo dinâmico de `ChangeUnaffiliatedTransaction`.

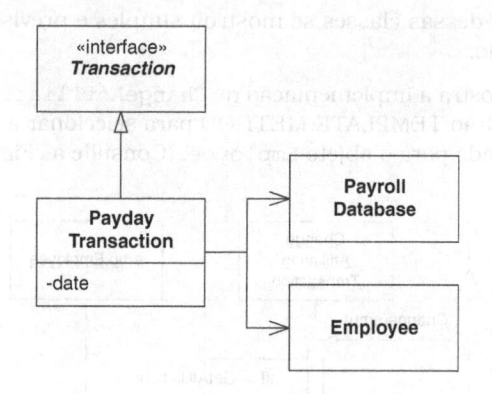

Figura 27-28
Modelo estático de `PaydayTransaction`.

O que eu estava fumando?

Fiquei bastante surpreso quando implementei esse projeto. Examine atentamente os diagramas dinâmicos das transações de afiliação. Você consegue identificar o problema?

Como sempre, comecei a implementação escrevendo o caso de teste de `ChangeMemberTransaction`. Você pode ver esse caso de teste na Listagem 27-19. O caso de teste começa muito simples. Ele cria um funcionário pago por hora chamado Bill e, depois, cria e executa uma transação `ChangeMemberTransaction` para colocar Bill no sindicato. Em seguida, ele verifica se Bill tem um objeto `UnionAffiliation` vinculado e se `UnionAffiliation` tem o valor das taxas correto.

> **Listagem 27-19**
> **PayrollTest.ChangeUnionMember()**
>
> ```
> [Test]
> public void ChangeUnionMember()
> {
>   int empId = 8;
>   AddHourlyEmployee t =
>     new AddHourlyEmployee(empId, "Bill", "Home", 15.25);
>   t.Execute();
>   int memberId = 7743;
>   ChangeMemberTransaction cmt =
>     new ChangeMemberTransaction(empId, memberId, 99.42);
>   cmt.Execute();
>   Employee e = PayrollDatabase.GetEmployee(empId);
>   Assert.IsNotNull(e);
>   Affiliation affiliation = e.Affiliation;
>   Assert.IsNotNull(affiliation);
>   Assert.IsTrue(affiliation is UnionAffiliation);
>   UnionAffiliation uf = affiliation as UnionAffiliation;
>   Assert.AreEqual(99.42, uf.Dues, .001);
>   Employee member =PayrollDatabase.GetUnionMember(memberId);
>   Assert.IsNotNull(member);
>   Assert.AreEqual(e, member);
> }
> ```

A surpresa está escondida nas últimas linhas do caso de teste. Essas linhas garantem que `PayrollDatabase` registrou a afiliação de Bill no sindicato. Nos diagramas UML existentes nada garante que isso aconteça. A UML está preocupada apenas com a derivada de `Affiliation` apropriada ser vinculada a `Employee`. Eu não havia reparado no que estava faltando, e você?

Codifiquei alegremente as transações de acordo com os diagramas, mas o teste de unidade falhou. Uma vez ocorrida a falha, era óbvio o que eu tinha esquecido. A solução para o problema, no entanto, não era óbvia. Como faço a afiliação ser registrada por `ChangeMemberTransaction`, mas apagada por `ChangeUnaffiliatedTransaction`?

A resposta foi adicionar a `ChangeAffiliationTransaction` outro método abstrato, chamado `RecordMembership(Employee)`. Essa função é implementada em `ChangeMemberTransaction` para vincular o objeto `memberId` à instância de `Employee`. Em `ChangeUnaffiliatedTransaction`, ela é implementada para apagar o registro de afiliação.

A Listagem 27-20 mostra a implementação resultante da classe base abstrata `ChangeAffiliationTransaction`. Novamente, o uso do padrão TEMPLATE METHOD é óbvio.

A Listagem 27-21 mostra a implementação de `ChangeMemberTransaction`. Ela não é muito complicada nem interessante. Por outro lado, a implementação de `ChangeUnaffiliatedTransaction`, na Listagem 27-22, é um pouco mais substancial. A função `RecordMembership` precisa decidir se o funcionário atual é membro do sindicato. Se for, ela obtém o objeto `memberId` de `UnionAffiliation` e apaga o registro de afiliação.

Listagem 27-20
ChangeAffiliationTransaction.cs

```
namespace Payroll
{
  public abstract class ChangeAffiliationTransaction :
      ChangeEmployeeTransaction
  {
    public ChangeAffiliationTransaction(int empId)
      : base(empId)
    {}

    protected override void Change(Employee e)
    {
      RecordMembership(e);
      Affiliation affiliation = Affiliation;
      e.Affiliation = affiliation;
    }

    protected abstract Affiliation Affiliation { get; }
    protected abstract void RecordMembership(Employee e);
  }
}
```

Listagem 27-21
ChangeMemberTransaction.cs

```
namespace Payroll
{
  public class ChangeMemberTransaction :
  ChangeAffiliationTransaction
  {
    private readonly int memberId;
    private readonly double dues;

    public ChangeMemberTransaction(
      int empId, int memberId, double dues)
      : base(empId)
    {
```

```csharp
      this.memberId = memberId;
      this.dues = dues;
    }
    protected override Affiliation Affiliation
    {
      get { return new UnionAffiliation(memberId, dues); }
    }
    protected override void RecordMembership(Employee e)
    {
      PayrollDatabase.AddUnionMember(memberId, e);
    }
  }
}
```

Listagem 27-22
ChangeUnaffiliatedTransaction.cs

```csharp
namespace Payroll
{
    public class ChangeUnaffiliatedTransaction
    : ChangeAffiliationTransaction
    {}
    public ChangeUnaffiliatedTransaction(int empId)
      : base(empId)
    {}
    protected override Affiliation Affiliation
    {
      get { return new NoAffiliation(); }
    }
    protected override void RecordMembership(Employee e)
    {
      Affiliation affiliation = e.Affiliation;
      if(affiliation is UnionAffiliation)
      {
        UnionAffiliation unionAffiliation =
          affiliation as UnionAffiliation;
        int memberId = unionAffiliation.MemberId;
        PayrollDatabase.RemoveUnionMember(memberId);
      }
    }
  }
}
```

Não posso dizer que estou contente com esse projeto. Incomoda-me o fato de `ChangeUnaffiliatedTransaction` precisar saber sobre `UnionAffiliation`. Eu poderia resolver isso colocando os métodos abstratos `RecordMembership` e `EraseMembership` na classe `Affiliation`. Contudo, isso forçaria `UnionAffiliation` e `NoAffiliation` a saber sobre `PayrollDatabase`. E não estou muito contente com isso também.[1]

Apesar disso, do modo como está, a implementação é bastante simples e viola o OCP apenas ligeiramente. O mais interessante é que poucos módulos do sistema sabem sobre `ChangeUnaffiliatedTransaction`, de modo que suas dependências extras não vão causar muitos danos.

Pagando os funcionários

Finalmente, é hora de considerar a transação que está na raiz desse aplicativo: a que instrui o sistema a pagar os funcionários apropriados. A Figura 27-28 mostra a estrutura estática da classe `PaydayTransaction`. As figuras 27-29 e 27-30 descrevem o comportamento dinâmico.

Os modelos dinâmicos expressam bastante comportamento polimórfico. O algoritmo utilizado pela mensagem `CalculatePay` depende do tipo de `PaymentClassification` que o objeto `Employee` contém. O algoritmo utilizado para determinar se uma data é um dia de pagamento depende do tipo de `PaymentSchedule` que `Employee` contém. O algoritmo utilizado para enviar o pagamento para `Employee` depende do tipo do objeto `PaymentMethod`. Esse alto grau de abstração permite que os algoritmos sejam fechados em relação à adição de novos tipos de classificações de pagamento, agendas, afiliações ou métodos de pagamento.

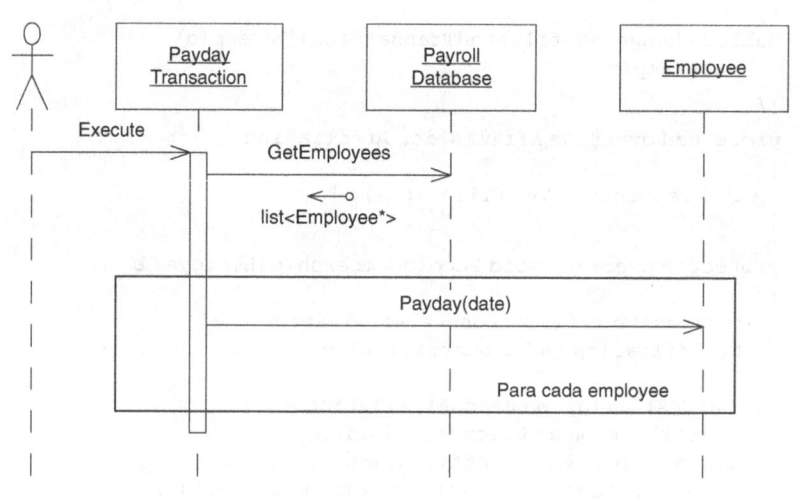

Figura 27-29
Modelo dinâmico de `PaydayTransaction`.

---

[1] Eu poderia usar o padrão VISITOR para resolver esse problema, mas isso provavelmente seria uma engenharia exagerada.

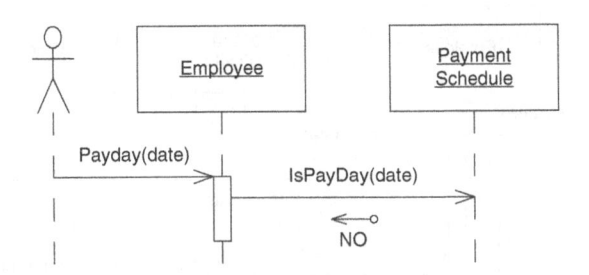

Figura 27-30
Cenário do modelo dinâmico: "o pagamento não é hoje".

Os algoritmos retratados na Figura 27-31 e na Figura 27-32 introduzem a noção de *lançamento*. Após o valor correto do pagamento ser calculado e enviado para `Employee`, o pagamento é lançado; isto é, os registros envolvidos no pagamento são atualizados. Assim, podemos definir o método `CalculatePay` como o que calcula o pagamento desde o último lançamento até a data especificada.

Desenvolvedores e decisões comerciais   De onde veio essa noção de lançamento? Ela certamente não foi mencionada nas histórias de usuário nem nos casos de uso. Na verdade, eu a criei como um modo de resolver um problema que percebi. Eu estava preocupado com o fato de que o método `Payday` poderia ser chamado várias vezes com a mesma data ou com uma data no mesmo período de pagamento; portanto, eu queria garantir que o funcionário não fosse pago mais de uma vez. Fiz isso de iniciativa própria, sem perguntar para meu cliente. Simplesmente parecia a coisa certa a fazer.

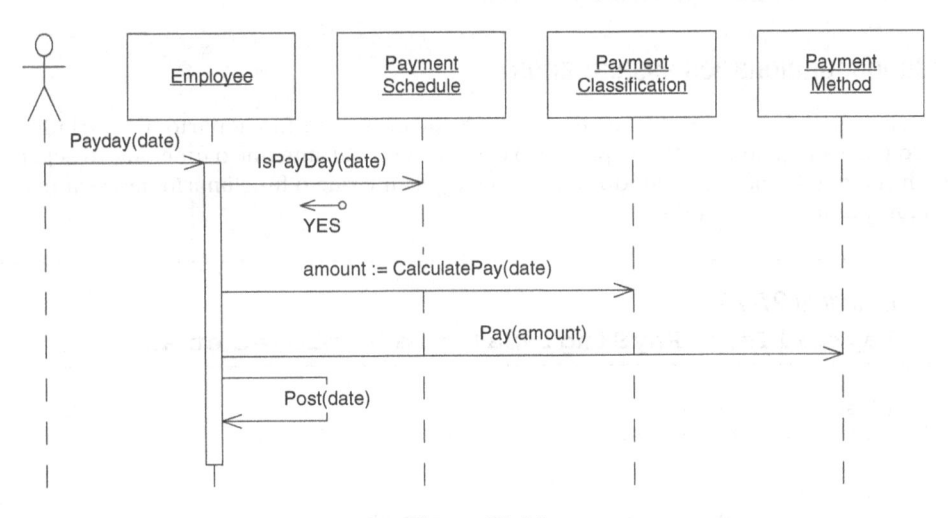

Figura 27-31
Cenário do modelo dinâmico: "o pagamento é hoje".

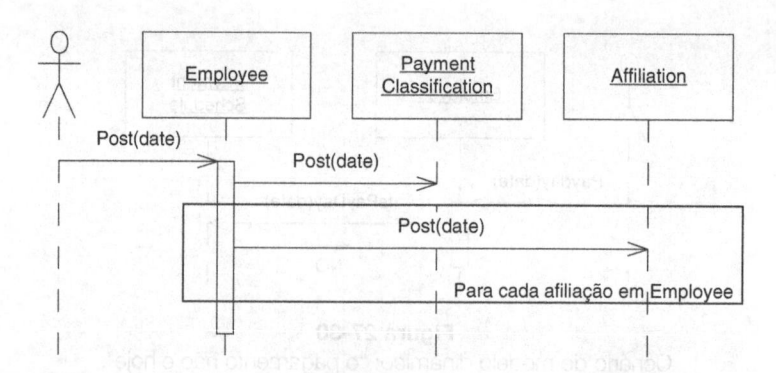

Figura 27-32
Cenário do modelo dinâmico: lançando o pagamento.

Na verdade, eu tomei uma decisão comercial, resolvendo que várias execuções do programa de folha de pagamentos deviam produzir resultados diferentes. Eu devia ter consultado meu cliente ou gerente de projeto, pois eles poderiam discordar.

Ao verificar com o cliente,[2] descobri que a ideia do lançamento era contrária ao seu objetivo. O cliente quer executar o sistema de folha de pagamentos e, então, examinar os cheques-salário. Se algum deles estiver errado, o cliente quer corrigir as informações da folha de pagamentos e executar o programa novamente. O cliente me diz que eu nunca devo considerar cartões de ponto ou recibos de venda de datas fora do período de pagamento atual.

Então, temos de nos livrar do esquema de lançamento. Pareceu uma boa ideia na ocasião, mas não era o que o cliente queria.

Pagando funcionários assalariados

Os dois casos de teste da Listagem 27-23 verificam se um funcionário assalariado está sendo pago adequadamente*. O primeiro caso de teste garante que o funcionário seja pago no último dia do mês. O segundo caso de teste garante que o funcionário não seja pago se não for o último dia do mês.

Listagem 27-23
PayrollTest.PaySingleSalariedEmployee et al.

```
[Test]
public void PaySingleSalariedEmployee()
{
  int empId = 1;
  AddSalariedEmployee t = new AddSalariedEmployee(
    empId, "Bob", "Home", 1000.00);
```

---

[2] Certo, o cliente sou eu.

* N. de R.T.: Nas listagens, *GrossPay*, *Deductions* e *NetPay* significam, respectivamente, salário bruto, deduções e salário líquido.

```
    t.Execute();
    DateTime payDate = new DateTime(2001, 11, 30);
    PaydayTransaction pt = new PaydayTransaction(payDate);
    pt.Execute();
    Paycheck pc = pt.GetPaycheck(empId);
    Assert.IsNotNull(pc);
    Assert.AreEqual(payDate, pc.PayDate);
    Assert.AreEqual(1000.00, pc.GrossPay, .001);
    Assert.AreEqual("Hold", pc.GetField("Disposition"));
    Assert.AreEqual(0.0, pc.Deductions, .001);
    Assert.AreEqual(1000.00, pc.NetPay, .001);
}

[Test]
public void PaySingleSalariedEmployeeOnWrongDate()
{
    int empId = 1;
    AddSalariedEmployee t = new AddSalariedEmployee(
      empId, "Bob", "Home", 1000.00);
    t.Execute();
    DateTime payDate = new DateTime(2001, 11, 29);
    PaydayTransaction pt = new PaydayTransaction(payDate);
    pt.Execute();
    Paycheck pc = pt.GetPaycheck(empId);
    Assert.IsNull(pc);
}
```

A Listagem 27-24 mostra a função `Execute()` de `PaydayTransaction`. Ela faz uma iteração em todos os objetos `Employee` do banco de dados, perguntando a cada funcionário se o dia que está nessa transação é sua data de pagamento. Se for, ela cria um novo cheque-salário para o funcionário e diz para que o funcionário preencha seus campos.

Listagem 27-24
PaydayTransaction.Execute()

```
public void Execute()
{
  ArrayList empIds = PayrollDatabase.GetAllEmployee    Ids();
  foreach(int empId in empIds)
  {
    Employee employee = PayrollDatabase.GetEmployee(empId);
    if (employee.IsPayDate(payDate)) {
      Paycheck pc = new Paycheck(payDate);
      paychecks[empId] = pc;
      employee.Payday(pc);
    }
  }
}
```

A Listagem 27-25 mostra `MonthlySchedule.cs`. Note que ela implementa `IsPayDate` para retornar `true` somente se o argumento date for o último dia do mês.

A Listagem 27-26 mostra a implementação de `Employee.PayDay()`. Essa função é o algoritmo genérico para calcular e enviar o pagamento de todos os funcionários. Observe o uso excessivo do padrão STRATEGY. Todos os cálculos detalhados são deixados para as classes de estratégia contidas: `classification`, `affiliation` e `method`.

Listagem 27-25
MonthlySchedule.cs

```csharp
using System;

namespace Payroll
{
  public class MonthlySchedule : PaymentSchedule
  {
    private bool IsLastDayOfMonth(DateTime date)
    {
      int m1 = date.Month;
      int m2 = date.AddDays(1).Month;
      return (m1 != m2);
    }
    public bool IsPayDate(DateTime payDate)
    {
      return IsLastDayOfMonth(payDate);
    }
  }
}
```

Listagem 27-26
Employee.Payday()

```csharp
public void Payday(Paycheck paycheck)
{
  double grossPay = classification.CalculatePay(paycheck);
  double deductions =
    affiliation.CalculateDeductions(paycheck);
  double netPay = grossPay - deductions;
  paycheck.GrossPay = grossPay;
  paycheck.Deductions = deductions;
  paycheck.NetPay = netPay;
  method.Pay(paycheck);
}
```

Pagando funcionários que recebem por hora

O pagamento dos funcionários que recebem por hora é um bom exemplo do incrementalismo do projeto com testes *a priori*. Comecei com casos de teste muito simples e evoluí para casos cada vez mais complexos. Mostrarei os casos de teste primeiro e depois o código de produção resultante.

A Listagem 27-27 mostra o caso mais simples. Adicionamos no banco de dados um funcionário pago por hora e, então, pagamos esse funcionário. Como não existem cartões de ponto, esperamos que o cheque-salário tenha o valor zero. A função utilitária `ValidateHourlyPaycheck` representa uma refatoração que aconteceu posteriormente. Inicialmente, esse código estava oculto dentro da função de teste. Esse caso de teste passou após retornar `true` de `WeeklySchedule.IsPayDate()`.

A Listagem 27-28 mostra dois casos de teste. O primeiro testa se podemos pagar um funcionário após adicionar um único cartão de ponto. O segundo testa se podemos pagar horas extras para um cartão que contenha mais de 8 horas. Evidentemente, não escrevi esses dois casos de teste ao mesmo tempo. Em vez disso, escrevi o primeiro, o fiz funcionar e depois escrevi o segundo.

Listagem 27-27
`PayrollTest.TestPaySingleHourlyEmployeeNoTimeCards()`

```
[Test]
public void PayingSingleHourlyEmployeeNoTimeCards()
{
  int empId = 2;
  AddHourlyEmployee t = new AddHourlyEmployee(
    empId, "Bill", "Home", 15.25);
  t.Execute();
  DateTime payDate = new DateTime(2001, 11, 9);
  PaydayTransaction pt = new PaydayTransaction(payDate);
  pt.Execute();
  ValidateHourlyPaycheck(pt, empId, payDate, 0.0);
}

private void ValidateHourlyPaycheck(PaydayTransaction pt,
  int empid, DateTime payDate, double pay)
{
  Paycheck pc = pt.GetPaycheck(empid);
  Assert.IsNotNull(pc);
  Assert.AreEqual(payDate, pc.PayDate);
  Assert.AreEqual(pay, pc.GrossPay, .001);
  Assert.AreEqual("Hold", pc.GetField("Disposition"));
  Assert.AreEqual(0.0, pc.Deductions, .001);
  Assert.AreEqual(pay, pc.NetPay, .001);
}
```

Listagem 27-28
PayrollTest.PaySingleHourlyEmployee...()

```
[Test]
public void PaySingleHourlyEmployeeOneTimeCard()
{
  int empId = 2;
  AddHourlyEmployee t = new AddHourlyEmployee(
    empId, "Bill", "Home", 15.25);
  t.Execute();
  DateTime payDate = new DateTime(2001, 11, 9); // Sexta-feira

  TimeCardTransaction tc =
    new TimeCardTransaction(payDate, 2.0, empId);
  tc.Execute();
  PaydayTransaction pt = new PaydayTransaction(payDate);
  pt.Execute();
  ValidateHourlyPaycheck(pt, empId, payDate, 30.5);
}

[Test]
public void PaySingleHourlyEmployeeOvertimeOneTimeCard()
{
  int empId = 2;
  AddHourlyEmployee t = new AddHourlyEmployee(
    empId, "Bill", "Home", 15.25);
  t.Execute();
  DateTime payDate = new DateTime(2001, 11, 9); // Sexta-feira

  TimeCardTransaction tc =
    new TimeCardTransaction(payDate, 9.0, empId);
  tc.Execute();
  PaydayTransaction pt = new PaydayTransaction(payDate);
  pt.Execute();
  ValidateHourlyPaycheck(pt, empId, payDate,
    (8 + 1.5)*15.25);
}
```

Fazer o primeiro caso de teste funcionar foi uma questão de alterar `HourlyClassification.CalculatePay` para fazer um loop pelos cartões de ponto do funcionário, somar as horas e multiplicar pela remuneração. Fazer o segundo teste funcionar me obrigou a alterar a função para calcular o salário fixo e as horas extras.

O caso de teste da Listagem 27-29 garante que não possamos pagar funcionários que recebem por hora a menos que `PaydayTransaction` seja construída com uma sexta-feira.

Listagem 27-29
PayrollTest.PaySingleHourlyEmployeeOnWrongDate()

```
[Test]
public void PaySingleHourlyEmployeeOnWrongDate()
{
  int empId = 2;
  AddHourlyEmployee t = new AddHourlyEmployee(
    empId, "Bill", "Home", 15.25);
  t.Execute();
  DateTime payDate = new DateTime(2001, 11, 8); // Quinta-feira

  TimeCardTransaction tc =
    new TimeCardTransaction(payDate, 9.0, empId);
  tc.Execute();
  PaydayTransaction pt = new PaydayTransaction(payDate);
  pt.Execute();

  Paycheck pc = pt.GetPaycheck(empId);
  Assert.IsNull(pc);
}
```

A Listagem 27-30 é um caso de teste que garante que possamos calcular o pagamento de um funcionário que tem mais de um cartão de ponto.

Listagem 27-30
PayrollTest.PaySingleHourlyEmployeeTwoTimeCards()

```
[Test]
public void PaySingleHourlyEmployeeTwoTimeCards()
{
  int empId = 2;
  AddHourlyEmployee t = new AddHourlyEmployee(
    empId, "Bill", "Home", 15.25);
  t.Execute();
  DateTime payDate = new DateTime(2001, 11, 9); // Sexta-feira

  TimeCardTransaction tc =
    new TimeCardTransaction(payDate, 2.0, empId);
  tc.Execute();
  TimeCardTransaction tc2 =
    new TimeCardTransaction(payDate.AddDays(-1), 5.0, empId);
  tc2.Execute();
  PaydayTransaction pt = new PaydayTransaction(payDate);
  pt.Execute();
  ValidateHourlyPaycheck(pt, empId, payDate, 7*15.25);
}
```

Por fim, o caso de teste da Listagem 27-31 mostra que só pagaremos um funcionário pelos cartões de ponto do período de pagamento atual. Os cartões de ponto de outros períodos de pagamento são ignorados.

Listagem 27-31
`PayrollTest.Test...WithTimeCardsSpanningTwoPayPeriods()`

```
[Test]
public void
TestPaySingleHourlyEmployeeWithTimeCardsSpanningTwoPayPeriods()
{
  int empId = 2;
  AddHourlyEmployee t = new AddHourlyEmployee(
    empId, "Bill", "Home", 15.25);
  t.Execute();
  DateTime payDate = new DateTime(2001, 11, 9); // Sexta-feira
  DateTime dateInPreviousPayPeriod =
    new DateTime(2001, 11, 2);

  TimeCardTransaction tc =
    new TimeCardTransaction(payDate, 2.0, empId);
  tc.Execute();
  TimeCardTransaction tc2 = new TimeCardTransaction(
    dateInPreviousPayPeriod, 5.0, empId);
  tc2.Execute();
  PaydayTransaction pt = new PaydayTransaction(payDate);
  pt.Execute();
  ValidateHourlyPaycheck(pt, empId, payDate, 2*15.25);
}
```

O código que faz tudo isso funcionar desenvolveu-se progressivamente, um caso de teste por vez. A estrutura que você vê no código a seguir evoluiu de um caso de teste para outro. A Listagem 27-32 mostra os fragmentos apropriados de `HourlyClassification.cs`. Simplesmente fazemos um loop pelos cartões de ponto. Para cada cartão, verificamos se ele está no período de pagamento. Se estiver, calculamos o pagamento que ele representa.

Listagem 27-32
`HourlyClassification.cs (fragmento)`

```
public double CalculatePay(Paycheck paycheck)
{
  double totalPay = 0.0;
  foreach(TimeCard timeCard in timeCards.Values)
  {
```

```
      if(IsInPayPeriod(timeCard, paycheck.PayDate))
        totalPay += CalculatePayForTimeCard(timeCard);
    }
    return totalPay;
  }
  private bool IsInPayPeriod(TimeCard card,
                             DateTime payPeriod)
  {
    DateTime payPeriodEndDate = payPeriod;
    DateTime payPeriodStartDate = payPeriod.AddDays(-5);
    return card.Date <= payPeriodEndDate &&
      card.Date >= payPeriodStartDate;
  }
  private double CalculatePayForTimeCard(TimeCard card)
  {
    double overtimeHours = Math.Max(0.0, card.Hours - 8);
    double normalHours = card.Hours - overtimeHours;
    return hourlyRate * normalHours +
      hourlyRate * 1.5 * overtimeHours;
  }
```

A Listagem 27-33 mostra que `WeeklySchedule` só paga nas sextas-feiras.

Listagem 27-33
WeeklySchedule.IsPayDate()

```
public bool IsPayDate(DateTime payDate)
{
  return payDate.DayOfWeek == DayOfWeek.Friday;
}
```

O cálculo do pagamento de funcionários comissionados é deixado como exercício. Não deverá haver grandes surpresas.

Períodos de pagamento: um problema de projeto Agora é hora de implementarmos as quotas e as taxas de serviço do sindicato. Estou contemplando um caso de teste que adicionará um funcionário assalariado, o converterá em membro do sindicato e, então, pagará o funcionário e garantirá que as quotas sejam descontadas do pagamento. A codificação aparece na Listagem 27-34.

Listagem 27-34
PayrollTest.SalariedUnionMemberDues()

```
[Test]
public void SalariedUnionMemberDues()
{
  int empId = 1;
  AddSalariedEmployee t = new AddSalariedEmployee(
    empId, "Bob", "Home", 1000.00);
  t.Execute();
  int memberId = 7734;
  ChangeMemberTransaction cmt =
    new ChangeMemberTransaction(empId, memberId, 9.42);
  cmt.Execute();
  DateTime payDate = new DateTime(2001, 11, 30);
  PaydayTransaction pt = new PaydayTransaction(payDate);
  pt.Execute();
  Paycheck pc = pt.GetPaycheck(empId);
  Assert.IsNotNull(pc);
  Assert.AreEqual(payDate, pc.PayDate);
  Assert.AreEqual(1000.0, pc.GrossPay, .001);
  Assert.AreEqual("Hold", pc.GetField("Disposition"));
  Assert.AreEqual(???, pc.Deductions, .001);
  Assert.AreEqual(1000.0 -???, pc.NetPay, .001);
}
```

Observe o ??? nas duas últimas linhas do caso de teste. O que devo colocar ali? As histórias de usuário me informam que as quotas do sindicato são semanais, mas os funcionários assalariados são pagos mensalmente. Quantas semanas existem em cada mês? Eu devo simplesmente multiplicar as quotas por 4? Isso não é muito preciso. Vou perguntar ao cliente o que ele quer.[3]

O cliente me diz que as quotas do sindicato vencem toda sexta-feira. Então, o que preciso fazer é contar o número de sextas-feiras no período de pagamento e multiplicar pelas quotas semanais. Existem cinco sextas-feiras em novembro de 2001, o mês para o qual o caso de teste foi escrito. Assim, posso modificar o caso de teste adequadamente.

Contar as sextas-feiras de um período de pagamento significa que preciso saber quais são as datas de início e fim desse período. Fiz esse cálculo antes, na função `IsInPayPeriod` da Listagem 27-32. (Você provavelmente escreveu um cálculo semelhante para `CommissionedClassification`.) Essa função é usada pela função `CalculatePay` do objeto `HourlyClassification` para garantir que apenas os cartões de ponto do período de pagamento sejam totalizados. Agora parece que o objeto `UnionAffiliation` também deve chamar essa função.

---

[3] E então Bob fala com ele mesmo novamente. Visite o site www.google.com/groups e procure "Schizophrenic Robert Martin" (Robert Martin esquizofrênico).

Mas, espere! O que essa função está fazendo na classe `HourlyClassification`? Já determinamos que a associação entre a agenda de pagamento e a classificação de pagamento é casual. A função que determina o período de pagamento deve estar na classe `PaymentSchedule` e não na classe `PaymentClassification`!

É interessante o fato de nossos diagramas UML não nos terem ajudado a vislumbrar esse problema. O problema só surgiu quando comecei a pensar sobre os casos de teste de `UnionAffiliation`. Esse é mais um exemplo do quanto é necessário, em qualquer projeto, obter um retorno (feedback) através do código. Os diagramas podem ser úteis, mas confiar neles sem um retorno a partir do código é um negócio arriscado.

Então, como obtemos o período de pagamento da hierarquia `PaymentSchedule` e nas hierarquias `PaymentClassification` e `Affiliation`? Essas hierarquias não sabem nada umas das outras. Tenho uma ideia a respeito disso. Poderíamos colocar as datas do período de pagamento no objeto `Paycheck`. No momento, `Paycheck` tem apenas a data final do período de pagamento. Devemos colocar ali a data de início também.

A Listagem 27-35 mostra a mudança feita em `PaydayTransaction.Execute()`. Note que, quando o objeto `Paycheck` é criado, são passadas as datas de início e fim do período de pagamento. Note também que é `PaymentSchedule` que calcula ambas. As mudanças em `Paycheck` devem ser óbvias.

As duas funções em `HourlyClassification` e `CommissionedClassification` que determinavam se objetos `TimeCard` e `SalesReceipt` estavam dentro do período de pagamento foram mescladas e movidas para a classe base `PaymentClassification`. Consulte a Listagem 27-36.

Listagem 27-35
PaydayTransaction.Execute()

```
public void Execute()
{
  ArrayList empIds = PayrollDatabase.GetAllEmployeeIds();
  foreach(int empId in empIds)
  {
    Employee employee = PayrollDatabase.GetEmployee(empId);
    if (employee.IsPayDate(payDate))
    {
      DateTime startDate =
        employee.GetPayPeriodStartDate(payDate);
      Paycheck pc = new Paycheck(startDate, payDate);
      paychecks[empId] = pc;
      employee.Payday(pc);
    }
  }
}
```

Listagem 27-36
PaymentClassification.IsInPayPeriod(...)

```
public bool IsInPayPeriod(DateTime theDate, Paycheck paycheck)
{
  DateTime payPeriodEndDate = paycheck.PayPeriodEndDate;
  DateTime payPeriodStartDate = paycheck.PayPeriodStartDate;
  return (theDate >= payPeriodStartDate)
    && (theDate <= payPeriodEndDate);
}
```

Agora estamos prontos para calcular as quotas para o sindicato do funcionário, em UnionAffiliation.CalculateDeductions. O código da Listagem 27-37 mostra como isso é feito. As duas datas que definem o período de pagamento são extraídas do cheque-salário e passadas para uma função utilitária que conta o número de sextas-feiras (*fridays*) entre elas. Então, esse número é multiplicado pelas alíquotas semanais (*dues*) para se calcular as quotas do período de pagamento.

Listagem 27-37
UnionAffiliation.CalculateDeductions(...)

```
public double CalculateDeductions(Paycheck paycheck)
{
  double totalDues = 0;
  int fridays = NumberOfFridaysInPayPeriod(
    paycheck.PayPeriodStartDate, paycheck.PayPeriodEndDate);
  totalDues = dues * fridays;
  return totalDues;
}

private int NumberOfFridaysInPayPeriod(
  DateTime payPeriodStart, DateTime payPeriodEnd)
{
  int fridays = 0;
  for (DateTime day = payPeriodStart;
    day <= payPeriodEnd; day.AddDays(1))
  {
    if (day.DayOfWeek == DayOfWeek.Friday)
      fridays++;
  }
  return fridays;
}
```

Os dois últimos casos de teste estão relacionados com taxas de serviço do sindicato. O primeiro caso de teste, mostrado na Listagem 27-38, certifica-se de que deduzimos as taxas de serviço adequadamente.

Listagem 27-38
PayrollTest.HourlyUnionMemberServiceCharge()

```
[Test]
public void HourlyUnionMemberServiceCharge()
{
  int empId = 1;
  AddHourlyEmployee t = new AddHourlyEmployee(
    empId, "Bill", "Home", 15.24);
  t.Execute();
  int memberId = 7734;
  ChangeMemberTransaction cmt =
    new ChangeMemberTransaction(empId, memberId, 9.42);
  cmt.Execute();
  DateTime payDate = new DateTime(2001, 11, 9);
  ServiceChargeTransaction sct =
    new ServiceChargeTransaction(memberId, payDate, 19.42);
  sct.Execute();
  TimeCardTransaction tct =
    new TimeCardTransaction(payDate, 8.0, empId);
  tct.Execute();
  PaydayTransaction pt = new PaydayTransaction(payDate);
  pt.Execute();
  Paycheck pc = pt.GetPaycheck(empId);
  Assert.IsNotNull(pc);
  Assert.AreEqual(payDate, pc.PayPeriodEndDate);
  Assert.AreEqual(8*15.24, pc.GrossPay, .001);
  Assert.AreEqual("Hold", pc.GetField("Disposition"));
  Assert.AreEqual(9.42 + 19.42, pc.Deductions, .001);
  Assert.AreEqual((8*15.24)-(9.42 + 19.42),pc.NetPay, .001);
}
```

O segundo caso de teste, que se revelou um problema para mim, aparece na Listagem 27-39. Esse caso de teste garante que as taxas de serviço com datas fora do período de pagamento atual não sejam deduzidas.

Listagem 27-39
PayrollTest.ServiceChargesSpanningMultiplePayPeriods()

```
[Test]
public void ServiceChargesSpanningMultiplePayPeriods()
{
  int empId = 1;
  AddHourlyEmployee t = new AddHourlyEmployee(
    empId, "Bill", "Home", 15.24);
```

```
        t.Execute();
        int memberId = 7734;
        ChangeMemberTransaction cmt =
          new ChangeMemberTransaction(empId, memberId, 9.42);
        cmt.Execute();
        DateTime payDate = new DateTime(2001, 11, 9);
        DateTime earlyDate =
          new DateTime(2001, 11, 2); // sexta-feira anterior
        DateTime lateDate =
          new DateTime(2001, 11, 16); // próxima sexta-feira
        ServiceChargeTransaction sct =
          new ServiceChargeTransaction(memberId, payDate, 19.42);
        sct.Execute();
        ServiceChargeTransaction sctEarly =
          new ServiceChargeTransaction(memberId,earlyDate,100.00);
        sctEarly.Execute();
        ServiceChargeTransaction sctLate =
          new ServiceChargeTransaction(memberId,lateDate,200.00);
        sctLate.Execute();
        TimeCardTransaction tct =
        new TimeCardTransaction(payDate, 8.0, empId);
        tct.Execute();
        PaydayTransaction pt = new PaydayTransaction(payDate);
        pt.Execute();
        Paycheck pc = pt.GetPaycheck(empId);
        Assert.IsNotNull(pc);
        Assert.AreEqual(payDate, pc.PayPeriodEndDate);
        Assert.AreEqual(8*15.24, pc.GrossPay, .001);
        Assert.AreEqual("Hold", pc.GetField("Disposition"));
        Assert.AreEqual(9.42 + 19.42, pc.Deductions, .001);
        Assert.AreEqual((8*15.24) - (9.42 + 19.42),
          pc.NetPay, .001);
      }
```

Para implementar isso, eu queria que `UnionAffiliation::CalculateDeductions` chamasse `IsInPayPeriod`. Infelizmente, acabamos de colocar `IsInPayPeriod` na classe `PaymentClassification`. (Consulte a Listagem 27-36.) Foi conveniente colocá-la ali, embora as derivadas de `PaymentClassification` é que precisassem chamá-la. Mas agora outras classes também precisam dela. Portanto, movi a função para uma classe `DateUtil`. Afinal, a função está apenas determinando se uma data específica está entre duas outras datas dadas. (Consulte a Listagem 27-40.)

Listagem 27-40
`DateUtil.cs`

```csharp
using System;

namespace Payroll
{
  public class DateUtil
  {
    public static bool IsInPayPeriod(
      DateTime theDate, DateTime startDate, DateTime endDate)
    {
      return (theDate >= startDate) && (theDate <= endDate);
    }
  }
}
```

Agora finalmente podemos concluir a função `UnionAffiliation::Calculate Deductions`. Faça isso como um exercício.

A Listagem 27-41 mostra a implementação da classe `Employee`.

Listagem 27-41
`Employee.cs`

```csharp
using System;

namespace Payroll
{
  public class Employee
  {
    private readonly int empid;
    private string name;
    private readonly string address;
    private PaymentClassification classification;
    private PaymentSchedule schedule;
    private PaymentMethod method;
    private Affiliation affiliation = new NoAffiliation();

    public Employee(int empid, string name, string address)
    {
      this.empid = empid;
      this.name = name;
      this.address = address;
    }

    public string Name
    {
      get { return name; }
```

```csharp
      set { name = value; }
    }

    public string Address
    {
      get { return address; }
    }

    public PaymentClassification Classification
    {
      get { return classification; }
      set { classification = value; }
    }

    public PaymentSchedule Schedule
    {
      get { return schedule; }
      set { schedule = value; }
    }

    public PaymentMethod Method
    {
      get { return method; }
      set { method = value; }
    }

    public Affiliation Affiliation
    {
      get { return affiliation; }
      set { affiliation = value; }
    }

    public bool IsPayDate(DateTime date)
    {
      return schedule.IsPayDate(date);
    }

    public void Payday(Paycheck paycheck)
    {
      double grossPay = classification.CalculatePay(paycheck);
      double deductions =
        affiliation.CalculateDeductions(paycheck);
      double netPay = grossPay - deductions;
      paycheck.GrossPay = grossPay;
      paycheck.Deductions = deductions;
      paycheck.NetPay = netPay;
      method.Pay(paycheck);
    }

    public DateTime GetPayPeriodStartDate(DateTime date)
    {
      return schedule.GetPayPeriodStartDate(date);
    }
  }
}
```

Programa principal

O programa principal da folha de pagamentos pode agora ser expresso como um loop que analisa transações de uma fonte de entrada e então as executa. As Figuras 27-33 e 27-34 descrevem a estática e a dinâmica do programa principal. O conceito é simples: `PayrollApplication` fica em um loop, solicitando alternadamente transações de `TransactionSource` e, então, pedindo a esses objetos `Transaction` que executem (`Execute`). Note que isso é diferente do diagrama da Figura 27-1 e representa uma mudança em nosso pensamento em direção a um mecanismo mais abstrato.

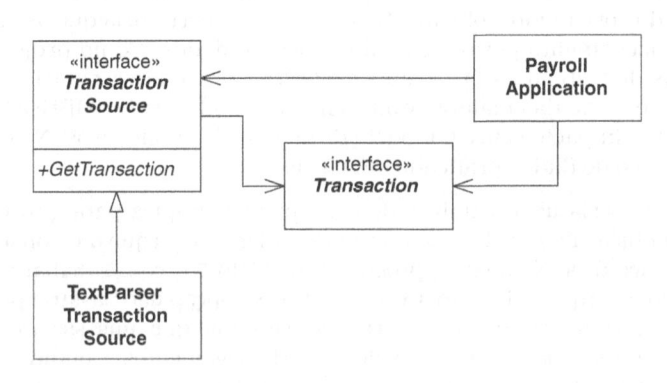

Figura 27-33
Modelo estático do programa principal.

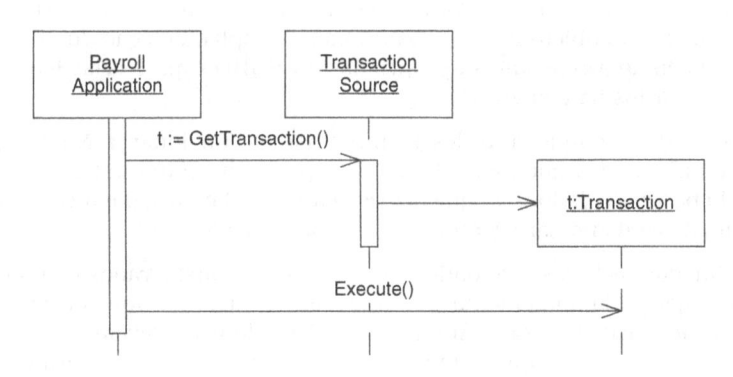

Figura 27-34
Modelo dinâmico do programa principal.

`TransactionSource` é uma interface que podemos implementar de várias maneiras. O diagrama estático mostra a derivada chamada `TextParserTransactionSource`, a qual lê um fluxo de texto recebido e analisa as transações, conforme descrito nos casos de uso. Então, esse objeto cria os objetos `Transaction` apropriados e os envia para `PayrollApplication`.

A separação entre interface e implementação em `TransactionSource` permite que a origem das transações varie. Por exemplo, poderíamos facilmente fazer a interface de `PayrollApplication` para uma `GUITransactionSource` ou para uma `RemoteTransactionSource`.

O banco de dados

Agora que a maior parte do aplicativo foi analisada, projetada e implementada, podemos considerar o papel do banco de dados. Claramente, a classe `PayrollDatabase` encapsula algo que envolve persistência. Os objetos contidos em `PayrollDatabase` devem viver mais tempo do que qualquer execução em particular do aplicativo. Como isso deve ser implementado? Evidentemente, o mecanismo transitório utilizado pelos casos de teste não é suficiente para o sistema real. Mas temos várias opções.

Poderíamos implementar `PayrollDatabase` usando um sistema de gerenciamento de banco de dados orientado a objetos (SGBDOO). Isso permitiria que os objetos ficassem dentro do armazenamento permanente do banco de dados. Como projetistas, teríamos um pouco mais de trabalho a fazer, pois o SGBDOO não acrescentaria muita novidade em nosso projeto. Uma das maiores vantagens dos produtos de SGBDOO é que eles têm pouco ou nenhum impacto sobre o modelo de objetos dos aplicativos. No que diz respeito ao projeto, o banco de dados praticamente não existe.[4]

Outra opção seria usar arquivos de texto planos simples para gravar os dados. Na inicialização, o objeto `PayrollDatabase` poderia ler esse arquivo e construir os objetos necessários na memória. No final do programa, o objeto `PayrollDatabase` poderia gravar uma nova versão do arquivo de texto. Certamente, essa opção não bastaria para uma empresa com centenas de milhares de funcionários ou para uma que quisesse acesso concorrente em tempo real para seu banco de dados de folha de pagamentos. Contudo, ela poderia ser suficiente para uma empresa menor e certamente poderia ser usada como um mecanismo para testar o restante das classes do aplicativo, sem se investir em um enorme sistema de banco de dados.

Ainda outra opção seria incorporar um sistema de gerenciamento de banco de dados relacional (SGBDR) ao objeto `PayrollDatabase`. A implementação do objeto `Payroll-Database` faria então as consultas apropriadas no SGBDR, para criar temporariamente os objetos necessários na memória.

O ponto é que qualquer um desses mecanismos funcionaria. Nosso aplicativo foi projetado de tal maneira que não sabe nem se preocupa com qual é a implementação subjacente do banco de dados. No que diz respeito ao aplicativo, o banco de dados é simplesmente um mecanismo para gerenciar o armazenamento.

Normalmente, os bancos de dados não devem ser considerados como um fator importante do projeto e da implementação. Conforme mostramos aqui, eles podem ser deixados por último e tratados como um detalhe.[5] Fazendo isso, deixamos abertas diversas opções interessantes para implementar a necessária persistência e para criar mecanismos para testar o restante do aplicativo. Também não nos vinculamos a uma tecnologia ou produto de banco de dados específico. Temos a liberdade de escolher o banco de da-

---

[4] Isso é otimismo. Em uma aplicação simples, como a folha de pagamentos, o uso de um SGBDOO teria pouco impacto no projeto do programa. À medida que as aplicações se tornam cada vez mais complicadas, o impacto que o SGBDOO tem sobre a aplicação aumenta. Apesar disso, o impacto é bem menor do que o de um SGBDR (banco de dados relacional).

[5] Às vezes, a natureza do banco de dados é um dos requisitos do aplicativo. Os SGBDRs oferecem poderosos sistemas de consulta e produção de relatórios que podem ser listados como requisitos do aplicativo. Contudo, mesmo quando tais requisitos são explícitos, os projetistas ainda devem desacoplar o projeto do aplicativo do projeto do banco de dados. O projeto do aplicativo não deve depender de qualquer tipo de banco de dados específico.

dos que precisarmos, com base no restante do projeto, e mantemos a liberdade de mudar ou substituir esse produto de banco de dados no futuro, conforme for necessário.

Conclusão

Com aproximadamente 32 diagramas nos capítulos 26 e 27, documentamos o projeto e a implementação do aplicativo de folha de pagamentos. O projeto utiliza uma grande quantidade de abstração e polimorfismo. O resultado é que grandes partes do projeto são fechadas em relação às mudanças de diretiva de folha de pagamentos. Por exemplo, o aplicativo poderia ser alterado para lidar com funcionários que recebessem trimestralmente, com base em um salário normal e um cronograma de bônus. Essa mudança exigiria *adição* ao projeto, mas pouco mudaria no projeto e no código existentes.

Durante este processo de projeto, raramente refletimos se estávamos fazendo análise, projeto ou implementação. Em vez disso, nos concentramos nos problemas de clareza e gerenciamento de dependências. Tentamos encontrar as abstrações subjacentes sempre que possível. O resultado é que temos um bom projeto para um aplicativo de folha de pagamentos e temos uma base de classes que são pertinentes ao domínio do problema como um todo.

Sobre este capítulo

Os diagramas deste capítulo são derivados dos diagramas de Booch do capítulo correspondente de meu livro de 1995.[6] Esses diagramas foram criados em 1994. À medida que os criei, também escrevi parte do código que os implementava para garantir que os diagramas fizessem sentido. Contudo, não escrevi nada que esteja próximo do tamanho do código apresentado aqui. Portanto, os diagramas não tiraram proveito das informações significativas do código e dos testes (feedback). Essa falta de feedback é visível.

Este capítulo aparece em meu livro de 2002.[7] Escrevi o código daquele capítulo em C++, na ordem apresentada aqui. Em todas as ocasiões, os casos de teste foram escritos antes do código de produção. Em muitos casos, esses testes foram criados progressivamente, evoluindo à medida que o código de produção também evoluía. O código de produção foi escrito de acordo com os diagramas, contanto que fizesse sentido. Em vários casos não fazia sentido; portanto, mudei o projeto do código.

Um dos primeiros lugares em que isso aconteceu foi quando decidi contra as múltiplas instâncias de `Affiliation` no objeto `Employee`. Outra foi quando descobri que não tinha considerado o registro da afiliação do funcionário no sindicato, em `ChangeMember-Transaction`.

Isso é normal. Quando você projetar sem feedback, sempre cometerá erros. Foi o feedback imposto pelos casos de teste e a execução do código que revelaram esses erros para nós.

Este capítulo foi transformado de C++ para C# por meu coautor, Micah Martin. Foi dada atenção especial às convenções e estilos da linguagem C#, para que o código não se tornasse C#++. (A versão final deste código pode ser encontrada em www.objectmentor.com/PPP/payroll.net.zip.) Os diagramas não foram alterados, exceto pela substituição de relacionamentos de composição por associações.

---

[6] [Martin1995].
[7] [Martin2002].

Bibliografia

[Jacobson92] Ivar Jacobson, *Object-Oriented Software Engineering: A Use Case Driven Approach*, Addison-Wesley, 1992.

[Martin1995] *Designing Object-Oriented C++ Aplications Using the Booch Method*, Prentice Hall, 1995.

[Martin2002] *Agile Software Development: Principles, Patterns, and Practices*, Prentice Hall, 2002.

Seção IV

EMPACOTANDO O SISTEMA DE FOLHA DE PAGAMENTOS

Nesta seção, exploraremos os princípios de projeto que nos ajudam a dividir um sistema de software grande em pacotes. O Capítulo 28 discute esses princípios. O Capítulo 29 descreve um padrão que usaremos para melhorar a estrutura de empacotamento. O Capítulo 30 mostra como os princípios e o padrão podem ser aplicados no sistema de folha de pagamentos.

Capítulo 28

PRINCÍPIOS DE PROJETO DE PACOTES E COMPONENTES

Lindo pacote.

— Anthony

À medida que o tamanho e a complexidade dos aplicativos de software aumentam, é necessário algum tipo de organização de alto nível. As classes são ótimas unidades para organizar pequenos aplicativos, mas têm uma granulação fina demais para serem usadas como unidade organizacional única para aplicativos grandes. É necessário algo "maior" do que uma classe para organizar aplicativos grandes. Esse algo é chamado *pacote* ou *componente*.

Pacotes e componentes

O termo *pacote* tem inúmeros significados em software. Para nossos propósitos, focamos um tipo específico de pacote, frequentemente chamado de *componente*. Um componente é uma unidade *binária* que pode ser entregue de modo independente. Em .NET, os componentes costumam ser chamados de *assemblies* e são mantidos dentro de DLLs.

Como elementos fundamentalmente importantes de sistemas de software grandes, os componentes permitem que tais sistemas sejam decompostos em entregáveis binários menores. Se as dependências entre os componentes são bem gerenciadas, é possível corrigir erros e adicionar funcionalidades implantando novamente apenas os componentes que foram alterados. Mais importante, *o projeto de sistemas grandes depende essencialmente do bom projeto de componentes*, de modo que as equipes individuais podem se concentrar em componentes isolados, em vez de se preocuparem com o sistema inteiro.

Na UML, os pacotes podem ser usados como contêineres para grupos de classes. Esses pacotes podem representar subsistemas, bibliotecas ou componentes. Ao agrupar classes em pacotes, podemos raciocinar sobre o projeto em um nível de abstração mais alto. Se esses pacotes são componentes, podemos usá-los para gerenciar o desenvolvimento e a distribuição do software. Nosso objetivo neste capítulo é aprender a dividir as classes de um aplicativo de acordo com alguns critérios e, então, distribuir as classes dessas divisões em componentes que podem ser implantados independentemente.

Porém, as classes frequentemente têm dependências em relação a outras classes e essas dependências muitas vezes ultrapassam os limites do componente. Assim, os componentes terão relacionamentos de dependência entre si. Os relacionamentos entre os componentes expressam a organização de alto nível do aplicativo e precisam ser gerenciados.

Isso levanta algumas questões:

1. Quais são os princípios para alocar classes em componentes?
2. Quais princípios de projeto governam os relacionamentos entre os componentes?
3. Os componentes devem ser projetados antes das classes (de cima para baixo)? Ou as classes devem ser projetadas antes dos componentes (de baixo para cima)?
4. Como os componentes são representados fisicamente? Em C#? No ambiente de desenvolvimento?
5. Uma vez criados, com que objetivo colocaremos esses componentes?

Este capítulo descreve seis princípios para gerenciar o conteúdo e os relacionamentos entre componentes. Os três primeiros, princípios de coesão de pacotes, nos ajudam a alocar classes em pacotes. Os três últimos princípios governam o acoplamento de pacotes e nos ajudam a determinar como os pacotes devem estar relacionados. Os dois últimos princípios também descrevem um conjunto de *métricas de gerenciamento de dependências* que permitem aos desenvolvedores avaliar e caracterizar a estrutura de dependência de seus projetos.

Princípios da coesão de componentes: granularidade

Os princípios da coesão de componentes ajudam os desenvolvedores a decidir como vão dividir as classes nos componentes. Esses princípios dependem do fato de pelo menos algumas das classes e suas inter-relações terem sido descobertas. Assim, esses princípios adotam uma visão de baixo para cima da divisão.

Princípio da Equivalência Reutilização/Entrega (REP)

> O grânulo da reutilização é o grânulo da entrega.

O que esperar do autor de uma biblioteca de classes que você está pretendendo reutilizar? Certamente, boa documentação, código que funcione, interfaces bem especificadas etc. Mas você quer mais.

Primeiro, para fazer valer o tempo de reutilizar o código, você quer que o autor garanta que vai mantê-lo. Afinal, se você tiver que manter, vai precisar investir nisso uma grande quantidade de tempo, tempo que poderia ser mais bem gasto projetando do zero um componente menor e melhor.

Segundo, você vai querer que o autor o avise sobre qualquer mudança planejada na interface e na funcionalidade do código. Mas avisar não é suficiente. Você deve poder se recusar a utilizar novas versões. Afinal, o autor poderia introduzir uma nova versão exatamente em um momento de entrega no cronograma ou poderia fazer alterações no código incompatíveis com seu sistema.

Seja qual for o caso, se você decidir rejeitar essa versão, o autor deve garantir o suporte para uso da versão antiga durante algum tempo. Esse tempo pode ser de apenas três meses ou de até um ano; isso vocês dois podem negociar. Mas o autor não pode simplesmente abandoná-lo e se recusar a dar suporte. Se ele não concordar em dar suporte para o uso de versões mais antigas, talvez você tenha que pensar duas vezes se quer utilizar esse código e ficar sujeito às alterações imprevisíveis do autor.

Essa é uma questão prioritariamente política. Ela tem a ver com o trabalho administrativo e de suporte que precisa ser fornecido se outras pessoas vão reutilizar código. Mas essas questões políticas e administrativas têm um efeito profundo sobre a estrutura de empacotamento do software. Para dar as garantias que os usuários precisam, os autores organizam seu software em componentes reutilizáveis e, então, controlam esses componentes com números de entrega (*release numbers*).

Assim, o REP declara que o grânulo da reutilização, um componente, não pode ser menor do que o grânulo da entrega. Tudo que reutilizamos também deve ser entregue e controlado. Não é realista um desenvolvedor simplesmente escrever uma classe e então dizer que ela é reutilizável. A reutilização só vem depois que um sistema de controle está em vigor e oferece as garantias de notificação, segurança e suporte de que todos os usuários em potencial precisarão.

O REP nos dá a primeira indicação sobre como dividir nosso projeto em componentes. Como a capacidade de reutilização deve ser baseada em componentes, os componentes reutilizáveis devem conter classes reutilizáveis. Portanto, pelo menos alguns componentes devem conter conjuntos de classes reutilizáveis.

Parece preocupante uma força política afetar a divisão de nosso software, mas software não é uma entidade matematicamente pura que pode ser estruturada de acordo com regras matematicamente puras. Software é um produto humano que dá suporte a esforços humanos. O software é criado e usado por seres humanos. E se o software vai ser reutilizado, ele deve ser dividido de uma maneira que os seres humanos achem conveniente para esse propósito.

O que isso nos diz a respeito da estrutura interna de um componente? Deve-se considerar o conteúdo interno do ponto de vista dos usuários em potencial. Se um componente contém software que vai ser reutilizado, ele não deve conter também software que não foi projetado para reutilização. *Ou todas as classes de um componente são reutilizáveis ou nenhuma delas é.*

Além disso, o critério não é simplesmente a capacidade de reutilização; também devemos considerar quem é a pessoa que vai reutilizar. Certamente, uma biblioteca de classes contêiner é reutilizável, assim como um framework financeiro. Mas não desejaríamos que eles fizessem parte do mesmo componente, pois muitas pessoas que gostariam de reutilizar uma biblioteca de classes contêiner não teriam nenhum interesse em um framework financeiro. Assim, queremos que todas as classes de um componente sejam reutilizadas pelo mesmo público. Não queremos que um grupo de pessoas ache que um componente consiste em algumas classes necessárias e outro grupo ache que elas são totalmente inadequadas.

Princípio da Reutilização Comum (CRP)

> As classes de um componente são reutilizadas juntas. Se você reutiliza uma das classes de um componente, reutiliza todas elas.

Esse princípio nos ajuda a decidir quais classes devem ser colocadas em um componente. O CRP declara que as classes que tendem a ser reutilizadas juntas pertencem ao mesmo componente.

As classes raramente são reutilizadas de maneira isolada. Em geral, as classes reutilizáveis colaboram com outras classes que fazem parte da abstração reutilizável. O CRP diz que essas classes pertencem ao mesmo componente. Em tal componente, esperaríamos ver classes que tivessem muitas dependências entre si. Um exemplo simples poderia ser uma classe contêiner e suas iteradoras associadas. Essas classes são reutilizadas juntas porque são fortemente acopladas. Assim, elas devem estar no mesmo componente.

Porém, o CRP nos diz mais do que simplesmente quais classes devem ser colocadas juntas em um componente. Ele também nos diz quais classes *não* devem ser colocadas no componente. Quando um componente usa outro, é criada uma dependência entre eles. Pode ser que o componente que está usando outro utilize apenas uma classe dentro do componente usado. Contudo, isso não enfraquece a dependência. O componente que está usando outro ainda depende do componente usado. Sempre que o componente usado é entregue, o componente que o está usando deve ser revalidado e reentregue. Isso é verdade mesmo que o componente usado esteja sendo entregue devido a alterações em uma classe pela qual o componente que o está utilizando não se interessa.

Além disso, é comum os componentes existirem em DLLs. Se o componente usado é entregue como uma DLL, o código que o está utilizando depende da DLL inteira. Qualquer modificação nessa DLL, mesmo que seja em uma classe pela qual o código que a está utilizando não se interesse, ainda fará com que uma nova versão da DLL seja entregue. A nova DLL ainda terá que ser implantada novamente e o código que a está usando ainda terá que ser revalidado.

Assim, quero garantir que, quando depende de um componente, depende de todas as classes que estão nesse componente. Para dizer isso de outra maneira, quero garantir que as classes que coloco em um componente sejam inseparáveis, que seja impossível depender de algumas e não das outras. Caso contrário, estarei revalidando e implantando novamente mais do que é necessário e estarei desperdiçando esforço significativo.

Portanto, o CRP nos diz mais sobre quais classes não devem estar juntas do que sobre quais devem estar. O CRP diz que as classes que não estão fortemente vinculadas umas às outras com relacionamentos de classe não devem estar no mesmo componente.

Princípio do Fechamento Comum (CCP)

> As classes de um componente devem ser fechadas em relação aos mesmos tipos de mudanças. Uma mudança que afete um componente afeta todas as classes desse componente e de nenhum outro.

Esse é o Princípio da Responsabilidade Única (SRP) reformulado para componentes. Assim como o SRP diz que uma classe não deve conter vários motivos para mudar, o CCP diz que um componente não deve ter vários motivos para mudar.

Na maioria dos aplicativos, a capacidade de manutenção é mais importante do que a capacidade de reutilização. Se o código de um aplicativo vai mudar, é melhor que as alterações ocorram todas em apenas um componente, em vez de serem distribuídas por muitos componentes. Se as alterações se concentram em um único componente, precisamos entregar novamente apenas o componente modificado. Outros componentes que não dependem do componente alterado não precisam ser revalidados ou entregues novamente.

O CCP nos avisa para reunirmos em um só lugar todas as classes que provavelmente mudarão pelos mesmos motivos. Se duas classes são tão fortemente vinculadas (física ou conceitualmente) que sempre mudam juntas, elas pertencem ao mesmo componente. Isso minimiza a carga de trabalho relacionada à entrega, à revalidação e à redistribuição do software.

Esse princípio está intimamente associado ao Princípio do Aberto/Fechado (OCP). Isso por causa do "fechamento", no sentido OCP da palavra, com que esse princípio está lidando. O OCP declara que as classes devem ser fechadas para modificação, mas abertas para ampliação. Porém, conforme aprendemos, 100% de fechamento não é atingível. O fechamento deve ser estratégico. Projetamos nossos sistemas de modo que sejam fechados para os tipos de alterações mais comuns que temos praticado.

O CCP amplia isso, agrupando nos mesmos componentes classes que são abertas para certos tipos de alterações. Assim, quando aparece uma mudança nos requisitos, essa mudança tem uma boa chance de ficar restrita a um número mínimo de componentes.

Resumo da coesão de componentes

Antigamente, nossa visão de coesão era muito mais simples. Costumávamos pensar que coesão era simplesmente a característica de um módulo executar uma e apenas uma função. Contudo, os três princípios de coesão de componentes descrevem um tipo de coesão muito mais complexo. Ao escolhermos as classes que serão agrupadas em um componente, devemos considerar as forças opostas envolvidas na capacidade de reutilização e de desenvolvimento.

Equilibrar essas forças com as necessidades do aplicativo não é fácil. Além disso, o equilíbrio quase sempre é dinâmico. Isto é, a divisão que é adequada hoje pode não ser no próximo ano. Assim, a composição do componente provavelmente será instável e evoluirá com o tempo, à medida que o enfoque do projeto mudar da capacidade de desenvolvimento para a capacidade de reutilização.

Princípios do acoplamento de componentes: estabilidade

Os próximos três princípios tratam dos relacionamentos entre componentes. Aqui, novamente, vamos nos deparar com a tensão entre a capacidade de desenvolvimento e o projeto lógico. As forças que afetam a arquitetura de uma estrutura de componentes são técnicas, políticas e voláteis.

Princípio das Dependências Acíclicas (ADP)

> Não permita ciclos no grafo de dependência de componentes.

Você já passou pela experiência de ter trabalhado um dia inteiro e, na manhã seguinte, descobrir que tudo o que fez não funciona mais? Por que não funciona? Porque alguém ficou até mais tarde e alterou alguma coisa de que você dependia! Chamo isso de "a síndrome da manhã seguinte".

Essa síndrome ocorre em ambientes de desenvolvimento nos quais muitos desenvolvedores estão modificando os mesmos arquivos-fonte. Em projetos relativamente pequenos, com apenas alguns desenvolvedores, esse problema não é muito sério. Mas à medida que o tamanho do projeto e da equipe de desenvolvimento aumenta, as manhãs seguintes podem se tornar um pesadelo. Não é incomum passarem-se semanas sem que se seja capaz de compilar uma versão estável do projeto. Em vez disso, todos mudam o código o tempo inteiro, tentando fazê-lo funcionar com as últimas alterações que alguém fez.

Nas últimas décadas surgiram duas soluções para esse problema: a compilação semanal e o ADP. As duas soluções são provenientes do setor das telecomunicações.

A compilação semanal A compilação (*build*) semanal é comum em projetos de tamanho médio. Ela funciona assim: nos quatro primeiros dias da semana, os desenvolvedores ignoram-se uns aos outros. Eles trabalham em cópias pessoais do código sem se preocupar com a integração com o código dos outros. No quinto dia, sexta-feira, eles integram todas as suas alterações e compilam o sistema. Isso tem a formidável vantagem de permitir que os desenvolvedores vivam em um mundo isolado durante quatro dos cinco dias de trabalho. A desvantagem, evidentemente, é o grande esforço de integração na sexta-feira.

Infelizmente, à medida que o projeto cresce, torna-se quase impossível concluir a integração na sexta-feira. O trabalho de integração aumenta e se estende até o sábado. Poucos sábados são suficientes para convencer os desenvolvedores de que a integração deve começar na quinta-feira. E assim o início da integração passa para o meio da semana.

À medida que o ciclo de trabalho de desenvolvimento *versus* integração diminui, a eficiência da equipe também diminui. A frustração diante desse problema leva os desenvolvedores ou os gerentes de projeto a alterar o cronograma para uma compilação quinzenal. O tempo de integração, no entanto, continua a crescer com o tamanho do projeto.

Finalmente, instaura-se uma crise. Para manter a eficiência, o cronograma de compilação precisa ser constantemente alongado, o que aumenta os riscos do projeto. A integração e os testes se tornam cada vez mais difíceis e a equipe perde a vantagem do retorno rápido.

Eliminando ciclos de dependência A solução para esse problema é dividir o ambiente de desenvolvimento em componentes que possam ser liberados. Os componentes se tornam unidades de trabalho que podem estar sob a responsabilidade de um desenvolvedor ou de uma equipe de desenvolvedores. Quando os desenvolvedores conseguem fazer um componente funcionar, eles o liberam para uso por outros desenvolvedores. Eles dão ao componente um número de versão, o colocam em um diretório para outras equipes usarem e continuam a modificar seu componente em suas próprias áreas. Todos os demais utilizam a versão liberada.

À medida que novas versões de um componente são feitas, outras equipes podem decidir se vão adotar a nova versão imediatamente. Se optarem por não adotar, elas simplesmente continuam a usar a versão antiga. Quando decidirem que estão prontas, passam a usar a nova versão.

Assim, nenhuma das equipes fica à mercê das outras. As mudanças feitas em um componente não precisam ter um efeito imediato nas outras equipes. Cada equipe pode decidir por si mesma quando vai adaptar seu componente às novas versões dos componentes que utiliza. Além disso, a integração acontece em pequenos incrementos. Não existe um ponto único no qual todos os desenvolvedores devem reunir-se e integrar tudo o que estão fazendo.

Esse é um processo simples e racional, e, portanto, muito utilizado. Contudo, para fazê-lo funcionar, você precisa *gerenciar* a estrutura de dependência dos componentes. *Não pode haver ciclos*. Se houver ciclos na estrutura de dependência, a síndrome da manhã seguinte não poderá ser evitada.

Considere o diagrama de componentes da Figura 28-1. Vemos aqui uma estrutura de componentes bastante comum, montada em um aplicativo. A função desse aplicativo não é importante para os objetivos deste exemplo. O que *é* importante é a estrutura de dependência dos componentes. Note que essa estrutura é um *grafo direcionado*. Os componentes são os *nós* e os relacionamentos de dependência são as *linhas de conexão com direção*.

Observe também que, independentemente de qual componente você comece, é impossível seguir os relacionamentos de dependência e retornar a esse componente. Essa estrutura não tem ciclos. Ela é um *grafo acíclico direcionado* (DAG – Directed Acyclic Graph).

Agora, veja o que acontece quando a equipe responsável por `MyDialogs` faz uma nova versão de seu componente. É fácil descobrir quem é afetado por essa versão; basta seguir as setas de dependência de trás para diante. Assim, `MyTasks` e `MyApplication` serão ambos afetados. Os desenvolvedores que estão trabalhando nesses componentes terão que decidir quando deverão integrar a nova versão de `MyDialogs`.

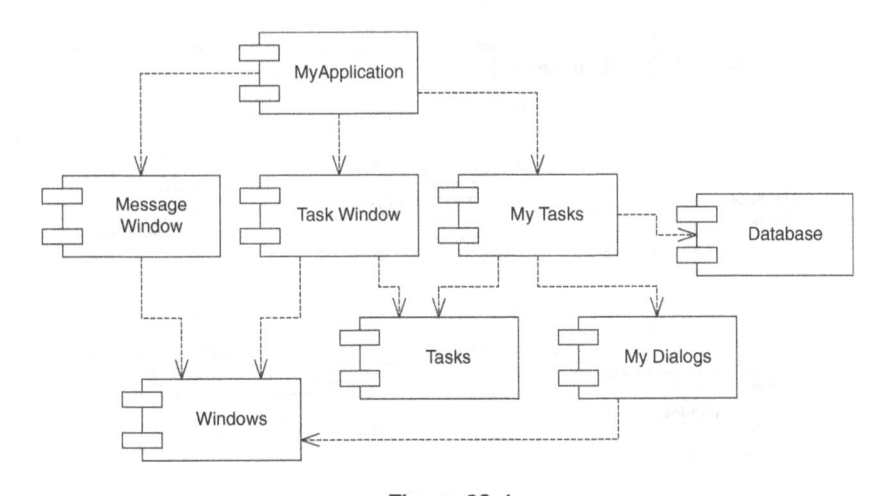

Figura 28-1
Estruturas de componentes representam um grafo acíclico direcionado.

Quando é liberado, `MyDialogs` não tem efeito em muitos dos outros componentes do sistema. Eles nada sabem sobre `MyDialogs` e não reparam quando ele muda. Isso significa que o impacto da liberação de `MyDialogs` é relativamente pequeno.

Quando os desenvolvedores que estão trabalhando no componente `MyDialogs` quiserem fazer um teste com ele, precisarão apenas compilar sua versão de `MyDialogs` com a versão do componente `Windows` que estiverem utilizando no momento. Nenhum dos outros componentes do sistema precisa ser envolvido. Isso é ótimo. Significa que os desenvolvedores que estão trabalhando em `MyDialogs` terão relativamente pouco a fazer para configurar um teste e terão relativamente poucas variáveis a considerar.

A entrega do sistema inteiro é feita de baixo para cima. Primeiro, o componente `Windows` é compilado, testado e liberado, seguido de `MessageWindow` e `MyDialogs`, então `Task` e, em seguida, `TaskWindow` e `Database`. `MyTasks` é o próximo e, finalmente, `MyApplication`. Esse processo é muito claro e fácil de lidar. Sabemos como construir o sistema porque entendemos as dependências entre suas partes.

O efeito de um ciclo no grafo de dependência de componentes Digamos que um novo requisito nos obrigue a alterar uma das classes em `MyDialogs`, de modo que ela utilize uma classe de `MyApplication`. Isso cria um ciclo de dependência, como mostrado no diagrama de componentes da Figura 28-2.

Esse ciclo gera alguns problemas imediatos. Por exemplo, os desenvolvedores que estão trabalhando no componente `MyTasks` sabem que, para liberar, precisam ser compatíveis com `Tasks`, `MyDialogs`, `Database` e `Windows`. Contudo, com o ciclo em vigor, agora eles também precisam ser compatíveis com `MyApplication`, `TaskWindow` e `MessageWindow`. Ou seja, `MyTasks` depende agora de *todos os outros componentes do sistema*. Isso torna muito difícil liberar `MyTasks`. `MyDialogs` sofre do mesmo problema. Na verdade, o ciclo obriga `MyApplication`, `MyTasks` e `MyDialogs` a sempre serem entregues ao mesmo tempo; eles se tornaram um único componente grande. Todos os desenvolvedores que estão trabalhando em qualquer um desses componentes experimentarão a síndrome da manhã seguinte mais uma vez. Uns passarão por cima dos outros, pois todos eles precisam usar exatamente a mesma versão dos componentes dos outros.

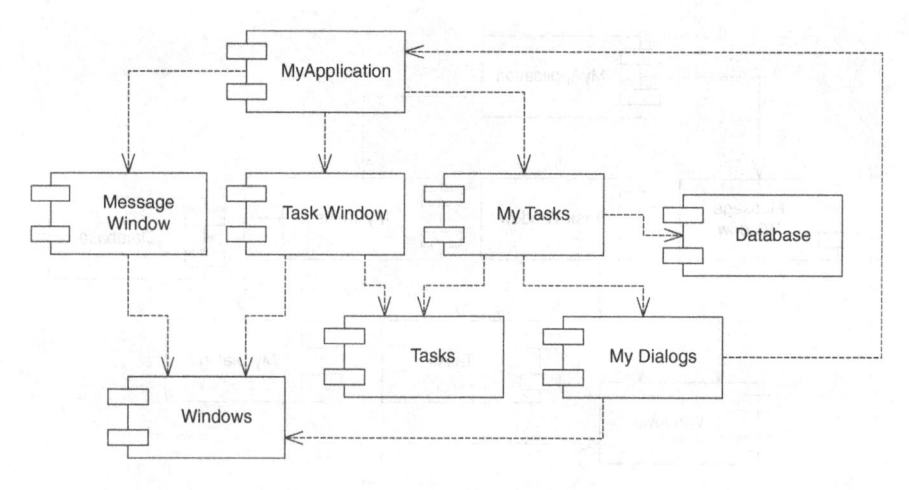

Figura 28-2
Um diagrama de componentes com um ciclo.

PRINCÍPIOS DE PROJETO DE PACOTES E COMPONENTES   **435**

E isso é apenas parte do problema. Considere o que acontece quando queremos testar o componente `Mydialogs`. Descobrimos que precisamos referenciar todos os outros componentes do sistema, incluindo o componente `Database`. Ou seja, precisamos fazer uma *compilação total* apenas para testar `MyDialogs`, o que é intolerável.

Você já se perguntou por que precisa referenciar tantas bibliotecas diferentes e tantas coisas de outras pessoas apenas para executar um simples teste de unidade de uma de suas classes? Provavelmente porque existem ciclos no grafo de dependência, fato que torna muito difícil isolar módulos. O teste de unidade e a entrega tornam-se complexos e propensos a erro. Os tempos de compilação também aumentam geometricamente com o número de módulos. Além disso, quando existem ciclos no grafo de dependência, pode ser uma tarefa árdua descobrir em que ordem os componentes devem ser compilados. Aliás, talvez não haja uma ordem correta, o que pode levar a alguns problemas desagradáveis.

Quebrando o ciclo   É sempre possível quebrar um ciclo de componentes e restabelecer o grafo de dependência como um DAG. Existem dois mecanismos principais:

1. Aplicar o Princípio da Inversão de Dependência (DIP). No caso da Figura 28-2, poderíamos criar uma classe base abstrata que tivesse a interface necessária para `MyDialogs`. Poderíamos então colocar essa classe base abstrata em `MyDialogs` e herdá-la para `MyApplication`. Isso inverteria a dependência entre `MyDialogs` e `MyApplication`, quebrando o ciclo. Consulte a Figura 28-3.

   Note que, mais uma vez, nomeamos a interface de acordo com o cliente e não de acordo com o servidor. Essa é mais uma aplicação da regra que diz que as interfaces pertencem aos clientes.

2. Criar um novo componente de que dependam tanto `MyDialogs` como `MyApplication`. Mover a classe (ou classes) de que ambos dependem para esse novo componente. Consulte a Figura 28-4.

A segunda solução significa que a estrutura de componentes é volátil na presença de requisitos mutantes. Aliás, à medida que o aplicativo cresce, a estrutura de dependência de componentes se instabiliza e aumenta. Assim, a estrutura de dependência sempre deve ser monitorada quanto à existência de ciclos. Quando ciclos ocorrem, eles devem ser que-

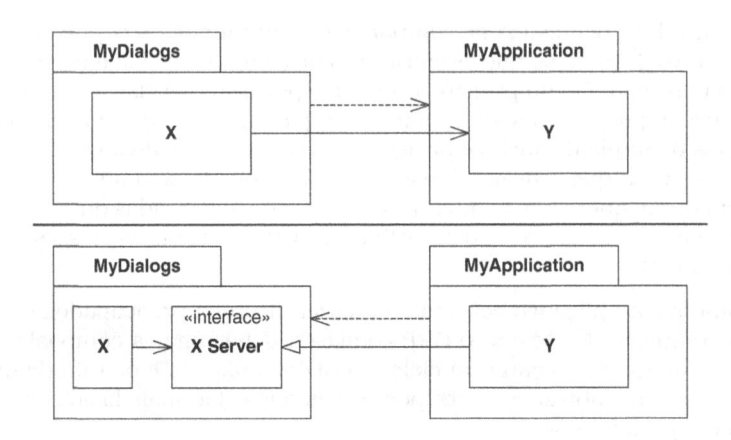

Figura 28-3
Quebrando o ciclo com inversão de dependência.

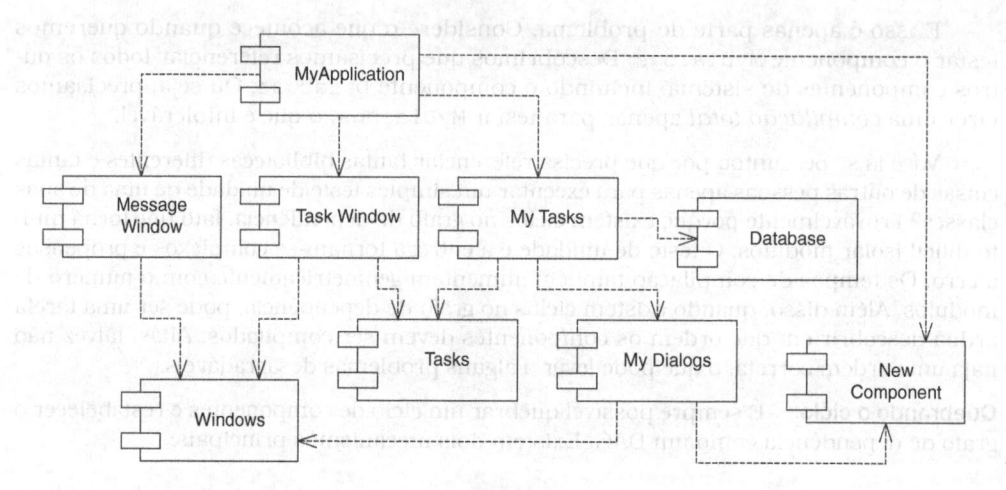

Figura 28-4
Quebrando o ciclo com um novo componente.

brados de algum modo. Às vezes isso significará criar um novo componente, fazendo a estrutura de dependência crescer.

Projeto de cima para baixo *versus* de baixo para cima Os problemas que discutimos até aqui levam a uma conclusão inevitável. A estrutura de componentes não pode ser projetada de cima para baixo na ausência de código. Em vez disso, essa estrutura evolui à medida que o sistema cresce e muda.

Algumas pessoas podem achar isso absurdo. Seria de se esperar que decomposições de grânulos grandes, como os componentes, também são decomposições *funcionais* de alto nível. Quando vemos um agrupamento de grânulos grandes, como uma estrutura de dependência de componentes, achamos que os componentes devem representar de algum modo as funções do sistema.

Embora seja verdade que os componentes oferecem serviços e funções uns para os outros, isso não é tudo.

A estrutura de dependência de componentes é um mapa da *capacidade de compilação* do aplicativo. É por isso que as estruturas de componentes não podem ser completamente formadas no início do projeto. Também é por isso que elas não são estritamente baseadas na decomposição funcional. À medida que mais classes se acumulam nos primeiros estágios de implementação e projeto, há uma necessidade crescente de gerenciar as dependências para que o projeto possa ser desenvolvido sem a síndrome da manhã seguinte. Além disso, queremos manter as alterações tão localizadas quanto possível; portanto, começamos a prestar atenção ao SRP e ao CCP e a reunir as classes que provavelmente mudarão juntas.

À medida que o aplicativo continua a crescer, ficamos preocupados com a criação de elementos reutilizáveis. Assim, o CRP começa a determinar a composição dos componentes. Por fim, quando aparecem ciclos, o ADP é aplicado e o grafo de dependência de componentes se instabiliza e cresce por razões que estão mais ligadas à estrutura de dependência do que à função.

Se tentássemos projetar a estrutura de dependência de componentes antes de termos projetado quaisquer classes, provavelmente erraríamos muito. Não saberíamos quase nada sobre fechamento comum, não notaríamos qualquer elemento reutilizável e quase certamente criaríamos componentes que produziriam ciclos de dependência. Assim, a estrutura de dependência de componentes cresce e evolui com o projeto lógico do sistema.

No entanto, logo a estrutura de componentes torna-se estável o suficiente para suportar o desenvolvimento por várias equipes. Quando isso acontece, as equipes podem se concentrar em seus próprios componentes. A comunicação entre as equipes pode ficar restrita aos limites dos componentes. Isso permite que muitas equipes trabalhem concomitantemente no mesmo projeto, com sobrecarga mínima.

Lembre-se, no entanto, de que a estrutura dos componentes continuará a se instabilizar e mudar, à medida que o desenvolvimento prosseguir. Isso impede o perfeito isolamento entre as equipes de componentes. Essas equipes terão que trabalhar juntas, à medida que as formas dos componentes se moldarem umas nas outras.

Princípio das Dependências Estáveis (SDP)

> Depender na direção da estabilidade.

Os projetos não podem ser completamente estáticos. Se o projeto deve ser mantido, alguma volatilidade é necessária. A solução é obedecer ao CCP. Usando esse princípio, criamos componentes sensíveis a certos tipos de mudanças. Esses componentes são *projetados* para serem voláteis; *esperamos* que eles mudem.

Qualquer componente que esperemos ser volátil não deve depender de um componente difícil de mudar! Caso contrário, o componente volátil também será difícil de mudar.

Um módulo que você projetou para ser fácil de alterar, no entanto, pode se tornar difícil de mudar simplesmente porque alguém colocou uma dependência nele. Repentinamente, sem que qualquer linha de código-fonte no módulo tenha mudado, seu módulo fica difícil de alterar. Obedecendo ao SDP, garantimos que os módulos mais difíceis de alterar não sejam dependentes de módulos destinados a serem fáceis de mudar.

Estabilidade O que significa estabilidade? Coloque uma moeda em pé. Ela é estável nessa posição? Provavelmente você diria que não. Contudo, ela permanecerá nessa posição por um longo tempo. Assim, a estabilidade não está diretamente relacionada à frequência da mudança. A moeda não está mudando, mas é difícil considerá-la estável.

O dicionário Webster diz que algo é estável se "não muda facilmente".[1] A estabilidade está relacionada com a quantidade de esforço exigida para fazer uma mudança. A moeda não é estável, pois exige pouco trabalho para derrubá-la. Por outro lado, uma mesa é muito estável, pois é necessária um grande esforço para virá-la.

Como isso se relaciona com software? Muitos fatores tornam um componente de software difícil de mudar: tamanho, complexidade, clareza etc. Mas vamos ignorar todos esses fatores e nos concentrar em algo diferente. Uma maneira segura de tornar um componente de software difícil de mudar é fazer muitos outros componentes de software dependerem dele. Um componente com muitas dependências é extremamente

---

[1] Webster's *Third New International Dictionary*.

estável, pois uma grande quantidade é necessária para harmonizar todas as alterações com todos os componentes dependentes.

A Figura 28-5 mostra X, um componente estável. Esse componente tem três outros que dependem dele e, portanto, tem três bons motivos para não mudar. Dizemos que ele é *responsável* por esses três componentes. Por outro lado, X não depende de nada, de modo que não tem nenhuma influência externa para fazê-lo mudar. Dizemos que ele é *independente*.

A Figura 28-6, por outro lado, mostra um componente muito instável. Y não tem outros componentes dependendo dele; dizemos que ele é irresponsável. Y também tem três componentes de que depende, de modo que mudanças podem vir de três fontes externas. Dizemos que Y é dependente.

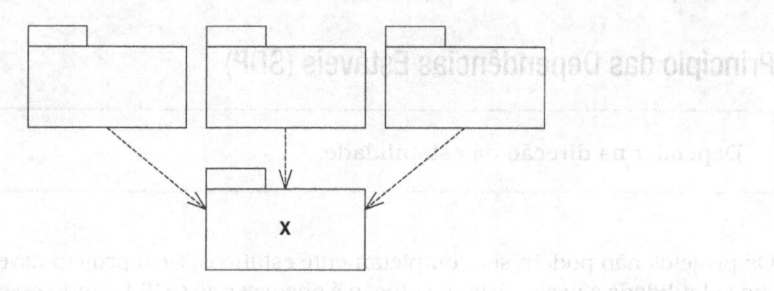

Figura 28-5
X: Um componente estável.

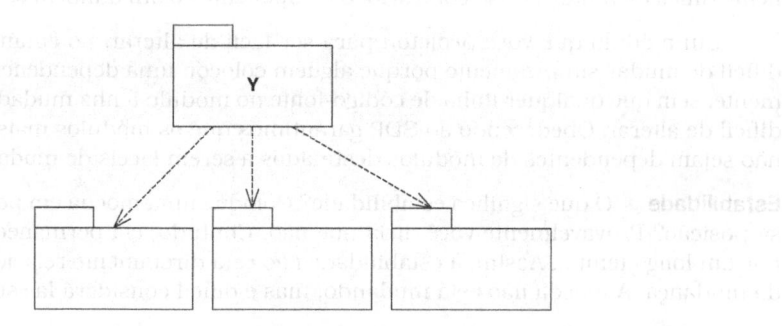

Figura 28-6
Y: Um componente instável.

PRINCÍPIOS DE PROJETO DE PACOTES E COMPONENTES

Métricas de estabilidade Como podemos medir a estabilidade de um componente? Uma maneira é contar o número de dependências que entram e saem desse componente. Essas contagens nos permitem calcular a estabilidade *posicional* do componente:

- *Aa* (acoplamentos aferentes): o número de classes fora desse componente que dependem de classes dentro desse componente
- *Ae* (acoplamentos eferentes): o número de classes dentro desse componente que dependem de classes fora desse componente
- *I* (instabilidade): $I = \dfrac{Ce}{Ca+Ce}$
- Essa métrica tem o intervalo [0,1]. I = 0 indica um componente estável ao máximo. I = 1 indica um componente instável ao máximo.

As métricas *Aa* e *Ae* são calculadas contando-se o número de *classes* fora do componente em questão que têm dependências nas classes dentro do componente em questão. Considere o exemplo da Figura 28-7:

As setas tracejadas entre os componentes representam dependências dos componentes. Os relacionamentos entre as classes desses componentes mostram como essas dependências são implementadas. Existem relacionamentos de herança e associação.

Agora, digamos que queremos calcular a estabilidade do componente Pc. Verificamos que três classes fora de Pc dependem de classes que estão em Pc. Assim, *Aa* = 3. Além disso, há uma classe fora de Pc de que classes que estão em Pc dependem. Assim, *Ae* = 1 e *I* = 1/4.

Em C#, essas dependências normalmente são representadas por instruções using. Aliás, a métrica *I* será mais fácil de calcular quando você tiver organizado seu código-fonte de modo que exista uma classe em cada arquivo-fonte. Em C#, a métrica *I* pode ser calculada pela contagem das instruções using e por nomes totalmente qualificados.

Quando a métrica *I* é igual a 1, isso significa que nenhum outro componente depende desse componente (*Aa* = 0) e que esse componente depende de outros componentes (*Ae* > 0). É o máximo de instabilidade que um componente pode apresentar; ele é *irresponsável* e *dependente*. Sua falta de dependentes não lhe dá qualquer motivo para *não* mudar e os componentes de que ele depende podem lhe dar amplos motivos para *mudar*.

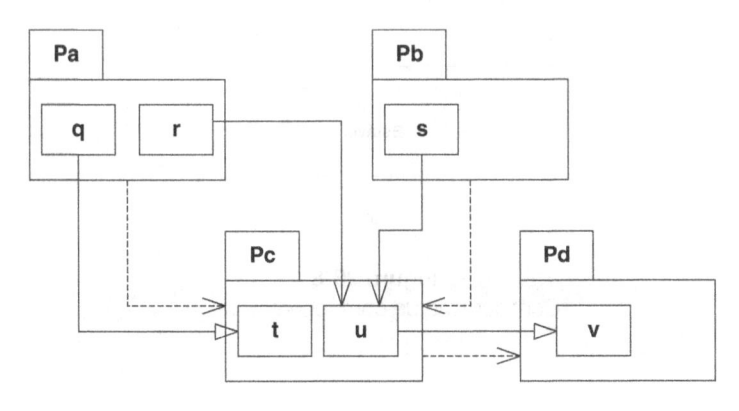

Figura 28-7
Tabulando *Aa*, *Ae* e *I*.

Por outro lado, quando a métrica I é igual a 0, outros componentes dependem do componente ($Aa > 0$), mas ele mesmo não depende de quaisquer outros ($Ae = 0$). Ele é *responsável e independente*. Tal componente é o mais estável possível. Seus dependentes tornam difícil alterá-lo e ele não tem dependências que possam obrigá-lo a mudar.

De acordo com o SDP, a métrica I de um componente deve ser maior do que as métricas I dos componentes de que ele depende. Ou seja, as métricas I devem diminuir na direção da dependência.

Estabilidade de componente variável   Se todos os componentes de um sistema fossem estáveis ao máximo, o sistema seria inalterável. Essa não é uma situação desejável. Aliás, queremos projetar nossa estrutura de componentes de modo que alguns deles sejam instáveis e outros estáveis. A Figura 28-8 mostra uma configuração ideal para um sistema com três componentes.

Os componentes sujeitos à mudança estão na parte superior e dependem do componente estável na parte inferior. Colocar os componentes instáveis na parte superior do diagrama é uma convenção útil, pois qualquer seta que aponte *para cima* está violando o SDP.

A Figura 28-9 mostra como o SDP pode ser violado. Flexible é um componente que pretendemos que seja fácil de alterar. Queremos que Flexible seja instável, com uma métrica I próxima a 0. Contudo, algum desenvolvedor, trabalhando no componente chamado Stable, colocou uma dependência em Flexible. Isso viola o SDP, pois a métrica I de Stable é muito menor do que a métrica I de Flexible. Como resultado, Flexible não mais será fácil de mudar. Uma alteração em Flexible nos obrigará a lidar com Stable e com todas as suas dependentes.

Para corrigir isso, temos que interromper de algum modo a dependência de Stable em relação a Flexible. Por que essa dependência existe? Vamos supor que dentro de Flexible exista uma classe C que outra classe U dentro de Stable precisa usar. Consulte a Figura 28-10.

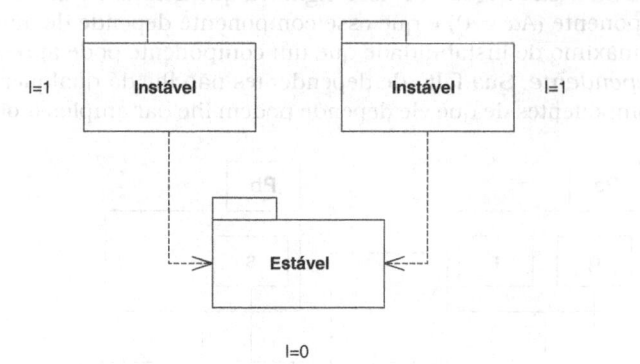

Figura 28-8
Configuração de componentes ideal.

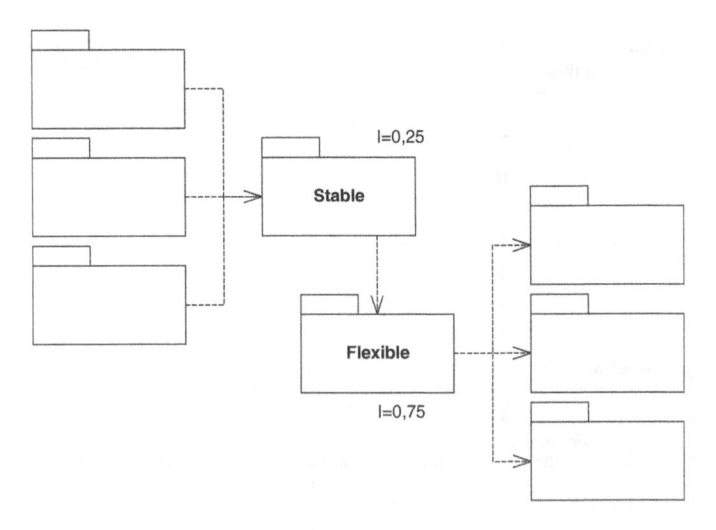

Figura 28-9
Violação do SDP.

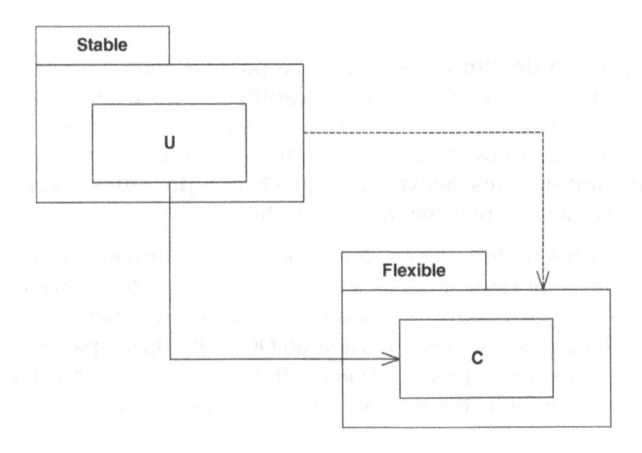

Figura 28-10
A causa da dependência ruim.

Podemos corrigir esse problema usando o DIP. Criamos uma interface chamada IU e a colocamos em um componente chamado UInterface. Garantimos que essa interface declare todos os métodos que U precisa usar. Então, fazemos C herdar dessa interface. Consulte a Figura 28-11. Isso interrompe a dependência de Stable em relação a Flexible e obriga os dois componentes a serem dependentes de UInterface. UInterface é muito estável ($I = 0$) e Flexible mantém sua instabilidade necessária ($I = 1$). Agora, todas as dependências fluem na direção *decrescente de I*.

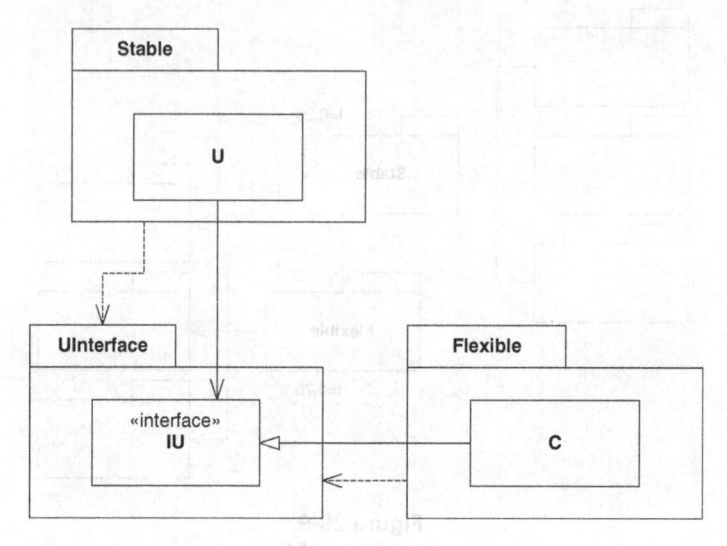

Figura 28-11
Corrigindo a violação da estabilidade com o DIP.

Localização de projeto de alto nível   Alguma parte do software no sistema não deve mudar com muita frequência. Essa parte do software representa a arquitetura de alto nível e decisões de projeto. Não queremos que essas decisões arquitetônicas sejam voláteis. Assim, a parte do software que encapsula o projeto de alto nível do sistema deve ser colocada em componentes estáveis ($I = 0$). Os componentes instáveis ($I = 1$) devem conter apenas software que provavelmente mudará.

Contudo, se o projeto de alto nível for colocado em componentes estáveis, será difícil alterar o código-fonte que representa esse projeto, o que poderia tornar o projeto rígido. Como um componente que é estável ao máximo ($I = 0$) pode ser flexível o suficiente para suportar alterações? A resposta será encontrada no OCP. Esse princípio nos diz que é possível e desejável criar classes que sejam flexíveis o suficiente para serem estendidas sem exigir modificação. Quais tipos de classes obedecem a esse princípio? A resposta é: as classes *abstratas*.

Princípio das Abstrações Estáveis (SAP)

> Um componente deve ser tão abstrato quanto é estável.

Esse princípio estabelece uma relação entre estabilidade e abstração. Ele diz que um componente estável também deve ser abstrato para que sua estabilidade não impeça que ele seja estendido. Por outro lado, ele diz que um componente instável deve ser concreto, pois sua instabilidade permite que o código concreto dentro dele seja facilmente alterado.

Assim, se um componente precisa ser estável, ele também deve consistir em classes abstratas para que possa ser estendido. Os componentes estáveis e extensíveis são flexíveis e não restringem demasiadamente o projeto.

Combinados, SAP e SDP equivalem ao DIP para componentes. Isso é verdade, porque o SDP diz que as dependências devem fluir na direção da estabilidade e o SAP diz que estabilidade implica abstração. Assim, as dependências fluem na direção da abstração.

Contudo, o DIP lida com classes. Com classes não existe meio-termo. Uma classe ou é abstrata ou não é. A combinação de SDP e SAP lida com componentes e permite que um componente possa ser parcialmente abstrato e parcialmente estável.

Medindo a abstração   A métrica A é uma medida da abstração de um componente. Seu valor é simplesmente a relação entre as classes abstratas de um componente e o número total de classes no componente, onde:

Nc é o número de classes no componente.

Na é o número de classes abstratas no componente. Lembre-se de que uma classe abstrata é uma classe com pelo menos um método abstrato e não pode ser instanciada:

A (abstração). $A = \dfrac{Na}{Nc}$

A métrica A varia de 0 a 1. Zero significa que o componente não tem nenhuma classe abstrata. O valor 1 significa que o componente contém somente classes abstratas.

A sequência principal   Estamos agora em condições de definir a relação entre estabilidade (I) e abstração (A). Podemos criar um gráfico com A no eixo vertical e I no eixo horizontal. Se representarmos os dois tipos "bons" de componentes nesse gráfico, encontraremos os componentes que são estáveis e abstratos ao máximo no canto superior esquerdo, em (0,1). Os componentes que são instáveis e concretos ao máximo estão no canto inferior direito, em (1,0). Consulte a Figura 28-12.

Nem todos os componentes podem cair em uma dessas duas posições. Os componentes têm graus de abstração e estabilidade. Por exemplo, é muito comum uma classe abstrata derivar de outra classe abstrata. A derivada é uma abstração que tem uma dependência. Assim, embora seja abstrata ao máximo, ela não será estável ao máximo. Sua dependência diminuirá sua estabilidade.

Como não podemos impor que todos os componentes fiquem em (0,1) ou em (1,0), devemos supor que um lugar geométrico de pontos no gráfico A/I define posições razoáveis

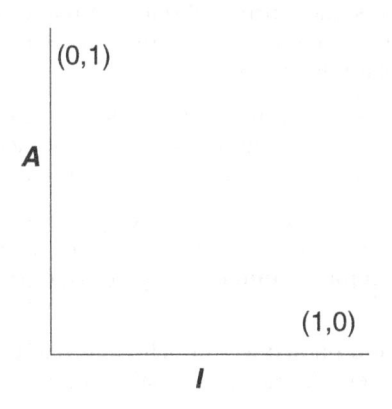

Figura 28-12
O gráfico A/I.

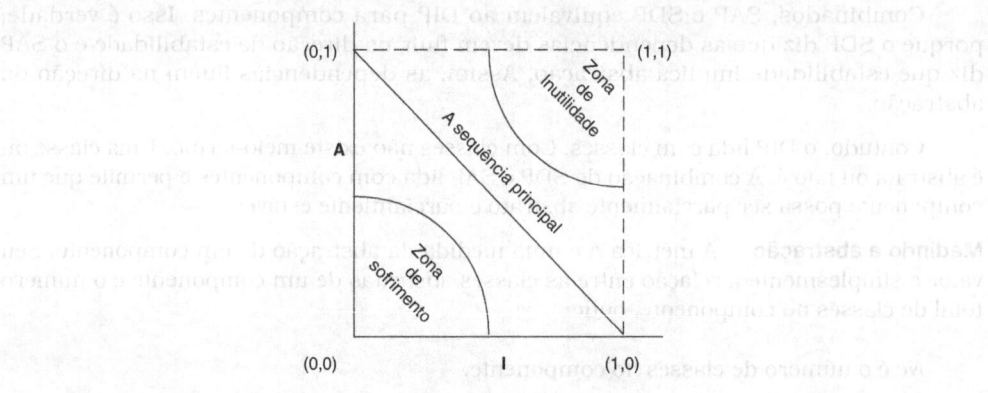

Figura 28-13
Zonas de exclusão.

para os componentes. Podemos deduzir qual é esse lugar geométrico encontrando as áreas onde os componentes *não* devem estar; isto é, as zonas de *exclusão*. Consulte a Figura 28-13.

Considere um componente na área próxima a (0,0). Esse componente é altamente estável e concreto. Tal componente não é desejável, pois é rígido. Ele não pode ser estendido, pois não é abstrato. E ele é muito difícil de mudar, devido a sua estabilidade. Assim, normalmente não esperamos ver componentes bem projetados situados próximos a (0,0). A área perto de (0,0) é uma zona de exclusão, a *zona de sofrimento*.

Deve-se notar que, em alguns casos, os componentes caem dentro da zona de sofrimento. Um exemplo seria um componente representando um esquema de banco de dados. Os esquemas de banco de dados são notoriamente voláteis, extremamente concretos e depende-se muito deles. Esse é um dos motivos pelos quais a interface entre aplicativos de OO e bancos de dados é tão difícil e as atualizações de esquema geralmente são trabalhosas.

Outro exemplo de componente que fica próximo a (0,0) é aquele que contém uma biblioteca concreta de utilidades. Embora tal componente tenha uma métrica *I* igual a 1, na verdade ele pode ser não-volátil. Considere um componente "string", por exemplo. Mesmo que todas as classes dentro dele sejam concretas, ele é não-volátil. Tais componentes são inofensivos na zona (0,0), pois não é provável que sejam alterados. Aliás, podemos considerar um terceiro eixo no gráfico como o da volatilidade. Sendo assim, o gráfico da Figura 28-13 mostra o plano na volatilidade = 1.

Considere um componente próximo a (1,1). Esse local é indesejável, pois o componente é abstrato ao máximo e, apesar disso, não tem dependentes. Tais componentes são inúteis. Assim, essa região é chamada de *zona de inutilidade*.

Parece evidente que gostaríamos que nossos componentes voláteis estivessem o mais longe possível das duas zonas de exclusão. O lugar geométrico dos pontos distantes ao máximo de cada zona é a linha que liga (1,0) e (0,1). Essa linha é conhecida como *sequência principal*.[2]

Um componente situado na sequência principal não é "abstrato demais" por sua estabilidade nem "instável demais" por sua abstração. Ele não é inútil nem particular-

---

[2] O nome *sequência principal* foi adotado devido ao meu interesse por astronomia e por diagramas HR (Hertzsprung-Russell).

mente doloroso. Depende-se dele à medida que é abstrato e ele depende de outros à medida que é concreto.

Claramente, as posições mais desejáveis para um componente ocupar estão em um dos dois pontos extremos da sequência principal. Contudo, de acordo com minha experiência, menos da metade dos componentes de um projeto podem ter tais características ideais. Os outros componentes têm as melhores características se estiverem sobre a sequência principal ou próximos a ela.

Distância da sequência principal   Isso nos leva à nossa última métrica. Se é desejável que os componentes estejam na sequência principal ou próximos dela, podemos criar uma métrica que avalie quanto um componente está distante desse ideal.

D (distância). $D = \frac{|A + I - 1|}{\sqrt{2}}$. Isso varia de [0,~0,707].

D' (distância normalizada). $D' = |A + I - 1|$. Esta métrica é muito mais conveniente do que D, pois varia de [0,1]. Zero indica que o componente está exatamente na sequência principal. Um indica que o componente está o mais longe possível da sequência principal.

Dada essa métrica, um projeto pode ser analisado quanto a sua conformação global à sequência principal. A métrica D de cada componente pode ser calculada. Qualquer componente que tenha um valor D que não esteja próximo a 0 pode ser reexaminado e reestruturado. Na verdade, esse tipo de análise tem me ajudado muito a definir componentes que são mais passíveis de manutenção e menos sensíveis à mudança.

Também é possível fazer uma análise estatística de um projeto. Pode-se calcular a média e a variância de todas as métricas D dos componentes dentro de um projeto. Pode-se esperar que um projeto em conformidade tenha média e variância próximas a 0. A variância pode ser utilizada para estabelecer "limites de controle", os quais podem identificar componentes "excepcionais" em comparação a todos os outros. Consulte a Figura 28-14.

Nesse diagrama de dispersão – não baseado em dados reais – vemos que a maioria dos componentes se situa ao longo da sequência principal, mas que alguns deles estão a mais de um desvio padrão ($Z = 1$) distantes da média. Vale a pena observar esses componentes anômalos. Por algum motivo, eles são muito abstratos, com poucos dependentes, ou muito concretos, com muitos dependentes.

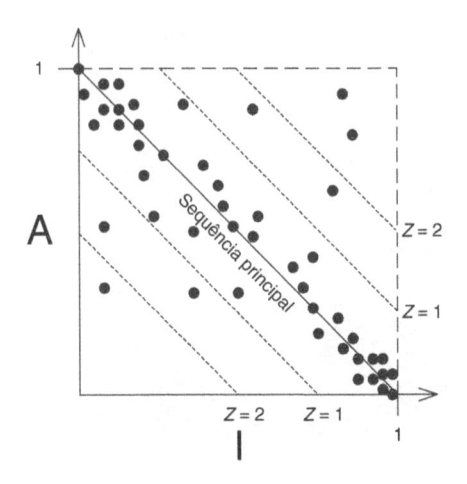

Figura 28-14
Diagrama de dispersão dos valores de D do componente.

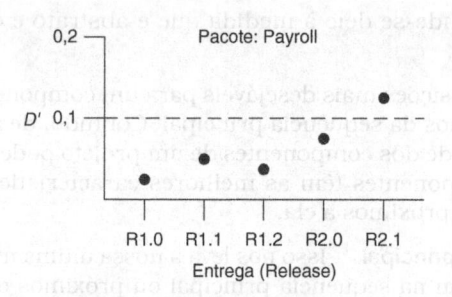

Figura 28-15
Gráfico do tempo dos valores de D' de um único componente.

Outra maneira de usar as métricas é representar o valor de D' de cada componente ao longo do tempo. A Figura 28-15 mostra um modelo simulado de tal representação. Você pode ver que algumas dependências estranhas entraram no componente `Payroll` ao longo das últimas entregas (releases, R). O gráfico mostra um limite de controle em $D' = 0,1$. O ponto R2.1 ultrapassou esse limite de controle; portanto, seria interessante perdermos algum tempo para descobrir por que esse componente está tão longe da sequência principal.

Conclusão

As *métricas de gerenciamento de dependências* descritas neste capítulo avaliam a conformidade de um projeto a um padrão de dependência e abstração que considero "bom". A experiência tem mostrado que certas dependências são boas e outras ruins. Esse padrão reflete essa experiência. Contudo, uma métrica não é irrevogável; é apenas uma medida em relação a um padrão arbitrário. É possível que o padrão escolhido neste capítulo seja adequado para certos aplicativos, mas não para outros. Talvez métricas bem melhores sejam utilizadas para avaliar a qualidade de um projeto.

Capítulo 29

FACTORY

O homem que constrói uma fábrica constrói um templo.

— Calvin Coolidge (1872-1933)

O Princípio da Inversão de Dependência (DIP), apresentado no Capítulo 11, nos informa que devemos dar preferência às dependências em classes abstratas e evitar dependências em classes concretas, especialmente quando essas classes são voláteis. Portanto, o trecho de código a seguir viola esse princípio:

```
Circle c = new Circle(origin, 1);
```

Circle é uma classe concreta. Portanto, os módulos que criam instâncias de Circle devem violar o DIP. Aliás, qualquer linha de código que utilize a palavra-chave new viola o DIP.

Existem ocasiões em que violar o DIP é inofensivo, o que é uma boa proteção. Quanto maior a probabilidade de uma classe concreta mudar, maior a probabilidade de ela causar problemas. Mas se a classe concreta é não volátil, depender dela não é preocupante. Por exemplo, criar e depender instâncias de string é muito seguro, pois é improvável que string mude em breve.

Por outro lado, quando estamos desenvolvendo ativamente um aplicativo, muitas classes concretas são bastante voláteis, de modo que depender delas é problemático. É melhor dependermos de uma interface abstrata para nos proteger da maioria das alterações.

O padrão FACTORY nos permite criar instâncias de objetos concretos, embora dependamos apenas de interfaces abstratas. Portanto, ele pode ser de grande ajuda durante o desenvolvimento ativo, quando essas classes concretas são altamente voláteis.

A Figura 29-1 mostra o cenário problemático. Temos uma classe chamada SomeApp que depende da interface Shape. SomeApp usa instâncias de Shape exclusivamente por meio da interface Shape e não utiliza métodos específicos de Square ou de Circle. Infelizmente, SomeApp também cria instâncias de Square e Circle e, assim, precisa depender de classes concretas.

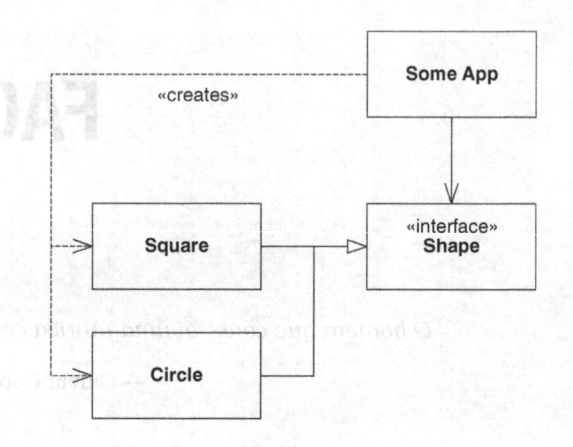

Figura 29-1
Um aplicativo que viola o DIP para criar classes concretas.

Podemos corrigir isso aplicando o padrão FACTORY em SomeApp, como na Figura 29-2. Aqui, vemos a interface ShapeFactory, a qual tem dois métodos: MakeSquare e MakeCircle. O método MakeSquare retorna uma instância de Square e o método MakeCircle retorna uma instância de Circle. Contudo, o tipo de retorno das duas funções é Shape.

A Listagem 29-1 mostra como é o código de ShapeFactory. A Listagem 29-2 mostra ShapeFactoryImplementation.

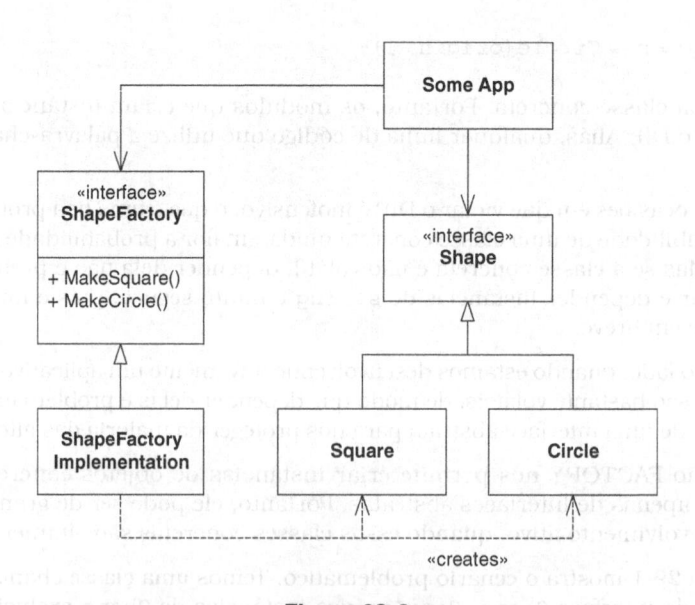

Figura 29-2
Aplicação de FACTORY em SomeApp.

Listagem 29-1
ShapeFactory.cs

```
public interface ShapeFactory
{
  Shape MakeCircle();
  Shape MakeSquare();
}
```

Listagem 29-2
ShapeFactoryImplementation.cs

```
public class ShapeFactoryImplementation : ShapeFactory
{
  public Shape MakeCircle()
  {
    return new Circle();
  }

  public Shape MakeSquare()
  {
    return new Square();
  }
}
```

Note que isso resolve completamente o problema da dependência de classes concretas. O código do aplicativo não depende mais de Circle nem de Square, mas ainda consegue criar instâncias deles. Ele manipula essas instâncias por meio da interface Shape e nunca chama métodos específicos de Square ou Circle.

O problema da dependência de uma classe concreta foi removido. Alguém precisa criar ShapeFactoryImplementation, mas ninguém mais precisa criar Square ou Circle. Mais provavelmente, ShapeFactoryImplementation será criado por Main ou por uma função de inicialização ligada a Main.

Um problema de dependência

Os leitores perspicazes reconhecerão um problema nessa forma do padrão FACTORY. A classe ShapeFactory tem um método para cada uma das derivadas de Shape. Isso resulta em uma *dependência exclusiva do nome* que torna difícil adicionar novas derivadas em Shape. Sempre que adicionamos uma nova derivada de Shape, precisamos adicionar um novo método na interface ShapeFactory. Na maioria dos casos, isso significa que precisaremos compilar e entregar novamente todos os usuários de ShapeFactory.[1]

---

[1] Outra vez, nem sempre isso é válido em C#. Você poderia correr o risco de deixar de compilar e entregar de novo os clientes de uma interface alterada.

450 EMPACOTANDO O SISTEMA DE FOLHA DE PAGAMENTOS

Podemos nos livrar desse problema de dependência sacrificando um pouco a segurança de tipo. Em vez de fornecer a ShapeFactory um método para cada derivada de Shape, podemos fornecer apenas uma função make que receba um objeto string. Por exemplo, veja a Listagem 29-3. Essa técnica exige que ShapeFactoryImplementation utilize um encadeamento if/else no argumento recebido para selecionar a derivada de Shape a ser instanciada. Isso está mostrado nas listagens 29-4 e 29-5.

Listagem 29-3
Um trecho que cria um círculo

```
[Test]
public void TestCreateCircle()
{
  Shape s = factory.Make("Circle");
  Assert.IsTrue(s is Circle);
}
```

Listagem 29-4
ShapeFactory.cs

```
public interface ShapeFactory
{
  Shape Make(string name);
}
```

Listagem 29-5
ShapeFactoryImplementation.cs

```
public class ShapeFactoryImplementation : ShapeFactory
{
  public Shape Make(string name)
  {
    if(name.Equals("Circle"))
      return new Circle();
    else if(name.Equals("Square"))
      return new Square();
    else
      throw new Exception(
        "ShapeFactory cannot create: {0}", name);
  }
}
```

Alguém poderia argumentar que isso é perigoso, porque os chamadores que escreverem incorretamente o nome de uma figura receberão um erro de tempo de execução, em vez de um erro em tempo de compilação. É verdade. Contudo, se você escrever os testes de unidade adequados e aplicar desenvolvimento guiado por testes, capturará esses erros de tempo de execução muito antes de eles se tornarem problemas.

Tipagem estática *versus* dinâmica

O compromisso que acabamos de testemunhar entre segurança de tipo e flexibilidade tipifica o debate crônico em relação aos estilos de linguagem. De um lado estão as linguagens estaticamente tipadas, como C#, C++ e Java, que verificam os tipos em tempo de compilação e geram erros de compilação caso os tipos declarados não sejam coerentes. De outro lado estão as linguagens tipadas dinamicamente, como Python, Ruby, Groovy e Smalltalk, que fazem sua verificação de tipo em tempo de execução. O compilador não insiste na coerência de tipos; na verdade, a sintaxe dessas linguagens também não permite tal verificação.

Como vimos no exemplo de FACTORY, a tipagem estática pode levar a laços de dependência que impõem modificações nos arquivos-fonte com o único objetivo de manter a coerência de tipos. Em nosso caso, precisamos alterar a interface ShapeFactory sempre que uma nova derivada de Shape é adicionada. Essas alterações podem impor recompilações e novas entregas que de outro modo seriam desnecessárias. Resolvemos esse problema quando afrouxamos a segurança de tipo e dependemos de nossos testes de unidade para capturar erros de tipo; ganhamos a flexibilidade de adicionar novas derivadas de Shape sem alterar ShapeFactory.

Os defensores das linguagens estaticamente tipadas sustentam que a segurança em tempo de compilação compensa os pequenos problemas de dependência, o maior ritmo de modificações no código-fonte e a maior frequência de recompilações e novas entregas. O outro lado argumenta que os testes de unidade encontrarão a maioria dos problemas que a tipagem estática encontraria e que, portanto, o trabalho de modificação do código-fonte, de recompilação e de nova entrega é desnecessário.

Acho interessante o fato de que o aumento da popularidade das linguagens tipadas dinamicamente esteja, até aqui, controlando o aumento da adoção do desenvolvimento guiado por testes (TTD). Talvez os programadores que adotam o TDD estejam verificando que isso muda a equação segurança *versus* flexibilidade. Talvez esses programadores estejam se convencendo gradualmente de que a flexibilidade das linguagens tipadas dinamicamente supera as vantagens da verificação de tipo estática.

Talvez estejamos no auge da popularidade das linguagens estaticamente tipadas. Se a tendência atual continuar, poderemos verificar que as principais linguagens industriais estarão mais relacionadas com Smalltalk do que com C++.

Fábricas substituíveis

Uma das maiores vantagens de usar fábricas é a capacidade de substituir uma implementação de uma fábrica por outra. Desse modo, você pode substituir famílias de objetos dentro de um aplicativo.

Por exemplo, imagine um aplicativo que precisasse se adaptar a muitas implementações de banco de dados diferentes. Em nosso exemplo, vamos supor que os usuários possam utilizar arquivos planos ou adquirir um adaptador Oracle. Poderíamos usar o padrão PROXY para isolar o aplicativo da implementação do banco de dados.[2] Também poderíamos usar fábricas para instanciar os proxys. A Figura 29-3 mostra a estrutura.

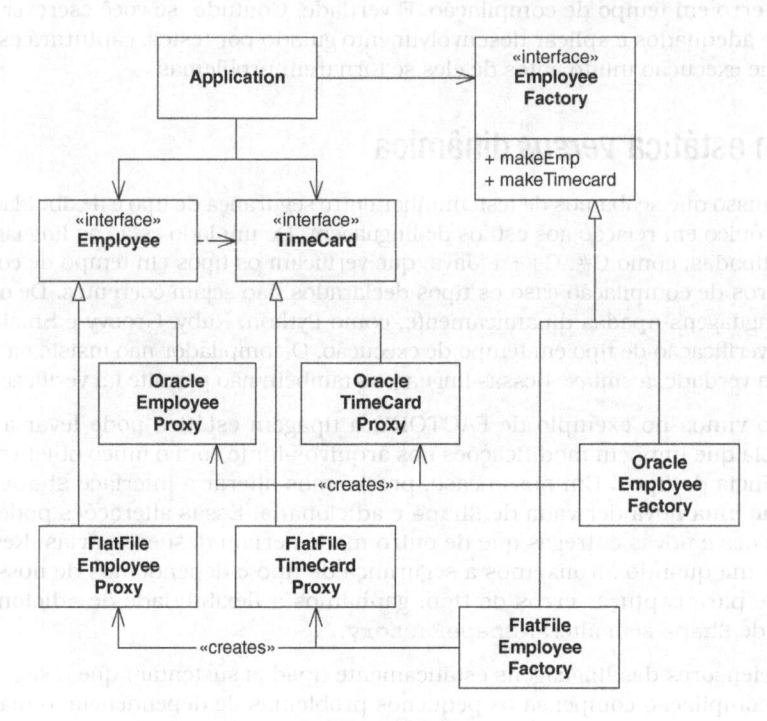

Figura 29-3
Fábrica substituível.

Observe as duas implementações de `EmployeeFactory`. Uma cria proxys que trabalham com arquivos planos (*flat files*) e a outra cria proxys que trabalham com Oracle. Note também que o aplicativo não sabe ou não se preocupa com a implementação que está sendo utilizada.

Usando fábricas para dispositivos de teste

Ao escrevermos testes de unidade, muitas vezes queremos testar o comportamento de um módulo separado dos módulos que ele utiliza. Por exemplo, poderíamos ter um aplicativo `Payroll` que usasse um banco de dados (consulte a Figura 29-4). Talvez quiséssemos testar a função do módulo `Payroll` sem usar o banco de dados.

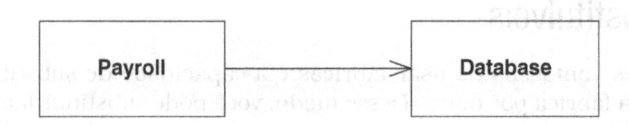

Figura 29-4
`Payroll` usa o banco de dados.

---

[2] Estudaremos o padrão PROXY no Capítulo 34. No momento, você precisa saber apenas que `Proxy` é uma classe que sabe ler objetos específicos de tipos de bancos de dados em particular.

Podemos fazer isso usando uma interface abstrata para o banco de dados. Uma implementação dessa interface abstrata utiliza o banco de dados real. Outra implementação é um código de teste escrito para simular o comportamento do banco de dados e para verificar se as chamadas do banco de dados estão sendo feitas corretamente. A Figura 29-5 mostra a estrutura. O módulo `PayrollTest` testa `PayrollModule` fazendo chamadas para ele e também implementa a interface `Database` de modo que ela possa capturar as chamadas que `Payroll` faz para o banco de dados. Isso permite que `PayrollTest` certifique-se de que `Payroll` está se comportando corretamente. Isso também permite que `PayrollTest` simule muitos tipos de falhas e problemas de banco de dados que de outro modo são difíceis de gerar. Esse é um padrão de teste conhecido como SELF-SHUNT, também às vezes conhecido como *imitação* (*mocking* ou *spoofing*, em inglês).

Como `Payroll` obtém a instância de `PayrollTest` que utiliza como `Database`? Certamente, `Payroll` não vai criar `PayrollTest`. Da mesma forma, de algum modo `Payroll` deve obter uma referência para a implementação de `Database` que vai usar.

Em alguns casos, é perfeitamente natural `PayrollTest` passar a referência de `Database` para `Payroll`. Em outros, pode ser que `PayrollTest` precise configurar uma variável global para se referir a `Database`. Em ainda outros casos, `Payroll` pode estar esperando para criar a instância de `Database`. Neste último caso, podemos usar um objeto `Factory` para fazer `Payroll` pensar que está criando a versão de teste de `Database`, passando uma fábrica alternativa para `Payroll`.

A Figura 29-6 mostra uma possível estrutura. O módulo `Payroll` adquire a fábrica por meio de uma variável global – ou de uma variável estática em uma classe global – chamada `GdatabaseFactory`. O módulo `PayrollTest` implementa `DatabaseFactory` e configura uma referência para si mesmo nessa variável `GdatabaseFactory`. Quando `Payroll` usa a fábrica para criar um objeto `Database`, o módulo `PayrollTest` captura a chamada e retorna uma referência para si mesmo. Desse modo, `Payroll` está convencido de que criou `PayrollDatabase` e, ainda assim, o módulo `PayrollTest` pode falsificar o módulo `Payroll` e capturar todas as chamadas de banco de dados.

Importância das fábricas

Uma interpretação rigorosa do DIP insistiria no uso de fábricas para toda classe volátil do sistema. Além disso, o poder do padrão FACTORY é sedutor. Às vezes, esses dois fatores podem nos levar a usar fábricas por padrão, o que não é uma prática recomendada.

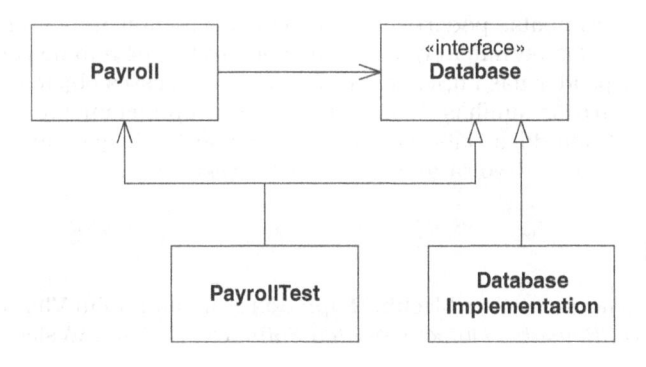

Figura 29-5
Banco de dados de SELF-SHUNTs de `PayrollTest`.

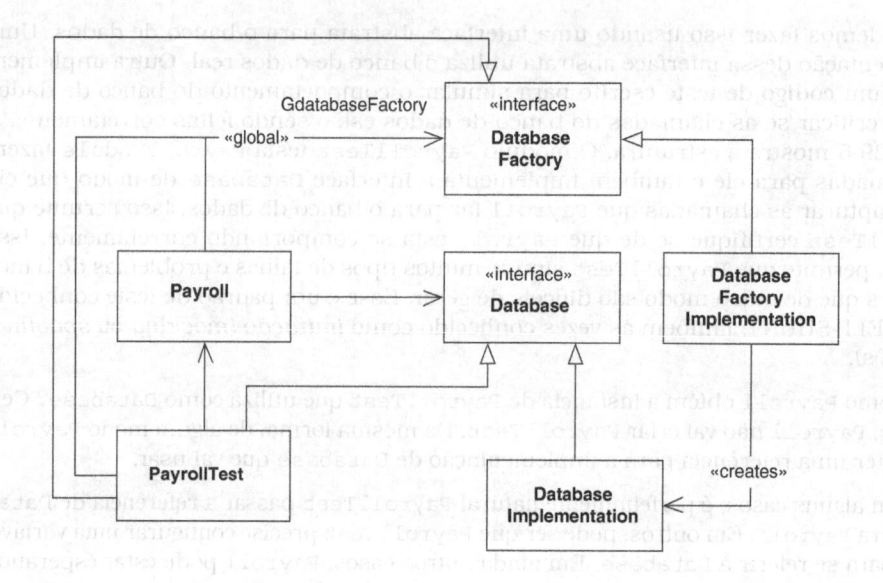

Figura 29-6
Falsificando a fábrica.

Eu insiro as fábricas no sistema somente quando elas se tornam imprescindíveis. Por exemplo, se o uso do padrão PROXY se torna necessário, provavelmente será preciso usar uma fábrica para criar os objetos persistentes. Ou, se por meio de testes de unidade, eu encontrar situações nas quais preciso falsificar o criador de um objeto, provavelmente usarei uma fábrica. Mas, pressuponho desde o início que as fábricas serão necessárias.

As fábricas representam uma complexidade que frequentemente pode ser evitada, sobretudo nas fases iniciais de um projeto em desenvolvimento. Quando são usadas por padrão, as fábricas aumentam a dificuldade de ampliar o projeto. Para criar uma nova classe, talvez seja necessário criar até quatro novas classes: as duas classes de interface que representam a nova classe e sua fábrica e as duas classes concretas que implementam essas interfaces.

Conclusão

As fábricas são ferramentas poderosas e podem representar uma grande vantagem na obediência ao DIP. Elas permitem que módulos de diretiva de alto nível criem instâncias de objetos sem depender das implementações concretas desses objetos. As fábricas também possibilitam trocar famílias de implementações completamente diferentes por um grupo de classes. Contudo, as fábricas são uma complexidade que muitas vezes pode ser evitada. Utilizá-las por padrão raramente é a melhor estratégia.

Bibliografia

[GOF95] Erich Gamma, Richard Helm, Ralph Johnson, and John Vlissides, *Design Patterns: Elements of Reusable Object-Oriented Software*, Addison-Wesley, 1995.

Capítulo 30

ESTUDO DE CASO DA FOLHA DE PAGAMENTOS: ANÁLISE DO PACOTE

Regra prática: se você acha que algo é engenhoso e sofisticado, cuidado – provavelmente é uma extravagância.

— Donald A. Norman, *The Design of Everyday Things*, 1990

Fizemos bastante análise, projeto e implementação do problema da folha de pagamentos. No entanto, ainda temos muitas decisões a tomar. Em primeiro lugar, apenas dois programadores – Bob e Micah – trabalharam no problema. A estrutura atual do ambiente de desenvolvimento está de acordo com essa situação. Todos os arquivos de programa estão localizados em um único diretório. Não existe uma estrutura de ordem mais alta. Não existem pacotes, subsistemas, nem componentes que possam ser entregues, a não ser o aplicativo inteiro. Isso não irá evoluir.

Devemos supor que, à medida que esse programa crescer, o número de pessoas trabalhando nele também crescerá. Para torná-lo adequado para vários desenvolvedores, precisamos dividir o código-fonte em componentes – assemblies, DLLs – que possam ser facilmente obtidos por *check-out**, modificados e testados.

Atualmente o aplicativo de folha de pagamentos consiste em 4.382 linhas de código, divididas em aproximadamente 63 classes e 80 arquivos-fonte. Embora esse não seja um número muito grande, representa uma carga organizacional. Como devemos gerenciar esses arquivos-fonte e dividi-los em componentes que possam ser entregues independentemente?

De forma análoga, como devemos dividir o trabalho de implementação de modo que o desenvolvimento possa ocorrer harmoniosamente, sem que os programadores atrapalhem uns aos outros? Deveríamos dividir as classes em grupos que fossem convenientes para indivíduos ou equipes fazerem check-out e darem suporte.

---

*N. de R.T.: O autor refere-se à operação de obter uma cópia de trabalho de um ou mais arquivos a partir de um sistema de versões concorrentes (CVS – Concurrent Version System).

Estrutura de componentes e notação

A Figura 30-1 mostra uma possível estrutura de componentes para o aplicativo de folha de pagamentos. Trataremos da conveniência dessa estrutura posteriormente. Por enquanto, nos limitaremos ao modo como ela é documentada e usada.

Por convenção, os diagramas de componentes são desenhados com as dependências apontando para baixo. Os componentes da parte superior são dependentes. Os da parte inferior são os dos quais se depende.

A Figura 30-1 dividiu o aplicativo de folha de pagamentos em oito componentes. O componente PayrollApplication contém a classe PayrollApplication e as classes TransactionSource e TextParserTransactionSource. O componente Transactions contém a hierarquia de classes Transaction completa. Os constituintes dos outros componentes devem ficar evidentes examinando-se cuidadosamente o diagrama.

As dependências também devem estar claras. O componente PayrollApplication depende do componente Transactions porque a classe PayrollApplication chama o método Transaction::Execute. O componente Transactions depende do componente PayrollDatabase porque cada uma das muitas derivadas de Transaction se comunica diretamente com a classe PayrollDatabase. As outras dependências são justificáveis da mesma forma.

Quais critérios utilizamos para agrupar essas classes em componentes? Simplesmente inserimos nos mesmos componentes as classes que parecia necessário ficarem juntas. Contudo, conforme aprendemos no Capítulo 28, isso provavelmente não é uma boa ideia.

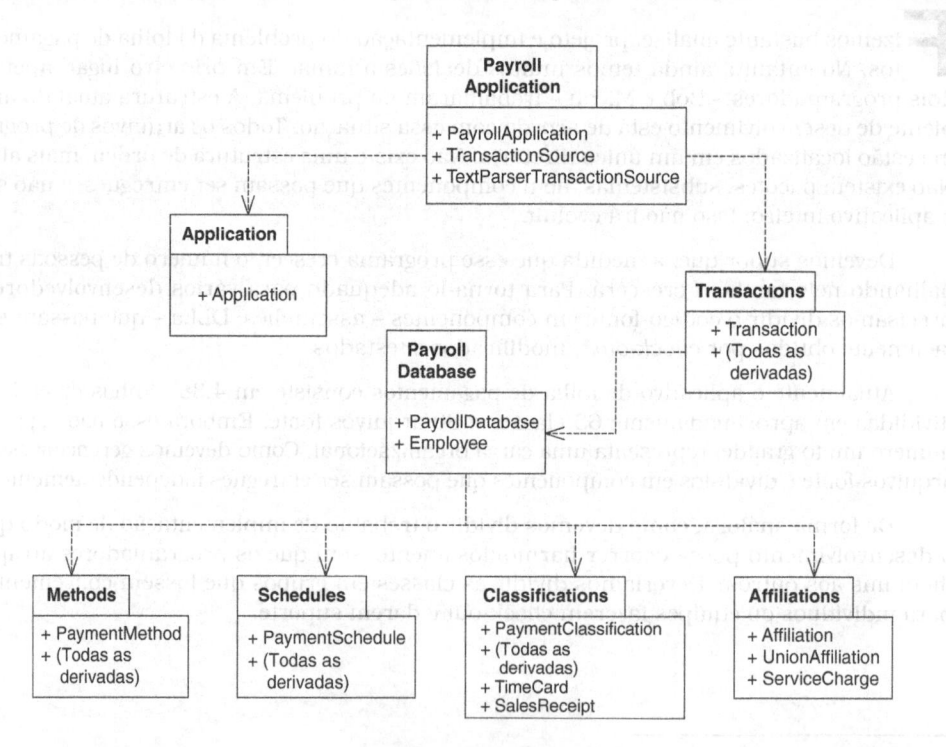

Figura 30-1
Possível diagrama de componentes do aplicativo de folha de pagamentos.

Considere o que acontecerá se fizermos uma mudança no componente `Classifications`. Essa mudança forçará uma nova compilação e um novo teste do componente `EmployeeDatabase` e deveria forçar mesmo. Mas também forçará uma nova compilação e um novo teste do componente `Transactions`. Certamente, `ChangeClassificationTransaction` e suas três derivadas da Figura 27-13 *devem* ser compiladas e testadas novamente, mas por que as outras devem ser?

Tecnicamente, essas outras transações não precisam de nova compilação e novo teste. Contudo, se elas fazem parte do componente `Transactions` e se esse componente vai ser entregue novamente para lidar com as alterações feitas no componente `Classifications`, não compilar e testar novamente o componente como um todo poderia ser visto como uma irresponsabilidade. Mesmo que todas as transações não sejam compiladas e testadas, o pacote em si deve ser entregue novamente e implantado outra vez. Então, todos os seus clientes exigirão no mínimo revalidação e provavelmente também uma nova compilação.

As classes do componente `Transactions` não compartilham o mesmo fechamento. Cada uma é sensível às suas próprias alterações particulares. `ServiceChargeTransaction` é aberta às mudanças na classe `ServiceCharge`, enquanto `TimeCardTransaction` é aberta às mudanças na classe `TimeCard`. Na verdade, conforme a Figura 30-1 indica, uma parte do componente `Transactions` é dependente de quase todas as outras partes do software. Assim, esse componente tem um alto ritmo de entregas (*releases*). Sempre que algo for alterado em qualquer lugar para baixo, o componente `Transactions` terá de ser revalidado e entregue novamente.

O pacote `PayrollApplication` é ainda mais sensível: qualquer mudança em qualquer parte do sistema afetará esse pacote, de modo que seu ritmo de entregas deve ser enorme. Você poderia pensar que isso é inevitável – que à medida que se sobe na hierarquia de dependência de pacotes, o ritmo de entregas deve aumentar. Felizmente, no entanto, isso não é verdade, e evitar esse sintoma é um dos principais objetivos do projeto orientado a objetos.

Aplicando o Princípio do Fechamento Comum (CCP)

Analise a Figura 30-2, que agrupa as classes do aplicativo de folha de pagamentos de acordo com seu fechamento. Por exemplo, o componente `PayrollApplication` contém as classes `PayrollApplication` e `TransactionSource`. Essas duas classes dependem da classe abstrata `Transaction`, que está no componente `PayrollDomain`. Note que a classe `TextParserTransactionSource` está em outro componente que depende da classe abstrata `PayrollApplication`. Isso cria uma estrutura invertida na qual os detalhes dependem das generalidades e as generalidades são independentes, o que obedece ao DIP.

O caso mais extraordinário de generalidade e independência é o componente `PayrollDomain`. Esse componente contém a *essência* do sistema inteiro, apesar de não depender de nada! Examine esse componente atentamente. Ele contém `Employee`, `PaymentClassification`, `PaymentMethod`, `PaymentSchedule`, `Affiliation` e `Transaction`. Esse componente contém todas as principais abstrações de nosso modelo, apesar de não ter dependências. Por quê? Porque todas as classes que ele contém são abstratas.

Considere o componente `Classifications`, que contém as três derivadas de `PaymentClassification`, junto com a classe `ChangeClassificationTransaction` e suas três derivadas, assim como `TimeCard` e `SalesReceipt`. Note que qualquer alteração feita nessas nove classes é isolada; a não ser `TextParser`, nenhum outro componente é afetado! Tal isolamento também vale para o componente `Methods`, para o componente `Schedules` e para o componente `Affiliations`. Isso é muito isolamento.

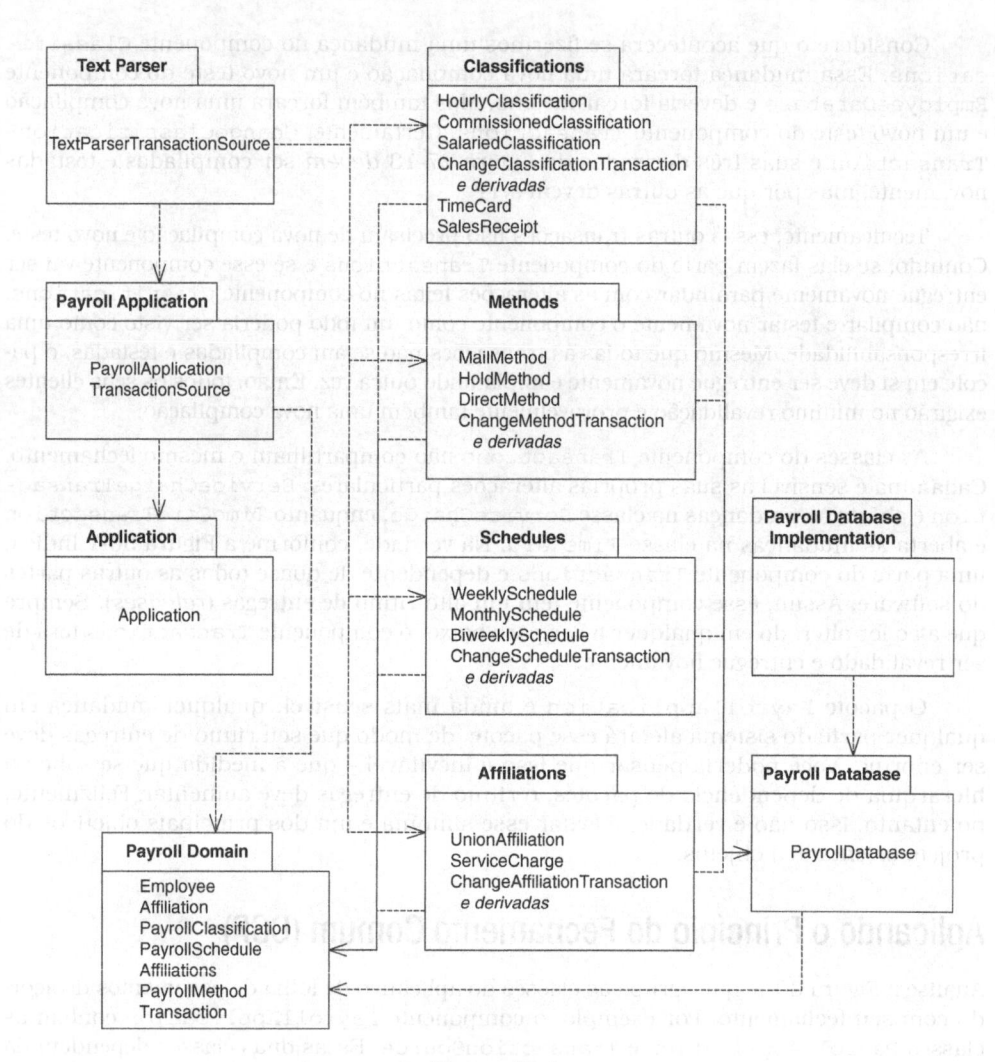

EMPACOTANDO O SISTEMA DE FOLHA DE PAGAMENTOS

```
┌─────────────────────┐           ┌──────────────────────────────┐
│    Text Parser      │           │       Classifications        │
├─────────────────────┤           ├──────────────────────────────┤
│                     │     ┌────>│ HourlyClassification         │
│ TextParserTransaction│    │     │ CommissionedClassification   │
│      Source         │    │      │ SalariedClassification       │
│                     │    │      │ ChangeClassificationTransaction│
└─────────────────────┘    │      │   e derivadas                │
           │               │      │ TimeCard                     │
           v               │      │ SalesReceipt                 │
┌─────────────────────┐    │      └──────────────────────────────┘
│ Payroll Application │    │      ┌──────────────────────────────┐
├─────────────────────┤    │      │           Methods            │
│                     │    │      ├──────────────────────────────┤
│ PayrollApplication  │────┼────> │ MailMethod                   │
│ TransactionSource   │    │      │ HoldMethod                   │
│                     │    │      │ DirectMethod                 │
└─────────────────────┘    │      │ ChangeMethodTransaction      │
           │               │      │   e derivadas                │
           v               │      └──────────────────────────────┘
┌─────────────────────┐    │      ┌──────────────────┐  ┌──────────────────┐
│     Application     │    │      │    Schedules     │  │ Payroll Database │
├─────────────────────┤    │      ├──────────────────┤  │  Implementation  │
│                     │    │      │ WeeklySchedule   │  ├──────────────────┤
│     Application     │────┼────> │ MonthlySchedule  │  │                  │
│                     │    │      │ BiweeklySchedule │  │                  │
└─────────────────────┘    │      │ ChangeSchedule   │  └──────────────────┘
                           │      │   Transaction    │           │
                           │      │ e derivadas      │           │
                           │      └──────────────────┘           │
                           │      ┌──────────────────┐  ┌──────────────────┐
                           │      │   Affiliations   │  │ Payroll Database │
                           │      ├──────────────────┤  ├──────────────────┤
                           │      │ UnionAffiliation │  │ PayrollDatabase  │
                           │      │ ServiceCharge    │  │                  │
                           │      │ ChangeAffiliation│  │                  │
┌─────────────────────┐    │      │   Transaction    │  └──────────────────┘
│   Payroll Domain    │    │      │ e derivadas      │
├─────────────────────┤    │      └──────────────────┘
│ Employee            │    │
│ Affiliation         │    │
│ PayrollClassification│   │
│ PayrollSchedule     │<───┘
│ Affiliations        │
│ PayrollMethod       │
│ Transaction         │
└─────────────────────┘
```

Figura 30-2
Uma hierarquia fechada quanto aos componentes para o aplicativo de folha de pagamentos.

Note que a maior parte do código detalhado que será escrito está em componentes com poucos ou nenhum dependente. Como quase nada depende deles, os chamamos de *irresponsáveis*. O código dentro desses componentes é altamente flexível; ele pode ser alterado sem afetar muitas outras partes do projeto. Note também que os pacotes mais gerais do sistema contêm a mínima quantidade de código. Muitas coisas dependem desses componentes, mas eles não dependem de nada. Como muitos componentes dependem deles, os chamamos de *responsáveis;* e como não dependem de nada, os chamamos de *independentes*. Assim, o volume de código responsável (isto é, código no qual alterações afetariam muitos outros códigos) é muito pequeno. Além disso, essa pequena quantidade de código responsável também é independente; assim, nenhum outro módulo o induzirá a mudar. Essa estrutura invertida, com generalidades altamente independentes e responsáveis na parte inferior e detalhes altamente irresponsáveis e dependentes na parte superior, é a característica distintiva do projeto orientado a objetos.

Compare a Figura 30-1 com a Figura 30-2. Note que os detalhes da parte inferior da Figura 30-1 são independentes e altamente responsáveis. Esse é o lugar errado para detalhes! Os detalhes devem depender das principais decisões arquitetônicas do sistema e nada deve depender deles. Note também que as generalidades – os componentes que definem a arquitetura do sistema – são irresponsáveis e altamente dependentes. Assim, os componentes que definem as decisões arquitetônicas dependem (e, portanto, são restringidas por eles) dos componentes que contêm os detalhes da implementação. Isso é uma violação do SAP. Seria melhor se a arquitetura restringisse os detalhes!

Aplicando o Princípio da Equivalência Reutilização/Entrega (REP)

Quais partes do aplicativo de folha de pagamentos podemos reutilizar? Outro setor de nossa empresa, querendo reutilizar nosso sistema de folha de pagamentos, mas tendo um conjunto de diretivas diferente, não poderia reutilizar Classifications, Methods, Schedules nem Affiliations, mas poderia reutilizar PayrollDomain, PayrollApplication, Application, PayrollDatabase e, possivelmente, PDImplementation. Por outro lado, outro departamento que quisesse escrever software que analisasse o banco de dados de funcionários atual poderia reutilizar PayrollDomain, Classifications, Methods, Schedules, Affiliations, PayrollDatabase e PDImplementation. Em cada caso, o grânulo da reutilização é um componente.

Raramente, uma única classe de um componente seria reutilizada. O motivo é simples. As classes dentro de um componente devem ser coesas. Ou seja, elas dependem umas das outras e não podem ser fácil ou sensatamente separadas. Não faria sentido, por exemplo, utilizar a classe Employee sem usar a classe PaymentMethod. Na verdade, para fazer isso, você teria que modificar a classe Employee para que ela não contivesse uma instância de PaymentMethod. Certamente, não queremos dar suporte para o tipo de reutilização que nos obriga a modificar os componentes reutilizados. Portanto, o grânulo da reutilização é o componente. Isso nos fornece outro critério de coesão para utilizar ao tentarmos agrupar classes em componentes: as classes não devem ser apenas fechadas juntas, mas também reutilizadas juntas, de acordo com o REP.

Considere novamente nosso diagrama de componentes original da Figura 30-1. Os componentes que poderíamos querer reutilizar, como Transactions ou PayrollDatabase, não são facilmente reutilizáveis, pois arrastam consigo muita bagagem extra. O componente PayrollApplication depende de tudo. Se quiséssemos criar um novo aplicativo de folha de pagamentos que usasse um conjunto diferente de diretivas de agenda, método, afiliação e classificação, não poderíamos usar esse pacote como um todo. Em vez disso, teríamos de pegar classes individuais de PayrollApplication, Transactions, Methods, Schedules, Classifications e Affiliations. Desmontando os componentes dessa maneira, destruímos sua estrutura de entregas. Não podemos dizer que a versão 3.2 de PayrollApplication é reutilizável.

Como a Figura 30-1 viola o CRP, o usuário, tendo aceitado os fragmentos reutilizáveis de nossos vários componentes, não poderá depender de nossa estrutura de entregas. Reutilizando a classe PaymentMethod, o usuário é afetado por uma nova entrega de Methods. Na maioria das vezes, as alterações serão feitas nas classes que não estão sendo reutilizadas; apesar disso, o usuário ainda deverá controlar nosso novo número de versão e provavelmente compilar o código e testá-lo novamente.

Isso será tão difícil de gerenciar que a estratégia mais provável do usuário será fazer uma cópia dos componentes reutilizáveis e desenvolver essa cópia separadamente da nossa. Isso não é reutilização. Os dois códigos se tornarão diferentes e exigirão suporte independente, efetivamente duplicando o trabalho de suporte.

Esses problemas não são mostrados pela estrutura da Figura 30-2. Os componentes dessa estrutura são mais fáceis de reutilizar. `PayrollDomain` não arrasta muita bagagem consigo. Ele é reutilizável, independentemente de qualquer uma das derivadas de `PaymentMethod`, `PaymentClassification`, `PaymentSchedule` etc.

O leitor perspicaz notará que o diagrama de componentes da Figura 30-2 não obedece ao CRP completamente. Especificamente, as classes dentro de `PayrollDomain` não formam a menor unidade reutilizável. A classe `Transaction` não precisa ser reutilizada com o restante do componente. Poderíamos projetar muitos aplicativos que acessam `Employee` e seus campos, mas nunca utilizar `Transaction`.

Isso sugere uma mudança no diagrama de componentes, como mostrado na Figura 30-3. Isso separa as transações dos elementos que elas manipulam. Por exemplo, as classes do componente `MethodTransactions` manipulam as classes do componente `Methods`.

Movemos a classe `Transaction` para um novo componente, chamado `TransactionApplication`, que também contém `TransactionSource` e uma classe chamada `TransactionApplication`. Essas três formam uma unidade reutilizável. A classe `PayrollApplication` agora se torna a grande unificadora. Ela contém o programa principal e também uma derivada de `TransactionApplication`, chamada `PayrollApplication`, que vincula `TextParserTransactionSource` a `TransactionApplication`.

Essas manipulações acrescentaram mais uma camada de abstração no projeto. Agora o componente `TransactionApplication` pode ser reutilizado por qualquer aplicativo que obtenha `Transactions` de `TransactionSource` e então executar (com `Execute`) as transações. O componente `PayrollApplication` não é mais reutilizável, pois é extremamente dependente. Contudo, o componente `TransactionApplication` tomou seu lugar e é mais geral. Agora, podemos reutilizar o componente `PayrollDomain` sem quaisquer `Transactions`.

Isso certamente aumenta a capacidade de reutilização e a capacidade de manutenção do projeto, mas o custo é de cinco componentes extras e uma arquitetura de dependência mais complexa. O valor do compromisso depende do tipo de reutilização que poderíamos esperar e do ritmo no qual esperamos que o aplicativo evolua. Se o aplicativo permanece estável e poucos clientes o reutilizam, talvez essa mudança seja excessiva. Por outro lado, se muitos aplicativos reutilizarão essa estrutura ou se esperamos que o aplicativo passe por muitas alterações, talvez a nova estrutura seja superior; trata-se de uma questão de discernimento e deve ser baseada em dados e não em especulação. É melhor começar simples e aumentar a estrutura de componentes conforme for necessário. As estruturas de componentes sempre podem se tornar mais elaboradas, se preciso.

Acoplamento e encapsulamento

Assim como o acoplamento entre classes é gerenciado pelos limites de encapsulamento em C#, os acoplamentos entre componentes podem ser gerenciados declarando-se as classes dentro deles como públicas ou privadas. Se uma classe dentro de um componente vai ser usada por outro componente, essa classe deve ser declarada pública. Uma classe que é privativa de um componente deve ser declarada interna.

Talvez queiramos ocultar certas classes dentro de um componente para evitar acoplamentos aferentes. `Classifications` é um componente detalhado que contém

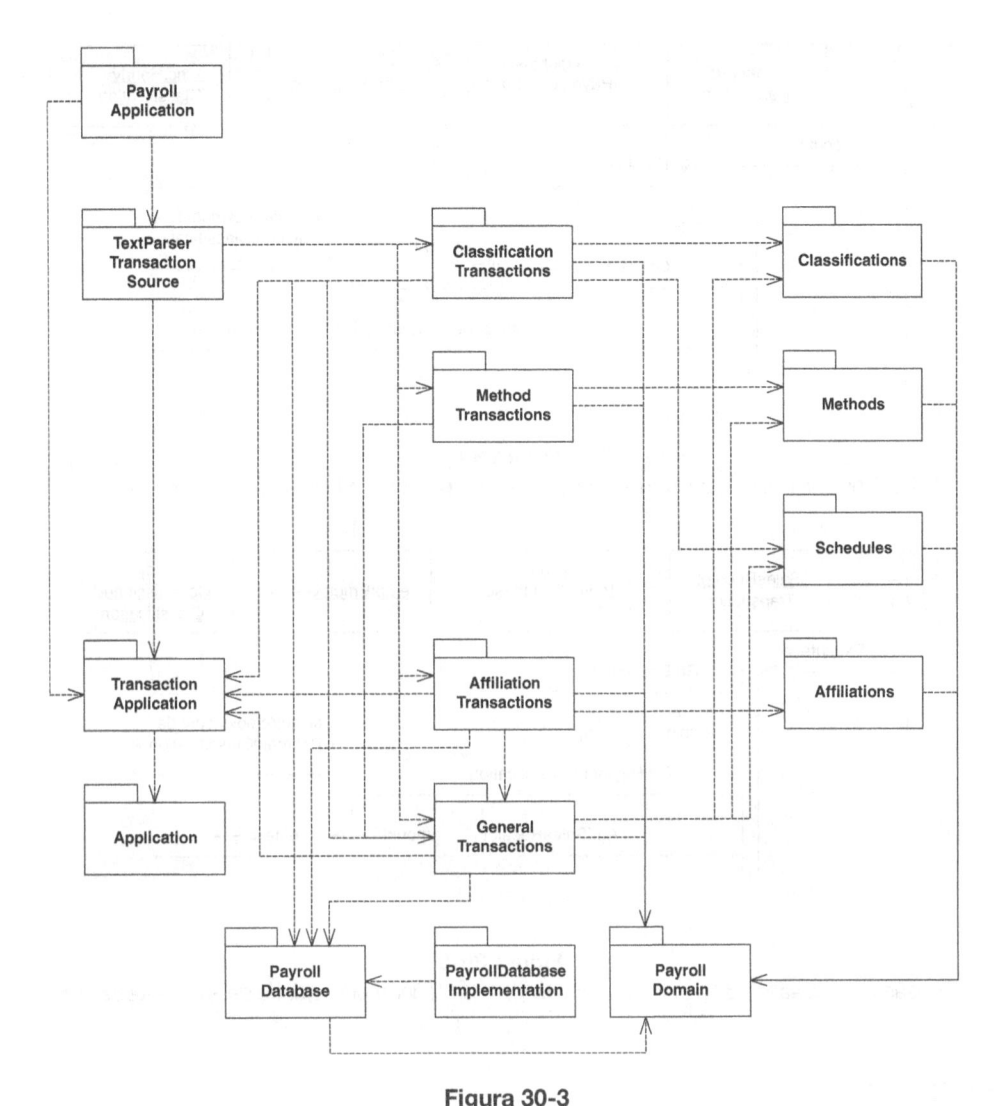

Figura 30-3
Diagrama de componentes atualizado do aplicativo de folha de pagamentos.

as implementações de várias diretivas de pagamento. Para manter esse componente na sequência principal, queremos limitar seus acoplamentos aferentes; portanto, ocultamos as classes que outros pacotes não precisam saber a respeito.

TimeCard e SalesReceipt são boas escolhas para classes internas. São detalhes da implementação dos mecanismos para calcular o pagamento de um funcionário. Queremos ficar livres para alterar esses detalhes, de modo que precisamos evitar que outra pessoa dependa de sua estrutura.

Um rápido exame das figuras 27-7 a 27-10 e da Listagem 27-10 mostra que as classes TimeCardTransaction e SalesReceiptTransaction já dependem de TimeCard e SalesReceipt. No entanto, podemos resolver esse problema facilmente, como mostrado nas figuras 30-4 e 30-5.

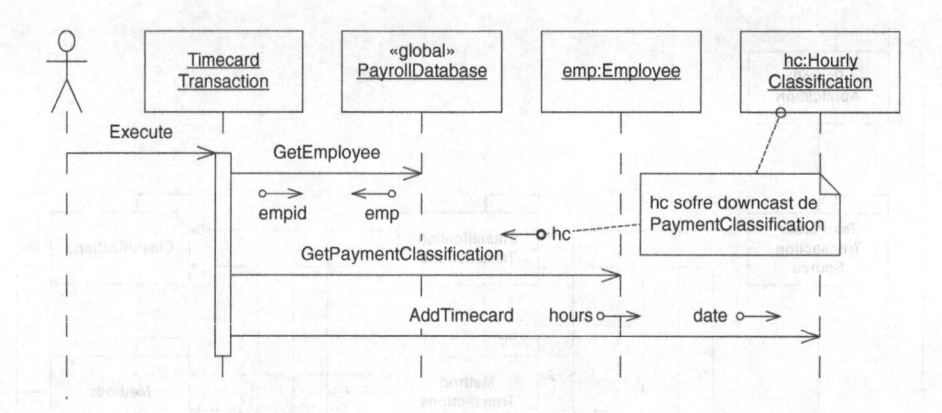

Figura 30-4
Revisão de `TimeCardTransaction` para proteger a privacidade de `TimeCard`.

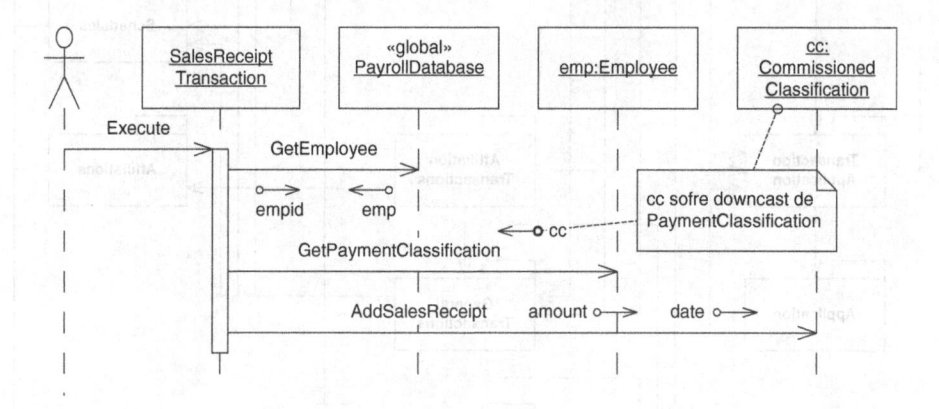

Figura 30-5
Revisão de `SalesReceiptTransaction` para proteger a privacidade de `SalesReceipt`.

Métricas

Como visto no Capítulo 28, podemos quantificar os atributos de coesão, acoplamento, estabilidade, generalidade e conformação à sequência principal com algumas métricas simples. Mas por que devemos querer isso? Para parafrasear Tom DeMarco: você não pode gerenciar o que não pode controlar, e você não pode controlar o que não mede.[1] Para sermos engenheiros ou gerentes de software eficientes, devemos ser capazes de controlar a prática de desenvolvimento de software. Contudo, se não a medirmos, nunca teremos esse controle.

---

[1] [DeMarco82], p. 3.

Aplicando as heurísticas a seguir e calculando algumas métricas fundamentais sobre nossos projetos orientados a objetos, podemos começar a correlacionar essas métricas com o desempenho medido do software e das equipes que o desenvolveram. Quanto mais métricas reunirmos, mais informações teremos e, consequentemente, mais controle poderemos exercer.

As métricas que descrevemos foram aplicadas com êxito em vários projetos desde 1994. Elas não são difíceis de calcular à mão e muitas ferramentas automáticas estão disponíveis. Também não é difícil escrever um script simples, em Shell, Python ou Ruby, para percorrer seus arquivos-fonte e calculá-las.[2]

- H (*coesão relacional*) pode ser representada como o número médio de relacionamentos internos por classe em um componente. Seja R o número de relacionamentos de classes internas ao componente (isto é, que não se conectam com classes fora do componente). Seja N o número de classes dentro do componente. O número 1 extra na fórmula impede que $H = 0$ quando $N = 1$ e representa o relacionamento que o pacote tem com todas as suas classes:

$$H = \frac{R+1}{N}$$

- Aa (*acoplamento aferente*) pode ser calculado como o número de classes de outros componentes que dependem das classes dentro do componente em questão. Essas dependências são relacionamentos de classe, como herança e associação.
- Ae (*acoplamento eferente*) pode ser calculado como o número de classes nos outros componentes dos quais as classes do componente em questão dependem. Como antes, essas dependências são relacionamentos de classe.
- A (*abstração* ou *generalidade*) pode ser calculada como a relação entre o número de classes ou interfaces abstratas no componente e o número total de classes e interfaces no componente.[3] Esta métrica varia de 0 a 1.

$$A = \frac{\text{ClassesAbstratas}}{\text{TotalDeClasses}}$$

- I (*instabilidade*) pode ser calculada como a relação entre o acoplamento eferente e o acoplamento total. Esta métrica também varia de 0 a 1.

$$I = \frac{A_e}{A_e + A_a}$$

---

[2] Para um exemplo de script de Shell, baixe depend.sh da seção de software gratuito do site www.objectmentor.com.
[3] Alguém poderia achar que uma fórmula melhor para A seria a relação entre os métodos abstratos e os métodos totais dentro do pacote. Contudo, descobri que essa fórmula enfraquece muito a métrica da abstração. Mesmo um único método abstrato torna uma classe abstrata, e o poder dessa abstração é mais significativo do que o fato de que a classe pode ter dezenas de métodos concretos, especialmente quando o DIP está sendo seguido.

- D (distância da sequência principal) = $|(A + I - 1) \div D2|$. A sequência principal é idealizada pela linha $A + I = 1$. A fórmula calcula a distância de qualquer componente específico em relação à sequência principal. Ela varia de ~0,7 a 0; quanto mais próxima a 0, melhor.[4]

$$D = \frac{|A + I - 1|}{\sqrt{2}}$$

- D' (distância da sequência principal normalizada) representa a métrica D normalizada no intervalo [0,1]. Talvez ela seja um pouco mais conveniente para calcular e interpretar. O valor 0 representa um componente que coincide com a sequência principal. O valor 1 representa um componente que está o mais distante possível da sequência principal.

$$D' = |A + I - 1|$$

Aplicando as métricas no aplicativo de folha de pagamentos

A Tabela 30-1 mostra como as classes do modelo de folha de pagamentos foram distribuídas em componentes. A Figura 30-6 mostra o diagrama de componentes do aplicativo de folha de pagamentos com todas as métricas calculadas. E a Tabela 30-2 mostra todas as métricas calculadas para cada componente.

Na Figura 30-6, cada dependência é adornada com dois números. O número mais próximo ao componente dependente representa o número de classes que ele contém e que dependem do componente que é dependido. O número mais próximo ao componente que é dependido representa o número de classes que ele contém das quais depende o componente dependente.

Cada componente da Figura 30-6 é adornado com as métricas que se aplicam a ele. Muitas dessas métricas são animadoras. `PayrollApplication`, `PayrollDomain` e `PayrollDatabase`, por exemplo, têm alta coesão relacional e estão na sequência principal ou próximos a ela. Contudo, os componentes `Classifications`, `Methods` e `Schedules` mostram em geral uma baixa coesão relacional e estão quase o mais distante possível da sequência principal!

Esses números nos informam que a divisão das classes nos componentes é frágil. Se não encontrarmos uma maneira de melhorar os valores, o ambiente de desenvolvimento será sensível à mudança, o que pode causar novas entregas e novos testes desnecessários. Especificamente, temos componentes de baixa abstração, como `ClassificationTransaction`, dependendo expressivamente de outros componentes de baixa abstração, como `Classifications`. Classes com baixa abstração contêm a maior parte do código detalhado e, portanto, é provável que mudem, o que forçará uma nova entrega dos componentes que dependem delas. Assim, o componente `ClassificationTransaction` terá um ritmo de entregas muito alto, pois está sujeito ao seu próprio alto ritmo de mudança e ao de `Classifications`. Tanto quanto possível, gostaríamos de limitar a sensibilidade à mudança de nosso ambiente de desenvolvimento.

---

[4] É impossível representar qualquer pacote fora do quadrado da unidade no gráfico de A versus I, pois nem A nem I podem passar de 1. A sequência principal divide esse quadrado ao meio, de (0,1) a (1,0). Dentro do quadrado, os pontos mais distantes da sequência principal são os dois cantos (0,0) e (1,1). Sua distância da sequência principal é:

$$\frac{\sqrt{2}}{2} = 0{,}70710678\ldots$$

Tabela 30-1 Distribuição de classes no componente

Componente	Classes no componente		
Affiliations	ServiceCharge	UnionAffiliation	
AffiliationTransactions	ChangeAffiliationTransaction	ChangeUnaffiliatedTransaction	ChangeMemberTransaction
	ServiceChargeTransaction		
Application	Application		
Classifications	CommissionedClassification	HourlyClassification	SalariedClassification
	SalesReceipt	Timecard	
ClassificationTransaction	ChangeClassificationTransaction	ChangeCommissionedTransaction	ChangeHourlyTransaction
	ChangeSalariedTransaction	SalesReceiptTransaction	TimecardTransaction
GeneralTransactions	AddCommissionedEmployee	AddEmployeeTransaction	AddHourlyEmployee
	AddSalariedEmployee	ChangeAddressTransaction	ChangeEmployeeTransaction
	ChangeNameTransaction	DeleteEmployeeTransaction	PaydayTransaction
Methods	DirectMethod	HoldMethod	MailMethod
MethodTransactions	ChangeDirectTransaction	ChangeHoldTransaction	ChangeMailTransaction
	ChangeMethodTransaction		
PayrollApplication	PayrollApplication		
PayrollDatabase	PayrollDatabase		
PayrollDatabaseImplementation	PayrollDatabaseImplementation		
PayrollDomain	Affiliation	Employee	PaymentClassification
	PaymentMethod	PaymentSchedule	
Schedules	BiweeklySchedule	MonthlySchedule	WeeklySchedule
TextParserTransactionSource	TextParserTransactionSource		
TransactionApplication	TransactionApplication	Transaction	TransactionSource

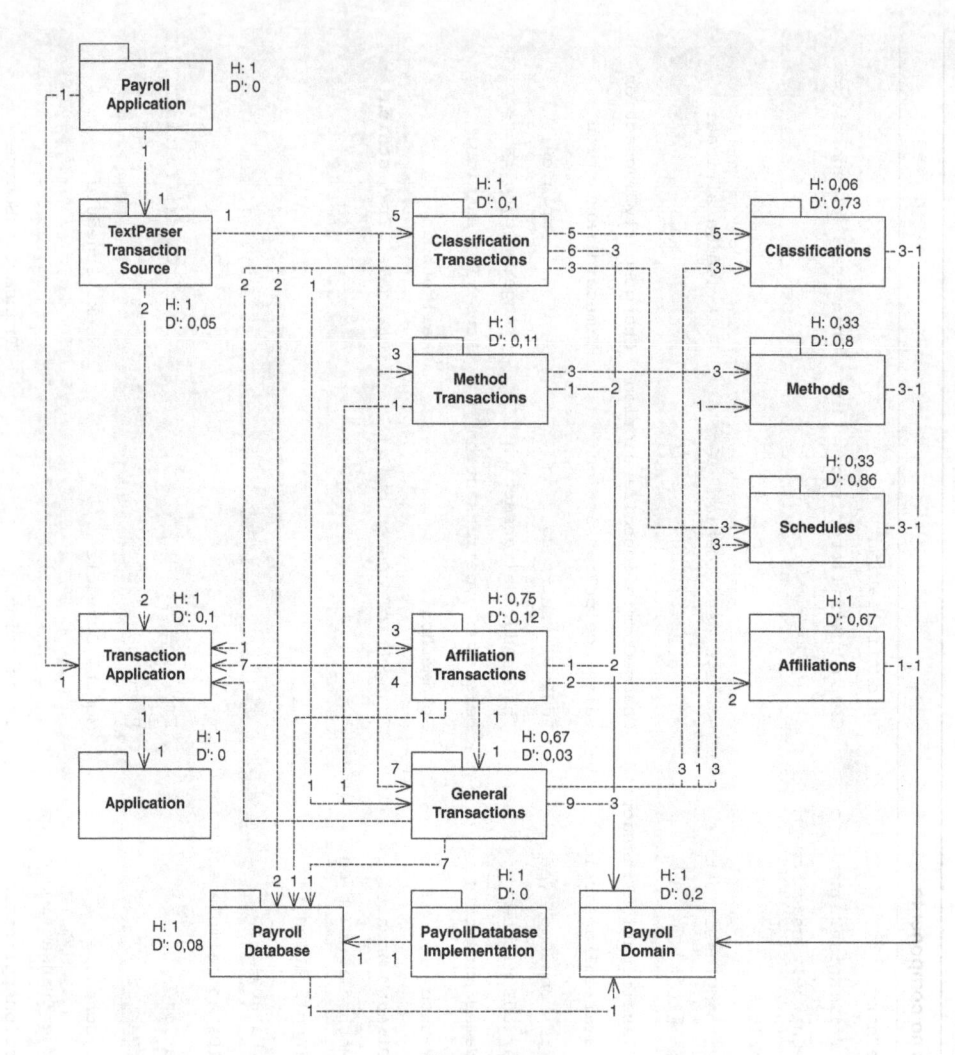

Figura 30-6
Diagrama de componentes com métricas.

Claramente, se tivermos apenas dois ou três desenvolvedores, eles poderão gerenciar o ambiente de desenvolvimento em suas cabeças e a necessidade de manter componentes na sequência principal, para esse propósito, não será grande. Contudo, quanto mais desenvolvedores houver, mais difícil será manter o ambiente de desenvolvimento sadio. Além disso, o trabalho exigido para se obter essas métricas é mínimo, comparado ao trabalho exigido para realizar até mesmo uma única nova entrega e um novo teste.[5] Portanto, é uma questão de discernimento saber se o trabalho de calcular essas métricas será uma perda ou um ganho a curto prazo.

---

[5] Passei cerca de 2 horas compilando manualmente as estatísticas e calculando as métricas do exemplo de folha de pagamentos. Se tivesse usado uma das ferramentas disponíveis comercialmente, isso teria sido quase imediato.

Tabela 30-2 Métricas de cada componente

Nome do componente	N	A	Aa	Ae	R	H	I	A	D	D'
Affiliations	2	0	2	1	1	1	0,33	0	0,47	0,67
AffiliationTransactions	4	1	1	7	2	0,75	0,88	0,25	0,09	0,12
Application	1	1	1	0	0	1	0	1	0	0
Classifications	5	0	8	3	2	0,06	0,27	0	0,51	0,73
ClassificationTransaction	6	1	1	14	5	1	0,93	0,17	0,07	0,10
GeneralTransactions	9	2	4	12	5	0,67	0,75	0,22	0,02	0,03
Methods	3	0	4	1	0	0,33	0,20	0	0,57	0,80
MethodTransactions	4	1	1	6	3	1	0,86	0,25	0,08	0,11
PayrollApplication	1	0	0	2	0	1	1	0	0	0
PayrollDatabase	1	1	11	1	0	1	0,08	1	0,06	0,08
PayrollDatabaseImpl,,,	1	0	0	1	0	1	1	0	0	0
PayrollDomain	5	4	26	0	4	1	0	0,80	0,14	0,20
Schedules	3	0	6	1	0	0,33	0,14	0	0,61	0,86
TextParserTransactionSource	1	0	1	20	0	1	0,95	0	0,03	0,05
TransactionApplication	3	3	9	1	2	1	0,1	1	0,07	0,10

Fábricas de objetos

Depende-se expressivamente de Classifications e ClassificationTransaction porque as classes que contêm precisam ser instanciadas. Por exemplo, a classe TextParser-TransactionSource deve ser capaz de criar objetos AddHourlyEmployeeTransaction; assim, existe um acoplamento aferente do pacote TextParserTransactionSource para o pacote ClassificationTransactions. Além disso, a classe ChangeHourlyTransaction deve ser capaz de criar objetos HourlyClassification; portanto, existe um acoplamento aferente de ClassificationTransaction para Classifications.

Quase todo outro uso dos objetos dentro desses componentes é por meio de suas interfaces abstratas. Se não fosse pela necessidade de criar cada objeto concreto, os acoplamentos aferentes desses componentes não existiriam. Por exemplo, se TextParser-TransactionSource não precisasse criar as diferentes transações, não dependeria dos quatro pacotes que contêm implementações de transação.

Esse problema pode ser reduzido significativamente usando-se o padrão FACTORY. Cada componente fornece uma fábrica de objetos que é responsável por criar todos os objetos públicos dentro desse pacote.

A fábrica de objetos para TransactionImplementation A Figura 30-7 mostra como se constrói uma fábrica de objetos para o componente TransactionImplementation. O componente TransactionFactory contém a classe base abstrata, a qual define os métodos abstratos que representam os construtores dos objetos de transação concretos. O componente TransactionImplementation contém a derivada concreta da classe Transaction-Factory e utiliza todas as transações concretas para criá-los.

A classe TransactionFactory tem um membro estático declarado como um ponteiro TransactionFactory. Esse membro deve ser inicializado pelo programa principal para apontar para uma instância do objeto concreto TransactionFactoryImplementation.

Inicializando as fábricas Se outras fábricas vão criar objetos usando as fábricas de objeto, os membros estáticos das fábricas de objetos abstratos precisam ser inicializados para apontar para a fábrica concreta apropriada. Isso deve ser feito antes que qualquer usuário tente utilizar a fábrica. O melhor lugar para fazer isso normalmente é o programa principal, ou seja, o programa principal depende de todas as fábricas e de todos os pacotes concretos. Assim, cada pacote concreto terá pelo menos um acoplamento aferente a partir do programa principal. Isso obrigará o pacote concreto a sair um pouco da sequência principal, mas não há muita escolha.[6] Isso significa que devemos entregar novamente o programa principal sempre que alterarmos qualquer um dos componentes concretos. Seja como for, provavelmente devemos entregar o programa principal para cada alteração mais uma vez, pois ele precisará ser testado independentemente. As figuras 30-8 e 30-9 mostram a estrutura estática e dinâmica do programa principal em relação às fábricas de objetos.

Reconsiderando os limites da coesão

Inicialmente, separamos Classifications, Methods, Schedules e Affiliations na Figura 30-1. Naquele momento parecia uma divisão razoável. Afinal, outros usuários talvez quisessem reutilizar nossas classes de agenda sem reutilizar nossas classes de afiliação. Essa divisão foi mantida após repartirmos as transações em seus próprios componentes, criando uma hierarquia dupla. Talvez isso tenha sido exagero. O diagrama da Figura 30-6 é muito confuso.

Um diagrama de pacotes confuso torna o gerenciamento de novas entregas difícil, caso seja feito à mão. Embora os diagramas de componentes funcionem bem com uma ferramenta de planejamento de projetos automatizada, a maioria de nós não dispõe desse luxo. Assim, precisamos manter nossos diagramas de componentes tão simples quanto práticos.

No meu modo de ver, a divisão das transações é mais importante do que a divisão funcional. Assim, mesclaremos as transações em um único componente TransactionImplementation. Mesclaremos também os componentes Classifications, Schedules, Methods e Affiliations em um único pacote PayrollImplementation.

A estrutura de empacotamento final

A Tabela 30-3 mostra a distribuição final das classes nos componentes. A Tabela 30-4 contém a planilha de métricas. A Figura 30-10 mostra a estrutura de componentes final, a qual utiliza fábricas de objeto para trazer os componentes concretos para perto da sequência principal.

As métricas desse diagrama são motivadoras. Todas as coesões relacionais são muito altas, em parte graças aos relacionamentos das fábricas concretas com os objetos que criam, e não existem desvios significativos em relação à sequência principal. Assim, os acoplamentos entre nossos componentes são adequados para um ambiente de desenvolvimento sadio. Nossos componentes abstratos são fechados, reutilizáveis e depende-se expressivamente deles, mas de sua parte têm poucas dependências. Nossos componentes concretos são segregados na base da reutilização, são expressivamente dependentes dos componentes abstratos e não dependem expressivamente deles próprios.

---

[6] Como uma solução prática, eu normalmente ignoro os acoplamentos do programa principal.

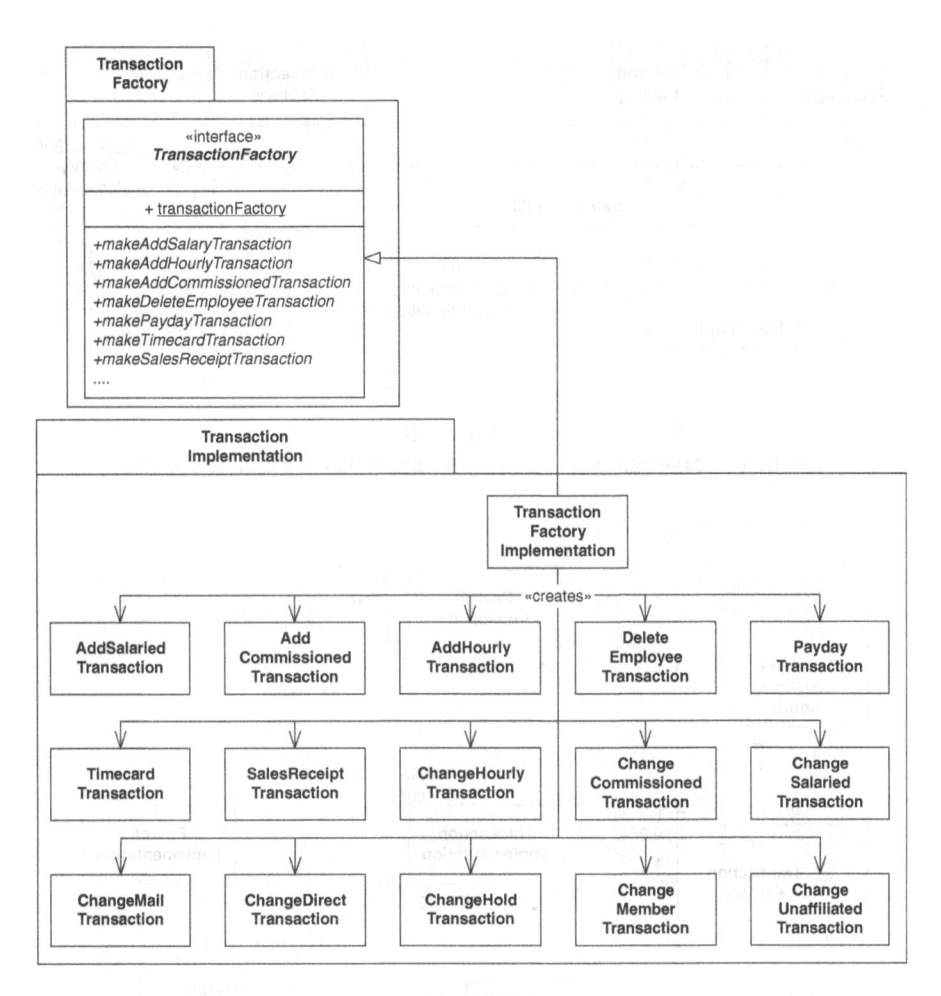

Figura 30-7
Fábrica de objetos para transações.

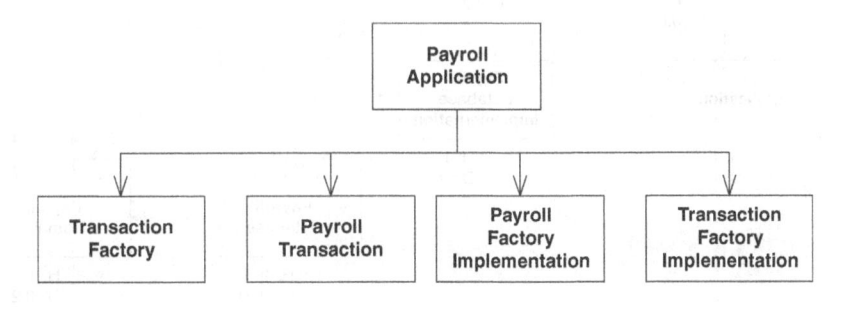

Figura 30-8
Estrutura estática do programa principal e das fábricas de objetos.

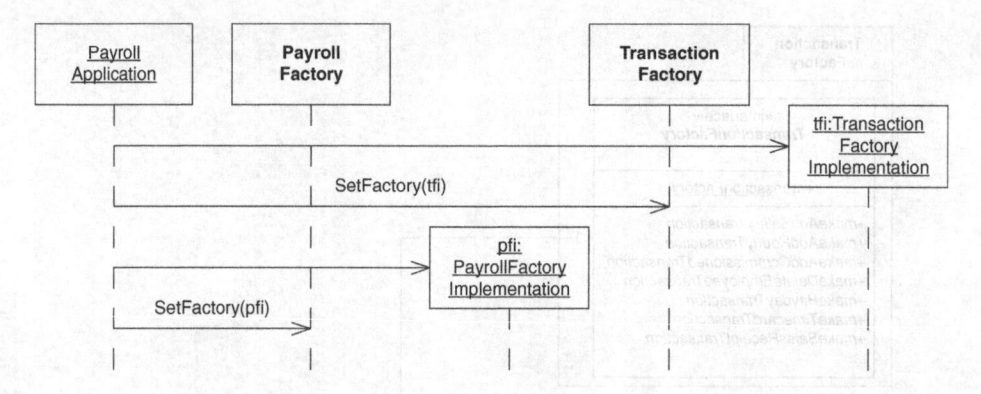

Figura 30-9
Estrutura dinâmica do programa principal e das fábricas de objeto.

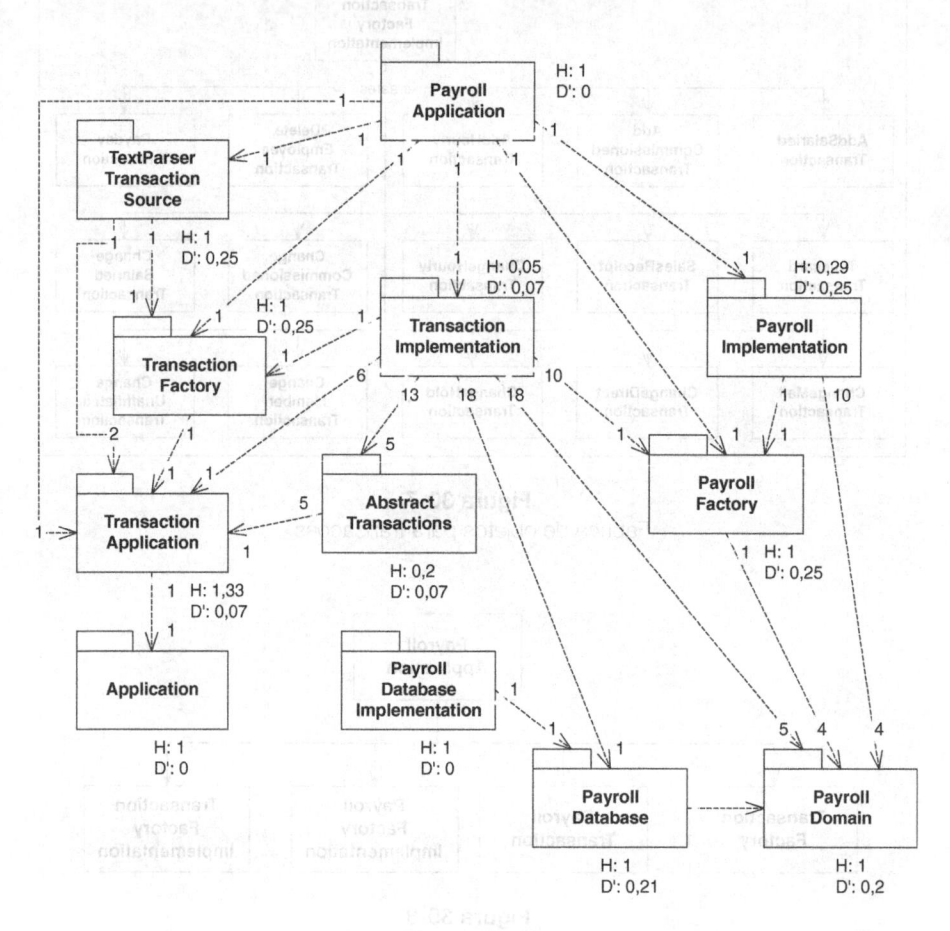

Figura 30-10
Estrutura de componentes final do aplicativo de folha de pagamentos.

Tabela 30-3 Distribuição final das classes em componentes

Componentes	Classes nos componentes
AbstractTransactions	AddEmployeeTransaction, ChangeAffiliationTransaction, ChangeEmployeeTransaction, ChangeClassificationTransaction, ChangeMethodTransaction
Application	Application
PayrollApplication	PayrollApplication
PayrollDatabase	PayrollDatabase
PayrollDatabaseImplementation	PayrollDatabaseImplementation
PayrollDomain	Affiliation, Employee, PaymentClassification, PaymentMethod, PaymentSchedule
PayrollFactory	PayrollFactory
PayrollImplementation	BiweeklySchedule, CommissionedClassification, DirectMethod, HoldMethod, HourlyClassification, MailMethod, MonthlySchedule, PayrollFactoryImplementation, SalariedClassification, SalesReceipt, ServiceCharge, Timecard, UnionAffiliation, WeeklySchedule
TextParserTransactionSource	TextParserTransactionSource
TransactionApplication	Transaction, TransactionApplication, TransactionSource
TransactionFactory	TransactionFactory
TransactionImplementation	AddCommissionedEmployee, AddHourlyEmployee, AddSalariedEmployee, ChangeAddressTransaction, ChangeCommissionedTransaction, ChangeDirectTransaction, ChangeHoldTransaction, ChangeHourlyTransaction, ChangeMailTransaction, ChangeMemberTransaction, ChangeNameTransaction, ChangeSalariedTransaction, ChangeUnaffiliatedTransaction, DeleteEmployee, PaydayTransaction, SalesReceiptTransaction, ServiceChargeTransaction, TimecardTransaction, TransactionFactoryImplementation

Tabela 30-4 Planilha de métricas

Nome do componente	N	A	Aa	Ae	R	H	I	A	D	D'
AbstractTransactions	5	5	13	1	0	0,20	0,07	1	0,05	0,07
Application	1	1	1	0	0	1	0	1	0	0
PayrollApplication	1	0	0	5	0	1	1	0	0	0
PayrollDatabase	1	1	19	5	0	1	0,21	1	0,15	0,21
PayrollDatabaseImplementation	1	0	0	1	0	1	1	0	0	0
PayrollDomain	5	4	30	0	4	1	0	0,80	0,14	0,20
PayrollFactory	1	1	12	4	0	1	0,25	1	0,18	0,25
PayrollImplementation	14	0	1	5	3	0,29	0,83	0	0,12	0,17
TextParserTransactionSource	1	0	1	3	0	1	0,75	0	0,18	0,25
TransactionApplication	3	3	14	1	3	1,33	0,07	1	0,05	0,07
TransactionFactory	1	1	3	1	0	1	0,25	1	0,18	0,25
TransactionImplementation	19	0	1	14	0	0,05	0,93	0	0,05	0,07

Conclusão

A necessidade de gerenciar estruturas de componentes é uma função do tamanho do programa e da equipe de desenvolvimento. Mesmo equipes pequenas precisam dividir o código-fonte para que seus membros possam não atrapalhar uns aos outros. Sem algum tipo de estrutura de divisão, os programas grandes podem se tornar aglomerados nebulosos de arquivos-fonte. Os princípios e métricas descritos neste capítulo têm me ajudado (e a muitas outras equipes de desenvolvimento) a gerenciar suas estruturas de dependência de componentes.

Bibliografia

[Booch94] Grady Booch, *Object-Oriented Analysis and Design with Applications*, 2^d ed., Addison-Wesley, 1994.

[DeMarco82] Tom DeMarco, *Controlling Software Projects*, Yourdon Press, 1982.

Capítulo 31

COMPOSITE

Um composto é um eufemismo para uma mentira.
Ele é desorganizado.
É desonesto e não é jornalismo.

— Fred W. Friendly, 1984

O padrão COMPOSITE é muito simples e tem implicações significativas. A estrutura fundamental do padrão COMPOSITE aparece na Figura 31-1. Aqui, vemos uma hierarquia baseada em figuras. A classe base Shape tem duas figuras (shapes) derivadas: Circle e Square (círculo e quadrado). A terceira derivada é o composto (composite). CompositeShape mantém uma lista de muitas instâncias de Shape. Quando chamado em CompositeShape, Draw() delega esse método para todas as instâncias de Shape da lista.

Assim, para o sistema, uma instância de CompositeShape parece ser um único objeto Shape. Ele pode ser passado para qualquer função ou objeto que receba Shape e se comportará como Shape. Contudo, na verdade ele é um proxy[1] para um grupo de instâncias de Shape. As listagens 31-1 e 31-2 mostram uma possível implementação de CompositeShape.

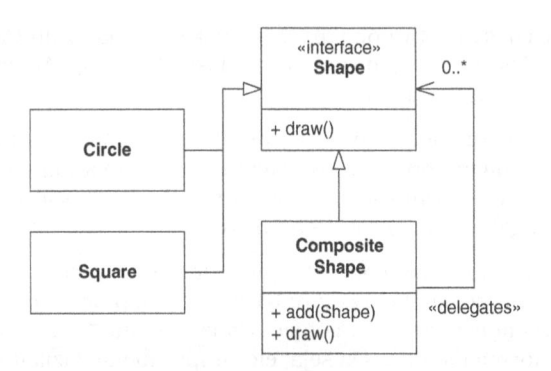

Figura 31-1
Padrão COMPOSITE.

---

[1] Observe a semelhança da estrutura com o padrão PROXY.

Listagem 31-1
`Shape.cs`

```
public interface Shape
{
  void Draw();
}
```

Listagem 31-2
`CompositeShape.cs`

```
using System.Collections;
public class CompositeShape : Shape
{
  private ArrayList itsShapes = new ArrayList();
  public void Add(Shape s)
  {
    itsShapes.Add(s);
  }

  public void Draw()
  {
    foreach (Shape shape in itsShapes)
      shape.Draw();
  }
}
```

Comandos compostos

Considere nossa discussão sobre objetos `Sensors` e `Command` do Capítulo 21. A Figura 21-3 mostrava uma classe `Sensor` usando uma classe `Command`. Ao detectar seu estímulo, `Sensor` chamava `Do()` em `Command`.

O que deixei de mencionar então foi que, frequentemente, um `Sensor` tinha que executar mais de um objeto `Command`. Por exemplo, quando atingisse certo ponto em sua trajetória, o papel passava por um sensor ótico. Então, esse sensor parava um motor, dava partida em outro e engatava um engate específico.

A princípio queríamos dizer com isso que toda classe `Sensor` teria que manter uma lista de objetos `Command` (consulte a Figura 31-2). Contudo, logo reconhecemos que, toda vez que precisava executar mais de um objeto `Command`, um `Sensor` sempre tratava esses objetos `Command` de forma idêntica. Ou seja, ele simplesmente fazia uma iteração na lista e chamava `Do()` em cada `Command`. Isso era ideal para o padrão COMPOSITE.

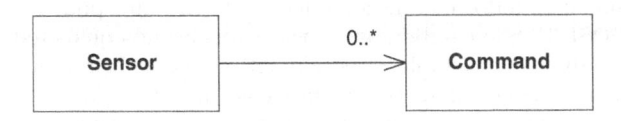

Figura 31-2
Sensor contendo muitos objetos Command.

Assim, deixamos a classe Sensor isolada e criamos um comando composto CompositeCommand, como mostrado na Figura 31-3. Isso significava que não teríamos de alterar Sensor nem Command. Podíamos adicionar a pluralidade de objetos Command em um Sensor sem alterar qualquer um dos dois. Essa é uma aplicação do OCP.

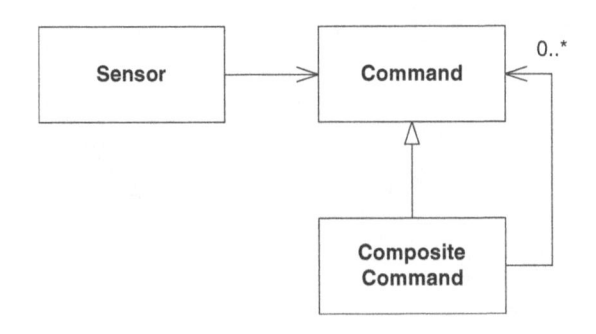

Figura 31-3
CompositeCommand.

Multiplicidade ou nenhuma multiplicidade

Isso nos leva a uma questão interessante. Éramos capazes de fazer nossos objetos Sensor se comportarem como se contivessem muitos objetos Command, sem termos que modificar os objetos Sensor. Talvez existam muitas outras situações como essa no projeto de software normal. Talvez existam ocasiões em que você possa usar COMPOSITE em vez de construir uma lista ou um vetor de objetos.

Em outras palavras, a associação entre Sensor e Command é de 1:1. Ficamos tentados a mudar essa associação para 1:muitos. Mas, em vez disso, descobrimos uma maneira de obter comportamento de 1:muitos sem um relacionamento de 1:muitos. Um relacionamento de 1:1 é muito mais fácil de entender, codificar e manter do que um relacionamento de 1:muitos; portanto, claramente esse era o compromisso de projeto correto. Quantos dos relacionamentos de 1:muitos em seu projeto atual poderiam ser de 1:1 se você usasse COMPOSITE?

Evidentemente, nem todos os relacionamentos de 1:muitos podem ser revertidos para 1:1 usando COMPOSITE. São candidatos somente aqueles nos quais todo objeto da lista é tratado de forma idêntica. Por exemplo, se você mantivesse uma lista de funcionários e procurasse nessa lista aqueles cuja data de pagamento fosse hoje, provavelmente não deveria usar o padrão COMPOSITE, pois não estaria tratando todos os funcionários de forma idêntica.

Conclusão

Um bom número de relacionamentos de 1:muitos se qualifica para conversão ao padrão COMPOSITE. As vantagens são significativas. Em vez de duplicar o código de gerenciamento de lista e iteração em cada um dos clientes, esse código aparece somente uma vez na classe composta.

Capítulo 32

OBSERVER: EVOLUINDO PARA UM PADRÃO

> *Prefiro descrever minha profissão como a de um "OBSERVADOR interativo antropológico contemporâneo", pois ela tem a quantidade exata de instinto. Além disso, "voyeur" é uma palavra muito feia.*
>
> — Anônimo

Este capítulo tem um propósito especial. Nele, descrevo o padrão OBSERVER[1], mas esse é um objetivo secundário. O principal objetivo deste capítulo é demonstrar como seu projeto e seu código podem evoluir para usar um padrão.

Os capítulos anteriores fizeram uso de muitos padrões. Muitas vezes, eles foram apresentados sem mostrar como o código evoluía até o uso do padrão. Talvez isso tenha dado a ideia de que os padrões são simplesmente algo que você insere em seu código e em seus projetos de forma acabada. Não é o que aconselho. Em vez disso, prefiro evoluir o código em que estou trabalhando na direção de um padrão. Posso chegar ao padrão ou não. Isso depende de os problemas serem resolvidos ou não. Não é raro eu começar com um padrão em mente e acabar em um lugar muito diferente.

Este capítulo apresenta um problema simples e depois mostra como o projeto e o código evoluem para resolvê-lo. A meta da evolução é o padrão OBSERVER. Em cada estágio da evolução, descrevo os problemas que estou tentando resolver e, em seguida, mostro os passos que os solucionam. Com sorte, acabaremos com um OBSERVER.

O relógio digital

Temos um objeto relógio que captura interrupções em milissegundos, conhecidas como tiques, do sistema operacional e os transforma na hora do dia. Esse objeto sabe calcular segundos a partir de milissegundos, minutos a partir de segundos, horas a partir de minutos, dias a partir de horas e assim por diante. Ele sabe quantos dias existem em um mês e quantos meses existem em um ano. Sabe tudo a respeito de anos bissextos, quando considerá-los e quando não. Ele sabe sobre o tempo. Consulte a Figura 32-1.

---

[1] [GOF95], p. 293.

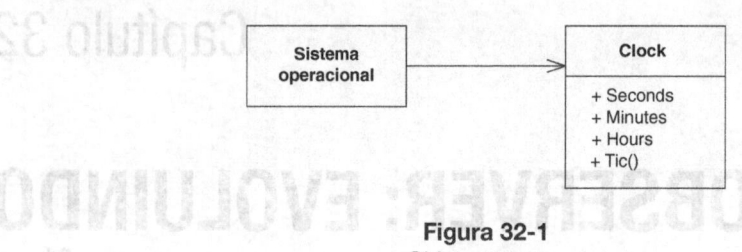

```
┌──────────────┐         ┌──────────────┐
│   Sistema    │────────▷│    Clock     │
│  operacional │         ├──────────────┤
└──────────────┘         │ + Seconds    │
                         │ + Minutes    │
                         │ + Hours      │
                         │ + Tic()      │
                         └──────────────┘
```

Figura 32-1
Objeto `Clock`.

Queremos criar um relógio digital para nossa área de trabalho que exiba a hora do dia continuamente. Qual é a maneira mais simples de fazer isso? Poderíamos escrever o seguinte:

```
public void DisplayTime()
{
   while (true)
   {
      int sec = clock.Seconds;
      int min = clock.Minutes;
      int hour = clock.Hours;
      ShowTime(hour, min, sec);
   }
}
```

Claramente, isso não é adequado. O código consome todos os ciclos de CPU disponíveis para exibir a hora repetidamente. A maioria dessas exibições será desperdiçada, pois a hora não terá mudado. Essa solução talvez seja adequada em um relógio de pulso ou de parede digital, pois nesses sistemas conservar ciclos de CPU não é muito importante. Contudo, não queremos esse desperdiçador de CPU executando em nossa área de trabalho.

Assim, a maneira pela qual a hora passa do relógio para a tela não vai ser simples. Que mecanismo devo usar? Antes disso, preciso fazer outra pergunta. Como testo se o mecanismo está fazendo o que desejo?

O problema fundamental que estou explorando é como fazer os dados do objeto `Clock` irem para o objeto `DigitalClock`. Vou supor que tanto o objeto `Clock` como o objeto `DigitalClock` existam. Meu interesse está em como conectá-los. Posso testar essa conexão simplesmente garantindo que os dados que obtenho do objeto `Clock` sejam os mesmos que envio para o objeto `DigitalClock`.

Uma maneira simples de fazer isso é criar uma interface que finja ser o objeto `Clock` e outra que finja ser o objeto `DigitalClock`. Então, posso escrever objetos de teste especiais que implementem essas interfaces e verifiquem se a conexão entre elas funciona conforme o esperado. Consulte a Figura 32-2.

O objeto `ClockDriverTest` conectará o objeto `ClockDriver` aos dois objetos falsos (mock) por meio das interfaces `TimeSource` e `TimeSink` e, então, verificará cada um dos objetos falsos para certificar-se de que o objeto `ClockDriver` conseguiu mover a hora da fonte (source) para o escoadouro (sink). Se necessário, o objeto `ClockDriverTest` também certificará se a eficiência está sendo preservada.

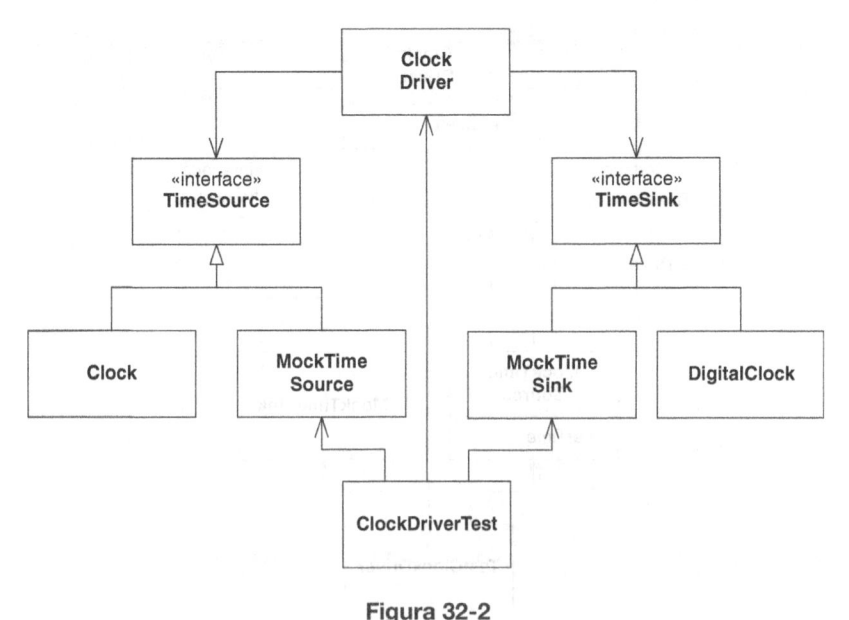

Figura 32-2
Testando o objeto `DigitalClock`.

Acho interessante o fato de termos adicionado interfaces ao projeto como resultado da reflexão sobre como testá-lo. Para testar um módulo, você precisa isolá-lo dos outros módulos do sistema, exatamente como isolamos `ClockDriver` de `Clock` e de `DigitalClock`. Considerar os testes primeiro nos ajuda a minimizar o acoplamento em nossos projetos.

Certo, como `ClockDriver` funciona? Claramente, para ser eficiente, `ClockDriver` deve detectar quando a hora no objeto `TimeSource` mudou. Então, e somente então, deve mover a hora para o objeto `TimeSink`. Como `ClockDriver` pode saber quando a hora mudou? Ele poderia sondar `TimeSource`, mas isso simplesmente recriaria o problema do consumo de CPU.

A maneira mais simples de `ClockDriver` saber quando a hora mudou é fazer o objeto `Clock` informar isso a ele. Poderíamos passar `ClockDriver` para `Clock` por meio da interface `TimeSource` e, então, quando a hora mudasse, `Clock` poderia atualizar `ClockDriver`. `ClockDriver`, por sua vez, configurará a hora em `ClockSink`. Consulte a Figura 32-3.

Observe a dependência de `TimeSource` em relação a `ClockDriver`. Ela existe porque o argumento do método `SetDriver` é um objeto `ClockDriver`. Não estou muito contente com isso, pois significa que os objetos `TimeSource` devem usar objetos `ClockDriver` em todos os casos. No entanto, vou me preocupar com isso depois.

A Listagem 32-1 mostra o caso de teste de `ClockDriver`. Note que o caso de teste cria um objeto `ClockDriver`, vincula a ele um `MockTimeSource` e um `MockTimeSink` e, então, configura a hora na fonte (source) e espera que ela chegue magicamente ao escoadouro. O restante do código aparece nas listagens 32-2 a 32-6.

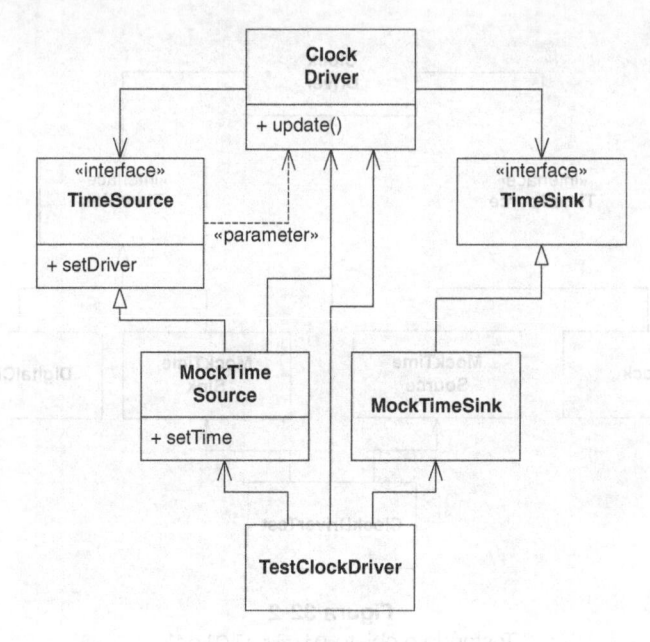

Figura 32-3
Fazendo `TimeSource` atualizar `ClockDriver`.

Listagem 32-1
ClockDriverTest.cs

```csharp
using NUnit.Framework;

[TestFixture]
public class ClockDriverTest
{
  [Test]
  public void TestTimeChange()
  {
    MockTimeSource source = new MockTimeSource();
    MockTimeSink sink = new MockTimeSink();
    ClockDriver driver = new ClockDriver(source,sink);
    source.SetTime(3,4,5);
    Assert.AreEqual(3, sink.GetHours());
    Assert.AreEqual(4, sink.GetMinutes());
    Assert.AreEqual(5, sink.GetSeconds());

    source.SetTime(7,8,9);
    Assert.AreEqual(7, sink.GetHours());
    Assert.AreEqual(8, sink.GetMinutes());
    Assert.AreEqual(9, sink.GetSeconds());
  }
}
```

Listagem 32-2
TimeSource.cs

```csharp
public interface TimeSource
{
  void SetDriver(ClockDriver driver);
}
```

Listagem 32-3
TimeSink.cs

```csharp
public interface TimeSink
{
  void SetTime(int hours, int minutes, int seconds);
}
```

Listagem 32-4
ClockDriver.cs

```csharp
public class ClockDriver
{
  private readonly TimeSink sink;

  public ClockDriver(TimeSource source, TimeSink sink)
  {
    source.SetDriver(this);
    this.sink = sink;
  }
  public void Update(int hours, int minutes, int seconds)
  {
    sink.SetTime(hours, minutes, seconds);
  }
}
```

Listagem 32-5
MockTimeSource.cs

```csharp
public class MockTimeSource : TimeSource
{
  private ClockDriver itsDriver;
```

```csharp
    public void SetTime(int hours, int minutes, int seconds)
    {
      itsDriver.Update(hours, minutes, seconds);
    }
    public void SetDriver(ClockDriver driver)
    {
      itsDriver = driver;
    }
}
```

Listagem 32-6
MockTimeSink.cs

```csharp
public class MockTimeSink : TimeSink
{
  private int itsHours;
  private int itsMinutes;
  private int itsSeconds;

  public int GetHours()
  {
    return itsHours;
  }

  public int GetMinutes()
  {
    return itsMinutes;
  }

  public int GetSeconds()
  {
    return itsSeconds;
  }

  public void SetTime(int hours, int minutes, int seconds)
  {
    itsHours = hours;
    itsMinutes = minutes;
    itsSeconds = seconds;
  }
}
```

Agora que isso funciona, posso pensar na limpeza. Não gosto da dependência de `TimeSource` em relação a `ClockDriver`, pois quero que qualquer um possa utilizar a interface `TimeSource` e não apenas os objetos `ClockDriver`. Do jeito que está, apenas instâncias de `ClockDriver` podem usar um objeto `TimeSource`. É possível corrigir isso criando uma interface que `TimeSource` possa usar e que `ClockDriver` possa implementar (consulte a Figura 32-4). Chamaremos essa interface de `ClockObserver`. Consulte as listagens 32-7 a 32-10. O código em **negrito** foi alterado.

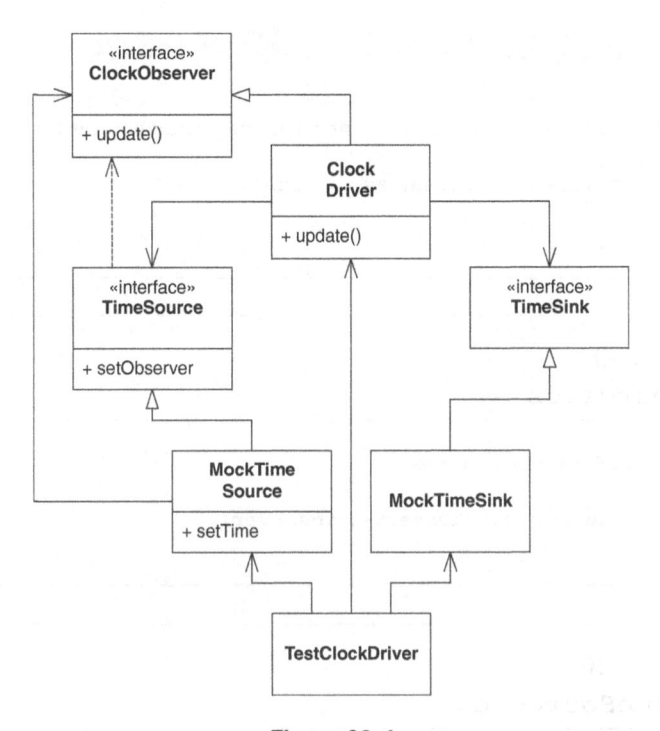

Figura 32-4
Rompendo a dependência de `TimeSource` em relação a `ClockDriver`.

Listagem 32-7
ClockObserver.cs

```
public interface ClockObserver
{
  void Update(int hours, int minutes, int secs);
}
```

Listagem 32-8
ClockDriver.cs

```
public class ClockDriver : ClockObserver
{
  private readonly TimeSink sink;

  public ClockDriver(TimeSource source, TimeSink sink)
  {
    source.SetObserver(this);
```

```
    this.sink = sink;
  }

  public void Update(int hours, int minutes, int seconds)
  {
    sink.SetTime(hours, minutes, seconds);
  }
}
```

Listagem 32-9
TimeSource.cs

```
public interface TimeSource
{
  void SetObserver(ClockObserver observer);
}
```

Listagem 32-10
MockTimeSource.cs

```
public class MockTimeSource : TimeSource
{
  private ClockObserver itsObserver;
  public void SetTime(int hours, int minutes, int seconds)
  {
    itsObserver.Update(hours, minutes, seconds);
  }
  public void SetObserver(ClockObserver observer)
  {
    itsObserver = observer;
  }
}
```

Assim está melhor. Agora qualquer um pode usar TimeSource implementando ClockObserver e chamando SetObserver, passando eles mesmos como argumento.

Quero que mais de um objeto TimeSink obtenha a hora. Um deles poderia implementar um relógio digital. Outro poderia ser usado para fornecer a hora para um serviço de lembrete. Outro ainda poderia iniciar meu backup noturno. Em resumo, quero que um único objeto TimeSource forneça a hora para vários objetos TimeSink.

Como resolvo isso? Crio um objeto ClockDriver com um só TimeSource e um só TimeSink, mas como devo especificar várias instâncias de TimeSink? Eu poderia mudar o construtor de ClockDriver para receber apenas TimeSource e, então, adicionar um método chamado addTimeSink que permitisse adicionar instâncias de TimeSink quando quisesse.

OBSERVER: EVOLUINDO PARA UM PADRÃO

A desvantagem é que, agora, tenho duas indireções. Preciso dizer a TimeSource quem é ClockObserver, chamando SetObserver. Então, também preciso dizer a ClockDriver quem são as instâncias de TimeSink. Essa indireção dupla é realmente necessária?

Examinando ClockObserver e TimeSink, vejo que ambos têm o método SetTime. É como se TimeSink pudesse implementar ClockObserver. Se eu fizesse isso, meu programa de teste poderia criar um objeto MockTimeSink e chamar SetObserver em TimeSource. Eu poderia me desfazer de ClockDriver e de TimeSink completamente! A Listagem 32-11 mostra as alterações feitas em ClockDriverTest.

Listagem 32-11
ClockDriverTest.cs

```
using NUnit.Framework;

[TestFixture]
public class ClockDriverTest
{
  [Test]
  public void TestTimeChange()
  {
    MockTimeSource source = new MockTimeSource();
    MockTimeSink sink = new MockTimeSink();
    source.SetObserver(sink);

    source.SetTime(3,4,5);
    Assert.AreEqual(3, sink.GetHours());
    Assert.AreEqual(4, sink.GetMinutes());
    Assert.AreEqual(5, sink.GetSeconds());

    source.SetTime(7,8,9);
    Assert.AreEqual(7, sink.GetHours());
    Assert.AreEqual(8, sink.GetMinutes());
    Assert.AreEqual(9, sink.GetSeconds());
  }
}
```

Isso significa que MockTimeSink deve implementar ClockObserver, em vez de TimeSink. Consulte a Listagem 32-12. Essas alterações funcionam bem. Por que pensamos inicialmente que precisávamos de um objeto ClockDriver? A Figura 32-5 mostra a UML. Claramente, isso é muito mais simples.

Listagem 32-12
MockTimeSink.cs

```
public class MockTimeSink : ClockObserver
{
  private int itsHours;
  private int itsMinutes;
```

```
    private int itsSeconds;

    public int GetHours()
    {
      return itsHours;
    }

    public int GetMinutes()
    {
      return itsMinutes;
    }

    public int GetSeconds()
    {
      return itsSeconds;
    }

    public void Update(int hours, int minutes, int secs)
    {
      itsHours = hours;
      itsMinutes = minutes;
      itsSeconds = secs;
    }
  }
```

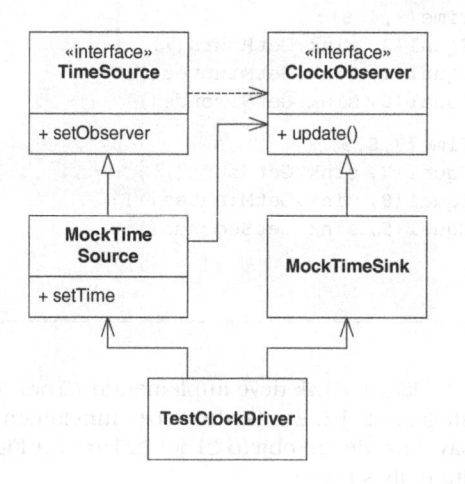

Figura 32-5
Removendo `ClockDriver` e `TimeSink`.

Certo, agora podemos manipular vários objetos `TimeSink` mudando a função `setObserver` para `registerObserver` e garantindo que todas as instâncias registradas de `ClockObserver` sejam mantidas em uma lista e atualizadas corretamente. Isso exige outra alteração no programa de teste. A Listagem 32-13 mostra as mudanças. Também fiz uma pequena refatoração no programa de teste para torná-lo menor e mais fácil de ler.

Listagem 32-13
`ClockDriverTest.cs`

```csharp
using NUnit.Framework;

[TestFixture]
public class ClockDriverTest
{
  private MockTimeSource source;
  private MockTimeSink sink;

  [SetUp]
  public void SetUp()
  {
    source = new MockTimeSource();
    sink = new MockTimeSink();
    source.RegisterObserver(sink);
  }

  private void AssertSinkEquals(
    MockTimeSink sink, int hours, int mins, int secs)
  {
    Assert.AreEqual(hours, sink.GetHours());
    Assert.AreEqual(mins, sink.GetMinutes());
    Assert.AreEqual(secs, sink.GetSeconds());
  }

  [Test]
  public void TestTimeChange()
  {
    source.SetTime(3,4,5);
    AssertSinkEquals(sink, 3,4,5);

    source.SetTime(7,8,9);
    AssertSinkEquals(sink, 7,8,9);
  }

  [Test]
  public void TestMultipleSinks()
  {
    MockTimeSink sink2 = new MockTimeSink();
    source.RegisterObserver(sink2);
    source.SetTime(12,13,14);
    AssertSinkEquals(sink, 12,13,14);
    AssertSinkEquals(sink2, 12,13,14);
  }
}
```

A alteração necessária para fazer isso funcionar é muito simples. Modificamos `MockTimeSource` para conter todos os observadores registrados em um objeto `ArrayList`. Então, quando a hora muda, fazemos uma iteração por essa lista e chamamos `Update` em todos os objetos `ClockObservers` registrados. As listagens 32-14 e 32-15 mostram as alterações. A Figura 32-6 mostra a UML correspondente.

Listagem 32-14
TimeSource.cs

```csharp
public interface TimeSource
{
    void RegisterObserver(ClockObserver observer);
}
```

Listagem 32-15
MockTimeSource.cs

```csharp
using System.Collections;
public class MockTimeSource : TimeSource
{
    private ArrayList itsObservers = new ArrayList();
    public void SetTime(int hours, int mins, int secs)
    {
        foreach(ClockObserver observer in itsObservers)
            observer.Update(hours, mins, secs);
    }
    public void RegisterObserver(ClockObserver observer)
    {
        itsObservers.Add(observer);
    }
}
```

OBSERVER: EVOLUINDO PARA UM PADRÃO

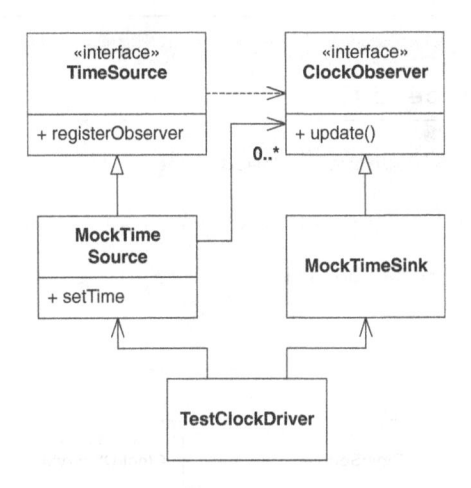

Figura 32-6
Manipulando vários objetos `TimeSink`.

Isso está muito bom, mas não gosto do fato de `MockTimeSource` ter de lidar com o registro e a atualização. Isso significa que `Clock` e qualquer outra derivada de `TimeSource` terão de duplicar esse código de registro e atualização. Não acho que `Clock` deve lidar com registro e atualização. Também não gosto da ideia de duplicar código. Portanto, quero mover tudo isso para `TimeSource`. Evidentemente, isso significará que `TimeSource` terá de mudar de uma interface para uma classe. Também significará que `MockTimeSource` se reduzirá a quase nada. As listagens 32-16 e 32-17 e a Figura 32-7 mostram as mudanças.

Listagem 32-16
TimeSource.cs

```csharp
using System.Collections;
public abstract class TimeSource
{
  private ArrayList itsObservers = new ArrayList();

  protected void Notify(int hours, int mins, int secs)
  {
    foreach(ClockObserver observer in itsObservers)
      observer.Update(hours, mins, secs);
  }

  public void RegisterObserver(ClockObserver observer)
  {
    itsObservers.Add(observer);
  }
}
```

Listagem 32-17
MockTimeSource.cs

```
public class MockTimeSource : TimeSource
{
  public void SetTime(int hours, int mins, int secs)
  {
    Notify(hours, mins, secs);
  }
}
```

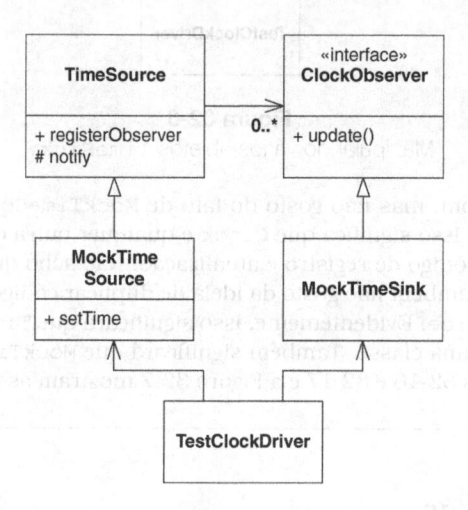

Figura 32-7
Movendo o registro e a atualização para `TimeSource`.

Está ótimo assim. Agora, qualquer um pode derivar de `TimeSource`. Para atualizar os observadores, basta chamar `Notify`. Mas ainda há um problema. `MockTimeSource` herda diretamente de `TimeSource`. Isso significa que `Clock` também deve derivar de `TimeSource`. Por que `Clock` precisa depender do registro e da atualização? `Clock` é simplesmente uma classe que sabe sobre o tempo. Torná-la dependente de `TimeSource` parece necessário e indesejável.

Em C++, eu resolveria isso criando uma subclasse de `TimeSource` e `Clock`, chamada `ObservableClock`. Sobrescreveria `Tic` e `SetTime` em `ObservableClock` para chamar `Tic` ou `SetTime` em `Clock` e, então, chamaria `Notify` em `TimeSource`. Consulte as listagens 32-8 e 32-18.

Listagem 32-18
ObservableClock.cc (C++)

```cpp
class ObservableClock : public Clock, public TimeSource
{
  public:
    virtual void tic()
    {
      Clock::tic();
      TimeSource::notify(getHours(),
                         getMinutes(),
                         getSeconds());
    }

    virtual void setTime(int hours, int minutes, int seconds)
    {
      Clock::setTime(hours, minutes, seconds);
      TimeSource::notify(hours, minutes, seconds);
    }
};
```

Infelizmente, não temos essa opção em C#, pois a linguagem não pode lidar com herança múltipla de classes. Portanto, em C#, ou deixamos as coisas como estão ou usamos um hack de delegação. O hack de delegação está mostrado nas listagens 32-19 a 32-21 e na Figura 32-9.

Note que a classe `MockTimeSource` implementa `TimeSource` e contém uma referência para uma instância de `TimeSourceImplementation`. Note também que todas as chamadas para o método `RegisterObserver` de `MockTimeSource` são delegadas para esse objeto `TimeSourceImplementation`. Assim, `MockTimeSource.SetTime` também chama `Notify` na instância de `TimeSourceImplementation`.

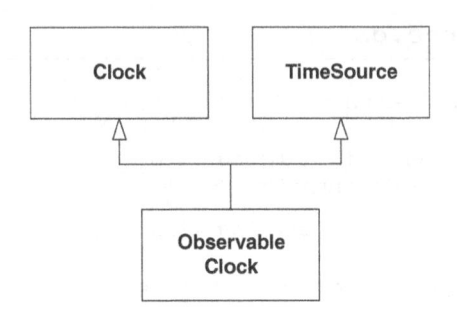

Figura 32-8
Usando herança múltipla em C++ para separar `Clock` de `TimeSource`.

Listagem 32-19
TimeSource.cs

```
public interface TimeSource
{
  void RegisterObserver(ClockObserver observer);
}
```

Listagem 32-20
TimeSourceImplementation.cs

```
using System.Collections;

public class TimeSourceImplementation : TimeSource
{
  private ArrayList itsObservers = new ArrayList();

  public void Notify(int hours, int mins, int secs)
  {
    foreach(ClockObserver observer in itsObservers)
      observer.Update(hours, mins, secs);
  }

  public void RegisterObserver(ClockObserver observer)
  {
    itsObservers.Add(observer);
  }
}
```

Listagem 32-21
MockTimeSource.cs

```
public class MockTimeSource : TimeSource
{
  TimeSourceImplementation timeSourceImpl =
    new TimeSourceImplementation();

  public void SetTime(int hours, int mins, int secs)
  {
    timeSourceImpl.Notify(hours, mins, secs);
  }

  public void RegisterObserver(ClockObserver observer)
  {
    timeSourceImpl.RegisterObserver(observer);
  }
}
```

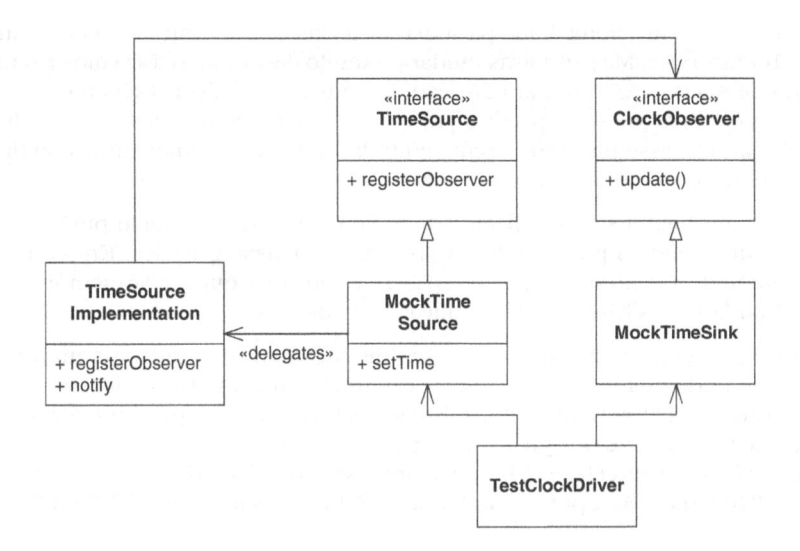

Figura 32-9
Hack de delegação de `Observer` em C#.

Isso é horrível, mas tem a vantagem de que `MockTimeSource` não estende uma classe. Assim, se fôssemos criar `ObservableClock`, poderíamos estender `Clock`, implementar `TimeSource` e delegar para `TimeSourceImplementation` (consulte a Figura 32-10). Isso resolve o problema de `Clock` depender do registro e da atualização, mas não sem um custo.

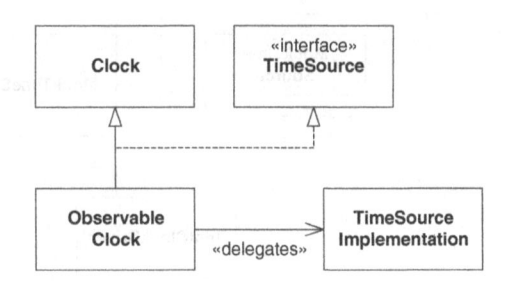

Figura 32-10
O hack de delegação de `ObservableClock`.

Portanto, vamos voltar para como as coisas estavam na Figura 32-7, antes de entrarmos nesse buraco de rato. Simplesmente conviveremos com o fato de que `Clock` precisa depender de todo registro e atualização.

TimeSource é um nome bobo para definir a classe. Ele começou bem, quando tínhamos um ClockDriver. Mas as coisas mudaram muito desde então. Devemos alterar o nome para algo que sugira registro e atualização. O padrão OBSERVER chama essa classe de Subject. A nossa parece ser específica para tempo, de modo que poderíamos chamá-la de TimeSubject, mas esse não é um nome muito intuitivo. Poderíamos usar o antigo apelido Observable, mas isso também não me entusiasma. TimeObservable? Não.

Talvez o problema seja a especificidade do observador "modelo push"[1]. Se mudássemos para um "modelo pull", poderíamos tornar a classe genérica. Então, poderíamos mudar o nome de TimeSource para Subject e todos os que estivessem familiarizados com o padrão OBSERVER saberiam o que ele significaria.

Essa não é uma opção ruim. Em vez de passarmos a hora nos métodos Notify e Update, podemos fazer TimeSink perguntar a hora para MockTimeSource. Não queremos que MockTimeSink saiba sobre MockTimeSource; portanto, criaremos uma interface que MockTimeSink possa usar para obter a hora. MockTimeSource e Clock implementarão essa interface. Chamaremos essa interface de TimeSource. O estado final do código e da UML aparece na Figura 32-11 e nas listagens 32-22 a 32-27.

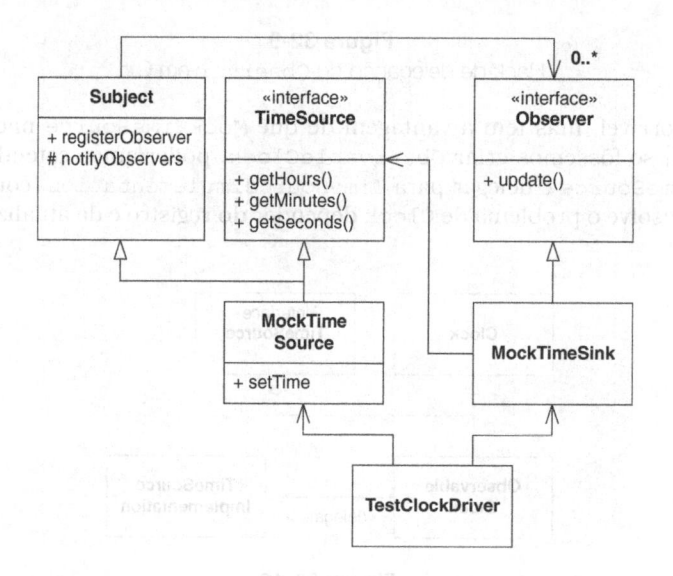

Figura 32-11
Versão final de Observer aplicado a MockTimeSource e a MockTimeSink.

---

[1] Os observadores "modelo push" colocam dados do sujeito (subject) no observador, passando-os nos métodos Notify e Update. Os observadores "modelo pull" não passam nada nos métodos Notify e Update e, ao receberem uma atualização, dependem do objeto que está observando para consultar o objeto observado. Consulte [GOF95].

Listagem 32-22
ObserverTest.cs

```csharp
using NUnit.Framework;

[TestFixture]
public class ObserverTest
{
  private MockTimeSource source;
  private MockTimeSink sink;

  [SetUp]
  public void SetUp()
  {
    source = new MockTimeSource();
    sink = new MockTimeSink();
    source.RegisterObserver(sink);
  }

  private void AssertSinkEquals(
    MockTimeSink sink, int hours, int mins, int secs)
  {
    Assert.AreEqual(hours, sink.GetHours());
    Assert.AreEqual(mins, sink.GetMinutes());
    Assert.AreEqual(secs, sink.GetSeconds());
  }

  [Test]
  public void TestTimeChange()
  {
    source.SetTime(3,4,5);
    AssertSinkEquals(sink, 3,4,5);

    source.SetTime(7,8,9);
    AssertSinkEquals(sink, 7,8,9);
  }

  [Test]
  public void TestMultipleSinks()
  {
    MockTimeSink sink2 = new MockTimeSink();
    source.RegisterObserver(sink2);

    source.SetTime(12,13,14);
    AssertSinkEquals(sink, 12,13,14);
    AssertSinkEquals(sink2, 12,13,14);
  }
}
```

Listagem 32-23
`Observer.cs`

```csharp
public interface Observer
{
  void Update();
}
```

Listagem 32-24
`Subject.cs`

```csharp
using System.Collections;

public class Subject
{
  private ArrayList itsObservers = new ArrayList();

  public void NotifyObservers()
  {
    foreach(Observer observer in itsObservers)
      observer.Update();
  }

  public void RegisterObserver(Observer observer)
  {
    itsObservers.Add(observer);
  }
}
```

Listagem 32-25
`TimeSource.cs`

```csharp
public interface TimeSource
{
  int GetHours();
  int GetMinutes();
  int GetSeconds();
}
```

Listagem 32-26
MockTimeSource.cs

```csharp
public class MockTimeSource : Subject, TimeSource
{
  private int itsHours;
  private int itsMinutes;
  private int itsSeconds;

  public void SetTime(int hours, int mins, int secs)
  {
    itsHours = hours;
    itsMinutes = mins;
    itsSeconds = secs;
    NotifyObservers();
  }

  public int GetHours()
  {
    return itsHours;
  }

  public int GetMinutes()
  {
    return itsMinutes;
  }

  public int GetSeconds()
  {
    return itsSeconds;
  }
}
```

Listagem 32-27
MockTimeSink.cs

```csharp
public class MockTimeSink : Observer
{
  private int itsHours;
  private int itsMinutes;
  private int itsSeconds;
  private TimeSource itsSource;

  public MockTimeSink(TimeSource source)
  {
    itsSource = source;
  }

  public int GetHours()
  {
```

```
      return itsHours;
    }
    public int GetMinutes()
    {
      return itsMinutes;
    }
    public int GetSeconds()
    {
      return itsSeconds;
    }
    public void Update()
    {
      itsHours = itsSource.GetHours();
      itsMinutes = itsSource.GetMinutes();
      itsSeconds = itsSource.GetSeconds();
    }
  }
```

O padrão OBSERVER

Agora que concluímos o exemplo e evoluímos nosso código para o padrão OBSERVER, talvez seja interessante estudar o que ele é. A forma canônica de OBSERVER aparece na Figura 32-12. Nesse exemplo, `Clock` está sendo observado por `DigitalClock`, o qual se registra na interface `Subject` de `Clock`. Quando a hora muda por qualquer motivo, `Clock` chama o método `Notify` de `Subject`. O método `Notify` de `Subject` chama o método `Update` de cada `Observer` registrado. Assim, `DigitalClock` receberá uma mensagem `Update` quando a hora mudar, usando essa oportunidade para perguntar a hora para `Clock` e então exibi-la.

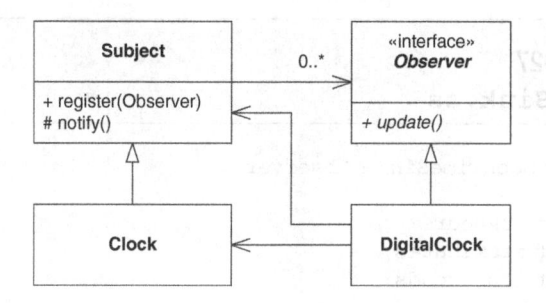

Figura 32-12
`Observer` modelo pull canônico.

Depois que você entende o padrão OBSERVER, vê usos para ele por toda parte. Com a indireção, é possível registrar observadores em todos os tipos de objetos, em vez de escrever esses objetos explicitamente para chamar você. Embora a indireção seja uma maneira interessante de gerenciar dependências, ela pode ser levada a extremos facilmente. O abuso de OBSERVER tende a tornar os sistemas difíceis de entender e rastrear.

Modelos

O padrão OBSERVER tem dois modelos principais. A Figura 32-12 mostra o OBSERVER *modelo pull*, que leva esse nome porque `DigitalClock` precisa extrair (pull) a informação de hora do objeto `Clock` após receber a mensagem `Update`.

A vantagem do modelo pull é a simplicidade de sua implementação e o fato de que as classes `Subject` e `Observer` podem ser elementos reutilizáveis padrão em uma biblioteca. Contudo, imagine que você esteja observando um registro de empregado com mil campos e que tenha acabado de receber uma mensagem `Update`. Quais dos mil campos mudaram?

Quando `Update` é chamado em `ClockObserver`, a resposta é óbvia. `ClockObserver` precisa extrair a hora de `Clock` e exibi-la. Mas quando `Update` é chamado em `EmployeeObserver`, a resposta não é tão evidente. Não sabemos o que aconteceu. Não sabemos o que fazer. Talvez o nome do funcionário tenha mudado ou talvez tenha sido seu salário. Talvez o funcionário tenha um novo chefe. Ou talvez sua conta bancária tenha mudado. Precisamos de ajuda.

Essa ajuda pode ser obtida na forma do modelo push do padrão OBSERVER. A estrutura do modelo push está mostrada na Figura 32-13. Note que tanto o método `Notify` como `Update` recebem um argumento. O argumento é uma pista, passada de `Employee` para `SalaryObserver` por meio dos métodos `Notify` e `Update`. Essa pista informa a `SalaryObserver` qual tipo de alteração o registro de `Employee` experimentou.

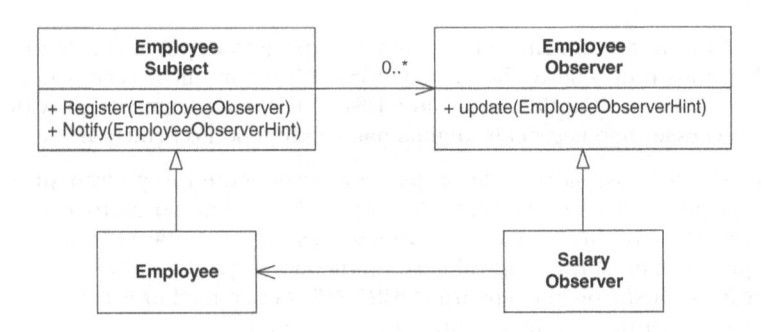

Figura 32-13
OBSERVER modelo push.

O argumento `EmployeeObserverHint` de `Notify` e `Update` poderia ser uma enumeração de algum tipo, uma string ou uma estrutura de dados mais complexa, contendo os valores novos e antigos de algum campo. Seja o que for, seu valor está sendo enviado para o observador.

Escolher entre os dois modelos de OBSERVER é apenas uma questão da complexidade do objeto observado. Se o objeto observado é complexo e o observador precisa de uma pista, o modelo push é adequado. Se o objeto observado é simples, um modelo pull funcionará bem.

Gerenciamento dos princípios do projeto orientado a objetos

O Princípio do Aberto/Fechado (OCP) é o que mais orienta o padrão OBSERVER. O motivo para usar o padrão é o fato de que você pode adicionar novos objetos de observação sem alterar o objeto observado. Assim, o objeto observado permanece fechado.

A partir da Figura 32-12 deve ficar claro que `Clock` é substituível por `Subject` e que `DigitalClock` é substituível por `Observer`. Assim, é aplicado o Princípio da Substituição de Liskov (LSP).

`Observer` é uma classe abstrata e a classe concreta `DigitalClock` depende dela. Os métodos concretos de `Subject` também dependem dela. Portanto, o Princípio da Inversão de Dependência (DIP) é aplicado nesse caso. Você poderia pensar que, como `Subject` não tem métodos abstratos, a dependência entre `Clock` e `Subject` viola o DIP. Contudo, `Subject` é uma classe que nunca deve ser instanciada. Ela só faz sentido no contexto de uma classe derivada. Assim, `Subject` é logicamente abstrata, mesmo não tendo métodos abstratos. Podemos forçar a abstração de `Subject` fornecendo a ela um destrutor virtual puro em C++ ou tornando seus construtores protegidos.

Existem indícios do Princípio da Segregação de Interface (ISP) na Figura 32-11. As classes `Subject` e `TimeSource` segregam os clientes de `MockTimeSource`, fornecendo interfaces especializadas para cada um desses clientes.

Conclusão

Conseguimos! Começamos com um problema de projeto e, por meio de uma evolução razoável, chegamos muito perto do padrão OBSERVER canônico. Você poderia reclamar que, como eu sabia que queria chegar ao OBSERVER, simplesmente providenciei para que isso acontecesse. Não negarei isso, mas não é esse o ponto principal.

Se você conhece os padrões de projeto, provavelmente um padrão surgirá em sua mente ao se deparar com um problema de projeto. A questão, portanto, é se esse padrão deve ser implementado diretamente ou, em vez disso, evoluir para ele por meio de uma série de pequenas etapas. Este capítulo exemplificou a segunda opção. Em vez de chegar rapidamente à conclusão de que o padrão OBSERVER era a melhor escolha para o problema apresentado, conduzi o código lentamente nessa direção.

A qualquer momento durante essa evolução, eu poderia ter descoberto que meu problema fora resolvido e parado de evoluir. Ou, então, poderia ter descoberto que podia resolver o problema mudando de rumo e indo para uma direção diferente.

Neste capítulo, desenhei alguns diagramas para lhe ajudar. Achei que seria mais fácil seguir o que eu estava fazendo mostrando um panorama em um diagrama. No entanto, *alguns* diagramas foram criados para *me* ajudar. Há ocasiões em que simplesmente preciso olhar a estrutura que criei para definir aonde vou em seguida.

Se eu não estivesse escrevendo um livro, teria desenhado esses diagramas à mão em um pedaço de papel ou em um quadro branco. Eu não teria perdido tempo com uma ferramenta de desenho. Não conheço uma circunstância em que usar uma ferramenta de desenho seja mais rápido do que usar um guardanapo.

Depois de usar os diagramas para me ajudar a evoluir o código, eu não os teria mantido. Os diagramas que desenhei para mim mesmo eram etapas intermediárias.

Há algum valor em manter diagramas nesse nível de detalhe? Se você estiver tentando explicar seu raciocínio, como estou fazendo neste livro, eles são muito úteis. Mas nem sempre estamos tentando documentar o caminho evolutivo de algumas horas de codificação. Normalmente, esses diagramas são temporários e é melhor jogá-los fora. *Nesse* nível de detalhe, o código geralmente é bom o bastante para servir como sua própria documentação. Em níveis mais altos, nem sempre isso é verdade.

Bibliografia

[GOF95] Erich Gamma, Richard Helm, Ralph Johnson, and John Vlissides, *Design Patterns: Elements of Reusable Object-Oriented Software*, Addison-Wesley, 1995.

[PLOPD3] Robert C. Martin, Dirk Riehle, and Frank Buschmann, eds. *Pattern Languages of Program Design 3*, Addison-Wesley, 1998.

Capítulo 33

ABSTRACT SERVER, ADAPTER E BRIDGE

Os políticos são iguais em todos os lugares. Eles prometem construir uma ponte até onde não existe rio.

— Nikita Khrushchev

Em meados dos anos 1990, eu estava muito envolvido com as discussões que se desenrolavam no fórum comp.object. Debatíamos furiosamente a respeito de várias estratégias de análise e projeto. Em certo ponto, decidimos que um exemplo concreto nos ajudaria a avaliar as posições uns dos outros. Assim, escolhemos um problema de projeto muito simples e passamos a apresentar nossas soluções preferidas.

O problema de projeto era extraordinariamente simples. Decidimos mostrar como projetaríamos o software dentro de uma luminária de mesa simples. A luminária tinha um interruptor e uma lâmpada. Você podia perguntar ao interruptor se ele estava ligado ou desligado e podia dizer à lâmpada para que acendesse ou apagasse: um problema bem simples.

A discussão durou meses. Algumas pessoas usavam uma estratégia simples, com apenas um interruptor e um objeto lâmpada. Outras achavam que deveria haver um objeto luminária que contivesse o interruptor e a lâmpada. Outras, ainda, achavam que eletricidade devia ser um objeto. Alguém sugeriu um objeto cabo elétrico.

Apesar do absurdo da maioria desses argumentos, é interessante explorar o modelo de projeto. Considere a Figura 33-1. Certamente podemos fazer esse projeto funcionar. O objeto Switch (interruptor) pode sondar o estado do interruptor real e enviar as mensagens turnOn e turnOff (ligar e desligar) adequadas para o objeto Light (lâmpada).

Figura 33-1
Luminária de mesa simples.

Dois de nossos princípios estão sendo violados por esse projeto: o Princípio da Inversão de Dependência (DIP) e o Princípio do Aberto/Fechado (OCP). É fácil ver a violação do DIP; a dependência de Switch em relação a Light é a dependência de uma classe concreta. O DIP nos diz para preferir dependências em relação às classes abstratas. A violação do OCP é menos evidente, mas é mais pertinente. Não gostamos desse projeto porque ele nos obriga a arrastar um objeto Light para onde quer que precisemos de um objeto Switch. Switch não pode ser facilmente estendido para controlar objetos que não sejam Light.

ABSTRACT SERVER

Talvez você esteja pensando que poderia herdar uma subclasse Switch que controlasse algo que não fosse uma lâmpada, como na Figura 33-2. Mas isso não resolve o problema, pois FanSwitch ainda herda a dependência de Light. Para onde quer que você leve um objeto FanSwitch, terá que levar Light junto. De qualquer modo, esse relacionamento de herança em particular também viola o DIP.

Para resolver o problema, convocamos um dos mais simples de todos os padrões de projeto: ABSTRACT SERVER (consulte a Figura 33-3). Introduzindo uma interface entre Switch e Light, tornamos possível que Switch controle tudo que implemente essa interface. Isso satisfaz o DIP e o OCP imediatamente.

Como um detalhe interessante, note que o nome da interface segue o de seu cliente. Ela é chamada Switchable, em vez de Light. Já falamos sobre isso e provavelmente falaremos de novo. As interfaces pertencem ao cliente e não à derivada. O vínculo lógico entre o cliente a interface é mais forte do que entre a interface e suas derivadas. O vínculo lógico é tão forte que não faz sentido implantar Switch sem Switchable e, ainda assim, é perfeitamente lógico implantar Switchable sem Light. A força dos vínculos lógicos diverge da força dos vínculos físicos. A herança é um vínculo físico muito mais forte do que a associação.

No início dos anos 1990, pensávamos que o vínculo físico comandava. Livros respeitáveis recomendavam que hierarquias de herança fossem colocadas juntas no mesmo pacote físico. Isso parecia fazer sentido, pois a herança é um vínculo físico forte. Mas no decorrer da última década, aprendemos que a força física da herança é enganosa e que as hierarquias de herança normalmente não devem ser empacotadas juntas. Em vez disso, os clientes tendem a ser empacotados com as interfaces que controlam.

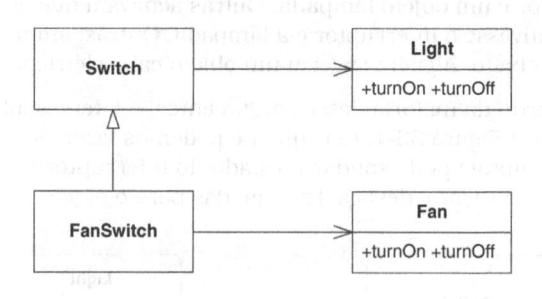

Figura 33-2
Uma maneira ruim de estender Switch.

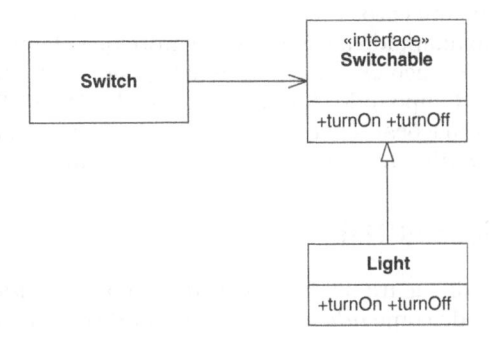

Figura 33-3
Solução ABSTRACT SERVER para o problema da luminária de mesa.

Esse desalinhamento da força dos vínculos lógicos e físicos é um artefato das linguagens estaticamente tipadas, como C#. As linguagens dinamicamente tipadas, como Smalltalk, Python e Ruby, não têm o desalinhamento, pois não utilizam herança para obter comportamento polimórfico.

ADAPTER

Um problema no projeto da Figura 33-3 é a violação em potencial do Princípio da Responsabilidade Única (SRP). Vinculamos duas coisas, Light e Switchable, que podem não mudar pelos mesmos motivos. E se não pudermos adicionar o relacionamento de herança em Light? E se comprássemos Light de terceiros e não tivéssemos o código-fonte? E se quiséssemos que um objeto Switch controlasse uma classe que não pudéssemos derivar de Switchable? Entra em cena o padrão ADAPTER.[1]

A Figura 33-4 mostra como um objeto Adapter pode ser usado para resolver o problema. O adaptador (adapter) deriva de Switchable e delega para Light. Isso resolve o problema primorosamente. Agora podemos ter qualquer objeto que possa ser ligado ou desligado, controlado por um objeto Switch. Basta criarmos o adaptador apropriado. Aliás, o objeto nem mesmo precisa ter os mesmos métodos turnOn e turnOff que Switchable tem. O adaptador pode ser *adaptado* à interface do objeto.

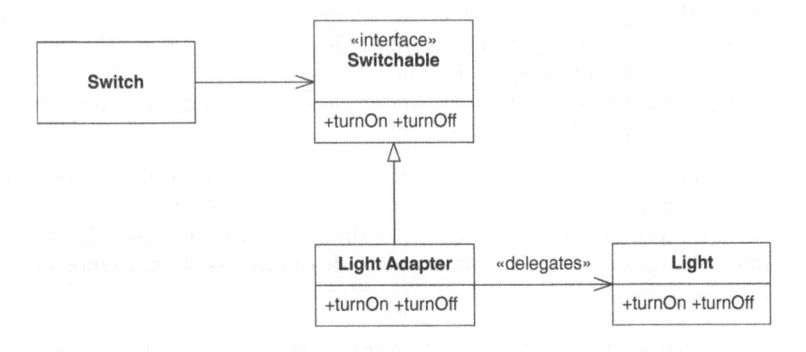

Figura 33-4
Resolvendo o problema da luminária de mesa com ADAPTER.

---

[1] Já vimos o padrão ADAPTER antes, nas Figuras 10-2 e 10-3.

Os adaptadores custam caro. Você precisa escrever a nova classe, instanciar o adaptador e vincular o objeto adaptado a ele. Então, sempre que chama o adaptador, você precisa pagar pelo tempo e espaço exigidos para a delegação. Portanto, claramente você não quer usar adaptadores o tempo todo. A solução ABSTRACT SERVER é bastante apropriada para a maioria das situações. Na verdade, até a solução inicial da Figura 33-1 é muito boa, a não ser que você *saiba* que existem outros objetos para `Switch` controlar.

A forma de classe de ADAPTER

A classe `LightAdapter` da Figura 33-4 é conhecida como *adaptador em forma de objeto*. Outra estratégia, conhecida como *adaptador em forma de classe*, aparece na Figura 33-5. Nessa forma, o objeto adaptador herda tanto da interface `Switchable` como da classe `Light`. Essa forma é um pouquinho mais eficiente do que a forma de objeto e é um pouco mais fácil de usar, mas à custa de usar o alto acoplamento da herança.

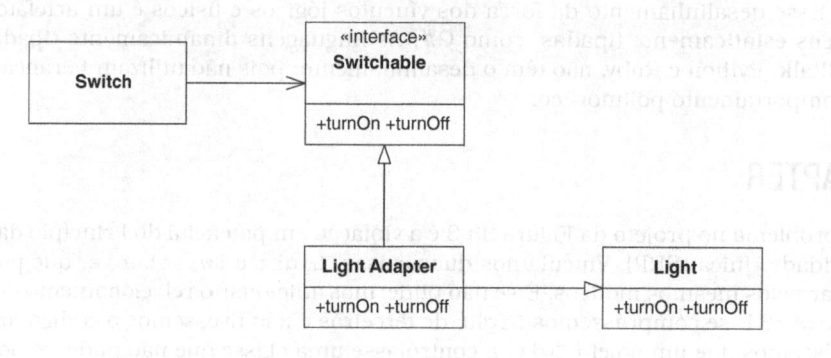

Figura 33-5
Resolvendo o problema da luminária de mesa com ADAPTER.

O problema do modem, ADAPTERs e LSP

Considere a situação que aparece na Figura 33-6. Temos uma grande quantidade de clientes de modem utilizando a interface `Modem`. A interface `Modem` é implementada por várias derivadas, incluindo `HayesModem`, `USRoboticsModem` e `ErniesModem`. Essa é uma situação muito comum. Ela obedece perfeitamente ao OCP, ao LSP e ao DIP. Os clientes não são afetados quando existem novos tipos de modems para lidar. Suponha que essa situação fosse continuar por vários anos. Suponha que existissem centenas de clientes de modem, todos utilizando a interface `Modem` alegremente.

Agora, suponha que nossos usuários tenham nos apresentado um novo requisito. Certos tipos de modems, chamados modems dedicados,[2] não fazem discagens, mas são colocados nas duas pontas de uma conexão dedicada. Vários novos aplicativos utilizam esses modems dedicados e não se dão ao trabalho de discar. Os chamaremos de `DedUsers`.

---

[2] Todos os modems costumavam ser dedicados; foi somente em eras geológicas recentes que os modems adquiriram a capacidade de discar. No início do período Jurássico, você alugava da companhia telefônica um modem do tamanho de uma caixa de pão e o conectava a outro modem através de linhas dedicadas, também alugadas da companhia telefônica. (A vida era boa para as companhias telefônicas no período Jurássico.) Se você quisesse discar, alugava outra unidade do tamanho de uma caixa de pão, chamada discador automático.

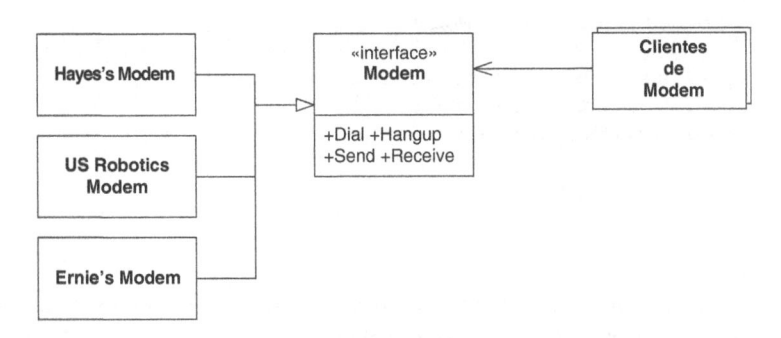

Figura 33-6
Problema do modem.

Contudo, nossos usuários querem que todos os clientes de modem atuais sejam capazes de usar esses modems dedicados, dizendo-nos que não querem ter de modificar as centenas de aplicativos de cliente de modem. Esses clientes de modem serão simplesmente instruídos a discar para números de telefone fictícios.

Se tivéssemos escolha, talvez quiséssemos alterar o projeto de nosso sistema, como mostrado na Figura 33-7. Utilizaríamos ISP para dividir as funções de discagem e comunicação em duas interfaces distintas. Os modems antigos implementariam as duas interfaces e os clientes de modem utilizariam a ambas. Os `DedUsers` não usariam nada, a não ser a interface `Modem`, e `DedicatedModem` implementaria apenas a interface `Modem`. Infelizmente, isso exige que façamos mudanças em todos os clientes de modem, algo que nossos usuários proibiram.

Então, o que fazemos? Não podemos separar as interfaces como gostaríamos, mas devemos fornecer uma maneira para todos os clientes de modem usarem `DedicatedModem`. Uma possível solução é derivar `DedicatedModem` de `Modem` e implementar as funções de discagem e desligamento, `Dial` e `Hangup`, de modo a não fazerem nada, como segue:

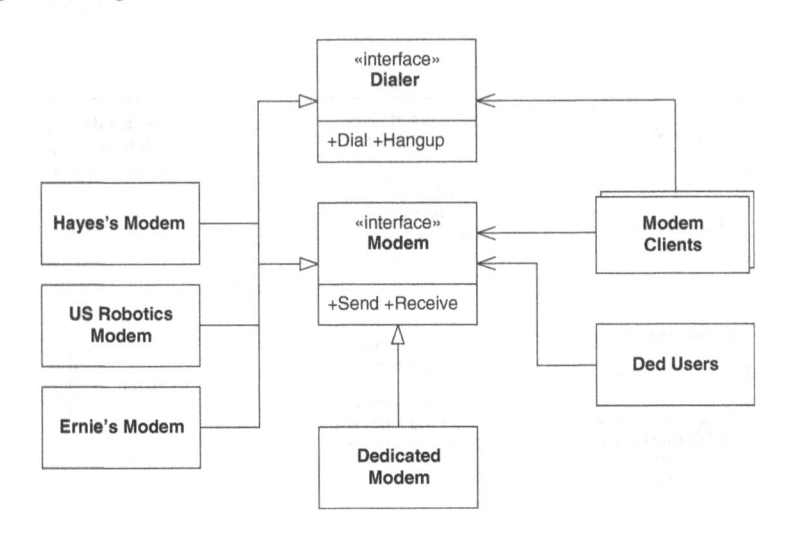

Figura 33-7
Solução ideal para o problema do modem.

```
class DedicatedModem : Modem
{
    public virtual void Dial(char phoneNumber[10]) {}
    public virtual void Hangup() {}
    public virtual void Send(char c)
    {...}
    public virtual char Receive()
    {...}
}
```

A existência de funções degeneradas é um sinal de que podemos estar violando o LSP. Os usuários da classe base podem estar esperando que `Dial` e `Hangup` alterem significativamente o estado do modem. As implementações degeneradas em `DedicatedModem` podem frustrar essas expectativas.

Vamos supor que os clientes de modem foram escritos de modo a esperar que seus modems fiquem inativos até que `Dial` seja chamada e retornem à inatividade quando `Hangup` for chamada. Em outras palavras, eles não esperam que nenhum caractere saia dos modems que não discaram. `DedicatedModem` frustra essa expectativa. Ela retornará caracteres antes que `Dial` tenha sido chamada e continuará a retorná-los após `Hangup` ter sido chamada. Assim, `DedicatedModem` pode arruinar alguns dos clientes de modem.

Você poderia sugerir que o problema está nos clientes de modem. Eles não foram muito bem escritos, se falham diante de uma entrada inesperada. Eu concordaria, mas seria difícil convencer as pessoas que têm de manter os clientes de modem a fazer alterações em seu software porque estamos acrescentando um novo tipo de modem. Além de violar o OCP, isso é absolutamente frustrante. Além disso, nosso usuário nos proibiu explicitamente de alterar os clientes de modem.

Uma solução temporária   Podemos simular um status de conexão em `Dial` e `Hangup` de `DedicatedModem`. Podemos nos recusar a retornar caracteres se `Dial` não tiver sido chamada ou depois de `Hangup` ter sido chamada. Se fizermos essa mudança, todos os clientes de modem ficarão contentes e não terão que mudar. *Tudo que temos a fazer é convencer os* `DedUsers` *a chamar* `dial` *e* `hangup`. Consulte a Figura 33-8.

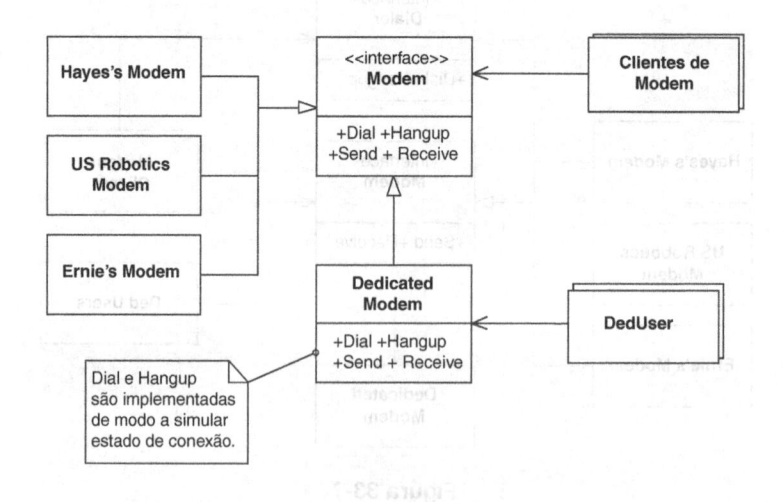

Figura 33-8
Correção temporária em `DedicatedModem` para simular estado de conexão.

Você poderia imaginar que as pessoas que estão construindo os aplicativos `DedUser` acham isso muito frustrante. Elas estão usando `DedicatedModem` explicitamente. *Por que deveriam ter de chamar `Dial` e `Hangup`?* Contudo, elas ainda não escreveram seu software, de modo que é mais fácil que façam o que queremos.

Uma confusa teia de dependências. Meses depois, quando existem centenas de aplicativos `DedUser`, nossos usuários aparecem com uma nova mudança. Parece que em todos esses anos nossos programas não tiveram que fazer ligações internacionais. Foi por isso que não tiveram problemas com o `char[10]` em `dial`. Agora, no entanto, nossos usuários querem que possamos discar para números de telefone de comprimento arbitrário. Eles precisam fazer ligações internacionais, com cartão de crédito, com PIN identificado etc.

Claramente, todos os clientes de modem devem ser alterados. Eles foram escritos de forma a esperar `char[10]` para o número do telefone. Nossos usuários autorizam essa mudança porque não têm escolha e uma multidão de programadores é colocada na tarefa. Claramente, também, as classes da hierarquia `modem` devem mudar para acomodar o novo tamanho de número de telefone. Nossa pequena equipe pode tratar disso. *Infelizmente, agora temos de informar que eles precisam alterar seu código!* Você pode imaginar a alegria deles com isso. Eles não estão chamando `dial` porque precisam. Estão chamando `Dial` porque dissemos a eles para fazer isso. E agora terão um trabalho de manutenção dispendioso porque fizeram o que dissemos para fazer.

Esse é o tipo de emaranhado de dependência desagradável em que muitos projetos se encontram. Uma correção temporária feita em uma parte do sistema gera uma horrível dependência em cadeia que finalmente causa problemas no que deveria ser uma parte totalmente não relacionada do sistema.

ADAPTER como salvação Poderíamos ter evitado esse fiasco usando ADAPTER para resolver o problema inicial, como mostrado na Figura 33-9. Nesse caso, `DedicatedModem` não herda de `Modem`. Os clientes de modem usam `DedicatedModem` indiretamente, por meio de `DedicatedModemAdapter`. Esse adaptador implementa `Dial` e `Hangup` de modo a simular o estado da conexão. O adaptador delega as chamadas de `send` e `receive` para `DedicatedModem`.

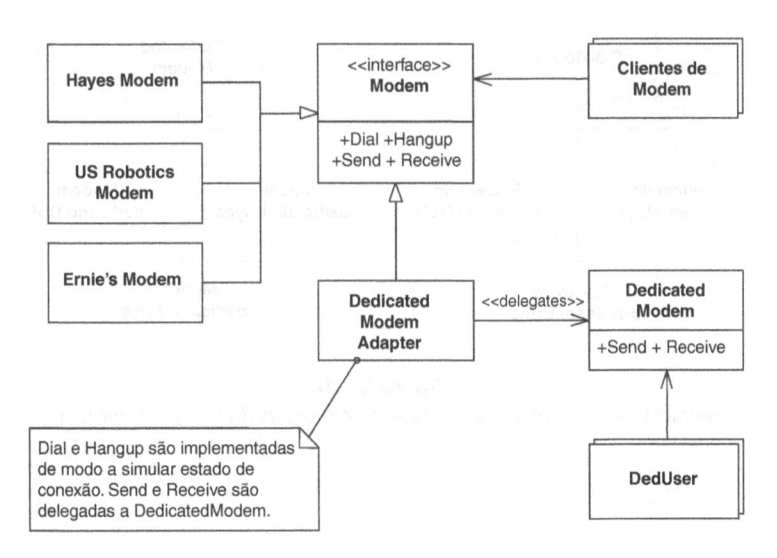

Figura 33-9
Resolvendo o problema do modem com ADAPTER.

Observe que isso elimina todas as dificuldades que tínhamos antes. Os clientes de modem estão vendo o comportamento de conexão que esperam e os aplicativos DedUser não precisam mexer com dial ou hangup. Quando o requisito do número de telefone mudar, os aplicativos DedUser não serão afetados. Assim, introduzindo o adaptador, corrigimos as violações de LSP e OCP.

Note que a correção temporária ainda existe. O adaptador ainda está simulando estado de conexão. Você pode achar isso horrível e eu certamente concordaria. Contudo, note que todas as dependências apontam para *fora* do adaptador. A correção temporária fica isolada do sistema, escondida em um adaptador que quase ninguém sabe a respeito. A única dependência incondicional nesse adaptador provavelmente será na implementação de alguma fábrica[3] em algum lugar.

Bridge

Há outra maneira de encarar esse problema. A necessidade de um modem dedicado acrescentou um novo grau de liberdade na hierarquia do tipo Modem. Quando o tipo Modem foi concebido, ele era simplesmente uma interface para um conjunto de diferentes dispositivos de hardware. Assim, tínhamos HayesModem, USRModem e ErniesModem derivando da classe base Modem. Agora, contudo, parece que há outra maneira de repartir a hierarquia modem. Poderíamos ter DialModem e DedicatedModem derivando de Modem.

A união dessas duas hierarquias independentes pode ser feita como mostrado na Figura 33-10. Cada um dos ramos da hierarquia de tipo apresenta um comportamento de discagem ou dedicado para o hardware que controla. Um objeto DedicatedHayesModem controla um modem Hayes em um contexto dedicado.

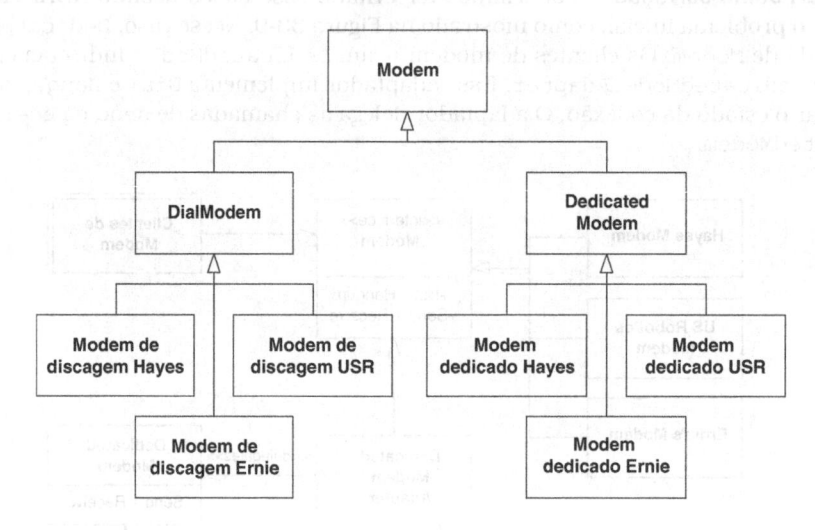

Figura 33-10
Resolvendo o problema do modem pela união de hierarquias de tipo.

---

[3] Consulte o Capítulo 29.

Essa não é uma estrutura ideal. Toda vez que adicionamos um novo dispositivo de hardware, precisamos criar *duas* novas classes: uma para o caso dedicado e uma para o caso da discagem. Sempre que adicionamos um novo tipo de conexão, precisamos criar *três* novas classes: uma para cada diferente dispositivo de hardware. Se esses dois graus de liberdade não fossem voláteis, logo poderíamos acabar com um grande número de classes derivadas.

Podemos resolver esse problema aplicando o padrão BRIDGE. Esse padrão frequentemente ajuda quando uma hierarquia de tipo tem mais de um grau de liberdade. Em vez de mesclar as hierarquias, podemos separá-las e interligá-las com uma ponte (bridge).

A Figura 33-11 mostra a estrutura. Dividimos a hierarquia modem em duas. Uma representa o método da conexão e a outra representa o hardware.

Os usuários de modem continuam a utilizar a interface Modem. ModemConnectionController implementa a interface Modem. As derivadas de ModemConnectionController controlam o mecanismo de conexão. DialModemController simplesmente passa os métodos dial e hangup para dialImp e para hangImp na classe base ModemConnectionController. Então, esses métodos delegam para a classe ModemImplementation, onde são implantados na controladora de hardware apropriada. DedModemController implementa dial e hangup de modo a simular o estado da conexão. Ela passa send e receive para sendImp e para receiveImp, as quais então delegam para a hierarquia ModemImplementation, como antes.

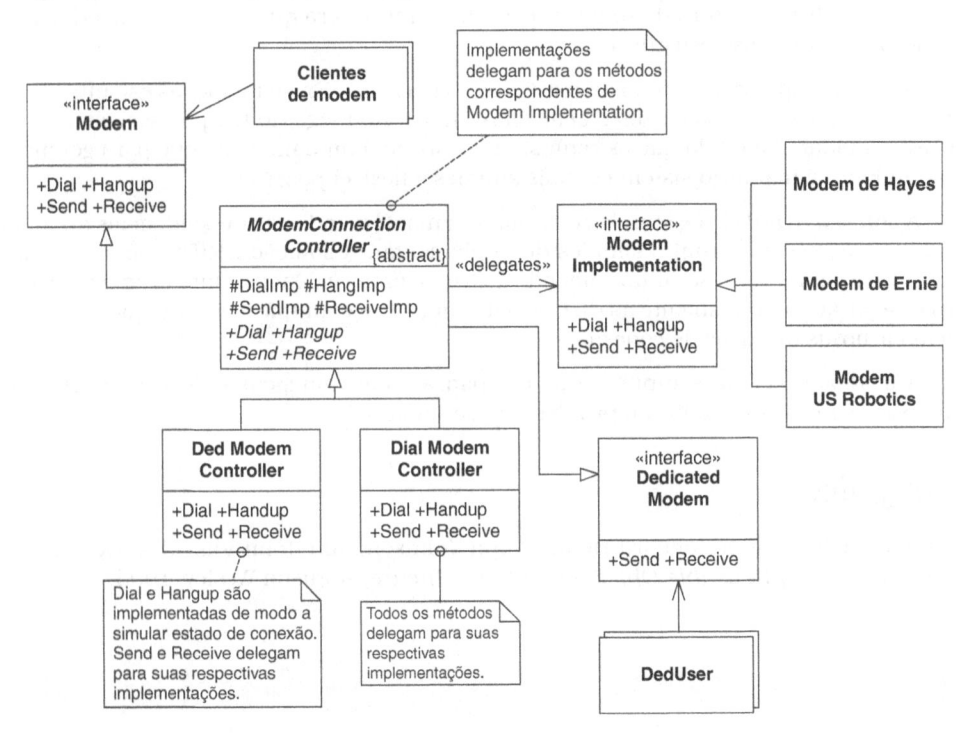

Figura 33-11
Solução com BRIDGE para o problema do modem.

Note que as quatro funções de implementação (Imp) da classe base ModemConnectionController são protegidas; elas devem ser usadas somente por derivadas de ModemConnectionController.

Essa estrutura é complexa, mas interessante. Podemos criá-la sem afetar os usuários de modem e, além disso, ela nos permite separar completamente as diretivas de conexão da implementação de hardware. Cada derivada de ModemConnectionController representa uma nova diretiva de conexão. Essa diretiva pode usar sendImp, receiveImp, dialImp e hangImp para implementar a outra diretiva. Novas funções Imp poderiam ser criadas sem afetar os usuários. O ISP poderia ser usado para adicionar novas interfaces nas classes controladoras de conexão. Isso poderia gerar um caminho de migração que os clientes de modem poderiam seguir lentamente, em direção a uma API de nível mais alto do que dial e hangup.

Conclusão

Alguém poderia sugerir que o problema real no cenário de Modem é que os projetistas originais entenderam mal o projeto. Eles deveriam saber que conexão e comunicação eram conceitos distintos. Se tivessem analisado melhor, teriam descoberto e corrigido isso. Assim, é tentador pôr a culpa do problema na análise insuficiente.

Bobagem! Não existe análise *suficiente*. Não importa quanto tempo você gaste tentando descobrir a estrutura de software perfeita, sempre verá que o usuário introduz uma alteração que viola essa estrutura.

Não há escapatória. Não existem estruturas perfeitas. Existem apenas estruturas que tentam contrabalançar os custos e benefícios atuais. Ao longo do tempo essas estruturas precisam mudar, à medida que os requisitos do sistema mudam. O truque para gerenciar essa mudança é manter o sistema o mais simples e flexível possível.

A solução ADAPTER é simples e direta. Ela mantém todas as dependências apontando na direção certa e é muito simples de implementar. A solução BRIDGE é muito mais complexa. Eu tomaria esse rumo somente se tivesse uma evidência muito forte de que precisaria separar completamente as diretivas de conexão e comunicação e de que precisaria adicionar novas diretivas de conexão.

A lição aqui, como sempre, é que um padrão tem vantagens e desvantagens. Você deve usar os mais adequados ao problema apresentado.

Bibliografia

[GOF95] Erich Gamma, Richard Helm, Ralph Johnson, and John Vlissides, *Design Patterns: Elements of Reusable Object-Oriented Software*, Addison-Wesley, 1995.

Capítulo 34

PROXY E GATEWAY: GERENCIANDO APIs DE TERCEIROS

Estou tentando, senhora, construir um circuito mnemônico usando facas de pedra e pele de urso.

—Spock

Existem muitas barreiras nos sistemas de software. Quando movemos dados de nosso programa para o banco de dados, estamos cruzando a barreira do banco de dados. Quando enviamos uma mensagem de um computador para outro, estamos cruzando a barreira da rede.

Cruzar essas barreiras pode ser complicado. Se não formos cuidadosos, nosso software estará mais relacionado às barreiras do que ao problema a ser resolvido. O padrão PROXY nos ajuda a cruzar tais barreiras, enquanto mantém o programa centrado no problema a ser resolvido.

Proxy

Imagine que estejamos escrevendo um sistema de carrinho de compras para um site. Esse sistema poderia ter objetos para o cliente, para o pedido (o carrinho) e para os produtos que estão no pedido. A Figura 34-1 mostra uma possível estrutura. Essa estrutura é simplista, mas servirá para nossos propósitos.

Se considerarmos o problema de adicionar um novo item em um pedido, poderemos produzir o código da Listagem 34-1. O método `AddItem` da classe `Order` simplesmente cria um novo item (`Item`) contendo o produto (`Product`) e a quantidade adequados e, então, adiciona esse `Item` à sua `ArrayList` interna de objetos `Item`.

Agora, imagine que esses objetos representam dados mantidos em um banco de dados relacional. A Figura 34-2 mostra as tabelas e chaves que poderiam representar os objetos. Para encontrar os pedidos de determinado cliente, você localizará todos os pedidos que tenham o `cusid` do cliente. Para encontrar todos os itens de determinado pedido, você localizará os itens que tenham o `orderId` do pedido. Para encontrar os produtos referenciados pelos itens, você usará o `sku` do produto.

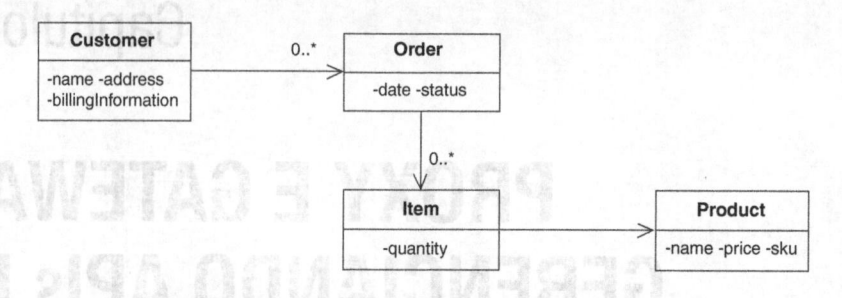

514 EMPACOTANDO O SISTEMA DE FOLHA DE PAGAMENTOS

Figura 34-1
Modelo de objetos simples para um carrinho de compras.

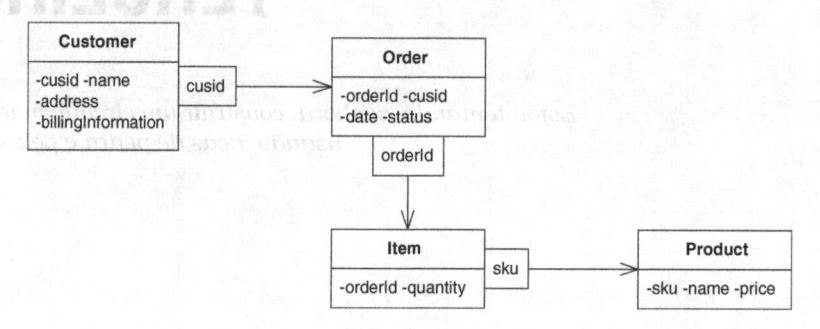

Figura 34-2
Modelo de dados relacional do carrinho de compras.

Listagem 34-1
Adicionando um item ao modelo de objetos

```
public class Order
{
  private ArrayList items = new ArrayList();
  public void AddItem(Product p, int qty)
  {
    Item item = new Item(p, qty);
    items.Add(item);
  }
}
```

Se quiséssemos adicionar uma linha de itens para um pedido específico, usaríamos algo como a Listagem 34-2. Esse código faz chamadas ADO.NET para manipular o modelo de dados relacional diretamente.

Listagem 34-2
Adicionando um item ao modelo relacional

```
public class AddItemTransaction : Transaction
{
  public void AddItem(int orderId, string sku, int qty)
  {
    string sql = "insert into items values(" +
      orderId + "," + sku + "," + qty + ")";
    SqlCommand command = new SqlCommand(sql, connection);
    command.ExecuteNonQuery();
  }
}
```

Esses dois trechos de código são muito diferentes, mas executam a mesma função lógica. Ambos ligam um item a um pedido. O primeiro ignora a existência de um banco de dados e o segundo se orgulha dele.

Claramente, o programa do carrinho de compras está relacionado a pedidos, itens e produtos. Infelizmente, se usarmos o código da Listagem 34-2, o relacionaremos a instruções SQL, conexões de banco de dados e montagem de strings de consulta. Essa é uma violação significativa do SRP e possivelmente do CCP. A Listagem 34-2 mistura dois conceitos que mudam por motivos diferentes. Ela mistura o conceito dos itens e pedidos com o conceito de esquemas relacionais e SQL. Se for necessário mudar um dos dois conceitos por qualquer razão, o outro será afetado. A Listagem 34-2 também viola o DIP, pois a diretiva do programa depende dos detalhes do mecanismo de armazenamento.

O padrão PROXY é uma maneira de curar esses males. Para explorar isso, vamos escrever um programa de teste que demonstre o comportamento da criação de um pedido e o cálculo do preço total. A parte importante desse programa está mostrada na Listagem 34-3.

O código simples que passa nesse teste aparece nas listagens 34-4 a 34-6. O código utiliza o modelo de objetos simples da Figura 34-1. Ele não presume que exista um banco de dados em algum lugar.

Listagem 34-3

```
Programa de teste que cria pedido e verifica cálculo de preço.
  [Test]
  public void TestOrderPrice()
  {
    Order o = new Order("Bob");
    Product toothpaste = new Product("Toothpaste", 129);
    o.AddItem(toothpaste, 1);
    Assert.AreEqual(129, o.Total);
    Product mouthwash = new Product("Mouthwash", 342);
    o.AddItem(mouthwash, 2);
    Assert.AreEqual(813, o.Total);
  }
```

Listagem 34-4
`Order.cs`

```
public class Order
{
  private ArrayList items = new ArrayList();

  public Order(string cusid)
  {
  }
  public void AddItem(Product p, int qty)
  {
    Item item = new Item(p,qty);
    items.Add(item);
  }
  public int Total
  {
    get
    {
      int total = 0;
      foreach(Item item in items)
      {
        Product p = item.Product;
        int qty = item.Quantity;
        total += p.Price * qty;
      }
      return total;
    }
  }
}
```

Listagem 34-5
`Product.cs`

```
public class Product
{
  private int price;

  public Product(string name, int price)
  {
    this.price = price;
  }
  public int Price
  {
    get { return price; }
  }
}
```

Listagem 34-6
Item.cs

```csharp
public class Item
{
  private Product product;
  private int quantity;

  public Item(Product p, int qty)
  {
    product = p;
    quantity = qty;
  }

  public Product Product
  {
    get { return product; }
  }
  public int Quantity
  {
    get { return quantity; }
  }
}
```

As Figuras 34-3 e 34-4 mostram o funcionamento do padrão PROXY. Cada objeto a ser representado por um proxy é dividido em três partes. A primeira é uma interface que declara todos os métodos que os clientes desejarão chamar. A segunda é uma implementação desses métodos sem conhecimento do banco de dados. A terceira é o proxy que conhece o banco de dados.

Considere a classe `Product`. Ela é representada por um proxy que a substitui por uma interface. Essa interface tem todos os mesmos métodos de `Product`. A classe `ProductImplementation` implementa a interface quase exatamente como antes. `ProductDBProxy` implementa todos os métodos de `Product` para buscar o produto no banco de dados, cria uma instância de `ProductImplementation` e, então, delega a mensagem para ela.

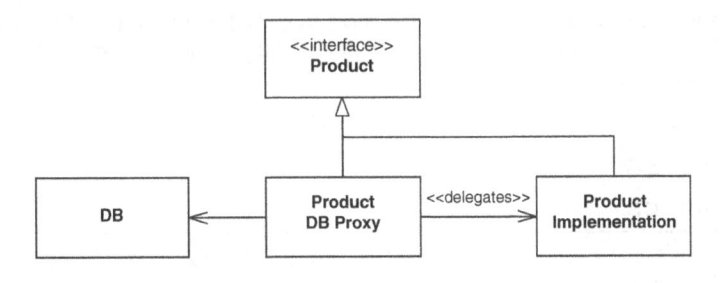

Figura 34-3
Modelo estático de PROXY.

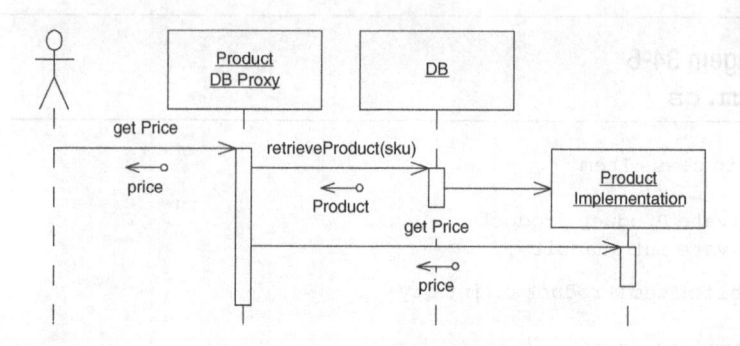

Figura 34-4
Modelo dinâmico de PROXY.

O diagrama de sequência da Figura 34-4 mostra como isso funciona. O cliente envia a mensagem `Price` para o que acha que é um produto (`Product`), mas que na verdade é um `ProductDBProxy`. `ProductDBProxy` busca `ProductImplementation` no banco de dados e, então, delega a propriedade `Price` para ela.

Nem o cliente nem `ProductImplementation` sabe que isso aconteceu. O banco de dados foi inserido no aplicativo sem que nenhuma das partes soubesse. Essa é a beleza do padrão PROXY. Teoricamente, ele pode ser inserido entre dois objetos colaboradores sem que eles precisem saber disso. Assim, ele pode ser usado para cruzar uma barreira, como um banco de dados ou uma rede, sem que nenhum dos participantes saiba disso.

Na realidade, usar proxys não é trivial. Para termos uma ideia dos problemas que podem ocorrer, vamos tentar adicionar o padrão PROXY ao aplicativo de carrinho de compras simples.

Implementando PROXY

O `Proxy` mais simples de criar é para a classe `Product`. Para nossos propósitos, a tabela de produtos representa um dicionário simples. Ela será carregada em um só lugar, com todos os produtos. Não há nenhuma outra manipulação dessa tabela e isso torna o proxy relativamente trivial.

Para começar, precisamos de um utilitário de banco de dados simples que armazene e recupere dados de produto. O proxy usará essa interface para manipular o banco de dados. A Listagem 34-7 mostra o programa de teste para o que tenho em mente. As listagens 34-8 e 34-9 fazem esse teste passar.

Listagem 34-7
`DbTest.cs`

```
[TestFixture]
public class DBTest
{
  [SetUp]
  public void SetUp()
```

```
  {
    DB.Init();
  }

  [TearDown]
  public void TearDown()
  {
    DB.Close();
  }

  [Test]
  public void StoreProduct()
  {
    ProductData storedProduct = new ProductData();
    storedProduct.name = "MyProduct";
    storedProduct.price = 1234;
    storedProduct.sku = "999";
    DB.Store(storedProduct);
    ProductData retrievedProduct =
      DB.GetProductData("999");
    DB.DeleteProductData("999");
    Assert.AreEqual(storedProduct, retrievedProduct);
  }
}
```

Listagem 34-8
ProductData.cs

```
public class ProductData
{
  private string name;
  private int price;
  private string sku;

  public ProductData(string name,
    int price, string sku)
  {
    this.name = name;
    this.price = price;
    this.sku = sku;
  }

  public ProductData() {}
  public override bool Equals(object o)
  {
    ProductData pd = (ProductData)o;
    return name.Equals(pd.name) &&
      sku.Equals(pd.sku) &&
```

```csharp
      price==pd.price;
  }
  public override int GetHashCode()
  {
    return name.GetHashCode() ^
      sku.GetHashCode() ^
      price.GetHashCode();
  }
}
```

Listagem 34-9

```csharp
public class Db
{
  private static SqlConnection connection;

  public static void Init()
  {
    string connectionString =
      "Initial Catalog=QuickyMart;" +
      "Data Source=marvin;" +
      "user id=sa;password=abc;";
    connection = new SqlConnection(connectionString);
    connection.Open();
  }

  public static void Store(ProductData pd)
  {
    SqlCommand command = BuildInsertionCommand(pd);
    command.ExecuteNonQuery();
  }

  private static SqlCommand
    BuildInsertionCommand(ProductData pd)
  {
    string sql =
      "INSERT INTO Products VALUES (@sku, @name, @price)";
    SqlCommand command = new SqlCommand(sql, connection);
    command.Parameters.Add("@sku", pd.sku);
    command.Parameters.Add("@name", pd.name);
    command.Parameters.Add("@price", pd.price);

    return command;
  }

  public static ProductData GetProductData(string sku)
  {
    SqlCommand command = BuildProductQueryCommand(sku);
    IDataReader reader = ExecuteQueryStatement(command);
```

```csharp
    ProductData pd = ExtractProductDataFromReader(reader);
    reader.Close();
    return pd;
}

private static
SqlCommand BuildProductQueryCommand(string sku)
{
    string sql = "SELECT * FROM Products WHERE sku = @sku";
    SqlCommand command = new SqlCommand(sql, connection);
    command.Parameters.Add("@sku", sku);
    return command;
}

private static ProductData
    ExtractProductDataFromReader(IDataReader reader)
{
    ProductData pd = new ProductData();
    pd.Sku = reader["sku"].ToString();
    pd.Name = reader["name"].ToString();
    pd.Price = Convert.ToInt32(reader["price"]);
    return pd;
}

public static void DeleteProductData(string sku)
{
    BuildProductDeleteStatement(sku).ExecuteNonQuery();
}

private static SqlCommand
    BuildProductDeleteStatement(string sku)
{
    string sql = "DELETE from Products WHERE sku = @sku";
    SqlCommand command = new SqlCommand(sql, connection);
    command.Parameters.Add("@sku", sku);
    return command;
}

private static IDataReader
    ExecuteQueryStatement(SqlCommand command)
{
    IDataReader reader = command.ExecuteReader();
    reader.Read();
    return reader;
}

public static void Close()
{
    connection.Close();
}
}
```

O próximo passo na implementação do proxy é escrever um teste que mostre como ele funciona. Esse teste adiciona um produto no banco de dados, cria um `ProductProxy` com o `sku` do produto armazenado e tenta usar os métodos de acesso de `Product` para adquirir os dados do proxy. Consulte a Listagem 34-10.

Para fazer isso funcionar, precisamos separar a interface de `Product` de sua implementação. Assim, mudei `Product` para uma interface e criei `ProductImp` para implementá-la (consulte as listagens 34-11 e 34-12). Isso me obrigou a fazer mudanças em `TestShoppingCart` (não mostradas) para usar `ProductImp` em lugar de `Product`.

Listagem 34-10
`ProxyTest.cs`

```csharp
[TestFixture]
public class ProxyTest
{
  [SetUp]
  public void SetUp()
  {
    Db.Init();
    ProductData pd = new ProductData();
    pd.sku = "ProxyTest1";
    pd.name = "ProxyTestName1";
    pd.price = 456;
    Db.Store(pd);
  }

  [TearDown]
  public void TearDown()
  {
    Db.DeleteProductData("ProxyTest1");
    Db.Close();
  }

  [Test]
  public void ProductProxy()
  {
    Product p = new ProductProxy("ProxyTest1");
    Assert.AreEqual(456, p.Price);
    Assert.AreEqual("ProxyTestName1", p.Name);
    Assert.AreEqual("ProxyTest1", p.Sku);
  }
}
```

Listagem 34-11
`Product.cs`

```csharp
public interface Product
{
  int Price {get;}
  string Name {get;}
  string Sku {get;}
}
```

Listagem 34-12
`ProductImpl.cs`

```csharp
public class ProductImpl : Product
{
  private int price;
  private string name;
  private string sku;

  public ProductImpl(string sku, string name, int price)
  {
    this.price = price;
    this.name = name;
    this.sku = sku;
  }

  public int Price
  {
    get { return price; }
  }

  public string Name
  {
    get { return name; }
  }

  public string Sku
  {
    get { return sku; }
  }
}
```

Listagem 34-13

```
public class ProductProxy : Product
{
  private string sku;

  public ProductProxy(string sku)
  {
    this.sku = sku;
  }

  public int Price
  {
    get
    {
      ProductData pd = Db.GetProductData(sku);
      return pd.price;
    }
  }

  public string Name
  {
    get
    {
      ProductData pd = Db.GetProductData(sku);
      return pd.name;
    }
  }

  public string Sku
  {
    get { return sku; }
  }
}
```

A implementação desse proxy é simples. Na verdade, ela não corresponde exatamente à forma canônica do padrão mostrada nas Figuras 34-3 e 34-4, o que foi uma surpresa. Minha intenção era implementar o padrão PROXY. Mas quando a implementação finalmente se materializou, o padrão canônico não fez sentido.

O padrão canônico teria feito `ProductProxy` criar um `ProductImp` em cada método. Então, teria delegado esse método ou propriedade para `ProductImp`, como segue:

```
public int Price
{
  get
  {
    ProductData pd = Db.GetProductData(sku);
    ProductImpl p =
      new ProductImpl(pd.Name, pd.Sku, pd.Price);
    return pd.Price;
  }
}
```

A criação de `ProductImp` é um total desperdício de recursos de programador e computador. `ProductProxy` já tem os dados que os métodos de acesso de `ProductImp` retornariam. Portanto, não há necessidade de criar `ProductImp` e, então, delegar para ele. Esse é mais um exemplo de como o código pode levá-lo para longe dos padrões e modelos esperados.

Note que, na Listagem 34-13, a propriedade `Sku` de `ProductProxy` leva esse tema um passo adiante. Ele nem mesmo se incomoda de acionar o banco de dados em busca do sku. Por que deveria? Ele já tem o sku.

Você pode estar pensando que a implementação de `ProductProxy` é muito ineficiente. Ela aciona o banco de dados para cada método de acesso. Não seria melhor se colocasse o item `ProductData` em cache para evitar a ida ao banco de dados?

Essa mudança é trivial, mas a única coisa que nos impulsiona a fazer isso é nosso medo. Neste ponto, não temos dados para sugerir que esse programa tem um problema de desempenho. Além disso, sabemos que o mecanismo de banco de dados também está utilizando cache. Portanto, não é evidente que construir nosso próprio cache seria correto. Devemos esperar até vermos indicações de uma diminuição no desempenho, antes de criarmos problemas para nós mesmos.

Nosso próximo passo é criar o proxy para `Order`. Cada instância de `Order` contém muitas instâncias de `Item`. No esquema relacional (Figura 34-2), esse relacionamento é capturado dentro da tabela `Item`. Cada linha da tabela `Item` contém a chave do pedido (`Order`) que o contém. No entanto, no modelo de objetos, o relacionamento é implementado por uma `ArrayList` dentro de `Order` (consulte a Listagem 34-4). De algum modo, o proxy terá que fazer a transformação entre as duas formas.

Começamos propondo um caso de teste em que o proxy deve passar. Esse teste adiciona alguns produtos fictícios ao banco de dados, obtém proxys para esses produtos e os utiliza para chamar `AddItem` em um `OrderProxy`. Por fim, o teste solicita o preço total a `OrderProxy` (consulte a Listagem 34-14). O objetivo desse caso de teste é mostrar que um `OrderProxy` se comporta exatamente como um `Order`, mas obtém seus dados do banco de dados e não de objetos que estão na memória.

Para fazermos esse caso de teste funcionar, precisamos implementar algumas novas classes e métodos. O primeiro que atacaremos é o método `NewOrder` de `Db`. Esse método parece retornar uma instância de algo chamado `OrderData`. `OrderData` é exatamente como `ProductData`: uma estrutura de dados simples que representa uma linha da tabela de banco de dados `Order`. O método está mostrado na Listagem 34-15.

Não se ofenda com o uso de membros de dados públicos. Esse não é um objeto no sentido real. É simplesmente um contêiner para dados. Ele não tem um comportamento interessante que precise ser encapsulado. Tornar as variáveis de dados privadas e fornecer métodos get e set seria desperdício de tempo. Eu poderia ter usado `struct`, em vez de uma classe, mas quero que `OrderData` seja passado por referência e não por valor.

Agora precisamos escrever a função `NewOrder` de `Db`. Note que, quando a chamamos na Listagem 34-14, fornecemos a ID do respectivo cliente, mas não fornecemos o `orderId`. Cada pedido (`Order`) precisa de um `orderId` para atuar como sua chave. Além disso, no esquema relacional, cada `Item` se refere a esse `orderId` como uma maneira de mostrar sua conexão com `Order`. Claramente, `orderId` deve ser exclusivo. Como isso é criado? Vamos escrever um teste para mostrar nosso objetivo. Consulte a Listagem 34-16.

Listagem 34-14
ProxyTest.cs

```
[Test]
public void OrderProxyTotal()
{
  Db.Store(new ProductData("Wheaties", 349, "wheaties"));
  Db.Store(new ProductData("Crest", 258, "crest"));
  ProductProxy wheaties = new ProductProxy("wheaties");
  ProductProxy crest = new ProductProxy("crest");
  OrderData od = Db.NewOrder("testOrderProxy");
  OrderProxy order = new OrderProxy(od.orderId);
  order.AddItem(crest, 1);
  order.AddItem(wheaties, 2);
  Assert.AreEqual(956, order.Total);
}
```

Listagem 34-15
OrderData.cs

```
public class OrderData
{
  public string customerId;
  public int orderId;

  public OrderData() {}
  public OrderData(int orderId, string customerId)
  {
    this.orderId = orderId;
    this.customerId = customerId;
  }
}
```

Listagem 34-16
DbTest.cs

```
[Test]
public void OrderKeyGeneration()
{
  OrderData o1 = Db.NewOrder("Bob");
  OrderData o2 = Db.NewOrder("Bill");
  int firstOrderId = o1.orderId;
  int secondOrderId = o2.orderId;
  Assert.AreEqual(firstOrderId + 1, secondOrderId);
}
```

Esse teste mostra que esperamos que, de algum modo, `orderId` seja incrementado automaticamente sempre que um novo `Order` for criado. Isso é facilmente implementado permitindo-se que `SqlServer` gere o próximo `orderId`; podemos obter o valor chamando o método de banco de dados `scope_identity()`. Consulte a Listagem 34-17.

Agora podemos começar a escrever `OrderProxy`. Assim como acontece com `Product`, precisamos dividir `Order` em uma interface e uma implementação. Portanto, `Order` se torna a interface e `OrderImp` se torna a implementação. Consulte as listagens 34-18 e 34-19.

Como implemento `AddItem` no proxy? Claramente, o proxy não pode delegar para `OrderImp.AddItem`! Em vez disso, o proxy vai ter de inserir uma linha de `Item` no banco de dados. Por outro lado, eu *realmente quero* delegar `OrderProxy.Total` para `Order-Imp.Total`, pois quero que as regras de negócio – a diretriz de criar totais – sejam encapsuladas em `OrderImp`. O objetivo da construção de proxys é separar a implementação do banco de dados das regras de negócio.

Para delegar a propriedade `Total`, o proxy terá de construir o objeto `Order` completo, com todos os seus objetos `Item` contidos. Assim, em `OrderProxy.Total`, teremos de ler todos os itens do banco de dados, chamar `AddItem` em um `OrderImp` vazio para cada item que encontrarmos e, então, chamar `Total` nesse `OrderImp`. Assim, a implementação de `OrderProxy` deve ser parecida com a Listagem 34-20.

Listagem 34-17

```csharp
public static OrderData NewOrder(string customerId)
{
  string sql = "INSERT INTO Orders(cusId) VALUES(@cusId); " +
    "SELECT scope_identity()";
  SqlCommand command = new SqlCommand(sql, connection);
  command.Parameters.Add("@cusId", customerId);
  int newOrderId = Convert.ToInt32(command.ExecuteScalar());
  return new OrderData(newOrderId, customerId);
}
```

Listagem 34-18
`Order.cs`

```csharp
public interface Order
{
  string CustomerId { get; }
  void AddItem(Product p, int quantity);
  int Total { get; }
}
```

Listagem 34-19
OrderImpl.cs

```
public class OrderImp : Order
{
  private ArrayList items = new ArrayList();
  private string customerId;

  public OrderImp(string cusid)
  {
    customerId = cusid;
  }

  public string CustomerId
  {
    get { return customerId; }
  }

  public void AddItem(Product p, int qty)
  {
    Item item = new Item(p, qty);
    items.Add(item);
  }

  public int Total
  {
    get
    {
      int total = 0;
      foreach(Item item in items)
      {
        Product p = item.Product;
        int qty = item.Quantity;
        total += p.Price * qty;
      }
      return total;
    }
  }
}
```

Listagem 34-20

```
public class OrderProxy : Order
{
  private int orderId;
  public OrderProxy(int orderId)
  {
    this.orderId = orderId;
  }
  public int Total
  {
    get
    {
      OrderImp imp = new OrderImp(CustomerId);
      ItemData[] itemDataArray = Db.GetItemsForOrder(orderId);
      foreach(ItemData item in itemDataArray)
        imp.AddItem(new ProductProxy(item.sku), item.qty);
      return imp.Total;
    }
  }
  public string CustomerId
  {
    get
    {
      OrderData od = Db.GetOrderData(orderId);
      return od.customerId;
    }
  }
  public void AddItem(Product p, int quantity)
  {
    ItemData id =
      new ItemData(orderId, quantity, p.Sku);
    Db.Store(id);
  }
  public int OrderId
  {
    get { return orderId; }
  }
}
```

Isso implica a existência de uma classe `ItemData` e de algumas funções `Db` para manipular linhas de `ItemData`. Elas estão mostradas nas listagens 34-21 a 34-23.

Listagem 34-21
ItemData.cs

```
public class ItemData
{
  public int orderId;
  public int qty;
  public string sku = "junk";

  public ItemData() {}
  public ItemData(int orderId, int qty, string sku)
  {
    this.orderId = orderId;
    this.qty = qty;
    this.sku = sku;
  }
  public override bool Equals(Object o)
  {
    if(o is ItemData)
    {
      ItemData id = o as ItemData;
      return orderId == id.orderId &&
        qty == id.qty &&
        sku.Equals(id.sku);
    }
    return false;
  }
}
```

Listagem 34-22

```
[Test]
public void StoreItem()
{
  ItemData storedItem = new ItemData(1, 3, "sku");
  Db.Store(storedItem);
  ItemData[] retrievedItems = Db.GetItemsForOrder(1);
  Assert.AreEqual(1, retrievedItems.Length);
  Assert.AreEqual(storedItem, retrievedItems[0]);
}
[Test]
public void NoItems()
{
  ItemData[] id = Db.GetItemsForOrder(42);
  Assert.AreEqual(0, id.Length);
}
```

Listagem 34-23

```
public static void Store(ItemData id)
{
  SqlCommand command = BuildItemInsersionStatement(id);
  command.ExecuteNonQuery();
}
private static SqlCommand
  BuildItemInsersionStatement(ItemData id)
{
  string sql = "INSERT INTO Items(orderId,quantity,sku) " +
    "VALUES (@orderID, @quantity, @sku)";
  SqlCommand command = new SqlCommand(sql, connection);
  command.Parameters.Add("@orderId", id.orderId);
  command.Parameters.Add("@quantity", id.qty);
  command.Parameters.Add("@sku", id.sku);
  return command;
}
public static ItemData[] GetItemsForOrder(int orderId)
{
  SqlCommand command =
    BuildItemsForOrderQueryStatement(orderId);
  IDataReader reader = command.ExecuteReader();
  ItemData[] id = ExtractItemDataFromResultSet(reader);
  reader.Close();
  return id;
}
private static SqlCommand
  BuildItemsForOrderQueryStatement(int orderId)
{
  string sql = "SELECT * FROM Items " +
    "WHERE orderid = @orderId";
  SqlCommand command = new SqlCommand(sql, connection);
  command.Parameters.Add("@orderId", orderId);
  return command;
}
private static ItemData[]
  ExtractItemDataFromResultSet(IDataReader reader)
{
  ArrayList items = new ArrayList();
  while (reader.Read())
  {
    int orderId = Convert.ToInt32(reader["orderId"]);
    int quantity = Convert.ToInt32(reader["quantity"]);
    string sku = reader["sku"].ToString();
    ItemData id = new ItemData(orderId, quantity, sku);
    items.Add(id);
  }
  return (ItemData[]) items.ToArray(typeof (ItemData));
```

```
    }
    public static OrderData GetOrderData(int orderId)
    {
      string sql = "SELECT cusid FROM orders " +
        "WHERE orderid = @orderId";
      SqlCommand command = new SqlCommand(sql, connection);
      command.Parameters.Add("@orderId", orderId);
      IDataReader reader = command.ExecuteReader();

      OrderData od = null;
      if (reader.Read())
        od = new OrderData(orderId, reader["cusid"].ToString());
      reader.Close();
      return od;
    }
    public static void Clear()
    {
      ExecuteSql("DELETE FROM Items");
      ExecuteSql("DELETE FROM Orders");
      ExecuteSql("DELETE FROM Products");
    }
    private static void ExecuteSql(string sql)
    {
      SqlCommand command = new SqlCommand(sql, connection);
      command.ExecuteNonQuery();
    }
```

Resumo

Esse exemplo deve ter dissipado qualquer falsa ilusão a respeito da elegância e simplicidade do uso de proxys. O uso dos proxys não é trivial. O modelo de delegação simples decorrente do padrão canônico raramente se materializa tão harmoniosamente. Em vez disso, nos encontramos provocando um curto-circuito na delegação de métodos get e set triviais. Para métodos que gerenciam relacionamentos de 1:N, nos encontramos *retardando* a delegação e movendo-a para outros métodos, exatamente como a delegação de AddItem foi movida para Total. Por fim, nos deparamos com o fantasma do uso de cache.

Não utilizamos cache nesse exemplo. Todos os testes são executados em menos de um segundo; portanto, não houve necessidade de se preocupar demasiadamente com o desempenho. Mas, em um aplicativo real, o problema do desempenho e a necessidade do uso inteligente de cache provavelmente surgirão. Não recomendo que você implemente automaticamente uma estratégia que utilize cache por medo de o desempenho ser muito baixo. Aliás, tenho percebido que adicionar cache cedo demais é uma boa maneira de *diminuir o* desempenho. Se você estiver preocupado com o desempenho, faça algumas experiências que *demonstrem* que ele será mesmo um problema. Uma vez demonstrado e *somente quando demonstrado*, você deve começar a considerar como vai acelerar as coisas.

Apesar de toda a natureza problemática dos proxys, eles têm uma vantagem poderosa: *a separação de preocupações*. Em nosso exemplo, as regras de negócio e o banco de dados foram completamente separados. OrderImp não tem uma dependência em relação ao banco de dados. Se quisermos alterar o esquema ou o mecanismo de banco de dados, podemos fazer isso sem afetar `Order`, `OrderImp` ou qualquer uma das outras classes do domínio de negócio.

Se separar as regras de negócio da implementação do banco de dados é importante, PROXY pode ser um bom padrão para se usar. Quanto a isso, o padrão PROXY pode ser utilizado para separar regras de negócio de *qualquer* tipo de problema de implementação. Ele pode ser usado para impedir que as regras de negócio sejam poluídas com coisas como COM, CORBA, EJB etc. É uma maneira de manter os recursos de regras de negócio de seu projeto separados dos mecanismos de implementação vigentes.

Bancos de dados, middleware e outras interfaces de terceiros

As APIs de terceiros são componentes comuns na vida dos engenheiros de software. Compramos mecanismos de banco de dados, mecanismos de middleware, bibliotecas de classes, bibliotecas de threads etc. Inicialmente, fazemos chamadas diretas para essas APIs a partir de nosso código aplicativo (consulte a Figura 34-5).

No entanto, com o tempo, verificamos que nosso código aplicativo se torna cada vez mais poluído com tais chamadas. Em um aplicativo de banco de dados, por exemplo, podemos nos deparar com inúmeras strings SQL sujando o código que também contém regras de negócio.

Isso se torna um problema quando a API de terceiros muda. Para bancos de dados, também se torna um problema quando o esquema muda. À medida que são lançadas novas versões da API ou do esquema, uma parte cada vez maior do código aplicativo precisa ser revisada para se alinhar a essas mudanças.

Finalmente, os desenvolvedores decidem que devem se isolar dessas mudanças. Então, eles criam uma camada que separa as regras de negócio do aplicativo da API de terceiros (consulte a Figura 34-6). Eles concentram nessa camada todo o código que utiliza a API de terceiros e todos os conceitos relacionados à API, em vez das regras de negócio do aplicativo.

Tais camadas, como a ADO.NET, às vezes podem ser adquiridas. Elas separam o código aplicativo do mecanismo de banco de dados. Evidentemente, elas próprias também são APIs de terceiros e, portanto, o aplicativo precisa ser isolado até mesmo delas.

Note que existe uma dependência transitiva do `Aplicativo` em relação à `API`. Em alguns aplicativos, essa dependência indireta ainda é suficiente para causar problemas. A ADO.NET, por exemplo, não isola o aplicativo dos detalhes do esquema.

Para conseguir um isolamento ainda maior, precisamos inverter a dependência entre o aplicativo e a camada (consulte a Figura 34-7). Isso impede que o aplicativo saiba qualquer coisa sobre a API de terceiros, direta ou indiretamente. No caso de um banco de dados, isso impede que o aplicativo tenha conhecimento direto do esquema. No caso de um mecanismo de middleware, impede que o aplicativo saiba qualquer coisa sobre os tipos de dados usados por esse processador de middleware.

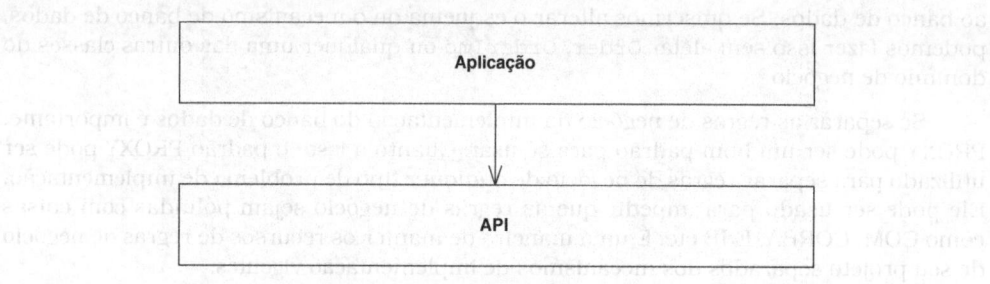

534 EMPACOTANDO O SISTEMA DE FOLHA DE PAGAMENTOS

```
┌─────────────────┐
│    Aplicação    │
└─────────────────┘
         │
         ▼
┌─────────────────┐
│       API       │
└─────────────────┘
```

Figura 34-5
Relacionamento inicial entre um aplicativo e uma API de terceiros.

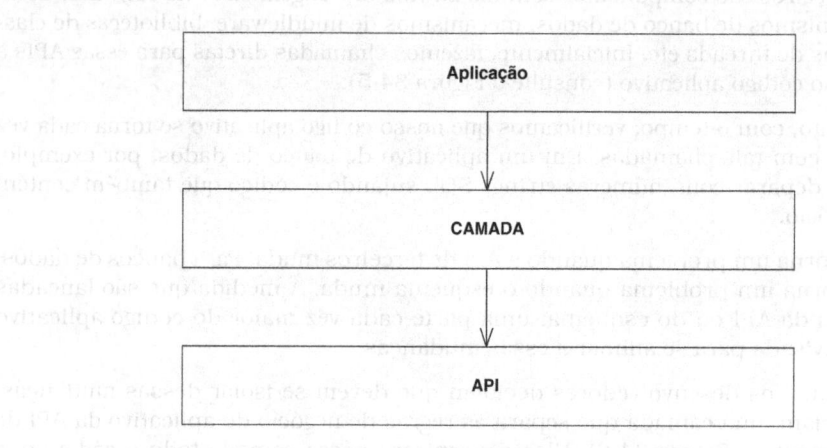

```
┌─────────────────┐
│    Aplicação    │
└─────────────────┘
         │
         ▼
┌─────────────────┐
│     CAMADA      │
└─────────────────┘
         │
         ▼
┌─────────────────┐
│       API       │
└─────────────────┘
```

Figura 34-6
Introduzindo uma camada de isolamento.

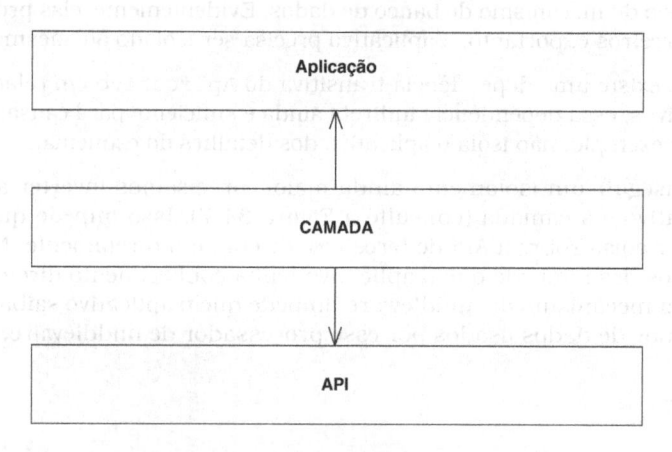

```
┌─────────────────┐
│    Aplicação    │
└─────────────────┘
         │
         ▼
┌─────────────────┐
│     CAMADA      │
└─────────────────┘
         │
         ▼
┌─────────────────┐
│       API       │
└─────────────────┘
```

Figura 34-7
Invertendo a dependência entre o aplicativo e a camada.

Essa disposição das dependências é precisamente o que o padrão PROXY consegue fazer. O aplicativo não depende de proxys. Em vez disso, os proxys dependem do aplicativo e da API. Isso concentra nos proxys todo o conhecimento do mapeamento entre o aplicativo e a API.

Essa concentração de conhecimento significa que os proxys são pesadelos. Sempre que a API muda, os proxys mudam. Sempre que o aplicativo muda, os proxys mudam. Pode se tornar muito difícil lidar com os proxys.

É bom saber onde seus pesadelos estão. Sem os proxys, os pesadelos seriam espalhados por todo o código aplicativo.

A maioria dos aplicativos não precisa de proxys. Os proxys são uma solução peso-pesado. Quando vejo soluções com o uso de proxys, na maioria dos casos minha recomendação é eliminá-los e usar algo mais simples. Mas, às vezes, a forte separação entre o aplicativo e a API proporcionada pelos proxys é benéfica. Esses casos acontecem quase sempre em sistemas muito grandes que sofrem de thrashing de esquema e/ou API frequente ou em sistemas que podem se sobrepor a muitos mecanismos de banco de dados ou de middleware diferentes.

TABLE DATA GATEWAY

PROXY é um padrão difícil de usar e é excessivo para a maioria dos aplicativos. Eu não o utilizaria a não ser que estivesse convencido de que precisaria de uma separação absoluta entre as regras de negócio e o esquema de banco de dados. Normalmente, o tipo de separação absoluta proporcionada pelo PROXY não é necessário e certo acoplamento entre as regras de negócio e o esquema pode ser tolerado. TABLE DATA GATEWAY (TDG) é um padrão que normalmente consegue separação suficiente, sem o custo do PROXY. Também conhecido como objeto de acesso a dados (DAO – *Data Access Object*), esse padrão usa uma fachada (FACADE) especializada para cada tipo de objeto que desejamos armazenar no banco de dados (consulte a Figura 34-9).

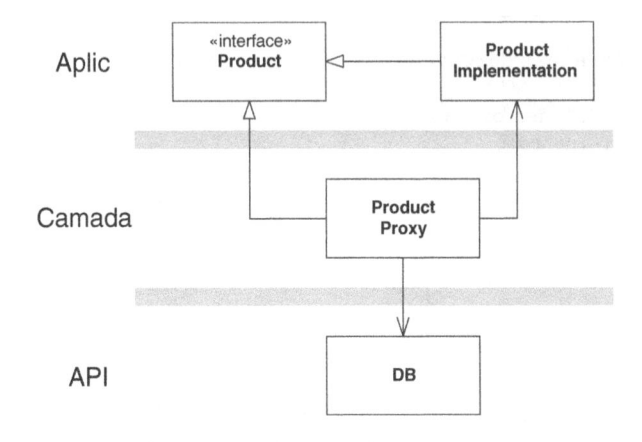

Figura 34-8
Como o proxy inverte a dependência entre o aplicativo e a camada.

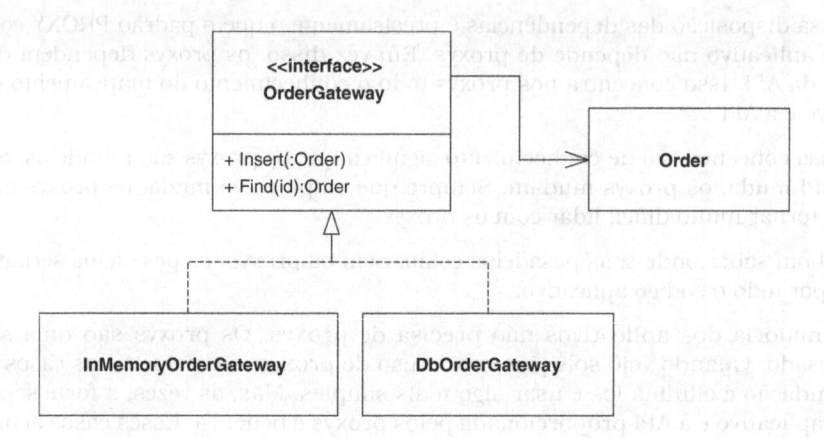

Figura 34-9
Padrão TABLE DATA GATEWAY.

`OrderGateway` (Listagem 34-24) é uma interface que o aplicativo utiliza para acessar a camada de persistência de objetos `Order`. Essa interface tem o método `Insert` para fazer novos objetos `Order` persistirem e um método `Find` para recuperar os objetos `Order` que já persistem.

`DbOrderGateway` (Listagem 34-25) implementa `OrderGateway` e move instâncias de `Order` entre o modelo de objeto e o banco de dados relacional. Tem uma conexão com uma instância de `SqlServer` e utiliza o mesmo esquema usado anteriormente no exemplo do PROXY.[1]

Listagem 34-24
OrderGateway.cs

```
public interface OrderGateway
{
  void Insert(Order order);
  Order Find(int id);
}
```

---

[1] Devo dizer que detesto os sistemas de acesso a banco de dados das principais plataformas de hoje. A ideia de construir strings SQL e executá-las é, na melhor das hipóteses, complicada e certamente barroca. É uma pena que tenhamos que escrever programas para gerar SQL, que era destinada a ser lida e escrita por seres humanos, mas que, em vez disso, é analisada e interpretada pelo mecanismo de banco de dados. Um mecanismo mais direto poderia (e deveria) ser descoberto. Muitas equipes usam estruturas de persistência, como NHibernate, para ocultar o pior das manipulações de SQL misteriosas, e isso é bom. Contudo, essas estruturas apenas ocultam o que deveria ser eliminado.

Listagem 34-25
`DbOrderGateway.cs`

```csharp
public class DbOrderGateway : OrderGateway
{
  private readonly ProductGateway productGateway;
  private readonly SqlConnection connection;

  public DbOrderGateway(SqlConnection connection,
                        ProductGateway productGateway)
  {
    this.connection = connection;
    this.productGateway = productGateway;
  }

  public void Insert(Order order)
  {
    string sql = "insert into Orders (cusId) values (@cusId)" +
      "; select scope_identity()";
    SqlCommand command = new SqlCommand(sql, connection);
    command.Parameters.Add("@cusId", order.CustomerId);
    int id = Convert.ToInt32(command.ExecuteScalar());
    order.Id = id;

    InsertItems(order);
  }

  public Order Find(int id)
  {
    string sql = "select * from Orders where orderId = @id";
    SqlCommand command = new SqlCommand(sql, connection);
    command.Parameters.Add("@id", id);
    IDataReader reader = command.ExecuteReader();

    Order order = null;
    if(reader.Read())
    {
      string customerId = reader["cusId"].ToString();
      order = new Order(customerId);
      order.Id = id;
    }
    reader.Close();

    if(order != null)
      LoadItems(order);

    return order;
  }

  private void LoadItems(Order order)
  {
    string sql =
      "select * from Items where orderId = @orderId";
    SqlCommand command = new SqlCommand(sql, connection);
    command.Parameters.Add("@orderId", order.Id);
    IDataReader reader = command.ExecuteReader();
```

```csharp
      while(reader.Read())
      {
        string sku = reader["sku"].ToString();
        int quantity = Convert.ToInt32(reader["quantity"]);
        Product product = productGateway.Find(sku);
        order.AddItem(product, quantity);
      }
    }

    private void InsertItems(Order order)
    {
      string sql = "insert into Items (orderId, quantity, sku)" +
        "values (@orderId, @quantity, @sku)";

      foreach(Item item in order.Items)
      {
        SqlCommand command = new SqlCommand(sql, connection);
        command.Parameters.Add("@orderId", order.Id);
        command.Parameters.Add("@quantity", item.Quantity);
        command.Parameters.Add("@sku", item.Product.Sku);
        command.ExecuteNonQuery();
      }
    }
  }
```

A outra implementação de OrderGateway é InMemoryOrderGateway (Listagem 34-26). InMemoryOrderGateway salvará e recuperará objetos Order exatamente como DbOrderGateway, mas armazenará os dados na memória, usando uma tabela de hashing (Hashtable). Fazer dados persistirem na memória parece um tanto estúpido, pois todos eles serão perdidos quando o aplicativo terminar. Contudo, conforme veremos posteriormente, quando se trata de testar, fazer isso é inestimável.

Temos também uma interface ProductGateway (Listagem 34-27), com sua implementação de DB (Listagem 34-28) e sua implementação na memória (Listagem 34-29). Embora também pudéssemos ter um ItemGateway para acessar dados em nossa tabela de objetos Item, ele não é necessário. O aplicativo não está interessado em objetos Item fora do contexto de um pedido (Order), de modo que DbOrderGateway lida tanto com a tabela de objetos Order como com a tabela de objetos Item de nosso esquema.

Listagem 34-26
`InMemoryOrderGateway.cs`

```csharp
public class InMemoryOrderGateway : OrderGateway
{
  private static int nextId = 1;
  private Hashtable orders = new Hashtable();

  public void Insert(Order order)
  {
    orders[nextId++] = order;
  }

  public Order Find(int id)
  {
    return orders[id] as Order;
  }
}
```

Listagem 34-27
`ProductGateway.cs`

```csharp
public interface ProductGateway
{
  void Insert(Product product);
  Product Find(string sku);
}
```

Listagem 34-28
`DbProductGateway.cs`

```csharp
public class DbProductGateway : ProductGateway
{
  private readonly SqlConnection connection;

  public DbProductGateway(SqlConnection connection)
  {
    this.connection = connection;
  }

  public void Insert(Product product)
  {
    string sql = "insert into Products (sku, name, price)" +
      " values (@sku, @name, @price)";
    SqlCommand command = new SqlCommand(sql, connection);
```

```
      command.Parameters.Add("@sku", product.Sku);
      command.Parameters.Add("@name", product.Name);
      command.Parameters.Add("@price", product.Price);
      command.ExecuteNonQuery();
    }

    public Product Find(string sku)
    {
      string sql = "select * from Products where sku = @sku";
      SqlCommand command = new SqlCommand(sql, connection);
      command.Parameters.Add("@sku", sku);
      IDataReader reader = command.ExecuteReader();

      Product product = null;
      if(reader.Read())
      {
        string name = reader["name"].ToString();
        int price = Convert.ToInt32(reader["price"]);
        product = new Product(name, sku, price);
      }
      reader.Close();

      return product;
    }
}
```

Listagem 34-29
InMemoryProductGateway.cs

```
public class InMemoryProductGateway : ProductGateway
{
  private Hashtable products = new Hashtable();

  public void Insert(Product product)
  {
    products[product.Sku] = product;
  }

  public Product Find(string sku)
  {
    return products[sku] as Product;
  }
}
```

As classes Product (Listagem 34-30), Order (Listagem 34-31) e Item (Listagem 34-32) são objetos de transferência de dados (DTO – *Data Transfer Objects*) simples que correspondem ao modelo de objetos original.

Listagem 34-30
`Product.cs`

```
public class Product
{
  private readonly string name;
  private readonly string sku;
  private int price;

  public Product(string name, string sku, int price)
  {
    this.name = name;
    this.sku = sku;
    this.price = price;
  }

  public int Price
  {
    get { return price; }
  }

  public string Name
  {
    get { return name; }
  }

  public string Sku
  {
    get { return sku; }
  }
}
```

Listagem 34-31
`Order.cs`

```
public class Order
{
  private readonly string cusid;
  private ArrayList items = new ArrayList();
  private int id;

  public Order(string cusid)
  {
    this.cusid = cusid;
  }

  public string CustomerId
  {
    get { return cusid; }
```

```csharp
  }
  public int Id
  {
    get { return id; }
    set { id = value; }
  }
  public int ItemCount
  {
    get { return items.Count; }
  }
  public int QuantityOf(Product product)
  {
    foreach(Item item in items)
    {
      if(item.Product.Sku.Equals(product.Sku))
        return item.Quantity;
    }
    return 0;
  }
  public void AddItem(Product p, int qty)
  {
    Item item = new Item(p,qty);
    items.Add(item);
  }
  public ArrayList Items
  {
    get { return items; }
  }

    public int Total
    {
      get
      {
        int total = 0;
        foreach(Item item in items)
        {
          Product p = item.Product;
          int qty = item.Quantity;
          total += p.Price * qty;
        }
        return total;
      }
    }
}
```

Listagem 34-32
`Item.cs`

```
public class Item
{
  private Product product;
  private int quantity;

  public Item(Product p, int qty)
  {
    product = p;
    quantity = qty;
  }

  public Product Product
  {
    get { return product; }
  }

  public int Quantity
  {
    get { return quantity; }
  }
}
```

Teste e TDGs na memória

Quem já praticou desenvolvimento guiado por testes sabe que os testes se avolumam rapidamente. Antes de se dar conta, você terá centenas de testes. O tempo que leva para executar todos os testes aumenta a cada dia. Muitos desses testes envolverão a camada de persistência; se o banco de dados real estiver sendo usado para cada um deles, sempre que executar o conjunto de testes você poderá fazer um intervalo para tomar café. Acionar o banco de dados centenas de vezes pode ser demorado. É aí que `InMemoryOrderGateway` é útil. Como ele armazena dados na memória, a sobrecarga da persistência externa é evitada.

Usar os objetos `InMemoryGateway` ao executar testes economiza uma quantidade de tempo significativa, além de permitir que você se esqueça dos detalhes da configuração e do banco de dados, simplificando o código de teste. Além disso, não é preciso fazer a limpeza ou restaurar um banco de dados na memória ao final de um teste; você pode simplesmente liberá-lo para o coletor de lixo.

Os objetos `InMemoryGateway` também são úteis para testes de aceitação. Uma vez que você tenha as classes `InMemoryGateway`, é possível executar o aplicativo inteiro sem o banco de dados persistente. Em mais de uma ocasião descobri que isso é útil. Você verá que `InMemoryOrderGateway` tem muito pouco código e que o código que existe é trivial.

Evidentemente, alguns de seus testes de unidade e de aceitação devem usar as versões persistentes dos gateways. Você *precisa* certificar-se de que seu sistema funciona com o banco de dados real. Contudo, a maioria dos seus testes pode ser redirecionada para os gateways em memória.

Com todas as vantagens dos gateways em memória, faz muito sentido escrevê-los e usá-los onde adequado. Aliás, quando uso o padrão TABLE DATA GATEWAY, começo escrevendo a implementação de `InMemoryGateway` e adio a escrita das classes `DbGateway`. É possível construir grande parte do aplicativo usando apenas as classes `InMemoryGateway`. O código aplicativo não sabe que não está usando realmente o banco de dados. Isso significa que até muito mais tarde não é importante se preocupar com quais ferramentas de banco de dados você vai usar ou como será o esquema. Na verdade, `DbGateways` pode ser um dos últimos componentes a ser implementado.

Testando os gateways `DB`

As listagens 34-34 e 34-35 mostram os testes de unidade para `DBProductGateway` e para `DBOrderGateway`. A estrutura desses testes é interessante, pois eles compartilham uma classe base abstrata comum: `AbstractDBGatewayTest`.

Note que o construtor de `DbOrderGateway` exige uma instância de `ProductGateway`. Note também que nos testes está sendo usado `InMemoryProductGateway` em vez de `DbProductGateway`. Apesar desse truque, o código funciona bem e economizamos algumas idas e vindas ao banco de dados ao executarmos os testes.

Listagem 34-33
`AbstractDbGatewayTest.cs`

```csharp
public class AbstractDbGatewayTest
{
    protected SqlConnection connection;
    protected DbProductGateway gateway;
    protected IDataReader reader;

    protected void ExecuteSql(string sql)
    {
        SqlCommand command =
            new SqlCommand(sql, connection);
        command.ExecuteNonQuery();
    }

    protected void OpenConnection()
    {
        string connectionString =
            "Initial Catalog=QuickyMart;" +
            "Data Source=marvin;" +
            "user id=sa;password=abc;";
        connection = new SqlConnection(connectionString);
        this.connection.Open();
    }
```

```csharp
    protected void Close()
    {
      if(reader != null)
        reader.Close();
      if(connection != null)
        connection.Close();
    }
  }
```

Listagem 34-34
DbProductGatewayTest.cs

```csharp
[TestFixture]
public class DbProductGatewayTest : AbstractDbGatewayTest
{
  private DbProductGateway gateway;
  [SetUp]
  public void SetUp()
  {
    OpenConnection();
    gateway = new DbProductGateway(connection);
    ExecuteSql("delete from Products");
  }

  [TearDown]
  public void TearDown()
  {
    Close();
  }

  [Test]
  public void Insert()
  {
    Product product = new Product("Peanut Butter", "pb", 3);
    gateway.Insert(product);

    SqlCommand command =
      new SqlCommand("select * from Products", connection);
    reader = command.ExecuteReader();

    Assert.IsTrue(reader.Read());
    Assert.AreEqual("pb", reader["sku"]);
    Assert.AreEqual("Peanut Butter", reader["name"]);
    Assert.AreEqual(3, reader["price"]);

    Assert.IsFalse(reader.Read());
  }

  [Test]
  public void Find()
  {
```

```csharp
      Product pb = new Product("Peanut Butter", "pb", 3);
      Product jam = new Product("Strawberry Jam", "jam",2);
    gateway.Insert(pb);
    gateway.Insert(jam);

    Assert.IsNull(gateway.Find("bad sku"));

    Product foundPb = gateway.Find(pb.Sku);
    CheckThatProductsMatch(pb, foundPb);

    Product foundJam = gateway.Find(jam.Sku);
    CheckThatProductsMatch(jam, foundJam);
  }

  private static void CheckThatProductsMatch(Product pb,
Product pb2)
    {
    Assert.AreEqual(pb.Name, pb2.Name);
    Assert.AreEqual(pb.Sku, pb2.Sku);
    Assert.AreEqual(pb.Price, pb2.Price);
  }
}
```

Listagem 34-35
DbOrderGatewayTest.cs

```csharp
[TestFixture]
public class DbOrderGatewayTest : AbstractDbGatewayTest
{
  private DbOrderGateway gateway;
  private Product pizza;
  private Product beer;

  [SetUp]
  public void SetUp()
  {
    OpenConnection();

    pizza = new Product("Pizza", "pizza", 15);
    beer = new Product("Beer", "beer", 2);
    ProductGateway productGateway =
      new InMemoryProductGateway();
    productGateway.Insert(pizza);
    productGateway.Insert(beer);

    gateway = new DbOrderGateway(connection, productGateway);
    ExecuteSql("delete from Orders");
    ExecuteSql("delete from Items");
```

```
  }
  [TearDown]
  public void TearDown()
  {
    Close();
  }
  [Test]
  public void Find()
  {
    string sql = "insert into Orders (cusId) " +
      "values ('Snoopy'); select scope_identity()";
    SqlCommand command = new SqlCommand(sql, connection);
    int orderId = Convert.ToInt32(command.ExecuteScalar());
    ExecuteSql(String.Format("insert into Items (orderId, " +
      "quantity, sku) values ({0}, 1, 'pizza')", orderId));
    ExecuteSql(String.Format("insert into Items (orderId, " +
      "quantity, sku) values ({0}, 6, 'beer')", orderId));

    Order order = gateway.Find(orderId);

    Assert.AreEqual("Snoopy", order.CustomerId);
    Assert.AreEqual(2, order.ItemCount);
    Assert.AreEqual(1, order.QuantityOf(pizza));
    Assert.AreEqual(6, order.QuantityOf(beer));
  }
  [Test]
  public void Insert()
  {
    Order order = new Order("Snoopy");
    order.AddItem(pizza, 1);
    order.AddItem(beer, 6);

    gateway.Insert(order);

    Assert.IsTrue(order.Id != -1);

    Order foundOrder = gateway.Find(order.Id);
    Assert.AreEqual("Snoopy", foundOrder.CustomerId);
    Assert.AreEqual(2, foundOrder.ItemCount);
    Assert.AreEqual(1, foundOrder.QuantityOf(pizza));
    Assert.AreEqual(6, foundOrder.QuantityOf(beer));
  }
}
```

Usando outros padrões com bancos de dados

Quatro outros padrões que podem ser usados com bancos de dados são: EXTENSION OBJECT, VISITOR, DECORATOR e FACADE.[2]

1. **Extension Object:** Imagine um objeto de extensão que saiba como gravar o objeto estendido em um banco de dados. Para gravar esse objeto, você solicitaria um objeto de extensão que correspondesse à chave `Database`, o converteria em `DatabaseWriterExtension` e, então, chamaria a função `write`:

    ```
    Product p = /* alguma função que retorna um Product */
    ExtensionObject e = p.GetExtension("Database");
    if (e != null)
    {
      DatabaseWriterExtension dwe = (DatabaseWriterExtension) e;
      e.Write();
    }
    ```

2. **Visitor:** Imagine uma hierarquia visitante que soubesse como gravar o objeto visitado em um banco de dados. Você gravaria um objeto no banco de dados criando o tipo de visitante apropriado e chamando `Accept` no objeto a ser gravado:

    ```
    Product p = /* alguma função que retorna um Product */
    DatabaseWriterVisitor dwv = new DatabaseWriterVisitor();
    p.Accept(dwv);
    ```

3. **Decorator:** Existem duas maneiras de usar um decorador para implementar bancos de dados. Você pode decorar um objeto de negócio e fornecer a ele métodos de leitura e gravação ou pode decorar um objeto de dados que saiba como ler e gravar a si mesmo, fornecendo a ele as regras de negócio. Esta última estratégia não é incomum ao se usar bancos de dados orientados a objetos. As regras de negócio são mantidas fora do esquema BDOO e adicionadas com decoradores.

4. **Facade:** Esse é meu ponto de partida favorito; aliás, TABLE DATA GATEWAY é simplesmente um caso especial de FACADE. Pelo lado negativo, FACADE não desacopla completamente os objetos de regra de negócio do banco de dados. A Figura 34-10 mostra a estrutura. A classe `DatabaseFacade` apenas fornece métodos para ler e gravar todos os objetos necessários. Isso acopla os objetos a `DatabaseFacade` e vice-versa. Os objetos sabem sobre a fachada porque frequentemente são aqueles que chamam as funções de leitura e gravação (read e write). A fachada sabe sobre os objetos porque precisa usar seus métodos de acesso (accessors) e métodos modificadores (mutators) para implementar as funções de leitura e gravação.

---

[2] Os três primeiros padrões serão discutidos no Capítulo 35. Facade foi discutido no Capítulo 23.

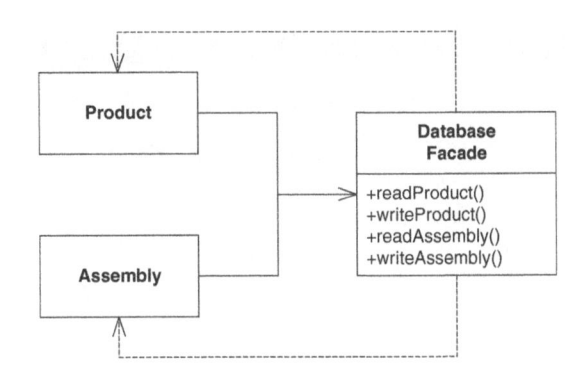

Figura 34-10
Fachada de banco de dados.

Esse acoplamento pode causar problemas em aplicativos maiores, mas em aplicativos pequenos ou naqueles que estão começando a crescer essa é uma técnica muito eficiente. Se você começar usando uma fachada e depois decidir mudar para um dos outros padrões para reduzir o acoplamento, será muito fácil refatorar a fachada.

Conclusão

É tentador antecipar a necessidade do padrão PROXY muito antes que ela exista, mas isso quase nunca é uma boa ideia. Recomendo que você comece com TABLE DATA GATEWAY ou com algum outro tipo de FACADE e, então, refatore conforme for necessário. Assim, economizará tempo e evitará problemas.

Bibliografia

[**Fowler03**] Martin Fowler, *Patterns of Enterprise Application Architecture*, Addison-Wesley, 2003.

[**GOF95**] Erich Gamma, Richard Helm, Ralph Johnson, and John Vlissides, *Design Patterns: Elements of Reusable Object-Oriented Software*, Addison-Wesley, 1995.

[**Martin97**] Robert C. Martin, "Design Patterns for Dealing with Dual Inheritance Hierarchies", *C++ Report*, April 1997.

Capítulo 35

VISITOR

"É uma visita", murmurei, "batendo na porta de meu quarto;
Apenas isso e nada mais".

— Edgar Allan Poe, *O Corvo*

Este é um problema comum: você precisa adicionar um novo método a uma hierarquia de classes, mas o ato de adicioná-lo será árduo ou prejudicial ao projeto. Por exemplo, suponha que você tenha uma hierarquia de objetos Modem. A classe base tem os métodos genéricos comuns a todos os modems. As derivadas representam os drivers de muitos fabricantes e tipos de modem diferentes. Suponha também que você tenha o requisito de adicionar um novo método, chamado configureForUnix, à hierarquia. Esse método configurará o modem para trabalhar com o sistema operacional UNIX. O método fará algo diferente em cada derivada de modem, pois cada modem tem idiossincrasias próprias para definir sua configuração e lidar com o UNIX.

Infelizmente, adicionar configureForUnix levanta muitas perguntas. E quanto ao Windows, e quanto ao OSX, e quanto ao Linux? Devemos realmente adicionar um novo método à hierarquia Modem para cada sistema operacional novo que usarmos? Isso é horrível, sem dúvida. Nunca poderemos fechar a interface Modem. Toda vez que surgir um novo sistema operacional, teremos de alterar essa interface e implantar novamente todo software de modem.

A família VISITOR permite que novos métodos sejam adicionados às hierarquias existentes, sem modificá-las. Os padrões[1] dessa família são:

- VISITOR
- ACYCLIC VISITOR
- DECORATOR
- EXTENSION OBJECT

---

[1] [GOF95]. Para Acyclic Visitor e Extension Object, consulte [PLOPD3].

VISITOR

Considere a hierarquia Modem da Figura 35-1. A interface Modem contém os métodos genéricos que todos os modems podem implementar. Três derivadas são mostradas: uma que aciona um modem Hayes, uma que aciona um modem Zoom e uma que aciona a placa de modem produzida por Ernie, um de nossos engenheiros de hardware. Como podemos configurar esses modems para UNIX sem colocar o método ConfigureForUnix na interface Modem? Podemos usar uma técnica chamada *dispatch dual*, o mecanismo que está no centro do padrão VISITOR.

A Figura 35-2 mostra a estrutura VISITOR e as listagens 35-1 a 35-5 mostram o código C# correspondente. A Listagem 35-6 mostra o código de teste que verifica se VISITOR funciona e demonstra como outro programador deve usá-lo.

Note que a hierarquia visitante (visitor) tem um método para cada derivada da hierarquia visitada (Modem). Isso é uma espécie de giro de 90º: de derivadas para métodos.

O código de teste mostra que, para configurar um modem para UNIX, um programador cria uma instância da classe UnixModemConfigurator e a passa para a função Accept de Modem. Então, a derivada de Modem apropriada chamará Visit(this) em ModemVisitor, a classe base de UnixModemConfigurator. Se essa derivada é uma Hayes, Visit(this) chamará public void Visit(Hayes), que implantará na função public void Visit(Hayes) em UnixModemConfigurator, a qual então configurará o modem Hayes para Unix.

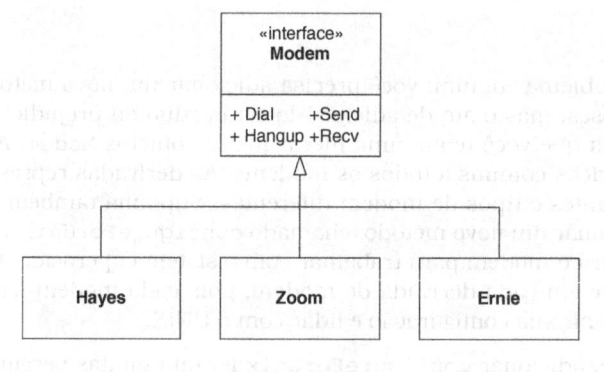

Figura 35-1
Hierarquia Modem.

Listagem 35-1
Modem.cs

```
public interface Modem
{
  void Dial(string pno);
  void Hangup();
  void Send(char c);
  char Recv();
  void Accept(ModemVisitor v);
}
```

VISITOR

```
                    «interface»                      «interface»
                      Modem                         ModemVisitor

              + Dial      +Send                + visit(Hayes)
              + Hangup    +Recv                + visit(Zoom)
              + accept(ModemVisitor)           + visit(Ernie)


         Hayes        Zoom         Ernie                UnixModem
                                                        Configurator


    public void accept (ModemVisitor v)
    {
      v.visit(this)
    }
```

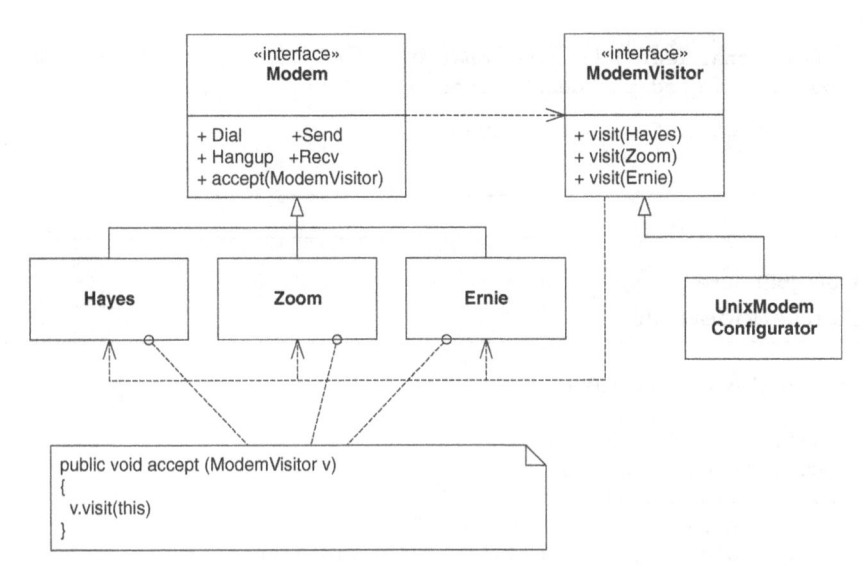

Figura 35-2
VISITOR.

Listagem 35-2
HayesModem.cs

```csharp
public class HayesModem : Modem
{
  public void Dial(string pno) { }
  public void Hangup() { }
  public void Send(char c) { }
  public char Recv() {return (char)0;}
  public void Accept(ModemVisitor v) {v.Visit(this);}

  public string configurationString = null;
}
```

Listagem 35-3
ZoomModem.cs

```csharp
public class ZoomModem
{
  public void Dial(string pno) { }
  public void Hangup() { }
  public void Send(char c) { }
```

```csharp
    public char Recv() {return (char)0;}
    public void Accept(ModemVisitor v) {v.Visit(this);}

    public int configurationValue = 0;
}
```

Listagem 35-4
ErnieModem.cs

```csharp
public class ErnieModem
{
  public void Dial(string pno) {}
  public void Hangup() {}
  public void Send(char c) {}
  public char Recv() {return (char)0;}
  public void Accept(ModemVisitor v) {v.Visit(this);}

  public string internalPattern = null;
}
```

Listagem 35-5
UnixModemConfigurator.cs

```csharp
public class UnixModemConfigurator : ModemVisitor
{
  public void Visit(HayesModem m)
  {
    m.configurationString = "&s1=4&D=3";
  }

  public void Visit(ZoomModem m)
  {
    m.configurationValue = 42;
  }

  public void Visit(ErnieModem m)
  {
    m.internalPattern = "C is too slow";
  }
}
```

Listagem 35-6
ModemVisitorTest.cs

```csharp
[TestFixture]
public class ModemVisitorTest
{
  private UnixModemConfigurator v;
  private HayesModem h;
  private ZoomModem z;
  private ErnieModem e;

  [SetUp]
  public void SetUp()
  {
    v = new UnixModemConfigurator();
    h = new HayesModem();
    z = new ZoomModem();
    e = new ErnieModem();
  }

  [Test]
  public void HayesForUnix()
  {
    h.Accept(v);
    Assert.AreEqual("&s1=4&D=3", h.configurationString);
  }

  [Test]
  public void ZoomForUnix()
  {
    z.Accept(v);
    Assert.AreEqual(42, z.configurationValue);
  }

  [Test]
  public void ErnieForUnix()
  {
    e.Accept(v);
    Assert.AreEqual("C is too slow", e.internalPattern);
  }
}
```

Tendo construído essa estrutura, novas funções de configuração de sistema operacional podem ser adicionadas pelo acréscimo de novas derivadas de `ModemVisitor`, sem alterar a hierarquia `Modem`. Assim, o padrão VISITOR substitui as derivadas de `ModemVisitor` por métodos na hierarquia `Modem`.

Esse *dispatch dual* envolve dois dispatch polimórficos. O primeiro é a função `Accept`, que determina o tipo do objeto em que é chamada. O segundo dispatch – o método `Visit` chamado a partir do método `Accept` determinado – determina a função em particular a ser executada.

Os dois dispatch de VISITOR formam uma matriz de funções. No nosso exemplo de modem, um eixo da matriz são os vários tipos de modems; o outro eixo são os vários tipos de sistemas operacionais. Cada célula dessa matriz é preenchida com uma função que descreve como inicializar o modem específico para o sistema operacional em particular.

VISITOR é rápido. Ele exige apenas dois dispatch polimórficos, independentemente da amplitude ou da profundidade da hierarquia visitada.

ACYCLIC VISITOR

Note que a classe base da hierarquia visitada (Modem) depende da classe base da hierarquia visitante (ModemVisitor). Note também que a classe base da hierarquia visitante tem uma função para cada derivada da hierarquia visitada. Esse ciclo de dependências interliga todas as derivadas visitadas – todos os modems –, tornando difícil compilar a estrutura visitante de forma incremental ou adicionar novas derivadas à hierarquia visitada.

O padrão VISITOR funciona bem em programas nos quais a hierarquia a ser modificada não precisa de novas derivadas com muita frequência. Se Hayes, Zoom e Ernie fossem as únicas derivadas de Modem provavelmente necessárias ou se se esperasse que a ocorrência de novas derivadas de Modem fosse esporádica, o padrão VISITOR seria apropriado.

Por outro lado, se a hierarquia visitada é altamente volátil, de modo que seja necessária a criação de muitas derivadas novas, a classe base visitante (por exemplo, ModemVisitor) terá de ser modificada e novamente compilada, junto com todas as suas derivadas, sempre que uma nova derivada for adicionada à hierarquia visitada.

O padrão ACYCLIC VISITOR pode ser usado para resolver esses problemas.[2] (Consulte a Figura 35-3.) Essa variação quebra o ciclo de dependência, tornando a classe base de Visitor (ModemVisitor) *degenerada*, ou seja, sem métodos. Portanto, essa classe não depende das derivadas da hierarquia visitada.

As derivadas visitantes também derivam de interfaces visitantes. Existe uma interface visitante para cada derivada da hierarquia visitada. Isso é um giro de 180°: de derivadas para interfaces. As funções Accept das derivadas visitadas convertem a classe base visitante na interface visitante apropriada. Se a conversão tem êxito, o método chama a função de visita apropriada. As listagens 35-7 a 35-16 mostram o código.

Listagem 35-7
Modem.cs

```
public interface Modem
{
  void Dial(string pno);
  void Hangup();
  void Send(char c);
  char Recv();
  void Accept(ModemVisitor v);
}
```

---

[2] [PLOPD3], p. 93.

VISITOR

```
public void accept(ModemVisitor v) {
  try {
    HayesVisitor hv = (HayesVisitor) v;
    hv.visit(this);
  }
  catch (InvalidCastException e) {}
}
```

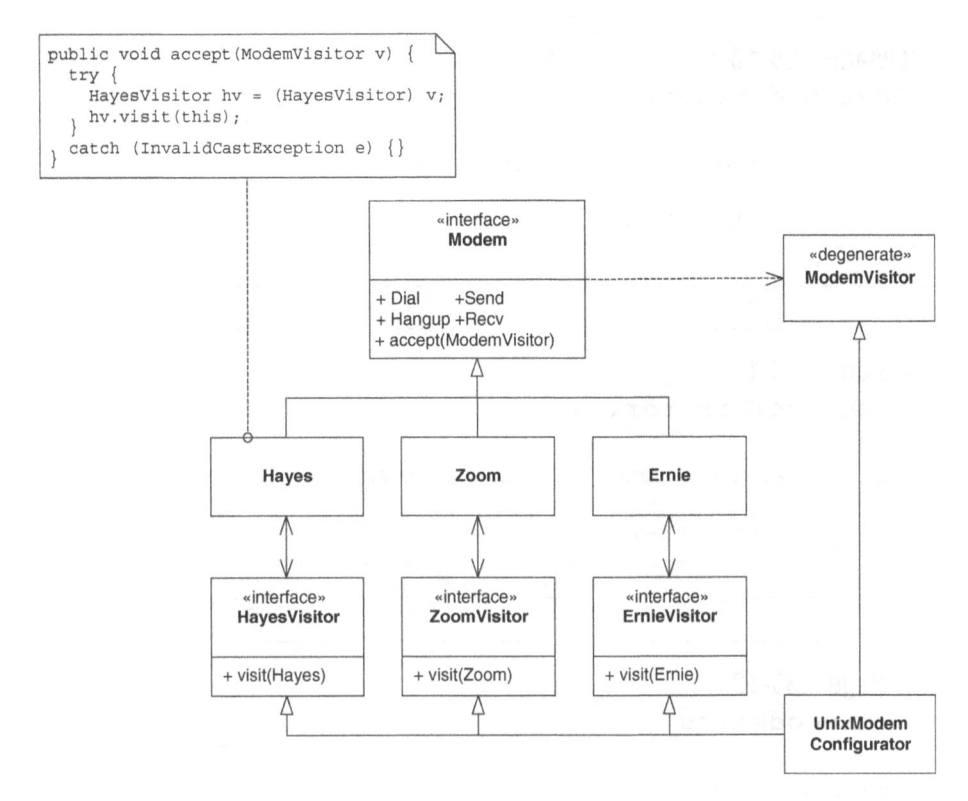

Figura 35-3
ACYCLIC VISITOR.

Listagem 35-8
ModemVisitor.cs

```
public interface ModemVisitor
{
}
```

Listagem 35-9
ErnieModemVisitor.cs

```
public interface ErnieModemVisitor : ModemVisitor
{
  void Visit(ErnieModem m);
}
```

Listagem 35-10
HayesModemVisitor.cs

```csharp
public interface HayesModemVisitor : ModemVisitor
{
  void Visit(HayesModem m);
}
```

Listagem 35-11
ZoomModemVisitor.cs

```csharp
public interface ZoomModemVisitor : ModemVisitor
{
  void Visit(ZoomModem m);
}
```

Listagem 35-12
ErnieModem.cs

```csharp
public class ErnieModem
{
  public void Dial(string pno) {}
  public void Hangup() {}
  public void Send(char c) {}
  public char Recv() {return (char)0;}
  public void Accept(ModemVisitor v)
  {
    if(v is ErnieModemVisitor)
      (v as ErnieModemVisitor).Visit(this);
  }
  public string internalPattern = null;
}
```

Listagem 35-13
HayesModem.cs

```csharp
public class HayesModem : Modem
{
  public void Dial(string pno) {}
  public void Hangup() {}
```

```
    public void Send(char c) {}
    public char Recv() {return (char)0;}
    public void Accept(ModemVisitor v)
    {
      if(v is HayesModemVisitor)
        (v as HayesModemVisitor).Visit(this);
    }

    public string configurationString = null;
}
```

Listagem 35-14
ZoomModem.cs

```
public class ZoomModem
{
  public void Dial(string pno) {}
  public void Hangup() {}
  public void Send(char c) {}
  public char Recv() {return (char)0;}
  public void Accept(ModemVisitor v)
  {
    if(v is ZoomModemVisitor)
      (v as ZoomModemVisitor).Visit(this);
  }

  public int configurationValue = 0;
}
```

Listagem 35-15
UnixModemConfigurator.cs

```
public class UnixModemConfigurator
    : HayesModemVisitor, ZoomModemVisitor, ErnieModemVisitor
{
  public void Visit(HayesModem m)
  {
    m.configurationString = "&s1=4&D=3";
  }

  public void Visit(ZoomModem m)
  {
    m.configurationValue = 42;
  }

  public void Visit(ErnieModem m)
```

```
      {
        m.internalPattern = "C is too slow";
      }
    }
```

Listagem 35-16
ModemVisitorTest.cs

```
[TestFixture]
public class ModemVisitorTest
{
  private UnixModemConfigurator v;
  private HayesModem h;
  private ZoomModem z;
  private ErnieModem e;

  [SetUp]
  public void SetUp()
  {
    v = new UnixModemConfigurator();
    h = new HayesModem();
    z = new ZoomModem();
    e = new ErnieModem();
  }

  [Test]
  public void HayesForUnix()
  {
    h.Accept(v);
    Assert.AreEqual("&s1=4&D=3", h.configurationString);
  }

  [Test]
  public void ZoomForUnix()
  {
    z.Accept(v);
    Assert.AreEqual(42, z.configurationValue);
  }

  [Test]
  public void ErnieForUnix()
  {
    e.Accept(v);
    Assert.AreEqual("C is too slow", e.internalPattern);
  }
}
```

Isso rompe o ciclo de dependência e torna mais fácil adicionar derivadas visitadas e fazer compilações incrementais. Infelizmente, isso também torna a solução muito mais complexa. Pior ainda, o momento da conversão pode depender da largura e da amplitude da hierarquia visitada e, portanto, ser difícil de caracterizar.

Para sistemas de tempo real complexos, o tempo de execução grande e imprevisível da conversão pode tornar o padrão ACYCLIC VISITOR inadequado. Para outros sistemas, a complexidade do padrão pode desqualificá-lo. Mas para aqueles sistemas nos quais a hierarquia visitada é volátil e a compilação incremental é importante, esse padrão pode ser uma boa opção.

Anteriormente, expliquei como o padrão VISITOR criava uma matriz de funções, com o tipo visitado em um eixo e a função a ser executada no outro. O padrão ACYCLIC VISITOR cria uma matriz *esparsa*. As classes visitantes não precisam implementar funções Visit para cada derivada visitada. Por exemplo, se os modems Ernie não puderem ser configurados para UNIX, UnixModemConfigurator não implementará a interface ErnieVisitor.

Usos de VISITOR

Geração de relatórios O padrão VISITOR é muito usado para percorrer grandes estruturas de dados e para gerar relatórios. O valor do padrão VISITOR nesse caso é que os objetos da estrutura de dados não precisam ter um código de geração de relatórios. Novos relatórios podem ser acrescentados pela adição de novos VISITORs, em vez de se alterar o código nas estruturas de dados. Isso significa que os relatórios podem ser colocados em componentes separados e implantados individualmente somente nos usuários que precisem deles.

Considere uma estrutura de dados simples que represente uma lista de materiais (BOM, do inglês *bill of materials*) (consulte a Figura 35-4). A partir dessa estrutura de dados, poderíamos gerar um número ilimitado de relatórios. Poderíamos gerar um relatório do custo total de uma montagem ou um relatório que listasse todas as peças de uma montagem.

Cada um desses relatórios poderia ser gerado por métodos na classe Part. Por exemplo, ExplodedCost e PieceCount poderiam ser adicionadas à classe Part. Essas propriedades seriam implementadas em cada derivada de Part para que o relatório apropriado fosse criado. Infelizmente, todo relatório novo que os usuários quisessem nos obrigaria a alterar a hierarquia Part.

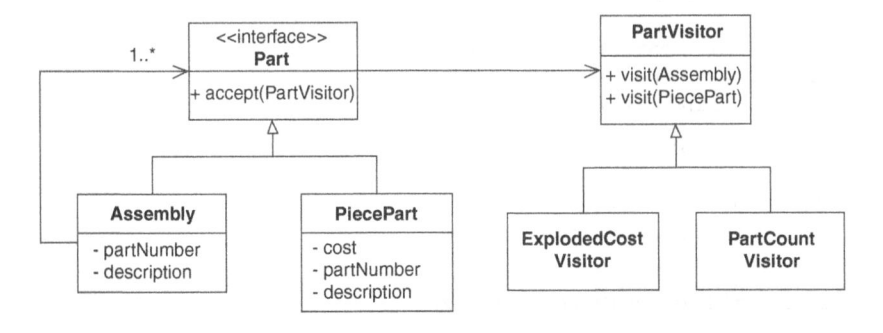

Figura 35-4
Estrutura do gerador de relatórios de lista de materiais.

O Princípio da Responsabilidade Única (SRP) nos informou que queremos separar código que muda por motivos diferentes. A hierarquia Part pode mudar quando são necessários novos tipos de peças. Contudo, ela não deve mudar porque novos tipos de relatórios são necessários. Assim, queremos separar os relatórios da hierarquia Part. A estrutura VISITOR ilustrada na Figura 35-4 mostra como isso pode ser feito.

Cada novo relatório pode ser escrito como um novo visitante. Escrevemos a função Accept de Assembly de forma a visitar o visitante e também chamar Accept em todas as instâncias de Part contidas. Assim, a árvore inteira é percorrida. Para cada nó da árvore, a função Visit adequada é chamada no relatório. O relatório acumula as estatísticas necessárias. Então, ele pode ser consultado quanto aos dados de interesse e apresentado para o usuário.

Essa estrutura nos permite criar um número ilimitado de relatórios, sem afetar a hierarquia de peças (part). Além disso, cada relatório pode ser compilado e distribuído independentemente de todos os outros. Isso é ótimo. As listagens 35-17 a 35-23 mostram como isso fica em C#.

Listagem 35-17
`Part.cs`

```
public interface Part
{
    string PartNumber { get; }
    string Description { get; }
    void Accept(PartVisitor v);
}
```

Listagem 35-18
`Assembly.cs`

```
public class Assembly : Part
{
    private IList parts = new ArrayList();
    private string partNumber;
    private string description;

    public Assembly(string partNumber, string description)
    {
        this.partNumber = partNumber;
        this.description = description;
    }

    public void Accept(PartVisitor v)
    {
        v.Visit(this);
        foreach(Part part in Parts)
            part.Accept(v);
```

```csharp
  }
  public void Add(Part part)
  {
    parts.Add(part);
  }
  public IList Parts
  {
    get { return parts; }
  }
  public string PartNumber
  {
    get { return partNumber; }
  }
  public string Description
  {
    get { return description; }
  }
}
```

Listagem 35-19
PiecePart.cs

```csharp
public class PiecePart : Part
{
  private string partNumber;
  private string description;
  private double cost;

  public PiecePart(string partNumber,
    string description,
    double cost)
  {
    this.partNumber = partNumber;
    this.description = description;
    this.cost = cost;
  }

  public void Accept(PartVisitor v)
  {
    v.Visit(this);
  }

  public string PartNumber
  {
    get { return partNumber; }
  }
```

```csharp
  public string Description
  {
    get { return description; }
  }

  public double Cost
  {
    get { return cost; }
  }
}
```

Listagem 35-20
PartVisitor.cs

```csharp
public interface PartVisitor
{
  void Visit(PiecePart pp);
  void Visit(Assembly a);
}
```

Listagem 35-21
ExplosiveCostExplorer.cs

```csharp
public class ExplodedCostVisitor : PartVisitor
{
  private double cost = 0;

  public double Cost
  {
    get { return cost; }
  }

  public void Visit(PiecePart p)
  {
    cost += p.Cost;
  }

  public void Visit(Assembly a)
  {}
}
```

Listagem 35-22
PartCountVisitor.cs

```csharp
public class PartCountVisitor : PartVisitor
{
  private int pieceCount = 0;
  private Hashtable pieceMap = new Hashtable();

  public void Visit(PiecePart p)
  {
    pieceCount++;
    string partNumber = p.PartNumber;
    int partNumberCount = 0;
    if (pieceMap.ContainsKey(partNumber))
      partNumberCount = (int)pieceMap[partNumber];

    partNumberCount++;
    pieceMap[partNumber] = partNumberCount;
  }
  public void Visit(Assembly a)
  {
  }
  public int PieceCount
  {
    get { return pieceCount; }
  }
  public int PartNumberCount
  {
    get { return pieceMap.Count; }
  }
  public int GetCountForPart(string partNumber)
  {
    int partNumberCount = 0;
    if (pieceMap.ContainsKey(partNumber))
      partNumberCount = (int)pieceMap[partNumber];
    return partNumberCount;
  }
}
```

Listagem 35-23
BOMReportTest.cs

```csharp
[TestFixture]
public class BOMReportTest
{
  private PiecePart p1;
  private PiecePart p2;
  private Assembly a;

  [SetUp]
  public void SetUp()
  {
    p1 = new PiecePart("997624", "MyPart", 3.20);
    p2 = new PiecePart("7734", "Hell", 666);
    a = new Assembly("5879", "MyAssembly");
  }

  [Test]
  public void CreatePart()
  {
    Assert.AreEqual("997624", p1.PartNumber);
    Assert.AreEqual("MyPart", p1.Description);
    Assert.AreEqual(3.20, p1.Cost, .01);
  }

  [Test]
  public void CreateAssembly()
  {
    Assert.AreEqual("5879", a.PartNumber);
    Assert.AreEqual("MyAssembly", a.Description);
  }

  [Test]
  public void Assembly()
  {
    a.Add(p1);
    a.Add(p2);
    Assert.AreEqual(2, a.Parts.Count);
    PiecePart p = a.Parts[0] as PiecePart;
    Assert.AreEqual(p, p1);
    p = a.Parts[1] as PiecePart;
    Assert.AreEqual(p, p2);
  }

  [Test]
  public void AssemblyOfAssemblies()
  {
    Assembly subAssembly = new Assembly("1324", "SubAssembly");
    subAssembly.Add(p1);
    a.Add(subAssembly);

    Assert.AreEqual(subAssembly, a.Parts[0]);
```

```
    }
    private class TestingVisitor : PartVisitor
    {
      public IList visitedParts = new ArrayList();

      public void Visit(PiecePart p)
      {
        visitedParts.Add(p);
      }

      public void Visit(Assembly assy)
      {
        visitedParts.Add(assy);
      }
    }
    [Test]
    public void VisitorCoverage()
    {
      a.Add(p1);
      a.Add(p2);

      TestingVisitor visitor = new TestingVisitor();
      a.Accept(visitor);

      Assert.IsTrue(visitor.visitedParts.Contains(p1));
      Assert.IsTrue(visitor.visitedParts.Contains(p2));
      Assert.IsTrue(visitor.visitedParts.Contains(a));
    }
    private Assembly cellphone;

    private void SetUpReportDatabase()
    {
      cellphone = new Assembly("CP-7734", "Cell Phone");
      PiecePart display = new PiecePart("DS-1428",
                                       "LCD Display",
                                       14.37);
      PiecePart speaker = new PiecePart("SP-92",
                                       "Speaker",
                                       3.50);
      PiecePart microphone = new PiecePart("MC-28",
                                           "Microphone",
                                           5.30);
      PiecePart cellRadio = new PiecePart("CR-56",
                                          "Cell Radio",
                                          30);
      PiecePart frontCover = new PiecePart("FC-77",
                                           "Front Cover",
                                           1.4);
      PiecePart backCover = new PiecePart("RC-77",
                                          "RearCover",
                                          1.2);
      Assembly keypad = new Assembly("KP-62", "Keypad");
```

```
    Assembly button = new Assembly("B52", "Button");
    PiecePart buttonCover = new PiecePart("CV-15",
                                          "Cover",
                                          .5);
    PiecePart buttonContact = new PiecePart("CN-2",
                                            "Contact",
                                            1.2);
    button.Add(buttonCover);
    button.Add(buttonContact);
    for (int i = 0; i < 15; i++)
      keypad.Add(button);
    cellphone.Add(display);
    cellphone.Add(speaker);
    cellphone.Add(microphone);
    cellphone.Add(cellRadio);
    cellphone.Add(frontCover);
    cellphone.Add(backCover);
    cellphone.Add(keypad);
  }

  [Test]
  public void ExplodedCost()
  {
    SetUpReportDatabase();
    ExplodedCostVisitor v = new ExplodedCostVisitor();
    cellphone.Accept(v);
    Assert.AreEqual(81.27, v.Cost, .001);
  }

  [Test]
  public void PartCount()
  {
    SetUpReportDatabase();
    PartCountVisitor v = new PartCountVisitor();
    cellphone.Accept(v);
    Assert.AreEqual(36, v.PieceCount);
    Assert.AreEqual(8, v.PartNumberCount);
    Assert.AreEqual(1, v.GetCountForPart("DS-1428"),
      "DS-1428");
    Assert.AreEqual(1, v.GetCountForPart("SP-92"), "SP-92");
    Assert.AreEqual(1, v.GetCountForPart("MC-28"), "MC-28");
    Assert.AreEqual(1, v.GetCountForPart("CR-56"), "CR-56");
    Assert.AreEqual(1, v.GetCountForPart("RC-77"), "RC-77");
    Assert.AreEqual(15, v.GetCountForPart("CV-15"), "CV-15");
    Assert.AreEqual(15, v.GetCountForPart("CN-2"), "CN-2");
    Assert.AreEqual(0, v.GetCountForPart("Bob"), "Bob");
  }
}
```

Outros usos Em geral, o padrão VISITOR pode ser usado em qualquer aplicativo que tenha uma estrutura de dados que precise ser interpretada de várias maneiras. Os compiladores frequentemente criam estruturas de dados intermediárias que representam código-fonte sintaticamente correto. Essas estruturas de dados são então usadas para gerar código compilado. Alguém poderia imaginar visitantes para cada processador e/ou esquema de otimização. Também poderia imaginar um visitante que convertesse a estrutura de dados intermediária em uma listagem de referência cruzada ou mesmo em um diagrama UML.

Muitos aplicativos fazem uso de estruturas de dados de configuração. Alguém poderia imaginar os vários subsistemas do aplicativo inicializando-se sozinhos a partir dos dados de configuração, percorrendo-os com seus próprios visitantes particulares.

Quaisquer que sejam os visitantes, a estrutura de dados escolhida é independente do seu uso. Novos visitantes podem ser criados, visitantes já existentes podem ser alterados e todos podem ser novamente implantados nos locais em que estão instalados, sem a nova compilação ou nova implantação das estruturas de dados existentes. Esse é o poder do padrão VISITOR.

DECORATOR

O padrão VISITOR nos forneceu uma maneira de adicionar métodos às hierarquias existentes sem alterar essas hierarquias. Outro padrão que faz isso é DECORATOR.

Considere mais uma vez a hierarquia Modem da Figura 35-1. Imagine que tenhamos um aplicativo que tem muitos usuários. Diante de um computador, cada usuário pode pedir ao sistema para que chame outro computador usando o modem da máquina. Alguns dos usuários gostam de ouvir a discagem de seus modems. Outros gostam que seus modems fiquem em silêncio.

Poderíamos implementar isso consultando as preferências do usuário em cada local no código onde o modem é discado. Se o usuário quiser ouvir o modem, configuramos o volume do alto-falante como alto; caso contrário, o desligamos:

```
...
Modem m = user.Modem;
if (user.WantsLoudDial())
   m.Volume = 11; // isso é uma a mais do que 10, não é?
m.Dial(...);
...
```

O fantasma de ver esse trecho de código duplicado centenas de vezes no aplicativo evoca imagens de semanas de 80 horas e sessões de depuração horríveis. Isso é algo a ser evitado.

Outra opção seria ativar um flag no próprio objeto modem e fazer o método Dial inspecioná-lo e configurar o volume de forma correspondente:

```
...
public class HayesModem : Modem
{
   private bool wantsLoudDial = false;

   public void Dial(...)
```

```
        {
    if (wantsLoudDial)
    {
        Volume = 11;
    }
    ...
}
...
```

Isso é melhor, mas ainda precisa ser duplicado para cada derivada de Modem. Os autores de novas derivadas de Modem precisam lembrar-se de duplicar esse código. Depender da memória dos programadores é um negócio muito arriscado.

Poderíamos resolver isso com o padrão TEMPLATE METHOD[3], mudando Modem de interface para classe, fazendo-a conter a variável wantsLoudDial e testar essa variável na função de discagem, antes de chamar a função DialForReal:

```
...
public abstract class Modem
{
    private bool wantsLoudDial = false;
    public void Dial(...)
    {
        if (wantsLoudDial)
        {
            Volume = 11;
        }
        DialForReal(...)
    }
    public abstract void DialForReal(...);
}
```

Isso é melhor ainda, mas por que a classe Modem deve ser afetada dessa maneira pelos caprichos do usuário? Por que Modem deve saber sobre discagem com som alto? Ela deve ser modificada sempre que o usuário tiver outro pedido estranho, como fazer logout antes de desligar?

Mais uma vez, o Princípio do Fechamento Comum (CCP) entra em ação. Queremos separar as coisas que mudam por motivos diferentes. Também podemos invocar o Princípio da Responsabilidade Única (SRP), pois a necessidade de discar ruidosamente nada tem a ver com as funções intrínsecas de Modem e, portanto, não deve fazer parte de Modem.

O padrão DECORATOR resolve o problema, criando uma classe completamente nova: LoudDialModem. LoudDialModem deriva de Modem e delega para uma instância contida de Modem, capturando a função Dial e ajustando o volume como alto, antes de delegar. A Figura 35-5 mostra a estrutura.

---

[3] Consulte o Capítulo 22.

Agora a decisão de discar ruidosamente pode ser tomada em um só lugar. No lugar do código onde o usuário define preferências, `LoudDialModem` pode ser criada se for solicitada discagem com som, e o modem do usuário pode ser passado para ele. `LoudDialModem` delegará todas as chamadas feitas a ela para o modem do usuário, de modo que a pessoa não notará nenhuma diferença. Contudo, o método `Dial` primeiramente ajustará o volume como alto, antes de delegar para o modem do usuário. `LoudDialModem` pode então se tornar o modem do usuário, sem que mais ninguém no sistema seja afetado. As listagens 35-24 a 35-27 mostram o código.

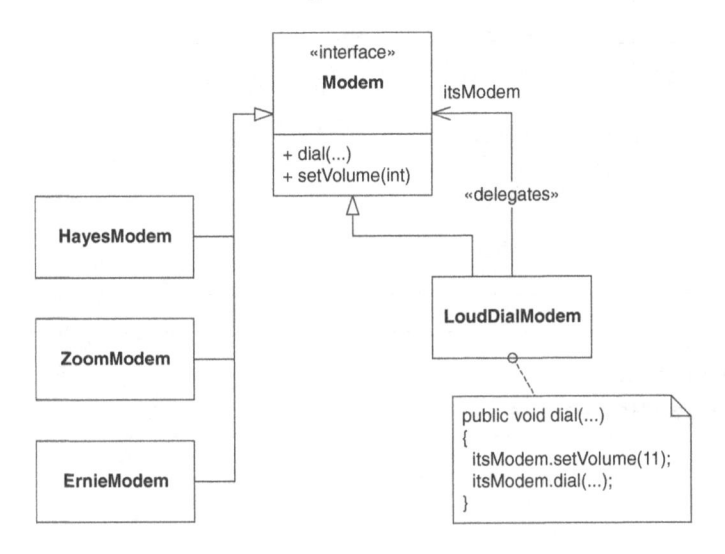

Figura 35-5
DECORATOR: `LoudDialModem`.

Listagem 35-24
Modem.cs

```
public interface Modem
{
  void Dial(string pno);
  int SpeakerVolume { get; set; }
  string PhoneNumber { get; }
}
```

Listagem 35-25
HayesModem.cs

```
public class HayesModem : Modem
{
  private string phoneNumber;
```

```
    private int speakerVolume;
    public void Dial(string pno)
    {
      phoneNumber = pno;
    }
    public int SpeakerVolume
    {
      get { return speakerVolume; }
      set { speakerVolume = value; }
    }
    public string PhoneNumber
    {
      get { return phoneNumber; }
    }
}
```

Listagem 35-26
LoudDialModem.cs

```
public class LoudDialModem: Modem
{
  private Modem itsModem;

  public LoudDialModem(Modem m)
  {
    itsModem = m;
  }

  public void Dial(string pno)
  {
    itsModem.SpeakerVolume = 10;
    itsModem.Dial(pno);
  }

  public int SpeakerVolume
  {
    get { return itsModem.SpeakerVolume; }
    set { itsModem.SpeakerVolume = value; }
  }

  public string PhoneNumber
  {
    get { return itsModem.PhoneNumber; }
  }
}
```

Listagem 35-27
ModemDecoratorTest.cs

```
[TestFixture]
public class ModemDecoratorTest
{
  [Test]
  public void CreateHayes()
  {
    Modem m = new HayesModem();
    Assert.AreEqual(null, m.PhoneNumber);
    m.Dial("5551212");
    Assert.AreEqual("5551212", m.PhoneNumber);
    Assert.AreEqual(0, m.SpeakerVolume);
    m.SpeakerVolume = 10;
    Assert.AreEqual(10, m.SpeakerVolume);
  }
  [Test]
  public void LoudDialModem()
  {
    Modem m = new HayesModem();
    Modem d = new LoudDialModem(m);
    Assert.AreEqual(null, d.PhoneNumber);
    Assert.AreEqual(0, d.SpeakerVolume);
    d.Dial("5551212");
    Assert.AreEqual("5551212", d.PhoneNumber);
    Assert.AreEqual(10, d.SpeakerVolume);
  }
}
```

Às vezes podem existir dois ou mais decoradores para a mesma hierarquia. Por exemplo, talvez queiramos decorar a hierarquia Modem com LogoutExitModem, que envia a string 'exit' quando o método Hangup é chamado. Esse segundo decorador terá que duplicar todo o código de delegação que já escrevemos em LoudDialModem. Podemos eliminar esse código duplicado criando uma nova classe, ModemDecorator, que forneça todo o código de delegação. Então, os decoradores reais podem simplesmente derivar de ModemDecorator e sobrescrever apenas os métodos de que precisarem. A Figura 35-6 e as listagens 35-28 e 35-29 mostram a estrutura.

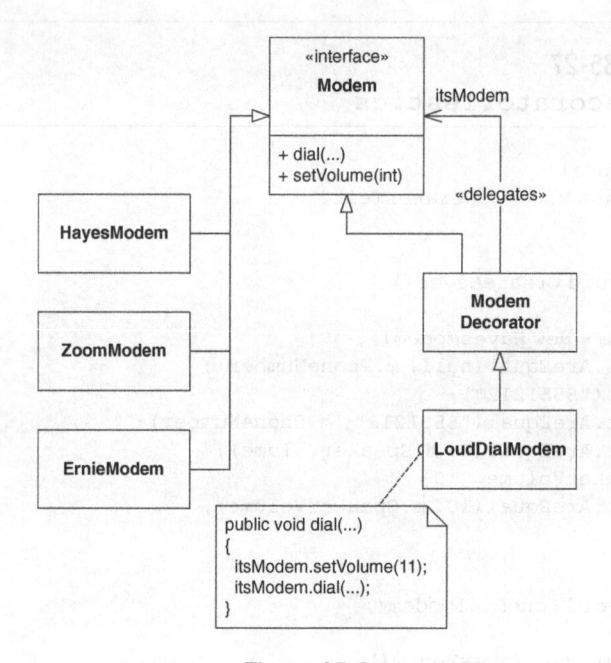

Figura 35-6
ModemDecorator.

Listagem 35-28
ModemDecorator.cs

```
public class ModemDecorator
{
  private Modem modem;
  public ModemDecorator(Modem m)
  {
    modem = m;
  }
  public void Dial(string pno)
  {
    modem.Dial(pno);
  }
  public int SpeakerVolume
  {
    get { return modem.SpeakerVolume; }
    set { modem.SpeakerVolume = value; }
  }
  public string PhoneNumber
  {
    get { return modem.PhoneNumber; }
```

```
    }
    protected Modem Modem
    {
      get { return modem; }
    }
  }
```

Listagem 35-29
LoudDialModem.cs

```
public class LoudDialModem : ModemDecorator
{
  public LoudDialModem(Modemm) : base(m)
  {}
  public void Dial(string pno)
  {
    Modem.SpeakerVolume = 10;
    Modem.Dial(pno);
  }
}
```

EXTENSION OBJECT

Outra maneira de adicionar funcionalidade a uma hierarquia sem alterá-la é usar o padrão EXTENSION OBJECT. Esse padrão é mais complexo do que os outros, mas também é muito mais poderoso e flexível. Cada objeto da hierarquia mantém uma lista de objetos de extensão especiais. Cada objeto também fornece um método que permite ao objeto de extensão ser pesquisado pelo nome. O objeto de extensão fornece métodos que manipulam o objeto da hierarquia original.

Por exemplo, vamos supor novamente que tenhamos um sistema de lista de materiais. Precisamos desenvolver a capacidade de cada objeto dessa hierarquia criar uma representação de si mesmo em XML. Poderíamos colocar métodos `toXML` na hierarquia, mas isso violaria o CCP. Pode ser que não queiramos coisas da lista de materiais e coisas da XML na mesma classe. Poderíamos criar XML usando um VISITOR, mas isso não nos permitiria separar o código de geração de XML para cada tipo de objeto BOM. Em um objeto VISITOR, todo código de geração de XML de cada classe BOM ficaria no mesmo objeto VISITOR. E se quiséssemos colocar a geração de XML de cada diferente objeto BOM em sua própria classe?

O padrão EXTENSION OBJECT oferece uma maneira excelente de atingir esse objetivo. O código a seguir mostra a hierarquia BOM com dois tipos de objeto de extensão: um deles converte objetos BOM em XML; o outro converte objetos BOM em strings CSV (valores separados por vírgulas). O primeiro tipo é acessado por `GetExtension("XML")`; o segundo, por `GetExtension("CSV")`. A estrutura aparece na Figura 35-7 e foi extraída do código pronto. O estereótipo «marker» denota uma interface marcadora; isto é, uma interface sem métodos.

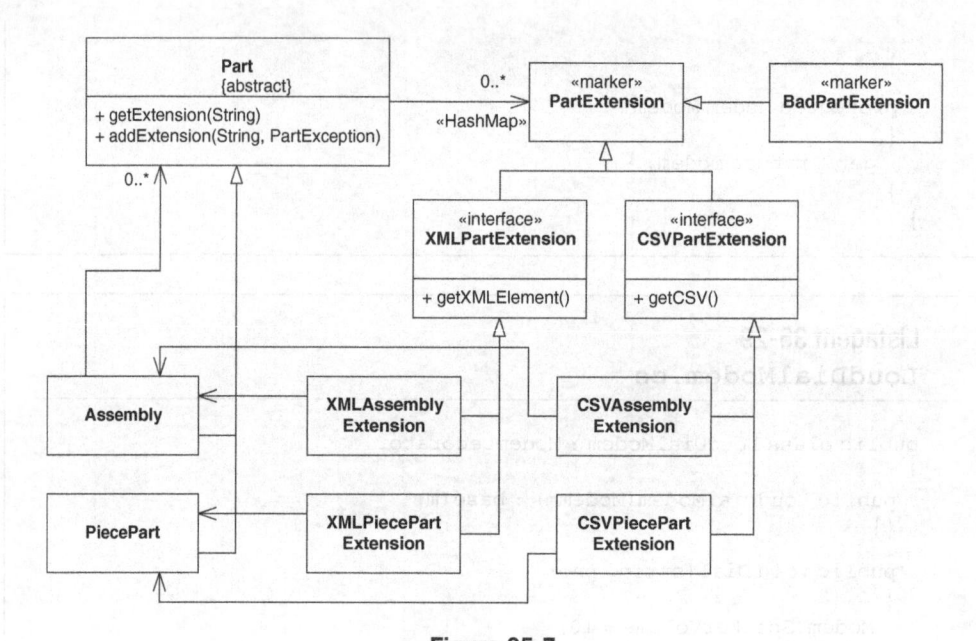

Figura 35-7
Extension Object.

O código está nas listagens 35-30 a 35-41. É importante entender que não escrevi esse código a partir do zero. Em vez disso, o evoluí caso de teste a caso de teste. O primeiro arquivo-fonte (Listagem 35-30) mostra todos os casos de teste. Eles foram escritos na ordem mostrada. Cada caso de teste foi escrito antes que houvesse qualquer código que pudesse fazê-lo passar. Uma vez escrito o caso de teste e falhado, foi escrito o código que o fazia passar. O código nunca foi mais complicado do que o necessário para fazer os casos de teste *existentes* passarem. Assim, o código evoluiu em incrementos minúsculos, de uma base que funcionava para outra. Eu sabia que estava tentando construir o padrão EXTENSION OBJECT e utilizei isso para conduzir a evolução.

Listagem 35-30
BomXmlTest.cs

```
[TestFixture]
public class BomXmlTest
{
  private PiecePart p1;
  private PiecePart p2;
  private Assembly a;

  [SetUp]
  public void SetUp()
  {
```

```csharp
    p1 = new PiecePart("997624", "MyPart", 3.20);
    p2 = new PiecePart("7734", "Hell", 666);
    a = new Assembly("5879", "MyAssembly");
}

[Test]
public void CreatePart()
{
    Assert.AreEqual("997624", p1.PartNumber);
    Assert.AreEqual("MyPart", p1.Description);
    Assert.AreEqual(3.20, p1.Cost, .01);
}

[Test]
public void CreateAssembly()
{
    Assert.AreEqual("5879", a.PartNumber);
    Assert.AreEqual("MyAssembly", a.Description);
}

[Test]
public void Assembly()
{
    a.Add(p1);
    a.Add(p2);
    Assert.AreEqual(2, a.Parts.Count);
    Assert.AreEqual(a.Parts[0], p1);
    Assert.AreEqual(a.Parts[1], p2);
}

[Test]
public void AssemblyOfAssemblies()
{
    Assembly subAssembly = new Assembly("1324", "SubAssembly");
    subAssembly.Add(p1);
    a.Add(subAssembly);
    Assert.AreEqual(subAssembly, a.Parts[0]);
}

private string ChildText(
    XmlElement element, string childName)
{
    return Child(element, childName).InnerText;
}

private XmlElement Child(XmlElement element, string childName)
{
    XmlNodeList children =
        element.GetElementsByTagName(childName);
    return children.Item(0) as XmlElement;
}

[Test]
public void PiecePart1XML()
```

```csharp
        {
          PartExtension e = p1.GetExtension("XML");
          XmlPartExtension xe = e as XmlPartExtension;
          XmlElement xml = xe.XmlElement;
          Assert.AreEqual("PiecePart", xml.Name);
          Assert.AreEqual("997624",
            ChildText(xml, "PartNumber"));
          Assert.AreEqual("MyPart",
            ChildText(xml, "Description"));
          Assert.AreEqual(3.2,
            Double.Parse(ChildText(xml, "Cost")), .01);
        }

        [Test]
        public void PiecePart2XML()
        {
          PartExtension e = p2.GetExtension("XML");
          XmlPartExtension xe = e as XmlPartExtension;
          XmlElement xml = xe.XmlElement;
          Assert.AreEqual("PiecePart", xml.Name);
          Assert.AreEqual("7734",
            ChildText(xml, "PartNumber"));
          Assert.AreEqual("Hell",
            ChildText(xml, "Description"));
          Assert.AreEqual(666,
            Double.Parse(ChildText(xml, "Cost")), .01);
        }

        [Test]
        public void SimpleAssemblyXML()
        {
          PartExtension e = a.GetExtension("XML");
          XmlPartExtension xe = e as XmlPartExtension;
          XmlElement xml = xe.XmlElement;
          Assert.AreEqual("Assembly", xml.Name);
          Assert.AreEqual("5879",
            ChildText(xml, "PartNumber"));
          Assert.AreEqual("MyAssembly",
            ChildText(xml, "Description"));
          XmlElement parts = Child(xml, "Parts");
          XmlNodeList partList = parts.ChildNodes;
          Assert.AreEqual(0, partList.Count);
        }

        [Test]
        public void AssemblyWithPartsXML()
        {
          a.Add(p1);
          a.Add(p2);
          PartExtension e = a.GetExtension("XML");
          XmlPartExtension xe = e as XmlPartExtension;
          XmlElement xml = xe.XmlElement;
```

```csharp
  Assert.AreEqual("Assembly", xml.Name);
  Assert.AreEqual("5879",
    ChildText(xml, "PartNumber"));
  Assert.AreEqual("MyAssembly",
    ChildText(xml, "Description"));

  XmlElement parts = Child(xml, "Parts");
  XmlNodeList partList = parts.ChildNodes;
  Assert.AreEqual(2, partList.Count);

  XmlElement partElement =
    partList.Item(0) as XmlElement;
  Assert.AreEqual("PiecePart", partElement.Name);
  Assert.AreEqual("997624",
    ChildText(partElement, "PartNumber"));

  partElement = partList.Item(1) as XmlElement;
  Assert.AreEqual("PiecePart", partElement.Name);
  Assert.AreEqual("7734",
    ChildText(partElement, "PartNumber"));
}

[Test]
public void PiecePart1toCSV()
{
  PartExtension e = p1.GetExtension("CSV");
  CsvPartExtension ce = e as CsvPartExtension;
  String csv = ce.CsvText;
  Assert.AreEqual("PiecePart,997624,MyPart,3.2", csv);
}

[Test]
public void PiecePart2toCSV()
{
  PartExtension e = p2.GetExtension("CSV");
  CsvPartExtension ce = e as CsvPartExtension;
  String csv = ce.CsvText;
  Assert.AreEqual("PiecePart,7734,Hell,666", csv);
}

[Test]
public void SimpleAssemblyCSV()
{
  PartExtension e = a.GetExtension("CSV");
  CsvPartExtension ce = e as CsvPartExtension;
  String csv = ce.CsvText;
  Assert.AreEqual("Assembly,5879,MyAssembly", csv);
}

[Test]
public void AssemblyWithPartsCSV()
{
  a.Add(p1);
  a.Add(p2);
```

```csharp
      PartExtension e = a.GetExtension("CSV");
      CsvPartExtension ce = e as CsvPartExtension;
      String csv = ce.CsvText;

      Assert.AreEqual("Assembly,5879,MyAssembly," +
        "{PiecePart,997624,MyPart,3.2}," +
        "{PiecePart,7734,Hell,666}"
        , csv);
    }

    [Test]
    public void BadExtension()
    {
      PartExtension pe = p1.GetExtension(
        "ThisStringDoesn'tMatchAnyException");
      Assert.IsTrue(pe is BadPartExtension);
    }
}
```

Listagem 35-31
Part.cs

```csharp
public abstract class Part
{
  Hashtable extensions = new Hashtable();

  public abstract string PartNumber { get; }
  public abstract string Description { get; }

  public void AddExtension(string extensionType,
    PartExtension extension)
  {
    extensions[extensionType] = extension;
  }

  public PartExtension GetExtension(string extensionType)
  {
    PartExtension pe =
      extensions[extensionType] as PartExtension;
    if (pe == null)
      pe = new BadPartExtension();
    return pe;
  }
}
```

Listagem 35-32
PartExtension.cs

```csharp
public interface PartExtension
{
}
```

Listagem 35-33
PiecePart.cs

```csharp
public class PiecePart : Part
{
  private string partNumber;
  private string description;
  private double cost;

  public PiecePart(string partNumber,
    string description,
    double cost)
  {
    this.partNumber = partNumber;
    this.description = description;
    this.cost = cost;
    AddExtension("CSV", new CsvPiecePartExtension(this));
    AddExtension("XML", new XmlPiecePartExtension(this));
  }

  public override string PartNumber
  {
    get { return partNumber; }
  }

  public override string Description
  {
    get { return description; }
  }

  public double Cost
  {
    get { return cost; }
  }
}
```

Listagem 35-34
Assembly.cs

```csharp
public class Assembly : Part
{
  private IList parts = new ArrayList();
  private string partNumber;
  private string description;

  public Assembly(string partNumber, string description)
  {
    this.partNumber = partNumber;
    this.description = description;
    AddExtension("CSV", new CsvAssemblyExtension(this));
    AddExtension("XML", new XmlAssemblyExtension(this));
  }

  public void Add(Part part)
  {
    parts.Add(part);
  }

  public IList Parts
  {
    get { return parts; }
  }

  public override string PartNumber
  {
    get { return partNumber; }
  }

  public override string Description
  {
    get { return description; }
  }
}
```

Listagem 35-35
XmlPartExtension.cs

```csharp
public abstract class XmlPartExtension : PartExtension
{
  private static XmlDocument document = new XmlDocument();
  public abstract XmlElement XmlElement { get; }
  protected XmlElement NewElement(string name)
```

```
  {
    return document.CreateElement(name);
  }
  protected XmlElement NewTextElement(
    string name, string text)
  {
    XmlElement element = document.CreateElement(name);
    XmlText xmlText = document.CreateTextNode(text);
    element.AppendChild(xmlText);
    return element;
  }
}
```

Listagem 35-36
XmlPiecePartExtension.cs

```
public class XmlPiecePartExtension : XmlPartExtension
{
  private PiecePart piecePart;
  public XmlPiecePartExtension(PiecePart part)
  {
    piecePart = part;
  }
  public override XmlElement XmlElement
  {
    get
    {
      XmlElement e = NewElement("PiecePart");
      e.AppendChild(NewTextElement(
        "PartNumber", piecePart.PartNumber));
      e.AppendChild(NewTextElement(
        "Description", piecePart.Description));
      e.AppendChild(NewTextElement(
        "Cost", piecePart.Cost.ToString()));
      return e;
    }
  }
}
```

Listagem 35-37
XmlAssemblyExtension.cs

```csharp
public class XmlAssemblyExtension : XmlPartExtension
{
  private Assembly assembly;

  public XmlAssemblyExtension(Assembly assembly)
  {
    this.assembly = assembly;
  }

  public override XmlElement XmlElement
  {
    get
    {
      XmlElement e = NewElement("Assembly");
      e.AppendChild(NewTextElement(
        "PartNumber", assembly.PartNumber));
      e.AppendChild(NewTextElement(
        "Description", assembly.Description));

      XmlElement parts = NewElement("Parts");
      foreach(Part part in assembly.Parts)
      {
        XmlPartExtension xpe =
          part.GetExtension("XML")
          as XmlPartExtension;
        parts.AppendChild(xpe.XmlElement);
      }
      e.AppendChild(parts);

      return e;
    }
  }
}
```

Listagem 35-38
CsvPartExtension.cs

```csharp
public interface CsvPartExtension: PartExtension
{
  string CsvText { get; }
}
```

Listagem 35-39
`CsvPiecePartExtension.cs`

```csharp
public class CsvPiecePartExtension : CsvPartExtension
{
  private PiecePart piecePart;

  public CsvPiecePartExtension(PiecePart part)
  {
    piecePart = part;
  }

  public string CsvText
  {
    get
    {
      StringBuilder b =
        new StringBuilder("PiecePart,");
      b.Append(piecePart.PartNumber);
      b.Append(",");
      b.Append(piecePart.Description);
      b.Append(",");
      b.Append(piecePart.Cost);
      return b.ToString();
    }
  }
}
```

Listagem 35-40
`CsvAssemblyExtension.cs`

```csharp
public class CsvAssemblyExtension : CsvPartExtension
{
  private Assembly assembly;

  public CsvAssemblyExtension(Assembly assy)
  {
    assembly = assy;
  }

  public string CsvText
  {
    get
    {
      StringBuilder b =
        new StringBuilder("Assembly,");
      b.Append(assembly.PartNumber);
      b.Append(",");
```

```
          b.Append(assembly.Description);
          foreach(Part part in assembly.Parts)
          {
            CsvPartExtension cpe =
              part.GetExtension("CSV")
              as CsvPartExtension;
            b.Append(",{");
            b.Append(cpe.CsvText);
            b.Append("}");
          }
          return b.ToString();
        }
      }
    }
```

Listagem 35-41
BadPartExtension.cs

```
public class BadPartExtension: PartExtension
{
}
```

Note que os objetos de extensão são carregados em cada objeto BOM pelo construtor desse objeto. Isso significa que, até certo ponto, os objetos BOM ainda dependem das classes XML e CSV. Se até essa tênue dependência precisasse ser eliminada, poderíamos criar um objeto FACTORY[4] que criasse os objetos BOM e carregasse suas extensões.

O fato de os objetos de extensão poderem ser carregados no objeto proporciona muita flexibilidade. Certos objetos de extensão podem ser inseridos ou excluídos de objetos, dependendo do estado do sistema. Seria fácil deixar-se levar por essa flexibilidade. De modo geral, você provavelmente não acharia isso necessário. Aliás, a implementação original de `PiecePart.GetExtension(String extensionType)` era a seguinte:

```
        public PartExtension GetExtension(String extensionType)
        {
          if (extensionType.Equals("XML"))
            return new XmlPiecePartExtension(this);

          else if (extensionType.Equals("CSV"))
            return new XmlAssemblyExtension(this);

          return new BadPartExtension();
        }
```

---
[4] Consulte o Capítulo 29.

Não fiquei empolgado com essa implementação, pois era praticamente idêntica ao código existente em `Assembly.GetExtension`. A solução com `Hashtable` em `Part` evita essa duplicação e é mais simples. Qualquer um que a leia saberá exatamente como os objetos de extensão são acessados.

Conclusão

A família de padrões VISITOR fornece várias maneiras de modificar o comportamento de uma hierarquia de classes sem ter de alterá-la. Assim, ela nos ajuda a manter o Princípio do Aberto/Fechado e oferece mecanismos para segregar diversos tipos de funcionalidade, evitando que as classes fiquem repletas de funções diferentes. Desse modo, ela nos ajuda a manter o Princípio do Fechamento Comum. Deve estar claro que o LSP e o DIP também se aplicam à estrutura da família VISITOR.

Os padrões VISITOR são sedutores. É fácil deixar-se levar por eles. Utilize-os quando eles ajudarem, mas mantenha um ceticismo saudável em relação a sua necessidade. Frequentemente, algo que pode ser resolvido com um VISITOR também pode ser resolvido com algo mais simples.[5]

Bibliografia

[GOF95] Erich Gamma, Richard Helm, Ralph Johnson, and John Vlissides, *Design Patterns: Elements of Reusable Object-Oriented Software*, Addison-Wesley, 1995.

[PLOPD3] Robert C. Martin, Dirk Riehle, and Frank Buschmann, eds. *Pattern Languages of Program Design 3*, Addison-Wesley, 1998.

---

[5] Agora que você já leu este capítulo, talvez queira voltar ao Capítulo 9 e resolver o problema da ordenação de figuras.

Capítulo 36

ESTADO

*Um estado sem os meios para alguma mudança
não tem os meios para sua conservação.*

— Edmund Burke (1729-1797)

Os autômatos de estados finitos estão entre as abstrações mais úteis do arsenal do software e são aplicáveis quase que universalmente. Eles oferecem uma maneira simples e elegante de explorar e definir o comportamento de um sistema complexo. Fornecem também uma estratégia de implementação poderosa, fácil de entender e modificar. Eu os utilizo em todos os níveis de um sistema, do controle da interface gráfica do usuário de alto nível aos protocolos de comunicação de níveis mais baixos.

Estudamos a notação e o funcionamento básico das máquinas de estados finitos (FSM) no Capítulo 15. Agora, vamos ver os padrões para implementá-las. Considere mais uma vez a roleta de metrô, que aparece na Figura 36-1.

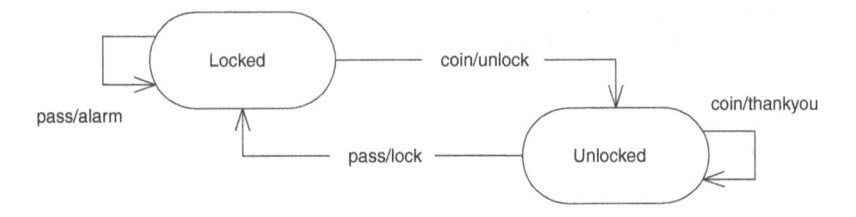

Figura 36-1
FSM da roleta que cobre eventos anormais.

Instruções `switch/case` aninhadas

Existem muitas estratégias diferentes para implementar uma FSM. A primeira e mais direta é por meio de instruções `switch/case` aninhadas. A Listagem 36-1 mostra essa implementação.

Listagem 36-1
Turnstile.cs (implementação com instruções switch/case aninhadas)

```
public enum State {LOCKED, UNLOCKED};
public enum Event {COIN, PASS};
public class Turnstile
{
  // Privada
  internal State state = State.LOCKED;

  private TurnstileController turnstileController;

  public Turnstile(TurnstileController action)
  {
    turnstileController = action;
  }

  public void HandleEvent(Event e)
  {
    switch (state)
    {
      case State.LOCKED:
        switch (e)
        {
          case Event.COIN:
            state = State.UNLOCKED;
            turnstileController.Unlock();
            break;
          case Event.PASS:
            turnstileController.Alarm();
            break;
        }
        break;
      case State.UNLOCKED:
        switch (e)
        {
          case Event.COIN:
            turnstileController.Thankyou();
            break;
          case Event.PASS:
            state = State.LOCKED;
            turnstileController.Lock();
            break;
```

```
        }
      break;
    }
  }
}
```

As instruções `switch/case` aninhadas dividem o código em quatro regiões mutuamente exclusivas, cada uma correspondendo a uma das transições no diagrama de transição de estado (STD). Cada região muda o estado quando necessário e, então, ativa a ação apropriada. Assim, a região de `Locked` e `Coin` muda o estado para `Unlocked` e chama `Unlock`.

Alguns aspectos interessantes desse código nada têm a ver com instruções `switch/case` aninhadas. Para que eles façam sentido, você precisa ver o teste de unidade que utilizei para verificar esse código. Consulte as listagens 36-2 e 36-3.

Listagem 36-2
TurnstileController.cs

```csharp
public interface TurnstileController
{
  void Lock();
  void Unlock();
  void Thankyou();
  void Alarm();
}
```

Listagem 36-3
TurnstileTest.cs

```csharp
[TestFixture]
public class TurnstileTest
{
  private Turnstile turnstile;
  private TurnstileControllerSpoof controllerSpoof;

  private class TurnstileControllerSpoof : TurnstileController
  {
    public bool lockCalled = false;
    public bool unlockCalled = false;
    public bool thankyouCalled = false;
    public bool alarmCalled = false;
    public void lock() {lockCalled = true;}
    public void Unlock() {unlockCalled = true;}
    public void Thankyou() {thankyouCalled = true;}
```

```csharp
      public void Alarm() {alarmCalled = true;}
    }

    [SetUp]
    public void SetUp()
    {
      controllerSpoof = new TurnstileControllerSpoof();
      turnstile  = new Turnstile(controllerSpoof);
    }
    [Test]
    public void InitialConditions()
    {
      Assert.AreEqual(State.LOCKED, turnstile.state);
    }
    [Test]
    public void CoinInLockedState()
    {
      turnstile.state = State.LOCKED;
      turnstile.HandleEvent(Event.COIN);
      Assert.AreEqual(State.UNLOCKED, turnstile.state);
      Assert.IsTrue(controllerSpoof.unlockCalled);
    }

    [Test]
    public void CoinInUnlockedState()
    {
      turnstile.state = State.UNLOCKED;
      turnstile.HandleEvent(Event.COIN);
      Assert.AreEqual(State.UNLOCKED, turnstile.state);
      Assert.IsTrue(controllerSpoof.thankyouCalled);
    }

    [Test]
    public void PassInLockedState()
    {
      turnstile.state = State.LOCKED;
      turnstile.HandleEvent(Event.PASS);
      Assert.AreEqual(State.LOCKED, turnstile.state);
      Assert.IsTrue(controllerSpoof.alarmCalled);
    }

    [Test]
    public void PassInUnlockedState()
    {
      turnstile.state = State.UNLOCKED;
      turnstile.HandleEvent(Event.PASS);
      Assert.AreEqual(State.LOCKED, turnstile.state);
      Assert.IsTrue(controllerSpoof.lockCalled);
    }
  }
```

A variável de estado de escopo interno

Observe as quatro funções de teste: `CoinInLockedState`, `CoinInUnlockedState`, `PassInLockedState` e `PassInUnlockedState`. Essas funções testam as quatro transições da FSM separadamente, obrigando a variável `state` de `Turnstile` a ficar no estado que querem controlar e, então, ativando o evento que querem verificar. Para que o teste acesse a variável `state` c, ela não pode ser `private`. Portanto, dei a ela acesso interno e escrevi um comentário indicando minha intenção de torná-la `private`.

O dogma da orientação a objetos insiste em que todas as variáveis de instância de uma classe devem ser privadas. Ignorei flagrantemente essa regra e, fazendo isso, quebrei o encapsulamento de `Turnstile`.

Eu deveria? Não tenha dúvidas quanto a isso: eu preferiria ter mantido a variável `state` privada. Contudo, isso teria negado ao meu código de teste a capacidade de impor seu valor. Eu poderia ter criado as propriedades `get` e `set` de `CurrentState` apropriadas com escopo interno, mas isso pareceu ridículo. Eu não estava tentando expor a variável `state` a qualquer classe que não fosse `TestTurnstile`; portanto, por que deveria criar propriedades `get` e `set` que significassem que qualquer um pudesse obter e configurar essa variável no assembly?

Testando as ações

Observe a interface `TurnstileController` na Listagem 36-2. Isso foi implantado especificamente para que a classe `TestTurnstile` pudesse garantir que a classe `Turnstile` estivesse chamando os métodos de ação corretos na ordem certa. Sem essa interface, teria sido muito mais difícil garantir que a máquina de estado estivesse funcionando corretamente.

Esse é um exemplo do impacto que o teste tem sobre o projeto. Se eu tivesse simplesmente escrito a máquina de estados sem pensar no teste, seria improvável que tivesse criado a interface `TurnstileController`. Isso teria sido uma lástima. A interface `TurnstileController` desacopla habilmente a lógica da FSM das ações que precisa executar. Outra FSM, usando uma lógica muito diferente, pode usar a interface `TurnstileController` sem absolutamente impacto algum.

A necessidade de criar código de teste que verifique cada unidade isoladamente nos obriga a desacoplar o código de maneira que, de outro modo, não poderíamos imaginar. Assim, a capacidade de testar é uma força que conduz o projeto a um estado menos acoplado.

Custos e benefícios

Para máquinas de estados simples, a implementação de instruções `switch/case` aninhadas é elegante e eficiente. Todos os estados e eventos são visíveis em uma ou duas páginas de código. Contudo, para FSMs maiores, a situação muda. Em uma máquina de estados com dezenas de estados e eventos, o código utiliza página após página de instruções `case`. Não existem delimitadores convenientes para ajudar a ver onde, na máquina de estados, você está lendo. Manter longas instruções `switch/case` aninhadas pode ser uma tarefa muito difícil e propensa a erros.

Outro custo das instruções `switch/case` aninhadas é que não existe boa separação entre a lógica da FSM e o código que implementa as ações. Essa separação está fortemente presente na Listagem 36-1, pois as ações são implementadas em uma derivada de `TurnstileController`. Contudo, na maioria das FSMs com instruções `switch/`

case aninhadas que tenho visto, a implementação das ações fica enterrada nas instruções case. Aliás, isso ainda é possível na Listagem 36-1.

Tabelas de transição

Uma técnica comum para implementar FSMs é criar uma tabela de dados que descreva as transições. Essa tabela é interpretada por um mecanismo que manipula os eventos. O mecanismo procura a transição correspondente ao evento, ativa a ação apropriada e muda o estado. A Listagem 36-4 mostra o código que cria a tabela de transição e a Listagem 36-5 mostra o mecanismo de transição. Essas duas listagens são trechos da implementação completa (Listagem 36-6).

Listagem 36-4
Construindo a tabela de transição da roleta

```
public Turnstile(TurnstileController controller)
{
  Action unlock = new Action(controller.Unlock);
  Action alarm = new Action(controller.Alarm);
  Action thankYou = new Action(controller.Thankyou);
  Action lockAction = new Action(controller.Lock);

  AddTransition(
    State.LOCKED, Event.COIN, State.UNLOCKED, unlock);
  AddTransition(
    State.LOCKED, Event.PASS, State.LOCKED, alarm);
  AddTransition(
    State.UNLOCKED, Event.COIN, State.UNLOCKED, thankYou);
  AddTransition(
    State.UNLOCKED, Event.PASS, State.LOCKED, lockAction);
}
```

Listagem 36-5
O mecanismo de transição

```
public void HandleEvent(Event e)
{
  foreach(Transition transition in transitions)
  {
    if(state == transition.startState &&
      e == transition.trigger)
    {
      state = transition.endState;
      transition.action();
    }
  }
}
```

Usando interpretação de tabela

A Listagem 36-6 é a implementação completa, mostrando como uma máquina de estados finitos pode ser implementada pela interpretação de uma lista de estruturas de dados de transição. Esse código é totalmente compatível com `TurnstileController` (Listagem 36-2) e com `TurnstileTest` (Listagem 36-3).

Listagem 36-6
Implementação completa de Turnstile.cs

```csharp
Turnstile.cs using table interpretation.
public enum State {LOCKED, UNLOCKED};
public enum Event {COIN, PASS};

public class Turnstile
{
  // Privada
  internal State state = State.LOCKED;

  private IList transitions = new ArrayList();

  private delegate void Action();

  public Turnstile(TurnstileController controller)
  {
    Action unlock = new Action(controller.Unlock);
    Action alarm = new Action(controller.Alarm);
    Action thankYou = new Action(controller.Thankyou);
    Action lockAction = new Action(controller.Lock);

    AddTransition(
      State.LOCKED, Event.COIN, State.UNLOCKED, unlock);
    AddTransition(
      State.LOCKED, Event.PASS, State.LOCKED, alarm);
    AddTransition(
      State.UNLOCKED, Event.COIN, State.UNLOCKED, thankYou);
    AddTransition(
      State.UNLOCKED, Event.PASS, State.LOCKED, lockAction);
  }

  public void HandleEvent(Event e)
  {
    foreach(Transition transition in transitions)
    {
      if(state == transition.startState &&
        e == transition.trigger)
      {
        state = transition.endState;
        transition.action();
      }
    }
  }
```

```
        private void AddTransition(State start, Event e, State end, Action ac-
tion)
        {
          transitions.Add(new Transition(start, e, end, action));
        }
        private class Transition
        {
          public State startState;
          public Event trigger;
          public State endState;
          public Action action;

          public Transition(State start, Event e, State end, Action a)
          {
            this.startState = start;
            this.trigger = e;
            this.endState = end;
            this.action = a;
          }
        }
      }
```

Custos e benefícios

Uma vantagem poderosa é que o código que constrói a tabela de transição é lido como uma tabela de transição de estados canônica. As quatro linhas `AddTransition` podem ser facilmente entendidas. A lógica da máquina de estados está toda em um só lugar e não está contaminada com a implementação das ações.

Manter uma FSM como essa é muito fácil, comparado à implementação com instruções `switch/case` aninhadas. Para adicionar uma nova transição, basta adicionar uma nova linha `AddTransition` no construtor de `Turnstile`.

Outra vantagem dessa estratégia é que a tabela pode ser alterada facilmente em tempo de execução. Isso possibilita a alteração dinâmica da lógica da máquina de estados. Tenho usado mecanismos como esse para possibilitar correções de FSMs em funcionamento.

Ainda outra vantagem é que várias tabelas podem ser criadas, cada uma representando uma lógica de FSM diferente. Essas tabelas podem ser selecionadas em tempo de execução, de acordo com as condições iniciais.

O custo da estratégia é principalmente a velocidade. Leva tempo para pesquisar na tabela de transição. Para máquinas de estado grandes, esse tempo pode se tornar significativo.

O padrão STATE

Outra técnica para implementar FSMs é o padrão STATE.[1] Esse padrão combina grande parte da eficiência das instruções `switch/case` aninhadas com grande parte da flexibilidade da interpretação de uma tabela de transição.

A Figura 36-2 mostra a estrutura da solução. A classe `Turnstile` tem métodos public para os eventos e métodos protected para as ações. Ela contém uma referência para uma interface chamada `TurnstileState`. As duas derivadas de `TurnstileState` representam os dois estados da FSM.

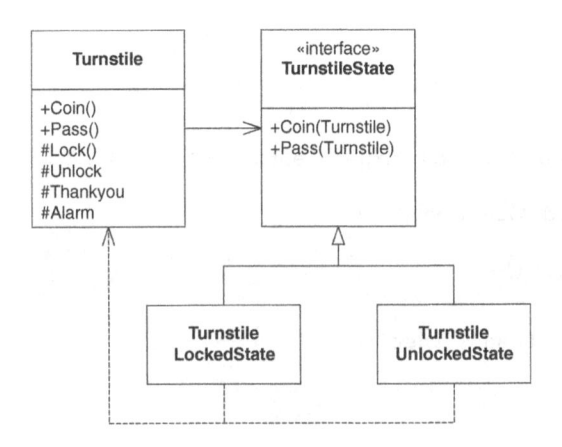

Figura 36-2
O padrão STATE para a classe `Turnstile`.

Quando um dos métodos de evento de `Turnstile` é chamado, ele delega esse evento para o objeto `TurnstileState`. Os métodos de `TurnstileLockedState` implementam as ações apropriadas para o estado `Locked`. Os métodos de `TurnstileUnlockedState` implementam as ações apropriadas para o estado `Unlocked`. Para mudar o estado da FSM, a referência no objeto `Turnstile` é atribuída a uma instância de uma dessas derivadas.

A Listagem 36-7 mostra a interface `TurnstileState` e suas duas derivadas. A máquina de estados é facilmente vista nos quatro métodos dessas derivadas. Por exemplo, o método `Coin` de `LockedTurnstileState` diz ao objeto `Turnstile` para que mude o estado para unlocked e então chama a função de ação `Unlock` de `Turnstile`.

Listagem 36-7
Turnstile.cs

```
public interface TurnstileState
{
  void Coin(Turnstile t);
  void Pass(Turnstile t);
```

---

[1] [GOF95], p. 305.

```
    }

    internal class LockedTurnstileState : TurnstileState
    {
      public void Coin(Turnstile t)
      {
        t.SetUnlocked();
        t.Unlock();
      }

      public void Pass(Turnstile t)
      {
        t.Alarm();
      }
    }

    internal class UnlockedTurnstileState : TurnstileState
    {
      public void Coin(Turnstile t)
      {
        t.Thankyou();
      }

      public void Pass(Turnstile t)
      {
        t.SetLocked();
        t.Lock();
      }
    }
```

A classe `Turnstile` está mostrada na Listagem 36-8. Observe as variáveis `static` que contêm as derivadas de `TurnstileState`. Essas classes não têm variáveis e, portanto, nunca precisam ter mais de uma instância. Manter as instâncias das derivadas de `TurnstileState` em variáveis evita a necessidade de criar uma nova instância sempre que o estado mudar. Tornar essas variáveis `static` evita a necessidade de criar novas instâncias das derivadas no caso de precisarmos de mais de uma instância de `Turnstile`.

Listagem 36-8
Turnstile.cs

```
public class Turnstile
{
  internal static TurnstileState lockedState =
    new LockedTurnstileState();

  internal static TurnstileState unlockedState =
    new UnlockedTurnstileState();

  private TurnstileController turnstileController;
  internal TurnstileState state = unlockedState;
```

```csharp
    public Turnstile(TurnstileController action)
    {
      turnstileController = action;
    }
    public void Coin()
    {
      state.Coin(this);
    }
    public void Pass()
    {
      state.Pass(this);
    }
    public void SetLocked()
    {
      state = lockedState;
    }
    public void SetUnlocked()
    {
      state = unlockedState;
    }
    public bool IsLocked()
    {
      return state == lockedState;
    }
    public bool IsUnlocked()
    {
      return state == unlockedState;
    }
    internal void Thankyou()
    {
      turnstileController.Thankyou();
    }
    internal void Alarm()
    {
      turnstileController.Alarm();
    }
    internal void Lock()
    {
      turnstileController.Lock();
    }
    internal void Unlock()
    {
      turnstileController.Unlock();
    }
  }
```

STATE versus STRATEGY

A Figura 36-2 lembra muito o padrão STRATEGY.[2] Ambos têm uma classe de contexto e ambos delegam para uma classe base polimórfica que tem várias derivadas. A diferença (consulte a Figura 36-3) é que no padrão STATE as derivadas contêm uma referência de volta para a classe de contexto. A principal função das derivadas é selecionar e chamar métodos da classe de contexto por meio dessa referência. No padrão STRATEGY não existe essa restrição ou intenção. As derivadas em STRATEGY não são obrigadas a conter uma referência para o contexto e não são obrigadas a chamar métodos no contexto. Assim, todas as instâncias do padrão STATE também são instâncias do padrão STRATEGY, mas nem todas as instâncias de STRATEGY são STATE.

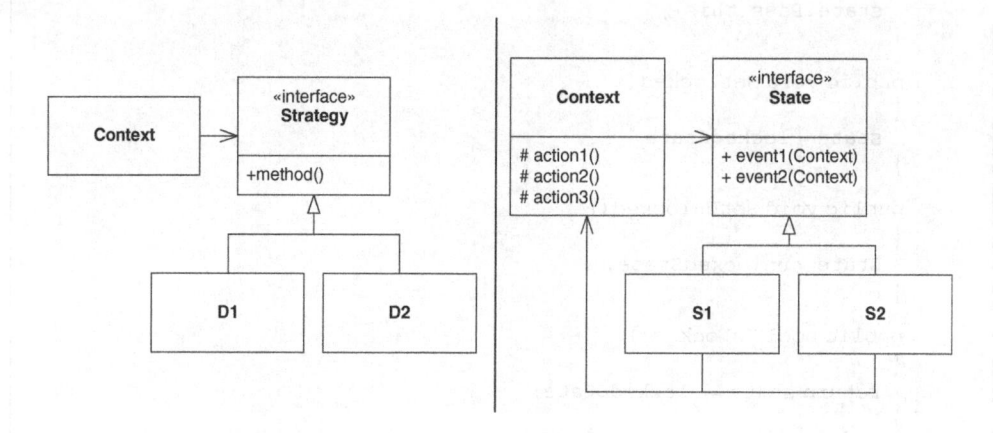

Figura 36-3
STATE versus STRATEGY.

Custos e benefícios

O padrão STATE proporciona uma forte separação entre as ações e a lógica da máquina de estados. As ações são implementadas na classe Context e a lógica fica distribuída pelas derivadas da classe State. Isso torna muito simples alterar uma sem afetar a outra. Por exemplo, seria muito fácil reutilizar as ações da classe Context com uma lógica de estado diferente, simplesmente usando-se um conjunto diferente de derivadas da classe State. Como alternativa, poderíamos criar subclasses de Context que modificassem ou substituíssem as ações, sem afetar a lógica das derivadas de State.

Outra vantagem dessa técnica é que ela é muito eficiente, provavelmente tanto quanto a implementação com instruções switch/case aninhadas. Assim, temos a flexibilidade da estratégia baseada em tabela com a eficiência da estratégia das instruções switch/case aninhadas.

---

[2] Consulte o Capítulo 22.

O custo dessa técnica é duplo. Primeiro, a escrita das derivadas de State é no mínimo maçante. Escrever uma máquina de estados com 20 estados pode ser monótono. Segundo, a lógica fica distribuída. Não existe um local único para se ver tudo. Isso torna o código difícil de manter e evoca a obscuridade da estratégia das instruções switch/case aninhadas.

O compilador de máquinas de estados (SMC)

O tédio de escrever as derivadas de State e a necessidade de se ter um lugar único para expressar a lógica da máquina de estados me levou a escrever o compilador SMC, que descrevi no Capítulo 15. A entrada do compilador está mostrada na Listagem 36-9. A sintaxe é:

```
currentState
{
  event newState action
  ...
}
```

As quatro linhas no início da Listagem 36-9 identificam o nome da máquina de estados, o nome da classe de contexto, o estado inicial e o nome da exceção que será lançada no caso de um evento inválido.

Listagem 36-9
Turnstile.sm

```
FSMName Turnstile
Context TurnstileActions
Initial Locked
Exception FSMError
{
    Locked
    {
        Coin    Unlocked    Unlock
        Pass    Locked      Alarm
    }
    Unlocked
    {
        Coin    Unlocked    Thankyou
        Pass    Locked      Lock
    }
}
```

Para usar esse compilador, você precisa escrever uma classe que declare as funções de ação. O nome dessa classe é especificado na linha Context. Eu a chamei de TurnstileActions. Consulte a Listagem 36-10.

Listagem 36-10
TurnstileActions.cs

```csharp
public abstract class TurnstileActions
{
  public virtual void Lock() {}
  public virtual void Unlock() {}
  public virtual void Thankyou() {}
  public virtual void Alarm() {}
}
```

O compilador gera uma classe que deriva do contexto. O nome da classe gerada é especificado na linha `FSMName`. Eu a chamei de `Turnstile`.

Eu poderia ter implementado as funções de ação em `TurnstileActions`, mas preferi escrever outra classe que deriva da classe gerada e implementa as funções de ação ali. Isso está mostrado na Listagem 36-11.

Listagem 36-11
TurnstileFSM.cs

```csharp
public class TurnstileFSM : Turnstile
{
  private readonly TurnstileController controller;

  public TurnstileFSM(TurnstileController controller)
  {
    this.controller = controller;
  }

  public override void Lock()
  {
    controller.Lock();
  }

  public override void Unlock()
  {
    controller.Unlock();
  }

  public override void Thankyou()
  {
    controller.Thankyou();
  }

  public override void Alarm()
  {
    controller.Alarm();
  }
}
```

Isso é tudo que temos que escrever. O SMC gera o resto. A estrutura resultante, chamada FSM de três níveis[3], está mostrada na Figura 36-4.

Os três níveis proporcionam a máxima flexibilidade a um custo muito baixo. Podemos criar muitas FSMs diferentes, simplesmente derivando-as de classes `TurnstileAction`. Também podemos implementar as ações de muitas maneiras diferentes, simplesmente derivando de `Turnstile`.

Note que o código gerado é completamente isolado do código que você tem que escrever. Você nunca precisa modificar o código gerado, você nem mesmo precisa examiná-lo. Pode dar a ele o mesmo grau de atenção que dá ao código binário.

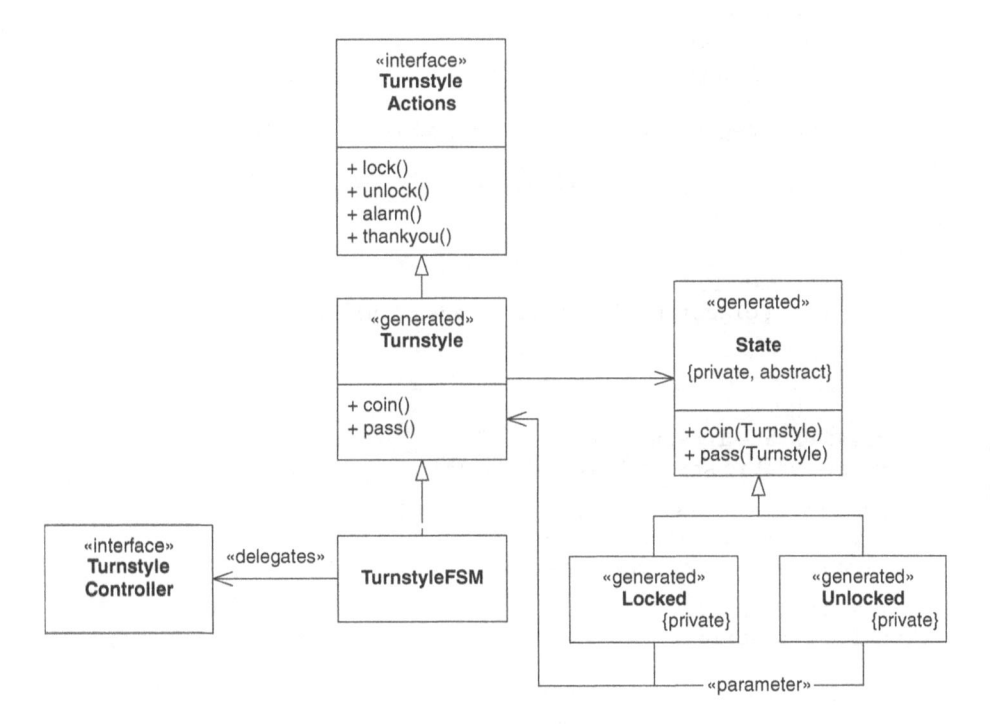

Figura 36-4
FSM de três níveis.

---

[3] [PLOPD1], p. 383.

Turnstile.cs gerado pelo SMC e outros arquivos de suporte

As listagens 36-12 a 36-14 completam o código do exemplo da roleta gerado pelo SMC. `Turnstile.cs` foi gerado pelo SMC. O gerador produz um pouco de lixo, mas o código não é ruim.

Listagem 36-12
Turnstile.cs

```
//-----------------------------------------------
//
// FSM: Turnstile
// Contexto: TurnstileActions
// Exceção: FSMError
// Versão:
// Gerado em: segunda-feira 07/18/2005 às 20:57:53 CDT
//
//-----------------------------------------------

//-----------------------------------------------
//
// class Turnstile
//     Esta é a classe da máquina de estados finitos
//
public class Turnstile : TurnstileActions
{
  private State itsState;
  private static string itsVersion = "";

  // variáveis de instância para cada estado
  private Unlocked itsUnlockedState;
  private Locked itsLockedState;

  // construtor
  public Turnstile()
  {
    itsUnlockedState = new Unlocked();
    itsLockedState = new Locked();

    itsState = itsLockedState;

    // Funções de entrada para: Locked
  }

  // funções de acesso

  public string GetVersion()
  {
    return itsVersion;
  }
  public string GetCurrentStateName()
  {
```

```csharp
      return itsState.StateName();
    }
    public State GetCurrentState()
    {
      return itsState;
    }
    public State GetItsUnlockedState()
    {
      return itsUnlockedState;
    }
    public State GetItsLockedState()
    {
      return itsLockedState;
    }

    // Funções modificadoras (mutator)
    public void SetState(State value)
    {
      itsState = value;
    }
    // funções de evento - encaminham para o estado atual
    public void Pass()
    {
      itsState.Pass(this);
    }
    public void Coin()
    {
      itsState.Coin(this);
    }
}
//---------------------------------------------
//
// public class State
// Esta é a classe base State
//
public abstract class State
{
  public abstract string StateName();

  // funções de evento padrão
  public virtual void Pass(Turnstile name)
  {
      throw new FSMError("Pass", name.GetCurrentState());
  }
  public virtual void Coin(Turnstile name)
  {
      throw new FSMError("Coin", name.GetCurrentState());
  }
}
//---------------------------------------------
```

```csharp
//
// class Unlocked
//     trata do estado Unlocked e seus eventos
//
public class Unlocked : State
{
  public override string StateName()
    { return "Unlocked"; }

  //
  // responde ao evento Coin
  //
  public override void Coin(Turnstile name)
  {
    name.Thankyou();

    // muda o estado
    name.SetState(name.GetItsUnlockedState());
  }

  //
  // responde ao evento Pass
  //
  public override void Pass(Turnstile name)
  {
    name.Lock();
    // muda o estado
    name.SetState(name.GetItsLockedState());
  }
}
//-------------------------------------------
//
// class Locked
// trata do estado Locked e seus eventos
//
public class Locked: State
{
  public override string StateName()
    { return "Locked"; }

  //
  // responde ao evento Coin
  //
  public override void Coin(Turnstile name)
  {
    name.Unlock();

    // muda o estado
    name.SetState(name.GetItsUnlockedState());
  }
  //
  // responde ao evento Pass
  //
```

```csharp
      public override void Pass(Turnstile name)
      {
        name.Alarm();
        // muda o estado
        name.SetState(name.GetItsLockedState());
      }
    }
```

FSMError é a exceção que dissemos para o SMC lançar no caso de um evento inválido. O exemplo da roleta é tão simples que não pode haver um evento inválido; portanto, a exceção é inútil. Contudo, máquinas de estado maiores têm eventos que não devem ocorrer em certos estados. Essas transições nunca são mencionadas na entrada do SMC. Assim, se tal evento ocorresse, o código gerado lançaria a exceção.

O código de teste da máquina de estados gerada pelo SMC é muito parecido com todos os outros programas de teste que escrevemos neste capítulo. As diferenças são pequenas.

Listagem 36-13
FSMError.cs

```csharp
public class FSMError : ApplicationException
{
  private static string message =
    "Undefined transition from state: {0} with event: {1}.";
  public FSMError(string theEvent, State state)
    : base(string.Format(message, state.StateName(), theEvent))
  {
  }
}
```

Listagem 36-14

```csharp
[TestFixture]
public class SMCTurnstileTest
{
  private Turnstile turnstile;
  private TurnstileControllerSpoof controllerSpoof;

  private class TurnstileControllerSpoof : TurnstileController
```

```csharp
{
  public bool lockCalled = false;
  public bool unlockCalled = false;
  public bool thankyouCalled = false;
  public bool alarmCalled = false;

  public void Lock(){lockCalled = true;}
  public void Unlock(){unlockCalled = true;}
  public void Thankyou(){thankyouCalled = true;}
  public void Alarm(){alarmCalled = true;}
}
[SetUp]
public void SetUp()
{
  controllerSpoof = new TurnstileControllerSpoof();
  turnstile = new TurnstileFSM(controllerSpoof);
}

[Test]
public void InitialConditions()
{
  Assert.IsTrue(turnstile.GetCurrentState() is Locked);
}

[Test]
public void CoinInLockedState()
{
  turnstile.SetState(new Locked());
  turnstile.Coin();
  Assert.IsTrue(turnstile.GetCurrentState() is Unlocked);
  Assert.IsTrue(controllerSpoof.unlockCalled);
}

[Test]
public void CoinInUnlockedState()
{
  turnstile.SetState(new Unlocked());
  turnstile.Coin();
  Assert.IsTrue(turnstile.GetCurrentState() is Unlocked);
  Assert.IsTrue(controllerSpoof.thankyouCalled);
}

[Test]
public void PassInLockedState()
{
  turnstile.SetState(new Locked());
  turnstile.Pass();
  Assert.IsTrue(turnstile.GetCurrentState() is Locked);
  Assert.IsTrue(controllerSpoof.alarmCalled);
}

[Test]
public void PassInUnlockedState()
```

```
    {
      turnstile.SetState(new Unlocked());
      turnstile.Pass();
      Assert.IsTrue(turnstile.GetCurrentState() is Locked);
      Assert.IsTrue(controllerSpoof.lockCalled);
    }
  }
```

A classe `TurnstileController` é idêntica a todas as outras que apareceram neste capítulo. Você pode vê-la na Listagem 36-2.

A seguir está o comando DOS utilizado para executar o SMC. Você notará que o SMC é um programa em Java. Embora seja escrito em Java, ele é capaz de gerar código C#, além de código em Java e C++.

```
java -classpath .\smc.jar smc.Smc -g
smc.generator.csharp.SMCSharpGenerator turnstileFSM.sm
```

Custos e benefícios

Claramente, conseguimos maximizar os benefícios das várias estratégias. A descrição da FSM está contida em um só lugar e é muito fácil de manter. A lógica da FSM está bastante isolada da implementação das ações, permitindo que cada uma delas seja alterada sem afetar a outra. A solução é eficiente e elegante, exigindo um mínimo de codificação.

O custo é o uso do SMC. Você precisa obter e aprender a usar outra ferramenta. Nesse caso, contudo, a ferramenta é muito simples de instalar e usar, além de ser gratuita.

Classes de aplicativos de máquinas de estados

Eu uso máquinas de estado e o SMC para várias classes de aplicativos.

Diretivas de aplicativo de alto nível para interfaces gráficas com o usuário

Um dos objetivos da revolução gráfica ocorrida nos anos 1980 foi criar interfaces *sem estado* para seres humanos usarem. Naquela época, as interfaces de computador eram dominadas por métodos textuais, usando menus hierárquicos. Era fácil se perder na estrutura de menus, ficando-se sem saber em qual *estado* a tela estava. As interfaces gráficas com o usuário ajudaram a atenuar o problema, minimizando o número de mudanças de estado pelas quais a tela passava. Nas interfaces gráficas com o usuário modernas, muito trabalho foi realizado para manter os recursos comuns na tela o tempo todo e para garantir que o usuário não fique confuso com estados ocultos.

É irônico, então, que o código que implementa essas interfaces gráficas com o usuário "sem estado" seja fortemente orientado a estados. Nessas interfaces gráficas, o código precisa descobrir quais itens de menu e botões deve tornar cinza, quais subjanelas devem aparecer, qual guia deve ser ativada, onde o foco deve ser colocado etc. Todas essas são decisões sobre o estado da interface.

Há muito tempo eu aprendi que controlar esses fatores é um pesadelo, a não ser que você os organize em uma única estrutura de controle. Essa estrutura de controle é mais bem caracterizada como uma FSM. Desde aquela época, tenho escrito quase todas as minhas interfaces gráficas com o usuário usando FSMs geradas pelo SMC ou seus predecessores.

Considere a máquina de estados da Listagem 36-15. Essa máquina controla a interface gráfica com o usuário da parte referente ao login de um aplicativo. Ao receber um evento de início, a máquina apresenta uma tela de login. Quando o usuário pressiona a tecla Enter, a máquina verifica a senha. Se a senha está correta, a máquina vai para o estado `loggedIn` e inicia o processo do usuário (não mostrado). Se a senha está errada, a máquina exibe uma tela para informar ao usuário. O usuário pode tentar novamente, clicando no botão OK, mas se não quiser, clica no botão Cancel. Se é digitada uma senha errada três vezes consecutivas (evento `thirdBadPassword`), a máquina trava a tela até que a senha do administrador seja digitada.

Listagem 36-15
login.sm

```
Initial init
{
  init
  {
    start logginIn displayLoginScreen
  }
  logginIn
  {
    enter checkingPassword checkPassword
    cancel init clearScreen
  }
  checkingPassword
  {
    passwordGood loggedIn startUserProcess
    passwordBad notifyingPasswordBad displayBadPasswordScreen
    thirdBadPassword screenLocked displayLockScreen
  }
  notifyingPasswordBad
  {
    OK checkingPassword displayLoginScreen
    cancel init clearScreen
  }
  screenLocked
  {
    enter checkingAdminPassword checkAdminPassword
  }
  checkingAdminPassword
  {
    passwordGood init clearScreen
    passwordBad screenLocked displayLockScreen
  }
}
```

O que fizemos aqui foi capturar a diretiva (*policy*) de alto nível do aplicativo em uma máquina de estados. Essa diretiva de alto nível fica em um só lugar e é fácil de manter. Isso simplifica enormemente o restante do código do sistema, pois esse código não está misturado com o código da diretiva.

Claramente, essa estratégia pode ser usada para interfaces que não sejam interfaces gráficas com o usuário. Aliás, também tenho usado estratégias semelhantes para interfaces textuais e de máquina/máquina. Mas as interfaces gráficas com o usuário tendem a ser mais complexas do que essas outras; portanto, a necessidade e o volume delas são maiores.

Controladores de interação de interface gráfica do usuário

Imagine que você queira permitir que seus usuários desenhem retângulos na tela. Os movimentos que eles utilizam são os seguintes. Um usuário clica no ícone de retângulo na janela da paleta, posiciona o mouse na janela de desenho em um canto do retângulo, pressiona o botão do mouse e arrasta o mouse na direção do segundo canto desejado. À medida que o usuário arrasta, uma imagem animada do retângulo em potencial aparece na tela. O usuário manipula o retângulo até a forma desejada, continuando a manter o botão do mouse pressionado enquanto arrasta o mouse. Quando o retângulo está correto, o usuário solta o botão do mouse. Então, o programa interrompe a animação e desenha um retângulo fixo na tela.

Evidentemente, o usuário pode cancelar isso a qualquer momento, clicando em um ícone diferente na paleta. Se o usuário arrasta o mouse para fora da janela de desenho, a animação desaparece. Se o mouse volta para a janela de desenho, a animação reaparece.

Por fim, tendo terminado de desenhar um retângulo, o usuário pode desenhar outro simplesmente clicando e arrastando novamente na janela de desenho. Não há necessidade de clicar no ícone de retângulo na paleta.

O que descrevi aqui é uma FSM. O diagrama de transição de estados aparece na Figura 36-5. O círculo cheio com a seta denota o estado inicial da máquina de estados.[4] O círculo cheio com o círculo vazio em torno é o estado final da máquina.

As interações de interface gráfica com o usuário são numerosas com FSMs. Elas são orientadas pelos eventos recebidos do usuário. Esses eventos causam mudanças no estado da interação.

---

[4] Consulte o Capítulo 13, "Diagramas de estados".

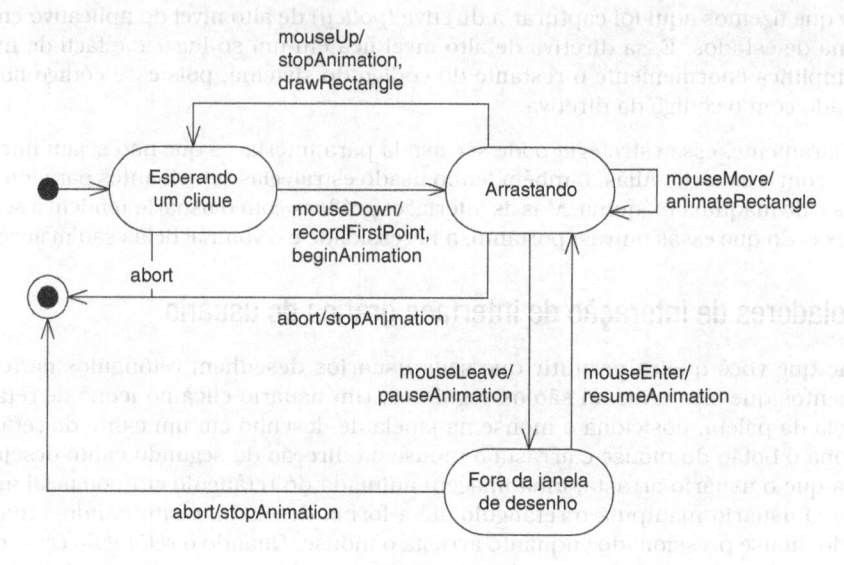

Figura 36-5
Máquina de estados para interação de retângulo.

Processamento distribuído

O processamento distribuído é ainda outra situação na qual o estado do sistema muda de acordo com eventos recebidos. Por exemplo, suponha que você precisasse transferir um grande bloco de informações de um nó para outro de uma rede. Suponha ainda que, como o tempo de resposta da rede é preciso, você precisa cortar o bloco e enviá-lo como um grupo de pequenos pacotes.

A máquina de estados que representa esse cenário está mostrada na Figura 36-6. Ela começa solicitando uma sessão de transmissão, passa a enviar cada pacote e a esperar por um reconhecimento e termina finalizando a sessão.

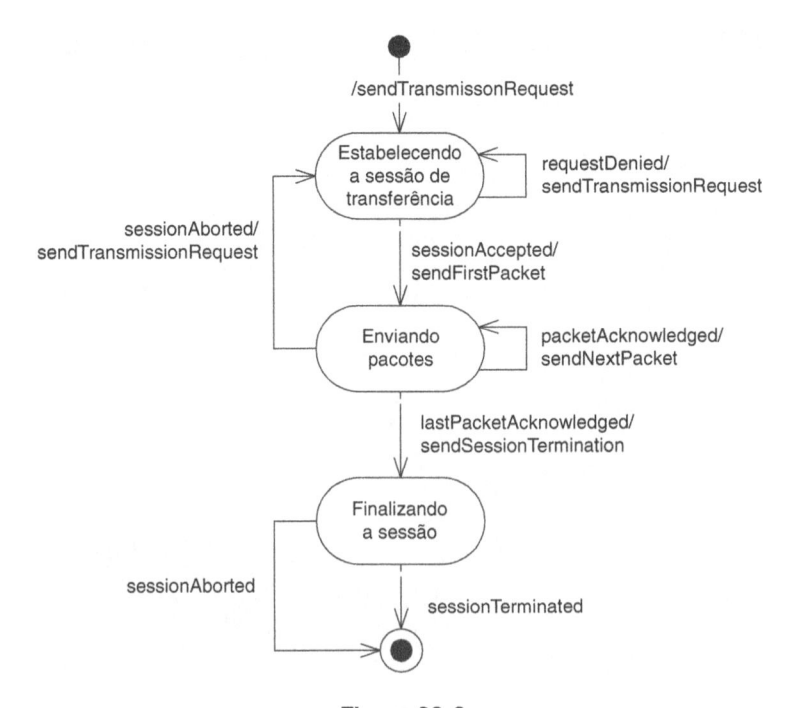

Figura 36-6
Enviando um bloco grande usando muitos pacotes.

Conclusão

As máquinas de estados finitos são subutilizadas. Em muitos cenários, seu uso ajudaria a criar código mais claro, simples, flexível e preciso. Usar o padrão STATE e de ferramentas simples para gerar código a partir de tabelas de transição de estado pode ser de grande proveito.

Bibliografia

[GOF95] Erich Gamma, Richard Helm, Ralph Johnson, and John Vlissides, *Design Patterns: Elements of Reusable Object-Oriented Software*, Addison-Wesley, 1995.

[PLOPD1] James O. Coplien and Douglas C. Schmidt, *Pattern Languages of Program Design*, Addison-Wesley, 1995.

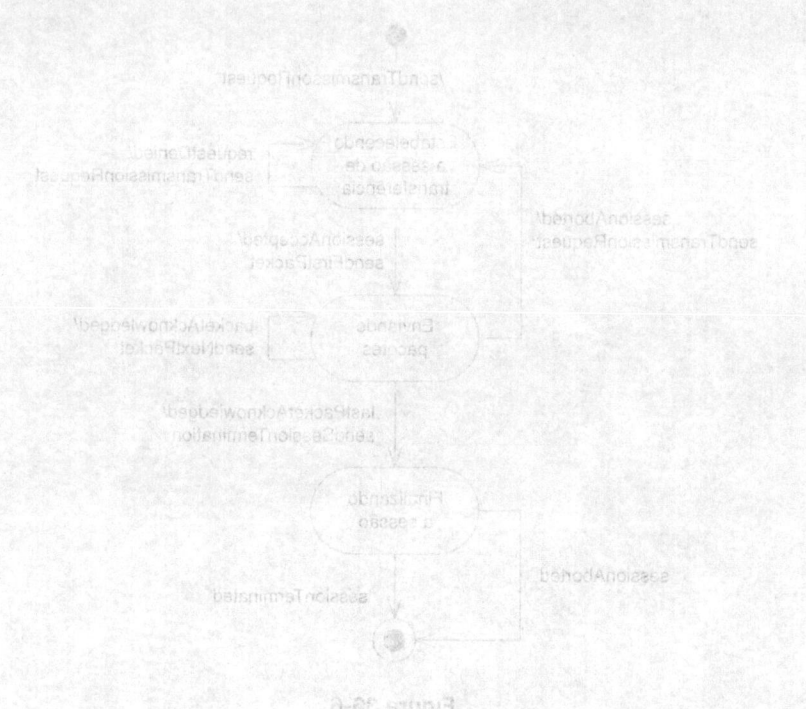

Capítulo 37

ESTUDO DE CASO DA FOLHA DE PAGAMENTOS: O BANCO DE DADOS

> *"Frequentemente os especialistas possuem mais dados do que discernimento".*
>
> — Colin Powell

Nos capítulos anteriores, implementamos toda a lógica comercial do aplicativo de folha de pagamentos. Essa implementação tinha uma classe, `PayrollDatabase`, que armazenava todos os dados da folha de pagamentos na memória RAM. Isso funcionou bem para nossos propósitos naquele momento. No entanto, parece óbvio que esse sistema precisará de uma forma de armazenamento de dados mais persistente. Este capítulo explica como oferecer essa persistência, armazenando os dados em um banco de dados relacional.

Construindo o banco de dados

A escolha da tecnologia de banco de dados normalmente é feita mais por razões políticas do que técnicas. As empresas de banco de dados e plataforma fizeram um bom trabalho de convencimento do mercado de que essa escolha é de suma importância. A lealdade e a fidelidade se formam em torno dos provedores de banco de dados e plataforma por motivos mais humanos do que técnicos. Portanto, você não deverá ler muito sobre nossa escolha do Microsoft SQL Server para persistência de dados de nosso aplicativo.

O esquema que usaremos aparece na Figura 37-1. A tabela `Employee` é fundamental. Ela armazena os dados imediatos de um funcionário, com strings constantes que determinam a agenda, o método e a classificação do pagamento (respectivamente, `PaymentSchedule`, `PaymentMethod` e `PaymentClassification`). Os objetos `PaymentClassification` têm seus próprios dados que persistirão nas tabelas `HourlyClassification`, `SalariedClassification` e `CommissionedClassification` correspondentes. Cada um faz referência ao funcionário (`Employee`) a que pertence, por meio da coluna `EmpId`. Essa coluna tem uma restrição para garantir que um registro `Employee` com determinado `EmpId` exista na tabela `Employee`. `DirectDepositAccount` e `PaycheckAddress` contêm os dados apropriados para seu `PaymentMethod` e, do mesmo modo,

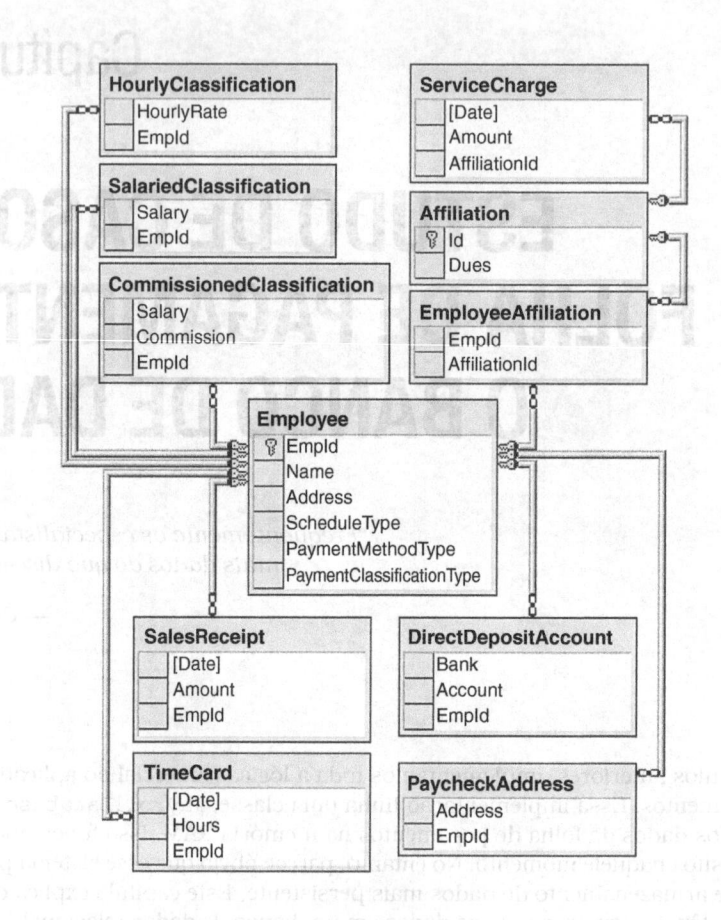

Figura 37-1
Esquema da folha de pagamentos.

são restritos pela coluna `EmpId`. `SalesReceipt` e `TimeCard` são óbvios. A tabela `Affiliation` contém dados como os membros de sindicato e está ligada à tabela `Employee` via `EmployeeAffiliation`.

Uma falha no projeto do código

Você se lembra de que `PayrollDatabase` foi preenchido apenas com métodos `public static`. Essa decisão não é mais adequada. Como começamos a usar um banco de dados real no código, sem estragar todos os testes que utilizam os métodos `static`? Não queremos sobrescrever a classe `PayrollDatabase` para usar um banco de dados real. Isso obrigaria todos os nossos testes de unidade existentes a usar o banco de dados real. Seria interessante se `PayrollDatabase` fosse uma interface para que pudéssemos trocar facilmente entre diferentes implementações. Uma implementação armazenaria dados na memória, como acontece agora, para que nossos testes pudessem continuar a ser executados rapidamente. Outra implementação armazenaria dados em um banco de dados real.

Para realizar esse novo projeto, teremos de fazer algumas refatorações, executando os testes de unidade após cada etapa para garantir que não estejamos estragando o código. Primeiramente, criaremos uma instância de `PayrollDatabase` e a armazenaremos em uma variável `static`: `instance`. Em seguida, percorreremos cada método `static` em `PayrollDatabase` e mudaremos seu nome para incluir a palavra `static`. Depois, extrairemos o miolo do método e colocaremos em um novo método não `static` de nome igual. (Consulte a Listagem 37-1.)

Listagem 37-1
Exemplo de refatoração

```
public class PayrollDatabase
{
  private static PayrollDatabase instance;
  public static void AddEmployee_Static(Employee employee)
  {
    instance.AddEmployee(employee);
  }
  public void AddEmployee(Employee employee)
  {
    employees[employee.EmpId] = employee;
  }
```

Agora precisamos encontrar cada chamada para `PayrollDatabase.AddEmployee_Static()` e substituí-la por `PayrollDatabase.instance.AddEmployee()`. Uma vez que todas tenham sido alteradas, podemos excluir a versão `static` do método. Evidentemente, o mesmo precisa ser feito com cada método `static`.

Isso deixa toda chamada ao banco de dados passando pela variável `PayrollDatabase.instance`. Queremos que `PayrollDatabase` seja uma interface. Portanto, precisamos encontrar outro lugar para essa variável `instance`. Certamente, `PayrollTest` deve conter tal variável, pois então poderá ser usado por todos os testes. Para o aplicativo, um bom lugar é em cada derivada de `Transaction`. A instância de `PayrollDatabase` terá de ser passada para o construtor e armazenada como uma variável de instância de cada `Transaction`. Em vez de duplicar esse código, vamos simplesmente colocar a instância de `PayrollDatabase` na classe base `Transaction`. `Transaction` é uma interface; portanto, precisaremos convertê-la em uma classe abstrata, como na Listagem 37-2.

Listagem 37-2
Transaction.cs

```
public abstract class Transaction
{
  protected readonly PayrollDatabase database;
  public Transaction(PayrollDatabase database)
```

```
        {
            this.database = database;
        }

        public abstract void Execute();
    }
```

Agora que ninguém está usando `PayrollDatabase.instance`, podemos excluí-la. Antes de convertermos `PayrollDatabase` para uma interface, precisamos de uma nova implementação que estenda `PayrollDatabase`. Como a implementação atual armazena tudo na memória, chamaremos a nova classe de `InMemoryPayrollDatabase` (Listagem 37-3) e a utilizaremos sempre que `PayrollDatabase` for instanciada. Por fim, `Payroll-Database` pode ser reduzida a uma interface (Listagem 37-4) e podemos começar a trabalhar na implementação do banco de dados real.

Listagem 37-3
InMemoryPayrollDatabase.cs

```
public class InMemoryPayrollDatabase : PayrollDatabase
{
    private static Hashtable employees = new Hashtable();
    private static Hashtable unionMembers = new Hashtable();

    public void AddEmployee(Employee employee)
    {
        employees[employee.EmpId] = employee;
    }
    // etc...
}
```

Listagem 37-4
PayrollDatabase.cs

```
public interface PayrollDatabase
{
    void AddEmployee(Employee employee);
    Employee GetEmployee(int id);
    void DeleteEmployee(int id);
    void AddUnionMember(int id, Employee e);
    Employee GetUnionMember(int id);
    void RemoveUnionMember(int memberId);
    ArrayList GetAllEmployeeIds();
}
```

Adicionando um funcionário

Com nosso projeto refatorado, podemos agora criar `SqlPayrollDatabase`. Essa classe implementa a interface `PayrollDatabase` para persistir dados em um banco de dados SQL Server com o esquema da Figura 37-1. Com `SqlPayrollDatabase`, criaremos `SqlPayrollDatabaseTest` para testes de unidade. A Listagem 37-5 mostra o primeiro teste.

Listagem 37-5
SqlPayrollDatabaseTest.cs

```csharp
[TestFixture]
public class Blah
{
  private SqlPayrollDatabase database;

  [SetUp]
  public void SetUp()
  {
    database = new SqlPayrollDatabase();
  }

  [Test]
  public void AddEmployee()
  {
    Employee employee = new Employee(123,
      "George", "123 Baker St.");
    employee.Schedule = new MonthlySchedule();
    employee.Method =
      new DirectDepositMethod("Bank 1", "123890");
    employee.Classification =
      new SalariedClassification(1000.00);
    database.AddEmployee(123, employee);

    SqlConnection connection = new SqlConnection(
      "Initial Catalog=Payroll;Data Source=localhost;" +
      "user id=sa;password=abc");
    SqlCommand command = new SqlCommand(
      "select * from Employee", connection);
    SqlDataAdapter adapter = new SqlDataAdapter(command);
    DataSet dataset = new DataSet();
    adapter.Fill(dataset);
    DataTable table = dataset.Tables["table"];

    Assert.AreEqual(1, table.Rows.Count);
    DataRow row = table.Rows[0];
    Assert.AreEqual(123, row["EmpId"]);
    Assert.AreEqual("George", row["Name"]);
    Assert.AreEqual("123 Baker St.", row["Address"]);
  }
}
```

620 EMPACOTANDO O SISTEMA DE FOLHA DE PAGAMENTOS

Esse teste faz uma chamada para `AddEmployee()` e, depois, consulta o banco de dados para certificar-se de que os dados foram salvos. A Listagem 37-6 mostra o código força bruta para fazê-lo passar.

Esse teste passa uma vez, mas falha em todas as outras vezes em que é executado. Obtemos uma exceção do SQL Server, dizendo que não podemos inserir chaves duplicadas. Portanto, precisamos limpar a tabela `Employee` antes de cada teste. A Listagem 37-7 mostra como isso pode ser adicionado ao método `SetUp`.

Listagem 37-6
SqlPayrollDatabase.cs

```csharp
public class SqlPayrollDatabase : PayrollDatabase
{
  private readonly SqlConnection connection;

  public SqlPayrollDatabase()
  {
    connection = new SqlConnection(
      "Initial Catalog=Payroll;Data Source=localhost;" +
      "user id=sa;password=abc");
    connection.Open();
  }

  public void AddEmployee(Employee employee)
  {
    string sql = "insert into Employee values (" +
      "@EmpId, @Name, @Address, @ScheduleType, " +
      "@PaymentMethodType, @PaymentClassificationType)";
    SqlCommand command = new SqlCommand(sql, connection);

    command.Parameters.Add("@EmpId", employee.EmpId);
    command.Parameters.Add("@Name", employee.Name);
    command.Parameters.Add("@Address", employee.Address);
    command.Parameters.Add("@ScheduleType",
      employee.Schedule.GetType().ToString());
    command.Parameters.Add("@PaymentMethodType",
      employee.Method.GetType().ToString());
    command.Parameters.Add("@PaymentClassificationType",
      employee.Classification.GetType().ToString());

    command.ExecuteNonQuery();
  }
}
```

Listagem 37-7
SqlPayrollDatabaseTest.SetUp()

```
[SetUp]
public void SetUp()
{
  database = new SqlPayrollDatabase();

  SqlConnection connection = new SqlConnection(
    "Initial Catalog=Payroll;Data Source=localhost;" +
    "user id=sa;password=abc");connection.Open();
  SqlCommand command = new SqlCommand(
    "delete from Employee", connection);
  command.ExecuteNonQuery();
  connection.Close();
}
```

Esse código alcança o resultado desejado, mas é desajeitado. Uma conexão é criada em `SetUp` e no teste `AddEmployee`. Uma conexão criada em `SetUp` e fechada em `TearDown` deve ser suficiente. A Listagem 37-8 mostra uma versão refatorada.

Listagem 37-8
SqlPayrollDatabaseTest.cs

```
[TestFixture]
public class Blah
{
  private SqlPayrollDatabase database;
  private SqlConnection connection;

  [SetUp]
  public void SetUp()
  {
    database = new SqlPayrollDatabase();

    connection = new SqlConnection(
      "Initial Catalog=Payroll;Data Source=localhost;" +
      "user id=sa;password=abc");
    connection.Open();
    new SqlCommand("delete from Employee",
      this.connection).ExecuteNonQuery();
  }

  [TearDown]
  public void TearDown()
  {
    connection.Close();
  }
```

```
[Test]
public void AddEmployee()
{
  Employee employee = new Employee(123,
    "George", "123 Baker St.");
  employee.Schedule = new MonthlySchedule();
  employee.Method =
    new DirectDepositMethod("Bank 1", "123890");
  employee.Classification =
    new SalariedClassification(1000.00);
  database.AddEmployee(employee);

  SqlCommand command = new SqlCommand(
    "select * from Employee", connection);
  SqlDataAdapter adapter = new SqlDataAdapter(command);
  DataSet dataset = new DataSet();
  adapter.Fill(dataset);
  DataTable table = dataset.Tables["table"];

  Assert.AreEqual(1, table.Rows.Count);
  DataRow row = table.Rows[0];
  Assert.AreEqual(123, row["EmpId"]);
  Assert.AreEqual("George", row["Name"]);
  Assert.AreEqual("123 Baker St.", row["Address"]);
  }
}
```

Na Listagem 37-6, você pode ver que as colunas `ScheduleType`, `PaymentMethodType` e `PaymentClassificationType` da tabela `Employee` foram preenchidas com nomes de classe. Embora isso funcione, é um pouco comprido. Em vez disso, usaremos palavras-chave mais concisas. Começando com o tipo de agenda, a Listagem 37-9 mostra como os objetos `MonthlySchedule` são salvos. A Listagem 37-10 mostra a parte de `SqlPayrollDatabase` que satisfaz esse teste.

Listagem 37-9
SqlPayrollDatabaseTest.ScheduleGetsSaved()

```
[Test]
public void ScheduleGetsSaved()
{
  Employee employee = new Employee(123,
    "George", "123 Baker St.");
  employee.Schedule = new MonthlySchedule();
  employee.Method = new DirectDepositMethod();
  employee.Classification = new SalariedClassification(1000.00);
  database.AddEmployee(123, employee);
```

```
    SqlCommand command = new SqlCommand(
      "select * from Employee", connection);
    SqlDataAdapter adapter = new SqlDataAdapter(command);
    DataSet dataset = new DataSet();
    adapter.Fill(dataset);
    DataTable table = dataset.Tables["table"];

    Assert.AreEqual(1, table.Rows.Count);
    DataRow row = table.Rows[0];
    Assert.AreEqual("monthly", row["ScheduleType"]);
  }
```

Listagem 37-10
SqlPayrollDatabase.cs (parcial)

```
  public void AddEmployee(int id, Employee employee)
  {
    ...
    command.Parameters.Add("@ScheduleType",
      ScheduleCode(employee.Schedule));
    ...
  }
  private static string ScheduleCode(PaymentSchedule schedule)
  {
    if(schedule is MonthlySchedule)
      return "monthly";
    else
      return "unknown";
  }
```

O leitor atento notará o início de uma violação do OCP na Listagem 37-10. O método `ScheduleCode()` contém uma instrução `if/else` para determinar se a agenda é `MonthlySchedule`. Em breve adicionaremos outra cláusula `if/else` a `WeeklySchedule` e depois outra a `BiweeklySchedule`. Sempre que um novo tipo de agenda de pagamento for adicionado ao sistema, esse encadeamento de `if/else` terá de ser modificado.

Uma alternativa é obter o código de agenda da hierarquia `PaymentSchedule`. Poderíamos adicionar uma propriedade polimórfica, como `string DatabaseCode`, que retornasse o valor apropriado. Mas isso introduziria uma violação do SRP na hierarquia `PaymentSchedule`.

A violação do SRP é horrível. Ela cria um acoplamento desnecessário entre o banco de dados e o aplicativo, e convida outros módulos a estender esse acoplamento, fazendo uso de `ScheduleCode`. Por outro lado, a violação do OCP fica encapsulada dentro da classe `SqlPayrollDatabase` e provavelmente não vazará. Assim, por enquanto, conviveremos com a violação do OCP.

Ao escrevermos o próximo caso de teste, encontraremos muitas oportunidades para remover o código duplicado. A Listagem 37-11 mostra `SqlPayrollDatabaseTest` após alguma refatoração e com alguns casos de teste novos. A Listagem 37-12 mostra as mudanças de `SqlPayrollDatabase` que fazem o teste passar.

Listagem 37-11
SqlPayrollDatabaseTest.cs (parcial)

```csharp
[SetUp]
public void SetUp()
{
  ...
  CleanEmployeeTable();

  employee = new Employee(123, "George", "123 Baker St.");
  employee.Schedule = new MonthlySchedule();
  employee.Method = new DirectDepositMethod();
  employee.Classification= new SalariedClassification(1000.00);
}
private void ClearEmployeeTable()
{
  new SqlCommand("delete from Employee",
                 this.connection).ExecuteNonQuery();
}

private DataTable LoadEmployeeTable()
{
  SqlCommand command = new SqlCommand(
    "select * from Employee", connection);
  SqlDataAdapter adapter = new SqlDataAdapter(command);
  DataSet dataset = new DataSet();
  adapter.Fill(dataset);
  return dataset.Tables["table"];
}

[Test]
public void ScheduleGetsSaved()
{
  CheckSavedScheduleCode(new MonthlySchedule(), "monthly");
  ClearEmployeeTable();
  CheckSavedScheduleCode(new WeeklySchedule(), "weekly");
  ClearEmployeeTable();
  CheckSavedScheduleCode(new BiWeeklySchedule(), "biweekly");
}

private void CheckSavedScheduleCode(
  PaymentSchedule schedule, string expectedCode)
{
```

```
    employee.Schedule = schedule;
    database.AddEmployee(123, employee);

    DataTable table = LoadEmployeeTable();
    DataRow row = table.Rows[0];

    Assert.AreEqual(expectedCode, row["ScheduleType"]);
}
```

Listagem 37-12
SqlPayrollDatabase.cs (parcial)

```
private static string ScheduleCode(PaymentSchedule schedule)
{
  if(schedule is MonthlySchedule)
    return "monthly";
  if(schedule is WeeklySchedule)
    return "weekly";
  if(schedule is BiWeeklySchedule)
    return "biweekly";
  else
    return "unknown";
}
```

A Listagem 37-13 mostra um novo teste para salvar os objetos `PaymentMethod`. Esse código segue o padrão usado no salvamento das agendas. A Listagem 37-14 mostra o novo código de banco de dados.

Listagem 37-13
SqlPayrollDatabaseTest.cs (parcial)

```
[Test]
public void PaymentMethodGetsSaved()
{
  CheckSavedPaymentMethodCode(new HoldMethod(), "hold");
  ClearEmployeeTable();
  CheckSavedPaymentMethodCode(
    new DirectDepositMethod("Bank -1", "0987654321"),
    "directdeposit");
  ClearEmployeeTable();
  CheckSavedPaymentMethodCode(
    new MailMethod("111 Maple Ct."), "mail");
}
private void CheckSavedPaymentMethodCode(
  PaymentMethod method, string expectedCode)
{
```

```
    employee.Method = method;
    database.AddEmployee(employee);

    DataTable table = LoadTable("Employee");
    DataRow row = table.Rows[0];

    Assert.AreEqual(expectedCode, row["PaymentMethodType"]);
}
```

Listagem 37-14
SqlPayrollDatabase.cs (parcial)

```
public void AddEmployee(int id, Employee employee)
{
  ...
  command.Parameters.Add("@PaymentMethodType",
    PaymentMethodCode(employee.Method));
  ...
}
private static string PaymentMethodCode(PaymentMethod method)
{
  if(method is HoldMethod)
    return "hold";
  if(method is DirectDepositMethod)
    return "directdeposit";
  if(method is MailMethod)
    return "mail";
  else
    return "unknown";
}
```

Todos os testes passam. Mas, espere um minuto: `DirectDepositMethod` e `MailMethod` têm seus próprios dados que precisam ser salvos. As tabelas `DirectDepositAccount` e `PaycheckAddress` precisam ser preenchidas ao se salvar um `Employee` com um ou outro método de pagamento. A Listagem 37-15 mostra o teste para salvar `DirectDepositMethod`.

Listagem 37-15
SqlPayrollDatabaseTest.cs (parcial)

```
[Test]
public void DirectDepositMethodGetsSaved()
{
  CheckSavedPaymentMethodCode(
```

```
    new DirectDepositMethod("Bank -1", "0987654321"),
  "directdeposit");

SqlCommand command = new SqlCommand(
  "select * from DirectDepositAccount", connection);
SqlDataAdapter adapter = new SqlDataAdapter(command);
DataSet dataset = new DataSet();
adapter.Fill(dataset);
DataTable table = dataset.Tables["table"];

Assert.AreEqual(1, table.Rows.Count);
DataRow row = table.Rows[0];
Assert.AreEqual("Bank -1", row["Bank"]);
Assert.AreEqual("0987654321", row["Account"]);
Assert.AreEqual(123, row["EmpId"]);
}
```

Ao examinarmos o código para descobrir como fazer esse teste passar, percebemos que precisaremos de outra instrução if/else. Adicionamos a primeira delas para descobrir qual valor devemos inserir na coluna PaymentMethodType, o que já é ruim o bastante. A segunda serve para descobrir qual tabela precisa ser preenchida. Essas violações do OCP com if/else estão começando a aumentar. Precisamos de uma solução que utilize apenas uma instrução if/else. Ela está mostrada na Listagem 37-16, onde introduzimos algumas variáveis membro para ajudar.

Listagem 37-16
SqlPayrollDatabase.cs (parcial)

```
public void AddEmployee(int id, Employee employee)
{
  string sql = "insert into Employee values (" +
    "@EmpId, @Name, @Address, @ScheduleType, " +
    "@PaymentMethodType, @PaymentClassificationType)";
  SqlCommand command = new SqlCommand(sql, connection);
  command.Parameters.Add("@EmpId", id);
  command.Parameters.Add("@Name", employee.Name);
  command.Parameters.Add("@Address", employee.Address);
  command.Parameters.Add("@ScheduleType",
    ScheduleCode(employee.Schedule));
  SavePaymentMethod(employee);
  command.Parameters.Add("@PaymentMethodType", methodCode);
  command.Parameters.Add("@PaymentClassificationType",
    employee.Classification.GetType().ToString());

  command.ExecuteNonQuery();
}
private void SavePaymentMethod(Employee employee)
{
```

```
    PaymentMethod method = employee.Method;
    if(method is HoldMethod)
      methodCode = "hold";
    if(method is DirectDepositMethod)
    {
      methodCode = "directdeposit";
      DirectDepositMethod ddMethod =
        method as DirectDepositMethod;
      string sql = "insert into DirectDepositAccount" +
        "values (@Bank, @Account, @EmpId)";
      SqlCommand command = new SqlCommand(sql, connection);
      command.Parameters.Add("@Bank", ddMethod.Bank);
      command.Parameters.Add("@Account", ddMethod.AccountNumber);
      command.Parameters.Add("@EmpId", employee.EmpId);
      command.ExecuteNonQuery();
    }
    if(method is MailMethod)
      methodCode = "mail";
    else
      methodCode = "unknown";
}
```

Os testes *falham!* Opa! Há um erro proveniente do SQL Server, dizendo que não podemos adicionar uma entrada a `DirectDepositAccount`, pois o registro do `Employee` relacionado não existe. Portanto, a tabela `DirectDepositAccount` precisa ser preenchida *depois* que a tabela `Employee` for preenchida. Mas isso gera um dilema interessante. E se o comando para inserir o funcionário tiver êxito, mas o comando para inserir o método de pagamento falhar? Os dados se tornarão corrompidos. Teremos um funcionário sem qualquer método de pagamento, o que não é possível.

Uma solução comum é usar *transações*. Com elas, se alguma parte da transação falha, a transação inteira é cancelada e nada é salvo. Ainda é um desastre quando um salvamento falha, mas não salvar nada é melhor do que corromper o banco de dados. Antes de atacarmos esse problema, vamos fazer nossos testes atuais passarem. A Listagem 37-17 continua a evolução do código.

Listagem 37-17
SqlPayrollDatabase.cs (parcial)

```
public void AddEmployee(int id, Employee employee)
{
  PrepareToSavePaymentMethod(employee);

  string sql = "insert into Employee values (" +
    "@EmpId, @Name, @Address, @ScheduleType, " +
    "@PaymentMethodType, @PaymentClassificationType)";
  SqlCommand command = new SqlCommand(sql, connection);
```

```
    command.Parameters.Add("@EmpId", id);
    command.Parameters.Add("@Name", employee.Name);
    command.Parameters.Add("@Address", employee.Address);
    command.Parameters.Add("@ScheduleType",
      ScheduleCode(employee.Schedule));
    SavePaymentMethod(employee);
    command.Parameters.Add("@PaymentMethodType", methodCode);
    command.Parameters.Add("@PaymentClassificationType",
      employee.Classification.GetType().ToString());

    command.ExecuteNonQuery();

    if(insertPaymentMethodCommand != null)
      insertPaymentMethodCommand.ExecuteNonQuery();
  }

  private void PrepareToSavePaymentMethod(Employee employee)
  {
    PaymentMethod method = employee.Method;
    if(method is HoldMethod)
      methodCode = "hold";
    else if(method is DirectDepositMethod)
    {
      methodCode = "directdeposit";
      DirectDepositMethod ddMethod =
        method as DirectDepositMethod;
      string sql = "insert into DirectDepositAccount" +
        "values (@Bank, @Account, @EmpId)";
      insertPaymentMethodCommand =
        new SqlCommand(sql, connection);
      insertPaymentMethodCommand.Parameters.Add(
        "@Bank", ddMethod.Bank);
      insertPaymentMethodCommand.Parameters.Add(
        "@Account", ddMethod.AccountNumber);
      insertPaymentMethodCommand.Parameters.Add(
        "@EmpId", employee.EmpId);
    }
    else if(method is MailMethod)
      methodCode = "mail";
    else
      methodCode = "unknown";
  }
```

Lamentavelmente, isso ainda não faz os testes passarem. Desta vez, o banco de dados está reclamando quando limpamos a tabela `Employee`, pois isso deixaria a tabela `DirectDepositAccount` com uma referência ausente. Portanto, teremos de limpar as duas tabelas no método `SetUp`. Após ter o cuidado de limpar primeiro a tabela `DirectDepositAccount`, sou recompensado com uma barra verde. Isso é ótimo.

`MailMethod` ainda precisa ser salvo. Vamos cuidar disso antes de nos aventurarmos nas transações. Para testar se a tabela `PaycheckAddress` está preenchida, precisaremos carregá-la. Essa será a terceira vez que estamos duplicando o código para carregar uma tabela; portanto, já passou da hora de refatorar. Mudar o nome de `LoadEmployeeTable` para `LoadTable` e adicionar o nome da tabela como um parâmetro faz o código brilhar. A Listagem 37-18 mostra essa mudança, junto com o novo teste.

A Listagem 37-19 contém o código que o faz passar – isto é, após a adição de uma instrução para limpar a tabela `PaycheckAddress` no método `SetUp`.

Listagem 37-18
SqlPayrollDatabaseTest.cs (parcial)

```
private DataTable LoadTable(string tableName)
{
  SqlCommand command = new SqlCommand(
    "select * from " + tableName, connection);
  SqlDataAdapter adapter = new SqlDataAdapter(command);
  DataSet dataset = new DataSet();
  adapter.Fill(dataset);
  return dataset.Tables["table"];
}

[Test]
public void MailMethodGetsSaved()
{
  CheckSavedPaymentMethodCode(
    new MailMethod("111 Maple Ct."), "mail");

  DataTable table = LoadTable("PaycheckAddress");

  Assert.AreEqual(1, table.Rows.Count);
  DataRow row = table.Rows[0];
  Assert.AreEqual("111 Maple Ct.", row["Address"]);
  Assert.AreEqual(123, row["EmpId"]);
}
```

Listagem 37-19
SqlPayrollDatabase.cs (parcial)

```
private void PrepareToSavePaymentMethod(Employee employee)
{
  ...
  else if(method is MailMethod)
  {
    methodCode = "mail";
    MailMethod mailMethod = method as MailMethod;
    string sql = "insert into PaycheckAddress " +
      "values (@Address, @EmpId)";
    insertPaymentMethodCommand =
      new SqlCommand(sql, connection);
```

```
        insertPaymentMethodCommand.Parameters.Add(
          "@Address", mailMethod.Address);
        insertPaymentMethodCommand.Parameters.Add(
          "@EmpId", employee.EmpId);
      }
      ...
    }
```

Transações

Agora é hora de tornar a operação desse banco de dados transacional. Executar uma transação SQL Server com .NET é muito fácil. A classe `System.Data.SqlClient.SqlTransaction` é tudo que você precisa. Contudo, não podemos usá-la sem primeiro ter um teste falhando. Como você testa se a operação de um banco de dados é transacional?

Se pudermos iniciar a operação do banco de dados permitindo que o primeiro comando execute com sucesso e depois forçar uma falha em um comando subsequente, poderemos verificar o banco de dados para garantir que nenhum dado tenha sido salvo. Então, como você faz uma operação ter êxito e outra falhar? Bem, vamos tomar como exemplo nossa instância de `Employee` com `DirectDepositMethod`. Sabemos que os dados do funcionário são salvos primeiro, seguidos dos dados da conta para depósito direto. Se pudermos forçar a inserção na tabela `DirectDepositAccount` falhar, teremos o resultado desejado. Passar um valor nulo para o objeto `DirectDepositMethod` deve causar uma falha, especialmente considerando-se que a tabela `DirectDepositAccount` não permite quaisquer valores nulos. Com a Listagem 37-20, resolvemos o problema.

Listagem 37-20
SqlPayrollDatabaseTest.cs (parcial)

```
[Test]
public void SaveIsTransactional()
{
  // Valores nulos não entrarão no banco de dados.
  DirectDepositMethod method =
    new DirectDepositMethod(null, null);
  employee.Method = method;
  try
  {
    database.AddEmployee(123, employee);
    Assert.Fail("An exception needs to occur " +
        "for this test to work."); //Não deveria chegar aqui.
  }
  catch(SqlException)
  {}
  DataTable table = LoadTable("Employee");
  Assert.AreEqual(0, table.Rows.Count);
}
```

Isso realmente causa uma falha. O registro de Employee foi adicionado ao banco de dados e o registro de DirectDepositAccount, não. Essa situação deve ser evitada. A Listagem 37-21 demonstra o uso da classe SqlTransaction para tornar nossa operação de banco de dados transacional.

Listagem 37-21
SqlPayrollDatabase.cs (parcial)

```
public void AddEmployee(int id, Employee employee)
{
  SqlTransaction transaction =
    connection.BeginTransaction("Save Employee");
  try
  {
    PrepareToSavePaymentMethod(employee);
    string sql = "insert into Employee values (" +
      "@EmpId, @Name, @Address, @ScheduleType, " +
      "@PaymentMethodType, @PaymentClassificationType)";
    SqlCommand command = new SqlCommand(sql, connection);
    command.Parameters.Add("@EmpId", id);
    command.Parameters.Add("@Name", employee.Name);
    command.Parameters.Add("@Address", employee.Address);
    command.Parameters.Add("@ScheduleType",
      ScheduleCode(employee.Schedule));
    command.Parameters.Add("@PaymentMethodType", methodCode);
    command.Parameters.Add("@PaymentClassificationType",
      employee.Classification.GetType().ToString());
    command.Transaction = transaction;
    command.ExecuteNonQuery();

    if(insertPaymentMethodCommand != null)
    {
      insertPaymentMethodCommand.Transaction = transaction;
      insertPaymentMethodCommand.ExecuteNonQuery();
    }

    transaction.Commit();
  }
  catch(Exception e)
  {
    transaction.Rollback();
    throw e;
  }
}
```

Os testes passam! Isso foi fácil. Agora, vamos limpar o código. Consulte a Listagem 37-22.

Listagem 37-22
SqlPayrollDatabase.cs (parcial)

```
public void AddEmployee(int id, Employee employee)
{
  PrepareToSavePaymentMethod(employee);
  PrepareToSaveEmployee(employee);

  SqlTransaction transaction =
    connection.BeginTransaction("Save Employee");
  try
  {
    ExecuteCommand(insertEmployeeCommand, transaction);
    ExecuteCommand(insertPaymentMethodCommand, transaction);
    transaction.Commit();
  }
  catch(Exception e)
  {
    transaction.Rollback();
    throw e;
  }
}

private void ExecuteCommand(SqlCommand command,
  SqlTransaction transaction)
{
  if(command != null)
  {
    command.Connection = connection;
    command.Transaction = transaction;
    command.ExecuteNonQuery();
  }
}

private void PrepareToSaveEmployee(Employee employee)
{
  string sql = "insert into Employee values (" +
    "@EmpId, @Name, @Address, @ScheduleType, " +
    "@PaymentMethodType, @PaymentClassificationType)";
  insertEmployeeCommand = new SqlCommand(sql);

  insertEmployeeCommand.Parameters.Add(
    "@EmpId", employee.EmpId);
  insertEmployeeCommand.Parameters.Add(
    "@Name", employee.Name);
```

```
      insertEmployeeCommand.Parameters.Add(
        "@Address", employee.Address);
      insertEmployeeCommand.Parameters.Add(
        "@ScheduleType",ScheduleCode(employee.Schedule));
      insertEmployeeCommand.Parameters.Add(
        "@PaymentMethodType", methodCode);
      insertEmployeeCommand.Parameters.Add(
        "@PaymentClassificationType",
        employee.Classification.GetType().ToString());
    }

    private void PrepareToSavePaymentMethod(Employee employee)
    {
      PaymentMethod method = employee.Method;
      if(method is HoldMethod)
        methodCode = "hold";
      else if(method is DirectDepositMethod)
      {
        methodCode = "directdeposit";
        DirectDepositMethod ddMethod =
          method as DirectDepositMethod;
        insertPaymentMethodCommand =
          CreateInsertDirectDepositCommand(ddMethod, employee);
      }
      else if(method is MailMethod)
      {
        methodCode = "mail";
        MailMethod mailMethod = method as MailMethod;
        insertPaymentMethodCommand =
          CreateInsertMailMethodCommand(mailMethod, employee);
      }
      else
        methodCode = "unknown";
    }

    private SqlCommand CreateInsertDirectDepositCommand(
      DirectDepositMethod ddMethod, Employee employee)
    {
      string sql = "insert into DirectDepositAccount " +
        "values (@Bank, @Account, @EmpId)";
      SqlCommand command = new SqlCommand(sql);
      command.Parameters.Add("@Bank", ddMethod.Bank);
      command.Parameters.Add("@Account", ddMethod.AccountNumber);
      command.Parameters.Add("@EmpId", employee.EmpId);
      return command;
    }

    private SqlCommand CreateInsertMailMethodCommand(
      MailMethod mailMethod, Employee employee)
    {
```

```
    string sql = "insert into PaycheckAddress " +
      "values (@Address, @EmpId)";
    SqlCommand command = new SqlCommand(sql);
    command.Parameters.Add("@Address", mailMethod.Address);
    command.Parameters.Add("@EmpId", employee.EmpId);
    return command;
}
```

Neste ponto, `PaymentClassification` continua sem ser salva. A implementação dessa parte do código não envolve novos truques e é deixada para o leitor.

Quando seu humilde narrador concluiu essa última tarefa, uma falha no código se tornou aparente. `SqlPayrollDatabase` provavelmente será instanciado muito cedo no ciclo de vida do aplicativo e utilizado extensivamente. Com isso em mente, dê uma olhada na variável membro `insertPaymentMethodCommand`. Essa variável recebe um valor ao se salvar um funcionário com o método de depósito direto ou pagamento pelo correio, mas não ao se salvar um funcionário com o método de pagamento mantido com o pagador. Contudo, a variável nunca é limpa. O que aconteceria se salvássemos um funcionário com um método de pagamento pelo correio e depois outro com um método de pagamento mantido com o pagador? A Listagem 37-23 coloca o cenário em um caso de teste.

Listagem 37-23
`SqlPayrollDatabaseTest.cs (parcial)`

```
[Test]
public void SaveMailMethodThenHoldMethod()
{
  employee.Method = new MailMethod("123 Baker St.");
  database.AddEmployee(employee);

  Employee employee2 = new Employee(321, "Ed", "456 Elm St.");
  employee2.Method = new HoldMethod();
  database.AddEmployee(employee2);

  DataTable table = LoadTable("PaycheckAddress");
  Assert.AreEqual(1, table.Rows.Count);
}
```

O teste falha, pois os dois registros foram adicionados à tabela `PaycheckAddress`. `insertPaymentMethodCommand` é carregada com um comando para adicionar `MailMethod` para o primeiro funcionário. Quando o segundo funcionário foi salvo, o comando residual foi deixado para trás, porque o `HoldMethod` não exige nenhum comando extra e foi executado uma segunda vez.

Existem várias maneiras de corrigir isso, mas outro detalhe me incomoda. Originalmente, começamos a implementar o método `SqlPayrollDatabase.AddEmployee` e, ao fazermos isso, criamos muitos métodos auxiliares privados. Isso desorganizou a pobre classe `SqlPayrollDatabase`. É hora de criarmos uma classe que lide com o salvamento de um funcionário: uma classe `SaveEmployeeOperation`. `AddEmployee()` criará uma nova instância de `SaveEmployeeOperation` sempre que for chamado. Desse modo, não precisaremos sobrescrever os comandos e `SqlPayrollDatabase` se tornará muito mais limpa. Não vamos alterar qualquer funcionalidade com essa mudança. Trata-se simplesmente de uma refatoração, de modo que não há necessidade de novos testes.

Primeiro, crio a classe `SaveEmployeeOperation` e copio sobre o código para salvar o funcionário. Tenho que adicionar um construtor e um novo método, `Execute()`, para iniciar o salvamento. A Listagem 37-24 mostra a classe em desenvolvimento.

Listagem 37-24
`SaveEmployeeOperation.cs (parcial)`

```
public class SaveEmployeeOperation
{
  private readonly Employee employee;
  private readonly SqlConnection connection;

  private string methodCode;
  private string classificationCode;
  private SqlCommand insertPaymentMethodCommand;
  private SqlCommand insertEmployeeCommand;
  private SqlCommand insertClassificationCommand;
  public SaveEmployeeOperation(
    Employee employee, SqlConnection connection)
  {
    this.employee = employee;
    this.connection = connection;
  }
  public void Execute()
  {
    /*
    Todo o código para salvar um Employee
    */
  }
}
```

Então, altero o método `SqlPayrollDatabase.AddEmplyee()` para criar uma nova instância de `SaveEmployeeOperation` e executá-la (mostrado na Listagem 37-25). Todos os testes passam, inclusive `SaveMailMethodThenHoldMethod`. Uma vez que todo o código copiado seja excluído, `SqlPayrollDatabase` se tornará muito mais limpa.

Listagem 37-25
SqlPayrollDatabase.AddEmployee()

```
public void AddEmployee(Employee employee)
{
  SaveEmployeeOperation operation =
    new SaveEmployeeOperation(employee, connection);
  operation.Execute();
}
```

Carregando um funcionário

Agora é hora de ver se podemos carregar objetos `Employee` do banco de dados. A Listagem 37-26 mostra o primeiro teste. Como você pode ver, não tirei as rebarbas ao escrevê-lo. Primeiro ele salva um objeto funcionário, usando o método `SqlPayrollDatabase.AddEmployee()`, o qual já escrevemos e testamos. Em seguida, o teste tenta carregar o funcionário, usando `SqlPayrollDatabase.GetEmployee()`. Cada aspecto do objeto `Employee` carregado é verificado, inclusive a agenda, o método e a classificação do pagamento. Obviamente, o teste falha inicialmente e é necessário muito trabalho antes que ele passe.

Listagem 37-26
SqlPayrollDatabaseTest.cs (parcial)

```
public void LoadEmployee()
{
  employee.Schedule = new BiWeeklySchedule();
  employee.Method =
    new DirectDepositMethod("1st Bank", "0123456");
  employee.Classification =
    new SalariedClassification(5432.10);
  database.AddEmployee(employee);

  Employee loadedEmployee = database.GetEmployee(123);
  Assert.AreEqual(123, loadedEmployee.EmpId);
  Assert.AreEqual(employee.Name, loadedEmployee.Name);
  Assert.AreEqual(employee.Address, loadedEmployee.Address);
```

```
        PaymentSchedule schedule = loadedEmployee.Schedule;
        Assert.IsTrue(schedule is BiWeeklySchedule);

        PaymentMethod method = loadedEmployee.Method;
        Assert.IsTrue(method is DirectDepositMethod);
        DirectDepositMethod ddMethod = method as DirectDepositMethod;
        Assert.AreEqual("1st Bank", ddMethod.Bank);
        Assert.AreEqual("0123456", ddMethod.AccountNumber);

        PaymentClassification classification =
          loadedEmployee.Classification;
        Assert.IsTrue(classification is SalariedClassification);
        SalariedClassification salariedClassification =
          classification as SalariedClassification;
        Assert.AreEqual(5432.10, salariedClassification.Salary);
    }
```

A última refatoração que fizemos quando implementamos o método `AddEmployee()` foi extrair uma classe, `SaveEmployeeOperation`, que continha todo o código para cumprir sua única finalidade: salvar um funcionário. Usaremos esse mesmo padrão, sem hesitar, ao implementarmos o código para carregar um funcionário. Evidentemente, também faremos isso testando primeiro. Contudo, haverá uma diferença fundamental. Ao testarmos a capacidade de carregar um funcionário, não mexeremos no banco de dados, com exceção do teste anterior. Testaremos completamente a capacidade de carregar um funcionário, mas faremos tudo isso sem conectar ao banco de dados.

A Listagem 37-27 é o início do caso `LoadEmployeeOperationTest`. O primeiro teste, `LoadEmployeeDataCommand`, cria um novo objeto `LoadEmployeeOperation`, usando uma ID de funcionário e `null` para a conexão do banco de dados. Então o teste obtém o `SqlCommand` para carregar os dados da tabela `Employee` e testa sua estrutura. Poderíamos executar esse comando no banco de dados, mas de que adiantaria? Primeiramente, isso complicaria o teste, pois teríamos de carregar os dados antes de executar a consulta. Segundo, já estamos testando a capacidade de conectar ao banco de dados em `SqlPayrollDatabaseTest.LoadEmployee()`. Não há necessidade de testar isso repetidamente. A Listagem 37-28 mostra o início de `LoadEmployeeOperation`, junto com o código que satisfaz o primeiro teste.

Listagem 37-27
LoadEmployeeOperationTest.cs

```
using System.Data;
using System.Data.SqlClient;
using NUnit.Framework;
using Payroll;
```

```csharp
namespace PayrollDB
{
  [TestFixture]
  public class LoadEmployeeOperationTest
  {
    private LoadEmployeeOperation operation;
    private Employee employee;

    [SetUp]
    public void SetUp()
    {
      employee = new Employee(123, "Jean", "10 Rue de Roi");
      operation = new LoadEmployeeOperation(123, null);

      operation.Employee = employee;
    }

    [Test]
    public void LoadingEmployeeDataCommand()
    {
      operation = new LoadEmployeeOperation(123, null);
      SqlCommand command = operation.LoadEmployeeCommand;
      Assert.AreEqual("select * from Employee " +
        "where EmpId=@EmpId", command.CommandText);
      Assert.AreEqual(123, command.Parameters["@EmpId"].Value);
    }
  }
}
```

Listagem 37-28
LoadEmployeeOperation.cs

```csharp
using System.Data.SqlClient;
using Payroll;

namespace PayrollDB
{
  public class LoadEmployeeOperation
  {
    private readonly int empId;
    private readonly SqlConnection connection;
    private Employee employee;

    public LoadEmployeeOperation(
      int empId, SqlConnection connection)
```

```
      {
        this.empId = empId;
        this.connection = connection;
      }

      public SqlCommand LoadEmployeeCommand
      {
        get
        {
          string sql = "select * from Employee " +
            "where EmpId=@EmpId";
          SqlCommand command = new SqlCommand(sql, connection);
          command.Parameters.Add("@EmpId", empId);
          return command;
        }
      }
    }
```

Os testes passam nesse ponto; portanto, começamos bem. Mas apenas o comando não nos leva muito longe; precisaremos criar um objeto Employee a partir dos dados recuperados do banco de dados. Uma maneira de carregar dados do banco de dados é despejá-los em um objeto DataSet, como fizemos em testes anteriores. Essa técnica é muito conveniente, pois nossos testes podem criar um objeto DataSet exatamente igual ao que seria criado se estivéssemos consultando realmente o banco de dados. O teste da Listagem 37-29 mostra como isso é feito e a Listagem 37-30 tem o código de produção correspondente.

Listagem 37-29
`LoadEmployeeOperationTest.LoadEmployeeData()`

```
[Test]
public void LoadEmployeeData()
{
  DataTable table = new DataTable();
  table.Columns.Add("Name");
  table.Columns.Add("Address");
  DataRow row = table.Rows.Add(
    new object[]{"Jean", "10 Rue de Roi"});

  operation.CreateEmployee(row);

  Assert.IsNotNull(operation.Employee);
  Assert.AreEqual("Jean", operation.Employee.Name);
  Assert.AreEqual("10 Rue de Roi",
    operation.Employee.Address);
}
```

Listagem 37-30
LoadEmployeeOperation.cs (parcial)

```csharp
public void CreateEmployee(DataRow row)
{
  string name = row["Name"].ToString();
  string address = row["Address"].ToString();
  employee = new Employee(empId, name, address);
}
```

Com esse teste passando, podemos considerar o carregamento de agendas de pagamento. As listagens 37-31 e 37-32 mostram o teste e o código de produção que carrega a primeira das classes `PaymentSchedule`: `WeeklySchedule`.

Listagem 37-31
LoadEmployeeOperationTest.LoadingSchedules()

```csharp
[Test]
public void LoadingSchedules()
{
  DataTable table = new DataTable();
  table.Columns.Add("ScheduleType");
  DataRow row = table.NewRow();
  row.ItemArray = new object[] {"weekly"};

  operation.AddSchedule(row);
  Assert.IsNotNull(employee.Schedule);
  Assert.IsTrue(employee.Schedule is WeeklySchedule);
}
```

Listagem 37-32
LoadEmployeeOperation.cs (parcial)

```csharp
public void AddSchedule(DataRow row)
{
  string scheduleType = row["ScheduleType"].ToString();
  if(scheduleType.Equals("weekly"))
    employee.Schedule = new WeeklySchedule();
}
```

Com uma pequena refatoração, podemos testar facilmente o carregamento de todos os tipos de `PaymentSchedule`. Como até aqui estivemos criando alguns objetos `DataTable` nos testes, e ainda criaremos muitos mais, será útil colocar essa tarefa árida em um novo método. Consulte as listagens 37-33 e 37-34 para ver as alterações.

Listagem 37-33
LoadEmployeeOperationTest.LoadingSchedules() (refatorado)

```
[Test]
public void LoadingSchedules()
{
  DataRow row = ShuntRow("ScheduleType", "weekly");
  operation.AddSchedule(row);
  Assert.IsTrue(employee.Schedule is WeeklySchedule);

  row = ShuntRow("ScheduleType", "biweekly");
  operation.AddSchedule(row);
  Assert.IsTrue(employee.Schedule is BiWeeklySchedule);

  row = ShuntRow("ScheduleType", "monthly");
  operation.AddSchedule(row);
  Assert.IsTrue(employee.Schedule is MonthlySchedule);
}
private static DataRow ShuntRow(
  string columns, params object[] values)
{
  DataTable table = new DataTable();
  foreach(string columnName in columns.Split(','))
    table.Columns.Add(columnName);
  return table.Rows.Add(values);
}
```

Listagem 37-34
LoadEmployeeOperation.cs (parcial)

```
public void AddSchedule(DataRow row)
{
  string scheduleType = row["ScheduleType"].ToString();
  if(scheduleType.Equals("weekly"))
    employee.Schedule = new WeeklySchedule();
  else if(scheduleType.Equals("biweekly"))
    employee.Schedule = new BiWeeklySchedule();
  else if(scheduleType.Equals("monthly"))
    employee.Schedule = new MonthlySchedule();
}
```

Em seguida, podemos trabalhar no carregamento dos métodos de pagamento. Consulte as listagens 37-35 e 37-36.

Listagem 37-35
`LoadEmployeeOperationTest.LoadingHoldMethod()`

```
[Test]
public void LoadingHoldMethod()
{
  DataRow row = ShuntRow("PaymentMethodType", "hold");
  operation.AddPaymentMethod(row);
  Assert.IsTrue(employee.Method is HoldMethod);
}
```

Listagem 37-36
`LoadEmployeeOperation.cs (parcial)`

```
public void AddPaymentMethod(DataRow row)
{
  string methodCode = row["PaymentMethodType"].ToString();
  if(methodCode.Equals("hold"))
    employee.Method = new HoldMethod();
}
```

Isso foi fácil. No enntanto, carregar o restante dos métodos de pagamento não é fácil. Considere o carregamento de um objeto `Employee` com `DirectDepositMethod`. Primeiramente, leremos a tabela `Employee`. Na coluna `PaymentMethodType`, o valor "directdeposit" nos informa que precisamos criar um objeto `DirectDepositMethod` para esse funcionário. Para criar um `DirectDepositMethod`, precisaremos dos dados da conta bancária armazenados na tabela `DirectDepositAccount`. Portanto, o método `LoadEmployeeOperation.AddPaymentMethod()` terá de criar um novo comando `sql` para recuperar esses dados. Para testar isso, precisaremos primeiro colocar dados na tabela `DirectDepositAccount`.

Para testar corretamente a capacidade de carregar métodos de pagamento sem mexer no banco de dados, precisaremos criar uma nova classe: `LoadPaymentMethodOperation`. Essa classe será responsável por determinar qual `PaymentMethod` deve ser criado e por carregar os dados para criá-lo. A Listagem 37-37 mostra o novo dispositivo de teste: `LoadPaymentMethodOperationTest` com o teste para carregar objetos `HoldMethod`. A Listagem 37-38 mostra a classe `LoadPaymentMethod` com o primeiro trecho de código e a Listagem 37-39 mostra como `LoadEmployeeOperation` utiliza essa nova classe.

Listagem 37-37
LoadPaymentMethodOperationTest.cs

```csharp
using NUnit.Framework;
using Payroll;

namespace PayrollDB
{
  [TestFixture]
  public class LoadPaymentMethodOperationTest
  {
    private Employee employee;
    private LoadPaymentMethodOperation operation;

    [SetUp]
    public void SetUp()
    {
      employee = new Employee(567, "Bill", "23 Pine Ct");
    }

    [Test]
    public void LoadHoldMethod()
    {
      operation = new LoadPaymentMethodOperation(
          employee, "hold", null);
      operation.Execute();
      PaymentMethod method = this.operation.Method;
      Assert.IsTrue(method is HoldMethod);
    }
  }
}
```

Listagem 37-38
LoadPaymentMethodOperation.cs

```csharp
using System;
using System.Data;
using System.Data.SqlClient;
using Payroll;

namespace PayrollDB
{
  public class LoadPaymentMethodOperation
  {
    private readonly Employee employee;
    private readonly string methodCode;
    private PaymentMethod method;
```

```
    public LoadPaymentMethodOperation(
      Employee employee, string methodCode)
    {
      this.employee = employee;
      this.methodCode = methodCode;
    }
    public void Execute()
    {
      if(methodCode.Equals("hold"))
        method = new HoldMethod();
    }
    public PaymentMethod Method
    {
      get { return method; }
    }
  }
}
```

Listagem 37-39
`LoadEmployeeOperation.cs (parcial)`

```
public void AddPaymentMethod(DataRow row)
{
  string methodCode = row["PaymentMethodType"].ToString();
  LoadPaymentMethodOperation operation =
    new LoadPaymentMethodOperation(employee, methodCode);
  operation.Execute();
  employee.Method = operation.Method;
}
```

Novamente, carregar `HoldMethod` se mostra fácil. Para carregar `DirectDeposit-Method`, precisaremos criar um `SqlCommand` que será usado para recuperar os dados e, então, precisaremos criar uma instância de `DirectDepositMethod` a partir dos dados carregados. As listagens 37-40 e 37-41 mostram os testes e o código de produção para fazer isso. Note que o teste `CreateDirectDepositMethodFromRow` toma emprestado o método `ShuntRow` de `LoadEmployeeOperationTest`. Esse é um método útil, de modo que o deixaremos passar por enquanto. Mas em algum ponto teremos de descobrir um lugar melhor para `ShuntRow` ser compartilhado.

Listagem 37-40
LoadPaymentMethodOperationTest.cs (parcial)

```csharp
[Test]
public void LoadDirectDepositMethodCommand()
{
  operation = new LoadPaymentMethodOperation(
    employee, "directdeposit");
  SqlCommand command = operation.Command;
  Assert.AreEqual("select * from DirectDepositAccount " +
    "where EmpId=@EmpId", command.CommandText);
  Assert.AreEqual(employee.EmpId,
    command.Parameters["@EmpId"].Value);
}

[Test]
public void CreateDirectDepositMethodFromRow()
{
  operation = new LoadPaymentMethodOperation(
    employee, "directdeposit");
  DataRow row = LoadEmployeeOperationTest.ShuntRow(
    "Bank,Account", "1st Bank", "0123456");
  operation.CreatePaymentMethod(row);

  PaymentMethod method = this.operation.Method;
  Assert.IsTrue(method is DirectDepositMethod);
  DirectDepositMethod ddMethod =
    method as DirectDepositMethod;
  Assert.AreEqual("1st Bank", ddMethod.Bank);
  Assert.AreEqual("0123456", ddMethod.AccountNumber);
}
```

Listagem 37-41
LoadPaymentMethodOperation.cs (parcial)

```csharp
public SqlCommand Command
{
  get
  {
    string sql = "select * from DirectDepositAccount" +
      "where EmpId=@EmpId";
    SqlCommand command = new SqlCommand(sql);
    command.Parameters.Add("@EmpId", employee.EmpId);
    return command;
  }
}
```

```
public void CreatePaymentMethod(DataRow row)
{
  string bank = row["Bank"].ToString();
  string account = row["Account"].ToString();
  method = new DirectDepositMethod(bank, account);
}
```

Isso deixa o carregamento de objetos `MailMethod`. A Listagem 37-42 mostra um teste para criar o código `SQL`. Ao se tentar implementar o código de produção, as coisas ficam interessantes. Na propriedade `Command`, precisamos de uma instrução `if/else` para determinar que nome de tabela será usado na consulta. No método `Execute()`, precisaremos de outra instrução `if/else` para determinar que tipo de `PaymentMethod` vai ser instanciado. Isso parece familiar. Como antes, instruções `if/else` duplicadas são um mau cheiro a ser evitado.

A classe `LoadPaymentMethodOperation` precisa ser reestruturada de modo que seja necessária apenas uma instrução `if/else`. Com um pouco de criatividade e o uso de delegates, o problema é resolvido. A Listagem 37-43 mostra a classe `LoadPayment-MethodOperation` reestruturada.

Listagem 37-42
`LoadPaymentMethodOperationTest.LoadMailMethodCommand()`

```
[Test]
public void LoadMailMethodCommand()
{
  operation = new LoadPaymentMethodOperation(employee, "mail");
    SqlCommand command = operation.Command;
  Assert.AreEqual("select * from PaycheckAddress " +
    "where EmpId=@EmpId", command.CommandText);
  Assert.AreEqual(employee.EmpId,
    command.Parameters["@EmpId"].Value);
}
```

Listagem 37-43
`LoadPaymentMethodOperation.cs (refatorado)`

```
public class LoadPaymentMethodOperation
{
  private readonly Employee employee;
  private readonly string methodCode;
  private PaymentMethod method;
  private delegate void PaymentMethodCreator(DataRow row);
  private PaymentMethodCreator paymentMethodCreator;
```

648 EMPACOTANDO O SISTEMA DE FOLHA DE PAGAMENTOS

```csharp
    private string tableName;
  public LoadPaymentMethodOperation(
    Employee employee, string methodCode)
  {
    this.employee = employee;
    this.methodCode = methodCode;
  }
  public void Execute()
  {
    Prepare();
    DataRow row = LoadData();
    CreatePaymentMethod(row);
  }
  public void CreatePaymentMethod(DataRow row)
  {
    paymentMethodCreator(row);
  }
  public void Prepare()
  {
    if(methodCode.Equals("hold"))
      paymentMethodCreator =
    new PaymentMethodCreator(CreateHoldMethod);
    else if(methodCode.Equals("directdeposit"))
    {
      tableName = "DirectDepositAccount";
      paymentMethodCreator = new PaymentMethodCreator(Create
        DirectDepositMethod);
    }
    else if(methodCode.Equals("mail"))
    {
      tableName = "PaycheckAddress";
    }
  }

  private DataRow LoadData()
  {
    if(tableName != null)
      return LoadEmployeeOperation.LoadDataFromCommand(Command);
    else
      return null;
  }
  public PaymentMethod Method
  {
    get { return method; }
  }
  public SqlCommand Command
  {
    get
```

```
    {
      string sql = String.Format(
        "select * from {0} where EmpId=@EmpId", tableName);
      SqlCommand command = new SqlCommand(sql);
      command.Parameters.Add("@EmpId", employee.EmpId);
      return command;
    }
  }

  public void CreateDirectDepositMethod(DataRow row)
  {
    string bank = row["Bank"].ToString();
    string account = row["Account"].ToString();
    method = new DirectDepositMethod(bank, account);
  }

  private void CreateHoldMethod(DataRow row)
  {
    method = new HoldMethod();
  }
}
```

Essa refatoração foi um pouco mais complicada do que a maioria. Ela exigiu uma mudança nos testes. Os testes precisam chamar `Prepare()` antes de receber o comando para carregar o `PaymentMethod`. A Listagem 37-44 mostra essa alteração e o teste final para criar `MailMethod`. A Listagem 37-45 contém o trecho final do código na classe `LoadPaymentMethodOperation`.

Listagem 37-44
LoadPaymentMethodOperationTest.cs (parcial)

```
[Test]
public void LoadMailMethodCommand()
{
  operation = new LoadPaymentMethodOperation(employee, "mail");
  operation.Prepare();
  SqlCommand command = operation.Command;
  Assert.AreEqual("select * from PaycheckAddress " +
    "where EmpId=@EmpId", command.CommandText);
  Assert.AreEqual(employee.EmpId,
    command.Parameters["@EmpId"].Value);
}

[Test]
public void CreateMailMethodFromRow()
{
```

```
    operation = new LoadPaymentMethodOperation(employee, "mail");
    operation.Prepare();
    DataRow row = LoadEmployeeOperationTest.ShuntRow(
      "Address", "23 Pine Ct");
    operation.CreatePaymentMethod(row);

    PaymentMethod method = this.operation.Method;
    Assert.IsTrue(method is MailMethod);
    MailMethod mailMethod = method as MailMethod;
    Assert.AreEqual("23 Pine Ct", mailMethod.Address);
}
```

Listagem 37-45
LoadPaymentMethodOperation.cs (parcial)

```
public void Prepare()
{
  if(methodCode.Equals("hold"))
    paymentMethodCreator =
      new PaymentMethodCreator(CreateHoldMethod);
  else if(methodCode.Equals("directdeposit"))
  {
    tableName = "DirectDepositAccount";
    paymentMethodCreator =
      new PaymentMethodCreator(CreateDirectDepositMethod);
  }
  else if(methodCode.Equals("mail"))
  {
    tableName = "PaycheckAddress";
    paymentMethodCreator =
      new PaymentMethodCreator(CreateMailMethod);
  }
}

private void CreateMailMethod(DataRow row)
{
  string address = row["Address"].ToString();
  method = new MailMethod(address);
}
```

Com todos os objetos `PaymentMethod` carregados, ficamos com os objetos `PaymentClassification` por fazer. Para carregar as classificações, criaremos uma nova classe, `LoadPaymentClassificationOperation`, e o dispositivo de teste correspondente. Isso é muito parecido com o que fizemos até aqui e será deixado para você concluir.

Depois disso concluído, podemos voltar ao teste de `SqlPayrollDatabaseTest.LoadEmployee`. Humm. Ele ainda falha. Parece que nos esquecemos de alguma conexão. A Listagem 37-46 mostra as alterações que precisam ser feitas para que o teste passe.

Listagem 37-46
LoadEmployeeOperation.cs (parcial)

```csharp
public void Execute()
{
  string sql = "select * from Employee where EmpId = @EmpId";
  SqlCommand command = new SqlCommand(sql, connection);
  command.Parameters.Add("@EmpId", empId);

  DataRow row = LoadDataFromCommand(command);

  CreateEmployee(row);
  AddSchedule(row);
  AddPaymentMethod(row);
  AddClassification(row);
}
public void AddSchedule(DataRow row)
{
  string scheduleType = row["ScheduleType"].ToString();
  if(scheduleType.Equals("weekly"))
    employee.Schedule = new WeeklySchedule();
  else if(scheduleType.Equals("biweekly"))
    employee.Schedule = new BiWeeklySchedule();
  else if(scheduleType.Equals("monthly"))
    employee.Schedule = new MonthlySchedule();
}
private void AddPaymentMethod(DataRow row)
{
  string methodCode = row["PaymentMethodType"].ToString();
  LoadPaymentMethodOperation operation =
    new LoadPaymentMethodOperation(employee, methodCode);
  operation.Execute();
  employee.Method = operation.Method;
}
private void AddClassification(DataRow row)
{
  string classificationCode =
      row["PaymentClassificationType"].ToString();
  LoadPaymentClassificationOperation operation =
    new LoadPaymentClassificationOperation(employee,
      classificationCode);
  operation.Execute();
  employee.Classification = operation.Classification;
}
```

Você pode notar que há muita duplicação nas classes LoadOperation. Além disso, a tendência a se referir a esse grupo de classes como LoadOperations sugere que elas devem derivar de uma classe base comum. Tal classe base forneceria um lugar para todo o código duplicado, compartilhado entre suas pretensas derivadas. Essa refatoração você pode fazer.

O que falta?

A classe SqlPayrollDatabase pode salvar novos objetos Employee e carregar objetos Employee. Mas não está completa. O que aconteceria se salvássemos um objeto Employee que já estivesse salvo no banco de dados? Ainda precisamos tratar essa questão. Além disso, nada fizemos a respeito de cartões de ponto, recibos de venda ou afiliações em sindicato. Com base no trabalho que concluímos até aqui, adicionar essa funcionalidade deve ser muito simples; novamente, essa tarefa fica para você.

Capítulo 38

A INTERFACE DO USUÁRIO DO SISTEMA DE FOLHA DE PAGAMENTOS: MODEL VIEW PRESENTER

No que diz respeito ao cliente, a interface é o produto.

— Jef Raskin

Nosso aplicativo de folha de pagamentos está sendo montado perfeitamente até agora. Ele suporta a adição de funcionários que recebem por hora, assalariados e comissionados. Os pagamentos de cada funcionário podem ser feitos pelo correio, por depósito direto ou deixados no escritório. O sistema pode calcular o pagamento de cada funcionário e fazê-lo de acordo com diversos cronogramas. Além disso, todos os dados criados e utilizados pelo sistema persistem em um banco de dados relacional.

Em seu estado atual, o sistema suporta todas as necessidades de nosso cliente. De fato, ele foi colocado em produção na semana passada. Foi instalado em um computador no departamento de recursos humanos e Joe foi treinado para utilizá-lo. Joe recebe pedidos de toda a empresa para adicionar novos funcionários ou alterar dados de funcionários já existentes. Ele insere cada pedido adicionando o texto de transação adequado em um arquivo de texto que é processado todas as noites. Joe tem estado muito irritado ultimamente, mas ficou muito contente quando ouviu dizer que íamos construir uma interface de usuário para o sistema de folha de pagamentos. Essa interface deverá facilitar o uso do sistema. Joe está contente com isso porque todos poderão inserir suas próprias transações, em vez de enviá-las para ele digitar no arquivo de transação.

Decidir o tipo de interface a ser construída exigiu uma longa discussão com o cliente. Uma das opções propostas foi uma interface baseada em texto por meio da qual os usuários percorreriam menus, usando toques de tecla e inserindo os dados pelo teclado. Embora as interfaces textuais sejam fáceis de construir, elas podem ser menos fáceis de usar. Além disso, atualmente a maioria dos usuários as considera "deselegantes".

Uma interface Web também foi considerada. Os aplicativos Web são excelentes, pois normalmente não exigem uma instalação nas máquinas do usuário e podem ser utilizados em qualquer computador conectado na intranet do escritório. Mas construir interfaces Web é complicado, pois elas parecem vincular o aplicativo a uma infraestrutura grande e complexa de servidores Web, servidores de aplicativo e arquiteturas em camadas.[1] Essa infraestrutura precisa ser adquirida, instalada, configurada e administrada. Os sistemas Web também nos vinculam a tecnologias como HTML, CSS e JavaScript, e nos obrigam a usar um modelo de usuário um tanto artificial, similar aos aplicativos de tela verde do 3270 dos anos 1970.

Nossos usuários (e nossa empresa) queriam algo simples de usar, construir, instalar e administrar. Assim, acabamos optando por um aplicativo desktop com interface gráfica com o usuário. Os aplicativos desktop com interface gráfica oferecem um conjunto mais poderoso de funcionalidade de interface com o usuário e podem ser menos complicados de construir do que uma interface Web. Nossa implementação inicial não seria implantada por meio de uma rede; portanto, não precisamos da infraestrutura complexa que os sistemas Web parecem exigir.

Evidentemente, os aplicativos desktop com interface gráfica com o usuário têm algumas desvantagens. Eles não são portáveis e não são facilmente distribuídos. Contudo, como todos os usuários do sistema de folha de pagamentos trabalham no mesmo escritório e utilizam computadores da empresa, houve um consenso de que essas desvantagens não nos custariam tanto quanto a arquitetura Web. Assim, decidimos usar Windows Forms para construir nossa interface do usuário.

Como as interfaces do usuário podem ser complicadas, limitaremos nossa primeira versão à adição de funcionários. Essa primeira pequena versão nos dará informações valiosas. Primeiro, descobriremos o quanto é complicado construir a interface do usuário. Depois, Joe usará a nova interface do usuário e nos informará o quanto facilitou sua vida – esperamos. De posse dessas informações, saberemos melhor como começaremos a construir o restante da interface do usuário. Também é possível que o retorno dessa primeira pequena versão indique que uma interface baseada em texto ou na Web seria melhor. Se isso acontecer, será melhor sabermos antes de investirmos esforço no aplicativo inteiro.

A forma da interface do usuário é menos importante do que a arquitetura interna. Seja em desktop ou da Web, as interfaces do usuário normalmente são voláteis e tendem a mudar mais frequentemente do que as regras de negócio que estão debaixo delas. Assim, caberá a nós separar cuidadosamente a lógica de negócio da interface do usuário. Com esse fim, escreveremos o mínimo de código possível no Windows Forms. Em vez disso, colocaremos o código em classes C# puras que trabalharão junto com o Windows Forms. Essa estratégia de separação protege as regras de negócio da volatilidade da interface do usuário. As alterações no código da interface do usuário não afetarão as regras de negócio. Além disso, se um dia decidirmos trocar para uma interface Web, o código das regras de negócio já estará separado.

---

[1] Ou assim parece para o arquiteto de software incauto. Em muitos casos infelizes, essa infraestrutura extra gera muito mais benefícios para os vendedores do que para os usuários.

A interface

A Figura 38-1 mostra a ideia geral da interface do usuário que construiremos. O menu chamado Action contém uma lista de todas as ações suportadas. Selecionar uma ação abre um formulário para gerar a ação selecionada. Por exemplo, a Figura 38-2 mostra o formulário que aparece quando Add Employee é selecionado. Por enquanto, Add Employee é a única ação em que estamos interessados.

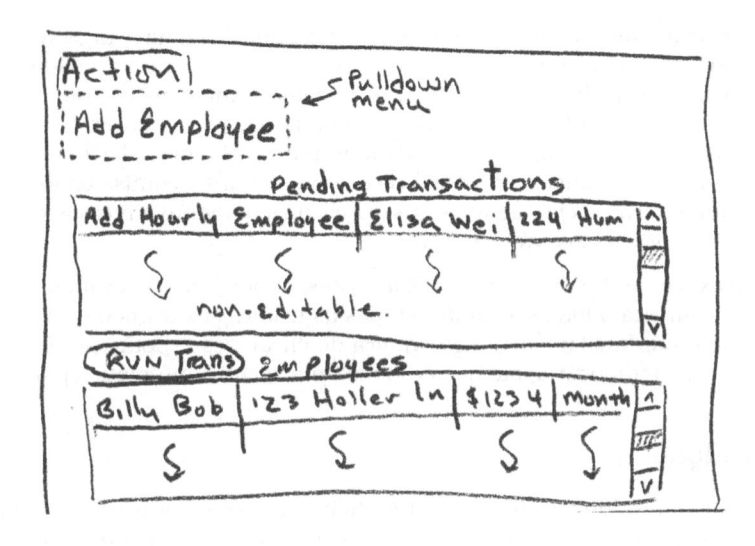

Figura 38-1
Interface do usuário inicial do sistema de folha de pagamentos.

Figura 38-2
Formulário da transação Add Employee.

Próximo à parte superior da janela Payroll existe uma caixa de texto intitulada Pending Transactions. Payroll é um sistema em lote (batch). As transações são inseridas durante o dia, mas só são executadas à noite, quando todas são executadas em conjunto como um lote. Essa caixa de texto superior é uma lista de todas as transações pendentes que foram reunidas, mas ainda não executadas. Na Figura 38-1 podemos ver que há uma transação pendente para adicionar um funcionário que ganha por hora. O formato dessa lista é legível, mas provavelmente desejaremos torná-lo mais bonito adiante. Por enquanto, isso deve bastar.

A caixa de texto inferior é intitulada Employees e contém uma lista de funcionários já existentes no sistema. Executar transações AddEmployeeTransaction adicionará mais funcionários a essa lista. Novamente, podemos imaginar uma maneira muito melhor para exibir os funcionários. Um formato tabular seria ótimo. Poderia haver uma coluna para cada dado, junto com uma coluna para a data do último cheque-salário, o valor pago na data etc. Os registros de funcionários que recebem por hora e comissionados incluiriam um link para uma nova janela que listaria seus cartões de ponto e recibos de venda, respectivamente. Contudo, isso terá de esperar.

No meio existe um botão intitulado Run Transactions, que faz exatamente o que sugere. Clicar nele ativará o lote, executando todas as transações pendentes e atualizando a lista de funcionários. Infelizmente, alguém terá de clicar nesse botão para iniciar o lote. Esta é uma solução temporária, até que criemos uma agenda automática para isso.

Implementação

Não podemos ir muito longe com a janela de folha de pagamentos sem sermos capazes de adicionar transações; portanto, começaremos com o formulário para adicionar uma transação de funcionário, mostrado na Figura 38-2. Vamos pensar a respeito das regras de negócio que precisam ser obtidas por essa janela. Precisamos reunir todas as informações para criar uma transação. Isso pode ser conseguido quando o usuário preenche o formulário. Com base nas informações, precisamos descobrir que tipo de transação AddEmployeeTransaction deve ser criada e então colocar essa transação na lista para ser processada posteriormente. Tudo isso será disparado por um clique no botão Submit.

Isso abrange as regras de negócio, mas precisamos de outros comportamentos para tornar a interface do usuário mais útil. O botão Submit, por exemplo, deve permanecer desativado até que todas as informações necessárias sejam fornecidas. Além disso, a caixa de texto para salário por hora deve ficar desativada, a não ser que o botão de seleção Hourly esteja ativo. Do mesmo modo, as caixas de texto Salary, Base Salary e Commission devem permanecer desativadas até que o botão de seleção apropriado seja clicado.

Devemos ter o cuidado de separar o comportamento de negócio do comportamento da interface do usuário. Para tanto, usaremos o padrão de projeto MODEL VIEW PRESENTER. A Figura 38-3 mostra um projeto em UML de como usaremos MODEL VIEW PRESENTER para nossa tarefa. Você pode ver que o projeto tem três componentes: o modelo, a visão e o apresentador. Nesse caso, o modelo representa a classe AddEmployeeTransaction e suas derivadas. A visão é um Windows Form chamado AddEmployeeWindow, mostrado na Figura 38-2. O apresentador, uma classe chamada AddEmployeePresenter, liga a interface do usuário ao modelo. AddEmployeePresenter contém toda a lógica de negócio dessa parte específica do aplicativo, enquanto AddEmployeeWindow não contém nada. Em vez disso, AddEmployeeWindow confina-se no comportamento da interface do usuário, delegando todas as decisões de negócio para o apresentador.

A INTERFACE DO USUÁRIO DO SISTEMA DE FOLHA DE PAGAMENTOS: MODEL VIEW PRESENTER

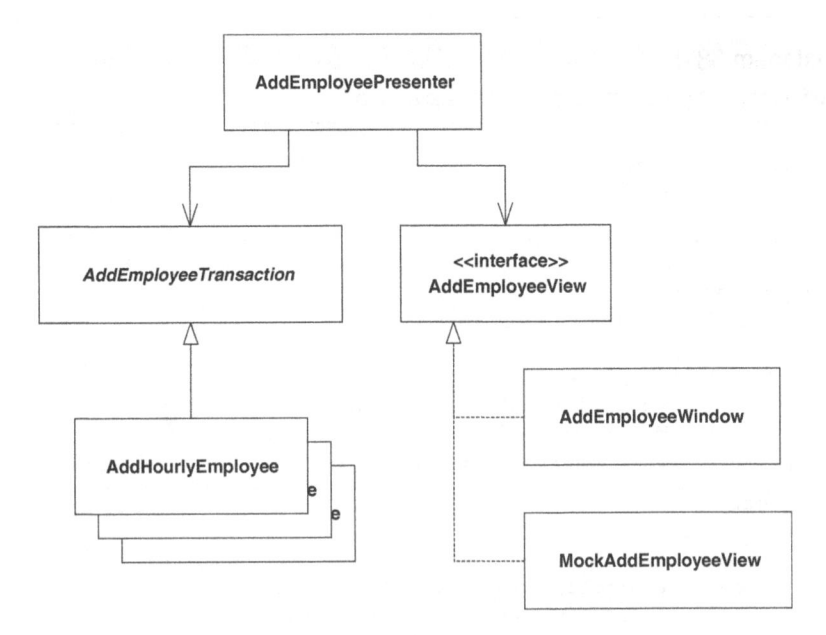

Figura 38-3
Padrão MODEL VIEW PRESENTER para adicionar uma transação de funcionário.

Uma alternativa ao uso de MODEL VIEW PRESENTER é colocar toda a lógica de negócio no Windows Form. Na verdade, essa estratégia é muito comum, mas bastante problemática. Quando as regras de negócio são incorporadas ao código da interface do usuário, não apenas você tem uma violação do SRP, como também as regras de negócio são muito mais difíceis de testar automaticamente. Esses testes envolveriam cliques em botões, leitura de rótulos (labels), seleção de itens em uma caixa de combinação e remexer em outros tipos de controle. Em outras palavras, para testar as regras de negócio, teríamos de realmente *usar* a interface do usuário. Testes que utilizam a interface do usuário são frágeis, pois pequenas mudanças nos controles da interface do usuário têm um grande impacto nos testes. Eles também são complicados, pois incorporar interfaces com o usuário em um *harness** de teste já é um desafio em si. Além disso, mais adiante poderemos decidir que uma interface Web é necessária e a lógica de negócio incorporada no código do formulário Windows teria de ser duplicada no código ASP.NET.

O leitor atento terá notado que `AddEmployeePresenter` não depende diretamente de `AddEmployeeWindow`. A interface `AddEmployeeView` inverte a dependência. Por quê? Mais simplesmente, para facilitar os testes. Dispor interfaces de usuário sob teste é um desafio. Se `AddEmployeePresenter` dependesse diretamente de `AddEmployeeWindow`, `AddEmployeePresenterTest` também teria de depender de `AddEmployeeWindow` e isso seria uma lástima. Usar a interface e `MockAddEmployeeView` simplifica enormemente os testes.

As listagens 38-1 e 38-2 mostram `AddEmployeePresenterTest` e `AddEmployeePresenter`, respectivamente. É aí que a história começa.

---

* N. de R.T.: Os chamados testes de apoio podem incluir "drivers" de teste (substituindo o programa principal), "harness"de teste (substituindo partes de ambiente de desenvolvimento) e "stubs" (substituindo funcionalidades que são ativadas ou usadas pelo software em teste). Fonte: Pezzè, M; Young, M. *Teste e Análise de Software: Processos, Princípios e Técnicas*. Porto Alegre: Bookman Editora, 2008.

Listagem 38-1
AddEmployeePresenterTest.cs

```csharp
using NUnit.Framework;
using Payroll;

namespace PayrollUI
{
  [TestFixture]
  public class AddEmployeePresenterTest
  {
    private AddEmployeePresenter presenter;
    private TransactionContainer container;
    private InMemoryPayrollDatabase database;
    private MockAddEmployeeView view;

    [SetUp]
    public void SetUp()
    {
      view = new MockAddEmployeeView();
      container = new TransactionContainer(null);
      database = new InMemoryPayrollDatabase();
      presenter = new AddEmployeePresenter(
        view, container, database);
    }

    [Test]
    public void Creation()
    {
      Assert.AreSame(container,
        presenter.TransactionContainer);
    }

    [Test]
    public void AllInfoIsCollected()
    {
      Assert.IsFalse(presenter.AllInformationIsCollected());
      presenter.EmpId = 1;
      Assert.IsFalse(presenter.AllInformationIsCollected());
      presenter.Name = "Bill";
      Assert.IsFalse(presenter.AllInformationIsCollected());
      presenter.Address = "123 abc";
      Assert.IsFalse(presenter.AllInformationIsCollected());
      presenter.IsHourly = true;
      Assert.IsFalse(presenter.AllInformationIsCollected());
      presenter.HourlyRate = 1.23;
      Assert.IsTrue(presenter.AllInformationIsCollected());

      presenter.IsHourly = false;
      Assert.IsFalse(presenter.AllInformationIsCollected());
      presenter.IsSalary = true;
      Assert.IsFalse(presenter.AllInformationIsCollected());
      presenter.Salary = 1234;
```

```
    Assert.IsTrue(presenter.AllInformationIsCollected());

    presenter.IsSalary = false;
    Assert.IsFalse(presenter.AllInformationIsCollected());
    presenter.IsCommission = true;
    Assert.IsFalse(presenter.AllInformationIsCollected());
    presenter.CommissionSalary = 123;
    Assert.IsFalse(presenter.AllInformationIsCollected());
    presenter.Commission = 12;
    Assert.IsTrue(presenter.AllInformationIsCollected());
}

[Test]
public void ViewGetsUpdated()
{
    presenter.EmpId = 1;
    CheckSubmitEnabled(false, 1);

    presenter.Name = "Bill";
    CheckSubmitEnabled(false, 2);

    presenter.Address = "123 abc";
    CheckSubmitEnabled(false, 3);

    presenter.IsHourly = true;
    CheckSubmitEnabled(false, 4);

    presenter.HourlyRate = 1.23;
    CheckSubmitEnabled(true, 5);
}

private void CheckSubmitEnabled(bool expected, int count)
{
    Assert.AreEqual(expected, view.submitEnabled);
    Assert.AreEqual(count, view.submitEnabledCount);
    view.submitEnabled = false;
}

[Test]
public void CreatingTransaction()
{
    presenter.EmpId = 123;
    presenter.Name = "Joe";
    presenter.Address = "314 Elm";

    presenter.IsHourly = true;
    presenter.HourlyRate = 10;
    Assert.IsTrue(presenter.CreateTransaction()
        is AddHourlyEmployee);

    presenter.IsHourly = false;
    presenter.IsSalary = true;
    presenter.Salary = 3000;
    Assert.IsTrue(presenter.CreateTransaction()
        is AddSalariedEmployee);
```

```csharp
      presenter.IsSalary = false;
      presenter.IsCommission = true;
      presenter.CommissionSalary = 1000;
      presenter.Commission = 25;
      Assert.IsTrue(presenter.CreateTransaction()
        is AddCommissionedEmployee);
    }

    [Test]
    public void AddEmployee()
    {
      presenter.EmpId = 123;
      presenter.Name = "Joe";
      presenter.Address = "314 Elm";
      presenter.IsHourly = true;
      presenter.HourlyRate = 25;

      presenter.AddEmployee();

      Assert.AreEqual(1, container.Transactions.Count);
      Assert.IsTrue(container.Transactions[0]
        is AddHourlyEmployee);
    }
  }
}
```

Listagem 38-2
AddEmployeePresenter.cs

```csharp
using Payroll;

namespace PayrollUI
{
  public class AddEmployeePresenter
  {
    private TransactionContainer transactionContainer;
    private AddEmployeeView view;
    private PayrollDatabase database;

    private int empId;
    private string name;
    private string address;
    private bool isHourly;
    private double hourlyRate;
    private bool isSalary;
    private double salary;
    private bool isCommission;
    private double commissionSalary;
    private double commission;

    public AddEmployeePresenter(AddEmployeeView view,
```

```csharp
      TransactionContainer container,
      PayrollDatabase database)
    {
      this.view = view;
      this.transactionContainer = container;
      this.database = database;
    }
    public int EmpId
    {
      get { return empId; }
      set
      {
        empId = value;
        UpdateView();
      }
    }
    public string Name
    {
      get { return name; }
      set
      {
        name = value;
        UpdateView();
      }
    }
    public string Address
    {
      get { return address; }
      set
      {
        address = value;
        UpdateView();
      }
    }
    public bool IsHourly
    {
      get { return isHourly; }
      set
      {
        isHourly = value;
        UpdateView();
      }
    }
    public double HourlyRate
    {
      get { return hourlyRate; }
      set
      {
```

```csharp
      hourlyRate = value;
      UpdateView();
    }
  }
  public bool IsSalary
  {
    get { return isSalary; }
    set
    {
      isSalary = value;
      UpdateView();
    }
  }
  public double Salary
  {
    get { return salary; }
    set
    {
      salary = value;
      UpdateView();
    }
  }
  public bool IsCommission
  {
    get { return isCommission; }
    set
    {
      isCommission = value;
      UpdateView();
    }
  }
  public double CommissionSalary
  {
    get { return commissionSalary; }
    set
    {
      commissionSalary = value;
      UpdateView();
    }
  }
  public double Commission
  {
    get { return commission; }
    set
    {
      commission = value;
      UpdateView();
    }
```

```
    }
    private void UpdateView()
    {
      if(AllInformationIsCollected())
        view.SubmitEnabled = true;
      else
        view.SubmitEnabled = false;
    }
    public bool AllInformationIsCollected()
    {
      bool result = true;
      result &= empId > 0;
      result &= name != null && name.Length > 0;
      result &= address != null && address.Length > 0;
      result &= isHourly || isSalary || isCommission;
      if(isHourly)
        result &= hourlyRate > 0;
      else if(isSalary)
        result &= salary > 0;
      else if(isCommission)
      {
        result &= commission > 0;
        result &= commissionSalary > 0;
      }
      return result;
    }
    public TransactionContainer TransactionContainer
    {
      get { return transactionContainer; }
    }
    public virtual void AddEmployee()
    {
      transactionContainer.Add(CreateTransaction());
    }
    public Transaction CreateTransaction()
    {
      if(isHourly)
        return new AddHourlyEmployee(
          empId, name, address, hourlyRate, database);
      else if(isSalary)
        return new AddSalariedEmployee(
          empId, name, address, salary, database);
      else
        return new AddCommissionedEmployee(
          empId, name, address, commissionSalary,
          commission, database);
    }
  }
}
```

Começando com o método `SetUp` do teste, vemos o que está envolvido na instanciação de `AddEmployeePresenter`. Ele recebe três parâmetros. O primeiro é um `AddEmployeeView`, para o qual usamos um `MockAddEmployeeView` no teste. O segundo é um `TransactionContainer`, para que tenha um lugar para colocar a `AddEmployeeTransaction` que criará. O último parâmetro é uma instância de `PayrollDatabase` que não será usada diretamente, mas que é necessária como parâmetro para os construtores de `AddEmployeeTransaction`.

O primeiro teste, `Creation`, é quase bobo. Ao se sentar pela primeira vez para escrever código, pode ser difícil saber o que testar primeiro. Em geral, testar a coisa mais simples que você possa imaginar é uma boa alternativa. Assim, os testes posteriores vêm muito mais naturalmente. O teste `Creation` foi feito dessa maneira. Ele garante que o parâmetro `container` foi salvo, sendo que provavelmente poderia ser excluído nesse ponto.

O teste seguinte, `AllInfoIsCollected`, é muito mais interessante. Uma das responsabilidades de `AddEmployeePresenter` é reunir todas as informações necessárias para criar uma transação. Dados parciais não servirão, de modo que o apresentador precisa saber quando *todos* os dados necessários foram coletados. Esse teste diz que o apresentador precisa de um método chamado `AllInformationIsCollected`, o qual retorna um valor `boolean`. O teste também demonstra como os dados do apresentador são inseridos por meio de propriedades. Aqui, os dados são inseridos um a um. Em cada etapa, é perguntado ao apresentador se ele tem todos os dados que precisa e declara a resposta esperada. Em `AddEmployeePresenter`, podemos ver que cada propriedade simplesmente armazena o valor em um campo. `AllInformationIsCollected` efetua um pouco de álgebra booleana ao verificar se cada campo foi fornecido.

Quando o apresentador tem todas as informações de que precisa, o usuário pode enviar os dados, adicionando a transação. Mas o usuário não deve ser capaz de enviar o formulário até que o apresentador esteja contente com os dados fornecidos. Assim, é responsabilidade do apresentador informar ao usuário quando o formulário pode ser enviado. Isso é testado pelo método `ViewGetsUpdated`. Esse teste fornece dados, um por vez, para o apresentador. A cada vez, o teste verifica se o apresentador informa corretamente à visão se o envio deve ser habilitado.

Examinando o apresentador, podemos ver que cada propriedade faz uma chamada para `UpdateView`, o qual por sua vez chama a propriedade `SaveEnabled` na visão. A Listagem 38-3 mostra a interface `AddEmployeeView` com `SubmitEnabled` declarado. `AddEmployeePresenter` informa que o envio deve ser habilitado, chamando a propriedade `SubmitEnabled`. Não nos preocupamos muito com o que `SubmitEnabled` faz agora. Queremos simplesmente garantir que ele seja chamado com o valor correto. É aí que a interface `AddEmployeeView` entra em ação. Ela nos permite criar uma visão simulada para tornar o teste mais fácil. Em `MockAddEmployeeView`, mostrado na

Listagem 38-4, existem dois campos: submitEnabled, que registra os últimos valores passados, e submitEnabledCount, que controla quantas vezes SubmitEnabled é chamado. Esses campos simples tornam muito fácil escrever o teste. Tudo que o teste tem de fazer é verificar o campo submitEnabled para certificar-se de que o apresentador chamou a propriedade SubmitEnabled com o valor correto e verificar submitEnabledCount para certificar-se de que foi chamado o número correto de vezes. Imagine como o teste seria complicado se tivéssemos que escavar formulários e controles de janela.

Listagem 38-3
AddEmployeeView.cs

```
namespace PayrollUI
{
  public interface AddEmployeeView
  {
    bool SubmitEnabled { set; }
  }
}
```

Listagem 38-4
MockAddEmployeeView.xs

```
namespace PayrollUI
{
  public class MockAddEmployeeView : AddEmployeeView
  {
    public bool submitEnabled;
    public int submitEnabledCount;

    public bool SubmitEnabled
    {
      set
      {
        submitEnabled = value;
        submitEnabledCount++;
      }
    }
  }
}
```

Algo interessante aconteceu nesse teste. Tivemos o cuidado de testar como `AddEmployeePresenter` se comporta quando dados são inseridos na visão, em vez de testarmos o que acontece quando dados são inseridos. Em produção, quando todos os dados forem inseridos, o botão Submit será habilitado. Poderíamos ter testado esse fato; em vez disso, testamos como o apresentador se comporta. Testamos que, quando todos os dados forem inseridos, o apresentador enviará uma mensagem para a visão, dizendo para que habilite o envio.

Esse estilo de teste é chamado desenvolvimento orientado a comportamento. A ideia é que, onde faz asserções sobre estado e resultados, você não deve considerar os testes como testes. Em vez disso, deve considerá-los como *especificações de comportamento*, nas quais você descreve como o código deve se comportar.

O teste seguinte, `CreatingTransaction`, demonstra que `AddEmployeePresenter` cria a transação correta com base nos dados fornecidos. `AddEmployeePresenter` utiliza uma instrução `if/else` com base no tipo de pagamento para descobrir que tipo de transação deve criar.

Com isso, resta mais um teste, `AddEmployee`. Quando todos os dados estão coletados e a transação é criada, o apresentador deve salvá-la em `TransactionContainer` para que possa ser utilizada posteriormente. Esse teste garante que isso aconteça.

Com `AddEmployeePresenter` implementado, temos todas as regras de negócio prontas para criar `AddEmployeeTransactions`. Agora, tudo que precisamos é da interface do usuário.

Construindo uma janela

Projetar o código da interface gráfica da janela Add Employee foi fácil. Com o *designer* do Visual Studio, é simplesmente uma questão de arrastar alguns controles para o lugar certo. Esse código é gerado para nós e não está incluído nas listagens a seguir. Uma vez projetada a janela, temos mais trabalho a fazer. Precisamos implementar algum comportamento na interface do usuário e ligá-lo ao apresentador. Também precisamos de um teste para tudo isso. A Listagem 38-5 mostra `AddEmployeeWindowTest` e a Listagem 38-6 mostra `AddEmployeeWindow`.

Listagem 38-5
`AddEmployeeWindowTest.cs`

```
using NUnit.Framework;

namespace PayrollUI
{
  [TestFixture]
  public class AddEmployeeWindowTest
  {
    private AddEmployeeWindow window;
    private AddEmployeePresenter presenter;
    private TransactionContainer transactionContainer;

    [SetUp]
```

```csharp
    public void SetUp()
    {
      window = new AddEmployeeWindow();
      transactionContainer = new TransactionContainer(null);
      presenter = new AddEmployeePresenter(
        window, transactionContainer, null);

      window.Presenter = presenter;
      window.Show();
    }

    [Test]
    public void StartingState()
    {
      Assert.AreSame(presenter, window.Presenter);
      Assert.IsFalse(window.submitButton.Enabled);
      Assert.IsFalse(window.hourlyRateTextBox.Enabled);
      Assert.IsFalse(window.salaryTextBox.Enabled);
      Assert.IsFalse(window.commissionSalaryTextBox.Enabled);
      Assert.IsFalse(window.commissionTextBox.Enabled);
    }

    [Test]
    public void PresenterValuesAreSet()
    {
      window.empIdTextBox.Text = "123";
      Assert.AreEqual(123, presenter.EmpId);

      window.nameTextBox.Text = "John";
      Assert.AreEqual("John", presenter.Name);

      window.addressTextBox.Text = "321 Somewhere";
      Assert.AreEqual("321 Somewhere", presenter.Address);

      window.hourlyRateTextBox.Text = "123.45";
      Assert.AreEqual(123.45, presenter.HourlyRate, 0.01);

      window.salaryTextBox.Text = "1234";
      Assert.AreEqual(1234, presenter.Salary, 0.01);

      window.commissionSalaryTextBox.Text = "123";
      Assert.AreEqual(123, presenter.CommissionSalary, 0.01);

      window.commissionTextBox.Text = "12.3";
      Assert.AreEqual(12.3, presenter.Commission, 0.01);

      window.hourlyRadioButton.PerformClick();
      Assert.IsTrue(presenter.IsHourly);

      window.salaryRadioButton.PerformClick();
      Assert.IsTrue(presenter.IsSalary);
      Assert.IsFalse(presenter.IsHourly);

      window.commissionRadioButton.PerformClick();
      Assert.IsTrue(presenter.IsCommission);
      Assert.IsFalse(presenter.IsSalary);
    }
```

```
[Test]
public void EnablingHourlyFields()
{
  window.hourlyRadioButton.Checked = true;
  Assert.IsTrue(window.hourlyRateTextBox.Enabled);

  window.hourlyRadioButton.Checked = false;
  Assert.IsFalse(window.hourlyRateTextBox.Enabled);
}

[Test]
public void EnablingSalaryFields()
{
  window.salaryRadioButton.Checked = true;
  Assert.IsTrue(window.salaryTextBox.Enabled);

  window.salaryRadioButton.Checked = false;
  Assert.IsFalse(window.salaryTextBox.Enabled);
}

[Test]
public void EnablingCommissionFields()
{
  window.commissionRadioButton.Checked = true;
  Assert.IsTrue(window.commissionTextBox.Enabled);
  Assert.IsTrue(window.commissionSalaryTextBox.Enabled);

  window.commissionRadioButton.Checked = false;
  Assert.IsFalse(window.commissionTextBox.Enabled);
  Assert.IsFalse(window.commissionSalaryTextBox.Enabled);
}

[Test]
public void EnablingAddEmployeeButton()
{
  Assert.IsFalse(window.submitButton.Enabled);

  window.SubmitEnabled = true;
  Assert.IsTrue(window.submitButton.Enabled);

  window.SubmitEnabled = false;
  Assert.IsFalse(window.submitButton.Enabled);
}

[Test]
public void AddEmployee()
{
  window.empIdTextBox.Text = "123";
  window.nameTextBox.Text = "John";
  window.addressTextBox.Text = "321 Somewhere";
  window.hourlyRadioButton.Checked = true;
```

```
            window.hourlyRateTextBox.Text = "123.45";
            window.submitButton.PerformClick();
            Assert.IsFalse(window.Visible);
            Assert.AreEqual(1,
              transactionContainer.Transactions.Count);
        }
    }
}
```

Listagem 38-6
AddEmployeeWindow.cs

```
using System;
using System.Windows.Forms;

namespace PayrollUI
{
  public class AddEmployeeWindow : Form, AddEmployeeView
  {
    public System.Windows.Forms.TextBox empIdTextBox;
    private System.Windows.Forms.Label empIdLabel;
    private System.Windows.Forms.Label nameLabel;
    public System.Windows.Forms.TextBox nameTextBox;
    private System.Windows.Forms.Label addressLabel;
    public System.Windows.Forms.TextBox addressTextBox;
    public System.Windows.Forms.RadioButton hourlyRadioButton;
    public System.Windows.Forms.RadioButton salaryRadioButton;
    public System.Windows.Forms.RadioButton commissionRadioButton;
    private System.Windows.Forms.Label hourlyRateLabel;
    public System.Windows.Forms.TextBox hourlyRateTextBox;
    private System.Windows.Forms.Label salaryLabel;
    public System.Windows.Forms.TextBox salaryTextBox;
    private System.Windows.Forms.Label commissionSalaryLabel;
    public System.Windows.Forms.TextBox commissionSalaryTextBox;
    private System.Windows.Forms.Label commissionLabel;
    public System.Windows.Forms.TextBox commissionTextBox;
    private System.Windows.Forms.TextBox textBox2;
    private System.Windows.Forms.Label label1;
    private System.ComponentModel.Container components = null;
    public System.Windows.Forms.Button submitButton;
    private AddEmployeePresenter presenter;

    public AddEmployeeWindow()
    {
      InitializeComponent();
    }

    protected override void Dispose(bool disposing)
```

```csharp
    {
      if(disposing)
      {
        if(components != null)
        {
          components.Dispose();
        }
      }
      base.Dispose(disposing);
    }

    #region Windows Form Designer generated code
    // corte
    #endregion

    public AddEmployeePresenter Presenter
    {
      get { return presenter; }
      set { presenter = value; }
    }

    private void hourlyRadioButton_CheckedChanged(
      object sender, System.EventArgs e)
    {
      hourlyRateTextBox.Enabled = hourlyRadioButton.Checked;
      presenter.IsHourly = hourlyRadioButton.Checked;
    }
    private void salaryRadioButton_CheckedChanged(
      object sender, System.EventArgs e)
    {
      salaryTextBox.Enabled = salaryRadioButton.Checked;
      presenter.IsSalary = salaryRadioButton.Checked;
    }
    private void commissionRadioButton_CheckedChanged(
      object sender, System.EventArgs e)
    {
      commissionSalaryTextBox.Enabled =
        commissionRadioButton.Checked;
      commissionTextBox.Enabled =
        commissionRadioButton.Checked;
      presenter.IsCommission =
        commissionRadioButton.Checked;
    }
    private void empIdTextBox_TextChanged(
      object sender, System.EventArgs e)
    {
      presenter.EmpId = AsInt(empIdTextBox.Text);
    }
    private void nameTextBox_TextChanged(
      object sender, System.EventArgs e)
    {
```

```csharp
      presenter.Name = nameTextBox.Text;
    }
    private void addressTextBox_TextChanged(
      object sender, System.EventArgs e)
    {
      presenter.Address = addressTextBox.Text;
    }
    private void hourlyRateTextBox_TextChanged(
      object sender, System.EventArgs e)
    {
      presenter.HourlyRate = AsDouble(hourlyRateTextBox.Text);
    }
    private void salaryTextBox_TextChanged(
      object sender, System.EventArgs e)
    {
      presenter.Salary = AsDouble(salaryTextBox.Text);
    }
    private void commissionSalaryTextBox_TextChanged(
      object sender, System.EventArgs e)
    {
      presenter.CommissionSalary =
        AsDouble(commissionSalaryTextBox.Text);
    }
    private void commissionTextBox_TextChanged(
      object sender, System.EventArgs e)
    {
      presenter.Commission = AsDouble(commissionTextBox.Text);
    }
    private void addEmployeeButton_Click(
      object sender, System.EventArgs e)
    {
      presenter.AddEmployee();
      this.Close();
    }
    private double AsDouble(string text)
    {
      try
      {
        return Double.Parse(text);
      }
      catch (Exception)
      {
        return 0.0;
      }
    }
    private int AsInt(string text)
    {
```

```
            try
            {
              return Int32.Parse(text);
            }
            catch (Exception)
            {
              return 0;
            }
          }
          public bool SubmitEnabled
          {
            set { submitButton.Enabled = value; }
          }
        }
      }
```

A despeito de toda minha queixa sobre como é trabalhoso testar código de interface gráfica do usuário, testar código Windows Forms é relativamente fácil. Contudo, existem algumas armadilhas. Por algum motivo bobo, conhecido apenas pelos programadores da Microsoft, metade da funcionalidade dos controles não funciona a menos que eles sejam *exibidos* na tela. É por isso que você encontrará a chamada window.Show() no método SetUp do teste. Quando os testes são executados, a janela aparece e rapidamente desaparece em cada teste. Isso é irritante, porém tolerável. Tudo que diminui a velocidade dos testes ou os torna de algum modo difícil de manejar aumenta a probabilidade de que eles não sejam executados.

Outra limitação é que você não pode ativar facilmente todos os eventos de um controle. No caso dos botões e de controles do tipo botão, você pode chamar PerformClick, mas eventos como MouseOver, Leave, Validate e outros não são tão fáceis. Uma extensão para NUnit, chamada NUnitForms, pode ajudar nesses problemas e em muitos outros. Nossos testes são simples o suficiente para não precisarem de ajuda extra.

No método SetUp de nosso teste, criamos uma instância de AddEmployeeWindow e fornecemos a ela uma instância de AddEmployeePresenter. Então, no primeiro teste, StartingState, nos certificamos de que vários controles estejam desabilitados: hourlyRateTextBox, salaryTextBox, commissionSalaryTextBox e commissionTextBox. Apenas um ou dois desses campos são necessários, e não saberemos quais até que o usuário escolha o tipo de pagamento. Para não confundir o usuário com todos os campos habilitados, eles permanecerão desabilitados até serem necessários. As regras para habilitar esses controles são especificadas em três testes: EnablingHourlyFields, EnablingSalaryField e EnablingCommissionFields. EnablingHourlyFields, por exemplo, demonstra como hourlyRateTextBox é habilitado quando o botão hourlyRadioButton é ativado e desabilitado quando o botão de seleção é desativado. Isso é conseguido registrando-se um EventHandler em cada RadioButton. Cada EventHandler habilita e desabilita as caixas de texto apropriadas.

O teste `PresenterValuesAreSet` é importante. O apresentador sabe o que fazer com os dados, mas é responsabilidade da visão preenchê-los. Portanto, sempre que um campo na visão é mudado, ele chama a propriedade correspondente no apresentador. Para cada `TextBox` no formulário, usamos a propriedade `Text` para alterar o valor e, então, verificamos se o apresentador foi atualizado corretamente. Em `AddEmployeeWindow`, cada `TextBox` tem um `EventHandler` registrado no evento `TextChanged`. Para os controles `RadioButton`, chamamos o método `PerformClick` no teste e novamente nos certificamos de que o apresentador seja informado. Os manipuladores `EventHandler` de `RadioButton` cuidam disso.

`EnablingAddEmployeeButton` especifica como `submitButton` é habilitado quando a propriedade `SubmitEnabled` é configurada como `true` e o inverso. Lembre-se de que em `AddEmployeePresenterTest` não nos preocupamos com o que essa propriedade fazia. Agora nos preocupamos. A visão deve responder corretamente quando a propriedade `SubmitEnabled` for alterada; contudo, `AddEmployeePresenterTest` não foi o lugar certo para testá-la. `AddEmployeeWindowTest` se concentra no comportamento de `AddEmployeeWindow` e esse é o lugar certo para testar essa unidade de código.

O teste final aqui é `AddEmployee`, que preenche um conjunto válido de campos, clica no botão Submit, declara que a janela não está mais visível e garante que uma transação foi adicionada a `transactionContainer`. Para fazer isso passar, registramos um `EventHandler` no botão `submitButton`, que chama `AddEmployee` no apresentador e, então, fecha a janela. Se você pensar a respeito, o teste está trabalhando bastante apenas para garantir que o método `AddEmployee` seja chamado. Ele precisa preencher todos os campos e, então, verificar `transactionContainer`. Alguém poderia argumentar que, em vez disso, deveríamos usar um apresentador simulado, para que possamos verificar facilmente se o método foi chamado. Sinceramente, eu não discutiria se meu colega de dupla levantasse essa questão. Mas a implementação atual não me incomoda muito. É saudável incluir alguns testes de alto nível como esse. Eles ajudam a garantir que as partes possam ser corretamente integradas e que, quando montado, o sistema funcione como deve. Normalmente, teríamos um conjunto de testes de aceitação que fariam isso em um nível ainda mais alto, mas não prejudica fazer um pouco disso nos testes de unidade – apenas um pouco, contudo.

Com esse código funcionando, temos agora um formulário pronto para criar objetos `AddEmployeeTransaction`. Mas eles não serão usados até que tenhamos a janela principal de Payroll funcionando e preparada para carregar nossa `AddEmployeeWindow`.

A janela Payroll

Na construção da visão de Payroll, mostrada na Figura 38-4, usaremos o mesmo padrão MODEL VIEW PRESENTER utilizado na visão Add Employee.

As listagens 38-7 e 38-8 mostram todo o código dessa parte do projeto. De modo geral, o desenvolvimento dessa visão é muito parecido com o de Add Employee. Portanto, não dedicaremos atenção a isso, mas sim à hierarquia `ViewLoader`.

Mais cedo ou mais tarde no desenvolvimento dessa janela, implementaremos um `EventHandler` para o item de menu (`MenuItem`) Add Employee. Esse `EventHandler` chamará o método `AddEmployeeActionInvoked` de `PayrollPresenter`. Nesse ponto, `AddEmployeeWindow` precisa aparecer. `PayrollPresenter` deve instanciar `AddEmployeeWindow`? Até aqui, tivemos êxito em desacoplar a interface do usuário do aplicativo. Se fosse instanciar `AddEmployeeWindow`, `PayrollPresenter` estaria violando o DIP. Apesar disso, alguém precisa criar `AddEmployeeWindow`.

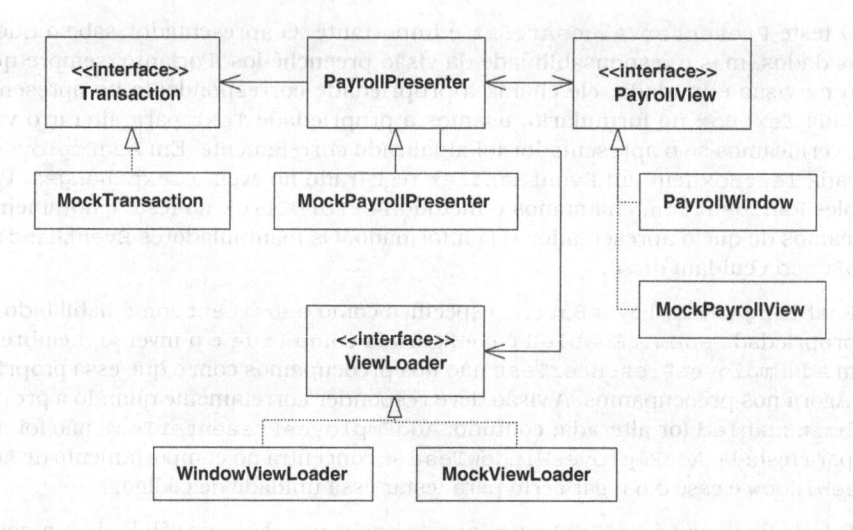

674 EMPACOTANDO O SISTEMA DE FOLHA DE PAGAMENTOS

Figura 38-4
Projeto da visão de Payroll.

O padrão FACTORY salva a situação! Esse é exatamente o problema que o padrão FACTORY foi projetado para resolver. `ViewLoader` e suas derivadas são, na verdade, uma implementação do padrão FACTORY. Ela declara dois métodos: `LoadPayrollView` e `LoadAddEmployeeView`. `WindowsViewLoader` implementa esses métodos para criar Windows Forms e exibi-los. `MockViewLoader`, que pode substituir `WindowsViewLoader` facilmente, torna o teste muito mais fácil.

Com `ViewLoader` funcionando, `PayrollPresenter` não precisa depender de qualquer classe de formulário Windows. Ele simplesmente faz uma chamada para `LoadAddEmployeeView` em sua referência a `ViewLoader`. Se surgir a necessidade, podemos alterar a interface do usuário de Payroll inteira, trocando a implementação de `ViewLoader`. Nenhum código precisa mudar. Isso é poder! Esse é o OCP!

Listagem 38-7
PayrollPresenterTest.cs

```
using System;
using NUnit.Framework;
using Payroll;

namespace PayrollUI
{
  [TestFixture]
  public class PayrollPresenterTest
  {
    private MockPayrollView view;
    private PayrollPresenter presenter;
```

```
      private PayrollDatabase database;
      private MockViewLoader viewLoader;

      [SetUp]
      public void SetUp()
      {
        view = new MockPayrollView();
        database = new InMemoryPayrollDatabase();
        viewLoader = new MockViewLoader();
        presenter = new PayrollPresenter(database, viewLoader);
        presenter.View = view;
      }

      [Test]
      public void Creation()
      {
        Assert.AreSame(view, presenter.View);
        Assert.AreSame(database, presenter.Database);
        Assert.IsNotNull(presenter.TransactionContainer);
      }

      [Test]
      public void AddAction()
      {
        TransactionContainer container =
          presenter.TransactionContainer;
        Transaction transaction = new MockTransaction();

        container.Add(transaction);

        string expected = transaction.ToString()
          + Environment.NewLine;
        Assert.AreEqual(expected, view.transactionsText);
      }

      [Test]
      public void AddEmployeeAction()
      {
        presenter.AddEmployeeActionInvoked();

        Assert.IsTrue(viewLoader.addEmployeeViewWasLoaded);
      }

      [Test]
      public void RunTransactions()
      {
        MockTransaction transaction = new MockTransaction();
        presenter.TransactionContainer.Add(transaction);
        Employee employee =
          new Employee(123, "John", "123 Baker St.");
        database.AddEmployee(employee);

        presenter.RunTransactions();

        Assert.IsTrue(transaction.wasExecuted);
        Assert.AreEqual("", view.transactionsText);
```

```
      string expectedEmployeeTest = employee.ToString()
        + Environment.NewLine;
      Assert.AreEqual(expectedEmployeeTest, view.employeesText);
    }
  }
}
```

Listagem 38-8
PayrollPresenter.cs

```csharp
using System;
using System.Text;
using Payroll;

namespace PayrollUI
{
  public class PayrollPresenter
  {
    private PayrollView view;
    private readonly PayrollDatabase database;
    private readonly ViewLoader viewLoader;
    private TransactionContainer transactionContainer;

    public PayrollPresenter(PayrollDatabase database,
      ViewLoader viewLoader)
    {
      this.view = view;
      this.database = database;
      this.viewLoader = viewLoader;
      TransactionContainer.AddAction addAction =
        new TransactionContainer.AddAction(TransactionAdded);
      transactionContainer = new TransactionContainer(addAction);
    }

    public PayrollView View
    {
      get { return view; }
      set { view = value; }
    }

    public TransactionContainer TransactionContainer
    {
      get { return transactionContainer; }
    }
```

```csharp
      public void TransactionAdded()
      {
        UpdateTransactionsTextBox();
      }
      private void UpdateTransactionsTextBox()
      {
        StringBuilder builder = new StringBuilder();
        foreach(Transaction transaction in
          transactionContainer.Transactions)
        {
          builder.Append(transaction.ToString());
          builder.Append(Environment.NewLine);
        }
        view.TransactionsText = builder.ToString();
      }
      public PayrollDatabase Database
      {
        get { return database; }
      }
      public virtual void AddEmployeeActionInvoked()
      {
        viewLoader.LoadAddEmployeeView(transactionContainer);
      }
      public virtual void RunTransactions()
      {
        foreach(Transaction transaction in
          transactionContainer.Transactions)
          transaction.Execute();

        transactionContainer.Clear();
        UpdateTransactionsTextBox();
        UpdateEmployeesTextBox();
      }
      private void UpdateEmployeesTextBox()
      {
        StringBuilder builder = new StringBuilder();
        foreach(Employee employee in database.GetAllEmployees())
        {
          builder.Append(employee.ToString());
          builder.Append(Environment.NewLine);
        }
        view.EmployeesText = builder.ToString();
      }
    }
  }
```

Listagem 38-9
PayrollView.cs

```
namespace PayrollUI
{
  public interface PayrollView
  {
    string TransactionsText { set; }
    string EmployeesText { set; }
    PayrollPresenter Presenter { set; }
  }
}
```

Listagem 38-10
MockPayrollView.cs

```
namespace PayrollUI
{
  public class MockPayrollView : PayrollView
  {
    public string transactionsText;
    public string employeesText;
    public PayrollPresenter presenter;

    public string TransactionsText
    {
      set { transactionsText = value; }
    }

    public string EmployeesText
    {
      set { employeesText = value; }
    }

    public PayrollPresenter Presenter
    {
      set { presenter = value; }
    }
  }
}
```

Listagem 38-11
ViewLoader.cs

```csharp
namespace PayrollUI
{
  public interface ViewLoader
  {
    void LoadPayrollView();
    void LoadAddEmployeeView(
      TransactionContainer transactionContainer);
  }
}
```

Listagem 38-12
MockViewLoader.cs

```csharp
namespace PayrollUI
{
  public class MockViewLoader : ViewLoader
  {
    public bool addEmployeeViewWasLoaded;
    private bool payrollViewWasLoaded;

    public void LoadPayrollView()
    {
      payrollViewWasLoaded = true;
    }

    public void LoadAddEmployeeView(
      TransactionContainer transactionContainer)
    {
      addEmployeeViewWasLoaded = true;
    }
  }
}
```

Listagem 38-13
WindowViewLoaderTest.cs

```csharp
using System.Windows.Forms;
using NUnit.Framework;
using Payroll;

namespace PayrollUI
{
  [TestFixture]
  public class WindowViewLoaderTest
  {
    private PayrollDatabase database;
    private WindowViewLoader viewLoader;

    [SetUp]
    public void SetUp()
    {
      database = new InMemoryPayrollDatabase();
      viewLoader = new WindowViewLoader(database);
    }

    [Test]
    public void LoadPayrollView()
    {
      viewLoader.LoadPayrollView();

      Form form = viewLoader.LastLoadedView;
      Assert.IsTrue(form is PayrollWindow);
      Assert.IsTrue(form.Visible);

      PayrollWindow payrollWindow = form as PayrollWindow;
      PayrollPresenter presenter = payrollWindow.Presenter;
      Assert.IsNotNull(presenter);
      Assert.AreSame(form, presenter.View);
    }

    [Test]
    public void LoadAddEmployeeView()
    {
      viewLoader.LoadAddEmployeeView(
        new TransactionContainer(null));

      Form form = viewLoader.LastLoadedView;
      Assert.IsTrue(form is AddEmployeeWindow);
      Assert.IsTrue(form.Visible);

      AddEmployeeWindow addEmployeeWindow =
        form as AddEmployeeWindow;
      Assert.IsNotNull(addEmployeeWindow.Presenter);
    }
  }
}
```

Listagem 38-14
WindowViewLoader.cs

```csharp
using System.Windows.Forms;
using Payroll;

namespace PayrollUI
{
  public class WindowViewLoader : ViewLoader
  {
    private readonly PayrollDatabase database;
    private Form lastLoadedView;

    public WindowViewLoader(PayrollDatabase database)
    {
      this.database = database;
    }

    public void LoadPayrollView()
    {
      PayrollWindow view = new PayrollWindow();
      PayrollPresenter presenter =
        new PayrollPresenter(database, this);

      view.Presenter = presenter;
      presenter.View = view;

      LoadView(view);
    }

    public void LoadAddEmployeeView(
      TransactionContainer transactionContainer)
    {
      AddEmployeeWindow view = new AddEmployeeWindow();
      AddEmployeePresenter presenter =
        new AddEmployeePresenter(view,
        transactionContainer, database);
      view.Presenter = presenter;

      LoadView(view);
    }

    private void LoadView(Form view)
    {
      view.Show();
      lastLoadedView = view;
    }

    public Form LastLoadedView
    {
      get { return lastLoadedView; }
    }
  }
}
```

Listagem 38-15
`PayrollWindowTest.cs`

```csharp
using NUnit.Framework;

namespace PayrollUI
{
  [TestFixture]
  public class PayrollWindowTest
  {
    private PayrollWindow window;
    private MockPayrollPresenter presenter;

    [SetUp]
    public void SetUp()
    {
      window = new PayrollWindow();
      presenter = new MockPayrollPresenter();
      window.Presenter = this.presenter;
      window.Show();
    }

    [TearDown]
    public void TearDown()
    {
      window.Dispose();
    }

    [Test]
    public void TransactionsText()
    {
      window.TransactionsText = "abc 123";
      Assert.AreEqual("abc 123",
        window.transactionsTextBox.Text);
    }

    [Test]
    public void EmployeesText()
    {
      window.EmployeesText = "some employee";
      Assert.AreEqual("some employee",
        window.employeesTextBox.Text);
    }

    [Test]
    public void AddEmployeeAction()
    {
      window.addEmployeeMenuItem.PerformClick();
      Assert.IsTrue(presenter.addEmployeeActionInvoked);
    }

    [Test]
    public void RunTransactions()
    {
```

```
      window.runButton.PerformClick();
      Assert.IsTrue(presenter.runTransactionCalled);
    }
  }
}
```

Listagem 38-16
PayrollWindow.cs

```
namespace PayrollUI
{
  public class PayrollWindow : System.Windows.Forms.Form,
                               PayrollView
  {
    private System.Windows.Forms.MainMenu mainMenu1;
    private System.Windows.Forms.Label label1;
    private System.Windows.Forms.Label employeeLabel;
    public System.Windows.Forms.TextBox employeesTextBox;
    public System.Windows.Forms.TextBox transactionsTextBox;
    public System.Windows.Forms.Button runButton;
    private System.ComponentModel.Container components = null;
    private System.Windows.Forms.MenuItem actionMenuItem;
    public System.Windows.Forms.MenuItem addEmployeeMenuItem;
    private PayrollPresenter presenter;

    public PayrollWindow()
    {
      InitializeComponent();
    }

    protected override void Dispose(bool disposing)
    {
      if(disposing)
      {
        if(components != null)
        {
          components.Dispose();
        }
      }
      base.Dispose(disposing);
    }

    #region Windows Form Designer generated code
    //corte
    #endregion

    private void addEmployeeMenuItem_Click(
      object sender, System.EventArgs e)
```

```csharp
      {
        presenter.AddEmployeeActionInvoked();
      }

      private void runButton_Click(
        object sender, System.EventArgs e)
      {
        presenter.RunTransactions();
      }

      public string TransactionsText
      {
        set { transactionsTextBox.Text = value; }
      }

      public string EmployeesText
      {
        set { employeesTextBox.Text = value; }
      }

      public PayrollPresenter Presenter
      {
        get { return presenter; }
        set { presenter = value; }
      }
    }
  }
```

Listagem 38-17
TransactionContainerTest.cs

```csharp
using System.Collections;
using NUnit.Framework;
using Payroll;

namespace PayrollUI
{
  [TestFixture]
  public class TransactionContainerTest
  {
    private TransactionContainer container;
    private bool addActionCalled;
    private Transaction transaction;

    [SetUp]
    public void SetUp()
```

```csharp
    {
      TransactionContainer.AddAction action =
        new TransactionContainer.AddAction(SillyAddAction);
      container = new TransactionContainer(action);
      transaction = new MockTransaction();
    }

    [Test]
    public void Construction()
    {
      Assert.AreEqual(0, container.Transactions.Count);
    }

    [Test]
    public void AddingTransaction()
    {
      container.Add(transaction);

      IList transactions = container.Transactions;
      Assert.AreEqual(1, transactions.Count);
      Assert.AreSame(transaction, transactions[0]);
    }

    [Test]
    public void AddingTransactionTriggersDelegate()
    {
      container.Add(transaction);

      Assert.IsTrue(addActionCalled);
    }

    private void SillyAddAction()
    {
      addActionCalled = true;
    }
  }
}
```

Listagem 38-18
TransactionContainer.cs

```csharp
using Payroll;

namespace PayrollUI
{
  public class TransactionContainer
  {
    public delegate void AddAction();
    private IList transactions = new ArrayList();
```

```
      private AddAction addAction;
      public TransactionContainer(AddAction action)
      {
        addAction = action;
      }
      public IList Transactions
      {
        get { return transactions; }
      }
      public void Add(Transaction transaction)
      {
        transactions.Add(transaction);
        if(addAction != null)
          addAction();
      }
      public void Clear()
      {
        transactions.Clear();
      }
    }
  }
```

A inauguração

Depois de muito trabalho, finalmente veremos esse aplicativo de folha de pagamentos entrar em ação com sua nova interface gráfica com o usuário. A Listagem 38-19 contém a classe `PayrollMain`, o ponto de entrada do aplicativo. Antes de carregarmos esse aplicativo de folha de pagamentos a visão de Payroll, precisamos de uma instância do banco de dados. Nessa listagem de código está sendo criado um `InMemoryPayroll-Database`. Isso serve para propósitos de demonstração. Em produção, criaríamos um `SqlPayrollDatabase` que seria vinculado ao nosso banco de dados SQL Server. Mas o aplicativo será executado normalmente com `InMemoryPayrollDatabase`, embora todos os dados sejam salvos e carregados na memória.

Em seguida, é criada uma instância de `WindowViewLoader`. `LoadPayrollView` é chamado e o aplicativo inicia. Podemos agora compilá-lo, executá-lo e adicionar ao sistema quantos funcionários quisermos.

Listagem 38-19
`PayrollMain.cs`

```
using System.Windows.Forms;
using Payroll;

namespace PayrollUI
{
  public class PayrollMain
  {
    public static void Main(string[] args)
    {
      PayrollDatabase database =
        new InMemoryPayrollDatabase();
      WindowViewLoader viewLoader =
        new WindowViewLoader(database);

      viewLoader.LoadPayrollView();
      Application.Run(viewLoader.LastLoadedView);
    }
  }
}
```

Conclusão

Joe ficará contente ao ver o que fizemos para ele. Criaremos uma versão de produção para que ele experimente. Com certeza ele fará comentários sobre como a interface do usuário é rudimentar e pouco caprichada, com peculiaridades que diminuem sua velocidade ou que são confusos. As interfaces com o usuário são difíceis de acertar. Portanto, prestaremos bastante atenção às suas opiniões e voltaremos para outra rodada. Em seguida, adicionaremos ações para alterar detalhes dos funcionários. Depois, incluiremos ações para submeter cartões de ponto e recibos de venda. Por fim, trataremos do dia do pagamento. Tudo isso fica por sua conta, é claro.

Bibliografia

http://daveastels.com/index.php?p=5

www.martinfowler.com/eaaDev/ModelViewPresenter.html

http://nunitforms.sourceforge.net/

www.objectmentor.com/resources/articles/TheHumbleDialogBox.pdf

Apêndice A

UMA SÁTIRA DE DUAS EMPRESAS

Tive vontade de pegar um porrete e bater com ele em sua cabeça!

— Rufus T. Firefly

Rufus Inc.: Projeto Kickoff

Seu nome é Bob. A data é 3 de janeiro de 2001 e sua cabeça ainda dói por causa da recente celebração da passagem do milênio. Você está sentado em uma sala de reuniões com vários gerentes e um grupo de colegas. Você é líder de equipe de um projeto. Seu chefe está lá e trouxe todos os seus líderes de equipe. Foi ele quem convocou a reunião.

"Temos um novo projeto para desenvolver", diz o chefe de seu chefe. Vamos chamá-lo de BB. As pontas de seus cabelos quase tocam o teto. As pontas dos cabelos de seu chefe também estão começando a crescer, mas ele espera ansiosamente pelo dia em que poderá deixar manchas de gel no telhado. BB descreve a essência do novo mercado identificado e do produto que querem desenvolver para explorar esse mercado.

Rupert Industries: Projeto Alpha

Seu nome é Robert. A data é 3 de janeiro de 2001. As horas tranquilas passadas com sua família no último feriado o deixaram revigorado e pronto para o trabalho. Você está sentado em uma sala de reuniões com sua equipe de profissionais. O gerente da divisão convocou a reunião.

"Temos algumas ideias para um novo projeto", diz o gerente de divisão. Vamos chamá-lo de Russ. O cara é um inglês nervoso, com mais energia do que um reator termonuclear. Ele é ambicioso e determinado, mas compreende o valor de uma equipe.

Russ descreve a essência da nova oportunidade de mercado identificada pela empresa e apresenta você a Jane, a gerente de marketing, que é responsável pela definição dos produtos que tratarão disso.

"Este novo projeto tem que estar pronto e funcionando até o quarto trimestre – em 1º de outubro", exige BB. "Nada tem prioridade mais alta, de modo que estamos cancelando seus projetos atuais".

A reação na sala é um silêncio de espanto. Meses de trabalho estão simplesmente sendo jogados fora. Lentamente, um murmúrio de objeção começa a circular pela mesa de conferências.

As pontas dos cabelos de BB desprendem um brilho verde maligno, enquanto ele enfrenta os olhares de todos na sala. Um a um, aquele olhar pérfido reduz os presentes a trêmulas massas de protoplasma. Está claro que ele não vai tolerar nenhuma discussão sobre esse assunto.

Uma vez restaurado o silêncio, BB diz: "Precisamos começar imediatamente. Quanto tempo vocês vão levar para fazer a análise?"

Você levanta a mão. Seu chefe tenta impedi-lo, mas a boca seca dele não deixa e você não se apercebe de seus esforços.

"Senhor, não podemos dizer quanto tempo a análise levará até termos alguns requisitos".

"O documento com os requisitos só estará pronto daqui 3 ou 4 semanas", diz BB, suas pontas vibrando com a frustração. "Então, *finjam* que vocês têm os requisitos em sua frente agora. Quanto tempo será necessário para a análise?"

Ninguém respira. Todos olham em volta para ver se alguém tem alguma ideia.

"Se a análise passar de 1º de abril, teremos um problema. Vocês conseguem concluir a análise até essa data?"

Seu chefe se enche de coragem e diz: "Encontraremos um modo, senhor!" As pontas dos cabelos dele crescem 3 mm e a sua dor de cabeça aumenta para dois comprimidos de Tylenol.

"Bom", BB sorri. "Agora, quanto tempo levará para fazer o projeto?"

Dirigindo-se a você, Jane comenta: "Gostaríamos de começar a definir o lançamento de nosso primeiro produto o mais breve possível. Quando você e sua equipe podem se reunir comigo?"

Você responde: "Terminaremos a iteração atual de nosso projeto nesta sexta-feira. Podemos reservar algumas horas para você antes disso. Depois, tiraremos algumas pessoas da equipe para se dedicarem a você. Começaremos a contratar seus substitutos e o novo pessoal de sua equipe imediatamente".

"Excelente", diz Russ, "mas quero que você compreenda que é fundamental termos algo para mostrar na exposição que haverá em julho. Se não pudermos estar lá com algo significativo, perderemos a oportunidade".

"Compreendo", você responde. "Ainda não sei o que você tem em mente, mas tenho certeza de que podemos ter algo até julho. Apenas não posso dizer no momento o que será esse algo. De qualquer forma, você e Jane terão total controle sobre o que nós, desenvolvedores, faremos; portanto, podem ter certeza de que até julho vocês terão prontas as coisas mais importantes que puderem ser feitas nesse tempo".

Russ concorda com a cabeça, satisfeito. Ele sabe como isso funciona. Sua equipe sempre o tem mantido informado e permitido que ele oriente o desenvolvimento. Ele tem a máxima confiança de que sua equipe trabalhará primeiro nas coisas mais importantes e criará um produto de alta qualidade.

* * *

"Então, Robert", diz Jane na primeira reunião, "como sua equipe se sente com o fato de ser dividida?"

"Sentiremos falta de trabalhar juntos", você responde, "mas alguns de nós estávamos ficando cansados daquele último projeto e ansiosos por uma mudança. Então, o que seu pessoal está inventando?"

"Senhor", você diz. Seu chefe empalidece visivelmente. Está claramente com medo de perder aqueles 3 mm. "Sem uma análise, não será possível dizer quanto tempo levará o projeto".

A expressão de BB muda para mais do que severa. "*FINJAM* que vocês já têm a análise!", diz ele, enquanto fixa em você seu olhar brilhante e inexpressivo. "Quanto tempo levará para fazerem o projeto?"

Dois comprimidos de Tylenol não serão suficientes. Seu chefe, em uma tentativa desesperada de salvar seu novo crescimento, balbucia: "Bem, senhor, restando apenas 6 meses para concluir o programa, seria melhor que o projeto não demorasse mais de 3 meses".

"Fico contente por você concordar, Smithers!", diz BB radiante. Seu chefe relaxa. Sabe que as pontas de seus cabelos estão seguras. Após algum tempo, ele começa alegremente a cantarolar com a boca fechada o *jingle* do gel para cabelo.

BB continua: "Então, a análise será concluída até 1º de abril, o projeto será concluído até 1º de julho e isso dá a vocês 3 meses para implementar o projeto. Esta reunião é um exemplo de como nossas novas diretrizes de consenso e delegação de poderes estão funcionando bem. Agora, vão e comecem a trabalhar. Espero ver planos de gestão da qualidade total e atribuições de informações e teste de qualidade em minha mesa na semana que vem. Ah, não se esqueçam de que suas reuniões de equipe multifuncional e relatórios serão necessários para a auditoria da qualidade do mês que vem".

"Esqueça o Tylenol", você pensa consigo mesmo ao retornar para seu cubículo. "Preciso de um uísque".

Visivelmente animado, seu chefe se aproxima de você e diz "Nossa, que reunião boa. Acho que vamos fazer algo importante com esse projeto". Você balança a cabeça concordando, desgostoso demais para fazer qualquer outra coisa.

Jane sorri. "Você sabe quantos problemas nossos clientes têm atualmente..." E ela passa quase meia hora descrevendo o problema e a possível solução.

"Certo, espere um segundo", você responde. "Preciso compreender isso perfeitamente". E assim, você e Jane falam sobre como esse sistema poderia funcionar. Algumas ideias dela não estão totalmente formadas. Você sugere possíveis soluções. Ela gosta de algumas. Vocês continuam a discutir.

Durante a discussão, à medida que cada assunto novo é abordado, Jane escreve fichas de história de usuário. Cada ficha representa algo que o novo sistema precisa fazer. As fichas se acumulam na mesa e estão espalhadas em frente a vocês. À medida que discutem as histórias, você e Jane apontam para as fichas, as separam e fazem anotações nelas. As fichas são dispositivos mnemônicos poderosos que vocês podem usar para retratar ideias complexas que não estão bem formadas.

Ao final da reunião, você diz, "Tudo bem, entendi a ideia geral do que você quer. Vou conversar com a equipe a respeito. Imagino que eles vão querer fazer algumas experiências com várias estruturas de banco de dados e formatos de apresentação. Na próxima vez que nos reunirmos, será como um grupo, e começaremos a identificar as funcionalidades mais importantes do sistema".

Uma semana depois, sua nova equipe se reúne com Jane. Eles espalham na mesa as fichas de história de usuário existentes e começam a entrar em alguns detalhes do sistema.

A reunião é muito dinâmica. Jane apresenta as histórias na ordem de sua importância. Há muita discussão sobre cada uma. Os desenvolvedores estão preocupados em manter as histórias pequenas o suficiente para avaliar e testar. Assim, pedem continuamente a Jane para

"Ah", continua seu chefe, "quase me esqueci". Ele entrega a você um documento de 30 páginas. "Lembre-se de que o SEI está vindo fazer uma avaliação na semana que vem. Este é o guia de avaliação. Você precisa ler, memorizar e depois rasgar. Ele diz como responder as perguntas que os auditores do SEI farão a você. Diz também a quais partes do prédio você pode levá-los e quais deve evitar. Estamos determinados a ser uma empresa nível 3 do CMM até junho!"

* * *

Você e seus colegas começam a trabalhar na análise do novo projeto. Isso é difícil, pois vocês não têm nenhum requisito. Mas desde a apresentação de 10 minutos feita por BB naquela fatídica manhã, vocês têm alguma ideia do que o produto deverá fazer.

O processo corporativo exige que vocês comecem criando um documento de casos de uso. Você e sua equipe começam a enumerar casos de uso e a desenhar diagramas com elipses e bonecos.

Debates filosóficos irrompem entre os membros da equipe. Há discordância quanto a se certos casos de uso devem ser conectados com relacionamentos <<extends>> ou <<includes>>. Modelos conflitantes são criados, mas ninguém sabe como avaliá-los. O debate continua, efetivamente impedindo qualquer progresso.

Após uma semana, alguém encontra o site iceberg.com, que recomenda descartar totalmente os <<extends>> e <<includes>> e substituí-los por <<precedes>> e <<uses>>. Os documentos desse site, de autoria de Don Sengroiux, descrevem uma técnica conhecida como "análise robusta", que afirmam ser um método passo a passo para transformar casos de uso em diagramas de projeto.

Mais modelos de caso de uso conflitantes são criados com esse novo esquema, mas, novamente, as pessoas não conseguem chegar a um acordo sobre como avaliá-los. Eles continuam a ser jogados fora.

que divida uma história em várias histórias menores. A preocupação de Jane é que cada história tenha valor comercial e prioridade claros, de modo que, à medida que as divide, certifica-se de que isso continue sendo verdade.

As histórias se acumulam na mesa. Jane as escreve, mas os desenvolvedores fazem anotações nelas, quando necessário. Ninguém tenta capturar tudo que é dito; as fichas não se destinam a capturar tudo, mas são apenas lembretes da conversa.

Quando os desenvolvedores se sentem mais à vontade com as histórias, começam a escrever estimativas sobre elas. Essas estimativas são aproximadas e orçamentárias, mas dão a Jane uma ideia de quanto a história custará.

No final da reunião, está claro que muito mais histórias poderiam ser discutidas. Também está claro que as histórias mais importantes foram tratadas e que representam vários meses de trabalho. Jane encerra a reunião levando as fichas consigo e prometendo ter uma proposta para a primeira entrega na manhã seguinte.

* * *

Na manhã seguinte, vocês se reúnem novamente. Jane escolhe cinco fichas e as coloca na mesa.

"De acordo com suas estimativas, estas fichas representam cerca de uma semana inteira de trabalho em equipe. Na última iteração do projeto anterior, o trabalho de uma semana inteira da equipe foi feito em três semanas reais. Se conseguirmos fazer essas cinco histórias em três semanas, poderemos demonstrá-las a Russ. Isso o fará se sentir muito satisfeito com nosso progresso".

Jane está pressionando. A aparência encabulada de seu rosto revela que ela também sabe disso. Você responde: "Jane, é uma equipe nova, trabalhando em um projeto novo. É um pouco pretensioso esperar que nossa velocidade seja a

Cada vez mais as reuniões para tratar de casos de uso são emocionais, em vez de racionais. Se não fosse o fato de vocês não terem requisitos, ficariam bastante preocupados pela ausência de progresso no que estão fazendo.

O documento com os requisitos chega no dia 15 de fevereiro. E novamente em 20 de fevereiro, 25, e daí para frente, a cada semana. Cada nova versão contradiz a anterior. Claramente, o pessoal do marketing que está escrevendo os requisitos, apesar da autonomia que poderia ter, não está chegando a um consenso.

Ao mesmo tempo, vários novos modelos de caso de uso conflitantes foram propostos por diversos membros da equipe. Cada modelo apresenta sua própria maneira criativa de retardar o progresso. Os debates recrudescem.

Em 1º de março, Prudence Putrigence, a supervisora de processos, consegue integrar todos os formulários e modelos de casos de uso conflitantes em um único formulário amplo. Só o formulário para preencher espaços em branco tem 15 páginas. Ela conseguiu incluir cada campo que apareceu em todos os modelos conflitantes. Ela também apresenta um documento de 159 páginas descrevendo como preencher o formulário de caso de uso. Todos os casos de uso atuais devem ser reescritos de acordo com o novo padrão.

Você se espanta pelo fato de que agora são necessárias 15 páginas para preencher espaços em branco e questões analíticas, para responder à pergunta: o que o sistema deve fazer quando o usuário pressiona Return?

O processo corporativo (de autoria de L. E. Ott, famoso autor de "Análise Holística: Uma Dialética Progressiva para Engenheiros de Software") afirma veementemente que você descobre todos os principais casos de uso, 87% de todos os casos de uso secundários e 36,274% de todos os terciários, antes de conseguir concluir a análise e entrar na fase de projeto. Você

mesma da equipe anterior. Contudo, me reuni com a equipe ontem à tarde e todos concordaram que, de fato, nossa velocidade inicial deve ser ajustada para uma semana inteira de trabalho para cada três semanas reais. Portanto, você está com sorte nisso".

"Mas", você continua, "lembre-se de que a estimativa e a velocidade da história são apenas experimentais neste ponto. Saberemos mais quando planejarmos a iteração, e ainda mais quando a implementarmos".

Jane olha você por cima dos óculos, como se dissesse: "Quem é o chefe aqui, afinal?", e então sorri e diz: "Sim, não se preocupe. Conheço a prática a esta altura".

Então, Jane coloca mais 15 fichas na mesa. Ela diz: "Se conseguirmos fazer todas estas fichas até o final de março, poderemos submeter o sistema para nossos clientes fazerem um beta teste. E obteremos um bom retorno deles".

Você responde: "Certo, então temos nossa primeira iteração definida e temos as histórias das próximas três iterações depois dessa. Essas quatro iterações formarão nossa primeira versão".

"Então", diz Jane, "vocês conseguem realmente fazer essas cinco histórias nas próximas três semanas?"

"Não tenho certeza, Jane", você responde. "Vamos decompô-las em tarefas e ver o que conseguimos".

Assim, Jane, você e sua equipe passam as horas seguintes pegando cada uma das cinco histórias que Jane escolheu para a primeira iteração e decompondo-as em pequenas tarefas. Rapidamente os desenvolvedores percebem que algumas tarefas podem ser compartilhadas entre histórias e que outras têm semelhanças que provavelmente podem ser aproveitadas. É evidente que projetos em potencial estão surgindo na cabeça dos desenvolvedores. De tempos em tempos,

não tem a menor ideia do que seja um caso de uso terciário. Assim, na tentativa de satisfazer esse requisito, você tenta fazer o departamento de marketing (o qual espera que saiba o que é um caso de uso terciário) examinar o documento de casos de uso.

Infelizmente, o pessoal do marketing está ocupado demais com o apoio às vendas para falar com vocês. Aliás, desde que o projeto começou, vocês não conseguiram fazer uma única reunião com o marketing, o qual tem fornecido um fluxo sem fim de documentos de requisitos alterados e contraditórios.

Enquanto uma equipe trabalha sem parar no documento de casos de uso, outra equipe trabalha no modelo do domínio. Infinitas variações de documentos UML estão sendo geradas por essa equipe. Toda semana o modelo é revisado. Os membros da equipe não conseguem decidir se vão usar <<interfaces>> ou <<types>> no modelo. Uma enorme divergência acontece em relação à sintaxe correta e à aplicação de OCL. Outras pessoas da equipe acabaram de voltar de um curso de cinco dias sobre catabolismo e têm produzido diagramas incrivelmente detalhados e herméticos que ninguém consegue compreender.

Em 27 de março, restando uma semana para o término da análise, vocês produziram um mar de documentos e diagramas, mas não chegaram perto de uma análise convincente do problema do que estavam em 3 de janeiro.

* * *

E então acontece um milagre.

* * *

No sábado, 1º de abril, você verifica seu e-mail em casa. Você vê um memorando de seu chefe para BB. Ele afirma inequivocamente que vocês terminaram a análise!

Você telefona para seu chefe e reclama. "Como você pode dizer a BB que terminamos a análise?"

eles formam pequenos grupos de discussão e rabiscam diagramas UML em algumas fichas.

Em pouco tempo, o quadro branco está repleto de tarefas que, uma vez concluídas, implementarão as cinco histórias dessa iteração. Você inicia o processo de participação dizendo: "Tudo bem, vamos fazer inscrições para essas tarefas".

"Eu assumo a geração inicial do banco de dados", diz Pete. "Foi isso que fiz no último projeto, e esse não parece muito diferente. Calculo que vai levar dois de meus dias de trabalho integrais".

"Certo, então eu pego a tela de login", diz Joe.

"Oh, droga", diz Elaine, a mais nova da equipe. "Eu nunca fiz uma interface gráfica com o usuário e queria tentar fazer essa".

"Ah, a impaciência da juventude", diz Joe sabiamente, com uma piscadela em sua direção. "Você pode me ajudar nisso, jovem Jedi". Para Jane: "Acho que isso vai levar três dias inteiros de trabalho".

Um a um, os desenvolvedores se inscrevem nas tarefas e as avaliam em termos de seus dias inteiros de trabalho. Você e Jane sabem que é melhor deixar os desenvolvedores assumirem voluntariamente as tarefas do que designá-las. Você também sabe muito bem que não ousaria duvidar das estimativas dos desenvolvedores. Você conhece essas pessoas e confia nelas. Você sabe que vão dar o máximo de si.

Os desenvolvedores sabem que não podem se candidatar a mais dias de trabalho integrais do que concluíram na última iteração em que trabalharam. Uma vez que cada desenvolvedor preencheu sua agenda na iteração, eles param de se candidatar às tarefas.

Finalmente, todos os desenvolvedores pararam de se inscrever em tarefas.

"Você já viu que dia é hoje?", ele responde. "É 1º de abril!"

A ironia dessa data não passa despercebida. "Mas temos que pensar em muito mais coisas. Muito mais coisas para analisar! Ainda nem decidimos se vamos usar <<extends>> ou <<precedes>>!"

"Onde está a prova de que vocês não terminaram?", pergunta seu chefe, impacientemente.

"Ééééé..."

Mas ele o interrompe. "A análise pode continuar indefinidamente; ela precisa ser interrompida em algum ponto. E como esta é a data agendada para isso, ela foi interrompida. Agora, na segunda-feira, quero que você reúna todos os materiais da análise e os coloque em uma pasta pública. Libere essa pasta para Prudence, para que ela possa registrá-la no sistema CM segunda-feira à tarde. Então, trabalhe e comece a projetar".

Ao desligar o telefone, você começa a considerar as vantagens de tomar uma dose do uísque que está na gaveta de sua escrivaninha.

***

Eles fizeram uma festa para celebrar a conclusão pontual da fase de análise. BB fez um discurso emocionante sobre delegação de poderes. E seu chefe, 3 mm mais alto, parabeniza sua equipe pela incrível demonstração de unidade e trabalho em equipe. Por fim, o diretor de informática entra em cena para dizer a todos que a auditoria do SEI correu muito bem e para agradecer pelo estudo e destruição das guias de avaliação que foram distribuídas. Agora o nível 3 parece garantido e será concedido em junho. (Há um boato de que os diretores no nível de BB e acima vão receber bônus significativos quando o SEI conceder o nível 3.)

À medida que as semanas passam, você e sua equipe trabalham no projeto do sistema. Evidentemente, você descobre que a análise em que o projeto supostamente

Mas, evidentemente, ainda restam tarefas no quadro.

"Estava preocupado que isso pudesse acontecer", você diz. "Tudo bem, só há uma coisa a fazer, Jane. Temos coisas demais nessa iteração. Quais histórias ou tarefas podemos eliminar?"

Jane suspira. Ela sabe que essa é a única opção. Fazer horas extras no início de um projeto é insensato e os projetos onde ela tentou fazer isso não se saíram bem.

Então, Jane começa a eliminar a funcionalidade menos importante. "Bem, na verdade, ainda não precisamos da tela de login. Podemos simplesmente começar o sistema no estado já conectado".

"Oh, não!", reclama Elaine. "Eu queria muito fazer isso".

"Paciência, gafanhoto", diz Joe. "Quem espera as abelhas saírem da colmeia não terá os lábios inchados demais para saborear o mel".

Elaine parece confusa.

Todo mundo parece confuso.

"Então...", continua Jane, "acho que também podemos dispensar..."

E assim, pouco a pouco, a lista de tarefas é reduzida. Os desenvolvedores que perderam uma tarefa se candidatam a outra das restantes.

A negociação não é indolor. Várias vezes, Jane mostra evidente frustração e impaciência. Uma vez, quando as tensões estão especialmente altas, Elaine se oferece: "Vou trabalhar muito para completar o tempo que falta". Você está para corrigi-la quando, felizmente, Joe olha para ela nos olhos e diz: "Uma vez que você entre no caminho escuro, ele dominará seu destino para sempre".

No final, é obtida uma iteração aceitável para Jane. Não é o que Jane queria. Aliás, é significativamente menos. Mas é

está baseado é imperfeita – não, inútil; não, pior que inútil. Mas quando você diz ao seu chefe que precisa voltar e trabalhar na análise para melhorar trechos mais fracos, ele diz simplesmente: "A fase de análise terminou. A única atividade permitida é o projeto. Agora volte a ele".

Então, você e sua equipe remendam o projeto o melhor que podem, inseguros quanto aos requisitos terem sido analisados corretamente. Evidentemente, na verdade isso não importa muito, pois o documento de requisitos ainda está mudando com as revisões semanais e o departamento de marketing ainda se recusa a se reunir com vocês.

O projeto é um pesadelo. Recentemente seu chefe interpretou mal um livro intitulado *A Linha de Chegada*, no qual o autor, Mark DeThomaso, sugeria alegremente que documentos de projeto devem ser levados aos detalhes em nível de código.

"Se formos trabalhar nesse nível de detalhe", você pergunta, "por que, em vez disso, simplesmente não escrevemos o código?"

"Porque, então, você não estaria projetando, é lógico. E a única atividade permitida na fase de projeto é projetar!"

"Além disso", ele continua, "acabamos de adquirir uma licença da Dandelion para toda a empresa! Essa ferramenta permite praticar a 'Engenharia de Arredondamento da Corneta!' Você vai transferir todos os diagramas de projeto para essa ferramenta. Ela vai gerar nosso código automaticamente! Também vai manter os diagramas de projeto sincronizados com o código!"

Seu chefe entrega a você uma caixa plastificada com cores vivas, contendo a distribuição da Dandelion. Você a aceita, entorpecido, e arrasta-se para seu cubículo. Doze horas, 8 falhas, uma reformatação de disco e 8 doses de rum depois, você finalmente consegue instalar a ferramenta em seu servidor. Você pensa na semana que sua equipe perderá enquanto participa do treinamento na Dandelion. Então, você

algo que a equipe acha que pode ser feito nas três semanas seguintes. E ainda trata das coisas mais importantes que Jane queria na iteração.

"Então, Jane", você diz quando as coisas se acalmam um pouco. "Para quando podemos esperar seus testes de aceitação?"

Jane suspira. Esse é o outro lado da moeda. Para cada história que a equipe de desenvolvimento implemente, Jane deverá fornecer um conjunto de testes de aceitação que mostrem que ela funciona. E a equipe precisa deles muito antes do final da iteração, pois certamente apontarão diferenças na maneira como Jane e os desenvolvedores imaginam o comportamento do sistema.

"Fornecerei alguns exemplos de scripts de teste hoje", promete Jane. "Depois disso, vou complementá-los todos os dias. Vocês terão o conjunto inteiro até a metade da iteração".

* * *

A iteração começa na segunda-feira de manhã, com sessões alvoroçadas de Classe, Responsabilidades, Colaboradores. No meio da manhã, todos os desenvolvedores formaram pares e estão codificando rapidamente.

"E agora, minha jovem aprendiz", diz Joe para Elaine, "você vai aprender os mistérios do projeto com testes antes!"

"Uau! Isso parece muito radical", responde Elaine. "Como você faz isso?"

Joe sorri. É evidente que ele estava antecipando esse momento. "Certo, o que o código faz agora?"

"Hein?", responde Elaine. "Ele não faz absolutamente nada; não há nenhum código".

"Então, considere nossa tarefa; você consegue pensar em algo que o código deva fazer?"

sorri e pensa: "Qualquer semana sem estar aqui é uma boa semana".

Um diagrama de projeto após outro é criado por sua equipe. A Dandelion torna muito difícil desenhar esses diagramas. Existem dezenas e dezenas de caixas de diálogo profundamente aninhadas, com curiosos campos de texto e caixas de seleção que devem ser todos preenchidos corretamente. E então surge o problema de mover classes entre pacotes.

Inicialmente, esses diagramas são baseados nos casos de uso. Mas os requisitos estão mudando com tanta frequência que os casos de uso se tornam sem sentido rapidamente.

Recrudescem os debates sobre se os padrões de projeto VISITOR ou DECORATOR devem ser usados. Um desenvolvedor se recusa a utilizar VISITOR em qualquer forma, dizendo que ele não é uma construção corretamente orientada a objetos. Alguém se recusa a usar herança múltipla, pois ela é filha do mal.

As reuniões de revisão rapidamente degeneram em debates sobre o significado da orientação a objetos, sobre definição de análise *versus* projeto ou sobre quando usar agregação *versus* associação.

No meio do ciclo de projeto, o pessoal do marketing anuncia que reconsiderou o enfoque do sistema. Seu novo documento de requisitos é completamente reestruturado. Eles eliminaram várias áreas de funcionalidades importantes e as substituíram por áreas de funcionalidades que os levantamentos dos clientes antecipam que se mostrarão mais adequadas.

Você diz a seu chefe que essas mudanças significam que vocês precisam analisar e refazer novamente grande parte do sistema. Mas ele diz: "A fase de análise acabou. A única atividade permitida é projeto. Agora, volte a ela".

Você sugere que talvez fosse melhor criar um protótipo simples para mostrar ao pessoal do marketing e até para alguns

"Claro", diz Elaine com segurança juvenil. "Primeiro, ele deve conectar com o banco de dados".

"E, então, o que é necessário para conectarzi com o banco de dados?"

"Você fala de um jeito esquisito", sorri Elaine. "Acho que teríamos que pegar o objeto banco de dados de algum registro e chamar o método `Connect()`.

"Ah, jovem maga astuta. Vós percebestes corretamente que precisamozzz de um objeto dentro do qual possamos encachear o objeto banco de dados".

"Existe essa palavra, 'encachear'?"

"Sim, quando eu a pronuncio! Então, que teste podemos escrever para que saibamos que o registro do banco de dados deve passar?"

Elaine suspira. Sabe que terá de cooperar. "Devemos criar um objeto banco de dados e passá-lo para o registro em um método `Store()`. E, então, devemos extraí-lo do registro com um método Get() e garantir que seja o mesmo objeto".

"Oh, bem falado, meu duende pré-adolescente!"

"É isso aí!"

"Então, vamos escrever agora uma função de teste que demonstre seu caso".

"Mas não devemos escrever o objeto banco de dados e o objeto registro primeiro?"

"Ah, você tem muito que aprender, minha jovem impaciente. Apenas escreva o teste primeiro".

"Mas ele nem mesmo compilará!"

"Tem certeza? E se compilasse?"

"Humm..."

"Apenas escreva o teste, Elaine. Confie em mim". E assim, Joe, Elaine e todos os outros desenvolvedores começaram a codificar suas tarefas, um caso de teste por vez. O recinto onde eles trabalhavam

clientes em potencial. Mas seu chefe diz: "A fase de análise terminou. A única atividade permitida é projeto. Agora, volte a ele".

Remenda, remenda, remenda e remenda. Você tenta criar algum tipo de documento de projeto que possa refletir os novos documentos de requisitos. Contudo, a revolução dos requisitos não os fez parar de serem descartados. Aliás, na verdade, as loucas oscilações do documento de requisitos só aumentaram em frequência e amplitude. Você trabalha neles arduamente.

Em 15 de junho, o banco de dados da Dandelion se corrompe. Aparentemente, a corrupção foi progressiva. Pequenos erros no banco de dados se acumularam com o passar dos meses, tornando-se erros cada vez maiores. Até que a ferramenta CASE simplesmente deixa de funcionar. Evidentemente, a corrupção de evolução lenta está presente em todos os backups.

As ligações para o suporte técnico da Dandelion ficam sem resposta por vários dias. Por fim, vocês recebem um breve e-mail da Dandelion, informando que esse é um problema conhecido e que a solução é adquirir a nova versão, a qual eles prometem estar pronta em algum momento no próximo trimestre, e depois introduzir novamente todos os diagramas à mão.

* * *

Então, em 1º de julho outro milagre acontece: vocês terminaram o projeto!

Em vez de se dirigir a seu chefe e reclamar, você coloca vodka na gaveta do meio de sua escrivaninha.

* * *

Eles fizeram uma festa para celebrar a conclusão pontual da fase de projeto e sua graduação para CMM nível 3. Desta vez você acha o discurso de BB tão comovente que precisa usar o banheiro antes que ele comece.

Novos banners e placas estão em todas as partes de seu local de trabalho. Eles mostram imagens de águias e alpinistas, e

estava alvoroçado com as conversas entre os pares. O murmúrio era pontuado pelo estalar ocasional de palmas das mãos dos pares que se cumprimentavam por ter conseguido concluir uma tarefa ou um caso de teste difícil.

À medida que o desenvolvimento prosseguia, os desenvolvedores mudavam de pares uma ou duas vezes por dia. Cada desenvolvedor via o que todos os outros estavam fazendo e, assim, o conhecimento do código se espalhou por toda a equipe.

Quando um par concluía algo significativo – fosse uma tarefa inteira ou simplesmente uma parte importante de uma tarefa –, integrava o que tinha com o restante do sistema. Assim, a base de código crescia diariamente e as dificuldades de integração eram minimizadas.

Os desenvolvedores se comunicavam com Jane diariamente. Dirigiam-se a ela quando tinham uma pergunta sobre a funcionalidade do sistema ou sobre a interpretação de um caso de teste de aceitação.

Jane, cumprindo sua palavra, fornecia à equipe um fluxo constante de scripts de teste de aceitação. A equipe os lia atentamente e com isso obtinha um entendimento muito melhor do que Jane esperava que o sistema fizesse.

No início da segunda semana havia funcionalidade suficiente para demonstrar a Jane. Ela observava entusiasticamente à medida que a demonstração passava caso de teste após caso de teste.

"Isso está realmente bom", disse Jane quando a demonstração finalmente acabou. "Mas não parece conter um terço das tarefas. A velocidade de vocês está menor do que a antecipada?"

Você faz uma careta. Estava esperando um bom momento para mencionar isso a Jane, mas agora ela estava forçando o assunto.

falam sobre trabalho em equipe e delegação de poderes. Eles dão uma impressão melhor após algumas doses de uísque. Isso o lembra de que você precisa fazer uma limpeza em seu armário para ter espaço para o conhaque.

Você e sua equipe começam a codificar. Mas vocês descobrem rapidamente que faltam algumas áreas importantes no projeto. Na verdade, ele não tem nenhum significado. Você convoca uma sessão de projeto em uma das salas de reunião para tentar resolver alguns dos problemas mais complicados. Mas seu chefe o pega fazendo isso e dispersa a reunião, dizendo: "A fase de projeto terminou. A única atividade permitida é a codificação. Agora, voltem a ela".

O código gerado pela Dandelion é horrível. Descobre-se que você e sua equipe estavam usando associação e agregação da maneira errada, afinal. Todo o código gerado precisa ser editado para corrigir essas falhas. Editar esse código é extremamente difícil, pois foi documentado com blocos de comentário horríveis, com uma sintaxe especial que a Dandelion necessita para manter os diagramas sincronizados com o código. Se você alterar acidentalmente um desses comentários, os diagramas serão gerados incorretamente. Constata-se que a "Engenharia de Arredondamento da Corneta" exige um trabalho absurdo.

Quanto mais vocês tentam manter o código compatível com a Dandelion, mais erros ela gera. No final, vocês desistem e decidem manter os diagramas atualizados manualmente. Um segundo depois, vocês decidem que não há motivos para se manter os diagramas atualizados. Além disso, quem tem tempo para isso?

Seu chefe contrata uma consultoria para construir ferramentas para contar o número de linhas de código que estão sendo produzidas. Ele coloca na parede um enorme gráfico tipo termômetro, com o número 1.000.000 no topo. Todos os dias, ele estende a linha vermelha para mostrar quantas linhas foram adicionadas.

"*Sim, infelizmente, não estamos indo na velocidade que esperávamos. O novo servidor de aplicativos que estamos usando tem se mostrado difícil de configurar. Além disso, ele leva um tempão para reinicializar, sendo que precisamos reinicializá-lo sempre que fazemos mesmo uma mínima alteração em sua configuração*".

Jane olha para você com suspeita. A tensão das negociações da última segunda-feira ainda não tinham se dissipado totalmente. Ela diz: "E o que isso significa para nossa agenda? Não podemos furá-la novamente, simplesmente não podemos. Russ ficará histérico! Vai nos arrastar para o depósito de madeira e nos triturar".

Você olha diretamente nos olhos de Jane. Não há uma maneira agradável de dar notícias como essas a alguém. Então, você diz impulsivamente: "Olhe, se as coisas continuarem como estão, não teremos terminado tudo até a próxima sexta-feira. Agora, é possível encontrarmos uma maneira de ir mais rápido. Mas, francamente, eu não confiaria nisso. Você deve começar a pensar em uma ou duas tarefas que possam ser eliminadas da iteração sem arruinar a demonstração para Russ. Não importa o que aconteça, vamos fazer essa demonstração na sexta e não creio que você queira que escolhamos quais tarefas serão omitidas".

"Ah, pelamordedeus!". Jane mal consegue conter o grito dessa última palavra, à medida que se afasta, meneando a cabeça.

Não é a primeira vez que você diz para si mesmo: "Ninguém jamais me prometeu que o gerenciamento de projetos seria fácil". Você tem absoluta certeza de que também não será a última vez.

* * *

Na verdade, as coisas correram um pouco melhor do que você esperava. A equipe teve mesmo de eliminar uma tarefa da iteração, mas Jane a escolheu sen-

Três dias depois de o termômetro aparecer na parede, seu chefe para você no corredor e diz: "Esse gráfico não está crescendo rápido o bastante. Precisamos ter um milhão de linhas feitas até 1º de outubro".

"Nem sha-shabíamos que a dishsecação exigiria um mi-milhão de linhashh", você diz tolamente.

"Precisamos ter um milhão de linhas prontas até 1º de outubro", reitera seu chefe. As pontas de seus cabelos cresceram novamente e a fórmula grega que ele utiliza nelas cria uma aura de autoridade e competência. "Você tem certeza de que seus blocos de comentário são grandes o suficiente?"

Então, em um lampejo de compreensão gerencial, ele diz: "Já sei! Quero que você institua uma nova diretriz para os engenheiros. Nenhuma linha de código deve ter mais de 20 caracteres. Qualquer linha maior que isso deve ser dividida em duas ou mais – preferivelmente mais. Todo o código existente precisa ser alterado para esse padrão. Isso vai aumentar nossa contagem de linhas!"

Você decide não dizer a ele que isso exigirá dois meses de trabalho não programados. Você decide não dizer absolutamente nada. Você decide que injeções intravenosas de etanol puro são a única solução. Você faz os arranjos apropriados.

Remenda, remenda, remenda e remenda. Você e sua equipe codificam loucamente. Em 1º de agosto, seu chefe, olhando carrancudo para o termômetro na parede, institui uma semana de trabalho obrigatório de 50 horas.

Remenda, remenda, remenda e remenda. Em 1º de setembro, o termômetro está em 1,2 milhão de linhas e seu chefe pede a você que escreva um relatório descrevendo por que ultrapassou em 20% o orçamento da codificação. Ele institui sábados obrigatórios e exige que o projeto volte a ter um milhão de linhas. Você inicia uma campanha de fusão de linhas.

satamente e a demonstração para Russ ocorreu sem problemas.

Russ não ficou impressionado com o progresso, mas também não ficou desanimado. Ele simplesmente disse: "Isso está muito bom. Mas lembrem-se de que precisaremos demonstrar esse sistema na exposição de julho, e com essa velocidade não está parecendo que vocês terão tudo pronto".

Jane, cuja atitude tinha melhorado significativamente com a conclusão da iteração, respondeu a Russ dizendo: "Russ, essa equipe está trabalhando muito e bem. Estou certa de que teremos algo significativo para demonstrar em julho. Não será tudo e parte disso poderá ser jogada de marketing, mas teremos algo".

A última iteração foi penosa, mas ela calibrou sua velocidade. A iteração seguinte correu muito melhor. Não porque sua equipe fez mais do que na última iteração, mas simplesmente porque não precisou eliminar nenhuma tarefa ou histórias no meio da iteração.

No início da quarta iteração foi estabelecido um ritmo natural. Jane, você e a equipe sabem exatamente o que esperar uns dos outros. A equipe está trabalhando muito, mas o ritmo é sustentável. Você tem certeza de que a equipe pode manter esse ritmo por um ano ou mais.

O número de surpresas na agenda diminui para quase zero; contudo, o número de surpresas nos requisitos, não. Jane e Russ inspecionam frequentemente o sistema em desenvolvimento e fazem recomendações ou alterações na funcionalidade existente. Mas todos compreendem que essas alterações levam tempo e devem ser agendadas. Assim, as alterações não frustram as expectativas de ninguém.

Em março, há uma importante demonstração do sistema para a diretoria. O sistema é muito limitado e ainda não tem uma forma boa o bastante para a exposição, mas o progresso é constante e a diretoria está razoavelmente impressionada.

Remenda, remenda, remenda e remenda. Os maus humores estão explodindo; pessoas estão saindo; o departamento de garantia de qualidade está inundando vocês com relatórios de problemas. Os clientes estão exigindo manuais de instalação e do usuário; os vendedores estão exigindo demonstrações prévias para clientes especiais; o documento de requisitos ainda está sendo jogado fora, o pessoal do marketing está reclamando que o produto não é nada parecido com o que especificaram e a loja de bebidas não aceita mais seu cartão de crédito. Algo precisa ser entregue. Em 15 de setembro, BB convoca uma reunião.

Ao entrar na sala, as pontas de seus cabelos estão emitindo nuvens de vapor. Quando fala, o som harmônico baixo de sua voz cuidadosamente proferida faz a boca do seu estômago revirar. "O gerente da garantia de qualidade me disse que esse projeto tem menos de 50% das funcionalidades exigidas implementadas. Ele também me informou que o sistema falha o tempo todo, produz resultados errados e é terrivelmente lento. Reclamou também que não consegue acompanhar a sucessão contínua de entregas diárias, cada uma mais cheia de erros do que a última!"

Ele para por alguns segundos, visivelmente tentando se recompor. "O gerente da garantia de qualidade avalia que, com essa velocidade de desenvolvimento, não conseguiremos entregar o produto até dezembro!"

Na verdade, você acha que está mais para março, mas não diz nada.

"Dezembro!", ruge BB com tal escárnio que as pessoas abaixam a cabeça como se estivesse apontando um rifle de assalto para elas. "Dezembro está absolutamente fora de questão. Líderes de equipe, quero novas estimativas em minha mesa de manhã. Por isso estou decretando semanas de trabalho de 65 horas até que esse projeto esteja concluído. E é melhor que esteja pronto até 1º de novembro".

A segunda versão corre ainda mais harmoniosamente do que a primeira. A essa altura, a equipe descobriu uma maneira de automatizar os scripts de teste de aceitação de Jane. A equipe também refatorou o projeto do sistema a ponto de ser realmente fácil adicionar novas funcionalidades e alterar as antigas.

A segunda versão ficou pronta no final de junho e foi levada para a exposição. Ela tinha menos do que Jane e Russ gostariam, mas demonstrava as funcionalidades mais importantes do sistema. Embora, na exposição, os clientes tenham notado que estavam faltando certas funcionalidades, de modo geral ficaram muito impressionados. Você, Russ e Jane voltaram da exposição com sorrisos no rosto. Todos achavam que esse projeto era vitorioso.

Aliás, muitos meses depois, vocês são contatados pela Rufus Inc. Essa empresa tinha trabalhado em um sistema como esse para suas operações internas. A Rufus cancelou o desenvolvimento do sistema após um projeto malogrado e está negociando a licença da tecnologia de vocês para o ambiente deles.

O futuro, sem dúvida, é promissor!

Ao deixar a sala de reuniões, ouve-se ele murmurar: "Delegação de poderes – bah!"

* * *

Seu chefe está careca; as pontas de seus cabelos estão cravadas na parede de BB. As luzes fluorescentes refletindo seu crânio ofuscam você por um instante.

"Tem algo para beber?", ele pergunta. Tendo acabado de terminar sua última garrafa de Boone's Farm, você tira uma de Thunderbird de sua estante e despeja na caneca de café dele. "O que é preciso para concluir esse projeto?", ele pergunta.

"Precisamos congelar os requisitos, analisá-los, projetá-los e, então, implementá-los", você diz insensivelmente.

"Até 1º de novembro?", exclama seu chefe incrédulo. "De jeito nenhum! Apenas voltem a codificar a maldita coisa", grita ele, coçando a careca.

Alguns dias depois, você descobre que seu chefe foi transferido para a divisão de pesquisa corporativa. A rotatividade de pessoal aumentou rápida e repentinamente. Os clientes, informados no último minuto de que seus pedidos não poderiam ser atendidos no prazo, começaram a cancelá-los. O departamento de marketing está reavaliando se esse produto está alinhado com os objetivos globais da empresa. Memorandos voam, cabeças rolam, as diretrizes mudam e, de modo geral, as coisas estão muito sinistras.

Por fim, em março, depois de muitas semanas de 65 horas, uma versão muito questionável do software está pronta. No campo, as taxas de descoberta de erros são altas e o pessoal do suporte técnico está desesperado, tentando lidar com as reclamações e exigências dos clientes irados. Ninguém está feliz.

Em abril, BB decide livrar-se do problema, licenciando um produto feito pela Rupert Industries e redistribuindo-o. Os clientes estão tranquilos, o pessoal do marketing está orgulhoso e você está despedido.

Apêndice B

O QUE É SOFTWARE?

Ainda lembro onde estava quando tive a ideia que resultou no artigo a seguir. No verão de 1986, trabalhava como consultor temporário no China Lake Naval Weapons Center, na Califórnia. Lá, tive a oportunidade de participar de uma mesa-redonda sobre Ada. Em um dado momento, alguém do público fez a pergunta típica: "Os desenvolvedores de software são engenheiros?". Não lembro a resposta, mas recordo que ela não parecia tratar da questão de fato. Assim, comecei a pensar sobre como eu responderia a essa pergunta. Não sei exatamente como, mas algo na discussão decorrente me trouxe à lembrança um artigo que havia lido na revista *Datamation*, quase 10 anos antes. Aquele texto apresentava um fundamento lógico para o motivo pelo qual os engenheiros precisavam ser bons redatores (acho que era sobre isso – foi há muito tempo), mas a conclusão mais importante a que cheguei com sua leitura foi a alegação do autor de que o resultado final de um processo de engenharia era um documento. Em outras palavras, os engenheiros produziam documentos e não coisas. Outras pessoas pegavam esses documentos e produziam coisas. Então, minha mente errante fez a pergunta: "De toda a documentação que os projetos de software normalmente geram, haveria algo que poderia ser realmente considerado um documento de engenharia?". A resposta que me ocorreu era "sim, havia tal documento, e apenas um – o código-fonte".[1]

Olhar o código-fonte como um documento de engenharia – um projeto – virou de cabeça para baixo minha visão sobre a profissão que escolhi. Isso mudou o modo como eu via tudo. Além disso, quanto mais eu pensava a respeito, mais achava que isso explicava uma grande quantidade de problemas que os projetos de software normalmente encontravam. Ou, mais exatamente, achava que o fato de a maioria das pessoas não entender essa

---

[1] Jack Reeves, "What Is Software Design?" *C++ Journal*, 2(2), 1992: Reimpresso com permissão. ©Jack W. Reeves 1992.

distinção ou rejeitá-la vivamente explicava muitas coisas. Muitos anos se passaram antes de surgir uma oportunidade para tornar público meu argumento. Um artigo sobre projeto de software no *The C++ Journal* me estimulou a escrever uma carta sobre o assunto para o editor. Após uma troca de cartas, Livleen Singh, o editor, consentiu em publicar em um artigo minhas ideias sobre a questão. A seguir está o resultado.

— *Jack Reeves, 22 de dezembro de 2001*

***

As técnicas orientadas a objetos e a linguagem C++ em particular parecem estar tomando de assalto o mundo do software. Têm surgido numerosos artigos e livros descrevendo como aplicar as novas técnicas. Em geral, as questões de as técnicas de O-O serem apenas publicidade foram substituídas por questões sobre como obter vantagens com a mínima dificuldade. As técnicas orientadas a objetos já existem há algum tempo, mas essa explosiva popularidade parece um tanto incomum. Por que o interesse repentino? Todos os tipos de explicações têm sido oferecidos. Na realidade, provavelmente não existe um motivo único. Possivelmente, uma combinação de fatores finalmente atingiu a massa crítica e as coisas estão decolando. No entanto, parece que a própria linguagem C++ é um fator importante nesta fase mais recente da revolução do software. Novamente, devem existir diversas razões para isso, mas quero sugerir uma resposta de uma perspectiva ligeiramente diferente: a linguagem C++ se popularizou porque ela torna mais fácil projetar software e programar ao mesmo tempo.

Se esse comentário parece um pouco incomum, isso é proposital. O que pretendo neste artigo é examinar o relacionamento entre programação e projeto de software. Por quase 10 anos percebi que, coletivamente, a indústria do software não entendeu um ponto sutil em relação à diferença entre desenvolver um projeto de software e o que é realmente um projeto de software. Penso que haja uma profunda lição na crescente popularidade da linguagem C++ sobre o que podemos fazer para nos tornarmos engenheiros de software melhores, se ao menos isso acontecer. A lição é a de que a programação não consiste em construir software; a programação consiste em projetar software.

Anos atrás, eu estava participando de um seminário onde surgiu a questão de o desenvolvimento de software ser uma disciplina de engenharia ou não. Embora não me recorde da discussão resultante, lembro-me de como ela catalisou meu próprio pensamento de que a indústria de software tinha criado alguns paralelos falsos com a engenharia de hardware, ao passo que perdia alguns paralelos perfeitamente válidos. Basicamente, concluí que não somos engenheiros de software, pois não compreendemos o que um projeto de software é de fato. Hoje estou ainda mais convencido disso.

O objetivo final de qualquer atividade de engenharia é algum tipo de documentação. Quando um trabalho de projeto está terminado, a documentação do projeto é entregue à equipe de manufatura. Trata-se de um grupo completamente diferente, com habilidades distintas da equipe de projeto. Se os documentos representam realmente um projeto completo, a equipe de manufatura pode passar a construir o produto. Na verdade, ela pode passar a construir grandes quantidades do produto, tudo sem qualquer outra intervenção dos projetistas. Depois de analisar o ciclo de vida do desenvolvimento de software conforme eu o entendia, concluí que a única documentação de software que realmente parece satisfazer os critérios de um projeto de engenharia é a listagem do código-fonte.

Provavelmente existem argumentos a favor e contra essa premissa, suficientes para render numerosos artigos. Este artigo presume que o código-fonte final é o projeto de software real e, então, examina algumas das consequências dessa suposição. Talvez eu não consiga provar que esse ponto de vista é correto, mas espero mostrar que ele explica alguns dos fatos observados da indústria de software, incluindo a popularidade da linguagem C++.

Ao se considerar código como um projeto de software, existe uma consequência que supera completamente todas as outras. Ela é tão importante e tão óbvia que se revela um ponto cego total para a maioria das empresas de software. Trata-se do fato de que é barato produzir software. O software não se qualifica como pouco caro; ele é tão barato que é quase de graça. Se código-fonte é um projeto de software, então na verdade a criação do software é realizada por compiladores e vinculadores (*linkers*). Frequentemente nos referimos ao processo de compilar e vincular um sistema de software completo como "fazer uma construção (*build*)". O dispêndio de capital em equipamentos de construção de software é baixo – basta um computador, um editor, um compilador e um vinculador. Uma vez que o ambiente de construção esteja disponível, criar software exige apenas um pouco de tempo. Pode parecer que compilar um programa em C++ de 50.000 linhas demore uma eternidade, mas quanto tempo levaria para construir um sistema de hardware que tivesse um projeto com a mesma complexidade de 50.000 linhas de C++?

Outra consequência de se considerar código-fonte como um projeto de software é o fato de que é relativamente fácil criar um projeto de software, pelo menos em sentido mecânico. Escrever (isto é, projetar) um módulo de software típico de 50 a 100 linhas de código normalmente significa apenas uns dois dias de trabalho (depurá-lo totalmente é outra história, mas falaremos mais sobre isso depois). É tentador perguntar se existe alguma outra disciplina de engenharia que possa produzir projetos com a complexidade do software em um período de tempo curto assim, mas primeiro precisamos descobrir como medir e comparar complexidade. No entanto, é evidente que os projetos de software ficam muito grandes rapidamente.

Dado que os projetos de software são relativamente fáceis de produzir e basicamente grátis para construir, uma revelação previsível é a de que os projetos de software tendem a ser incrivelmente grandes e complexos. Isso pode parecer óbvio, mas a amplitude do problema é frequentemente ignorada. Os projetos escolares costumam ter milhares de linhas de código. Existem produtos de software com projetos de 10.000 linhas entregues por seus projetistas. Faz muito tempo que passamos do ponto onde software simples tem algum interesse. Os produtos de software comerciais típicos têm projetos que consistem em centenas de milhares de linhas. Muitos projetos de software atingem os milhões de linhas. Além disso, os projetos de software quase sempre estão constantemente evoluindo. Embora o projeto atual possa ter apenas alguns milhares de linhas de código, muitas vezes elas podem ter sido escritas no decorrer da vida do produto.

Embora certamente existam exemplos de projetos de hardware comprovadamente tão complexos quanto os projetos de software, observe dois fatos sobre o hardware moderno. Primeiro, os trabalhos de engenharia de hardware complexos nem sempre estão isentos de erros como os críticos do software nos fariam acreditar. Os principais microprocessadores têm sido lançados com erros de lógica, pontes têm desmoronado, represas estourado, aviões de passageiros têm caído e tem havido *recall* de milhares de automóveis e outros produtos – tudo isso há não muito tempo e tudo resultado de erros de projeto. Segundo, os projetos de hardware complexos têm fases de construção igualmente complexas e dispendiosas. Como resultado, a capacidade de fabricar tais sistemas limita o número de empresas que produzem projetos de hardware realmente complexos. Essas limitações não existem para o software. Existem centenas de empresas de software e milhares de sistemas de software muito complexos. Tanto o número quanto a complexidade estão aumentando diariamente. Isso significa que a indústria de software provavelmente não vai encontrar soluções para seus problemas tentando imitar os desenvolvedores de hardware. Na verdade, à medida que os sistemas de CAD e CAM têm ajudado os projetistas de hardware a criar projetos cada vez mais complexos, a engenharia de hardware está se tornando cada vez mais parecida com o desenvolvimento de software.

Projetar software é um exercício de gerenciamento de complexidade. A complexidade existe dentro do próprio projeto de software, dentro do departamento de software da empresa e dentro da indústria como um todo. O projeto de software é muito parecido com o projeto de sistemas. Ele pode abranger várias tecnologias e é comum que envolva várias disciplinas. As especificações de software tendem a ser fluidas e mudam rápida e frequentemente, normalmente enquanto o processo de projeto ainda está ocorrendo. As equipes de desenvolvimento de software também tendem a ser fluidas, do mesmo modo mudando muitas vezes no meio do processo de projeto. Sob vários aspectos, o software tem mais semelhanças com os sistemas sociais ou orgânicos complexos do que com o hardware. Tudo isso torna o projeto de software um processo difícil e propenso ao erro. Essas não são ideias originais, mas quase 30 anos após o início da revolução da engenharia de software, o desenvolvimento de software ainda é considerado uma arte indisciplinada, comparado com outras atividades de engenharia.

O consenso geral é de que, quando verdadeiros engenheiros chegam ao final de um projeto, independentemente de sua complexidade, eles têm plena certeza de que o projeto funcionará. Eles também têm plena certeza de que o projeto pode ser construído usando-se técnicas de construção aceitas. Para que isso aconteça, os engenheiros de hardware passam um período de tempo considerável validando e refinando seus projetos. Considere o projeto de uma ponte, por exemplo. Antes que tal projeto seja realmente construído, os engenheiros fazem uma análise estrutural; eles constroem modelos de computador e realizam simulações; constroem modelos em escala e os testam em túneis de vento ou de outras maneiras. Em resumo, os projetistas fazem tudo que poderiam imaginar para garantir que o projeto seja bom, antes de ser construído. O projeto de um novo avião de passageiros é ainda pior; para isso, devem ser construídos protótipos em tamanho natural e vôos de teste realizados para validar as previsões do projeto.

Para a maioria das pessoas parece óbvio que os projetos de software não passem pela mesma engenharia rigorosa dos projetos de hardware. Contudo, se considerarmos o código-fonte como projeto, veremos que os projetistas de software realizam um volume considerável de validação e refinamento de seus projetos. No entanto, os projetistas de software não chamam isso de engenharia. Chamamos isso de teste e depuração. A maioria das pessoas não considera teste e depuração como "engenharia" real; certamente não no setor do software. O motivo está mais relacionado à recusa por parte da indústria de software de aceitar código como projeto do que a qualquer diferença real em relação à engenharia. Maquetes, protótipos e painéis de experimentação são partes aceitas de outras disciplinas de engenharia. Os projetistas de software não têm nem usam métodos mais formais para validar seus projetos por causa dos simples fatores econômicos do ciclo de construção de software.

Revelação número dois: é mais barato e mais simples apenas construir o projeto e testá-lo do que fazer qualquer outra coisa. Não nos importamos com quantas construções fazemos – elas não custam quase nada em termos de tempo e os recursos usados podem ser completamente recuperados depois, se jogarmos a construção fora. Note que testar não está apenas relacionado a tornar o projeto atual correto; é parte do processo de refinamento do projeto. Os engenheiros de hardware de sistemas complexos frequentemente constroem modelos (ou pelo menos apresentam seus projetos visualmente, usando computação gráfica). Isso permite a eles ter uma "ideia" do projeto que não é possível apenas examinando-se o projeto em si. Construir tal modelo é impossível e desnecessário no caso de um projeto de software. Construímos apenas o produto em si. Mesmo que as provas de software formais fossem tão automáticas como um compilador, ainda faríamos ciclos de construção/teste. Portanto, as provas formais nunca tiveram muito interesse prático para a indústria de software.

Essa é a realidade do processo de desenvolvimento de software hoje. Projetos de software cada vez mais complexos estão sendo criados por um número cada vez maior de pessoas e empresas. Esses projetos serão codificados em alguma linguagem de programação e depois validados e refinados por meio do ciclo de construção/teste. Para começo de conversa, o processo é propenso a erros e não é particularmente rigoroso. O fato de muitos desenvolvedores de software excelentes não quererem acreditar que é assim que a coisa funciona aumenta ainda mais o problema.

A maioria dos processos de desenvolvimento de software atuais tenta separar as diferentes fases do projeto de software em casas de pombo distintas. O projeto de nível superior deve ser concluído e congelado antes de qualquer código ser escrito. Teste e depuração são necessários apenas para eliminar os erros de construção. No meio estão os programadores, os pedreiros da indústria de software. Muitos acreditam que, se apenas pudéssemos fazer os programadores pararem de "consertar" e "construir" os projetos conforme são dados a eles (e cometer menos erros no processo), então o desenvolvimento de software poderia se transformar em uma verdadeira disciplina de engenharia. O que provavelmente não acontecerá enquanto o processo ignorar as realidades da engenharia e da economia.

Por exemplo, nenhuma outra indústria moderna toleraria uma taxa de reformulação de mais de 100% em seu processo de manufatura. Na maioria das vezes, um pedreiro que não consiga construir direito na primeira vez logo estará desempregado. No software, mesmo o menor trecho de código provavelmente será revisado ou completamente reescrito durante o teste e a depuração. Aceitamos esse tipo de refinamento durante um processo criativo como projeto e não como parte de um processo de manufatura. Ninguém espera que um engenheiro crie um projeto perfeito na primeira vez. Mesmo que ele crie, o projeto ainda deve passar pelo processo de refinamento apenas para provar que é mesmo perfeito.

Se não aprendemos mais nada das técnicas de gerenciamento japonesas, devemos saber que é contraproducente culpar os trabalhadores pelos erros cometidos no processo. Em vez de continuarmos a forçar o desenvolvimento de software a obedecer a um modelo de processo incorreto, precisamos revisar o processo de modo que ele ajude, em vez de atrapalhar, os esforços para produzir um software melhor. Esse é o teste do tornassol da "engenharia de software". Engenharia consiste em como você executa o processo e não se o documento final do projeto precisa de um sistema de CAD para produzi-lo.

O problema decisivo do desenvolvimento de software é que tudo faz parte do processo de projeto. Codificar é projeto, teste e depuração fazem parte do projeto e o que normalmente chamamos de projeto de software ainda é parte do projeto. O software pode ser barato para criar, mas é incrivelmente caro para projetar. O software é tão complexo que existem muitos aspectos diferentes do projeto e suas visões resultantes. O problema é que todos os diferentes aspectos são correlacionados (assim como acontece na engenharia de hardware). Seria ótimo se os projetistas de nível superior pudessem ignorar os detalhes do projeto do algoritmo do módulo. Do mesmo modo, seria ótimo se os programadores não tivessem que se preocupar com os problemas de nível superior ao projetar os algoritmos internos de um módulo. Infelizmente, os aspectos de uma camada do projeto interferem nas outras. A escolha dos algoritmos para determinado módulo pode ser tão importante para o sucesso global do sistema de software quanto qualquer um dos aspectos de nível mais alto do projeto. Não existe nenhuma hierarquia importante entre os diferentes aspectos de um projeto de software. Um projeto incorreto no nível mais baixo do módulo pode ser tão fatal quanto um erro no nível mais alto. Um projeto de software deve ser completo e correto sob todos os aspectos; senão, todas as construções de software baseadas no projeto serão erradas.

Para lidar com a complexidade, o software é projetado em camadas. Quando um programador está cuidando do projeto detalhado de um módulo, provavelmente existem centenas de outros módulos e milhares de outros detalhes que não consegue cuidar ao mesmo tempo. Por exemplo, existem importantes aspectos do projeto de software que não se encaixam claramente nas categorias das estruturas de dados e algoritmos. De modo ideal, ao escrever código, os programadores não devem ter de se preocupar com esses outros aspectos de um projeto.

Contudo, não é assim que a coisa funciona e os motivos começam a fazer sentido. O projeto de software não está terminado até que tenha sido codificado e testado. Testar é uma parte fundamental do processo de validação e refinamento do projeto. O projeto estrutural de alto nível não é um projeto de software concluído; é apenas um esquema estrutural do projeto detalhado. Temos capacidade muito limitada para validar com rigor um projeto de alto nível. Em última análise, o projeto detalhado influenciará (ou deve poder influenciar) o projeto de alto nível no mínimo tanto quanto outros fatores. O refinamento de todos os aspectos de um projeto é um processo que deve acontecer ao longo do ciclo do projeto. Se algum aspecto do projeto ficar fora do processo de refinamento, é evidente que o projeto final será insatisfatório ou mesmo inaproveitável.

Seria ótimo se o projeto de software de alto nível pudesse ser um processo de engenharia mais rigoroso, mas o mundo real dos sistemas de software não é rigoroso. O software é complexo demais e depende demais de muitas outras coisas. Talvez algum hardware não funcione exatamente da maneira que os projetistas pensaram ou uma rotina de biblioteca tenha uma restrição não documentada. Esses são os tipos de problemas que todo projeto de software encontra mais cedo ou mais tarde. Esses são os tipos de problemas descobertos durante os testes (se fizermos um bom trabalho ao testar) pelo simples motivo de que não há como descobri-los antes. Quando são descobertos, eles obrigam a uma mudança no projeto. Se tivermos sorte, as mudanças no projeto serão locais.

Na maioria das vezes, as mudanças se propagarão em uma parte significativa do projeto de software inteiro (Lei de Murphy). Quando parte do projeto afetado não puder mudar por alguma razão, as outras partes terão de ser fragilizadas para se adaptar. Isso frequentemente resulta no que os gerentes interpretam como "conserto", mas é a realidade do desenvolvimento de software.

Por exemplo, recentemente trabalhei em um projeto onde uma dependência de temporização foi descoberta entre os detalhes internos do módulo A e de outro módulo B. Infelizmente, os detalhes internos do módulo A estavam ocultos por trás de uma abstração que não permitia nenhuma maneira de incorporar a chamada do módulo B em sua sequência correta. Naturalmente, quando o problema foi descoberto era tarde demais para mudar a abstração de A. Conforme o esperado, o que aconteceu foi um conjunto cada vez mais complexo de "correções" aplicadas ao projeto interno de A. Antes de terminarmos a instalação da versão 1, havia o sentimento generalizado de que o projeto estava fracassando. Cada nova correção possivelmente estragava alguma outra mais antiga. Esse é um projeto de desenvolvimento de software normal. Até que meus colegas e eu acabamos debatendo uma alteração no projeto, mas tivemos de nos oferecer para trabalhar horas extras não remuneradas para obter o consentimento da gerência.

Em qualquer projeto de software de tamanho normal, com certeza surgem problemas como esses. Apesar de todas as tentativas de evitar isso, detalhes importantes serão ignorados. Essa é a diferença entre habilidade e engenharia. A experiência pode nos levar na direção certa. Isso é habilidade. A experiência só nos levará até esse ponto no território inexplorado. Então, devemos pegar o que começamos e aprimorar por meio de um processo de refinamento controlado. Isso é engenharia.

Apenas como uma pequena questão, todos os programadores sabem que escrever os documentos do projeto de software após o código (e não antes) produz documentos muito mais precisos. O motivo agora é óbvio. Somente o projeto final, conforme refletido no código, é refinado durante o ciclo de construção/teste. A probabilidade de o projeto inicial ficar inalterado durante esse ciclo é inversamente relacionada ao número de módulos e de programadores em um projeto. Ela se torna rapidamente indistinguível do nada.

Na engenharia de software, precisamos desesperadamente de um bom projeto em todos os níveis. Em particular, precisamos de um bom projeto de nível superior. Quanto melhor for o projeto inicial, mais fácil será o projeto detalhado. Os projetistas devem usar qualquer coisa que ajude. Diagramas estruturais, diagramas de Booch, tabelas de estado, PDL etc. – se ajuda, use. Contudo, devemos lembrar que essas ferramentas e notações não são um projeto de software. Finalmente, precisamos criar o projeto de software real e isso será feito em alguma linguagem de programação. Portanto, não devemos ter receio de codificar nossos projetos à medida que os inferirmos. Devemos simplesmente estar propensos a refiná-los quando necessário.

Não existe ainda nenhuma notação de projeto igualmente conveniente para uso no projeto de nível superior e no projeto detalhado. No final, o projeto acabará codificado em alguma linguagem de programação. Isso significa que as notações do projeto de nível superior precisam ser traduzidas na linguagem de programação de destino antes que o projeto detalhado possa começar. Essa etapa de tradução leva tempo e introduz erros. Em vez de traduzir de uma notação que pode não ser bem mapeada na linguagem de programação escolhida, os programadores frequentemente voltam aos requisitos e refazem o projeto de nível superior, codificando-o à medida que prosseguem. Isso também é parte da realidade do desenvolvimento de software.

Provavelmente é melhor deixar os projetistas originais escreverem o código original, em vez de outra pessoa traduzir um projeto independente de linguagem posteriormente. O que precisamos é de uma notação de projeto unificada, conveniente para todos os níveis do projeto. Em outras palavras, precisamos de uma linguagem de programação que também seja conveniente para capturar conceitos de projeto de alto nível. É aí que a linguagem C++ entra em ação. C++ é uma linguagem de programação conveniente para projetos do mundo real e também é uma linguagem de projeto de software mais expressiva. A linguagem C++ nos permite expressar diretamente informações de alto nível sobre componentes do projeto. Isso torna mais fácil produzir o projeto e mais fácil refiná-lo posteriormente. Com sua verificação de tipo mais forte, ela também ajuda no processo de detecção de erros de projeto. Isso resulta em um projeto mais robusto, basicamente um projeto mais bem feito.

Em última análise, um projeto de software deve ser representado em alguma linguagem de programação e, então, validado e refinado por meio de um ciclo de construção/teste. Qualquer pretensão fora disso é bobagem. Considere o motivo de as ferramentas e as técnicas de desenvolvimento de software terem ganhado popularidade. A programação estruturada era considerada um passo revolucionário em sua época. A linguagem Pascal a popularizou e, por sua vez, se tornou popular. O projeto orientado a objetos é a nova moda e a linguagem C++ está no centro dela. Agora pense sobre o que não tem funcionado. As ferramentas CASE? Populares, sim; universais, não. Diagramas estruturais? A mesma coisa. Do mesmo modo, diagramas de Warner-Orr, diagramas de Booch, diagramas de objetos, há de tudo. Cada um tem suas vantagens e uma única fraqueza fundamental – não se trata realmente de um projeto de software. Na verdade, a única notação de projeto de software que se pode dizer difundida é a PDL, e que faz o que parece.

Isso signiifica que o subconsciente coletivo da indústria de software sabe instintivamente que os aprimoramentos nas técnicas de programação e nas linguagens de programação do mundo real em particular são decisivamente mais importantes do que qualquer outra coisa no setor do software. Também significa que os programadores estão interessados no projeto. Quando linguagens de programação mais expressivas se tornarem disponíveis, os desenvolvedores de software as adotarão.

Considere também como o processo de desenvolvimento de software está mudando. Anteriormente, tínhamos o processo em cascata. Agora falamos em desenvolvimento em espiral e em criação rápida de protótipos. Embora tais técnicas frequentemente sejam justificadas com termos como "redução de riscos" e "tempos de entrega de produto reduzidos", na verdade são apenas desculpas para começar a codificar antes no ciclo de vida. Isso é bom. Isso permite que o ciclo de construção/teste comece a validar e refinar o projeto mais cedo. Também significa que é mais provável que os projetistas de software que desenvolveram o projeto de nível superior ainda estejam por perto para fazer o projeto detalhado.

Conforme apontado anteriormente, a engenharia está mais ligada a como você faz o processo do que a como será o produto final. No setor de software, estamos perto de sermos engenheiros, mas precisamos de algumas mudanças de percepção. A programação e o ciclo de construção/teste são fundamentais para o processo de manufatura de software. Precisamos gerenciá-los como tal. Os aspectos econômicos do ciclo de construção/teste, mais o fato de que um sistema de software pode representar praticamente qualquer coisa, tornam muito improvável que encontremos quaisquer métodos de propósito geral para validar um projeto de software. Podemos melhorar esse processo, mas não podemos escapar dele.

Um último ponto: o objetivo de qualquer esquema de projeto de engenharia é a produção de alguma documentação. Obviamente, os documentos de projeto reais são os mais importantes, mas não são os únicos que devem ser produzidos. Espera-se que alguém finalmente utilize o software. Também é provável que o sistema tenha de ser modificado e aprimorado em um momento posterior. Isso significa que a documentação auxiliar é tão importante para um projeto de software quanto para um projeto de hardware. Ignorando por enquanto os manuais de usuário, os guias de instalação e outros documentos não diretamente associados ao processo de projeto, ainda existem duas necessidades importantes que devem ser sanadas com documentos de projeto auxiliares.

O primeiro uso da documentação auxiliar é na captura de informações importantes do espaço do problema que não aconteceu diretamente no projeto. O projeto de software envolve inventar conceitos de software para modelar conceitos em um espaço de problema. Esse processo exige compreender os conceitos do espaço do problema. Normalmente, esse entendimento incluirá informações que acabam não sendo diretamente modeladas no espaço do software, mas que mesmo assim ajudaram o projetista a determinar quais eram os conceitos fundamentais e como melhor modelá-los. Essa informação deve ser capturada em algum lugar, para o caso de o modelo precisar ser alterado posteriormente.

A segunda necessidade importante da documentação auxiliar é o registro dos aspectos do projeto que são difíceis de extrair diretamente do próprio projeto. Isso pode incluir tanto aspectos de alto nível como de baixo nível. Muitos desses aspectos são mais bem representados graficamente. Isso os torna difíceis de incluir como comentários no código-fonte. Este não é um argumento a favor de uma notação gráfica do projeto de software em vez de uma linguagem de programação. Isso não é diferente da necessidade de descrições textuais para acompanhar os documentos de projeto gráficos das disciplinas de hardware. Nunca se esqueça de que o código-fonte determina qual é o projeto real e não a documentação auxiliar. De forma ideal, estariam disponíveis ferramentas de software que fizessem o pós-processamento do projeto de um código-fonte e gerassem a documentação auxiliar. Talvez seja demasiado esperar isso. A segunda escolha poderia ser algumas ferramentas que permitissem aos programadores (ou escritores técnicos) extrair do código-fonte informações específicas que pudessem então ser documentadas de alguma outra maneira. Sem dúvida, é difícil manter tal documentação atualizada manualmente. Esse é outro argumento a favor da necessidade de linguagens de programação mais expressivas. Também é um argumento a favor de manter tal documentação auxiliar em um mínimo e o mais informal possível, até o máximo que se possa esperar no projeto. Novamente, poderíamos usar algumas ferramentas melhores; caso contrário, acabaremos contando com lápis, papel e lousas.

Em resumo:

- Software real é executado em computadores. É uma sequência de uns e zeros armazenada em algum meio magnético. Não é uma listagem de programa em C++ (ou qualquer outra linguagem de programação).
- Uma listagem de programa é um documento que representa um projeto de software. Compiladores e vinculadores constroem realmente os projetos de software.
- Software real é incrivelmente barato para criar e está ficando mais barato o tempo todo, à medida que os computadores ficam mais rápidos.
- Software real é incrivelmente dispendioso para projetar. Isso é verdade porque o software é incrivelmente complexo e porque praticamente todas as etapas de um projeto de software fazem parte do processo de projeto.
- Programar é uma atividade de projeto – um bom processo de projeto de software reconhece isso e não hesita em codificar quando a codificação faz sentido.
- Codificar faz sentido com mais frequência do que se acredita. Muitas vezes o processo de representar o projeto no código revelará omissões e a necessidade de mais trabalho de projeto. Quanto antes isso ocorrer, melhor será o projeto.
- Como é tão barato criar software, os métodos de validação formais da engenharia não têm muita utilidade no mundo real do desenvolvimento de software. É mais fácil e barato apenas construir o projeto e testá-lo do que tentar comprová-lo.
- Teste e depuração são atividades de projeto – é o equivalente do software dos processos de validação e refinamento de projeto de outras disciplinas de engenharia. Um bom processo de projeto de software reconhece isso e não tenta defraudar as etapas.
- Existem outras atividades de projeto – sejam denominadas projeto de nível superior, projeto de módulo, projeto estrutural, projeto arquitetônico ou o que for. Um bom processo de projeto de software reconhece isso e inclui as etapas deliberadamente.

- Todas as atividades de projeto interagem. Um bom processo de projeto de software reconhece isso e permite que o projeto mude, às vezes radicalmente, à medida que as várias etapas do projeto revelarem essa necessidade.
- Muitas notações de projeto de software diferentes são potencialmente úteis – como documentação auxiliar e como ferramentas para ajudar a facilitar o processo de projeto. Elas não são um projeto de software.
- O desenvolvimento de software ainda é mais uma habilidade do que uma disciplina de engenharia. Isso acontece principalmente por causa da falta de rigor nos processos fundamentais de validação e aprimoramento de um projeto.
- Em última análise, os avanços reais no desenvolvimento de software dependem dos avanços nas técnicas de programação, os quais por sua vez significam avanços nas linguagens de programação. A linguagem C++ é tal avanço. Sua popularidade explodiu porque é uma linguagem de programação importante que suporta diretamente um projeto de software melhor.
- A linguagem C++ é um passo na direção certa, mas são necessários ainda mais avanços.

***

Epílogo

Quando li o que escrevi há quase 10 anos, me surpreendi com vários pontos. O primeiro (e mais relevante para este livro) é que hoje estou ainda mais convencido do que antes da verdade fundamental dos principais pontos que tentei demonstrar. Minha convicção é apoiada por vários acontecimentos conhecidos dos anos seguintes que reforçaram muitos deles. O mais óbvio (e talvez menos importante) é a popularidade das linguagens de programação orientadas a objetos. Atualmente existem muitas linguagens de programação de OO, além de C++. Além disso, existem notações de projeto de OO, como a UML. Minha argumentação de que as linguagens de programação de OO ganharam popularidade porque permitem que projetos mais expressivos sejam capturados diretamente no código parece obsoleta agora.

A noção de refatoração – reestruturar uma base de código para torná-la mais robusta, reutilizável etc. – também se compara à minha argumentação de que todos os aspectos de um projeto devem ser flexíveis e ter a possibilidade de mudar quando o projeto for validado. A refatoração fornece simplesmente um processo e um conjunto de diretrizes a respeito de como melhorar um projeto que tenha demonstrado alguma fraqueza.

Por fim, existe o conceito geral do Desenvolvimento Ágil. Embora a Programação Extrema seja a mais conhecida dessas novas estratégias, todas elas têm em comum o reconhecimento de que o código-fonte é o produto mais importante de um trabalho de desenvolvimento de software.

Por outro lado, existem vários pontos – em alguns dos quais toquei no artigo – cuja importância aumentou para mim nos anos seguintes. O primeiro é a importância da arquitetura ou projeto de nível superior. No artigo, indiquei que a arquitetura é apenas uma parte do projeto e que precisa permanecer fluida enquanto o ciclo de construção/teste valida o projeto. Isso é fundamentalmente verdade, mas, em retrospecto, acho que foi um pouco de ingenuidade minha. Embora o ciclo de construção/teste possa revelar problemas em uma arquitetura, normalmente mais problemas são revelados pela mudança dos requisitos. Projetar software "em grande escala" é difícil e nem as novas linguagens de programação, como Java ou C#, nem as notações gráficas, como a UML, são de muita ajuda para pessoas que não sabem como fazer isso bem. Além disso, uma vez que um projeto tenha criado um volume significativo de código em torno de uma arquitetura, mudar essa arquitetura muitas vezes é equivalente a jogar o projeto fora e começar de novo; assim, isso não acontece. Mesmo projetos e empresas que aceitam fundamentalmente a noção de refatoração ainda ficam relutantes em enfrentar algo que parece uma reescrita completa. Isso significa que fazer a coisa certa na primeira vez (ou pelo menos quase) é importante e continua sendo ainda mais, à medida que os projetos ficam maiores. Felizmente, essa é a área que os padrões de projeto de software estão ajudando a resolver.

Uma das outras áreas que acho que precisa de mais ênfase é a documentação auxiliar, especialmente a documentação de arquitetura. Embora o código-fonte possa ser o projeto, tentar descobrir a arquitetura a partir do código-fonte pode ser uma experiência desencorajadora. No artigo, expressei a esperança de que pudessem surgir ferramentas para ajudar os desenvolvedores de software a manter a documentação auxiliar automaticamente, a partir do código-fonte. Abandonei de vez essa ideia. Uma boa arquitetura orientada a objetos normalmente pode ser descrita em poucos diagramas e algumas dezenas de páginas de texto. Contudo, esses diagramas (e o texto) devem se concentrar nas principais classes e nos relacionamentos do projeto. Infelizmente, não tenho nenhuma esperança de que ferramentas de software venham a ser inteligentes o suficiente para extrair esses importantes aspectos da massa de detalhes do código-fonte. Isso significa que as pessoas terão de escrever e manter tal documentação. Ainda acho que é melhor escrevê-la depois do código-fonte (ou pelo menos ao mesmo tempo), do que tentar escrevê-la antes.

Por fim, no final do artigo, observei que a linguagem C++ era um avanço na arte da programação – e, portanto, do projeto de software –, mas que ainda mais avanços eram necessários. Dado que vejo uma total falta de quaisquer avanços reais na arte da programação nas linguagens que surgiram para desafiar a popularidade da C++, acho que isso é ainda mais verdade hoje do que quando escrevi aquilo.

— Jack Reeves, 1º de janeiro de 2002

ÍNDICE

A

Aa (acoplamento aferente), 438–440, 463
Abbott, Edwin A., 341
Abstração imaginária, 276–278
Abstrações
 em CoffeeMaker, 276–278, 281–291
 métricas para, 443
 no Princípio da Inversão de Dependência, 171–177
 no Princípio das Abstrações Estáveis, 442–446
 no Princípio do Aberto/Fechado, 142–144, 146–151, 441–442
 no sistema de folha de pagamentos, 369–372
 para redução de repetição, 125–126
Ação enterSub, 222
Ação enterSuper, 222
Ação exitSub2, 222
Ação exitSuper, 222
Ação hideLoginScreen, 219–220
Ações em diagramas de estados, 201–202
Acoplamento aferente (Aa), 438–440, 463
Acoplamento eferente (Ae), 438–440, 463
Acoplamentos
 componentes. *Consulte* Estabilidade
 em análise de pacotes, 460–462
 fábricas para, 467–470
 métricas para, 438–440, 462–464
 separando, 138–139
 tipos de, 438–440
Adaptadores de forma de classe, 505–507
Adaptadores em forma de objeto, 505–506
Adicionando funcionários
 em bancos de dados, 618–630
 no sistema de folha de pagamentos, 311–314, 361–363, 373–379
ADP (Princípio das Dependências Acíclicas), 431–437
Agendas de pagamentos, 369–370, 373–375

Agregação em diagramas de classes
 associações, 263–264
 composição, 264–266
 multiplicidade, 265–267
Algoritmo Thermostat, 177–179
Aliança Ágil, 31–33
Alterações
 como método de módulo de software, 63–64
 e rigidez e fragilidade no projeto, 124–125
 funcionário, 365–368, 390–404
 no Princípio do Aberto/Fechado, 148—150
 putrefação de software a partir de, 126–127
 requisitos, 36–37
 respondendo a, 34–36
 tratamento de, do programa Copy, 128–131
Ambiente, viscosidade do, 124–126
Análise estatística de projetos, 445–446
Antecipação no Princípio do Aberto/Fechado, 146–149
APIs de terceiros, 533–536
Aplicativo Shape, 143–146
Aplicativos desktop, 653–654
Área de trabalho aberta na programação extrema, 43–44
Arquitetura casual, 60–62
Arquivo login.sm, 609–611
Assemblies, 427–428
Associação de um para muitos, 256–257
Associações
 em CoffeeMaker, 278–279
 em diagramas de classes, 198–199, 256–257
  agregação, 263–264
  classes, 266–269
  estereótipos, 266–268
  horizontais, 258–259
  qualificadores, 268–269
Atenção humana, refatoração na, 63–64
 exemplo. *Consulte* Programa GeneratePrimes
 na programação extrema, 42–43, 45–47
Ativações em diagramas de sequência, 200–201, 237–238

Atores em casos de uso, 235–236
Aurelius, Marcus, 359

B

Bancos de dados
 como detalhes de implementação, 359–361
 de terceiros, 533–536
 padrões com, 547–549
 para folha de pagamentos. *Consulte* Base PayrollDataclasse
Base EmployeeDataclasse, 56–58, 455–456
Base InMemoryPayrollDataclasse, 617–618, 686
Base SqlPayrollDataclasse, 618–620, 627–637
Base UserDataclasse, 204–206
BOM (listas de materiais), 560–562
BomXmlTest, 576–580
Booch, Grady, 171–173, 261–262
Botão Brew (Preparar), 279–280, 282–284
Botões em CoffeeMaker, 274–276, 279–280, 282–284
Brewer, E. Cobham, 135
Burke, Edmund, 589

C

Calculando pontuações do boliche, 77–119
Camada Mechanism, 172–173
Camada MechanismLayer, 172–174
Camada Policy, 172–173
Camada PolicyLayer, 172–174
Camada Utility, 172–173
Camada UtilityLayer, 172–174
Camadas de isolamento, 533–535
Campo transactionContainer, 673
Capacidade de compilação de aplicativos, 436–437
Capacidade de derivação em MONOSTATE, 347
Capacidade de teste de modelos, 203–204
Caracteres, programa Copy para, 127–133
Caracteres « e » em diagramas de classes, 260–261
Carregando funcionários no banco de dados, 637–651

ÍNDICE

Carrinho de compras
implementando, 517-533
modelo de dados relacional, 514-515
modelo de objeto, 513-514
Proxy para, 513-518
Cartões de ponto
implementando, 363-364, 381-386
lançando, 363-364
Casos de teste na programação extrema, 43-44
Casos de uso, 233-234
cursos alternativos em, 234-236
diagramando, 235-236
diagramas de sequência para, 239-243
escrevendo, 233-235
para CoffeeMaker, 278-285
para sistema de folha de pagamentos, 360-369
CCP (Princípio do Fechamento Comum), 430-431
aplicando, 457-459
DECORATOR para, 570-571
em ciclos de dependência, 436-437
para estabilidade, 437
Cenários, diagramas de sequência para, 239-243
Ciclos
dependência, 432-437
na programação extrema, 40-41
Clareza no projeto, 126-127
Classe AbstractDbGatewayTest, 544-545
Classe AbstractTransactions
alocação de classe em, 465, 471
métricas para, 472
Classe ActiveObjectEngine, 314-318, 320
Classe AddCommissionedEmployee, 379, 395-396
Classe AddCommissionedEmployeeTransaction, 361-362
Classe AddEmployeePresenter, 656-658, 660-666
Classe AddEmployeePresenterTest, 657-659
Classe AddEmployeeTransaction
campos na, 311-314
hierarquia da, 361-362
listagem, 377-379
modelo dinâmico da, 376-378
modelo estático da, 374-375
para interface do usuário, 656-657, 663-664
PayrollDatabase para, 375-376

Classe AddEmployeeWindow, 656-658, 669-673
Classe AddEmployeeWindowTest, 666-669, 672-673
Classe AddHourlyEmployee, 379, 391
Classe AddHourlyEmployeeTransaction, 361-362, 467-468
Classe AddItemTransaction, 514-515
Classe Address, 264-266, 268-269
Classe AddSalariedEmployee, 379
Classe AddSalariedEmployeeTransaction, 361-362
Classe Affiliation, 398-403
em Employee, 366-367
estrutura da, 371-372
no Princípio do Fechamento Comum, 457-458
para quotas sindicais, 413-415
para taxas de serviço, 386, 388-389
Classe Affiliations
mesclando em PayrollImplementation, 468-469
métricas para, 466-467
no Princípio da Equivalência Reutilização/Entrega, 459-460
no Princípio do Fechamento Comum, 457-458
Classe AffiliationTransactions
alocação de classe em, 465
métricas para, 466-467
Classe Animal, 195-196
Classe Application, 321-324
alocação de classe em, 465, 471
métricas para, 466-467, 472
no Princípio da Equivalência Reutilização/Entrega, 459-460
Classe ApplicationRunner, 328-330
Classe Assembly, 561-563, 581-582
Classe AsynchronousLogger, 247-254
Classe BadPartExtension, 585-586
Classe BinaryTreeNode, 265-266
Classe Blah, 618-622
Classe Boiler, 274-276
Classe BOMReportTest, 565-569
Classe BubbleSorter, 205-207, 325-332
Classe Button
associações com, 256-257
para CoffeeMaker, 274-276
para Princípio da Inversão de Dependência, 174-177
para telefones celulares, 209-214

Classe ButtonDialerAdapter, 213-215
Classe CashDispenser, 258-259
Classe ChangeAddressTransaction, 390, 392-395
Classe ChangeAffiliationTransaction, 390, 398-399, 401-402
Classe ChangeClassificationTransaction, 390, 393-397, 456-458
Classe ChangeCommissionedTransaction, 395-398
Classe ChangeDirectTransaction, 397-398
Classe ChangeEmployeeTransaction, 390-394
Classe ChangeHoldTransaction, 398-399
Classe ChangeHourlyTransaction, 394-398, 467-468
Classe ChangeMailTransaction, 398-399
Classe ChangeMemberTransaction, 399-403
Classe ChangeMethodTransaction, 390-391, 397-398
Classe ChangeNameTransaction, 390-394
Classe ChangeSalariedTransaction, 394-395, 397-398
Classe ChangeUnaffiliatedTransaction, 399-404
Classe CheckWriter, 56-58
Classe Circle, 150-151, 154-155, 447-448, 473-474
Classe Classifications, 455-457
acoplamentos em, 460-461
dependência na, 467-468
mesclando em PayrollImplementation, 468-469
métricas para, 464, 466-467
no Princípio da Equivalência Reutilização/Entrega, 459-460
no Princípio do Fechamento Comum, 457-458
Classe ClassificationTransaction
dependência na, 467-468
métricas para, 464, 466-467
Classe Client, 142-143
Classe ClientInterface, 142-144
Classe ClockDriver, 478-480, 482-486
Classe ClockDriverTest, 478-482, 484-487
Classe ClockSink, 479-480
Classe CoffeeMaker, 271-272
abstração na, 276-278, 281-291
especificações para, 271-275
interface do usuário para, 278-282

ÍNDICE **717**

projeto orientado a objetos para, 291–304
solução horrível para, 274–277
solução melhorada para, 277–279
Classe CoffeeMakerStub, 298–301
Classe CommissionedClassification, 365–366, 413–416
Classe Company, 266–269
Classe CompositeCommand, 474–475
Classe CompositeShape, 473–474
Classe ComputationalGeometryApplication, 136–137
Classe ContainmentVessel, 277–282, 284–285, 295–296
Classe Context, 600
Classe Copier, 128–132
Classe CsvAssemblyExtension, 585–586
Classe CsvPiecePartExtension, 584–585
Classe DatabaseFacade, 548–549
Classe DataSet, 640–641
Classe DateUtil, 418–419
Classe Db, 335–336, 355–358, 520–521
Classe DbGateways, 543–544
Classe DbOrderGateway, 535–537, 544–545
Classe DbOrderGatewayTest, 546–548
Classe DbProductGateway, 538–540, 544–545
Classe DbProductGatewayTest, 544–546
Classe DbTest, 518–519, 525–527
Classe DedicatedHayesModem, 509–512
Classe DedicatedModem, 506–510
Classe DedicatedModemAdapter, 508–510
Classe DedModemController, 510–512
Classe DedUsers, 506–510
Classe DelayedTyper, 316–318, 320
Classe DeleteEmployeeTransaction, 362–363, 379–381
Classe DepositTransaction, 187–189
Classe Dialer
diagrama de classes para, 255–257
para telefones celulares, 209–214
Classe dialImp, 510–512
Classe DialModem, 509–512
Classe DialModemController, 510–512

Classe DirectMethod, 366–367
Classe Dog, 195–196
Classe DoubleBubbleSorter, 327–329
Classe DrawCircleCommand, 313–315
Classe Employee, 56–59, 366–369
associações com, 268–269
com padrão NULL, 355–358
em diagramas de sequência, 238–240
Hashtable para, 375–376
herança da, 257–258
implementação, 419–421
no Princípio da Equivalência Reutilização/Entrega, 459–461
no Princípio do Fechamento Comum, 457–458
para afiliações, 401–402
para alterar funcionários, 391
para ChangeMethodTransaction, 397–398
para persistência, 138–139
Classe EmployeeDB, 238–240
Classe EmployeeFactory, 451–453
Classe EmployeeImplementation, 355–356
Classe EmployeeObserver, 499–500
Classe EmployeeTest, 356–358
Classe ErnieModem, 553–554, 557–558
Classe ErniesModem, 506–507, 509–512
Classe ExplodedCostVisitor, 564
Classe FanSwitch, 503–505
Classe Frame, 79–86
Classe FrameTest, 79–81
Classe FSMError, 607–607
Classe FtoCRaw, 322–323
Classe FtoCStrategy, 328–331
Classe FtoCTemplateMethod, 323–325
Classe Game, 82–87, 94–96, 108–109, 112–115, 135–136
Classe GameTest, 82–85, 87–95, 115–119
Classe GdatabaseFactory, 453–454
Classe GeneralTransactions
alocação de classe em, 465
métricas para, 466–467
Classe GeneratePrimesTest, 65–66, 74–76
Classe GeometricRectangle, 136–137
Classe GraphicalApplication, 136–137
Classe GUITransactionSource, 421–422
Classe hangImp, 510–512

Classe Hashtable, 375–376
Classe HayesModem, 506–507, 509–512, 553–554, 557–558, 571–573
Classe HoldMethod, 366–367
Classe HotWaterSource, 277–282, 284–287, 293–294
Classe HourlyClassification, 365–366, 382–384, 395–397, 413–416, 467–468
Classe HttpRequest, 204–206
Classe HttpResponse, 204–206
Classe InMemoryGateway, 543–544
Classe InMemoryOrderGateway, 538–539, 543–544
Classe InMemoryProductGateway, 540
Classe IntBubbleSorter, 327–329
Classe IntSortHandler, 331–333
Classe InvalidOperationException, 383–384
Classe Item, 542–544
Classe ItemData, 527–531
Classe KeyboardReader, 131–133
Classe Lamp, 174–177
Classe Light, 274–276, 503–507
Classe Line, 165–168
Classe LinearObject, 166–167
Classe LineSegment, 165–168
Classe LoadEmployeeOperation, 638–643, 645–646
Classe LoadEmployeeOperationTest, 638–643
Classe LoadPaymentClassificationOperation, 650
Classe LoadPaymentMethod, 642–643
Classe LoadPaymentMethodOperation, 642–651
Classe LoadPaymentMethodOperationTest, 642–650
Classe Locked, 351–353, 607
Classe LockedTurnstileState, 597–598
Classe LoginPage, 204–206
Classe LoginTransaction, 268–269
Classe LoudDialModem, 570–575
Classe M4CoffeeMaker, 288–290, 292–295, 297–299
Classe M4ContainmentVessel, 284–288, 296–298
Classe M4HotWaterSource, 286–287
Classe M4UserInterface, 283–290, 292–293
Classe MailMethod, 366–367, 625–626, 628, 646–647
Classe Math, 261–262

Classe Methods
  mesclando em PayrollImplementation, 468–469
  métricas para, 464, 466–467
  no Princípio da Equivalência Reutilização/Entrega, 459–461
  no Princípio do Fechamento Comum, 457–458
Classe MethodTransactions
  métricas para, 466–467
  no Princípio da Equivalência Reutilização/Entrega, 460–461
Classe MockAddEmployeeView, 657–658, 664–666
Classe MockGame, 82–83
Classe MockPayrollView, 678–679
Classe MockTimeSink, 480–486, 497
Classe MockTimeSource, 480–484, 488–494, 496–497
Classe MockViewLoader, 674, 678–680
Classe ModemConnectionController, 510–512
Classe ModemDecorator, 573–575
Classe ModemDecoratorTest, 572–574
Classe ModemImplementation, 138–139, 510–512
Classe ModemVisitorTest, 554–555, 559–561
Classe Monostate, 347
Classe MonthlySchedule, 407–408
Classe Motor, 175–176
Classe NoAffiliation, 403–404
  Null Object para, 366–367
  para métodos de pagamento, 371
  para taxas de serviço, 386, 388–389
Classe NullEmployee, 355–358
Classe ObservableClock, 489–491, 493
Classe ObserverTest, 495–496
Classe Order, 513–516, 541–542
Classe OrderData, 525–527
Classe OrderImp, 527–528
Classe OrderProxy, 525–526, 529–530
Classe Page, 204–206
Classe Part, 561–562, 580
Classe PayClassification, 311–314
Classe PaydayTransaction, 403–408, 413–416
Classe PayGasBillTransaction, 187
Classe PaymentClassification
  benefícios da, 365–366
  no Princípio da Equivalência Reutilização/Entrega, 459–460

  no Princípio do Fechamento Comum, 457–458
  para abstração, 369–370, 393–396
  para adicionar funcionários, 376–378
  para cartões de ponto, 381–384
  para operações de carga, 650
  para pagamentos, 367–369, 403–404
  para períodos de pagamento, 413–416
Classe PaymentMethod, 366–367, 403–404
  abstração na, 371, 397–398
  no Princípio da Equivalência Reutilização/Entrega, 459–460
  no Princípio do Fechamento Comum, 457–458
Classe PaymentSchedule, 376–378, 395–396, 403–404
  no Princípio da Equivalência Reutilização/Entrega, 459–460
  no Princípio do Fechamento Comum, 457–458
  para períodos de pagamento, 413–415
Classe Payroll, 56–62, 242–243
  abstrações na, 369–372
  testando, 452–454
Classe PayrollApplication, 420–422, 455–458
  alocação de classe em, 465, 471
  métricas para, 464, 466–467, 472
  no Princípio da Equivalência Reutilização/Entrega, 459–461
  no Princípio do Fechamento Comum, 457–458
Classe PayrollDatabase, 615–616
  alocação de classe em, 465, 471
  construindo, 615–617
  funcionários na
    adicionando, 375–378, 618–630
    alterando, 391
    carregando, 637–651
  métricas para, 464, 466–467, 472
  no Princípio da Equivalência Reutilização/Entrega, 459–460
  objetos na, 421–423
  para afiliações, 401–404
  para DeleteEmployeeTransaction, 381
  para taxas de serviço, 386, 388–389
  projeto falho na, 615–619
  transações para, 630–637

Classe PayrollDatabaseImplementation
  alocação de classe em, 465, 471
  métricas para, 466–467, 472
Classe PayrollDomain
  alocação de classe em, 465, 471
  métricas para, 464, 466–467, 472
  no Princípio da Equivalência Reutilização/Entrega, 459–461
  no Princípio do Fechamento Comum, 457–458
Classe PayrollFactory
  alocação de classe em, 465, 471
  métricas para, 472
Classe PayrollImplementation
  alocação de classe em, 465, 471
  métricas para, 472
  para coesão, 468–469
Classe PayrollMain, 686
Classe PayrollPresenter, 673, 676–678
Classe PayrollPresenterTest, 674–676
Classe PayrollTest, 57–58, 452–454, 617–618
Classe PayrollWindow, 682–684
Classe PayrollWindowTest, 681–683
Classe PDImplementation, 459–460
Classe PersistentObject, 162–165
Classe Phone, associações com, 256–257
Classe PiecePart, 562–564, 581–582
Classe Policy, 143–144
Classe PrimeGenerator, 66–75
Classe PrinterWriter, 132–133
Classe Product, 515–518, 541, 543–544
Classe ProductData, 335–336, 518–520
Classe ProductDBProxy, 517–518
Classe ProductImpl, 523–525
Classe ProductImplementation, 517–518
Classe ProductProxy, 523–525
Classe ProxyTest, 522–523, 525–526
Classe Quantity, 517–518
Classe QuickBubbleSorter, 333–334
Classe QuickEntryMediator, 336–339
Classe Ray, 166–168
Classe receiveImp, 510–512
Classe Rectangle, 135–137, 155–159

ÍNDICE **719**

Classe RemoteTransactionSource, 421–422
Classe SalariedClassification, 365–366
Classe SalariedEmployee, 257–258
Classe SalaryObserver, 499–500
Classe SalesReceipt
    acoplamentos na, 460–462
    entrega na, 363–366
    no Princípio do Fechamento Comum, 457–458
Classe SalesReceiptTransaction
    acoplamentos na, 460–462
    modelo estático da, 385–386
Classe SaveEmployeeOperation, 636–638
Classe Schedules
    mesclando em PayrollImplementation, 468–469
    métricas para, 464, 466–467
    no Princípio da Equivalência Reutilização/Entrega, 459–460
    no Princípio do Fechamento Comum, 457–458
Classe Scorer, 86–87, 101–102, 108–110, 114–116, 135–136
Classe Screen, 209–210
Classe sendImp, 510–512
Classe Sensor, 274–275
    abstração na, 276–277
    função da, 310–311
    para compostos, 474–476
Classe Server, 142–143
Classe ServiceCharge, 386, 388–389, 456–457
Classe ServiceChargeTransaction, 386–389, 456–457
Classe Shape, 153–155
Classe ShapeComparer, 150–152
Classe ShapeFactory, 238–240
Classe ShapeFactoryImplementation, 447–451
Classe Singleton, 341–343
Classe SleepCommand, 315–318, 320
Classe SMCTurnstileTest, 607–609
Classe SocketServer, 228–232
Classe Speaker, 209–210
Classe SqlPayrollDatabaseTest, 618–619, 621–627, 635–638
Classe SqlTransaction, 630
Classe Square, 154–159, 447–448, 473–474
Classe State, 605
Classe StopCommand, 319
Classe Subject, 494, 496–497
Classe Switch, 503–505
Classe TestCoffeeMaker, 301–304
Classe TestGame, 85

Classe TestLog, 247–248
Classe TestSimpleSingleton, 341–343
Classe TestSleepCommand, 315–317
Classe TestTurnstile, 593
Classe TextParser, 457–458
Classe TextParserTransactionSource, 421–422, 455–456
    acoplamentos com, 467–468
    alocação de classe em, 465, 471
    métricas para, 466–467, 472
    no Princípio do Fechamento Comum, 457–458
Classe Thread, 231–232
Classe Throw, 78–81
Classe ThrowTest, 78–80
Classe TimeCard, 365–366, 381–384, 456–457
    acoplamentos na, 460–462
    implementando, 381–384
    no Princípio do Fechamento Comum, 457–458
    para lançamentos, 363–364
Classe TimeCardTransaction, 383–386, 456–457
    acoplamentos na, 460–462
    estrutura da, 382–383
Classe TimedDoor, 182–186
Classe Timer, 182–186
Classe TimerClient, 182–186
Classe TimeSourceImplementation, 488–493
Classe Transaction, 455–456, 617–618
    no Princípio da Equivalência Reutilização/Entrega, 460–461
    no Princípio do Fechamento Comum, 457–458
    no sistema ATM, 187
Classe TransactionApplication
    alocação de classe na, 465, 471
    métricas para, 466–467, 472
    no Princípio da Equivalência Reutilização/Entrega, 460–461
Classe TransactionContainer, 685–686
Classe TransactionFactory, 467–468
    alocação de classe na, 465, 471
    métricas para, 472
Classe TransactionImplementation
    alocação de classe na, 465, 471
    fábrica de objetos, 467–468
    métricas para, 472
    para coesão, 468–469
Classe Transactions, 455–457, 459–460

Classe TransactionSource, 455–456
    no Princípio da Equivalência Reutilização/Entrega, 460–461
    no Princípio do Fechamento Comum, 457–458
Classe TransferTransaction, 187, 190
Classe Transition, 596–597
Classe TreeMap, 196–198
    diagrama de classes para, 198–199
    diagrama de colaboração para, 200–202
    diagrama de objetos para, 199–200
    diagrama de sequência para, 199–201, 239–240
Classe TreeMapNode, 196–199
Classe Triangle, 145–147
Classe Turnstile, 350–353, 589–591, 593–600, 603–605
Classe TurnstileActions, 601–603
Classe TurnstileController, 609
Classe TurnstileControllerSpoof, 591, 607
Classe TurnstileFSM, 602–604
Classe TurnstileLockedState, 597
Classe TurnstileTest, 349–350, 591–592
Classe TurnstileUnlockedState, 597
Classe UI, 260–261
classe UIGlobals, 188, 191–192
Classe UnionAffiliation, 366–367, 399–404
    para quotas sindicais, 413–419
    para taxas de serviço, 386, 388–389
Classe UnixModemConfigurator, 551–555, 559–560
Classe Unlocked, 352–353, 605–607
Classe UnlockedTurnstileState, 598
Classe UserDatabaseSource, 344–346
Classe UserInterface, 279–282, 291
Classe USRModem, 509–512
Classe USRoboticsModem, 506–507
Classe WakeUpCommand, 315–316
Classe WarmerPlate, 274–277
Classe WeeklySchedule, 395–397
Classe WindowViewLoader, 674, 680–682, 686
Classe WindowViewLoaderTest, 679–681
Classe WithdrawalTransaction, 187–188, 258–259

Classe XmlAssemblyExtension, 583-585
Classe XmlPartExtension, 582
Classe XmlPiecePartExtension, 583-584
Classe ZoomModem, 553-554, 559-560
Classes
  abstratas, 261-263, 441-442
  contêineres, 161-165
  degeneradas, 556
  dependências em, 427-428
  deusas, 277-278
  Princípio da Equivalência Reutilização/Entrega para, 428-430
  Princípio da Reutilização Comum para, 429-431
  Princípio do Fechamento Comum para, 430-431
  vapor, 276-277
Classes abstratas
  em diagramas de classes, 261-263
  para Princípio do Aberto/Fechado, 441-442
Classes aninhadas em diagramas de classes, 266-268
Classes concretas no Princípio da Inversão de Dependência, 174-175
Classes privadas em diagramas de classes, 255-256
Classes públicas em diagramas de classes, 255-256
Classificação, mudando, 393-404
Clientes
  no Princípio da Segregação de Interface, 183-184
  no Princípio do Aberto/Fechado, 142-143
Clientes
  colaboração com, 33-35
  na programação extrema, 39-40
Clientes separados no Princípio da Segregação de Interface, 183-184
Cockburn, Alistair, 234-235
Códigos UPC, 234-235
Coesão
  considerações para, 467-470
  de componentes, 431-432
    Princípio da Equivalência Reutilização/Entrega, 428-430
    Princípio da Reutilização Comum, 429-431
    Princípio do Fechamento Comum, 430-431

métricas para, 462-464
no SRP. *Consulte* Princípio da Responsabilidade Única (SRP)
Coincidência, programação por, 91-92
Colaboração
  com executivos, 36-37
  versus negociação, 33-35
Comando wakeup, 316-317
Comandos de fotocopiadora, 309-312
Compartimentos em diagramas de classes, 255-256
Compilações completas, 434-435
Compilações semanais, 432-433
Complemento de refatoração ReSharper, 66-67
Complexidade no projeto, 125-126
Componentes, 427-428
  coesão de, 431-432
    Princípio da Equivalência Reutilização/Entrega, 428-430
    Princípio da Reutilização Comum, 429-431
    Princípio do Fechamento Comum, 430-431
  estrutura e notação para, 455-458
  princípios de estabilidade, 431-432
    Princípio das Abstrações Estáveis, 442-446
    Princípio das Dependências Acíclicas, 431-437
    Princípio das Dependências Estáveis, 437-443
Componentes dependentes, 439-440
Componentes independentes, 438-440, 457-459
Componentes irresponsáveis, 439-440, 457-458
Componentes responsáveis, 438-440, 457-459
Comportamentos em diagramas, 209-212
Composição em diagramas de classes, 264-266
Comunicação
  como método de módulo de software, 63-64
  diagramas para, 204-207
Condições de corrida em diagramas de sequência, 245-246
Condições em diagramas de sequência, 244-245
Conexão de comandos, 310-311

Conjunto BoundedSet, 161-162
Conjunto PersistentSet, 162-165
Conjunto UnboundedSet, 161-162
Construção em diagramas de sequência, 200-201
Contingências, preparando-se para, 125-126
Contratos no Princípio da Substituição de Liskov, 160-162
Controladores de interação, 611-612
Controle commissionSalaryTextBox, 672-673
Controle commissionTextBox, 672-673
Controle de código-fonte sem bloqueio, 42-44
Controle do planejamento, 53-54
Controle hourlyRateTextBox, 672-673
Controle salaryTextBox, 672-673
Controles, eventos em, 672-673
Convenções no Princípio da Substituição de Liskov, 166-169
Conversas face a face, 36-37
Conversões
  em MONOSTATE, 348
Conversões Celsius/Fahrenheit, 322-325, 329-331
Conversões Fahrenheit/Celsius, 322-325, 329-331
Cooley, Mason, 335
Coolidge, Calvin, 447
CRP (Princípio da Reutilização Comum), 429-431
Curso principal em casos de uso, 233-234

D

DAGs (grafos acíclicos direcionados), 433-434
DBC (projeto por contrato), 159-160
Decisões de negócio 50-51
Decomposições funcionais, 435-436
Decorador LogoutExitModem, 573-574
Delegação
  separação por meio de, 185-186
  STRATEGY para. *Consulte* Padrão STRATEGY
  TEMPLATE METHOD para. *Consulte* Padrão TEMPLATE METHOD
DeMarco, Tom, 135-136, 462
Dependência direta, 172-173
Dependência transitiva, 172-173

ÍNDICE **721**

Dependências
da tipagem estática, 450–451
diagramas de classes para, 255–258
em classes, 427–428
em CoffeeMaker, 289–291
em FACTORY, 449–451
no problema do modem, 508–510
no projeto ágil, 132–133
Dependências do código-fonte, diagramas de classes para, 255–256
Dependências exclusivas do nome, 449–450
Derivar *versus* fatorar, 165–168
Descoplamento
casual, 59–60
físico e temporal, 313–314
Desenhando retângulos, 611
Desenvolvedores
e decisões de negócio, 405–407
na programação extrema, 39–40
orçamentos para, 52–53
Desenvolvimento guiado por testes (TDD), 41–42, 55–56
Detalhes
no Princípio do Fechamento Comum, 458–459
no sistema de folha de pagamentos, 365–368
Diagramas, 195–198
casos de uso, 235–236
classe. *Consulte* Diagramas de classes
colaboração
para relacionamentos, 200–202
para telefones celulares, 209–212
como documentação final, 207–208
como roteiros, 206–208
conveniência dos, 214–217
descartando, 207–210
estado. *Consulte* Diagramas de estados
objetivo dos, 203–206
objeto, 199–200, 227
objetivo do, 227–229
objetos ativos em, 228–232
para comunicação, 204–207
para jogo de boliche, 78–79
processo iterativo para, 209–216
sequência. *Consulte* Diagramas de sequência
uso eficiente de, 204–206

Diagramas de classes, 198–199, 255–256
associações em, 198–199, 256–257
agregação, 263–264
classes, 266–269
estereótipos, 266–268
horizontais, 258–259
qualificadores, 268–269
classes em, 255–256
abstratas, 261–263
aninhadas, 266–268
associação, 266–269
composição em, 264–266
estereótipos em, 260–262
herança em, 257–259
multiplicidade em, 265–267
para sistema ATM, 258–261
para telefones celulares, 211–214
propriedades em, 262–264
Diagramas de colaboração
para relacionamentos, 200–202
para telefones celulares, 209–212
Diagramas de componentes, 432–434
Diagramas de estados, 201–202, 219
diagramas de transição de estados, 219–221, 611–612
eventos especiais em, 220–221
pseudo-estados em, 223–224
super-estados em, 222–223
FSM, 224–226
fundamentos, 219–221
para telefones celulares, 209–210
Diagramas de limite do sistema em casos de uso, 235–236
Diagramas de objetos, 199–200, 227
objetivo dos, 227–229
objetos ativos em, 228–232
Diagramas de sequência, 199–201, 237–238
condições em, 244–245
criando e destruindo, 238–240
enviando mensagens para interfaces em, 252–254
loops em, 239–241, 244–245
mensagens em, 237–238, 245–252
objetos ativos em, 252–253
objetos em, 237–240
para casos e cenários, 239–243
threads múltiplas em, 251–253
Diagramas dinâmicos, 196–197

Diagramas em nível conceitual, 195–197
Diagramas em nível de especificação, 195–197
Diagramas em nível de implementação, 195–197
Diagramas estáticos, 196–197
Diagramas físicos, 196–197
Diderot, Denis, 309
DIP. *Consulte* Princípio da Inversão de Dependência (DIP)
Direção de dependências, 132–133
DirectDepositMethod, 625–626, 630, 642–643, 645–646
Diretrizes de aplicativo de alto nível, 609–611
Disposição em camadas no Princípio da Inversão de Dependência, 171–173
Dispositivos, testando, 452–454
Distância da sequência principal, 445–446, 464
Dividindo histórias de usuário, 49–51
Divisões, erros em, 274–275
DLLs, componentes em, 430–431
Documentação
abrangência da, 33–34
diagramas como, 207–208
listagens de código-fonte como, 123
tamanho da, 217
testes de aceitação como, 59–60
Documentação abrangente, 33–34
Documentação final, 207–208
Documentação notória, 33–34
Documentos de estrutura, 33–34
Documentos de requisitos, testes de aceitação como, 59–60
DoorTimerAdapter, 185–186
Duplicação de código, 45–46

E

Eficiência
de MONOSTATE, 348
de SINGLETON, 343–344
Eixos de mudança no Princípio da Responsabilidade Única, 137–138
Empacotamento, 427–428, 455–456
acoplamento e encapsulamento no, 460–462
componentes no. *Consulte* Componentes
estrutura final, 468–470
métricas no, 462–470
Princípio da Equivalência Reutilização/Entregano, 459–461

Princípio do Fechamento Comum no, 457-459
Encapsulamento, 460-462
Entrega antecipada de software, 35-36
Entrega contínua de software, 35-36
Entrega de software, 35-36
Entrega de software na programação extrema, 40-41
Entregas no sistema de folha de pagamentos
  cartões de ponto, 363-364
  pagamentos, 405-406
  recibos de venda, 363-365
  taxas de serviço, 364-365
Enumeração ShapeType, 144-146, 153-154
Equipes, 32-33
  auto-organizadas, 37
  na programação extrema, 39-40
Esforços de suporte, 428-429
Estabilidade
  definição, 437-439
  e abstração, 443
  métricas para, 438-440, 462-464
  princípios, 431-432
    Princípio das Abstrações Estáveis, 442-446
    Princípio das Dependências Acíclicas, 431-437
    Princípio das Dependências Estáveis, 437-443
  variável, 440-442
Estabilidade de componente variável, 440-442
Estabilidade posicional de componentes, 438-439
Estado Locked
  em diagramas de estados, 201-202, 224-226
  em Turnstile, 348
Estado Sending Password Failed na máquina de estados de login, 220-221
Estado Sending Password Succeeded na máquina de estados de login, 220-221
Estado Unlocked
  em diagramas de estados, 201-202
  em diagramas FSM, 224-226, 348
Estados, 589-590
  em diagramas de estados, 201-202
  State Machine Compiler para, 601-604

tabelas de transição para, 593-597
Estereótipos em diagramas de classes, 260-262, 266-268
Estratégia orientada a dados no Princípio do Aberto/Fechado, 150-152
Estrutura
  de componentes, 455-458
  diagramas de classes para, 211-214
Estrutura Circle, 144-147
Estrutura de pontos, 201-202
Estrutura do loop principal em Application, 321-323
Estrutura natural no Princípio do Aberto/Fechado, 146-149
Estrutura Point, 153-155
Estrutura Shape, 144-146
Estrutura Square, 144-147
Estruturas de dados de configuração, 568-569
Estruturas de dependência de componentes, 436-437
Eventos
  casos de uso para, 233-234
  em controles, 672-673
  em diagramas de estados, 201-202, 220-223
Eventos Entry em diagramas de transição de estados, 220-223
Eventos especiais em diagramas de transição de estados, 220-221
Eventos exit em diagramas de transição de estados, 220-223
Eventos Login, 219-220
Eventos visíveis, casos de uso para, 233-234
Evolução dos padrões, 477-499
Excelência técnica, atenção à, 37
Excluindo funcionários, 362-363, 379-381
Executivos, colaboração com, 36-37
Exemplo de práticas de programação, 77-119
Exemplo Furnace, 177-179
Extensões no Princípio do Aberto/Fechado, 141-142

F
Fábricas substituíveis, 451-453
Facilidade de manutenção *versus* capacidade de reutilização, 430-431
Fatoração no Princípio da Substituição de Liskov, 165-168

Ferramenta FitNesse, 60-62
Ferramentas CASE, 216-217
Ferramentas no desenvolvimento ágil, 32-33
Forma polidária de métodos, 191-193
Formulários, 654-656
Fowler, Martin, 63, 195
Fragilidade no projeto, 124-125
Friendly, Fred W., 473
FSMs. *Consulte* Máquinas de estados finitos
Funcionários no sistema de folha de pagamentos
  adicionando, 311-314, 361-363, 373-379
  alterando, 365-368, 390-404
  banco de dados para. *Consulte* Base PayrollDataclasse
  excluindo, 362-363, 379-381
  pagando, 403-421
Funções de módulo de software, 63-64
Fundamentos lógicos, 33-34

G
Gamma, Erich, 321-322
Ganchos no Princípio do Aberto/Fechado, 148-150
Gateways
  com Facade, 335-336
  exemplo, 535-544
  testando, 543-548
Gateways DB, 543-548
Generalização, 257-258
Geração de relatórios
  Extension Object para, 574-587
  Visitor para, 560-569
Gerentes na programação extrema, 39-40
Gráficos. *Consulte também* Diagramas de classes; Diagramas burndown, 53-54
  gráficos da velocidade, 53
Gráficos de burndown, 53-54
Gráficos de velocidade, 53
Grafos
  diagramas. *Consulte* Diagramas direcionados, 432-434
  gráficos de burndown, 53-54
Grafos acíclicos direcionados (DAGs), 433-434
Grafos de dependência de componentes, 431-432
Grafos direcionados, 432-433
Grenning, James, 237-238
Guardas em diagramas de sequência, 200-201

ÍNDICE **723**

H

Heine, Heinrich, 31
Helm, Richard, 321–322
Herança, 504–505
   com SINGLETON, 343–344
   em diagramas de classes, 257–259
   separação por meio de, 186
   STRATEGY para. *Consulte* Padrão STRATEGY
   TEMPLATE METHOD para. *Consulte* Padrão TEMPLATE METHOD
Herança múltipla, 186
Herança vertical, 258–259
Heurísticas
   em CoffeeMaker. *Consulte* Classe CoffeeMaker
   no Princípio da Substituição de Liskov, 166–169
Hierarquia de chamada em diagramas de colaboração, 201–202
Histórias de usuário
   dividindo, 49–51
   na programação extrema, 39–40
   no planejamento, 49–50
   velocidade das, 50–51
Hunt, Andy, 91–92

I

Imitação, 452–453
Imobilidade no projeto, 124–125
Impressoras, programa Copy para, 127–133
Indivíduos no desenvolvimento ágil, 32–33
Inicializando fábricas, 467–468
Instância de kitchen, 227–229
Instância de lunchRoom, diagrama de objetos para, 227–229
Instanciando proxys, 451–453
Instâncias, 341–342
   Monostate, 346–353
   Singleton, 341–346
Instruções switch/case, 589–594
Instruções switch/case aninhadas, 589–594
Instruções using, 439–440
Integração contínua, 42–44
Integração na programação extrema, 42–44
Interações no desenvolvimento ágil, 32–33
Interface AddEmployeeView, 657–658, 664–665
Interface Application, 329–330
Interface ButtonListener, 212–214
Interface ButtonServer, 176–177
Interface Clock, 478–480, 489–494
Interface ClockObserver, 482–487
Interface CoffeeMakerAPI, 272–277, 281–287
Interface Command, 309–310, 474–475
Interface CsvPartExtension, 584–585
Interface DepositUI, 188–192
Interface DigitalClock, 478–480, 499–501
Interface Door, 181–183, 186
Interface ErnieModemVisitor, 557–558
Interface HayesModemVisitor, 557–558
Interface Heater, 177–179, 274–277
Interface IComparable, 149–150, 198
Interface Logger, 252–254
Interface Modem, 136–137, 506–507, 509–512, 551–553, 556–557, 570–573
Interface ModemVisitor, 556–557
Interface Observer, 495–496
Interface Order, 525–527
Interface OrderGateway, 535–537
Interface Part, 561–562
Interface PartExtension, 581–582
Interface PartVisitor, 564
Interface PayrollDatabase, 618–619
Interface PayrollView, 677–679
Interface PolicyServiceInterface, 173–174
Interface Pollable, 287–289, 297–299
Interface Product, 522–523
Interface ProductGateway, 538–539
Interface Reader, 131–132
Interface Set, 162–163
Interface Shape, 149–150, 447–448, 473–474
Interface ShapeFactory, 447–451
Interface SocketService, 230
Interface SortHandler, 331–332
Interface Switchable, 503–507
Interface Thermometer, 177–179
Interface TimeSink, 478–481, 484–487, 494
Interface TimeSource, 478–485, 488–494, 496–497
Interface Transaction, 189, 373–375
Interface TransactionSource, 420–422
Interface TransferUI, 188, 190–192
Interface TurnstileController, 591, 593–594
Interface TurnstileState, 597
Interface UI, 187–188
Interface UserDatabase, 343–345
Interface ViewLoader, 678–679
Interface WithdrawalUI, 188, 190–192, 258–259
Interface ZoomModemVisitor, 557–558
Interfaces
   em diagramas de classes, 257–262
   em diagramas de sequência, 252–254
   nomes de, 311–312
   para CoffeeMaker, 278–285
Interfaces "gordas". *Consulte* Princípio da Segregação de Interface (ISP)
Interfaces com o usuário, 653–655
   implementando, 655–666
   inaugurando, 686–687
   janelas para
      construindo, 666–673
      folha de pagamentos, 673–686
   para CoffeeMaker, 278–285
   para sistema ATM, 187–193
   projetando, 654–656
Interfaces de classe *versus* interfaces de objeto no ISP, 184
Interfaces de objeto no Princípio da Segregação de Interface, 184
Interfaces gráficas com o usuário
   aplicativos desktop, 653–654
   controladores de interação, 611–612
   diretrizes de aplicativo de alto nível para, 609–611
Interfaces sem estado, 609
Interfaces textuais, 653–654
Interfaces Web, 653–654
Inutilidade, zona de, 444
Inversão, posse, 172–174
Isolamento nos testes, 56–59
ISP. *Consulte* Princípio da Segregação de Interface (ISP)
IUs. *Consulte* Interfaces com o usuário

J

Jacobson, Ivar, 141–142
Janela Payroll, 673–686
Janelas
   construindo, 666–673
   folha de pagamentos, 673–686
Jeffries, Ron, 43–44
Jogo da velha (#) em diagramas de classes, 255–256
Jogo de boliche, 77–119
Johnson, Ralph, 321–322

K

Kelly, Kevin, 63
Kelvin, Lord, 49
Khrushchev, Nikita, 503
Koss, Bob, 77

L

Legibilidade do software, 63-64, 71-72
Ligações telefônicas, cronometragem de, 245-246
Linguagem Eiffel, 160-161
Linhas cruzadas, 278-279
Linhas da vida em diagramas de sequência, 237-238
Linhas de conexão direcionadas, 432-433
Links em diagramas de colaboração, 200-201
Liskov, Barbara, 153-154
Listas de materiais (BOM), 560-562
LoadHoldMethod, 644
Localização de projeto de alto nível, 440-443
Loops em diagramas de sequência, 239-241, 244-245
LSP. *Consulte* Princípio da Substituição de Liskov (LSP)
Luminária de mesa, 503-504
  abstração na, 175-177
  Abstract Server para, 503-505
  Adapter para, 505-507
  no Princípio da Inversão de Dependência, 174-176

M

Manifesto da Aliança Ágil, 31-33
Máquinas de estados
  aplicações
    controladores de interação de interface gráfica do usuário, 611-612
    diretrizes de aplicativo de alto nível para interfaces gráficas do usuário, 609-611
    processamento distribuído, 611-613
  notação UML para, 201-202
Máquinas de estados finitos, 589-590
  diagramas de estados para. *Consulte* Diagramas de estados
  diagramas para, 224-226
  diretivas de aplicativo de alto nível para interfaces gráficas do usuário, 609-611

implementação de Monostate de, 348-353
instruções switch/case aninhadas para, 589-594
para CoffeeMaker, 291
UML notação para, 201-202
Máquinas de estados para login, 219-221
Mark IV Special Coffee Maker. *Consulte* Classe CoffeeMaker
Martin, Bob, 77
Matrizes de funções, 556, 560-561
Matrizes esparsas, 560-561
Maus cheiros da putrefação do software, 123-127
McBreen, Pete, 39
Medidas de progresso, 36-37
Medidas de progresso, 36-37
Mensagem GetClassification, 393-394
Mensagem payEmployee em diagramas de sequência, 244
Mensagens assíncronas em diagramas de sequência, 247-252
Mensagens em diagramas de sequência, 237-238, 245-254
Mensagens síncronas em diagramas de sequência, 247
Metáforas na programação extrema, 46-47
Método Accept
  Assembly, 561-563
  ErnieModem, 557-558
  HayesModem, 557-558
  Modem, 551-552, 556
  PiecePart, 564
  ZoomModem, 559-560
Método Add
  Assembly, 562-563, 582
  CompositeShape, 473-474
  Frame, 80-84
  Game, 85-86, 95-96, 109-111, 113-114
  GameTest, 89-93
  PersistentSet, 163-164
  Set, 162-163
  TransactionContainer, 686
  TreeMap, 196-202
  TreeMapNode, 198
Método AddAction
  PayrollPresenterTest, 675
  TransactionContainer, 685-686
Método AddClassification, 650-651
Método AddCommand, 315-316
Método AddEmployee
  AddEmployeePresenter, 663-664, 666
  AddEmployeePresenterTest, 659

AddEmployeeWindowTest, 668-669, 673
Blah, 618-622
  em SqlPayrollDatabase, 620, 627-628, 630-633, 636-638
  em SqlPayrollDatabaseTest, 623-626
InMemoryPayrollDatabase, 617-618
PayrollDatabase, 375-376, 615-617
Método AddEmployee_Static, 615-617
Método AddEmployeeAction
  PayrollPresenterTest, 675
  PayrollWindowTest, 682-683
Método AddEmployeeActionInvoked, 677-678
Método addEmployeeButton_Click, 671
Método addEmployeeMenuItem_Click, 683-684
Método AddExtension, 580
Método AddingTransaction, 685
Método AddingTransactionTriggersDelegate, 685
Método AddItem
  AddItemTransaction, 514-515
  Order, 513-516, 542
  OrderImp, 527-528
  OrderProxy, 529-530
Método AddPaymentMethod
  LoadEmployeeOperation, 645-646
  LoadEmployeeOperationTest, 642-643
  LoadPaymentMethodOperation, 650-651
Método addressTextBox_TextChanged, 670
Método AddSalariedTransaction, 373-376
Método AddSchedule
  LoadEmployeeOperation, 641-643
  LoadPaymentMethodOperation, 650-651
Método AddServiceCharge, 386, 388-389
Método AddSubNode, 198
Método AddThrow, 109, 114-115
Método addTimeSink, 484-485
Método AddTransition, 595-597
Método AdjustCurrentFrame, 91-99, 109-114
Método AdjustFrameForStrike, 111-113
Método AdvanceFrame, 111-115

ÍNDICE **725**

Método Alarm
  Turnstile, 351–353, 599–600
  TurnstileFSM, 602–603
Método AllInfoIsCollected, 659, 663–664
Método AllInformationIsCollected, 662
Método AsDouble, 671
Método AsInt, 671
Método Assembly
  BOMReportTest, 567
  BomXmlTest, 576–577
Método AssemblyOfAssemblies
  BOMReportTest, 567
  BomXmlTest, 576–577
Método AssemblyWithPartsCSV, 580
Método AssemblyWithPartsXML, 579
Método AssertSinkEquals
  ClockDriverTest, 486–487
  ObserverTest, 495–496
Método BadExtension, 580
Método BoilerEmptiesWhilePotRemoved, 304
Método BoilerEmptyPotNotEmpty, 304
Método BuildProductQueryCommand, 521
Método buttonPressed, 212–215
Método CalcMaxPrimeFactor, 70
Método CalculateDeductions, 415–416, 418–419
Método CalculatePay, 403–404
  definindo, 405–406
  em HourlyClassification, 409–415
Método CalculatePayForTimeCard, 412–414
Método Change
  ChangeClassificationTransaction, 396–397
  ChangeEmployeeTransaction, 392–394, 401–402
  ChangeNameTransaction, 393–394
Método ChangeUnionMember, 399–402
Método CheckButton, 283–284, 287–290
Método CheckMessagesFlowToLog, 249–250
Método CheckQueuedAndLogged, 249–250
Método CheckSavedPaymentMethodCode, 625–626
Método CheckSavedScheduleCode, 624–625
Método CheckSubmitEnabled, 659

Método CheckThatProductsMatch, 545–546
Método Child, 578
Método ChildText, 578
Método Cleanup
  FtoCStrategy, 330–331
  FtoCTemplateMethod, 323–325
Método Clear
  ItemData, 532–533
  TransactionContainer, 686
  TreeMap, 239–240
Método ClearEmployeeTable, 624–625
Método Close
  AbstractDbGatewayTest, 544–545
  Db, 521
  SocketServer, 230
Método ClutchOnCommand, 310–311
Método Coin
  Locked, 607
  LockedTurnstileState, 597
  State, 605
  Turnstile, 351, 598, 605
  Unlocked, 605
  UnlockedTurnstileState, 598
Método CoinInLockedState
  SMCTurnstileTest, 607
  TurnstileTest, 592–593
Método CoinInUnlockedState
  SMCTurnstileTest, 607–609
  TurnstileTest, 592–593
Método commissionRadioButton_CheckedChanged, 670
Método commissionSalaryTextBox_TextChanged, 671
Método commissionTextBox_TextChanged, 671
Método Compare, 151–152
Método CompareAndSwap, 205–206, 325–326
Método CompareTo, 149–151
Método Complete, 292
Método CompleteCycle, 293
Método configureForUnix, 551–552
Método Construction, 685
Método ContainerAvailable, 296
Método ContainerUnavailable, 296
Método Copy, 128–132
Método CreateAssembly
  BOMReportTest, 567
  BomXmlTest, 576–577
Método CreateDirectDepositMethod, 649
Método CreateDirectDepositMethodFromRow, 645–647
Método CreateEmployee, 640–641
Método CreateHayes, 572–573

Método CreateHoldMethod, 649
Método CreateInsertDirectDepositCommand, 635
Método CreateInsertMailMethodCommand, 635
Método CreateMailMethod, 650
Método CreateMailMethodFromRow, 650
Método CreatePart
  BOMReportTest, 567
  BomXmlTest, 576–577
Método CreatePaychecks, 61–62
Método CreatePaymentMethod, 646–648
Método CreateTransaction, 663–664
Método CreatingTransaction, 659, 666
Método Creation
  AddEmployeePresenterTest, 657–659, 663–664
  PayrollPresenterTest, 675
Método CrossOutMultiples, 68–70, 73–74
Método CrossOutputMultiplesOf, 70, 74–75
Método Date, 383–384
Método DeclareComplete, 295
Método DeclareDone, 293
Método DelayAndRepeat, 319–318, 320
Método Delete, 162–163
Método DeleteProductData, 521
Método Deposit, 352–353
Método DetermineIterationLimit, 74–75
Método Dial
  DedModemController, 510–512
  DialModemController, 510–512
  HayesModem, 571
  LoudDialModem, 572–575
  Modem, 137–138, 570–571
  ModemDecorator, 574–575
Método DialForReal, 570–571
Método DirectDepositMethodGetsSaved, 627
Método DisplayTime, 477–478
Método Dispose
  AddEmployeeWindow, 669–670
  PayrollWindow, 682–684
Método Do, 474–475
Método Done
  Application, 323–324
  ContainmentVessel, 295
  HotWaterSource, 293
  M4UserInterface, 293
  UserInterface, 292
Método DoorTimeOut, 185–186
Método DoPayroll, 242–243

Método DoSort, 326-327
Método Draw
 Circle, 154-155
 CompositeShape, 473
 Shape, 146-147, 473
 Square, 154-155
Método DrawAllShapes, 144-152
Método DrawShape, 154-155
Método DrawSquare, 144-145
Método empIdTextBox_TextChanged, 670
Método EmployeesText, 682-683
Método EmptyPotReturnedAfter, 304
Método EnablingAddEmployeeButton, 668, 673
Método EnablingCommissionFields, 668, 672-673
Método EnablingHourlyFields, 668, 672-673
Método EnablingSalaryFields, 668, 672-673
Método Equals
 ItemData, 530-531
 ProductData, 520
Método EraseMembership, 403-404
Método ErnieForUnix, 554-555, 560-561
Método EventHandler, 672-673
Método Execute, 313-315
 AddEmployeeTransaction, 376-379
 ChangeEmployeeTransaction, 391-394
 Command, 309-311, 315-316
 DeleteEmployeeTransaction, 379-381
 DepositTransaction, 190
 LoadPaymentMethodOperation, 645-648, 650-651
 PaydayTransaction, 407-408, 413-416
 SaveEmployeeOperation, 637
 ServiceChargeTransaction, 388-389
 SleepCommand, 316-318
 StopCommand, 319-318, 320
 TestSleepCommand, 315-316
 TimeCardTransaction, 383-386
 Transaction, 189, 373-375, 455-456
Método ExecuteCommand, 632-633
Método ExecuteSql, 544-545
Método ExplodedCost, 568-569
Método ExtractItemDataFromResultSet, 531

Método Find
 DbOrderGateway, 537
 DbOrderGatewayTest, 546-548
 DbProductGateway, 540
 DbProductGatewayTest, 545-546
 InMemoryOrderGateway, 538-539
 InMemoryProductGateway, 540
 TreeMapNode, 198
Método FindSubNodeForKey, 198
Método GeneratePrimeNumbers, 64-70, 73-74
Método Get, 196-198
Método GetBoilerStatus
 CoffeeMakerAPI, 274
 CoffeeMakerStub, 300
Método GetBrewButtonStatus
 CoffeeMakerAPI, 274, 282-284, 287-288
 CoffeeMakerStub, 300
Método GetCountForPart, 565-566
Método GetCurrentState, 604
Método GetCurrentStateName, 604
Método GetEmployee
 DB, 355-358
 em diagramas de sequência, 238-240
 PayrollDatabase, 376-378
Método GetExtension, 575-576
 Part, 580
 PiecePart, 586-587
Método GetHashCode, 520
Método GetHours
 MockTimeSink, 481-482, 485-486, 497
 MockTimeSource, 496-497
Método GetItemsForOrder, 531
Método GetItsLockedState, 604
Método GetItsUnlockedState, 604
Método GetMinutes
 MockTimeSink, 481-482, 485-486, 497
 MockTimeSource, 496-497
Método GetOrderData, 531
Método GetPayPeriodStartDate, 420-421
Método GetProductData, 520-521
Método GetScore, 82-83
Método GetSeconds
 MockTimeSink, 481-482, 485-486, 497
 MockTimeSource, 497
Método GetVersion, 604
Método GetWarmerPlateStatus
 CoffeeMakerAPI, 274
 CoffeeMakerStub, 300
Método GoodStart, 302

Método HandleBrewingEvent, 297-298
Método HandleEvent, 589-591, 593-595
Método HandleIncompleteEvent, 297-298
Método HandleSecondThrow, 101-106
Método hangup
 DedModemController, 510-512
 DialModemController, 510-512
 Modem, 137-138
Método HayesForUnix, 554-555, 560-561
Método HoldMethod, 636, 645-646
Método hourlyRadioButton_CheckedChanged, 670
Método hourlyRateTextBox_TextChanged, 671
Método HourlyUnionMemberServiceCharge, 416-417
Método Hours, 383-384
Método IDataReaderExecuteQueryStatement, 521
Método Idle
 FtoCStrategy, 330-331
 FtoCTemplateMethod, 323-325
Método InformCashDispenserEmpty, 258-259
Método Init
 ContainmentVessel, 295
 Db, 520
 FtoCStrategy, 330-331
 FtoCTemplateMethod, 323-324
 HotWaterSource, 293
 M4CoffeeMaker, 288-290
 UserInterface, 292
Método InitialConditions
 SMCTurnstileTest, 607
 TestCoffeeMaker, 301
 TurnstileTest, 592
Método InitializeArrayOfBooleans, 72-73
Método InitializeArrayOfIntegers, 67-72
Método InitializeSieve, 67-69
Método Insert
 DbOrderGatewayTest, 547-548
 DbProductGateway, 540
 DbProductGatewayTest, 545-546
 InMemoryOrderGateway, 538-539
 InMemoryProductGateway, 540
 OrderGateway, 535-537
Método InsertItems, 537
Método isBrewing, 287-288
Método IsInPayPeriod
 DateUtil, 418-419

ÍNDICE **727**

HourlyClassification, 412–415
PaymentClassification, 415–416
Método IsLastDayOfMonth, 407–408
Método IsLines, 265–266
Método IsLocked, 599–600
Método IsMember, 162–163
Método IsOn, 165–168
Método IsPayDate
  Employee, 420–421
  MonthlySchedule, 407–408
  WeeklySchedule, 412–414
Método IsReady
  ContainmentVessel, 296
  HotWaterSource, 293–294
  M4ContainmentVessel, 286–288, 296
  M4HotWaterSource, 284–287, 294
Método IsTimeToPay, 355–358
Método IsUnlocked, 599–600
Método LastBallInFrame, 113–114
Método Length, 331–332
Método LoadAddEmployeeView
  MockViewLoader, 679–680
  ViewLoader, 674
  WindowViewLoader, 680–682
  WindowViewLoaderTest, 680–681
Método LoadData, 649
Método LoadDirectDepositMethodCommand, 645–646
Método LoadEmployee, 637–638
Método LoadEmployeeCommand, 639
Método LoadEmployeeData, 640–641
Método LoadEmployeeTable, 624–625
Método LoadingEmployeeDataCommand, 639
Método LoadingHoldMethod, 642–643
Método LoadingSchedules, 640–642
Método LoadItems, 537
Método LoadMailMethodCommand, 646–650
Método LoadPayrollView
  MockViewLoader, 679–680
  ViewLoader, 674
  WindowViewLoader, 680–681, 686
  WindowViewLoaderTest, 679–680
Método LoadPrimes, 66–69
Método LoadTable, 628–630
Método LoadView, 681–682

Método Lock
  Turnstile, 351, 599–600
  TurnstileFSM, 602–603
Método Login em diagramas de sequência, 237–240
Método LogMessage, 247, 250–253
Método LogOneMessage, 250–251
Método LogQueuedMessages, 250–251
Método MailMethodGetsSaved, 629–630
Método MainLoggerLoop, 249–251
Método Make, 449–451
Método MakeCircle, 447–449
Método MakeClassification
  AddEmployeeTransaction, 376–378
  AddSalariedEmployee, 379
Método MakeSchedule
  AddEmployeeTransaction, 376–378
  AddSalariedEmployee, 379
Método MakeSquare
  ShapeFactory, 238–240, 447–448
  ShapeFactoryImplementation, 448–449
Método ManyMessages, 248
Método maxPrimeFactor, 72–73
Método MessagesInQueue, 250–251
Método MessagesLogged, 250–251
Método nameTextBox_TextChanged, 670
Método NewElement, 582
Método NewOrder, 525–527
Método NewTextElement, 582
Método NextBall, 105–106
Método NextBallForSpare, 108, 110, 115–116
Método NextTwoBalls, 104–105
Método NextTwoBallsForStrike, 108, 110, 115–116
Método NoItems, 530–531
Método NormalBrew, 304
Método NormalFill, 303
Método NormalStart, 302
Método NotCrossed, 68–69, 71–72, 74–75
Método Notify
  SalaryObserver, 499–500
  TimeSource, 489–490
  TimeSourceImplementation, 491–492
Método NotifyObservers, 496–497
Método NumberOfFridaysInPayPeriod, 415–416
Método NumberOfUncrossedIntegers, 71–74

Método Off, 275–276
Método On, 275–276
Método OneMessage, 248
Método OpenConnection, 544–545
Método OrderKeyGeneration, 525–527
Método OutOfOrder
  BubbleSorter, 326–327
  DoubleBubbleSorter, 328–329
  IntBubbleSorter, 327–328
  IntSortHandler, 333
Método PartCount, 568–569
Método Pass
  Locked, 607
  State, 605
  Turnstile, 351–353, 598–600, 604
  Unlocked, 605
  UnlockedTurnstileState, 598
Método PassInLockedState
  SMCTurnstileTest, 609
  TurnstileTest, 592–593
Método PassInUnlockedState
  SMCTurnstileTest, 609
  TurnstileTest, 592–593
Método Pause
  M4HotWaterSource, 294
  TestLog, 249–250
Método pay, 355–356
Método Payday, 405–406, 408–409, 420–421
Método PayingSingleHourlyEmployeeNoTimeCards, 408–409
Método PaymentMethodCode, 625–626
Método PaymentMethodGetsSaved, 625–626
Método PaySingleHourlyEmployeeOneTimeCard, 409–411
Método PaySingleHourlyEmployeeOnWrongDate, 411–412
Método PaySingleHourlyEmployeeOvertimeOneTimeCard, 409–411
Método PaySingleHourlyEmployeeTwoTimeCards, 411–412
Método PaySingleSalariedEmployee, 406–407
Método PaySingleSalariedEmployeeOnWrongDate, 406–408
Método PerformClick, 672–673
Método PiecePart1toCSV, 579
Método PiecePart1XML, 578
Método PiecePart2toCSV, 579
Método PiecePart2XML, 578
Método Poll, 174–176
  M4ContainmentVessel, 296–298
  M4HotWaterSource, 294
  M4UserInterface, 289–290, 292

Pollable, 287–289, 298–299
TestCoffeeMaker, 301
Método PotRemovedAndReplacedWhileEmpty, 302–303
Método PotRemovedWhileNotEmptyAndReplacedEmpty, 303
Método PotRemovedWhileNotEmptyAndReplacedNotEmpty, 303
Método Prepare, 648–650
Método PrepareToSaveEmployee, 632–633
Método PrepareToSavePaymentMethod, 628–630, 632–635
Método PresenterValuesAreSet, 666–667, 672–673
Método principal em M4CoffeeMaker, 288–290, 298–299
Método PrintSet, 162–163
Método PriorityFor, 151–152
Método ProductDataExtractProductDataFromReader, 521
Método ProductProxy, 522–523
Método PromptForAccount, 258–259
Método PutUncrossedIntegersIntoResult, 71–74
Método Read, 131–132
Método ReadUser, 344–345
Método receive, 510–512
Método RecordMembership
  Affiliation, 403–404
  ChangeAffiliationTransaction, 401–402
  ChangeMemberTransaction, 402–403
  ChangeUnaffiliatedTransaction, 402–403
Método recv, 137–138
Método Refund, 352–353
Método Register, 182–184
Método RegisterObserver, 486–487
  MockTimeSource, 488–491, 493
  Subject, 496–497
  TimeSource, 488–492
  TimeSourceImplementation, 491–492
Método Regulate, 177–179
Método RelayOnCommand, 309–310
Método RequestDepositAmount, 187, 189
Método RequestTransferAmount, 187, 190
Método RequestWithdrawalAmount, 190
Método reset, 351
Método Resume, 295
Método Run
  ActiveObjectEngine, 314–316

Application, 323–324
ApplicationRunner, 329–330
SocketServer, 231–232
Método runButton_Click, 683–684
Método RunTransactions
  PayrollPresenter, 677–678
  PayrollPresenterTest, 675–676
  PayrollWindowTest, 682–683
Método SalariedUnionMemberDues, 412–415
Método salaryRadioButton_CheckedChanged, 670
Método salaryTextBox_TextChanged, 671
Método SaveIsTransactional, 630
Método SaveMailMethodThenHoldMethod, 635–636
Método SavePaymentMethod, 628
Método ScheduleCode, 623–625
Método ScheduleGetsSaved, 622, 624–625
Método Score, 94–95
Método ScoreForFrame, 85–90, 93–110, 114–115
Método SelectSubNode, 198
Método send
  DedModemController, 510–512
  Modem, 137–138
Método sendPassword, 220–221
Método Sense, 276–277
Método Serve, 230
Método Server, 230
Método ServiceChargesSpanningMultiplePayPeriods, 416–419
Método ServiceRunner, 231–232
Método SetArray, 331–332
Método SetBoilerState
  CoffeeMakerAPI, 274
  CoffeeMakerStub, 300
Método SetDone, 323–324
Método SetDriver
  ClockDriver, 479–480
  MockTimeSource, 481–482
  TimeSource, 480–481
Método SetIndicatorState
  CoffeeMakerAPI, 274–276
  CoffeeMakerStub, 300–301
Método SetLocked, 599–600
Método SetObserver, 486–487
  MockTimeSource, 483–485
  TimeSource, 483–484
Método SetReliefValveState
  CoffeeMakerAPI, 274–275
  CoffeeMakerStub, 301
Método SetState, 604
Método SetTime
  MockTimeSink, 482–483
  MockTimeSource, 481–484, 488–492, 496–497

ObservableClock, 490–491
TimeSink, 480–481
Método SetUnlocked, 599–600
Método SetUp
  AddEmployeePresenterTest, 657–658, 663–664
  AddEmployeeWindowTest, 666–667, 672–673
  Blah, 618–619, 621
  BOMReportTest, 565–567
  BomXmlTest, 576–577
  ClockDriverTest, 486–487
  DbOrderGatewayTest, 546
  DbProductGatewayTest, 545–546
  DBTest, 518–519
  GameTest, 87–88, 115–116
  LoadEmployeeOperationTest, 639
  LoadPaymentMethodOperationTest, 644
  ModemVisitorTest, 554–555, 559–560
  ObserverTest, 495–496
  PayrollPresenterTest, 675
  PayrollWindowTest, 681–682
  ProxyTest, 522–523
  SMCTurnstileTest, 607
  SqlPayrollDatabaseTest, 621, 623–625
  TestCoffeeMaker, 301
  TestLog, 248
  TransactionContainerTest, 685
  TurnstileTest, 349, 592
  WindowViewLoaderTest, 679–680
Método SetUpReportDatabase, 568–569
Método SetWarmerState
  CoffeeMakerAPI, 274
  CoffeeMakerStub, 300
Método Show, 672–673
Método showLoginScreen, 219–221
Método ShuntRow, 641–642, 645–646
Método Sieve, 67–69
Método SillyAddAction, 685
Método SimpleAssemblyCSV, 580
Método SimpleAssemblyXML, 578–579
Método SleepTillMoreMessagesQueued, 250–251
Método Sort
  BubbleSorter, 205–206, 325–327, 331–332
  DoubleBubbleSorter, 327–328
  IntBubbleSorter, 327–328
  QuickBubbleSorter, 333

ÍNDICE **729**

Método Spare, 105-106, 110, 115-116
Método SqlCommandBuildInsertionCommand, 520
Método SqlCommandBuildItemInsersionStatement, 530-531
Método SqlCommandBuildItemsForOrderQueryStatement, 531
Método SqlCommandBuildProductDeleteStatement, 521
Método Start
  ContainmentVessel, 295
  HotWaterSource, 286-287, 293
  M4ContainmentVessel, 287-288
Método StartBrewing, 283-285
  M4HotWaterSource, 294
  UserInterface, 292
Método StartedPotNotEmpty, 302
Método StartingState, 666-667, 672-673
Método StartNoPot, 301-302
Método StartNoWater, 302
Método StartServiceThread, 230
Método StateName, 605
Método Stop, 250-251
Método Store
  Db, 520
  ItemData, 530-531
Método StoreItem, 530-531
Método StoreProduct, 518-519
Método Strike, 104-105, 112-116
Método Swap
  BubbleSorter, 205-206, 325-326
  DoubleBubbleSorter, 328-329
  IntBubbleSorter, 327-328
  IntSortHandler, 331-332
Método TearDown
  Blah, 621
  DbOrderGatewayTest, 546
  DbProductGatewayTest, 545-546
  DBTest, 518-519
  PayrollWindowTest, 681-682
  ProxyTest, 522-523
  TestLog, 248
Método TestAddOneThrow, 80-81
Método TestAddSalariedEmployee, 374-376
Método TestCancelAlarm, 350
Método TestChangeHourlyTransaction, 395-396
Método TestChangeNameTransaction, 392-393
Método TestCoin, 349
Método TestCoinAndPass, 349
Método TestCreateCircle, 449-450
Método TestCreateSingleton, 343

Método TestEndOfArray, 98-99, 117-118
Método TestExhaustive, 72-73, 75-76
Método TestFourThrowsNoMark, 85, 87-93, 116-117
Método TestHeartBreak, 100-101, 117-118
Método TestingVisitor, 567
Método TestInit, 349
Método TestInstance, 346
Método TestInstancesBehaveAsOne, 346
Método TestMonostate, 346
Método testMove, 55-57
Método TestMultipleSinks
  ClockDriverTest, 486-487
  ObserverTest, 495-496
Método TestNoPublicConstructors, 343
Método TestNull, 356-358
Método TestOneThrow, 82-84, 87-88, 90-91, 94-95
Método TestOrderPrice, 515-516
Método TestPass, 350
Método TestPayroll, 58-59
Método TestPaySingleHourlyEmployeeWithTimeCardsSpanningTwoPayPeriods, 412
Método TestPerfectGame, 97-99, 116-118
Método TestPrimes, 65-66, 74-75
Método TestSampleGame, 99-100, 117-118
Método TestScoreNoThrows, 79-80
Método TestSimpleFrameAfterSpare, 89-90, 93-94, 116-117
Método TestSimpleSpare, 87-89, 93-94, 116-117
Método TestSimpleStrike, 95-96, 116-117
Método TestSleep, 316-317
Método TestTenthFrameSpare, 100-101, 117-119
Método TestTimeCardTransaction, 383-384
Método TestTimeChange
  ClockDriverTest, 480-481, 484-487
  ObserverTest, 495-496
Método TestTwoCoins, 349-350
Método TestTwoOperations, 350
Método TestTwoThrowsNoMark, 85, 87-88, 90-93, 115-116
Método TextFieldChanged, 337-339
Método Thankyou, 201-202
  Turnstile, 599-600
  TurnstileFSM, 602-603

Método ThreadStart, 231-232
Método tic, 490-491
Método TimeOut, 182-186
Método TransactionAdded, 676
Método Transactions, 686
Método TransactionsText, 681-682
Método TurnOff, 174-176, 276-277
Método TurnOn, 174-176, 276-277
Método TwoBallsInFrame, 105-106, 110, 115-116
Método TwoConsecutiveMessages, 248
Método UncrossIntegersUpTo, 72-74
Método Undo, 313-315
Método Unlock
  Turnstile, 597, 599-600
  TurnstileFSM, 602-603
Método Update
  ClockDriver, 481-484
  ClockObserver, 483-484
  MockTimeSink, 485-486, 497
  Observer, 495-496
  SalaryObserver, 499-500
Método UpdateEmployeesTextBox, 677-678
Método UpdateTransactionsTextBox, 676-678
Método UpdateView, 662, 664-665
Método Validate, 311-312
Método validateUser, 219-221
Método VerifyPrime, 75-76
Método VerifyPrimeList, 75-76
Método ViewGetsUpdated, 659, 664-665
Método Visit
  BOMReportTest, 567
  ExplodedCostVisitor, 564
  Modem, 556
  PartCountVisitor, 565-566
  UnixModemConfigurator, 553-555, 559-560
Método VisitorCoverage, 568
Método WaitForServiceThreads, 231-232
Método WakeLoggerThread, 250-252
Método WriteUser, 344-345
Método ZoomForUnix, 554-555, 560-561
Métodos em diagramas de classes, 255-256
Métrica A (abstração), 443, 463
Métrica da abstração (A), 443, 463
Métrica da generalidade, 463
Métrica de coesão relacional (H), 463

Métrica de instabilidade (I), 438–440, 463
Métrica H (coesão relacional), 463
Métrica I (instabilidade), 438–440, 463
Métricas
　na análise de pacote, 462–464
　para abstração, 443, 463
　para aplicativo de folha de pagamentos, 464–470
　para estabilidade, 438–440
Métricas D para sequência principal, 445–446, 464
Métricas para gerenciamento de dependência, 427–428
Meyer, Bertrand, 141–142, 159–161
Middleware
　com Singleton, 343–344
　de terceiros, 533–536
Modelo básico no sistema de folha de pagamentos, 367–368
Modelos
　objetivo dos, 203–204
　para padrão Observer, 499–501
Modificações no Princípio do Aberto/Fechado, 141–142
Módulo Read Keyboard, 127–128
Módulo Write Printer, 127–128
Módulos de alto nível, 171–172
Módulos de baixo nível no Princípio da Inversão de Dependência, 171–172
Módulos no Princípio da Inversão de Dependência, 171–172
MotorOffCommand, 309–310
Mudança de requisitos
　atitudes em direção a, 36–37
　putrefação de software a partir da, 126–127
Multiplicidade
　em Composite, 475–476
　em diagramas de classes, 265–267

N

Namespace System.Data, 335–336
Negociação de contratos, 33–35
Negociação versus colaboração, 33–35
Nomes de interfaces, 311–312
Norman, Donald A., 455
Nós em grafos direcionados, 432–433
Nosek, J. T., 41–42
Notação para componentes, 455–458
Notificações no Princípio da Equivalência Reutilização/Entrega, 428–429

Números de sequência em diagramas de colaboração, 201–202
Números primos. Consulte Programa GeneratePrimes

O

Objeto de acesso a dados (DAO), 535–536
Objetos ativos
　em diagramas de objetos, 228–232
　em diagramas de sequência, 252–253
Objetos em diagramas de sequência, 237–240
Observadores "modelo pull", 494, 499–500
Observadores "modelo push", 494
OCP. Consulte Princípio do Aberto/Fechado (OCP)
Opacidade no projeto, 126–127
Orçamentos, desenvolvedor, 52–53
Ordenações
　ordenações por bolha, 325–332
　QuickBubbleSorter, 333–334

P

Padrão ABSTRACT SERVER, 503–505
Padrão ACTIVE OBJECT, 309, 314–318, 320
Padrão ACYCLIC VISITOR, 556–561
Padrão ADAPTER, 505–506
　forma de classe do, 505–507
　para problema do modem, 506–512
Padrão BRIDGE, 509–512
Padrão COMMAND, 309–310
　para comandos simples, 309–312
　para DeleteEmployeeTransaction, 379–380
　para desacoplamento, 313–314
　para transações, 311–314, 373–375
　variação de Undo, 313–315
Padrão COMPOSITE, 473–474
　comandos para, 474–475
　multiplicidade no, 475–476
　para estereótipos de associação, 266–268
Padrão DECORATOR
　com bancos de dados, 547–549
　para estereótipos de associação, 266–268
　para problema do modem, 569–575

Padrão EXTENSION OBJECT, 547–548, 574–587
Padrão FACADE, 335–336
　base PayrollDataclasse, 375–376
　com bancos de dados, 547–549
　com TABLE DATA GATEWAY, 535–536
　para refatoração, 138–139
　versus SINGLETON, 343–344
Padrão FACTORY e fábricas, 447–448
　dependências no, 449–451
　importância do, 453–454
　inicializando, 467–468
　para acoplamentos, 467–470
　para janela payroll, 674
　para testes de dispositivo, 452–454
　substituível, 451–453
　tipagem estática versus dinâmica, 450–452
Padrão Factory Method, 376–378
Padrão Mediator, 336–339
Padrão Mockobject, 57–58
Padrão MODEL VIEW PRESENTER, 653
　para janelas
　　construindo, 666–673
　　folha de pagamentos, 673–686
　para transações de funcionário, 656–658
Padrão MONOSTATE, 341–342, 346–347
　benefícios e custos do, 347–348
　exemplo, 348–353
　para DeleteEmployeeTransaction, 381
Padrão Null Object
　descrição, 355–358
　para taxas de serviço, 388–389
Padrão Observer
　evolução, 477–499
　modelos para, 499–501
　para princípios de projeto orientado a objetos, 500–501
Padrão PROXY
　fábricas com, 451–454
　implementando, 517–533
　para APIs de terceiros, 534–536
　para carrinho de compras, 513–518
　para estereótipos de associação, 266–268
　para refatoração, 138–139
Padrão Self-Shunt, 452–453
Padrão SINGLETON, 341–343
　benefícios e custos do, 343–344
　exemplo, 343–346

para DeleteEmployeeTransaction, 381
padrão STATE
  custos e benefícios do, 600
  para roleta, 596-600
  versus Strategy, 599-600
Padrão STRATEGY, 132-133, 321-322
  no Princípio do Aberto/Fechado, 142-143
  no sistema de folha de pagamentos, 370
  para pagamento de funcionários, 408-409
  para problema de Application, 328-334
  versus STATE, 599-600
  versus TEMPLATE METHOD, 333-334
Padrão Table Data Gateway (TDG)
  com Facade, 335-336
  exemplo, 535-544
  testando, 543-548
Padrão TEMPLATE METHOD
  abuso do, 324-325
  no Princípio do Aberto/Fechado, 143-144
  para adicionar funcionários, 376-378
  para alterar funcionários, 391-399, 401-402
  para funções semelhantes, 45-46
  para ordenação por bolhas, 325-329
  para problema de Application, 321-335
  para problema do modem, 570-571
  versus STRATEGY, 333-334
Padrão VISITOR, 551-552
  para bancos de dados, 547-549
  para geração de relatórios, 560-569
  para modems, 551-556
Padrões
  com bancos de dados, 547-549
  evolução, 477-499
Pagamentos
  abstração em, 369-370
  agendas para, 369-370, 373-375
  métodos, 371
  processo, 367-369, 403-407
    funcionários assalariados, 406-409
    funcionários que recebem por hora, 408-414

  períodos de pagamento para, 412-421
Page-Jones, Meilir, 135-136
Pares nome/valor para propriedades, 262-263
Participantes competentes, 32-33
Penalidade da integração, 432-433
Persistência no Princípio da Responsabilidade Única, 138-139
Pessoas motivadas, 36-37
Pessoas no desenvolvimento ágil, 32-33
Planejamento, 49-50
  controle, 53-54
  entrega, 40-41, 50-51
  exploração inicial no, 49-51
  flexibilidade do, 34-36
  iteração, 40-41, 50-53
  na programação extrema, 44-45
  tarefa, 51-53
Plantas baixas, 227-229
Plataformas em Monostate, 348
Poe, Edgar Allan, 551
Polimorfismo
  em MONOSTATE, 347
  em Shape, 154-155
  no Princípio do Aberto/Fechado, 153
Poluição de interface, 181-183
Pós-condições, 160-161
Posse
  inversão de, 172-174
  na programação extrema, 42-43
Posse coletiva, 42-43
Powell, Colin, 615
Pré-condições, 160-161
Presença de MONOSTATE, 348
Primeira Lei da Documentação, 33-34
Primeira Lei da Documentação de Martin, 33-34
Princípio da Equivalência Reutilização/Entrega (REP)
  aplicando, 459-461
  descrição, 428-430
Princípio da Inversão de Dependência (DIP), 171-172, 435-436
  abstrações no, 173-177
  disposição em camadas no, 171-173
  em CoffeeMaker, 282-283
  em OBSERVER, 500-501
  exemplo simples, 174-176
  inversão de posse, 172-174
  na luminária de mesa, 503-504
  no exemplo do forno, 177-179
  no problema do modem, 506-507

  no programa Copy, 132-133
  violações do, 447-448
Princípio da Responsabilidade Única (SRP), 135-137
  definindo responsabilidades no, 136-138
  em ciclos de dependência, 436-437
  na luminária de mesa, 505-506
  no sistema de folha de pagamentos, 370
  para adicionar funcionários, 373-375
  para CoffeeMaker, 284-285
  para componentes, 430-431
  para geração de relatórios, 561-562
  persistência no, 138-139
  separando responsabilidades acopladas no, 138-139
Princípio da Reutilização Comum (CRP), 429-431
Princípio da Segregação de Interface (ISP), 181
  clientes separados no, 183-184
  em Observer, 500-501
  exemplo de interface do usuário de ATM, 187-193
  interfaces de classe *versus* interfaces de objeto no, 184
  para poluição de interface, 181-183
  para separação, 185-186
  problema do modem, 506-507
Princípio da Substituição de Liskov (LSP), 153-154
  exemplo real, 160-165
  fatoração no, 165-168
  heurísticas e convenções no, 166-169
  no problema do modem, 506-507
  violações do, 153-161
Princípio das Abstrações Estáveis (SAP), 442-446
Princípio das Dependências Acíclicas (ADP), 431-437
Princípio das Dependências Estáveis (SDP), 437-443
princípio de Hollywood, 172-173
Princípio do Aberto/Fechado (OCP)
  abstração no, 142-144, 146-151, 441-442
  antecipação e estrutura natural no, 146-149
  descrição, 141-144
  em Observer, 500-501
  estratégia orientada a dados para, 150-152

no problema do modem, 506–507
no programa Copy, 131–132
no sistema de folha de pagamentos, 369–370
obedecendo ao, 146–148
para adicionar funcionários, 373–375
para componentes, 430–431
para estabilidade, 441–442
violações do, 143–147
Princípio do Fechamento Comum (CCP), 430–431
aplicando, 457–459
DECORATOR para, 570–571
em ciclos de dependência, 436–437
para estabilidade, 437
Princípio do inverso. *Consulte* Princípio da Inversão de Dependência (DIP)
Princípios da granularidade, 428–432
Princípios no desenvolvimento ágil, 35–37
Problema do modem
Acyclic Visitor para, 556–561
Adapter para, 506–511
Decorator para, 569–575
Pontes (bridges) no, 509–512
Visitor para, 551–556
Problemas da revisão, 123–124
Problemas políticos, 428–429
Processamento distribuído, 611–613
Processo iterativo para diagramas, 209–216
Processos no desenvolvimento ágil, 32–33
Programa Copy, 127–133
Programa ftoc, 322–323
Programa GeneratePrimes
refatoração, 66–72
testando, 74–76
testes de unidade, 65–66
versão final, 71–75
versão 1, 63–66
versão 2, 66–69
versão 3, 68–69
versão 4, 70–72
versão 5, 71–72
Programa Hunt the Wumpus (Caça ao Monstro), 55–57
Programa principal para a folha de pagamentos, 420–422
Programação
extrema. *Consulte* Programação extrema

pela diferença, 321–322
por coincidência, 91–92
Programação em pares
jogo de boliche, 77–119
na programação extrema, 41–42
Programação extrema, 39
área de trabalho aberta in, 43–44
ciclos curtos na, 40–41
desenvolvimento guiado por testes na, 41–42
equipes inteiras na, 39–40
histórias de usuário na, 39–40
integração contínua na, 42–44
metáforas na, 46–47
planejamento na, 44–45
posse coletiva na, 42–43
programação em pares na, 41–42
projeto simples na, 44–46
refatoração na, 42–43, 45–47
ritmo sustentável na, 43–44
testes de aceitação na, 40–42
Programação intencional, 56–57
Programadores C#, UML para, 195–202
Programas de inicialização, 310–311
Projeto
ágil, 123–124
e putrefação de software, 123–127
programa Copy, 127–133
antes de codificar, 203–206
atenção ao, 37
na programação extrema, 44–46
sistemas grandes, 427–428
Projeto Clock, 477–499
Projeto com testes a priori, 55–57
Projeto de baixo para cima *versus* de cima para baixo, 435–437
Projeto de cima para baixo *versus* de baixo para cima, 435–437
Projeto do relógio digital, 477–499
Projeto orientado a objetos
limitações do, 118–119
para CoffeeMaker, 291–304
Projeto por contrato (DBC), 159–160
"Pronto", definindo, 51–52
Propriedade Address
AddEmployeePresenter, 660–661
Employee, 419
Propriedade Affiliation, 420–421
Propriedade Classification
em ChangeHourlyTransaction, 396–398
em Employee, 419
Propriedade Coins, 351

Propriedade Command, 646–647, 649
Propriedade Commission, 662
Propriedade CommissionSalary, 662
Propriedade Cost
em ExplosiveCostExplorer, 564
em PiecePart, 564, 581–582
Propriedade CsvText
CsvAssemblyExtension, 585–586
CsvPiecePartExtension, 584–585
Propriedade CurrentFrame, 90–95, 98–99, 108, 111–113
Propriedade CustomerId
Order, 541
OrderImp, 527–528
OrderProxy, 529–530
Propriedade Database, 677–678
Propriedade Description
Assembly, 562–563, 582
PiecePart, 564, 581–582
Propriedade EmpId, 660
Propriedade EmployeesText
MockPayrollView, 678–679
PayrollWindow, 683–684
Propriedade ExplodedCost, 561–562
Propriedade Height, 155–159
Propriedade HourlyRate, 661
Propriedade Id, 541
Propriedade IsCommission, 661
Propriedade IsHourly, 661
Propriedade IsSalary, 661
Propriedade Item, 517–518
Propriedade ItemCount, 541–542
Propriedade Method
ChangeMethodTransaction, 397–398
Employee, 420–421
LoadPaymentMethodOperation, 649
Propriedade Modem, 574–575
Propriedade Name
AddEmployeePresenter, 660
Employee, 419
Product, 541
ProductImpl, 523–524
ProductProxy, 523–524
Propriedade OrderId, 529–530
Propriedade PartNumber
Assembly, 562–563, 582
PiecePart, 564, 581–582
Propriedade PartNumberCount, 565–566
Propriedade Parts, 562–563, 582
Propriedade PhoneNumber
HayesModem, 572–573
LoudDialModem, 572–573
ModemDecorator, 574–575

Propriedade PieceCount, 561-562, 565-566
Propriedade Presenter
  AddEmployeeWindow, 670
  MockPayrollView, 678-679
  PayrollWindow, 683-684
Propriedade Price
  Product, 517-518, 541
  ProductImpl, 523-524
  ProductProxy, 523-524
Propriedade Quantity, 543-544
Propriedade QuantityOf, 542
Propriedade Refunds, 351
Propriedade Salary, 661
Propriedade SaveEnabled, 664-665
Propriedade Schedule
  ChangeHourlyTransaction, 396-398
  Employee, 419-421
Propriedade Score, 80-86, 89-90, 95-98, 108, 111-114
Propriedade Sku
  Product, 541
  ProductImpl, 523-524
  ProductProxy, 523-525
Propriedade SpeakerVolume
  HayesModem, 571
  LoudDialModem, 572-573
  ModemDecorator, 574-575
Propriedade SubmitEnabled
  AddEmployeeWindow, 672-673
  MockAddEmployeeView, 664-665
Propriedade Total
  Order, 515-516, 542
  OrderImp, 527-528
  OrderProxy, 529-530
Propriedade TransactionContainer
  AddEmployeePresenter, 662
  PayrollPresenter, 676
Propriedade TransactionsText
  MockPayrollView, 678-679
  PayrollWindow, 683-684
Propriedade View, 676
Propriedade Width, 155-161
Propriedade XmlElement
  XmlAssemblyExtension, 583-585
  XmlPiecePartExtension, 583-584
Propriedade YIntercept, 165-166
Propriedades
  em diagramas de classes, 262-264
  virtuais, 157-158
Pseudo-estados em diagramas de transição de estados, 219-220, 223-224

Pseudo-estados finais em diagramas de transição de estados, 223-224
Pseudo-estados iniciais em diagramas de transição de estados, 219-220, 223-224
Putrefação do software, 123-127

Q

Quotas sindicais e taxas de serviço
  implementando, 386, 388-389
  lançando, 364-365
  períodos de pagamento para, 412-415

R

Race, condições em diagramas de sequência, 245-246
Raskin, Jef, 653
Recibos de venda
  implementando, 385-386
  lançando, 363-365
Recortar e colar, repetição a partir de, 125-126
Reeves, Jack, 123
Refatoração, 63-64
  exemplo. *Consulte* Programa GeneratePrimes
  na programação extrema, 42-43, 45-47
Regras de negócio
  na interface do usuário, 657-658
  na persistência, 138-139
Regras do boliche, 119-120
Relacionamentos
  diagramas de colaboração para, 200-202
  em diagramas de classes, 198-199
Relacionamentos "Está conectado a", 256-257
Relacionamentos "realizes", 257-259
Relacionamentos de herança, 195-196
Relacionamentos É-Um, 155-156, 159-160
Relacionamentos todo/parte em diagramas de classes, 263-264
REP (Princípio da Equivalência Reutilização/Entrega)
  aplicando, 459-461
  descrição, 428-430
Repetição no projeto, 125-127
Representação XML para relatórios, 575-576
Requisitos na hora certa, 233-234

Requisitos na programação extrema, 39-40
Responsabilidade. *Consulte* Princípio da Responsabilidade Única (SRP)
Restrições, 31-32
Retângulos, desenhando, 611
Retorno
  cliente, 34-35
  da velocidade, 51-52
Reutilização
  Princípio da Equivalência Reutilização/Entregapara, 428-430
  Princípio da Reutilização Comum para, 429-431
Rigidez no projeto, 124-125
Ritmo sustentável
  na programação extrema, 43-44
  no desenvolvimento ágil, 36-37
Roletas
  diagramas de estados para, 201-202, 224
  instruções switch/case aninhadas para, 589-594
  máquinas de estados finitos para, 589-590
  padrão Monostate para, 348-353
  padrão State para, 596-600
  State Machine Compiler para, 601-609
  tabelas de transição para, 593-597
Roteiros, diagramas como, 206-208
RTC (tarefas de execução até a conclusão), 316-318

S

SAP (Princípio das Abstrações Estáveis), 442-446
SDP (Princípio das Dependências Estáveis), 437-443
Segurança em tempo de compilação, 450-451
Sêneca, 55
Separação
  de responsabilidades acopladas, 138-139
  por meio de delegação, 185-186
  por meio de herança múltipla, 186
Sequência principal
  distância da, 445-446, 464
  na abstração, 443-445
SGBDOO (sistema de gerenciamento de banco de dados orientado a objetos), 376-378, 422-423

SGBDR (sistemas de gerenciamento de banco de dados relacionais), 376-378, 422-423
Simplicidade
importância da, 37
na programação extrema, 44-46
para casos de uso, 233-234
Sinais de adição (+) em diagramas de classes, 255-256
Sincronismo em diagramas de sequência, 245-246
Síndrome da manhã seguinte, 431-432
Sistema ATM
diagramas de classes para, 258-261
exemplo de interface do usuário, 187-193
Sistema de folha de pagamentos, 359-360, 373
afiliações no, 371-372
banco de dados para. Consulte Base PayrollDataclasse
cartões de ponto no, 363-364, 381-386
empacotando. Consulte Componentes; Empacotamento
especificação para, 359-361
Factory para, 451-454
funcionários no
adicionando, 311-314, 361-363, 373-379
alterando, 365-368, 390-404
excluindo, 362-363, 379-381
pagando, 403-421
interface do usuário para. Consulte Interfaces de usuário
métricas para, 464-470
mudanças de classificação no, 393-404
Null Object para, 355-358, 388-389
padrão Command para, 311-314
pagamentos no. Consulte Pagamentos
programa principal, 420-422
recibos de venda no, 363-365, 385-386
taxas de serviço no, 364-365, 386-389
transações no, 311-314, 373-375
Sistemas de gerenciamento de banco de dados orientado a objetos (SGBDOO), 376-378, 422-423
Sistemas de gerenciamento de banco de dados relacional (SGBDR), 376-378, 422-423

Sistemas de ponto de venda, 233-235
Sistemas grandes, projeto de componentes em, 427-428
SMC (State Machine Compiler), 601-604
Sofrimento, zona de, 444
Software
entrega antecipada e contínua de, 35-36
modelos para, 203-204
putrefação, 123-127
Software chamado convenientemente, 55-56
Software passível de teste, 55-56
Spares
No boliche, 119-120
testando, 87-95
Spock, Mister, 513
Spoofing, 452-453
SQL Server, 615-616
SRP. Consulte Princípio da Responsabilidade Única (SRP)
State Machine Compiler (SMC), 601-604
Strikes no boliche, 119-120
Stroustrup, Bjarne, 77
STTs (tabelas de transição de estados), 224
Sub-estados em diagramas de transição de estados, 222
Substituição e subtipos. Consulte Princípio da Substituição de Liskov (LSP)
Super-estado cancelável, 222
Super-estados em diagramas de transição de estados, 220-223
Suporte do autor, 428-429
Suporte independente de plataforma, SINGLETON para, 343-344
SwitchableDevice, 176-177

T

Tabela Affiliation, 615-617
Tabela CommissionedClassification, 615-617
Tabela DirectDepositAccount, 615-617, 625-626, 628-628
Tabela Employee, 615-617
Tabela EmployeeAffiliation, 615-617
Tabela HourlyClassification, 615-617
Tabela PaycheckAddress, 615-617, 625-626, 628
Tabela PaymentClassification, 615-617
Tabela PaymentMethod, 615-617

Tabela PaymentSchedule, 615-617
Tabela SalariedClassification, 615-617
Tabela SalesReceipt, 615-617
Tabela TimeCard, 615-617
Tabelas de transição, 593-597
Tabelas de transição de estados (STTs), 224
Talfourd, Thomas Noon, 171
Tarefas
na programação extrema, 40-41
planejamento, 51-53
Tarefas de execução até a conclusão (RTC), 316-318
Taxas de serviço
implementando, 386, 388-389
lançando, 364-365
períodos de pagamento para, 412-415
TDD (desenvolvimento guiado por testes), 41-42, 55-56
TDGs na memória, 543-548
Teclado, programa Copy para, 127-133
Técnica de dispatch dual, 551-552, 556
Telefones celulares
código para, 213-215
diagramas de colaboração para, 209-212
diagramas de estados para, 209-210
evolução de diagrama para, 214-216
Tempo, projeto de relógio digital para, 477-499
Tennyson, Alfred, 355
Teste, 55
arquitetura casual no, 60-62
desacoplamento casual no, 59-60
desenvolvimento guiado por testes, 55-56
dispositivos, 452-454
isolamento no, 56-59
no Princípio do Aberto/Fechado, 148-150
programa GeneratePrimes, 65-66, 74-76
projeto com testes a priori, 55-57
testes de aceitação, 40-42, 59-62
Testes de aceitação
na programação extrema, 40-42
objetivo dos, 59-62
Testes de aceitação automatizados, 59-60
Testes de caixa branca, 59-60

ÍNDICE **735**

Testes de unidade
 limitações dos, 59-60
 para GeneratePrimes, 65-66
Texto em diagramas FSM, 224
Thomas, Dave, 91-92
Threads
 em diagramas de objetos, 228-232
 em diagramas de sequência, 251-253
Tipagem dinâmica *versus* estática, 450-452
Tokens de dados em diagramas de sequência, 200-201, 237-238
Traços (-) em diagramas de classes, 255-256
Transação ChgEmp, 373-375
Transações
 formulários para, 654-656
 padrão Command para, 311-314
 para banco de dados de folha de pagamentos, 628-628, 630-637
TransactionContainerTest, 683-685
Transições em diagramas de estados, 201-202. *Consulte também* Diagramas de estados
Transições pause em diagramas de transição de estados, 222

Transições reflexivas em diagramas de transição de estados, 220-221
Transparência
 MONOSTATE, 347
 SINGLETON, 343-344
Turnstile. *Consulte* Roletas.

U

UML. *Consulte* Unified Modeling Language (UML)
Unidades binárias, 427-428
Unified Modeling Language (UML), 195-198
 diagramas. *Consulte* Diagramas
 ferramentas CASE, 216-217
 para comunicação, 204-207
 para documentação final, 207-208
 para roteiros, 206-208
Utilitários de classe, 261-262

V

Validade no Princípio da Substituição de Liskov, 159-160
Validando estado de usuário, 219-220
ValidateHourlyPaycheck, 408-411

Variáveis de estado, escopo interno, 593
Variáveis em diagramas de classes, 255-256
Variável insertPaymentMethodCommand, 635-636
Velocidade
 de histórias de usuário, 50-51
 retorno da, 51-52
Vínculos físicos, 504-505
Viscosidade no projeto, 124-126
Vlissides, John, 321-322

W

Wiener, Lauren, 166-168
Wilkerson, Brian, 166-168
Williams, Laurie, 41-42
Wirfs-Brock, Rebecca, 166-168
WumpusGame, 55-57

X

XP. *Consulte* Programação extrema

Z

Zonas
 de exclusão, 443-444
 de inutilidade, 444
 de sofrimento, 444

Práticas da Programação Extrema

Equipe coesa
Todos os colaboradores de um projeto de XP, desenvolvedores, analistas de negócio, testadores etc., trabalham juntos em um espaço aberto, como membros de uma só equipe. As paredes de seu espaço ficam repletas de gráficos enormes e de outras evidências de seu progresso.

Jogo do planejamento
O planejamento é constante e progressivo. A cada duas semanas, ao longo das duas semanas seguintes, os desenvolvedores estimam o custo das funcionalidades (features) candidatas e os clientes escolhem quais serão implementadas com base no custo e no valor para o negócio.

Testes de aceitação
Como parte da escolha de cada funcionalidade desejada, os clientes definem testes de aceitação automatizados para mostrar que a funcionalidade está funcionando.

Projeto simples
A equipe mantém o projeto perfeitamente adaptado ao funcionamento atual do sistema. Ele passa em todos os testes, não contém duplicação, expressa tudo que os autores queriam expressar e contém o mínimo de código possível.

Programação em pares
Todo software de produção é criado por dois programadores, sentados lado a lado, na mesma máquina.

Desenvolvimento guiado por testes
Os programadores trabalham em ciclos muito curtos, adicionando um teste que falha e, então, fazendo-o funcionar.

Melhoria de projeto
O código deve ser mantido o mais limpo e expressivo possível.

Integração contínua
A equipe mantém o sistema totalmente integrado, o tempo todo.

Posse de código coletiva
Todo par de programadores pode melhorar qualquer código a qualquer momento.

Padrão de codificação
Todo o código do sistema parece ter sido escrito por uma só pessoa muito competente.

Metáfora
A equipe desenvolve uma visão comum do funcionamento do programa.

Ritmo sustentável
A equipe está comprometida no longo prazo. Ela trabalha intensamente, em um ritmo que pode ser mantido por um tempo indefinido. Ela conserva sua energia, tratando o projeto como uma maratona e não como uma corrida de fundo.

Manifesto para o desenvolvimento ágil de software

Estamos descobrindo maneiras melhores de desenvolver
software, fazendo-o nós mesmos e ajudando outros a
fazerem o mesmo. Com esse trabalho, passamos a valorizar:

Indivíduos e interações mais que processos e ferramentas
Software em funcionamento mais que documentação abrangente
Colaboração com o cliente mais que negociação de contratos
Resposta a mudanças mais que seguir um plano

Ou seja, mesmo havendo valor nos itens à direita,
valorizamos mais os itens à esquerda.

Kent Beck	Mike Beedle	Arie van Bennekum
Alistair Cockburn	Ward Cunningham	Martin Fowler
James Grenning	Jim Highsmith	Andrew Hunt
Ron Jeffries	Jon Kern	Brian Marick
Robert C. Martin	Steve Mellor	Ken Schwaber
Jeff Sutherland	Dave Thomas	

Princípios do manifesto ágil

- Nossa maior prioridade é satisfazer o cliente com a entrega antecipada e contínua de software de valor.
- Mudanças nos requisitos são bem-vindas, mesmo com o desenvolvimento já adiantado. Os processos ágeis canalizam a mudança para a vantagem competitiva do cliente.
- Entregar com frequência software funcionando, de poucas semanas a poucos meses, dando preferência à escala de tempo mais curta.
- Executivos e desenvolvedores devem trabalhar juntos diariamente ao longo de todo o projeto.
- Construir projetos com indivíduos motivados. Fornecer a eles o ambiente e o apoio necessários e ter confiança de que eles farão o trabalho.
- O método mais eficiente e eficaz de transmitir informações para e dentro de uma equipe de desenvolvimento é a conversa face a face.
- Software funcionando é a principal medida do progresso.
- Processos ágeis promovem o desenvolvimento sustentável. Os patrocinadores, desenvolvedores e usuários devem manter um ritmo constante indefinidamente.
- Atenção contínua à excelência técnica e ao bom projeto aumenta a agilidade.
- Simplicidade — a arte de maximizar o volume de trabalho que não precisou ser feito — é essencial.
- As melhores arquiteturas, requisitos e projetos emergem de equipes auto-organizadas.
- Em intervalos regulares, a equipe reflete sobre como se tornar mais eficiente e, então, adapta e ajusta seu comportamento de forma correspondente.

Princípios do projeto orientado a objetos

SRP
: Princípio da Responsabilidade Única (Single Responsibility Principle)
  Uma classe deve ter apenas um motivo para mudar.

OCP
: Princípio do Aberto-Fechado (Open-Closed Principle)
  As entidades de software (classes, módulos, funções etc.) devem ser abertas para ampliação, mas fechadas para modificação.

LSP
: Princípio da Substituição de Liskov (Liskov Substitution Principle)
  Os subtipos podem ser substituídos pelos seus tipos base.

DIP
: Princípio da Inversão de Dependência (Dependency Inversion Principle)
  As abstrações não devem depender de detalhes. Os detalhes devem depender das abstrações.

ISP
: Princípio da Segregação de Interface (Interface Segregation Principle)
  Os clientes não devem ser forçados a depender de métodos que não utilizam. As interfaces pertencem aos clientes e não às hierarquias.

REP
: Princípio da Equivalência Reutilização/Entrega (Release-Reuse Equivalency Principle)
  O grânulo da reutilização é o grânulo da entrega.

CCP
: Princípio do Fechamento Comum (Common Closure Principle)
  Em um pacote, as classes devem ser fechadas juntas em relação aos mesmos tipos de mudanças. Uma mudança que afete um pacote fechado afeta todas as classes desse pacote e de mais nenhum outro pacote.

CRP
: Princípio da Reutilização Comum (Common Reuse Principle)
  As classes de um pacote são reutilizadas juntas. Se você reutilizar uma das classes de um pacote, reutilizará todas elas.

ADP
: Princípio das Dependências Acíclicas (Acyclic Dependencies Principle)
  Não deixe ciclos no grafo de dependência de pacotes.

SDP
: Princípio das Dependências Estáveis (Stable Dependencies Principle)
  Depender na direção da estabilidade.

SAP
: Princípio das Abstrações Estáveis (Stable Abstractions Principle)
  Um pacote deve ser tão abstrato quanto é estável.